Ref
495.972
L968

JUL 28 '06

Lus Hmoob Txhais

(Hmong-English Dictionary)

OCLC RECORD

Copyright © 2003 - 2005 by **Jay Xiong**
ALL RIGHTS RESERVED. This publication is protected by federal copyright law. No part of this book shall be reproduced, translated, stored in a retrieval system, transmitted by any means, electronic, mechanical, photocopying, recording, or otherwise, without express written permission of the author.

This dictionary can be ordered from www.HmongDictionary.com

1st Edition published in February 2003
2nd Edition published in September 2005

Printed in the United States of America

ISBN **0-9726964-1-5**

Library of Congress Control Number: **2005907232**

CONTENTS

FOREWARD / LUS CEV

Nyob zoo ib tsoom phooj ywg. Kuv paub tias peb Hmoob feem coob yeej paub lus Hmoob zoo lawm, tabsis tshuav peb cov menyuam tseem tsis paub peb cov lus zoo. Tsis tag li no, peb Hmoob yog ib haiv neeg tsis muaj ib lub tebchaws uas yog peb li. Yog li no, ua rau peb haiv neeg Hmoob cov lus, txuj ci, thiab kev sibcuag ploj zuj zus mus txhua hnub. Peb Hmoob ib txwm tsis muaj ntawv nrog luag kawm thiab nrog luag sau. Yog li, peb hais lus, tham, thiab sau ntawv los tseem tsis tau zoo cuag li luag lwm haiv neeg uas muaj ntaub ntawv.

Yog li no, kuv thiaj muab peb cov lus sau thiab txhais ua ib phau ntawv hu ua Lus Hmoob Txhais. Cov lus nyob hauv phau ntawv no nws zoo li ib ceg ntoo ntawm ib tsob ntoo xwb. Txawm tias muaj peb cov lus tsis txhua los thov nej ho zam txim rau kuv thiab. Peb Hmoob cov lus tsis muaj cov lus txheeb lossis lus sibxws ntau li luag lwm haiv neeg li lus. Vim li no, muab lus Hmoob txhais yog ib yam kuv pom tau tias nyuaj heev.

Yog hnub twg peb Hmoob nyiam thiab xav tias phau Lus Hmoob Txhais no muaj nqis rau peb lawd, peb sawvdaws mam li sibpab txhim thiab kho kom zoo thiab tsim kom muaj ntau lo lus zuj zus mus ntxiv. Ntau~ lo lus hauv no, kuv xav tias, xyov pes tsawg lo thiaj yog peb ib txwm Hmoob lus tiag vim yog peb tsis muaj leej twg los muab sau cia thiab qhia tias yog li cas, txhais li cas, thiab yog leej twg tsim nyob rau tiam twg los lawm.

Tsis tag li no xwb, kuv los kuj xav tias yuav ntxiv thiab txhim kho yam puav kom zoo tshaj no, tabsis vim muaj coob leej twb ho tau tos los ntev thiab xav tau phau ntawv no los siv lawm thiab. Kev sau Lus Hmoob Txhais (dictionary) ces kuv xav tias ntshe yuav tsis muaj hnub xaus li vim ib xyoo tshiab ces yeej muaj ib co lus tshiab lawm thiab.

Kuv paub tias phau ntawv no tseem tsis tau muaj peb Hmoob txhua~ lo lus, tabsis kuv vam thiab ntseeg tias nws yog ib phau yuav pab tau cov neeg pib kawm lus Hmoob thiab muab Hmoob lus txhais ua lus Askiv. Yog tshuav tej lo lus twg nej xav kom kuv ntxiv, thov nej sau es-ntawv (email) tuaj rau kuv ntawm: Jayx@HmongDictionary.com.

Jay Xiong

Acknowledgements

Ua ntej tshaj plaws, kuv thov ua Huab Tais Tswv Ntuj tsaug vim muaj nws txoj kev hlub, pub thiab zam txim kuv thiaj muaj txoj sia thiab tswvyim los tsim tau phau ntawv no tiav. Txawm tias phau ntawv no tsis tau zoo meej los nws yog thawj kauj ruam uas sim muab peb cov lus coj los txhais.

Kuv Tsev Neeg / My Family

Ua tsaug ntau~ rau kuv tus pojniam, Naslis Yaj, vim muaj nws txoj kev txhawb thiab ua lub siab ntev~ kawg nkaus li. Yog tsis muaj nws, phau ntawv Lus Hmoob Txhais no yuav tsis tshwm sim.

Kuv Cov Menyuam / My Children

Tus ntxhais Maiv Nyiaj, tub Pov Hwm, thiab tub Tswv Vam Xyooj
Daughter Tiffany, Timothy and Thomas Xiong

Kuv Niam Thiab Kuv Txiv / My Parents

Vim yog muaj kuv niam thiab kuv txiv nkawv thiaj muaj kuv. Tus ntsuj yog Huab Tais Ntuj muab, tabsis yog tsis muaj nkawv ua hnub ua hmo khwv thiab tu, kuv yuav tsis loj hlob thiab tsheej ib leeg neeg. Kuv ua tsaug rau nkawv txoj kev hlub, pub, pab thiab cia kuv mus kawm ntawv puag thaum yau los. Kuv txiv hu ua Txoov Neeb Xyooj hos niam yog Xis Tsab Xyooj. Kuv yawg hu ua Vam Lis Xyooj. Kuv tus yawg koob hu ua yawg Ntawv thiab yawg Ntaub uas yog khiav puag pem Suav tebchaws los rau Lostsuas teb.

Niam Tais Thiab Yawm Txiv / Parents-in-law

Ua tsaug ntau~ rau kuv tus poj niam leej niam thiab leej txiv, Txhiaj Foom Yaj thiab Phuab Kwm Yaj. Yog tsis muaj nkawv ces phau ntawv no yuav tsis muaj hnub xaus. Vim yog muaj nkawv pab thiab zov kuv cov menyuam kuv thiaj li muaj sijhawm los sau phau ntawv no tiav. Tsis tag li no xwb, nkawv tseem qhia ntau lo lus Moob Leeg uas muaj nyob rau hauv no, thiab.

Cov Neeg Tau Pab Kuv

Txoov Neeb Xyooj........................Lus Hmoob thiab qauv siv.
Xis Tsab Xyooj.............................Ntau lo lus thiab npe tshuaj Hmoob.
Txhiaj Foom Yaj...........................Ntau lo lus thiab lus Hmoob Lees.
Phuab Kwm Yaj............................Ntau lo lus thiab lus Hmoob Lees.
Vaj Mim Kwm..............................Cov lus Hmoob uas hais txog qoob loo tej.
Vaj Txoo Yaj................................Tshoob kos thiab kev puv ib puas nees nkaum xyoo thiab ntau lo lus.
Xibfwb Paj Lug Xyooj..................Ntau lo lus thiab Hmoob tej kev cai dab qhuas.
Billy Vang.....................................Ntau lub suab thiab ntau lo lus.
Tom Hulbert..................................Pab kaw cov suab siv nyob rau hauv daim Software CD thiab txhais lus Askiv.
Txos Lauj......................................Ntau yam tswvyim thiab saib phau ntawv.
Teeb Lauj...................................... Pab tswvyim, xyuas thiab kho ntau lo lus.
John Yaj, Ph. D............................ Pab tswvyim, xyuas thiab kho ntau lo lus.
Donald Kronos, Ph. D.................. Pab lus Askiv thiab kho qhov Software CD.
Kelly Schneider............................ Pab txhais lus Askiv.
Jane Wong.................................... Pab txhais lus Askiv.
Tony Yang.................................... Pab saib thiab xyuas daim Software CD.

Thanks so much for all of your help and valuable times!

Ua tsaug ntau rau nej txoj kev pab thiab nej lub sij hawm!

Cov Neeg Uas Tau Pab Saib Lossis Xyuas Phau Ntawv No

Dr. Cas Lis, MD. Lee's Medical Clinic, Milwaukee, Wisconsin.
Dr. Nplooj Lis, DDS., Sheboygan, Wisconsin.
John Yang, Ph.D., Wisconsin.
Donald Kronos, Ph.D., Wisconsin.
Yang Dao, Ph.D., Minnesota.
Txos Lauj, Wisconsin.
Tub Muas Lis, Wisconsin.
Lauj Xyooj, Wisconsin.
Xibfwb Num Tuam Yaj, Wisconsin.
Xibfwb Kub Vaj thiab Nws poj niam, Wisconsin.
Teeb Lauj, Florida.
Sydney Chang, Wisconsin.
Kelly Schneider, Wisconsin.
Sandy Lorenz, Wisconsin.
Jane Wong, Wisconsin.

Cov neeg uas tau hais npe dhau los no, lawv tsuas yog pab saib thiab xyuas tias phau ntawv no puas yog ib phau uas yuav pab tau peb Hmoob lossis lwm tus neeg uas xav kawm lus Hmoob xwb. Lawv tsis tau hais, sau, thiab pom zoo tias, txhua yam kuv sau, txhais thiab hais nyob rau hauv no yog los ntawm lawv thiab lawv tau pom zoo.

ABOUT THE AUTHOR
(Hais Txog Tus Tswv Sau)

Jay Xiong was born in August 4, 1962 in a small village called Phoukhaokhuai, about 200 miles north of Vientiane, Laos. He finished grade 7th in Laos in 1977. He came to the United States in 1979 as a refugee and finished High School in 1982. In 1984 Mr. Xiong received his Associate Degree in Mechanical Design from Cleveland, Wisconsin. From 1984 to 1987 he worked as a Computer-Aided Drafter for one of the engineering firms in Sheboygan, Wisconsin. From 1987 to 1997 he worked as a Geographic Information Systems (GIS) Programmer for the same engineering firm where he developed GIS applications using Intergraph's User Command Language and Bentley Systems' MicroStation Developement Language. Mr. Xiong had extensive experience not only in the GIS, mapping and computer programming, but also in database design and facility management. From 1997 to current (2005) Mr. Xiong works as an Informix Database Administrator and Computer Programmer for one of the supermarket wholesalers and grocery retailers in Sheboygan, Wisconsin.

Currently, Mr. Xiong is pursuing his BS degree in Computer Science at Silver Lake College, Manitowoc, Wisconsin. Mr. Xiong speaks Hmong, Laos and English.

You can visit his dictionary online at: www.HmongDictionary.com

DISCLAIMER / TSIS LEES

While every effort has been taken to ensure the quality and accuracy of this dictionary, the author makes no guarantees. In no event shall the author be held liable for any damages, including general, special, incidental or consequential damages arising out of the use of this dictionary. Therefore, before applying any of these terms, please cross-reference with other Hmong dictionaries and/or consult with people who are fluent in the Hmong language.

Tus tswv uas sau phau ntawv no yuav tsis lav, tsis lees lossis tsis pab txog ib puas tsav yam uas yog muaj teebmeem, kev txhaum cai, thiab txhua yam uas muaj tshwmsim vim yog siv cov lus lossis siv phau ntawv Lus Hmoob Txhais no. Kuv yeej tau siv sijhawm ntau thiab ntev los saib, txhais thiab sau txhua lo lus kom yog, tabsis kuv yog neeg; yog li, kuv yuav qhia / lav tsis tau tias phau ntawv no yog ib phau zoo meej – perfect and/or error free. Yog li, ua ntej nej yuav siv cov lus muaj nyob hauv no, thov nej mus saib lwm phau ntawv uas muaj txhais lus Hmoob, thiab mus nug lwm tus neeg uas paub lus Hmoob zoo nej thiaj li tsis yuam kev thiab hais lus tsis txhaum lwm leej lwm tus neeg.

HOW TO USE THIS DICTIONARY
(KEV SIV PHAU LUS HMOOB TXHAIS)

Peb Hmoob cov lus tsis yog yooj yim vim peb tsis muaj ntau lo lus uas sib txheeb losyog txhais tau sib ze. Tsis tag li, peb tsis muaj ib phau ntawv qhia txog kev sau thiab kev txhais lus. Tsis tas li xwb, peb tseem siv ib lo lus mus hais thiab txhais tau ntau~ yam raws li nram no:

Cuab = hu kom los uas xwsli: *Nws cuab npua thiab cuab aub.*
Cuab = caws tos uas xwsli: *Nws cuab hlua thiab cuab nas.*
Cuab = lub cuab thiab lub yig, xwsli: *Nws lub cuab thiab lub yig*.

Peb tseem muaj ntau lo lus uas siv txawv cim tabsis txhais tib yam uas xwsli:

Hmoo thiab hmoov
Cav thiab ca
Leej txiv thiab leej txi
Neeg thiab neej

YUAV SIV PHAU NTAWV NO MUS LI CAS?

Cov lus nyob hauv phau ntawv no feem ntau tsis muaj sau sib txuas. Yog li ntawv, lo lus uas xws li **kwv tij** yuav nyob nram qab ntawm lo lus **kwv ntxawg**. Cov lus yog muab sau raws li A, B, C, D mus txog rau tus Z. Vim tias tus ntawv A yog me dua tus B; hos tus B me dua tus C li tej ntawv. Yog koj yuav nrhiav lo lus NCO, koj yuav tsum nthuav kom mus txog rau cov phab ntawv uas pib tus "NC". Thaum koj pom tus "NC" lawd, koj mam xam hauv qab kom pom lo lus NCA, NCE mus txog rau lo lus "NCO."

Tsis tag li no xwb, yog koj nrhiav tsis pom lo lus uas xws li "txi", koj yuav tau mus saib cov lus xws li "txiv, txij, thiab txis" seb puas phim zaj lus uas koj nyeem ntawv. Yog tias cov lus no ho tsis zoo li koj xav losyog tsis phim zaj lus, koj yuav tau saib lo ua ntej thiab lo tom qab ntawm lo koj tshawb ntawv thiab. Cov lus no kuj muaj xws li: **Tsaus ntuj**, **sawv ntxov**, thiab **kwv tij** ltn... Yog koj tshawb lo "tij" tej zaum yuav tsis muaj thiab yuav tsis yog li lo lus "kwv tij."

Nyob tom qab ntawm txhua~ lo lus yuav muaj cov ntawv zoo xws li nram no:

(u) = Ua. Yog muaj tus ntawv no, nws qhia tau tias lo lus no yog ib lo lus ua, xws li ***mus, noj, nyob, pw, zaum, sawv,*** thiab ***khiav*** li tej ntawv.

(nu) = Ntxiv ua. Cov lus no yog siv ua ntej ntawm lo lus ua (u). Xws li: Nws ***nyiam*** noj mov. Nws ***yuav*** mus.

(pu) = Piav ua. Cov lus no yog siv los piav txog lo lus ua (u). Xws li ***maj mam*** *noj mov. Nws* ***txhob txwm*** *ua. Nws mus ceev* ***heev*** *ltn...*

(p) = Piav txog. Siv los piav txog yam khoom losyog tej yam (y). Xws li: *Loj, liab,* ***dav, deb, zoo*** *ltn...* Piv txwv: *Lub tsev* ***loj****. Daim teb* ***dav.***

(tx) = Txuas. Cov lus no yog siv los txuas ob zaj lus losyog pib zaj lus mus. Cov lus (tx) muaj xws li: ***Thiab, vim*** *ltn...* Piv txwv: *Peb tuaj* ***vim*** *peb nco koj.*

(t) = Tswv. Siv los hais txog cov neeg, xws li ***Koj, kuv, nej, lawv, nws*** *ltn...* Piv txwv: ***Koj*** *mus qhov twg?* ***Nej*** *tuaj dab tsi?* ***Nws*** *tseem nco txog koj.*

(h) = Hom. Siv los hais ua ntej ntawm yam losyog hom khoom ntawv. Cov lus (h) muaj xws li ***lub, thaj, daim, tsob*** *ltn...* Piv txwv: *Ib* ***tsob*** *ntoo, ib* ***lub*** *txiv.*

(nth) = Nthe. Cov lus no siv rau lub caij nthe losis hais lus nrov tej. Piv txwv: *Hoeb, nab, nev ltn...* Piv txwv: *Nab, muab rau koj! Hoeb, koj tuaj thiab!*

(y) = Yam. Cov lus no yog siv rau yam, xws li: *Tsev, nkoj, riam, ntuj ltn...* Piv txwv: *Koj muaj ib lub* ***tsev****. Muab rab* ***riam*** *rau kuv. Ntau tus* ***npua.***

(r) = Rau. Cov lus no yog siv piav txog qhov chaw ntawm yam losyog tus tswv. Piv txwv: *Nws zaum* ***saum*** *txaj. Nws nyob* ***ntawm*** *kev. Nws pw* ***tom*** *teb.*

(lm) = Lus mos. Piv txwv: *Ua li* ***los****; tiag* ***ntag.***

(z) = Zaj lus. Piv txwv: *Zoo ntxov zoo rov.*

Txhua lo lus nyob hauv phau ntawv no muab txhais thiab siv raws li nram no:
teb (y) Piav txog lo lus teb. *Qauv siv:*

Teb yog ib lo lus.
(y) = Lo lus **teb** yog yam losyog tej yam.
Piav txog lo lus teb = Ib daim av losyog ib qhov chaw uas neeg siv los cog qoob loo tej.

Qauv siv = Muab los hais qhia tias yog siv mus li no, uas xws li: *Nws muaj ib daim teb pob kws. Nws mus tom teb.*

dab[1] (y) Piav txog lo lus dab[1]. *Qauv siv:*

dab[1] yog ib lo lus, thiab tseem muaj lo lus **dab**[2] losyog **dab**[3] ltn...
(y) = Lo lus **dab**[1] yog yam losyog tej yam.
Piav txog lo lus dab[1] = Ib lub tais uas xws li muab av losyog muab ntoo los ua tej. Xws li lub dab npuas, lub dab da dej ltn...
Qauv siv = *Nws tso tau ib dab dej. Nws muaj ib lub dab.*

Keej (u) <Lostsuas> Piav. *Qauv siv:*

Keej = yog ib lo lus.
(u) = yog ib lo lus ua.
<Lostsuas> = Qhia tau tias lo lus no yog lus Lostsuas lossis Nplog.

Tog (y) 1. Piav txog tog txhais yam ib. 2. Piav txog tog txhais yam ob.

Lo lus no txhais tau ob yam (y) siv. Yam ib yog lub losyog thooj ntoo uas neeg ua los zaum: *Zaum saum lub tog.* Yam ob, yog piav txog xws li ntu losyog qhov uas xws li tog loj thiab tog me: *Nws tau tog ntev hos peb tau tog luv.*

Tsis tag li no, yog muaj tus (u), nws tseem piv tau tias, lo lus no yog siv los qhia tias tog, xws li lub pob zeb tog rau hauv qab thu thiab.

<Lees> Yog qhia tias lo lus no yog lus Hmoob Lees. <Lostsuas> Qhia tau tias lo lus no yog lus Lostsuas. <Askiv> Yog lus Askiv losyog English. <Thaib> yog lus Thaib ltn... Cov lus uas muaj tus "*" nyob rau tom qab yog lus tshiab.

KEYS / ABBREVIATION

Hmoob	Xwsli	Askiv	Such as
(y) yam	tsev, npua, ntoo	(n) noun	house, pig, tree
(u) ua	mus, noj, zaum	(v) verb	go, eat, sit
(pu) piav ua	maj mam	(adv) adverb	slowly
(p) piav txog	daj, loj, ntev	(adj) adjective	yellow, big, long
(tx) txuas	thiab, tabsis	(conj) conjunction	and, but
(t) tswv	koj, kuv, lawv	(pron) pronoun	you, I, they
(h) hom	txoj, tus	(cl) classifier	
(nte) nthe	hwb!	(interj) interjection	oh!
(r) rau ntawm	ntawm, sauv	(pre) preposition	at, above
(nu) ntxiv ua	yuav, tau, mam	auxiliary verb	will, have
(z) zaj lus	zoo ntxov ces zoo rov	idiom, proverb	soon ripe soon rotten
(lm) lus mos	mog	no equivalent	

Cov Lus Tswv*

(Pronouns)

Hmoob Dawb	Piv txwv	English /Askiv	Hmoob Lees
Koj	Koj muab rau kuv.	You (single person)	Koj
Kuv	Kuv muab rau nej.	I	Kuv
Lawv	Lawv muab rau kuv.	They	Puab
Neb	Neb muab rau nws.	You (two persons)	Meb
Nej	Nej muab rau peb.	You (many of all)	Mej
Nkawv	Nkawv muab rau koj.	The two of them	Ob tug
Nyias	Nyias ua nyias noj.	One (i.e., one's life)	Nyag
Nws	Nws muab rau nej.	He, she or it	Nwg
Peb	Peb muab rau lawv.	We	Peb
Wb	Wb muab rau koj.	Us Two	Wb
Yus	Yus yog neeg zoo.	One	Yug
Luag	Luag muab rau peb.	They	Luas
Yawg	Yawg tuaj txog lawm.	He, man	Yawm
Pog	Pog hais lus zoo heev.	She, woman, lady	Puj

* Most common pronouns used.

Hmong language does not have possessive pronouns, i.e., your, yours, her, his etc... The pronoun stays the same, but placed and/or used as possessive pronouns, however.

Here are some English examples versus Hmong examples

Here are some English examples	Hmong examples
You gave it to me.	Koj muab rau kuv.
I gave it to them.	Kuv muab rau lawv.
They will come to us.	Lawv mam tuaj ntawm peb.
You asked them to help.	Koj thov lawv pab.

COV TSIAJ NTAWV

(Consonants)

C	Ch	D	Dl*	Dh	Dlh*	F	H
Hl	Hm	Hml	Hn	Hny	K	Kh	L
M	Ml	N	Nc	Nch	Ndl*	Nk	Nkh
Np	Nph	Npl	Nplh	Nq	Nqh	Nr	Nrh
Nt	Nth	Nts	Ntsh	Ntx	Ntxh	Ny	P
Ph	Pl	Plh	Q	Qh	R	Rh	S
T	Th	Ts	Tsh	Tx	Txh	V	X
Xy	Y	Z					

* Hmoob Lees siv xwb. Consonants used by Hmong Leng

Cov Tsiaj Ntawv Tshiab / Potential New Consonants

Dr = Such as the English drive, drink etc...
Khr = Such as the English Kris.
Pr = Such as the English price, pray etc...
Xz = Such as the English zoo, zip, zone etc...

Cov Tsiaj Ntawv Uas Ib Txhia Hmoob Siv – Muab Hloov
Some of the modified/new Consonants

Ntawv tshiab	Los hloov tus	New Consonant	Replace Existing
B	NP	B	NP
BL	NPL	B	NPL
J	NTS	J	NtS
JH	NTSH.	JH	NTSH
G	NK.	G	NK
GH	NKH	GH	NKH

These are the suggestions made by some people as well as the new writing style used by some Hmong people that live in the United States.

SUAB

(Vowels)

A	AI	AU	AW	E	EE	I	IA
O	OO	U	UA	W	AA*		

*Hmoob Lees siv xwb. Vowel Used By Hmong Leng

Potential New Vowels

IO = Such as English Leo.
OE = Such as English toe, so
UE = Such as English oo-ay
UI = Such as English quit.
WA = Such as the Laotian word khib nywab (garbage), for example.

CIM
(Tones)

Ko**J**	Mu**S**	Ku**V**	Nia**M**	Nee**G**	Sia**B**	Zoo*	To**D****

* Has no tone marker after the word.
* Tsis muaj tus cim lossis tsis sau dabtsi rau tom kawg li. Xwsli cov lus uas:
Ua Si Zoo Dua Li (example of words without tone markers).
** People rarely use this tone marker. Neeg tsis tshua nyiam siv tus cim no.
See below for samples and explanation. Saib qauv siv nram qab.

Lus Hmoob muaj yim (8) lub suab (tones), tabsis kuv ntseeg tias peb muaj ib lub suab seev, xwsli nram no:

Koj tuaj los + v ces muab sau ua "Koj tuaj los^."
Yog nws ntag + v ces muab sau ua "Yog nws ntag^."

Tus cim Kuv thiab tus cim Tod muaj ntsis hais sibxws, tabsis tus cim Tod mas pib ntawm tus cim Niam ces xaus rau tus cim Kuv, xwsli: *Nws nyob tod (M + V)*.

There are about eight commonly used tones in the Hmong language; however, I believe the base tones are probably just seven. The reason I say that is the tone Tod is no different than some of the words such as "ntag+v, los+v, li+v, niam+v." The tone Tod is mostly used to identify and/or specify locations; however, the speaker can still use the tone Kuv if he or she so desires. The following examples are acceptable to most Hmong:

Use the **Kuv** tone		Use the **Tod** tone
Kuv nyob nrav.	is the same as	Kuv nyob nrad.
Nws mus tiv.	is the same as	Nws mus tid.
Nws nyob tov.	is the same as	Nws nyob tod.

Thov Muab Phau Ntawv No Rau Txhua Leej Uas Ntshaw Thiab Xav Kawm Txog Lus Hmoob.

Hmoob Yog Ib Haiv Neeg Uas Tsis Muaj Tebchaws, Tabsis Hmoob Lub Siab Dav Tshaj Lub Ntuj, Thiab Hmoob Txuj Tob Tshaj Lub Qab Thu Hiavtxwv.

Txujci Tsis Qhia Ces Yuav Pawv; Ntaub Ntawv Tsis Sau Cia Ces Yuav Ploj.

Hmoob Lus Hais Thiaj Kho Hmoob Siab; Hmoob Ntawv Sau Thiaj Kho Hmoob Plawv.

Rua Muag Ces Thiaj Pom Ntuj; Rua Siab Ces Thiaj Pom Txuj.

© 2003 Jay Xiong. All rights reserved.

~ (y) Tus ntawv, cim heev, xwsli sau txuas thiab tso tomqab ntawm lo lus, thiab txhais tias yuavtsum hais lo lus ntawv ib zaug ntxiv, xwsli "zoo zoo" ces muab sau ua zoo~; "phem phem" ces sau ua phem~.
[English] *(n) A character used to place at the end of certain word to indicate to a reader that this word must be repeated one more time.*

! (y) Ib tus ntawv, cim nthe, uas yog siv rau tom kawg ntawm zaj lus, thiab qhia rau tus neeg nyeem paub tias lo lossis zaj lus yuavtsum hais kom nrov lossis nthe: *Nab, koj khaws mus!*
[English] *(n) An exclamation point. Used at the end of a normal interjection, or placed at the end of a statement for emphasis.*

^ (y) Tus cim seev. Tus cim no siv los ntxiv rau tom kawg ntawm lo lus thiab qhia rau tus neeg nyeem paub tias lo lus no yuavtsum xaus rau lub suab seev: *Los^, li^, tag^ thiab niam^ ltn...*
[English] *(n) A tone modifier '^' placed after the normal tone marker to indicate to the reader that the word has an upward ending sound. For example, the Hmong word "tod" could alternatively be spelled "tom^" since the "d" tone marker indicated the same tone as the "m" tone marker except with an additional short upward tone ending.*

; (y) Ib tus ntawv, cim quas zaj lus, uas yog siv los qhia tus neeg nyeem paub tias nws yuavtsum nres mentsis es mam li nyeem ntxiv. Xwsli "Koj tuaj txog lawm; ua rau peb txhua leej zoo siab heev."
[English] *(n) Semicolon.*

, (y) Ib tus ntawv, cim quas lo lus, uas yog siv los qhia rau tus neeg nyeem paub tias ib lo lus nws tsis txuas rau lwm lo lus. Xwsli "Cov kwv, tij, neej tsa."
[English] *(n) Comma.*

. (y) Ib tus ntawv, cim xaus zaj lus, uas siv los qhia rau tus neeg nyeem paub tias zaj lus xaus lawm. Xwsli "Nyob zoo cov kwv, tij, neej tsa, thiab phooj ywg. Kuv tshua nej sawvdaws kawg li mog."
[English] *(n) Period.*

? (y) Ib tus ntawv, cim nug, uas siv rau tom kawm ntawm zaj lus los qhia rau tus neeg nyeem paub tias tus sau muaj ib zaj lus nug: *Koj nyob lub zos twg?*
[English] *(n) A question mark.*

© 2003 Jay Xiong. All rights reserved.

0 (y,p) Tus ntawv suav "voj" xwsli tsis muaj dabtsi: *6 - 6 = 0.*
[English] *(n,adj) Zero.*
1 (y,p) Tus ntawv suav "ib" uas nyob nruab nrab ntawm tus 0 thiab tus 2.
[English] *(n,adj) One.*
2 (y,p) Tus ntawv suav "ob" uas nyob nruab nrab ntawm tus 1 thiab tus 3.
[English] *(n,adj) Two.*
3 (y,p) Tus ntawv suav "peb" uas nyob nruab nrab ntawm tus 2 thiab tus 4.
[English] *(n,adj) Three.*
4 (y,p) Tus ntawv suav "plaub" uas nyob nruab nrab ntawm tus 3 thiab tus 5.
[English] *(n,adj) Four.*
5 (y,p) Tus ntawv suav "tsib" uas nyob nruab nrab ntawm tus 4 thiab tus 6.
[English] *(n,adj) Five.*
6 (y,p) Tus ntawv suav "rau" uas nyob nruab nrab ntawm tus 5 thiab tus 7.
[English] *(n,adj) Six.*
7 (y,p) Tus ntawv suav "xya" uas nyob nruab nrab ntawm tus 6 thiab tus 8.
[English] *(n,adj) Seven.*
8 (y,p) Tus ntawv suav "yim" uas nyob nruab nrab ntawm tus 7 thiab tus 9.
[English] *(n,adj) Eight.*
9 (y,p) Tus ntawv suav "cuaj" uas nyob nruab nrab ntawm tus 8 thiab tus 10.
[English] *(n,adj) Nine.*
10 (y,p) Tus ntawv suav "kaum" uas nyob nruab nrab ntawm tus 9 thiab tus 11.
11 ces yog sau kaum-ib; 19 ces yog sau kaum-cuaj.
[English] *(n,adj) Ten.*
20 (y,p) Tus ntawv suav "nees nkaum" uas nyob nruab nrab tus 19 thiab 21.
[English] *(n,adj) Twenty.*
30 (y,p) Tus ntawv suav "pebcaug" uas nyob nruab nrab tus 29 thiab 31.
[English] *(n,adj) Thirty.*
40 (y,p) Tus ntawv suav "plaubcaug" uas nyob nruab nrab tus 39 thiab 41.
[English] *(n,adj) Forty.*
50 (y,p) Tus ntawv suav "tsibcaug" uas nyob nruab nrab tus 49 thiab 51.
[English] *(n,adj) Fifty.*
60 (y,p) Tus ntawv suav "raucaum" uas nyob nruab nrab tus 59 thiab 61.

© 2003 Jay Xiong. All rights reserved.

[English] (n,adj) Sixty.

70 (y,p) Tus ntawv suav "xyacaum" uas nyob nruab nrab tus 69 thiab 71.
[English] (n,adj) Seventy.

80 (y,p) Tus ntawv suav "yimcaum" uas nyob nruab nrab tus 79 thiab 81.
[English] (n,adj) Eighty.

90 (y,p) Tus ntawv suav "cuajcaum" uas nyob nruab nrab tus 89 thiab 91.
[English] (n,adj) Ninety.

a[1] (y) 1. Ib tus ntawv siv rau cov lus xwsli ab, av ltn... 2. Ib lub suab siv rau cov lus xwsli hma, hla, nqa ltn... Hmoob Lees siv "aa".
[English] (n) 1. A letter used for words such as "ab, av." 2. A Hmong vowel used in words having a vowel sound equivalent to that of the American English "short o" sound found in words like "cop, ma, ah, pa" etc...

a[2] (y) Daim av. Feem ntau yog siv lo "av" xwb: *Tej a zoo heev.*
[English] (n) Land, soil, dirt. Variant of "av."

aa (y) <Lees> 1. Ib tus ntawv siv rau cov lus xwsli aab, aav ltn... 2. Ib lub suab siv rau cov lus xwsli hmaa, hlaa, nqaa ltn... Hmoob Dawb siv tus ntawv "a".
[English] (n) <Leng> 1. A letter used for words such as "sung, lung." 2. A vowel used for Hmong words having similar sound to "sung, lung" etc...

ab[1] (y) Tus menyuam mos losyog tseem me: *Muab koj tus ab rau kuv puag.* (q) Siv rau lub caij ntshai losyog txhawj: *Ab, cas tsis pom nws tuaj li!*
[English] (n) Baby, infant, child, kid. (interj) Oh!

ab[2] (u) <Lees> Iab: *Ib lub dlib ab.*
[English] (v) <Leng> Bitter.

abme (y) Tus menyuam; tus neeg uas tseem yau: *Nws yog kuv tus abme.*
[English] (n) Baby, infant, child.

abtsi[1] (t) Dabtsi; ib yam twg ntawm ntau yam: *Abtsi nyob ntawv?* (p) Piav txog xwsli ib yam twg ntawm ntau yam: *Nws nyob lub zos abtsi?* (y) Ib yam; ib hom uas xwsli khoom ltn... *Nws tsis muaj abtsi li.* Abtsi thiab dabtsi neeg kuj siv muslos thiab txhais tibyam xwb.
[English] (pron, adj, noun) What.

abtsi[2] (pu) Muaj ntau; muaj coob losyog cuag li cas: *Yoov ya cuag abtsi.*
[English] (adv) Everywhere, numerously. Example: The flies are everywhere.

© 2003 Jay Xiong. All rights reserved.

ai (y) Ib lub suab siv rau cov lus xwsli hais, chais, dais ltn...
[English] (n) A vowel used for words having similar sounds to "why, thai, lie"

aib (y) <Lostsuas> Tus tij laug; tus txiv neej uas hlob yus: *Nws yog kuv tus aib.* (t) Hmoob kuj siv lo lus no los txhais tias tus: *Aib uas hnav lub ris dub.*
[English] (n, pron) <Laotian> Mister, guy, man, he.

aib yaj (nth) Siv rau lub caij uas xwsli muaj tej yam khoom poob, plam losyog tawg: *Aib yaj, kuv muab ua tawg lawm lauj!*
[English] (interj) Oops! Used when something breaks or falls.

aim (u) Deev, xoom uas xwsli thaum tus txiv dev xoom tus maum dev lub pobtw: *Tus txiv dev aim tus maum dev.* Lo lus no siv rau cov tsiaj muaj qau xwb.
[English] (v) To have sexual intercourse with.

aiv[1] (u) Me, tsis loj, yau heev: *Nws tseem aiv heev.* (p) *Nws muaj ib tus menyuam aiv.* Feem ntau lo lus no yog siv tuaj tomqab ntawm lo "me" xwsli me aiv losyog me~ aiv xwb. Lus rov: *Loj.*
[English] (v,adj) Small, little, tiny. Ant: Big, large, huge.

aiv[2] (u) Ua rau mob xwsli yog sab ntsuj plig; feem ntau, yog vim muaj kev ntshai lossis yog ceeb tej: *Muaj tej yam aiv nws.*
[English] (v) Having illness or sickness caused by fear or anxiety.

am phib (nth) Ib lo lus siv rau lub caij chim losyog ntxub lwm tus neeg. Feem ntau, ua lub suab txuam rau thaum nti cov aub ncaug xwb; phib: *Am phib!*
[English] (interj) A word used when spitting because of hatred or disgust.

as (nth) Siv rau lub caij uas tsis paub losyog tsis nco zoo lawm: *As, tsis pom nyob nov thiab! As, cas koj lam muab rau kuv!* (pu) Piav txog yam uas xwsli tsis paub tias yog vim li cas: *Tsis pom dabtsi li as.*
[English] (interj,adv) Oh, hey.

ascas (y) <Lostsuas> 1. Tus neeg uas txawj lossis paub tej yam heev. 2. Tus neeg uas kawm ntawv tiav xwsli 17 xyoo rov sauv: *Nws yog lawv tus ascas.*
[English] (n) <Laotian> 1. Master, expert, specialist. 2. Professor.

asdais (u) Txeeb, nyiag, mus muab lwm tus li los ua yus li: *Nws asdais lawv ib pob khoom. Nws asdais lawv qhov chaw.*
[English] (v) Acquire, possess; to take ownership of someone's belongings.

askaj (y) <Lostsuas> Huab cua: *Tagkis askaj yuav sov heev.*

© 2003 Jay Xiong. All rights reserved.

[English] (n) <Laotian> Weather, climate.

Askiv (p,y) <Askiv> Lo lus tiag yog "English" no. 1. Piav txog cov lus xwsli cov neeg Miskas siv. 2. Lub tebchaws, lossis cov neeg uas nyob rau tebchaws Askiv: *Neeg Miskas hais lus Askiv xwb.*
[English] (adj,n) 1. English. 2. England.

asmees (nth) <Askiv> Ib lo lus siv tuaj tom kawg ntawm zaj lus, xwsli txhais tias pom zoo losyog ua li: *Thov kom Huabtais Ntuj hlub peb txhua leej, asmees.*
[English] (interj) Amen. Expression of agreement or acknowledgement, and often used at the end of a prayer.

asthiv (y) <Lostsuas> Lub lispiam; lub caij nyoog uas muaj xya hnub; lim tiam.
[English] (n) <Laotian> Week.

au (y) Ib lub suab uas siv rau cov lus xwsli laus, ncauj, ntau ltn...
[English] (n) A vowel used for words having sounds such as "cow, how" etc...

aub[1] (y) Tus dev; tus tsiaj uas zoo li hma tabsis yog tsiaj nyeg; dlev: *Nws muaj ob tus aub. Aub thiab dev yog tib hom tsiaj xwb.*
[English] (n) Dog.

aub[2] (y,p) Ib txhia neeg kuj siv lo lus no los piav txog qee leej neeg uas phem lossis tsis tsim txiaj: *Nws yog aub xwb.*
[English] (n,adj) (slang) Use to label an obnoxious and/or very bad person.

aub[3] (u) <Lees> Muab ev; muab tso rau saum nrob qaum: *Nwg aub dlaim choj.*
[English] (v) <Leng> To carry, something, on the back, esp. of a person; to ride on the back of a person.

aub ncaug (y) Cov kua uas muaj nyob rau hauv tsiaj thiab neeg lub qhov ncauj: *Nws noj qaub ua rau kuv los aub ncaug.*
[English] (n) Saliva.

auv (u,p) Cov xwsli faj suab losyog huab uas ua rau tsaus lossis tsis pom kev zoo: *Cov faj suab auv vim tsis los nag tau ntau hli lawm.* Lus rov: *Kaj, huv.*
[English] (v) Haze or mist. (adj) Hazy, misty.

av[1] (y) 1. Daim uas xwsli tej cag xyoob thiab cag ntoo nyob hauv: *Txhua tsob ntoo tuaj ntawm daim av.* 2. Cov hmoov uas yog los ntawm daim av.
[English] (n) Dirt, land, soil.

av[2] (nth) Ib lo lus siv rau thaum yus hais lus teb lwm tus neeg: *Av, kuv tsis pom!*

© 2003 Jay Xiong. All rights reserved.

[English] (interj) Oh, hey.

av liab[1] (y) Cov av uas muaj tsuas liab: *Ib thaj av liab.*

[English] (n) Red soil or dirt; red clay.

Av Liab[2] Ib lub npe zos uas nyob ze xeev Veescas, tebchaws Lostsuas.

[English] The name of a city near the province of Vientiane, Laos.

av luaj (y) Daim av; av: *Tsis yog av luaj quas ces yeej yuav sis ntsib dua.*

[English] (n) Dirt; certain kind of soil or dirt.

av nkos (y) Cov av uas muaj dej txuam xwsli ua rau nkos losyog nplaum: *Npua nyiam da av nkos heev.*

[English] (n) Mud, such as dirt (soil) mixed with water.

av qeeg (y) Thaum av ntiajteb txav losyog tshee vim txheej av tawv hauv lub ntiajteb no plam losyog tawg tej: *Av qeeg ua rau vajtse vau ntau heev.*

[English] (n) Earthquake.

av tsij (pu) Kav tsij; maj ua; ua ceev losyog sai: *Koj av tsij noj mov.*

[English] (adv) Hurriedly, quickly.

av zom (y) Cov av uas txuam dej, muag thiab zom heev. Feem ntau yog muaj nyob rau hauv tej hav iav: *Tus twm daig hauv lub pas av zom.*

[English] (n) Quicksand; a bed of loose sand or mud mixed with water.

aw (y) Ib lub suab uas siv rau cov lus xwsli lawv, sawv, daws ltn...

[English] (n) A vowel used for Hmong words such as "lawv, sawv, daws" etc...

awb[1] (u) Ruam, tsis paub; tsis ntse; tsis txawj: *Nws awb tshaj koj.* Lus rov: *Ntse, paub, txawj.* (p) *Qhia tus neeg awb tsis yooj yim.* Lus rov: *Ntse, txawj, paub.*

[English] (v) Being dumb or stupid. (adj) Stupid, dumb; slow to learn or understand; mentally retarded. Ant: Smart, wise, intelligent.

awb[2] (y,pu) Lub suab thaum dev tom, tsem losyog dev quaj.

[English] (n,adv) Bark, such as a sound uttered by a dog.

awb yawj (nth) Ib lo lus siv los pib losyog teb: *Awb yawj, kuv tsis vam li lawm!*

[English] (interj) Oh, oh well!

aws[1] (u) Muab ua losyog hom cia; xub tam losyog tsim ib yam cia tias yog yus li lawm: *Nws mus aws lub roob tias yog nws thaj teb.*

[English] (v) To mark or claim (a land, for example) as one's property.

aws[2] (u) Kam, yeem, pom zoo: *Nws twb aws lawm.*

© 2003 Jay Xiong. All rights reserved.

[English] (v) Yes, okay, agree.

aws[3] (pu) Yog li; ua li; pom zoo li. Feem ntau yog siv los teb lwm tus tias yus pom zoo lossis kam lawm: *Aws, kuv mam li mus.*

[English] (adv) Yes, okay, agree.

aws[4] (y) Ib hom mob uas feem ntau yog ua rau xwsli cov qaib thiab cov npua tuag thoob zos losyog yuav luag tu noob: *Cov qaib mob aws.*

[English] (n) Certain kind of contagious and harmful disease that can kill poultry or animals through an entire city.

aws iam (p) Piav txog xwsli thaum ntuav ntau heev: *Nws ntuav aws iam ib hmos.*

[English] (adj) Of, relating to, throwing up; vomitive.

awv (nth) Siv rau lub caij ntshai xwsli thaum muaj tej yam tawg lossis puas lawm: *Awv, koj muab ua puas lawm!*

[English] (interj) Oh, hey

b (y) 1. Ib tus cim siv rau cov lus xwsli neb, pab, peb ltn... 2. Ib tus ntawv tshiab uas ib txhia Hmoob siv los hloov tus ntawv "np." Xwsli lo lus "npua" ces yog muab sau ua "bua"; "npauj" muab sau ua "bauj" ltn...

[English] (n) 1. A tone marker used for the Hmong words that have the highest tones or sounds. 2. A consonant used by some Hmong to replace the existing "np" consonant.

bl (y) Ib tus ntawv tshiab uas ib txhia Hmoob siv los hloov tus ntawv "npl." Xwsli lo lus "nplua" ces yog muab sau ua "blua"; "nplaum" muab sau ua "blaum" ltn...

[English] (n) A consonant used by some Hmong to replace the existing "npl" consonant.

blh (y) Ib tus ntawv tshiab uas ib txhia Hmoob siv los hloov tus ntawv "nplh." Xwsli lo lus "nplhaib" ces yog muab sau ua "blhaib."

[English] (n) A consonant used by some Hmong to replace the existing "nplh" consonant.

c (y) Tus ntawv cos uas siv rau cov lus xwsli cia, cuam, coob ltn...

[English] (n) A consonant used for Hmong words such as "cia, cuam coob."

ca[1] (y) Yav cav; tus ntoo uas vau rau hauv av thiab qhuav lawm: *Hauv qab ca.*

[English] (n) Log, such as a felled tree.

ca[2] (u) <Lees> Cia; cia rau: *Ca nwg moog tsev.*

© 2003 Jay Xiong. All rights reserved.

[English] (v) <Leng> Let, permit, allow.

cab[1] (y) Cov cua nab; cov kab me uas zoo li cua nab, tabsis yog muaj nyob rau hauv neeg lossis tsiaj lub cev tej: *Tus npua muaj cab ntau heev.*

[English] (n) Parasite, esp. the worm like organism.

cab[2] (y) Cov cua nab; cov kab uas luaj li rawg tej thiab ntev li ib dos, thiab nyiam nyob hauv av: *Neeg siv cab los nuv ntses.*

[English] (n) Worm, night crawler, earthworm.

cab[3] (u) Muab rub lawv qab; muab hlua khi thiab lawv losyog ua kom mus: *Nws cab tus npua; kuv cab tus nyuj.*

[English] (v) Tow; to pull or drag behind.

cag (y) Cov tej tus uas tuaj ntawm lub hauvpaus ntoo mus rau hauv av; caj: *Ntoo muaj cag ntau heev. Khawb cag ntoo los ua tshuaj.*

[English] (n) Root, such as the root of a tree.

cai (y) Txoj kev ncajncees; kev yog; kevcai: *Nws ua txhaum txoj cai.*

[English] (n) Law, rule, policy.

caij[1] (u) 1. Zaum thiab muab ob txhais ceg mus tais: *Nws caij tus nees.* 2. Nyob rau sauv losyog nyob rau hauv xwsli lub tsheb: *Peb caij lub tsheb.* 3. Quab yuam: *Nom niaj hnub caij pejxeem.*

[English] (v) 1. To ride on (a horse, for example). 2. To ride on or to be inside (of a bus, for example). 3. Control, manipulate.

caij[2] (y) Sijhawm; thaum uas ntawv; tamsim ntawv: *Lub caij koj hu tuaj kuv tseem noj mov.*

[English] (n) Moment, time.

caij[3] (y) Plaub lub sijhawm uas muaj nyob hauv ib xyoos, xwsli caij ntujso, caij ntujnag, caij ntujno ltn....

[English] (n) Season (summer, for example).

caij nyoog (y) Lub sijhawm; lub caij: *Peb xav nyob ntev, tabsis peb tsis muaj caij nyoog ntau.* Neeg kuj siv tias lub caij, lub nyoog no thiab.

[English] (n) Time. Example: We don't have time to do that.

cais (u) 1. Tsis pub nyob uake; tsis sibkoom; muab kem: *Nws muab cov qaib cais tawm ntawm cov os.* 2. Cais vim yog tsis nyiam: *Lawv cais peb cov qhua.*

[English] (v) 1. Separate, divide, split. 2. Discriminate.

© 2003 Jay Xiong. All rights reserved.

caiv (u) 1. Tsis tawm mus nraum zoov losyog tsis mus qhov twg vim yog ntshai dab losyog ntshai muaj mob tej: *Lawv caiv peb hnub thiab peb hmos.* 2. Noj losyog ua tsis tau: *Ib txhia neeg caiv lub plawv. Ib txhia caiv lub nthab.*
***[English]** (v) 1. To restrict; to prohibit. 2. To fast or abstain from food.*

caj[1] (h) 1. Pawg, pab, tsev: *Caj Hmoob nquag.* 2. Cag, ntiv xwsli qhiav: *Caj qos.*
***[English]** (n) 1. Group, certain kind of. 2. Root (of tree or plant, for example).*

caj[2] (y) Qhov chaw uas siab thiab me: *Txhua lub roob yuav tsum muaj ib tus caj.* (h) Txoj, tus, yav: *Ib caj quav tsov.*
***[English]** (n) Ridge. (cl) Used to classify any string like objects.*

caj[3] (u) <Lees> Ciaj, xwsli muaj sia loj thiab hlob tuaj mus.
***[English]** (v) <Leng> Live, such as to be alive or living.*

caj[4] (y) <Lees> Ciaj, xwsli tej ciaj kho tsheb li tej ntawv.
***[English]** (n) <Leng> Tools, pliers etc...*

caj ces (y) Pab, pawg, yam, hom, ces: *Nws los ntawm caj ces zoo.*
***[English]** (n) Clan, origin, group, family background.*

caj dab (y) 1. Yav uas nruab nrab ntawm lub tobhau thiab ob lub xubpwg: *Tus os lub caj dab ntev heev. Hmoob coj xauv rau ntawm lub caj dab.* 2. Ntu uas tuav losyog txuas ob yam kom nyob uake.
***[English]** (n) 1. Neck. 2. Joint. 3. The part or piece that connects two or more pieces together.*

caj dab tshos (y) Qhov chaw ntawm lub tsho uas yog xaws los hnav rau ntawm lub cajdab: *Nws lub caj dab tshos me heev.*
***[English]** (n) The part of a garment that encircles the neck; collar.*

caj npab (y) Ntu nruab nrab ntawm txhais tes thiab lub xubpwg; ntu uas txij li pem lub qijtes mus txog ntawm lub xub pwg; npab: *Neeg ob txhais caj npab.*
***[English]** (n) Arm (of a human being, for example).*

caj npab ntug (y) Ntu caj npab uas txuas rau lub xubpwg.
***[English]** (n) The upper part of the arm.*

caj ntswm (y) Tus caj uas tawm ntawm neeg lub hauv pliaj mus xaus ze rau ntawm lub qhov ncauj: *Neeg muaj ib tus caj ntswm.*
***[English]** (n) Nose, ridge, such as the ridge of a nose.*

caj pas (y) Ntu uas nruab nrab ntawm lub tobhau thiab lub hauvsiab: *Nws nyem*

© 2003 Jay Xiong. All rights reserved.

qaib lub caj pas.
***[English]** (n) Throat.*

caj qaum (y) Tus caj uas yog nyob raws neeg lub nrobqaum: *Nws tus caj qaum.*
***[English]** (n) Backbone.*

caj qwb (y) Ntu losyog yav cajdab uas nyob puab sab nrobqaum: *Tus menyuam caij nws txiv lub caj qwb.*
***[English]** (n) The back part of the neck.*

caj tw (y) Tus caj uas nyob rau nram lub pobtw: *Nyuj tus caj tw siab heev.*
***[English]** (n) Tailbone, coccyx*

cam[1] (u) Muab xwsli txhuas mus nplaum losyog lo rau lwm yam hlau; muab ob yam losyog ob daim los puab uake; muab siblo: *Nws cam lub qab thoob.*
***[English]** (v) To solder; to affix, bond or glue.*

cam[2] (u) Tsis pomzoo; tsis yeem; cav: *Nws cam vim nws tsis nyiam.*
***[English]** (v) Argue, disagree.*

cam thawj (u) Tawv ncauj, tsis yeem; tsis pomzoo: *Nws camthawj dhau.* (p) *Nws yog ib tus neeg cam thawj.*
***[English]** (v,adj) Argue, disagree.*

cas (pu) Vim li cas; tim yam losyog qhov twg: *Cas koj tsis mus tsev? Cas koj tsis hu peb?* (p) Ntau npaum li; zoo xwsli: *Nws yuav npaum cas?*
***[English]** (adv) Why, how come. (adj) Much, such as how much?*

cau[1] (u) Khoov, rawv; nkhaus xws li rau hauv av: *Lub qabtsuas cau.* (p) Yam uas cau ntawv.
***[English]** (u) Protrude, overhang; to incline downward or over, esp. the top part or portion. (adj) Thing that is protruded.*

cau[2] (y) Txhais tes; tes: *Cov neeg khaus cau.* Ib lo lus siv rau thaum chim xwb.
***[English]** (n) Hand (of a human, for example). This is an obscene word.*

cau pliaj (u) Tus neeg uas nws lub hauvpliaj tawm deb tshaj nws tus cajntswm. Feem ntau, yog piav txog cov neeg uas tus caj ntswm nyob tob tshaj lub hauvpliaj xwb: *Nws cau pliaj heev.* (p) Tus neeg uas cau pliaj.
***[English]** (v) Having a lower or flatter nose than normal, and also having the forehead and mouth extended outward farther than normal.*

caub (y) Muaj kev sibntxub; tsis sibnyiam uas xws li yog yeeb ncuab: *Nej ciaj*

© 2003 Jay Xiong. All rights reserved.

caub vim nej rooj plaub dhau los lawm.

***[English]** (n) Enemy, rival.*

Caub Fab (y) <Lostsuas> 1. Tswv ntuj; tus neeg losyog cov neeg uas saib xyuas lub ntuj. 2. Cov neeg Hmoob uas ntseeg thiab hawm txog ib tus neeg hu ua "Tswb Tshoj" no.

***[English]** (n) 1. God; the owner of the world. 2. Certain group of Hmong people who believe and worship the spirit of the "Tswb Tshoj."*

cauj (u) Nrawm, ceev; sai tshaj cov: *Nws cauj heev.* (p) *Nws noj mov cauj.* Lus rov: *Taj, qeeb.*

***[English]** (v,adj) Fast, quick.*

caum[1] (u) 1. Mus xws li nyob rau tomqab; raws qab mus: *Peb caum tus kauv.* 2. Nrog mus; uake mus: *Nws caum nej mus ua si.* 3. Mus nrog nyob uake: *Nws mus caum neejtsa lawm.*

***[English]** (v) Chase, follow. 2. To go with. 3. To live or stay with.*

caum[2] (y) Yam suav uas muaj kaum xws li 10, 20, 30 ltn... *Koj muaj caum tabsis nws muaj txhiab.*

***[English]** (n) Tenth, such as 10, 20, 30 etc...*

caus[1] (u) Ntshai; tsis tauluag, taiscaus, causquav: *Ua cas koj caus tag npaum li?*

***[English]** (v) Fear, afraid, scare.*

caus[2] (u) <Lostsuas> Zoo sib nrawg; zoo sib xws; tib yam: *Nkawv caus xwb.*

***[English]** (v) <Laotian> Tie, esp. being equal or same.*

caus quav (u) Tsis tauluag; ntshai uas xws li ntshai dab tej; caus: *Nws caus quav vim lawv piav txog dab.*

***[English]** (v) Fear, to be afraid; to be scared.*

caus yaum (u) Ua rau cov leeg tsaug zog losyog tsis muaj zog: *Caus yaum nws ob txhais ceg vim nws zaum quav ceg ntev dhau.*

***[English]** (v) Sleep, numb, desensitize.*

cav[1] (u) 1. Hais lus rovqab rau xws li tsis pomzoo: *Tus tubsab cav tias nws tsis tau nyiag.* 2. Piav, hais, tham txog: *Lawv cav tias koj yog ib tus neeg zoo.*

***[English]** (v) 1. Argue, disagree, debate. 2. To talk about; to mention, discuss.*

cav[2] (y) Yav ntoo uas vau rau hauv av ntev thiab qhuav lawm: *Txiav cav los rauv.*

***[English]** (n) Log, esp. such as a trunk of a fallen tree.*

© 2003 Jay Xiong. All rights reserved.

cav cos (y) Yav ntoo uas neeg siv los ua lub cos, thiab pem hau muaj tus dauj cog.
[English] (n) A horizontal rod (log) that the Hmong used to make the mortar.

cav ncauj (u) Hais lus teb rovqab tas mus li uas xws li tsis pomzoo; cav: *Nws cav ncauj heev vim yus hais tias dub nws hais tias dawb.* (p) Tus neeg uas nyiam cav ncauj: *Tsis muaj neeg nyiam tus neeg cav ncauj.*
[English] (v) Argue, disagree. (adj) Of, relating to, or arguing with.

cav taus (u) Cav ncauj uas xws li yog hais lus teb rov qab heev; cav uas xws li tsis pom zoo: *Nws cav taus dhau.* (p) Tus neeg uas cav taus.
[English] (v) To argue; to disagree; to reason with. (adj) Argumentative; like to argue or talk back.

cav taws (y) Cov ceg ntoo qhuav uas neeg txiav los ua taws: *Ib ya cav taws.*
[English] (n) Log, esp. the dried ones that can be used for firewood.

caw[1] (u) Hais losyog hu kom mus koom; kom tuaj nrog uake: *Nws caw peb mus noj mov.*
[English] (v) To invite; to ask someone to participate; to ask someone to come.

caw[2] (y) Cawv: *Dej thiab caw tsis zoo haus ntau.* Feem ntau, neeg siv lo tias "dej caw" xwb.
[English] (n) Wine, liquor, alcohol.

caw[3] (y) Ib hom ntoo uas phom thiab kab nyiam noj thiab nyob hauv heev.
[English] (n) Certain kind of tree, esp. native in Laos and parts of Asia.

cawj (y) 1. Ib hom ntoo: *Nws cog tau ib tso cawj.* 2. Cov txiv uas txi los ntawm hom ntoo no: *Ib co txiv cawj.*
[English] (y) 1. Certain kind of tree. 2. The fruit of this tree.

cawm[1] (u) 1. Pab kom tsis tuag losyog kom dhau txoj kev txomnyem: *Nws cawm tus neeg mob kom zoo.*
[English] (v) To rescue; to save (a person, for example) from danger or a harmful situation, help, assist, aid.

cawm[2] (u) Noj losyog haus me~ xws li kom tsis txhob tuag losyog tsis txhob tshaib: *Dej yog yam uas cawm neeg txoj sia.*
[English] (v) To eat or drink, esp. a small amount, just so one is alive.

cawm seej (y) Tus neeg uas cawm yus txoj sia; tus uas pab losyog cawm lwm tus txoj sia: *Huabtais Ntuj yog peb tus cawm seej.*

© 2003 Jay Xiong. All rights reserved.

[English] (n) Savior, hero. A person or entity who rescues others or protects them from harm.

caws[1] (u) 1. Muab ua kom lem los; muab quav los: *Nws caws nws ob txhais taw.* 2. Ntsws, txav los uake: *Lub ris caws vim yog kub hnyiab.* (p) Nkaum losyog quav los ua ib thooj tej.

[English] (v) 1. To pull back; to curve or bend. 2. To shrink or reduce in size.

caws[2] (u) Cuab tos; ua npaj kom los mag losyog daig: *Peb caws rooj ntxiab.*

[English] (v) To set a trap.

caws[3] (u) Ua cia tos xws li kev plaub tug tej: *Lawv caws ib yam tos peb lawm.*

[English] (v) To prepare, plan, or strategize for a revenge or comeback.

caws[4] (u) Nyob ntawm qhov chaw: *Nws caws hauv tsev xwb; nws caws ntawv.*

[English] (v) To stay; to be at a place.

caws maum (p) Caws, xws li lub dib uas muaj kab plev thaum me tej.

[English] (adj) Crooked, bent, such as a cucumber that got stung by insects.

caws nkoos (p) Caws~ losyog rawv heev uas xws li rooj qhaub uas tsis txhais tau ntau hnub lawm: *Rooj qhaub nyob caws nkoos.*

[English] (adj) Used to describe something that is bent or shrunk.

caws pliav (u) Caws losyog txav los ua ib thooj: *Nws lub qhovtxhab cawspliav lawm.* (y) Lub qhov losyog thaj nqaij uas to tabsis zoo lawm: *Nws muaj ntau qhov caws pliav.*

[English] (v) To mark with a scar. (n) Scar.

caws qia (u) Dhia mus losyog los; paj paws mus losyog los: *Tus tsov cawsqia mus tom tus npua.* (y) Thaum uas dhia xws li ib caws qia ntawv.

[English] (v) To leap; to jump. (n) Such a leap or jump.

caws vos (p) Caws tau los ntev lawm; caws nkoos: *Rooj qhaub nyob caws vos.*

[English] (adj) Used to describe something that is bent or shrunk.

cawv (y) Cov kua uas los ntawm cov nplej, pobkws losyog txiv ntoo uas xws li neeg muab los siv ua ib co kua haus. Feem ntau yog muab xws li cov nplej cub, nphoo xab rau, thiab muab vov xws li 7-8 hnub tej ces mam muab los cub yuav cov kua: *Nws nyiam haus cawv heev.* Ib lub npe siv rau cov tub.

[English] (n) Alcohol. Also a proper name for boys.

cawv caws (pu) Siv los piav txog cov lus ua xws li dhia, tuaj, mus ltn...*Nws dhia*

© 2003 Jay Xiong. All rights reserved.

cawv caws txog ntawv.

***[English]** (adv) Jumpily, jerkily, esp. such as when hopping.*

cawv fi lus (y) Tus cawv uas xws li thaum ob tus mejkoob mus hais tshoob tiav lawd, thiab coj niamtxiv tom ub cov lus losyog tej teebmeem rov los qhia rau tog niamtxiv tom no (tus tub leej niam thiab txiv). *Lawv haus tus cawv fi lus.* Saib tus "cawv nkawlus" thiab.

***[English]** (n) A wedding drink served in the groom's house, after returning from the bride's house, prior to the mekong's message or report.*

cawv lawv rooj (y) Hmoob Lees tus cawv uas haus kawg nkaus losyog xaus ntawm rooj cawv losyog rooj mov. Tus cawv no, feem ntau, yog tus uas siv lub khob loj tshaj plaws: *Lawv xaus rau tus cawv lawv rooj.*

***[English]** (n) A Hmong Leng's drink that is the largest and served as the final drink for most celebrations, weddings and parties.*

cawv luam xim (y) Tus cawv uas haus thaum noj tshoob es noj niamtais thiab yawmtxiv tus npua: *Peb haus tus cawv luam xim.*

***[English]** (n) One of the traditional drinks served at a Hmong wedding.*

cawv mov dej txiag (y) Tus cawv uas haus thaum noj tshoob es noj niamtais thiab yawmtxiv rooj mov tos qhua losyog txaistos tus ntxhais thiab tus vauv: *Peb haus tus cawv mov dej txiag.*

***[English]** (n) One of the traditional drinks served at the Hmong wedding.*

cawv nkaw lus (y) Tus cawv uas haus nyob hauv rooj tshoob ua ntej thaum niamtais thiab yawmtxiv yuav los hais cov lus rau ob tus mejkoob tom ub: *Lawv haus tus cawv nkaw lus.* Saib lo lus "cawv filus" thiab.

***[English]** (n) A wedding drink served in the bride's house prior to the bride's parents' message given to the groom or groom's mekong.*

cawv piam sam (y) Tus cawv uas haus thaum noj tshoob es niamtais thiab yawmtxiv hais lus, nkawlus, rau tus ntxhais kom los ua neeg zoo: *Peb haus tus cawv piam sam.*

***[English]** (n) One of the traditional drinks served at the Hmong wedding.*

cawv piam thaj (y) Tus cawv uas xws li thaum noj tshoob es tus vauv los mus pe niamtais thiab yawmtxiv: *Peb haus tus cawv piam thaj.*

***[English]** (n) One of the traditional drinks served at the Hmong wedding.*

cawv tos qhua (y) Tus cawv uas xws li thaum noj tshoob es niamtais thiab

© 2003 Jay Xiong. All rights reserved.

yawmtxiv zoo siab txais tos tus ntxhais thiab tus vauv: *Tus cawv tos qhua.*
[English] (n) One of the traditional drinks served at the Hmong wedding.

cawv xaws (y) Cov cawv uas muab ua tso hauv lub hub thiab muab lub hau xaws losyog vov kom ntom xws li tsis pub dim pa: *Nws muaj ib hub cawv xaws.*
[English] (n) Certain kind of alcohol that the Hmong people make.

ce[1] (y) Lub cev: *Mob ib ce kawg li.* (u) Muab xws li diav, tais losyog lub khob mus hais cov kua los: *Nws ce dej rau peb haus.*
[English] (n) Body. (v) To scoop, esp. using a spoon or bowl to get liquid.

ce[2] (y) Ib lub ris thiab lub tsho uake; cev khaub ncaws: *Ib ce khaub ncaws.*
[English] (n) A suit, esp. a set of matching pants/skirt and shirt.

ceb muag (u) Ua rau lub ntsej muag dub thiab tsis huv xws li yog lo av tej: *Nws cebmuag vim nws kov av.* (p) *Tsis muaj neeg nyiam tus neeg ceb muag.*
[English] (v,adj) Used to express a face that is dirty or smeared with filth; to have a muddy, dirty or unwashed face.

ceeb[1] (u) Ua rau ntshai; ua rau poob siab: *Nws ceeb vim nws pom tus tsov.*
[English] (v) Frighten, esp. due to an unexpected bad news.

ceeb[2] (u) Tej yam ua rau tsis xav txog tias yuav muaj losyog pom tej: *Kuv pom koj ua rau kuv ceeb.* Ib lub npe uas siv rau cov tub.
[English] (v) Astonish, awe, surprise. Also a proper name for boys.

ceeb laj (nu) Tsis yoojyim; nyuaj: *Peb ceeb laj nce lub roob.*
[English] (aux. v) Having or causing ongoing difficulty or hardship.

ceeb sob (u) Ua rau ceeb lossis ntshai yooj yim: *Tus nees ceeb sob heev.*
[English] (v) Being scared or frightening easily.

ceeb thawj (y) Hnyav uas xws li yog loj losyog pham. Lo lus no yog siv los piav txog xws li tus neeg loj thiab hnyav xwb: *Tus menyuam muaj ceeb thawj heev.*
[English] (n) Being overweight; being heavy.

ceeb toom (u) Hais rau paub ua ntej; qhia rau ua ntej: *Lawv ceeb toom tias tsis pub ntov ntoo.*
[English] (v) To warn; to notify; to inform in advance.

Ceeb Tsheej (y) Saum qaum ntuj; saum Huabtais Ntuj nyob: *Nyob saum Ceeb Tsheej.* Lus rov: *Dab Teb.*
[English] (n) 1. Heaven or heavens; the great beyond. 2. Above the

© 2003 Jay Xiong. All rights reserved.

atmosphere; outer space. Ant: Hell.

ceeb vuaj vuab (y) Tus menyuam me~ luaj li txha kws tej thiab tsis muaj sia, tabsis yug nrog tus menyuam uas loj thiab muaj sia. Ib txhia neeg ntseeg tias tus menyuam no yog menyuam pov haum, xws li yog leej twg yug ib tus me nyuam es muaj tus menyuam ceeb vuaj vuab no mas nws khwv noj kwv haus thiab ua lag luam los tau zoo thiab yooj yim heev.

[English] (n) A fetus or a very small baby mostly not alive and born or come right after another normal birth and alive baby. This type of fetus or baby is very rare and some people believe it to be a very special fetus to have as it normally brings good luck and fortune to the family or its parents.

ceem (u) Muab riam losyog hlau raus rau hauv cov kua roj uas xws li kom tus hniav khov thiab tawv: *Nws ceem hlau tau zoo heev.* (y) Nrov loj thiab muaj zog heev uas xws li thaum ob tus nyuj sib nraus tej: *Ob tus phaw nyuj sib nraus muaj ceem heev. Nws hais lus muaj ceem heev.*

[English] (v) To temper, esp. of metal. To modify or change the condition of a metal or element, esp. a knife, so it is hardened or strong. (n) Power, strength, excitement, greatness. Of considerable size or magnitude.

cees (pu) Siv los piav txog cov lus xws li chom, chev ltn... *Nws chev cees hauv av.*

[English] (adv) Crookedly, esp. in a directly or obvious manner.

ceev[1] (u) Tsis xoob; haum tabsis xws li lub qhov me zog lawm: *Lub nplhaib ceev rau tus ntiv tes vim lub nplhaib me lawm.* (p) Muab zawm losyog pav kom khov: *Sia txoj siv kom ceev.* Lus rov: Xoob.

[English] (v) Tighten, such as to fasten firmly in place. (adj) Fastened securely; tight, tightened.

ceev[2] (u) Muab khaws cia; muab cia rau qhov chaw zoo; tuav losyog pab saib: *Thov koj ceev kuv cov nyiaj.*

[English] (v) To keep or put in a safe place; secure.

ceev[3] (u,p) Nrawm, sai, tsis qeeb: *Koj ceev dhau.* Lus rov: Qeeb, taj.

[English] (v,adj) Fast, swift, quick, speedy. Ant: Slow.

ceev faj (u) Npaj tos; zov tos; xyuam xim; saib kom zoo: *Koj ceev faj nyob tsam muaj tsov los. Koj ceev faj nyob tsam poob.*

[English] (v) Be cautious; be careful.

ceev nrooj (pu) Ceev losyog nrawm nroos: *Noj ceev nrooj; mus ceev nrooj.*

© 2003 Jay Xiong. All rights reserved.

[English] (adv) Quickly, hurriedly, speedily.

ceg[1] (y) 1. Ces, caj, cag uas xws li ceg ntoo tej: *Tus ceg ntoo.* 2. Txoj, tus uas xws li dej tej: *Tus dej ncau ua ob ceg--ncau ua ob tus dej.*

[English] (n) 1. Branch or stem of a tree or plant. 2. A lateral division or subdivision of a river or an entity; limb, branch, wing.

ceg[2] (y) Txhais uas ncau ntawm lub plab mus rau nram ob txhais taw: *Neeg muaj ob txhais ceg.*

[English] (n) Leg (of a person, for example).

ceg[3] (y) Txhais losyog yam uas siv los tuav thiab txheem xws li lub rooj kom tsis txhob vau lossis ua kom lub rooj siab tej: *Lub rooj muaj plaub txhais ceg.*

[English] (n) Leg, such as a supporting part resembling a leg.

ceg tawv (u) Mus kev siab thiab mus kev qis uas xws li yog mob ib txhais ceg: *Nws ceg tawv vim mob nws ib txhais taw.*

[English] (v) To limp or walk lamely; hobble.

cej (y) Ib hom mov uas neeg noj: *Thaum ub neeg noj mov cej.*

[English] (n) Certain kind of rice.

cem[1] (u) Yws, hais lus phem rau lwm tus neeg: *Nws cem peb phem. Nws cem koj.*

[English] (v) To scold; yell at; to verbally assault.

cem[2] (u) Ua rau tsis ntws losyog tsis los lawm; tu, theem: *Nws cov quav cem.*

[English] (v) To clog or make sluggish; constipate, obstruct.

cem[3] (u) <Lees> Muab rua; muab qhib; muab (lub hau) tshem tawm: *Nwg cem lub hau lauj kaub.*

[English] (v) <Leng> 1. Open. 2. To lift the cover (of a pot, for example).

ces (y) Sab, ceg, tus, phab, daim: *Tus ces ntoo qhuav. Ib ces nqaij.* (tx) Thiab, ntxiv, uas xws li: *Koj muab rau kuv ces kuv muab rau nws lawm.* (h) Thaj, ib qhov chaw ntawv: *Ib ces teb.* (pu) Uas xws li; uas yog li: *Nws noj ces nws tsis ntxuav tes li.*

[English] (n) Side, leg, part. (conj) Then. (cl) Corner, section. (adv) Then, hence, thus.

cev[1] (u) 1. Muab mus rau; nqa ntawm txhais tes mus rau: *Nws cev rab diav rau kuv.* 2. Hais lwm tus cov lus rau: *Thov koj cev cov lus no rau nws.*

[English] (v) 1. To hand to; to give or pass, esp. with the hands. 2. To say or

© 2003 Jay Xiong. All rights reserved.

repeat someone's message to another person.

cev[2] (y) 1. Tus neeg, tus, tus kheej: *Lub cev loj phim tus neeg. Tus nab lub cev ntev.* 2. Cev uas xwsli lub ris thiab lub tsho uake: *Ib cev khaub ncaws.*
***[English]** (n) 1. Body. 2. A suit or set of clothes, for example.*

ch (y) Tus ntawv chos. Ib tus ntawv siv rau cov lus xws li choj, chais, cheb ltn...
***[English]** (n) A consonant used for words such as "choj, chais, cheb" etc...*

cha (y) Chav, thaj, daim, qhov chaw uas xws li nyob hauv lub tsev: *Cha tsev dav heev.* Lo cha thiab chav kuj siv muslos tib yam.
***[English]** (n) Variant of "chav". Section, part, area, room.*

chaav (y) <Lees> Chav, xws li tej cha lossis chav tsev tej.
***[English]** (n) <Leng> Variant of "Chav". Secion, room, area.*

chab chaws (p) Ntxig losyog chaws muslos ltn... Lo lus no feem ntau yog siv xws li sischab sischaws ntau xwb.
***[English]** (adj) Become intertwined; become entwined or entangled.*

chais[1] (u) Muab xws li riam los hlais losyog tev; muab txiav me~ tawm: *Nws chais lub txiv.*
***[English]** (v) Peel, especially the skin of fruit with a knife, for example.*

chais[2] (u) Muab kuam kom xws li cov plaub tu ntawm daim tawv nqaij mus: *Nws chais nws cov hwj txwv.*
***[English]** (v) Shave.*

chais[3] (y) Cov riam me~ uas luaj li ntiv tes tej thiab, feem ntau, yog quav tau mus los: *Ib rab chais. Nws siv chais los kuam npua cov plaub.*
***[English]** (n) A small cutting instrument consisting of a sharp blade; a razor; a pocket knife.*

chas las (y) Tus pas hlau uas neeg siv los chob nqaij uas xws li kom zoo coj mus ci ntawm qhovcub tej: *Nws muaj ib tus chas las.*
***[English]** (n) A metal stick or rod used to prod meat for frying or roasting.*

chaub (u) <Lees> Nkag uas xws li tus nab mus kev tej.
***[English]** (v) <Leng> Crawl.*

chaub laug (u) Txav losyog swb xws li thaum tus neeg pw es pheej swb nws lub cev mus rau nram taw txaj: *Thaum nws pw mas nws chaub laug heev.*
***[English]** (v) Move around, esp. toward the feet during a sleep.*

© 2003 Jay Xiong. All rights reserved.

chav (y) Cha, thaj, daim, qhov chaw uas xws li nyob hauv lub tsev: *Chav tsev dav heev.* Lo chav thiab cha kuj siv mus los tib yam.

[English] (n) Section, room, area, hall.

chav dej (y) Chav lossis qhov chaw hauv lub tsev uas neeg siv los da dej thiab feem ntau muaj lub tais tso quav thiab tso zis tej: *Mus da dej hauv chav dej.*

[English] (n) Bathroom, shower room.

chav noj (y) Chav lossis qhov chaw hauv lub tsev uas siv los noj mov tej.

[English] (n) Dining room.

chav nyob (y) Chav lossis qhov chaw hauv lub tsev uas siv los nyob sibtham tej.

[English] (n) Living room.

chav pw (y) Chav lossis qhov chaw hauv lub tsev uas neeg siv los pw.

[English] (n) Bedroom, sleeping room.

chav ua noj (y) Chav lossis qhov chaw hauv lub tsev uas siv los ua noj tej.

[English] (n) Kitchen.

chav ua si (y) Chav lossis qhov chaw hauv lub tsev uas yog siv los ua si tej.

[English] (n) Playroom.

chaw[1] (y) Thaj, chav, daim: *Qhov chaw siab saum roob; muaj ntau thaj chaw.*

[English] (n) Place, location, area.

chaw[2] (y) Thaj uas neeg siv los pw tej: *Kuv pua tau ib qhov chaw lawm.*

[English] (n) Place, location such as for sleeping; bed.

chaw nyob (y) Qhov chaw uas yus nyob, xws li lub tsev uas yus pw thiab nyob hauv: *Nws chaw nyob yog 1234 Kev Hlub.*

[English] (n) Address, such as a place where one lives or resides.

chawj (u) Tso rau ua; cia ua ywj siab: *Koj chawj koj cov menyuam dhau.*

[English] (v) Allow, let, permit

chaws[1] (u) Mus rau sab hauv; khoov mus losyog nyo mus uas xws li kom tsis txhob tsoo lub tobhau tej: *Peb chaws hauv yav qab ca mus xwb.*

[English] (v) To go under; to duck ; to lower the head in order to avoid being hit on the head.

chaws[2] (u) Muab ua kom tshab losyog tshwm rau sab tov: *Muab txoj xov chaws lub qhov koob.*

[English] (v) To make (a thread, for example) to go through the hole (of a

© 2003 Jay Xiong. All rights reserved.

needle, for example); to make a hole through something.

chaws ntswg (u) Muab lub taub ntswg tho qhov, thiab muab hlua los chaws rau. Feem ntau yog siv rau twm thiab nyuj xwb: *Nws muab tus twm chaws ntswg.*
***[English]** (v) To make a hole through the nose; to pierce the nose.*

che (y) Toom, ntu, ceg, yav uas xws li che dej tej. Feem ntau yog siv los piav txog xws li thaum tus dej ncau ua ntau ceg: *Tus dej ncau ua ob che.*
***[English]** (n) A flow of water in a channel or bed; stream.*

cheb (u) 1. Muab xws li rab khaub ruab kuam kom cov plua av los uake: *Nws cheb tsev.* 2. Muab so kom tawm mus: *Nws cheb tej vij tej sub.*
***[English]** (v) 1. To sweep. 2. To cast out, such as a bad omen or spirit.*

cheeb tsam (y) Nyob ze ntawm thaj chaw; ib ncig uas ze: *Tsov nyob ze cheeb tsam no. Tej cheeb tsam no zoo ua liaj heev.*
***[English]** (n) Vicinity, whereabouts, place or location of.*

cheej (y) Loj luaj li ib taus losyog ib lub nrig: *Tus npua luaj li ob cheej.*
***[English]** (n) A method of measurement equals to, approximately, three inches.*

cheej laj (y) Ib hom tshuaj uas siv los pab kom zoo rau thaum kub~ lub cev tej.
***[English]** (n) Certain kind of herb.*

cheem[1] (u) Hais kom tsum; hais kom nyob: *Nws cheem kom peb pw.*
***[English]** (v) Stop, halt.*

cheem[2] (tx) Nyob lossis muaj rau hauv tib lub sijhawm; thaum lossis ntawm tib lub sijhawm: *Cheem tus menyuam tseem pw, peb mus nws thiaj tsis quaj.*
***[English]** (conj) While, when.*

chev (u) Pw uas xws li nyob rau hauv av: *Tus nab chev ntawm kev.*
***[English]** (v) To lie down; to lay or to cause to lie down.*

chib[1] (u) <Leng> Los teem; los tsoo; los thaiv xws li yog los sibtxhuam lossis sibtshum tej: *Thov kom lub npe laus txhob los chib lub npe hluas.*
***[English]** (v) <Leng> To interfere; to obstruct, conflict or block.*

chib[2] (u) Hais lus thuam losyog saib tsis taus: *Txhob hais lus chib cov ruam.*
***[English]** (v) To belittle; to degrade as to disrespect someone.*

chib lig (u) Nkag mus rau hauv; siv lub cev nkag mus nkaum losyog mus tsiv nraim tej: *Cov menyuam qaib chib lig rau hauv cov nplooj qhua.*
***[English]** (n) To submerge or go under something, such as when hiding.*

© 2003 Jay Xiong. All rights reserved.

chij (y) Daim ntaub uas neeg siv thiab xaws ib cov duab los piav txog losyog los sawvcev ntawm neeg lub tebchaws: *Miskas daim chij muaj 50 lub hnubqub thiab muaj 13 txoj kab.*

***[English]** (n) A flag (a flag of the United States has 50 stars, for example).*

chim[1] (u) Tsis zoo siab; tsis txaus siab; npau taws rau: *Nws chim rau kuv.* Lus rov: *Zoo siab.*

***[English]** (v) Upset, mad, angry. Ant: Happy, glad.*

chim[2] (y) Lub caij nyoog; lub sijhawm tsis ntev nyob tom hauv ntej: *Chim no tej zaum nws los tsev lawm.*

***[English]** (n) Time, moment.*

chim laj xeeb (z) Ib zaj lus uas siv los xaus zaj kwv txhiaj: *Thaum nws hais tias "chim laj xeeb" ces yog thaum nws xaus zaj kwv txhiaj.* (u) Tsum, xaus xws li kev sibtham tej: *Nws tsis paub chim laj xeeb li.*

***[English]** (idiom) Used to end the Hmong "Kwv txhiaj" song. (v) Stop, end.*

chim siab (u,p) Chim uas xws li tsis zoo siab; npau taws: *Nws chim siab rau koj.*

***[English]** (v,adj) Upset, mad, angry.*

chis (u,p) Chim, tsis zoo siab: *Nws chis rau kuv.* Lus rov: *Zoo siab.*

***[English]** (v,adj) Variant of chim. Upset, mad, angry.*

chiv[1] (y) Tsiaj cov quav uas xws li thaum tso xyaw av tau ntev los lawm; tej hmoov av txuam rau hmoov ntoo, nplooj ntoo, cag ntoo uas xws li lwj los tau ntau tiam lawm; quav chiv: *Muab chiv tso rau daim teb kom cov qoob zoo.*

***[English]** (n) Manure, fertilizer, esp. used to enrich the soil.*

Chiv[2] (y) Hnub xya nyob rau ntawm ib lub lis piam; hnub uas neeg so thiab tsis ua haujlwm: *Hnub Chiv yog hnub neeg mus teev Ntuj.*

***[English]** (n) Sunday.*

chiv[3] (u) Hliv cawv tuaj mus xws li thaum haus nyob rau saum rooj noj mov lossis rooj sibtham tej: *Neb chiv cawv tuaj rau peb haus.*

***[English]** (v) To fill or pour (alcohol into a cup, for example).*

chivkeeb (y) 1. Lub hauvpaus; txij thaum pib los; ibtxwm: *Thaum chivkeeb nws yeej muaj rau tus ntiv tes.* 2. Xub pib; xub thawj: *Thaum chiv keeb, Vajtswv xub tsim lub ntuj thiab lub ntiajteb.*

***[English]** (n) 1. The beginning; origin. 2. Genesis.*

chivthawj (y) Thaum pib ua losyog pib muaj tuaj mus: *Thaum chiv thawj xyov*

© 2003 Jay Xiong. All rights reserved.

Hmoob yog los qhov twg los.

***[English]** (n) Beginning, origin.*

chob[1] (u) 1. Muab tej yam ntse los hno; muab ntsia losyog ua kom to: *Tus pos chob nws kotaw. Muab tus hmuv chob daim nqaij.* 2. Chob thiab ua rau daim tawv khaus: *Cov plaub xyoob chob kuv heev.*

***[English]** (v) 1. To prod; to jab or poke with a sharp object. 2. Itch.*

chob[2] (u) 1. Muab xws li txoj xov losyog hlua mus ntxig lub qhov koob tej: *Koj muab txoj xov chob rab koob rau nws.* 2. Hais lus kom khib losyog mob lwm tus neeg: *Nws hais lus chob peb xwb.*

***[English]** (v) 1. To thread a needle. 2. To insult or affront someone.*

choj[1] (y) 1. Tus uas neeg tuam los kom hla tau dej tej: *Lawv tuam tau ib tus choj.* 2. Tus ntaiv uas neeg ua los yaj nplej: *Nws muab cov nplej mus yaj saum tus choj.* 3. Tej tus uas zoo xws li choj tabsis yog ua rau tom kev uas xws li los xaiv dua lub npe tshiab rau tus menyuam.

***[English]** (n) 1. The bridge. 2. A ladder used to winnow.. 3. A small bridge constructed along or on the side of a road when Hmong parents want to change a name of a child to a different name, esp. when the child is sick or ill often.*

choj[2] (y) Tej daim nyiaj dawb~ uas thaum ub Hmoob siv los yuav pojniam: *Nws them nws tus pojniam yog yim choj thiab yim kis.* Ib lub npe siv rau cov tub.

***[English]** (n) A small, boat like bar made from silver. Also a proper name for boys.*

choj[3] (y) <Lees> Daim pam; daim ntaub uas siv los vov thaum pw.

***[English]** (n) <Leng> Blanket.*

choj laug* (y) Tus ntawv '['.

***[English]** (n) A left bracket character.*

choj txhwj (y) Rab hlau siv los khawb qhov av: *Siv choj txhwj los khawb qhov.*

***[English]** (n) Hoe, esp. the kind with a round metal blade used to dig holes.*

choj xis* (y) Tus ntawv ']'.

***[English]** (n) A right bracket character.*

chom (u) Ua kom nkhaus losyog ntxob tuaj: *Nws chom nws lub pobtw rau peb.* (p) Tsa losyog su tuaj: *Tus neeg chom ntxws.*

***[English]** (v) To bend backward or an arc like shape. (adj) Bent, crooked.*

© 2003 Jay Xiong. All rights reserved.

chom cos (p) Chom heev; su losyog ntxob: *Tus ceg ntoo vau chom cos.*
[English] (adj) Something bent, curved or crooked.

choo (y) Ib lub tais uas yog muab xyoob los fiab thiab zoo xws li lub vab tshaus, thiab Hmoob siv los vov lub tsu. Thaum ub Hmoob siv lub choo los ua ib lub tais rau mov nyob rau saum lub tsum mov: *Ib choo mov.* Ib lub npe siv rau cov ntxhais.
[English] (n) A bowl made with bamboo that used to cover the Hmong rice steamer, and also used as a bowl to serve rice on the dining table. Also a proper name for girls.

chov (y) Kev caiv, txwv xws li ua tsis tau tej: *Tej zaum muaj chov lawm.*
[English] (n) Prohibition, taboo, restriction.

chua (u) 1. Muab tib rub los ntawm yus: *Nws chua txoj hlua.* 2. Txeeb losyog muab ntawm lwm tus mus: *Nws chua kuv rab diav.*
[English] (v) 1. Jerk or pull with a sudden quick force; yank. 2. Snatch.

chwv (u) Ua kom nphav; ua kom tshiav: *Nws cov plaubhau chwv peb.*
[English] (v) Touch.

ci[1] (u) Muab tso ze hluav taws uas xws li kom siav: *Nws ci daim nqaij.* (p) Yam nqaij uas muab ci: *Nws nyiam noj nqaij ci xwb.*
[English] (v) To roast or cook with dry heat. (adj) Taosted or baked.

ci[2] (u) Ua rau kom pomkev uas xws li lub hnub cov sab; ntsa losyog lam: *Thaum tavsu lub hnub ci heev. Lub teeb ci heev.*
[English] (v) To shine, gleam, glow; to reflect light.

ci iab (p) Ci losyog pomkev lam lug; ntsa heev: *Lub hnub tawm ci iab tim npoo ntuj. Nws taws teeb ci iab tseg.*
[English] (adj) Shiny, bright, sparkly.

ci nplas (p) Ci losyog pomkev lam lug; ntsa heev: *Lub hnub tawm ci nplas tim qab ntug. Nws taws teeb ci nplas hauv tsev.*
[English] (adj) Shiny, bright, sparkly.

ci qos (u) 1. (lus pajlug) Sablaj, sibtham ua ntej, tawm tswvyim: *Peb ci qos ua ntej peb mus.* 2. Yog siv raws li hais lus tseeb ces yog muab qos los ci xwb.
[English] (v) 1. (idiom) To plan secretly beforehand; to strategize beforehand. 2. Under normal use, it means to bake (potatoes, for example).

ci vus (p) Ci lossis ntsa xws li lub teeb ci tej: *Nws taws lub teeb ci vus tom txaj.*

© 2003 Jay Xiong. All rights reserved.

***[English]** (adj) Shiny, bright, sparkly.*

cia (u) 1. Muab tseg rau; khaws rau; qee rau: *Kuv cia tais mov rau koj.* 2. Kam, pom zoo: *Peb cia koj mus.* (pu) Ua tseg losyog ua tos: *Nws ua mov cia.*

***[English]** (v) 1. To leave some; to save some for. 2. Let, permit, allow. (adv) Already. Example: I cooked the rice already.*

cia li (pu) Ua li ntawv; uas xws li: *Nws cia li mus tsev. Nws cia li pab kuv.* (u) Tsum; tseg losyog tsis ua ntxiv: *Nws cia li lawm.*

***[English]** (adv) Just (he just went home, for example). (v) Stop, end.*

cia siab (u) Vam tias; tso siab rau: *Kuv cia siab rau koj ib leeg.*

***[English]** (v) Hope, depend or rely on.*

ciab (y) Cov kua nplaum~ uas xws li muaj los ntawm cov yoov mes; quav ciab: *Mes cov ciab. Quav ciab mes yog ib yam uas nplaum heev.*

***[English]** (n) Bee wax.*

ciaj[1] (u) 1. Muaj sia; muaj zog uas xws li tsis tuag: *Tsob ntoo ciaj lawm. Nws ciaj ces yog nws tsis tuag.* 2. Cig loj tuaj losyog hlob tuaj: *Lub cubtawg ciaj lawm.* 3. Muaj tawm tuaj; tshwm sim: *Ciaj yeeb ncuab.*

***[English]** (v) 1. Live or alive. 2. Living or growing. 3. Become, to be.*

ciaj[2] (u) 1. Ua tsheej; ua tau ib yam tej: *Nws ciaj ib yig neej.* 2.Mus txia ua lwm haiv losyog lwm yam; tsheej: *Nws mus ciaj Mab ciaj Sua lawm.*

***[English]** (v) 1. Become reality; to be. 2. Transform into; to become.*

ciaj[3] (y) Tej yam uas neeg ua los tais xws li lwm yam khoom tej: *Neeg siv ciaj los tais hlau, tais hluav ncaig thiab tais tej yam uas kub heev.*

***[English]** (n) 1. Tongs, pliers. 2. Tools.*

ciajciam (y) Ciam; txoj kab uas quas; txoj kab uas kem losyog quas ob yam: *Tus dej yog tus ciajciam ntawm ob lub tebchaws.*

***[English]** (n) Boundary, division or separation line.*

ciajtuag (pu) Siv los piav txog xws li heev losyog ntau. Thiab muab lo lus "ua" tso rau hauv nruab nrab xws li: *Nws phem ciaj phem tuag.*

***[English]** (adv) No matter what; nonetheless; whatsoever.*

ciam (y) Txoj kab uas quas; txoj kab uas kem losyog quas ob yam: *Wb tus ciam teb yog tus dej. Tus dej yog tus ciam ntawm ob lub tebchaws.*

***[English]** (n) Boundary, border, division or separation line.*

ciav[1] (y) Tus losyog daim uas neeg ua rau xws li dej tau ntws rau hauv: *Peb tuam*

© 2003 Jay Xiong. All rights reserved.

tau ib tus ciav dej los rau ntawm peb tsev. (pu) Cuag li uas; xws li uas: *Ciav nws twb mus thiab.*
***[English]** (n) A water pipe. (adv) So, even.*

ciav[2] (u) Cem losyog hais tsis zoo rau: *Leej pog phem ces nws ciav nws cov nyab.*
***[English]** (v) To talk, gossip, esp. bad things about other people; to badmouth.*

ciav cuag (pu) Cuag li uas; xws li uas: *Ciav cuag nws twb mus thiab.*
***[English]** (adv) Even, so (so he does it, too, for example).*

ciav dej (y) Tus ciav uas ua rau dej ntws rau hauv: *Peb muaj ib tus ciav dej.*
***[English]** (n) Water line.*

cib (u) <Lostsuas> Muab xws li riam losyog phom yuam kom lwm tus neeg muab nyiaj losyog khoom rau yus: *Tus tubsab cib lawv.* Ib lub npe neeg.
***[English]** (v) To rob, esp. with a threat. Also a proper name.*

cib laug (y) <Suav> Cov tais uas siv los tau cheb av rau hauv: *Ib lub cib laug.*
***[English]** (n) <Chinese> Dustpan, esp. the kind made with bamboo.*

cib nyeej (u) Hais cov qub lus tawm tuaj; xwbtim muab yav tag los hais: *Tsis txhob cib nyeej thiaj tsis muaj sibceg.*
***[English]** (v) To recall the past for revenge's sake.*

cim[1] (y) Phaum, zaus, ib lub caij nyoog: *Cim qoob no zoo heev. Ib cim nplej.* (u) Nco rau hauvsiab; khaws cia rau nruab siab; ncoqab: *Nws cim tau kuv lub ntsej muag zoo heev.*
***[English]** (n) Generation, season. (v) Remember, recognize.*

cim[2] (y) Ib yam losyog ib qho uas ua los kom nco txog losyog paub txog: *Nws ntaus tau ib lub cim rau ntawm nws lub hauv pliaj.*
***[English]** (n) Symbol, sign.*

cim[3] (y) Cov suab ntawv uas siv rau tomqab ntawm lo lus xws li: cim koj, cim kuv, thiab cim siab ltn... Lub Hmoob muaj 9 tus cim: *Koj, Mus, Kuv, Niam, Neeg, Siab, Zoo, thiab Tod. Tsis tag li, tseem muaj ib tus cim Seev, ^, uas xws li yog siv los rau tom kawg ntawm zaj lus. Pivtxwv: Yog koj li^. Yog tag^.*
***[English]** (n) A tone marker.*

cim koj (y) Tus ntawv 'J' uas siv rau cov suab xws li koj, pheej, txhoj ltn...
***[English]** (n) A tone marker used for words such as "koj, pheej, txhoj" etc...*

cim kuv (y) Tus ntawv 'V' uas siv rau cov suab xws li kuv, xav, yuav, tsev ltn...
***[English]** (n) A tone marker used for words such as "kov, xav, yuav" etc...*

© 2003 Jay Xiong. All rights reserved.

cim mus (y) Tus ntawv 'S' uas siv rau cov suab xws li hais, lus, mos, nyoos ltn...
[English] (n) A tone marker used for words such as "hais, lus, mos" etc...
cim neeg (y) Tus ntawv 'G' uas siv rau cov suab xws li neeg, ntseeg, yog ltn...
[English] (n) A tone marker used for words such as "neeg, ntseeg, yog" etc...
cim niam (y) Tus ntawv 'M' uas siv rau cov suab xws li niam, mam, tham ltn...
[English] (n) A tone marker used for words such as "niam, mam, tham" etc...
cim seev (y) Tus ntawv '^' uas siv rau cov suab xws li los^, li^, tag^ ltn...
[English] (n) A tone marker '^' placed after the normal tone marker to indicate that this word has and upward ending sound to it.
cim siab (y) Tus ntawv 'B' uas siv rau cov suab xws li sib, hlub, thiab ltn...
[English] (n) A tone marker used for words such as "sib, hlub, thiab" etc...
cim tod (y) Tus ntawv 'D' uas siv rau cov suab xws li nws nyob tod (tom + hvov). Muab rau kuv yod (yom + hvov). Tus cim no yog siv rau cov suab xws li pib tus cim Niam, tabsis xaus rau tus cim Kuv xws li "tom+ hvov."
[English] (n) A tone marker used for words such as "tod, nrad, tid" etc...
cim xeeb (y) Lub tswv yim; kev nco rau hauv siab: *Tus neeg muaj lub cim xeeb zoo ces nws kawm ntawv tau zoo. Nws nco tau zoo vim nws lub cim xeeb zoo.*
[English] (n) Memory.
cim xeeb duab* (y) Tus neeg uas muaj tswv yim zoo lossis muaj peev xwm nco tau zoo yog nws pom lossis saib ib zaug lawm: *Cov neeg muaj cim xeeb duab lawv nco tau txhua yam uas lawv pom los lawm.*
[English] (n) Photographic memory.
cim zoo (y) Tus ntawv uas tsis siv dabtsi nyob tomqab ntawm lo lus xws li ua, zoo, nco, ltn...
[English] (n) Tone marker used for words such as "ua, zoo, nco" etc...
co[1] (t) Cov, yam, txhia, tsis yog txhua tus: *Ib co tsis tau mus tsev.* (p) Ib txhia uas tsis paub tias pestsawg: *Nws muaj ib co nyuj.*
[English] (pron, adj) Some.
co[2] (u) Muab ua kom tshee; thawb kom ua zog xws li txav mus txav los: *Nws co tsob ntoo kom cov txiv poob.*
[English] (v) Shake, vibrate.
Co[3] (y) Ib haiv neeg uas hnav txaij, thiab lawv nyiam nyob saum roob ib yam li Hmoob: *Peb mus ua si tom Co lub zos. Co cov ntxhais yog cov mus tham cov*

© 2003 Jay Xiong. All rights reserved.

tub; hos Hmoob cov tub yog cov mus tham cov ntxhais. (p) Piav txog neeg Co los Co cov lus. Ib lub npe uas siv rau cov ntxhais.

***[English]** (n) One of the minority group of people called Yao that live in Laos. (p) Of, or relating to, the people "Co" or its language. Also a proper name for girls.*

co nto (p) Piav txog yam uas tshee, co, thiab txav mus los: *Tus nas khiav co nto saum tsob ntoo.*

***[English]** (adj) Bouncy, jerky or causing to move back and forth.*

cob[1] (u) Qhia rau kom paub; pab kom txawj: *Nws cob tus dev kom paub lus.*

***[English]** (v) Teach, instruct, train, coach, tutor.*

cob[2] (u) Muab ua kom siblo thiab ruaj; muab ua kom nplaum losyog kom khov: *Nws cob tsis zoo es tus ko riam thiaj plam.*

***[English]** (v) To solder; to affix, bond or glue.*

cob[3] (u) Muab ua kom ruaj thiab khov xws li muab raus rau hauv roj tej: *Nws cob riam zoo heev.*

***[English]** (v) To temper, such as to harden or strength metal by application of heat or by cooling.*

cob[4] (u) Muab cia rau; tso rau; pub rau: *Nws cob nws tus menyuam rau peb.*

***[English]** (v) To give; to deliver; to hand over to.*

cob phum (u) Ruaj ntseg; khov losyog zoo mus: *Lawv tsev neeg cob phum vim lawv coj zoo thiab ncaj.* (p) Yam uas cob phum losyog ruaj ntseg.

***[English]** (v,adj) Permanent, secure, esp. without problems.*

Cobtsib (y) Ib hom neeg Suav nyob rau pem Suav teb: *Nws yog neeg Cobtsib.*

***[English]** (n) Chinese.*

cog (u) Muab faus rau hauv av; muab av npog rau uas xws li kom tuaj kaus: *Nws cog nplej thiab cog pobkws. Nws cog tsob ntoo.*

***[English]** (v) To plant or grow such as flowers or trees.*

cog lus (u) Hais lus lossis qhia rau lwm tus neeg tias yus yuav ua kom tau raws li yus cov lus tiag: *Nws cog lus tias nws yuav pab kuv.*

***[English]** (v) To promise; to agree or consent to, such as to do certain task.*

coj[1] (u) Nrog mus uake: *Nws coj cov menyuam mus ua si.*

***[English]** (v) To bring; to take with or along. Ex: She takes the kids to play.*

coj[2] (u) Nrog mus uas xws li yog tus qhia kev rau: *Nws coj peb kev.*

© 2003 Jay Xiong. All rights reserved.

***[English]** (v) To lead the way.*

coj[3] (u) Cev cov lus rau lwm tus: *Koj coj kuv cov lus mus rau nws.*

***[English]** (v) To deliver or take (a message to someone, for example); bring.*

coj[4] (u) Muab hnav losyog muab tso rau ntawm lub cev: *Nws coj ib ntiv nplhaib.*

***[English]** (v) To wear or put on (a ring, for example).*

coj[5] (u) Kev ua uas xws li los ntawm tus neeg: *Nws coj tsis ncaj.*

***[English]** (v) Behave, act, esp. pertaining to the character of a person.*

coj khaub ncaws (u) Siv los piav txog thaum tus pojniam lub cev ntas lossis thaum muaj ntshav tawm hauv nws lub paum los. Feem ntau, ib hlis cov pojniam muaj ib zaug tej. Ib txhia neeg kuj siv lo tias "cev ntas" no thiab: *Nws tus pojniam tseem coj khaub ncaws.*

***[English]** (v) To have a period or undergo menstruation; to menstruate.*

com (u) Muab zeem lossis sibhu ua phaj, xws li wb muab com tias nws yog phaj txiv hos kuv yog phaj tub.

***[English]** (v) To talk and reconcile about one's generation or level, esp. when meeting someone who is new to the family.*

com tswm (y) Ib hom xyoob uas me thiab tuaj zoo li hmab. Ib txhia neeg kuj hu ua "xyoob hmab" no thiab.

***[English]** (n) Vine bamboo.*

coob (u) Muaj ntau; tsis tsawg; muaj uas xws li suav tsis txheeb: *Pab noog coob heev.* (p) Muaj ntau: *Nws muaj kwvtij coob.* Lus rov: *Tsawg.*

***[English]** (v,adj) Many, numerous.*

cooj (y) Lub tsev uas ua rau qaib thiab os pw: *Cov qaib pw hauv lub cooj.*

***[English]** (n) A pen or a fenced closure for animals.*

cooj os (y) Lub tsev ua los rau os pw: *Nws ua tau ib lub cooj os.*

***[English]** (n) A pen or fenced closure made specifically for ducks or geese.*

cooj qaib (y) Lub tsev ua los rau qaib pw: *Nws ua tau ib lub cooj qaib.*

***[English]** (n) A pen or fenced closure made specifically for chickens.*

cos[1] (y) Lub uas Hmoob siv los tuav nplej thiab pobkws: *Peb muaj ib lub cos.*

***[English]** (n) A mortar which Hmong used to crush rice and corn.*

cos[2] (y) Tej lub pob nyob ntawm xws li neeg daim tawv nqaij tej: *Nws mob ib lub cos ntawm nws txhais taw.*

***[English]** (n) Wart.*

© 2003 Jay Xiong. All rights reserved.

cos[3] (y) Cov tej lub pob uas zoo xws li lub cos losyog lub pob caus: *Lub cos paj.*
[English] (n) Any of the wart like rough lump or similar growth as on plants and on trees.

cov[1] (h,y) Hom, yam, pawg, pab: *Cov neeg phem hais lus phem. Cov nyuj, cov npua, thiab cov nees ltn...*
[English] (cl,n) Kind, type.

cov[2] (u) Los sib kauv uake; sib chaws ua ib pob: *Txoj hlua sib cov ua ib thooj.*
[English] (v) To become twisted; to entangle.

cov[3] (u) Nyuaj: *Zaj lus nug no cov heev.* (p) Yam uas nyuaj losyog cov: *Nws hais lus cov heev.*
[English] (v,adj) Difficult, complicate, complex.

cov nyom (u) Nyuaj, tsis yoojyim: *Ntawv Suav cov nyom heev.* (p) Yam uas nyuaj losyog cov: *Koj hais lus cov nyom dhau.*
[English] (v,adj) Complicate, perplex, difficult.

cu (u) <Lees> Muab co: *Nwg cu tsob ntoo.*
[English] (v) <Leng> Shake.

cua[1] (y) Cov pa uas ua rau neeg tsis tuag thiab muaj sia: *Cua hlob heev.* Ib lub npe siv rau cov ntxhais.
[English] (n) Wind. Also a proper name for girls.

cua[2] (u) Qab uas xws li lub taub dag tej; tsis phom, tsis tawv: *Lub taub cua thiab qab heev.*
[English] (v) Being tasteful or flavorful, esp. use to describe a boiled pumpkin.

cua[3] (u) Muab noj, zom losyog xo: *Tus dev cua tus pobtxha.*
[English] (u) To chew; to gnaw.

cua daj (y) Cov cua uas muaj thaum lub ntuj tsaus xws li yog yuav los nag thiab muaj xob laim thiab nroo tej: *Cov cua daj, cua dub yuav los nawb.*
[English] (n) Storm, esp. having strong wind with dark sky.

cua dub (y) Cov cua uas muaj thaum lub ntuj tsaus xws li yog yuav los nag thiab muaj xob laim thiab nroo tej: *Cov cua daj, cua dub yuav los nawb.*
[English] (n) Storm, esp. having strong wind with black sky.

cua nab (y) Ib hom kab zoo li tus cab losyog nab, tabsis me, liab, thiab muaj nyob rau hauv av: *Neeg siv cua nab los nuv ntses.*
[English] (n) Worm or any of the wormlike insects.

© 2003 Jay Xiong. All rights reserved.

cua sov (y) Cov cua losyog pa sov uas tso rau hauv lub tsev kom sov: *Nyob rau lub caij ntuj no neeg tso cua sov lawv thiaj nyob taus.*
[English] (n) Heat, warm or hot air.

cua txias (y) Cov cua losyog pa txias uas tso rau hauv lub tsev xws li kom txias losyog laj: *Nyob rau lub caij ntuj sov, neeg tso cua txias ntau heev.*
[English] (n) Air conditioning, cool or cold air.

cua yis* (y) Cov cua uas kiv thiab tshuab ua tej lub yis. Feem ntau yog loj thiab muaj zog heev: *Lub yis cua los nqa lub tsev thiab ua rau ntoo vau tag.*
[English] (n) Tornado or any of the rotating column of tornado like wind.

cuab[1] (u) Muab caws tos; ua tos xws li kom los mag: *Peb cuab ntxiab tos noog. Nws cuab tau ib rooj hlua.*
[English] (v) To trap or entrap; to set something up as a trap.

cuab[2] (u) Hu kom los; hais kom los: *Tus pojqaib cuab nws cov menyuam.*
[English] (v) To call in, esp. of animals.

cuab[3] (u) Hais tias yuav ua li; npaj rau qhov uas: *Nws cuab qhov mus ua nom.*
[English] (v) To plan; to prepare for; to act as if it will be happening.

cuab[4] (u) 1. Txhawb, pab uas xws li kom muaj zog losyog ua tau: *Nws yog tus cuab kuv zog.* 2. Pib lub suab mus: *Nws cuab lub suab kwv txhiaj.* (nu) Tsis uas xws li cuab nplua. Txhais tau tias tsis nplua.
[English] (v) 1. Support, assist, aid. 2. Begin, start.

cuab[5] (y) 1. Tej yam uas ua los xauv losyog kaw es kom lwm tus neeg qhib losyog dawj tsis tau: *Neeg siv rab cuab los xauv lawv lub kauj tsheb.* 2. Ob daim ntoo ua los rau tsiaj, feem ntau yog npua, coj nyob rau ntawm nws lub cajdab kom nws nkag tsis haum cov qhov laj kab tej: *Nws ua rab cuab rau tus npua coj.*
[English] (n) 1. A anti-theft device made of metal or steel, esp. used for locking a steering wheel; a steering wheel lock. 2. A device made out of two pieces of wood to put on the neck of a pig as to stop the pig from going or entering through small gaps or a fenced in area.

cuab[6] (y) Lo lus no feem ntau yog siv nrog rau lo yig lossis yim, xws li lub cuab lub yig: *Nyias saib nyias lub cuab lub yig kom zoo.*
[English] (n) Family and mostly used such as "lub cuab-lub yig" only.

cuab kav (y) Peev xwm; ua tau: *Nws muaj cuab kav mus thov tus nom.*

© 2003 Jay Xiong. All rights reserved.

***[English]** (n) Ability, capability. Example: He has the ability to do it.*

cuab kev (p) Nyob ze kev; tsis muaj abtsi thaiv; nyob rau thaj chaw uas pom yooj yim: *Koj lub tsev nyob cuab kev heev.*

***[English]** (adj) Obvious, situated on a place that can be seen easily.*

cuab lug (p) Piav txog yam muaj lub qhov cuab losyog qhib tos: *Nws lub tsev toqhov cuab lug.*

***[English]** (adj) Opening widely.*

cuab ntshuv (p) Piav txog yam uas muaj lub qhov cuab losyog qhib tos: *Nws lub tsev toqhov cuab ntshuv.*

***[English]** (adj) Open, obvious, esp. wide-open.*

cuab tam (y) Txhua yam uas nyob hauv lub tsev; lub neej: *Nws lub cuab tam.*

***[English]** (n) Things belong to a family; materials or things used in the family.*

cuab tha (p) Cuab kev; pom yoojyim; tsis nraim: *Nws lub tsev nyob cuab tha heev. Nws pob khoom nyob cuab tha dhau es neeg thiaj li muab lawm.*

***[English]** (adj) Wide-open, obvious or can easily be seen easily.*

cuab thoj (y) Ib hom ntoo siab txij li tsev thiab txi cov txiv uas neeg noj: *Nws muaj ib tsob txiv cuab thoj.* Feem ntau, neeg siv "txiv cuab thoj" xwb.

***[English]** (n) Guava. Any of various guavas.*

cuab thoj daj (y) Ib hom ntoo siab txij li tsev thiab txi cov txiv uas neeg noj: *Nws muaj ib tsob txiv cuab thoj daj.* Feem ntau, neeg siv "txiv cuab thoj daj."

***[English]** (n) Yellow guava.*

cuab thoj dawb (y) Ib hom ntoo siab txij li tsev thiab txi cov txiv uas neeg noj: *Ib tsob txiv cuabthoj dawb.* Feem ntau, neeg siv "txiv cuab thoj dawb" xwb.

***[English]** (n) White guava.*

cuab thoj liab (y) Ib hom ntoo siab txij li tsev thiab txi cov txiv uas neeg noj: *Nws muaj ib tsob txiv cuab thoj liab.* Feem ntau, neeg siv "txiv cuab thoj liab."

***[English]** (n) Pink guava.*

cuab tsav (y) Tsav cuab; tus neeg los laig dab rau thaum lub caij uas muaj ib tus neeg tuag: *Nws yog tus cuab tsav lossis tus tsav cuab.*

***[English]** (n) A person who is taking care of the funeral, esp. one who is knowledgeable about the clan's tradition and religion, and also having the same last name as the deceased person.*

cuab yeej (y) Tej khoom nyob hauv vajtse; cuabtam; lub neej: *Nws tej cuab yeej*

© 2003 Jay Xiong. All rights reserved.

mas ntau heev. Feem ntau, neeg siv lo "cuab yeej-cuab tam" xwb.

[English] (n) Things belong to a family; materials or things used in the family.

cuab yeej cuab tam (y) Tej khoom nyob hauv vajtse; lub neej: *Nws tej cuab yeej cuab tam ntau heev.*

[English] (n) Things belong to a family; materials or things used in the family.

cuag[1] (r) Txog rau; mus txog ntawm: *Koj tsab ntawv tuaj cuag peb lawm.*

[English] (prep) To, has got or reached (a destination, for example).

cuag[2] (u) Mus nrog tham losyog ntsib: *Nws mus cuag tus nom.*

[English] (u) To seek or ask for advice or help.

cuag[3] (pu) Npaum nkaus li; zoo ib yam li; sibluag: *Nws noj cuag nws tshaib heev.*

[English] (adv) Such, like. Example: He eats like he is hungry.

cuag cas (pu) Pawg lug; muaj ntau heev; coob: *Neeg khiav cuag cas.*

[English] (adv) Everywhere, all over the place.

cuag tsi (pu) Pawg lug; muaj ntau heev; coob: *Neeg tso khoom cuag tsi.*

[English] (adv) Everywhere, all over.

cuaj (y) Tus ntawv suav 9 uas nyob nruab nrab ntawm tus 8 thiab tus 10: *Nws suav txog cuaj.* (p) *Nws muaj cuaj xyoo.* (t) Cuaj loj tshaj yim.

[English] (n, adj, pron) Nine as the cardinal number 9.

cuaj caum (y) Tus ntawv suav 90 uas nyob nruab nrab ntawm tus 89 thiab tus 91; 9 x 10: *Nws suav txog cuaj caum.* (p) *Nws muaj cuaj caum xyoo.*

[English] (n,adj) Ninety.

cuaj kaum (pu) Txawm li cas; pestsawg, hais tsis tau lawm: *Cuaj kaum nws tsis tsum li. Cuaj kaum los nws yuav mus xwb.*

[English] (adv) Nevertheless, whatsoever, nonetheless.

cuaj khaum (u) Qia dub; tsis muab pub lossis tsis txais rau lwm tus: *Nws cuaj khaum heev.* (p) *Nws yog neeg cuaj khaum.*

[English] (v,adj) Stingy, selfish. Example: He is so stingy.

cuam[1] (u) Muab ob tus pas lossis ob txoj ncau los sibqhaib; muab rig muslos: *Nws cuam nqeeb.*

[English] (v) Weave, stitch, esp. by taking two or more pieces (straps, for example) and interlacing into a basket or object.

cuam[2] (u) Muab pov losyog txawb mus: *Nws cuam thooj mov rau hauv av.*

[English] (v) Throw, cast, toss.

© 2003 Jay Xiong. All rights reserved.

cuam[3] (y) Ib hom tsiaj zoo li nyaj tabsis dub thiab cov tes taw ntev dua: *Nws pom ib ṗab cuam.*

[English] (n) Gibbon

cuam[4] (y) Zaus, lwm, tom: *Lawv sib ceg ib cuam.*

[English] (n) Occurrence, instance.

cuam kawb (u) Lub tebchaws losyog lub zos uas muaj roob, muaj hav ntau xwb: *Nej lub tebchaws cuam kawb heev.* (p) *Tsis nyiam nyob tebchaws cuam kawb.*

[English] (v, adj) Hilly, mountainous but used as verb in Hmong.

cuam khum (u,p) <Lees> Cuaj khaum; qia dub; tsis muab pub losyog tsis txais rau lwm tus: *Nwg cuam khum heev le.*

[English] (v,adj) <Leng> Stingy, selfish. Ex: He is so stingy.

cuam koob (y) Ib hom ntxiab ua los cuab xws li nas tej.

[English] (n) Certain kind of trapping device that used to catch rodent.

cuam phij (y,p) Ib hom kev txiav losyog phua, xws li thaum phua ncau, uas yog muab phua raws daim tawv xyoob. Feem ntau yog siv los hais rau lub caij phua ncau xwb, thiab phua cuam phij kom daim ncau zooj thiab tsis lov yoojyim vim tsis muaj lub plawv xyoob txuam.

[English] (n,adj) A way of cut, esp. a bamboo by cutting between the inner part and the outer part of a bamboo, as to make straps or strings.

cuam tshuam (u) 1. Tuaj mus tshuam rau; los thaiv, tav pem hauv ntej: *Nws tuaj cuam tshuam lawv rooj tshoob.* 2. Muab qhaib losyog muaj yam los hom tseg lawm: *Puas muaj neeg tuaj cuam tshuam nej tus ntxhais?*

[English] (v) 1. Interrupt, interfere, intrude. 2. Reserved or prearranged.

cuas (y) Siv los hu tus nyab losyog tus vauv leej txiv; yawm cuas: *Kuv txiv hu kuv pojniam leej txiv ua cuas.* Lus rov: *Poj cuag.*

[English] (n) Daughter-in-law's father or dad.

cuas luam (u) Tus qaib uas tsis muaj plaub ntau: *Tus qaib cuas luam heev.* (p) Tus qaib uas cuas luam: *Nws muaj ob tus qaib cuas luam.*

[English] (v, adj) Naked, bare. This term is only used to describe animals with feathers such as chicken.

cuas vauv (y) Tus txiv neej uas nrog tus vauv tuaj ua tshoob: *Hais tus cuas vauv los noj mov.*

[English] (n) Best man or groomsman.

© 2003 Jay Xiong. All rights reserved.

cuav (p) Dag, tsis tiag, tsis tseem: *Koj hais tseeb los hais cuav?*
[English] (adj) Joke, fake, pretend, false.

cuav xwm (u) Dag, tsis tiag: *Nws cuav xwm peb.*
[English] (v) Joke, fake, pretend.

cuav zos (u) Mus ncig ua si; mus thampem ua si: *Peb mus cuav zos tim Hmoob.*
[English] (v) To visit friends or neighbors.

cub[1] (u) Muab ncu; muab tso rau hauv lub tsu uas xws li kom siav: *Nws cub cov zaub. Cub cov mov kom sov.*
[English] (v) To steam or heat in a steamer.

cub[2] (u) Haus me~ xws li thaum haus cawv tej: *Peb cub seb yom.* Lus rov: *Kab; tsa hlo xws li haus kom meej lossis tas.*
[English] (v) To sip or drink alcohol little, esp. during a wedding.

cub tawg (y) Lub qhov cub; qhov chaw uas neeg rauv taws losyog muaj hluav taws: *Nej lub cub tawg nyob qhov twg?*
[English] (n) Fireplace.

cug[1] (u) Muab xws li lub khob, tais lossis thoob los txais kom xws li cov dej lossis lwm yam mus rau hauv: *Nws cug tau ib tais dej.*
[English] (v) To collect or to fill into containers.

cug[2] (u) Tsis khiav; tsis ntshai xws li tig los nrau, ntaus tej: *Tus twm cug loo tos.*
[English] (v) To defend or fight back; to confront.

cug[3] (y) <Lees> Lub cos; lub uas Hmoob siv los tuav nplej tej.
[English] (v) <Leng> Mortar, esp. the kind used for crushing rice and corn.

cuj coom (pu) Mus kev thiab quaj xws li thaum tus poj qaib cuab nws cov me nyuam: *Tus poj qaib quaj cuj coom ncig vaj ncig tsev.*
[English] (adv) The calling sound made by a hen when leading her chicks.

cus[1] (u,p) Muaj zog; dhia muslos xws li tsis nkees li: *Tus menyuam cus heev.*
[English] (v,adj) Lively, active, energetic, frisky.

cus[2] (u) Tsis seej; qus xws li muaj zog dhia: *Tus nees cus heev.* (p) Yam uas cus.
[English] (v,adj) Wild, untamed, feral.

cus ciav (p) 1. Muaj zog thiab cus: *Nws hais lus cus ciav. Nws tham cus ciav.*
[English] (adj) Lively, active.

cw (y) Ib hom tsiaj zoo li kooj tabsis nyob hauv dej: *Nws yawm tau ib tus cw.*
[English] (n) Shrimp.

© 2003 Jay Xiong. All rights reserved.

cw dawb* (y) Ib hom cw uas dawb: *Nws yawm tau ob tus cw dawb.*
[English] (n) White shrimp.

cw tsov dub* (y) Ib hom cw uas luaj li ntiv tes, tabsis nws lub cev txaij zoo li tus tsov tsim tsawv: *Nws nyiam noj cw tsov dub.*
[English] (n) Black tiger shrimp.

cw xiav* (y) Ib hom cw uas daim tawv losyog lub cev xiav: *Ib tus cw xiav.*
[English] (n) Prawn shrimp.

cwb (u) Muab rau; cev rau; tso rau: *Koj cwb rau nws.*
[English] (v) To give to; deliver to.

cwj mem (y) Tus kheej thiab me luaj li tus ntiv tes uas neeg siv los sau ntawv. Qee leej neeg kuj hu ua tus mem xwb: *Neeg siv cwj mem los sau ntawv.*
[English] (n) Pen such as used for writing.

cwj pwm (y) Tus yeebyam; ib txoj kev coj ntawm tus neeg: *Nws tus cwj pwm.*
[English] (n) Attitude, character, manner.

d[1] (y) Tus ntawv dos. Ib tus ntawv uas siv rau cov lus xws li dev, daj, doog ltn...
[English] (n) The forth letter of the English alphabet.

d[2] (y) Tus cim tod. Tus cim no yog siv rau cov lus xws li muaj lub suab pib ntawm tus cim niam 'M' tabsis xaus rau tus cim kuv 'V': *Nws nyob tod.* Lo lus "tov" thiab "tod" nws txhais tib yam xwb, tabsis lub suab thiab tus cim txawv.
[English] (n) A tone marker used for Hmong words such as "tod, tid, nrad."

da[1] (u) Mus ntxuav cev losyog mus ua si hauv dej: *Peb da lub pasdej.*
[English] (v) Swim, wash, bathe.

da[2] (u) Muab lub cev mus tshiav losyog mus raus rau hauv: *Tus npua da av.*
[English] (v) To play in a mud or pond.

da[3] (u) 1. Pw uas xws li so kom tsis txhob nkees: *Nws da tom txaj.* 2. Muab lub cev tso rau hauv av; pw hauv av tej.
[English] (v) 1. To lie down as to rest or relax. 2. To lie or throw oneself on the floor, such as when a child is very upset or angry.

dab[1] (y) 1. Tus plig lossis ntsuj uas, ib txhia neeg ntseeg tias, yog los ntawm tus neeg tuag: *Thaum nyob ces yog neeg; thaum tuag ces yog dab.* 2. Qee leej neeg kuj siv los piav txog Hmoob txoj kev ua Neeb thiab: *Lawv tseem coj Dab.*
[English] (n) 1. Ghost. 2. Shamanism.

dab[2] (y) Lub uas zoo li lub tais tabsis ntev thiab loj: *Nws zaum hauv lub dab.*

© 2003 Jay Xiong. All rights reserved.

[English] (n) Tub or any of the large buckets used for storing things.

dab[3] (y) Tus yawmdab; yus tus pojniam cov nus: *Dab Lwm thiab dab Looj.*
[English] (n) Short for brother-in-law, esp. from the wife's side.

dab koos kaim (y) Tus dab uas Hmoob ntseeg tias nws muaj hwj huam, thiab nws quaj nyob rau hmo ntuj tias, "koos kaim, kaim..." no.
[English] (n) Certain kind of ghost, esp. in Laos, which makes the sound similar to "koos kaim, kaim..."

dab laug[1] (y) Yus niam cov nus: *Kuv muaj ntau tus dab laug.*
[English] (n) Uncle, esp. the brothers of one's mother.

dab laug[2] (y) Ib hom noog nyob rau toj siab xws li tebchaws Lostsuas thiab quaj lub suab, "dab laug, dab laug" no. Yog li es Hmoob thiaj hu cov noog raws nws lub suab quaj ntawv: *Nws pom ib tus noog dab laug.*
[English] (n) Certain kind of bird, in Laos, that makes the sound "dab laug."

dab lug (y) Tej lub dab uas loj thiab tob: *Nag los puv lub dab lug.*
[English] (n) A big tub or bucket.

dab muag (y) Khaws los tau saib thiab kom tau pom vim yog los ntawm kev nco thiab kev tshua: *Khaws nws daim duab tau saib ua dab muag.*
[English] (n) Memory, esp. used as a collection or remembrance.

dab ncej tas (y) Hmoob tus dab uas teev kom los txheem lub tsev losyog los zov tus ncej tas: *Nws txi tus dab ncej tas.*
[English] (n) A ghost which locates at the column near the fireplace inside the Hmong house. This is applicable only to the Hmong who still believe and practice shaman.

dab neeb (y) Cov dab lossis ntsuj uas pab neeg, txiv Neeb, txawj lossis paub ua Neeb: *Dab neeb los tshoj nws; dab neeb thawj nws es nws thiaj txawj ua neeb.*
[English] (n) The ghost or spirit of the shaman.

dab neeg (y) Tej zaj lus piav txog puag thaum ub xws li cov neeg tau ua thiab muaj dhau ntau tiam los lawm: *Nws txawj hais dab neeg heev.*
[English] (n) Story, fiction, tale.

dab niam (y) Tus dab uas yog yus niam tuag mus ua: *Yog dab niam ua mob xwb.*
[English] (n) A spirit of one's deceased mother.

dab npuas (y) Lub dab uas neeg txua los kom npua zoo noj cov qhauv: *Npua noj qhauv hauv lub dab npuas.*

© 2003 Jay Xiong. All rights reserved.

***[English]** (n) A wooden tub or bucket used to serve food to the pigs.*

dab nriag (y) Ib txhia Hmoob ntseeg tias muaj neej teb, muaj ceeb tsheej, thiab muaj dab teb uas xws li dab nriag teb: *Hauv dab nriag lub tebchaws.*

***[English]** (n) Hell or in the ghost world.*

dab ntub (y) Thaum tus neeg pw thiab tsis hnov lawm; pw tsaug zog zoo thiab tsis nti lawm. Feem ntau yog piav txog thaum tus neeg pw tsaug zog: *Tus me nyuam quaj ib hmos ua rau peb tsis tau dab ntub li.*

***[English]** (n) Sleep, such as to rest for the body and the mind.*

dab ntuj (y) Cov dab losyog tus dab uas muaj hwj huam thiab saib lub ntuj.

***[English]** (n) The heavenly ghost; the ghosts that govern the universe.*

dab ntxaug (y) Cov dab uas ib txhia Hmoob ntseeg tias nws me~ thiab txawj taws teeb losyog ua rau pomkev hmo ntuj. Tsis tag li ntawv, cov dab no txawj ua rau neeg mob thiab tuag: *Neeg tsis nyiam cov dab ntxaug.*

***[English]** (n) Certain kind of ghost that can harm human.*

dab ntxaug nas (y) Cov dab ntxaug uas nyob ntawm tej povtoj thiab nws zoo nkaus li cov menyuam nas tej: *Ib xub dab ntxaug nas.*

***[English]** (n) Certain kind of ghost that are similar to small rats.*

dab ntxaug neeg (y) Cov dab ntxaug uas zoo li neeg, thiab nyob ua tej zos ib yam li neeg, tabsis neeg tsis pom tias nyob qhov twg. Cov dab ntxaug no neeg ntseeg tias yog neeg tuag mus ua xwb: *Ib pab dab ntxaug neeg.*

***[English]** (n) Certain kind of ghost that are similar to human.*

dab ntxaug zaj (y) Cov dab ntxaug uas nyob hauv dej, thiab thaum ua rau neeg pom nws yog ib tus neeg. Cov dab no nyiam noj neeg losyog muab neeg tus ntsuj plig heev.

***[English]** (n) Certain kind of ghost that is similar to dragon.*

dab ntxawg (y) Yus pojniam tus nus yau~ losyog ntxawg; dab laug ntxawg.

***[English]** (n) Brother-in-law, esp. from the wife's side, and the youngest one.*

Dab Ntxwg Nyoog (y) Ib txhia neeg ntseeg tias muaj ib tus dab uas muaj hwj huam thiab phem xws li ua rau neeg mob thiab tuag. Tsis tag li ntawv, nws tseem qhia thiab ua kom neeg txawj ua phem: *Neeg ntseeg tias Huabtais Ntuj yog tus zoo hos tus Dab Ntxwg Nyoog yog tus phem.* Ib txhia kuj siv lo "Ntxwg Nyoog" thiab.

***[English]** (n) Devil.*

© 2003 Jay Xiong. All rights reserved.

dab peg (y) Ib hom mob uas ua rau tus neeg qaug losyog ntog yog thaum mob tuaj lawm: *Nws mob dab peg; nws mob qaug dab peg.*
[English] (n) Epilepsy.

dab phem (y) Neeg ntseeg tias muaj ib co dab zoo thiab ib co dab phem. Cov dab phem yog cov ua rau neeg tuag thiab mob; hos cov dab zoo yog cov pab thiab cawm kom neeg zoo tej.
[English] (n) Devil, bad ghost.

dab qhov txos (y) Tus dab uas ib txhia Hmoob teev nyob rau ntawm lub qhov txos. Tus dab no yog tus loj tshaj lossis tus muaj fwj chim tshaj lwm tus dab hauv lub tsev vim nws ua mov rau txhua tus dab hauv tsev noj.
[English] (n) A ghost or spirit worshiped by some Hmong and believed to be in charge of the fireplace, esp. the fireplace where the big cooking and boiling of most the pig food. This ghost is considered to be the most important ghost or having the most power since it provides food and cooking.

dab qhuas (y) Kev ntseeg txog dab; kev teev dab nyob rau hauv vajtse: *Hmoob tej kevcai dab qhuas.*
[English] (n) Ghosts or spirits that are worshiped within the house or family.

dab ros (y) Lub suab uas thaum tus neeg zoo siab es nws luag, thiab ua suab nrov tawm hauv lub qhov ncauj tuaj; luag nrov: *Nws muaj dab ros heev.*
[English] (n) A sound or voice of laughing.

dab tebchaws (y) Cov dab uas kav lub zos lossis lub tebchaws.
[English] (n) The ghosts or spirits that oversee the village, city or town etc...

dab toj ntxas (y) Cov dab uas nyob ntawm lub toj ntxas.
[English] (n) The ghosts that live at the cemetery.

dab tshos (y) Daim paj ntaub uas Hmoob xaws los tso rau saum lub cajqwb ntawm lub tsho: *Nws muab tau ib lub dab tshos rau kuv.*
[English] (n) The piece of embroidered fabric made to add or put on the Hmong woman's collar, esp. on the back of a collar of a shirt.

dab tsi[1] (t) Abtsi; ib yam twg ntawm ntau yam: *Dab tsi nyob ntawv?* (p) Piav txog xws li ib yam twg ntawm ntau yam: *Nws nyob lub zos dab tsi?* (y) Ib yam; ib hom uas xws li khoom ltn... *Nws tsis muaj dabtsi li.* Dabtsi thiab abtsi neeg kuj siv mus los thiab txhais tib yam xwb.
[English] (pron, adj, noun) What.

© 2003 Jay Xiong. All rights reserved.

dab tsi[2] (pu) Muaj ntau; muaj coob losyog cuag li cas: *Yoov ya cuag dab tsi.*
[English] (adv) Everywhere, numerously. Ex: The flies are everywhere.

dab tso (y) Tej dab thiab tej tsov: *Tebchaws hav zoov muaj dab tso coob heev.*
[English] (n) The ghosts, spirits and/or tigers.

dab tuag (u) Phem uas xws li tsis zoo nkauj losyog tsis ntxim nyiam: *Nws dab tuag heev.* (p) *Nws yog ib tus neeg dab tuag.*
[English] (v,adj) Ugly, bad-looking, unattractive.

dab txhiaj meej (y) Hmoob tus dab uas teev kom los pov hwm thiab saib tsev neeg; xws li tsis pub kom cov dab qus los rau hauv tsev. Tus dab no nws nyob rau nram lub qhovrooj tag: *Nws txi tus dab txhiaj meej.*
[English] (n) One of the ghosts or spirits worshiped within the house. This spirit oversees the family so that the bad or outside ghosts can not harm the family members. This ghost or spirit is located at the south side door or southern entrance of the house.

dab txiv (y) Tus dab uas yog yus txiv tuag mus ua: *Yog dab txiv ua nws mob xwb.*
[English] (n) A ghost or spirit of one's deceased father.

dag[1] (u) Tsis tiag; hais ua si xwb; tsis tseeb; tsis muaj li hais: *Peb dag tabsis nws chim heev.* (p) *Koj hais lus dag dhau.*
[English] (v,adj) To lie or not telling the truth; to joke.

dag[2] (y) Ntev losyog loj li ib daj: *Txoj siv ntev li ob dag.*
[English] (n) A unit of measurement that is equal to both arms stretching.

dag[3] (y) Daj uas xws li cov tsuas: *Tsis pom dej dag siab tsis nqig.*
[English] (n) Yellow.

dag zog (y) Neeg lub zog thiab sijhawm uas tau siv los ua lossis pab lwm tus: *Ua tsaug rau nej tej dag zog–kev pab. Neeg kuj siv tias lub dag lub zog thiab.*
[English] (n) Assistance, help, aid.

dai (u) 1. Muab khuam rau xws li nyob hauv qab: *Puav dai taw.* 2. Nco txog; ua rau kom kho siab losyog zoo siab: *Nws ua kom dai peb siab.*
[English] (v) 1. To hang on to; to hook on. 2. To think of.

dai lauj (u) Lub caij uas thaum neeg tsis ntais cov pobkws es cov pobkws lub pob dauv rau hauv av lawm: *Nws cov pobkws ces dai lauj tag.*
[English] (v) Used to describe, i.e., when the corn falling backward off the corn stalk, esp. when the corn is fully grown and overly dried.

© 2003 Jay Xiong. All rights reserved.

dai ncuv (p) Dai ntev los lawm; tawm thiab dauv los xws li yuav poob: *Nws tsaug zog tobhau dai ncuv.*

[English] (adj) Hanging over or having been hung for a while.

dai plawv (p) Nco rau hauv plawv losyog hauv siab; nco txog: *Tus hluas nkauj hais lus dai plawv.* Lo lus dai yog siv nrog rau siab thiab plawv ces nws txhais tau tias ua rau nco txog, xav txog losyog tshua txog.

[English] (adj) To thinking of; to miss someone dearly.

dai siab (p) Nco rau hauv siab losyog hauv plawv; nco txog: *Tus hluas nkauj hais lus dai siab.* Lo lus dai yog siv nrog rau siab thiab plawv ces nws txhais tau tias ua rau nco txog, xav txog losyog tshua txog.

[English] (adj) To thinking of; to miss someone dearly.

dai tuag (u) Muab hlua khi cajdab thiab coj mus dai rau qhov chaw siab uas xws li kom tus neeg tuag: *Nws dai tuag vim nws tsis xav ua neeg lawm.*

[English] (v) To hang oneself, esp. such as to end one's life.

dai vias (p) Dai ntev los lawm; tawm thiab dauv los uas xws li yuav poob: *Nws tsaug zog tobhau dai vias.*

[English] (adj) Hanging over or having been hung for a while.

daig[1] (u) Khuam, tsis yoj; tsis haum; tsis dhau: *Lub tsheb daig ntawm lub pas av.*

[English] (v) To clog, stuck or jam.

daig[2] (y) Daim, ua tej lub losyog tej thaj xws li daim teb, daim av, daim nqaij ltn... Lo lus no thiab lo daim txhais tib yam xwb: *Nws muaj ib daig.* (h) Thaj: *Ib daig liaj. Ib daig teb pobkws.*

[English] (n) Piece; a portion or part of something. (cl) Used to describe objects that have surfaces, such as paper, land, blanket.

daim (y) Daig, ua tej lub losyog tej thaj xws li daim teb, daim av, daim nqaij ltn... Daim thiab daig txhais tib yam xwb: *Nws muaj ib daim.* (h) Thaj: *Ib daim liaj. Ib daim teb pobkws.*

[English] (n) Piece; a portion of part of something. (cl) Used to describe objects that have surfaces such as paper, land, blanket.

dais (y) Ib hom tsiaj uas loj, muaj plaub ntau, thiab muaj rau tes thiab rau taw ntse heev: *Nws pom ib tus dais.*

[English] (n) Bear, esp. the animal bear.

dais dawb* (y) Cov dais uas loj thiab muaj cov plaub dawb thoob plaws lub cev.

© 2003 Jay Xiong. All rights reserved.

[English] (n) White or polar bear.

dais dev (y) Cov dais uas me thiab luaj li tus dev tej.

[English] (n) The smaller kind of bears, usually, the size of a dog.

dais dub (y) Cov dais uas muaj cov plaub dub thoob plaws nws lub cev.

[English] (n) Black bear.

dais nees (y) Cov dais uas loj tshaj plaws thiab nws lub hauvsiab dawb.

[English] (n) One of the biggest kind of bears and normally have a white area on the chest.

dais npua (y) Cov dais uas loj luaj li npua tej.

[English] (n) One of the medium size of bears, usually, the size of a pig.

daiv (y) Ib hom kab zoo li ntab, tabsis nws loj thiab plev neeg mob heev. Feem ntau daiv nyiam ua qhov nyob hauv av xwb: *Nws pom ib xub daiv.*

[English] (n) Certain kind of the bumble bees and they can sting.

daj[1] (y) Ib hom tsuas, uas xws li muab tsuas liab tov tsuas ntsuab: *Daj yog ib yam tsuas.* (p) *Ib tus noog daj. Ib lub tsev daj.* (u) Tsuas lossis zas kom daj.

[English] (n) Yellow. (adj) Of color yellow. (v) To make or become yellow.

daj[2] (y) Ntev losyog loj li ib dag; ntev li thaum muab neeg ob txhais caj npab xyab losyog nthuav: *Txoj siv ntev li ob daj.*

[English] (n) A method of measurement having a length equals to two meters.

daj dawg (y,pu) Lub suab uas thaum neeg tuav cos es nrov.

[English] (n,adv) A sound made when people use or operate a mortar.

daj dawg lawg (y,pu) Lub suab uas thaum neeg tuav cos es nrov.

[English] (n,adv) A sound made when people use or operate a mortar.

daj dee (u) Sibtham uas xws li kev ua nkauj ua nraug. Lo lus no yog siv rau lub caij hais kwv txhiaj xwb: *Wb daj dee hais zoo luaj no...*

[English] (v) To pursue a courtship; dating esp. between guys and girls.

daj dua (y) Nees daj dua losyog ib hom tsiaj zoo li nees, tabsis me thiab nyob tom hav zoov.

[English] (n) A kind of animal that is similar to a horse, but is much smaller and lives in the woods similar to a squirrel.

Daj Hau (y) Cov neeg uas muaj plaubhau daj: *Ib tus Dajhau.* (y) Ib txhia neeg kuj siv los piav txog cov neeg xws li Fabkis thiab Amelikas: *Peb tuaj txog rau Dajhau lub tebchaws lawm.* Lus rov: *Dub Hau.*

© 2003 Jay Xiong. All rights reserved.

[English] (n) White or blond hair people; Caucasian.

daj lis (p) Tsis daj heev; daj tsim tsawv: *Nws de tau ib lub dib pag daj lis.*

[English] (adj) Yellowish, sort of yellow.

daj ntseg (u) Lub ntseg muag daj uas xws li tsis liab losyog tsis tshiab. Feem ntau yog piav txog thaum tus neeg mob tau ntev lawm xwb: *Nws daj ntseg vim nws mob tau ntau hli.* (p) *Nws yog tus neeg daj ntseg.*

[English] (v) Pale or whitish in facial complexion. (adj) Being pale, such as has been sick for a while.

daj rhuv (p) Muaj tsuas daj heev uas xws li thaum lub txiv tsawb siav~ lawm: *Nws muab tau ib kuam txiv tsawb daj rhuv rau peb.*

[English] (adj) Yellow, very yellowish.

daj tav (y) Ib hom ntses uas daj sab tav: *Nws nuv tau ib tus ntses daj tav.*

[English] (n) Certain kind of fish.

dam (u) Muab lov; muab ib ya lov kom tau ntau ya: *Nws dam tus pas ua ob ya.* (p) Yam uas dam losyog tau dam los lawm.

[English] (v) To break or to separate into pieces. (adj) Broken.

dau (y) Txheej lossis tej yam uas khub thiab muaj qhwv sab tawv ntawm tej cov ntoo, zaub, thiab kab tsib tej: *Muab riam thib cov dau tawm.* Lo lus no yog qhia los ntawm Xis (Tsab) Xyooj.

[English] (n) The outer layer or covering that certain trees have on the barks.

daug (u) Tawg thiab tawm los xws li thaum tus menyuam qaib tawm hauv lub qe los: *Lub qe daug tau ib tus menyuam qaib. Cov qe os daug lawm.*

[English] (v) Hatch or to emerge from an egg.

dauj (y) Rab ntoo uas siv los tuav ncuav: *Siv rab dauj los tuav ncuav.*

[English] (n) Pestle. A large wooden bar used to stamp or pound things, such as rice.

dauj cog (y) Tus dauj uas nyob ntawm tus cav cos: *Ib tus dauj cog.*

[English] (n) The pestle of a mortar. A large wooden bar used to stamp or pound on things, such as rice and corn.

daum[1] (u) Muab ob txhais taw los npuab xws li tus ntoo losyog tus ncej thiab nce mus; laum mus: *Nws daum tus ntoo.*

[English] (v) Climb; to move upward, esp. by using the feet and hands.

daum[2] (u,p) Dub tawv xws li cov neeg Lostsuas losyog cov neeg nyob rau lub

© 2003 Jay Xiong. All rights reserved.

tebchaws sov heev: *Nws daum vim nws tiv tshav heev.*

***[English]** (v,adj) Having a dark complexion.*

daum[3] (y) Cov neeg uas muaj tawv nqaij dub losyog doog heev xws li muaj nyob rau tebchaws Lostsuas: *Nws yog Daum.*

***[English]** (n) Certain kind of people in Laos and are similar to Laotian but speak different language.*

daus (u) Muab xws li diav losyog tais mus hais los: *Nws daus cov kua zaub.* (y) Te, cov zoo li nag tabsis khov ua tej thooj me thiab txias heev: *Tebchaws Miskas yog ib lub tebchaws los daus ntau heev.*

***[English]** (v) To scoop; to spoon out, to dig out. (n) Frost, snow.*

dauv (u) 1. Rawv losyog quav rov los rau hauv av: *Tus ceg ntoo dauv rau hauv av.* 2. Tig los saib uas xws li rau hauv daim av: *Peb thov Huabtais Ntuj dauv muag los ntsia peb cov neeg txhaum.* (p) Piav txog yam uas dauv, xws li poob lossis quav rau hauv av tej.

***[English]** (v,adj) 1. To drop (one end of the rope down, for example); to hang downward. 2. To look or glance, esp. down at (something, for example).*

dav[1] (u) 1. Loj uas xws li ntev sab ib mus txog rau sab ob; tsis nqaim: *Nws daim pam dav heev.* (p) Yam uas dav: *Nws nyiam daim teb dav thiab loj.* Lus rov: *Nqaim.* (y) Ib hom noog uas loj thiab nws muaj kaus taw ntse heev thiab noj lwm hom noog: *Tus dav tsaws saum tsob ntoo.*

***[English]** (v, adj) Wide. (n) Hawk, falcon.*

dav[2] (u) Muaj lub siab zoo thiab ncaj xws li hlub taus coob leej: *Nws siab dav heev es nws thiaj tau nom.* (p) Tus neeg uas siab dav. Lus rov: *Me, nqaim.*

***[English]** (v, adj) Generous, kind-hearted.*

dav dawb hau* (y) Ib hom noog zoo li dav, tabsis muaj ib co plaub dawb nyob rau ntawm lub tobhau: *Neeg Miskas hawm txog tus dav dawb hau.*

***[English]** (n) Eagle, esp. the bald eagle.*

dav hlau (y) Lub nyuj hoom; lub uas yog hlau, muaj tis, thiab ya taus nyob rau saum ntuj losyog saum huab cua: *Lawv caij dav hlau tuaj xwb.*

***[English]** (n) Airplane, plane.*

dav liv nyug (y) Ib hom noog dav uas tuaj ob tus plaub zoo xws li ob tus kub nyob rau saum lub tobhau. Hmoob feem ntau kuj hu ua liv nyug xwb.

***[English]** (n) Certain kind of night hawk.*

© 2003 Jay Xiong. All rights reserved.

davfo (p) Dav heev; tsis nqaim: *Nws ua tau ib lub tsev davfo.*
[English] (adj) Wide, spacious.

daw (u) Qab dhau xws li yog muaj ntsev ntau dhau: *Cov zaub daw heev.* (p) Yam uas daw: *Nws nyiam noj daw xwb.* Lus rov: *Tsuag.*
[English] (v, adj) Having too much salt content; salty.

daw ntsev (u,p) Muaj ntsev ntau; qab ntsev dhau: *Lauj kaub zaub daw ntsev heev.*
[English] (v, adj) Having too much salt content; salty.

dawb[1] (y) Muaj tsuas uas pomkev, tshiab losyog kaj xws li tsis muaj tsuas tsaus losyog dub li: *Ib tsuas dawb.* (u) Thooj huab dawb heev. (p) Yam uas muaj tsuas dawb: *Nws nyiam hnav lub tsho dawb.* Lus rov: *Dub.*
[English] (n) White, such as color. (v, adj) Being of the color white.

dawb[2] (y) Lub plhu uas muaj tsuas tshiab thiab liab: *Nws lub plhu dawb thiab zoo nkauj heev.* (p) 1. Yam uas dawb thiab tshiab: *Nws nyiam tus neeg plhu dawb xwb.* 2. Tsis sau nyiaj losyog tsis sau nqi: *Nws pub dawb rau kuv.*
[English] (n) Having a white complexion. (adj) Being the color white.

Dawb[3] (y) Ib txhia neeg kuj siv los piav txog cov neeg muaj daim tawv nqaij dawb lossis cov plhu dawb, xws li neeg Fabkis thiab neeg Miskas.
[English] (n) Caucasian, White people (American, for example).

dawb do (pu) Pub rau xws li tsis sau nyiaj; tsis kom them: *Nws pub cov nyiaj dawb do rau koj.*
[English] (adv) Freely, such as without a charge or cost.

dawb huv (p) Dawb zoo xws li tsis muaj kev phem, dub losyog qias; ncaj ncees, xws li yog tsis muaj kev txhaum li: *Huabtais Ntuj yog tus dawb huv.*
[English] (adj) Holy, pure. Example: God is holy.

dawb lias (p) 1. Tsis dawb heev losyog dawb tsis ntev: *Tus noog ya dawb lias los tsaws saum tsob ntoo. Tus kauv khiav dawb lias rau tom hav fab.* 2. Muab ob lub qhov muag tig mus saib: *Nws ua qhov muag dawblias rau peb.*
[English] (adj) 1. Flashing by. 2. Being the color of white or whitish.

dawb paug[1] (p) 1. Dawb heev: *Nws muab ib lub tsho dawb paug rau kuv. Cov huab dawb paug nyob puv hav.* 2. Piav txog lub siab huv thiab zoo heev: *Tus neeg muaj lub siab dawb paug yog tus neeg siab zoo.*
[English] (adj) 1. Being of the color white. 2. Generous, benevolent, kind.

dawb paug[2] (pu) Tsis sau nyiaj; tsis kom them nyiaj rau: *Nws pub tus nyuj dawb*

© 2003 Jay Xiong. All rights reserved.

paug rau koj. Nws pub dawb paug rau kuv.
***[English]** (adv) Freely, as without charge or cost.*

dawb vog (p) 1. Dawb tsis heev pestsawg; siav tsis heev pestsawg: *Nws hau daim nqaij siav dawb vog xwb.* 2. Muaj tsuas uas dawb thiab ntau heev: *Paj ntoos tawg dawb vog puv roob.*
***[English]** (adj) 1. Whitish, esp. not fully cooked. 2. Being the color of white.*

dawg (y,pu) Lub suab uas xws li muaj neeg losyog tsiaj tsuj tej ya cav es nrov tej.
***[English]** (n,adv) A sound of closing or shutting a door or gate.*

dawj[1] (u) Muab rho, rub, losyog thau los: *Tus dais dawj lub pob ntoos.*
***[English]** (v) To pull (things) out; to dig or taking things apart.*

dawj[2] (u) Muab thau los saib xws li kho kom zoo tej: *Nws dawj nws lub tsheb.*
***[English]** (v) To take things apart, esp. when trying to fix or diagnose.*

dawm (u) Ua kom khuam; ua kom daig losyog mus tsis tau yoojyim: *Peb dawm yav cav.* (y) Thaj losyog qhov chaw uas nyob saum lub roob uas tiaj kiag: *Kuv lub tsev nyob saum lub dawm. Peb so saum lub dawm.*
***[English]** (v) Trip, stumble. (n) The flat area on top of a mountain, esp. next to the ridge line.*

daws[1] (u) Muab hle tawm mus; ua kom plam: *Nws daws txoj hlua.*
***[English]** (v) To untie or loosen (a rope, for example).*

daws[2] (u) Pab ua kom dim losyog tsis txhob raug: *Peb daws nws lub txim.* (pu) Dam kiag; lov tho losyog dam kiag xws li tsis nyob uake: *Tus ceg ntoo dam daws los rau hauv kev.*
***[English]** (v) To rescue; to bail, esp. from trouble. (adv) Quickly, immediately.*

daws dom (pu) Piav txog thaum yws losyog hais lus ntau heev.
***[English]** (adv) Used to describe someone who is complaining continuously.*

de (u) 1. Siv ob tus ntsis ntiv tes mus tais losyog ntsiab: *Nws de kuv txhais npab.* 2. Muab tes mus npaws losyog ua kom, zaub, tu los: *Nws de cov zaub.*
***[English]** (v) 1. Pinch, such as using the thumb and a finger. 2. To pick or harvest vegetables, esp. by breaking the desired leaves or parts only.*

deb (u) Tsis nyob ze; nyob nrug heev: *Nws lub zos deb heev.* (p) Yam uas nyob deb ntawv: *Nws nyob deb heev.* Lus rov: *Ze.*
***[English]** (v, adj) Far, far away. Ant: Near, close to.*

deeg (u) 1. Tib thawv; tib tsaj; tib nthawv: *Nws deeg kom lub mom poob.* 2.Mus

© 2003 Jay Xiong. All rights reserved.

kev xws li thaum tus neeg mob ib sab ceg: *Nws deeg tuaj txog ntawv.*

[English] (v) 1. To jerk or shake the body abruptly. 2. To limp.

deeg pauv (u) Mus siab mus qis xws li thaum yog mob ib sab ceg tej; deeg: *Nws deeg pauv tuaj txog ntawv.*

[English] (v) To limp; to walk lamely or limply.

deev[1] (u) Piav txog thaum tus txivneej muab nws rab qau mus tso lossis ntxig rau hauv tus pojniam lub paum; tsoob, txiag: *Tus tub deev tus ntxhais.* Lo lus no yog siv tau rau neeg xwb. Yog tsiaj ces yuav tsum siv lo tshov thiab tsoob. Lo tsoob thiab txiag tshawv dua lo deev.

[English] (v) To have sexual intercourse; to have sex with.

deev[2] (u) 1. Ua rau kom kho siab; ua rau kom nco txog xws li kev hluas nkauj thiab hluas nraug: *Nws hais kwv txhiaj deev peb siab.* 2. Muaj siab nyiam; hlub tiag; kam losyog yeem tiag: *Nws ncauj dag siab tsis deev.*

[English] (v) 1. To arouse; to inspire. 2. To commit; to become serious, esp. used when chanting or singing the Hmong "kwv txhiaj."

deg (y) Dej tabsis feem ntau yog siv rau tomqab ib lo lus uas muaj tus cim siab 'b' xwb: *Nram qab deg thiab pem hauv dej ltn...*

[English] (n) Water, river, lake.

dej (y) Cov kua uas muaj ntses nyob thiab neeg siv los haus tej: *Ntses yuavtsum nyob haus dej. Tus dej loj thiab tob heev. Dej khov yog no txog 0 me voj, thiab npau yog sov txog 100 me voj (Celsius degrees), 32° thiab 212°F.*

[English] (n) Water, river, lake; H2O, a chemical symbol for water.

dej caw (y) Yam neeg siv los haus, xws li dej thiab cawv tej: *Tsis zoo haus dej caw ntau.* Neeg kuj hais tias "dej cawv" no thiab.

[English] (n) Drink, such as beverages and alcohols.

dej dag (y) Tus dej uas loj thiab daj rhuv xws li thaum los nag hlob~ es tus dej huam thiab ntws loj heev: *Tsis pom dej dag siab tsis nqig.*

[English] (n) Big and stormy river, esp. when just finished with a heavy rain.

dej ntuj (y) Cov dej hiav txwv; lub pasdej uas loj thiab nyob thoob plaws lub qabntuj: *Lawv lub tebchaws nyob ze tus dejntuj.*

[English] (n) Ocean, sea.

dej num (y) Haujlwm, num, kev khwv noj thiab khwv haus: *Dejnum ntau heev.*

[English] (n) Work, job, duty, chore.

© 2003 Jay Xiong. All rights reserved.

dej thooj* (y) Cov dej uas khov ua tej thooj thiab txias heev: *Ib hnab dejthooj.*
[English] (n) Ice, frozen water, cube of ice.

dej tsaws tsag (y) Nyob ntawm qhov chaw uas dej poob saum qab tsuas losyog lub tsag siab los rau hauv av tej: *Peb mus ua si tom dej tsaws tsag.*
[English] (n) Waterfall.

dej tshuaj[1] (y) Tej tshuaj uas neeg siv los tua kab mob: *Siv dejtshuaj los kho mob.*
[English] (n) Medicine, medication, drugs.

dej tshuaj[2*] (y) Cov tej hnab uas zoo li dej, tabsis yog tshuaj thiab siv los tso rau neeg lub cev. Feem ntau, yog tso rau txoj leeg nyob ntawm txhais caj npab. Cov dej tshuaj no yog siv los pab cov neeg mob loj thiab tsis muaj zog li.
[English] (n) Intravenous or IV for abbreviation.

dev (y) 1. Tus aub; tus tsiaj uas thaum tsem losyog quaj ua lub suab "awb, awb" ltn... *Tus dev caum tus miv.* 2. Tus neeg uas tsis txajmuag, tsis mloog lus.
[English] (n) 1. Dog. 2. An obnoxious person.

dev leg (p) Coj zoo li tus tsis neeg paub cai losyog tsis txaj muag zoo li tus dev: *Nws ua dev leg xwb.*
[English] (adj) Obnoxious, despicable.

dev mub (y) Cov kab me~ uas muaj nyob rau ntawm dev cov plaub losyog nws lub cev: *Tus dev muaj dev mub coob heev.*
[English] (n) Dogflea or dog flea.

dev paus (y) Tsis muaj tseeb; dag: *Nws cov num yog dev paus xwb.*
[English] (n) Nonsense, bullshit (obscene).

dev tsoob (p) Tus neeg uas phem losyog tsis tsim txiaj: *Niag devtsoob ntawv.* Yog ib lo lus phem thiab siv rau lub caij uas cem neeg xwb.
[English] (adj) Despicable, obnoxious (obscene).

dev tsoob tuag (p) Tus neeg uas phem losyog tsis tsim txiaj: *Niag dev tsoob tuag, koj mus qhov twg lawm?* Ib lo lus phem thiab siv los cem neeg xwb.
[English] (adj) Obnoxious, despicable.

dh (y) Tus ntawv dhos. Ib tus ntawv siv rau cov lus xws li dhia, dhau, dhuv ltn...
[English] (n) A consonant used for words such as "dhia, dhau" etc...

dhas (u) Muab ua kom pluam; ua kom plam lossis poob mus ntawm thooj loj.
[English] (v) To peel off, esp. dried corn kernel from the cob, for example.

dhau (r) Nyob deb dua; nyob tomntej ub: *Nws nyob dhau lub roob.* (pu) Tsawg

© 2003 Jay Xiong. All rights reserved.

losyog ntau tshaj lawm: *Koj noj ntau dhau.* (p) Mus deb tshaj qhov chaw ntawv: *Nws mus dhau lawm.*

***[English]** (prep) Over, beyond. (adv) Much, very. (adj) Over.*

dhau dhuv (pu) Tshab losyog tshwm rau ob sab: *Tho lub qhov dhau dhuv.*

***[English]** (adv) Through, throughout; in one side and out the opposite side.*

dhau plaws (pu) Ua kom dhau kiag: *Peb hla dhau plaws tus dej.*

***[English]** (adv) Through, crossing over (a river, for example).*

dhawv (pu) Muaj mus ntev; nyob mus ntev: *Nws muaj sia nyob ntev dhawv.*

***[English]** (adv) Long lasting; endlessly.*

dhawv dheev (pu) Muaj tsis tu; pheej muaj ntxiv: *Nws tsim dhawv dheev.*

***[English]** (adv) Often, frequently (he awakes frequently, for example.)*

dheev (pu) Muaj tshwm xws li tsis npaj tos losyog xav txog: *Nws nco dheev; nws pom dheev; nws ntsia dheev; nws hnov dheev ltn...*

***[English]** (adv) Suddenly, instantly.*

dhi (pu) Siv los pab cov lus ua xws li lwj, nyuaj, npau: *Nplooj siab lwj dhi.*

***[English]** (adv) Much, so.*

dhia (u) 1. Paj paws uas xws li muab ob txhais taw ntiab daim av losyog tej yam kom yus mus tau siab: *Nws dhia txij duav.* 2. Khiav thiab dhia: *Tus kauv dhia rau tom hav zoov.*

***[English]** (v) 1. Jump, hop, leap. 2. To run, such as jogging.*

dhia hlua (u) Dhia thiab muab txoj hlua fiav ncig yus: *Nws dhia hlua txhua hnub. Nws nyiam dhia hlua heev.* (y) Yam uas siv hlua los dhia ntawv.

***[English]** (v, n) Jump rope.*

dhia qaib (u) Noj Pebcaug; noj Tsiab Pebcaug: *Peb dhia qaib lom zem heev.*

***[English]** (v) To celebrate, esp. a Hmong New Year.*

dhis dhus (y,pu) Lub suab uas muaj los ntawm xws li thaum hau yias npua qhauv lossis kua dis es nrov: *Hnov yias npua qhauv npau dhis dhus.*

***[English]** (n,adv) A bubbling sound of boiling food; any gurgling sound.*

dhos[1] (u) Muab los sib ntxig; muab ob yam los sib ntxig kom ua tau ib yam: *Nws muab cov ceg rooj dhos rau lub rooj.*

***[English]** (v) To assemble; to put, components or parts, together.*

dhos[2] (u) Haum, yoj: *Lub qhov dhos tus ncej.* (p) Yam uas haum thiab yoj.

***[English]** (v) To fit, such as, something into a hole. (adj) Fit.*

© 2003 Jay Xiong. All rights reserved.

dhos daws (pu) 1. Sib dhos zoo; haum uas xws li tsis loj thiab tsis me: *Koj tho lub qhov dhos daws tus ncej.* 2. Haum, ua rau zoo, ncaj rau: *Koj hais lus dhos daws nws lub siab.*
[English] (adv) 1. Fit exactly; perfectly fit. 2. Correctly, perfectly.

dhuas (u) Sib~ zog noj tej lo loj heev uas xws li thaum tus npua tshaib plab noj qhauv tej: *Tus npua dhuas cov qhauv xwb.*
[English] (v) To gobble; to devour in large amount.

dhuav (u) 1. Tsis nyiam vim yog ua, noj, hnov txaus lawm: *Nws dhuav nqaij npuas vim nws noj tau ntau hli los lawm.* 2. Ntxub losyog tsis nyiam: *Nws dhuav cov lus phem.*
[English] (v) Sick of; tired of; have enough or too much of.

dhuj dheev (pu) Muaj tsis tu; pheej muaj ntxiv: *Nws nco dhuj dheev.*
[English] (adv) Often, frequently (he remembers frequently, for example.)

dhuj dhi (pu) Muaj me~ tabsis muaj tsis tu: *Nws quaj dhuj dhi.*
[English] (adv) Used to describe when someone cries little but nonstop.

di (y) Daim, thaj uas nyob ncig ntawm lub qhov tej: *Muaj ntau yam di.*
[English] (n) Any of the fleshy folds surround an opening or a hole.

di muag (y) Daim di uas nyob ncig lub qhov muag: *Nws daim di muag.*
[English] (n) Eyelid.

di ncauj (y) Daim di uas nyob ncig lub qhovncauj: *Nws daim di ncauj.*
[English] (n) Lip.

di paum (y) Daim di uas nyob ncig lub qhov paum.
[English] (n) Either of two fleshy folds that surround the opening of a vagina.

di pim (y) Daim di uas nyob ncig lub qhov paum.
[English] (n) Either of two fleshy folds that surround the opening of a vagina.

dia (y) Diav, rab uas neeg siv los hais mov thiab hais dej tej: *Nws noj ob dia mov.*
[English] (n) Spoon. Variant of diav.

diab (y) Ib hom noog daj thiab co hauv: *Diab nyiam noj txiv ntoo maj.*
[English] (n) Certain kind of bird.

diab dag (y) Ib hom noog zoo li diab tabsis loj zog thiab muaj cov plaub daj: *Diab dag lossis diab daj loj dua lwm hom diab.*
[English] (n) Certain kind of bird.

diaj (u) Muab co losyog ua kom txav mus los: *Diaj nws kom nws sawv.*

© 2003 Jay Xiong. All rights reserved.

[English] (v) To shake; to cause to move to and from with jerky movements.

diam (pu) Muaj npaum li; zoo xws li hais: *Nws muaj ob xyoo diam.*
[English] (adv) Such, that, already.

diam hos (pu) Muaj npaum li; zoo xws li hais; yog li: *Muaj ob xyoo diam hos.*
[English] (adv) Such, as well, also.

dias (u) Mob hauv lub tobhau; tsis xis nyob uas xws li ua rau mob tobhau: *Nws dias tobhau thiab ua npaws.*
[English] (v) Pain or hurt, esp. relating to a headache.

dias daws (p) Mob tobhau thiab ua rau dias: *Nws mob tobhau dias daws.*
[English] (adj) Painful, esp. relating to headache or migraine headache.

dias hau (u) Mob tobhau; muaj mob rau lub tobhau: *Thov kom nej tsis txhob mob plab thiab dias hau.*
[English] (v) Sick, ill, such as relating to a headache or cold.

diav (y) Rab uas neeg siv los hais mov thiab zaub noj; dia: *Neeg siv diav los hais mov.* Ib lub npe siv rau cov ntxhais: *Nws muaj ib tus ntxhais hu ua Diav.*
[English] (n) Spoon. Also a proper name for girls.

diav ciaj* (y) Cov diav uas muaj ob tus ciaj. Feem ntau yog siv los tais xws li nqaij thiab tej yam ua tus lossis ua kaj tej: *Siv diav ciaj los tais yav hnyuv.*
[English] (n) Thong, such as used for binding or lashing (food and objects).

diav rawg (y) Cov diav uas muaj obpeb tus ntiv thiab siv los chob xws li nqaij thiab zaub tej: *Neeg siv diav rawg los hais fawm.*
[English] (n) Fork, such as a utensil with two or more prongs.

diav taub* (y) Cov diav uas muaj tus ko ntev thiab pem hau zoo li lub tais. Feem ntau yog siv los daus kua thiab hais tej yam me xwb.
[English] (n) A ladle or any long-handled spoon with a deep bowl.

diav vos* (y) Cov diav uas zoo li diav taub, tabsis nws to ntau lub qhov. Feem ntau yog siv los vos thiab hais nqaij tej xwb: *Siv diav vos los hais nqaij.*
[English] (n) Any of the long-handled spoon with a strainer-like bowl.

dib[1] (y) Cov tej lub uas neeg cog los noj. Dib tuaj ua tsob nyob rau hauv av thiab zoo xws li hmab: *Nws cog tau ib tsob dib.* Muaj ntau yam dib uas xws li dib liab, dib pag, thiab dib ntsuab ltn... Ib lub npe siv rau cov ntxhais.
[English] (n) Cucumber. Also a proper name for girls.

dib[2] (u) Ua kom tuaj; ua kom los ntawm yus: *Nws dib qaibqus. Nws dib tus kauv.*

© 2003 Jay Xiong. All rights reserved.

[English] (v) To call or entice (wild animals when hunting, for example).

dib daj* (y) Ib hom dib uas zoo li dib liab, tabsis hauv lub plawv daj.
[English] (n) Yellow watermelon.

dib iab (y) Ib hom dib uas iab thiab tuaj ntawm hmab. Feem ntau neeg de thaum ntsuab thiab coj los kib xyaw nqaij noj tej: *Nws nyiam noj dib iab.*
[English] (n) Bitter melon.

dib liab (y) Ib hom dib uas hauv lub plawv liab: *Nws cog tau ib tsob dib liab.*
[English] (n) Watermelon, esp. the kind that are red inside.

dib ntsuab (y) Ib hom dib uas daim tawv ntsuab thiab hauv plawv dawb: *Nws nyiam noj dib ntsuab. Neeg nyiam noj dib ntsuab thaum me thiab mos xwb.*
[English] (n) Cucumber or any of the greenish cucumber-like melons.

dib ntsuab ntev* (y) Cov dib ntsuab uas luaj li ko riam, tabsis ntev li ib tshim tej.
[English] (n) European cucumber.

dib pag (y) Ib hom dib uas daim tawv txaij thiab daj hauv lub plawv.
[English] (n) Honeydew or any of the honeydew-like melons.

dig[1] (u) Muab xws li rab koob losyog tej yam ntse mus chob thiab ua kom lwm yam tawm los lossis to tej: *Nws muab rab koob dig tus pos.*
[English] (v) To prod, poke; to dig, esp. with a needle or sharp object.

dig[2] (u) Hais txog tej yam; xawb tej yam los hais: *Txhob dig txog yav tag los.*
[English] (v) To bring up problems or matters from the past; to dig up.

dig[3] (u) Tsis pomkev lawm: *Nws qhov muag dig vim nws laus heev.*
[English] (v) Blind; not able to see well.

dig muag (u) Lub qhov muag tsis pomkev: *Nws dig muag es nws thiaj nrig tus pas.* (p) *Nws pom ib tus neeg dig muag.*
[English] (v) Blind. (adj) Having vision problems; become blind.

dim[1] (u) Plam; khiav mus rau lwm qhov chaw; tawm uas xws li tsis pom losyog tsis paub tias nyob qhov twg: *Tus npua dim lawm.*
[English] (v) Being loose, free, such as not being fastened or restrained.

dim[2] (u) Xav tso tawm mus uas xws li cov quav thiab zis tej: *Nws dim zis heev.*
[English] (v) Having an urge to discrete or discharge, waste matters, from the organs or systems, such as wanting to urinate, for example.

dim de (p) Tsis khov xws li twb yuav vau; ua duj de: *Nws muab tus ncej txhos ua dim de cia xwb.*

© 2003 Jay Xiong. All rights reserved.

[English] (adj) Loosely, such as not secure or firm.

dl (y) <Lees> Tus ntawv 'D' uas cov Hmoob Lees siv rau cov lus xws li dlev, dlub, dlawb ltn... Hmoob Dawb ces yog dev, dub thiab dawb ltn...

[English] (n) <Leng> A consonant used by Hmong Leng for words that start with the letter dee--D. Words start with a 'D' should be replaced with "DL."

dlaa (u) <Lees> Da, xws li da dej thiab da av ltn...

[English] (v) <Leng> To bathe.

dlaab (y) <Lees> Dab, xws li tej poj ntxoog thiab dab phem ltn...

[English] (n) <Leng> Ghost, devil.

dlab (y) <Lees> Diab, xws li yog ib hom noog.

[English] (n) <Leng> Certain kind of bird.

dlag (u) <Lees> Dias, xws li mob tobhau; dia tobhau tej.

[English] (v) <Leng> To have a headache.

dlh (y) <Lees> Hmoob Lees tus ntawv "dh." Xws li dlha, dlhau, dhuav ltn...

[English] (n) <Leng> A consonant used for words such as "dh" etc...

dlu (u) <Lees> Muab do, xws li do lauj kaub zaub kom txhob kub hnyiab.

[English] (v) <Leng> To stir, such as to stir the soup so it will not burn.

do[1] (u) Muab rab uas xws li diav thawb mus los; muab kiv mus los xws li ua kom cov mov losyog cov zaub txhob kub hnyiab tej; dlu: *Nws do lauj kaub nqaij.*

[English] (v) Stir.

do[2] (u) Sib hais losyog ua: *Peb do tau ob hnub tsis tiav li.*

[English] (v) To negotiate or solve a matter, for example.

do[3] (u) Du uas xws li tsis muaj dabtsi: *Nws daim teb do heev.* (p) Yam uas do.

[English] (v) Clean, clear, such as free from dirt and objects.

do dus (p) Du dais; do heev: *Nws tu nws daim teb do dus.*

[English] (adj) Very clean; clear, such as free from weeds or grass.

dob (u) Muab rho; muab rub kom tawm los: *Nws dob cov nyom.*

[English] (v) To pluck, esp. things such as feathers, hair and weeds.

dog dig (pu) Tsis heev; tsis ntau; tsis tas losyog kawg: *Nws nyiam dog dig.*

[English] (adv) Somewhat, so so.

dog pes dig (pu) Siv thiab txhais tib yam li "dog dig": *Nws nyiam dog pes dig.*

[English] (adv) Somewhat, so so.

doog[1] (u) Tsuas uas dub thiab xiav xws li thaum ua tsoo tas tau obpeb hnub

© 2003 Jay Xiong. All rights reserved.

ntawv: *Nws lub plhu doog vim nws tsoo tus ncej.* (p) 1. Yam uas doog ntawv: *Muab txhais tes doog los rau kuv kho.* 2. Yam uas zoo li doog: *Nws yug tau ib tus menyuam doog pobtw.*
[English] *(v) Bruise, such as when injured. (adj) As being bruised.*

doog[2] (u) Muab tus ntiv tes deeg, txav losyog tshem ntawm lub qhov raj, qeej es kom hloov tau lub suab mos thiab muag tej: *Nws tshuab raj tau zoo heev vim nws txawj doog cov ntiv thiab ua tau pa ntev heev.*
[English] *(v) To move or lift a finger off and on fluently at the finger holes of the musical instrument such as a flute; to change tone or music note smoothly.*

doog diaj (p) Muaj suab nrov loj thiab deeg losyog ntseeg tej: *Lawv tua phom loj nrov doog diaj ib hmos.*
[English] *(adj) Having loud and thunderlike sounds.*

doog ntshav (u) Tsuas uas dub thiab xiav xws li thaum ua tsoo tas tau ntau hnub tej: *Nws lub plhu doog ntshav vim tsoo tus ncej.* (p) 1. Yam uas doog ntawv: *Muab txhais tes doog ntshav los rau kuv kho.* 2. Yam uas zoo li doog.
[English] *(v) Bruise, such as when injured. (adj) As being bruised.*

dos (y) Ib yam khoom noj uas siv los xyaw nqaij kom tsw qab: *Ib tsob dos.*
[English] *(n) Onion.*

dos daj* (y) Ib yam dos uas ntug tej lub hauvpaus luaj li lub nrig thiab daj.
[English] *(n) Yellow onion.*

dos dawb* (y) Ib yam dos uas ntug tej lub hauvpaus luaj li lub nrig thiab dawb.
[English] *(n) White onion.*

dos ntshav* (y) Ib yam dos uas ntug tej lub hauvpaus loj thiab muaj tsuas ntshav.
[English] *(n) Purple onion.*

dov (u) 1. Muab ua kom ntog losyog ntxeev mus los: *Nws dov lub pobzeb.* 2. Muab tua. Lo lus "dov" thiab lo "dov dev" yog txhais tias muab tua pov tseg.
[English] *(v) 1. To roll; to tip over. 2. (slang) Kill, murder, and refer to human only.*

dov dev (u) Muab tua: *Lawv muab tus yeeb ncuab dov dev lawm.* Lo lus "dov" thiab "dov dev" yog txhais tias muab tua pov tseg, thiab hais txog thaum tua neeg xwb.
[English] *(v) To kill, murder (slang used, and refer to killing human only).*

© 2003 Jay Xiong. All rights reserved.

du (u) Tsis ntxhib; do dus; tsis tuaj plaub losyog tsis muaj dabtsi nyob rau ntawv: *Nws daim teb du heev. Nws lub plhu du heev.* (p) *Nws tu nws lub tsev du heev.*
[English] (adj) Clean and clear, such as free from dirt and objects.

du dais (p) Do dus; du heev: *Nws tu nws lub tsev du dais.*
[English] (adj) Clean and clear, such as free from dirt and objects.

du lug (pu) Tsis muaj losyog tshuav ib yam li: *Nws noj du lug.* (p) Do dus; du heev: *Nws tu lub tsev du lug. Nws noj tais mov du lug.*
[English] (adv,adj) Clean and clear, such as free from dirt and objects.

dua[1] (u) Muab ua kom ntuag; muab ib daim ua kom tu losyog ntuag ua ntau daim: *Nws dua daim ntawv.* (pu) Ua ntxiv; ib zaug ntxiv: *Koj hais dua. Koj pw dua.* (tx) Tshaj losyog dhau lawm; uas tsis yog: *Dua kuv ces nej tsis txhob tos.* (p) Tshaj uas xws li ntau zog: *Nws muaj nyiaj dua.*
[English] (v) To tear, such as (a piece of papers) into many pieces. (adv) Again. (adj) More.

dua[2] (u) Mus, los uas xws li taug kev tej: *Neeg dua kev coob heev.* (pu) Ua ntej ntawm lub sijhawm; ua ntej los: *Tsis tau pom koj dua.*
[English] (v) Passing by; pass through. (adv) Before, such as earlier in time.

dua li (y) Lwm cov, cov uas hais tsis txog: *Lub zos no muaj Hmoob Xyooj, Hmoob Yaj, thiab Hmoob Thoj. Duali yog lwm haiv neeg xwb.* (pu) Lwm yam losyog lwm txoj kev lawd.
[English] (n) Other, the rest. (adv) Otherwise.

dua nra (u) Tuag lawm; tas tiam neej lawm: *Cov laus duanra tas lawm.*
[English] (v) Die, deceased, passed away.

dua ntais[1] (p) Tshaj plaws; ntau lossis muaj tshaj lwm tus: *Nws yog ib tus neeg phem dua ntais.*
[English] (adj) Most; greatest in amount or degree.

dua ntais[2] (pu) Dhau plaws thiab ploj kiag; mus thiab tsis pom qab lawm: *Nws khiav dua ntais tim roob. Nws ntog dua ntais nram qab ke.*
[English] (adv) Of, relating to, disappearing quickly; vanishing quickly.

dua toj (u) Tuag lawm; tas tiam neej lawm: *Cov laus dua toj tas lawm.*
[English] (v) Become dead; deceased, passed away.

dua yuaj (y) 1. Daim uas ua los qhwv losyog thaiv lub qhov tshuaj ntawm rab phom Hmoob kom nag los txhob ntub: *Daim dua yuaj phom.* 2. Daim uas

© 2003 Jay Xiong. All rights reserved.

qhwv losyog npog xws li tus ntsuag xyoob: *Daim dua yuaj xyoob.*
***[English]** (n) 1. The small piece made to protect the gun powder (hole) near the ignition place on the gun from getting wet. 2. A bamboo flap or cover that wraps around the new young shoots.*

duab (y) 1. Yam uas muaj nyob ntawm xws li neeg, ncej, ntoo thaum txoj sab hnub ci tuaj rau: *Thaum hnub ci thiaj li muaj duab xwb.* 2. Cov tej daim muaj los ntawm lub thau duab: *Peb saib nws cov duab.*
***[English]** (n) 1. Shadow. 2. Picture, image.*

duab ntxoov ntxoo (y) Tus duab uas muaj nyob ntawm xws li tus ncej losyog tsob ntoo thaum lub hnub ci tuaj rau: *Peb so ntawm tus duab ntxoov ntxoo.*
***[English]** (n) Shadow, shade (of a tree, for example).*

duaj (u) Mus, xuas kab: *Koj tsis tuaj ces nws duaj lawm.*
***[English]** (v) Go, depart, leave.*

duas[1] (y) Tej nplais; tej daim menyuam ntoo muaj thaum muab rab taus ntov tus ntoo es dhia tawm los: *Cov duas ntoo.*
***[English]** (n) A piece (of wood, from chopping a tree with an ax, for example.)*

duas[2] (y) <Askiv> Miskas cov nyiaj: *Nws muaj kaum duas.*
***[English]** (n) <English> Dollar.*

duav[1] (y) Rab zoo xws li rab diav tabsis loj thiab yog ua los nquam nkoj: *Muab rab duav nquam lub nkoj.* (u) Kav tag nrho; thaiv tau; povhwm tau: *Tus neeg hmoov loj thiaj li duav tau nws.*
***[English]** (n) Paddle, oar. (v) Protect, guard, esp. from danger or harm.*

duav[2] (y) Ntu nruab nrab ntawm neeg lub pobtw thiab lub nrobqaum; ntu uas neeg sia txoj siv: *Mob nws lub duav. Neeg sia siv ntawm duav.*
***[English]** (n) Hip, waist.*

duav[3] (u,p) Muaj losyog tshuav mus txog rau lub caij ntawv; kav, txaus noj losyog siv mus txog rau; ncua: *Txhab nplej duav peb ib xyoos.*
***[English]** (v,adj) To have enough or to last to certain time or period of time.*

duav pus (y) Ob daim txha uas nyob ntawm lub duav: *Daim duav pus.*
***[English]** (n) Hipbone.*

Dub[1] (y) Cov neeg dub tawv uas xws li nyob rau cov tebchaws sov heev. Xws li lub tebchaws Qab Teb Miskas: *Qab Teb Miskas yog ib lub tebchaws muaj Dub coob heev.* Lus rov: *Dawb.*

© 2003 Jay Xiong. All rights reserved.

[English] (n) Black, such as the people who have dark skin complexion.

dub[2] (y) Tsuas uas xws li tsis muaj yam dawb losyog kaj li: *Tsuas dub yog tsuas zoo xws li hmo ntuj.* (u) Muab ua kom xws li dub: *Nws dub tshaj kuv.* (p) Yam uas dub ntawv: *Nws nyiam cov tsho dub xwb.* Lus rov: *Dawb.*

[English] (n) Being the color of black. (v) To black or become black.

Dub Hau (y) Cov neeg plaubhau dub xws li neeg Hmoob thiab neeg Suav: *Nyob rau Suav tebchaws, muaj neeg Dub Hau coob xwb.*

[English] (n) Asian; the black hair people, esp. relating to Asian.

dub muag (u) Tsis nyiam hais lus; tsis nyiam luag: *Koj dub muag dhau.* (p) Tus neeg uas tsis kheev tham: *Nws tsis nyiam cov neeg dub muag.*

[English] (v,adj) Introvert, not friendly, antisocial.

dub muag txig (p) Ua lub ntsej muag dub uas xws li chim; dub txig: *Nws nyob dub muag txig.*

[English] (adj) To look with disapproval, esp. when mad, upset, angry.

dub nciab (p) 1. Dub heev; tsaus uas xws li tsis pomkev li: *Lub ntuj dub nciab.* 2. Chim thiab ua rau lub ntsej muag tsaus: *Nws ua ntsej muag dub nciab.*

[English] (adj) 1. Black; being the color of black. 2. Angry, mad, upset.

dub txig (p) Dub xws li thaum tus neeg chim losyog npau taws; dub muag txig: *Nws ua ntsej muag dub txig rau peb xwb.*

[English] (adj) To look with disapproval, esp. when mad, upset and/or angry.

duj de (pu) Majmam ua xws li tsis muaj zog; nti mus los uas xws li tsis muaj zog losyog tsis xav ua kom tiav: *Nws ua duj de ib hnub tsis tiav li.*

[English] (adv) Slowly, such as not wanting to work or completing a task.

duj doom (pu) Piav txog thaum tus neeg mus kev: *Mus kev duj doom tim roob.*

[English] (adv) Used to describe a walk, such as when moving up and down.

dwb (u,p) <Lostsuas> Txhoj pob; txhoj: *Tus menyuam dwb heev.*

[English] (v,adj) Naughty, disobedient.

dwb daws (p) Muaj cuag li cas; muaj coob: *Lawv tuaj dwb daws txog ntawv.*

[English] (adj) Many.

dws (u) Mus, los, xws li yog siv ob txhais taw mus kev tej: *Nws dws lawm.*

[English] (v) To go, come, travel, esp. by foot.

e (y) 1. Ib tus ntawv siv rau cov lus xws li eb, ev. 2. Ib lub suab siv rau cov lus xws li hle, ze ltn...

© 2003 Jay Xiong. All rights reserved.

[English] (n) 1. The fifth letter of the English alphabet. 2. One of the vowels used for words, such as "hle, npe, ze, me" etc...

eb (nth) Siv rau thaum seev xws li lub caij kho-siab: *Eb, cas noj mov tsis qab li!*
[English] (interj) One of the words used to express when one is sad or lonely.

ee[1] (y) Ib lub suab uas siv rau cov lus xws li leej, neeg, nkees ltn...
[English] (n) One of the vowels used for words such as "neeg, nkees" etc...

ee[2] (u) Ua yoog; ua raws, xws li ee txoj kevcai tshiab: *Peb ee raws txoj cai xwb.*
[English] (v) Follow, obey (laws, for example).

ee[3] (u) Ua raws lossis yoog raws li lwm tus neeg siab nyiam thiab ua xwb.
[English] (v) To let be, such as to let a person do whatever he wants.

eeb (y) Lub uas neeg ua los zaum thiab thauj khoom nyob rau saum tus nees lub nrob qaum: *Nws zaum saum lub eeb.*
[English] (n) Saddle. A seat for a rider, esp. to put on the back of a horse.

es (pu) Siv los nug txog: *Es koj tsis nyiam?* (p) *Nws ib leeg xwb es.* (tx) *Koj hais li es nws thiaj chim lawm.*
[English] (adv) So, then. (adj) Only. (conj) So.

ev (u) Muab tso nraum nrobqaum: *Nws ev tus menyuam. Nws ev lub kawm.*
[English] (v) To carry on the back; to piggyback.

evkawj (y) <Askiv> Lo lus Askiv yog "acre" no. Ib yam kev ntsuas txog kev dav xws li ntawm liaj thiab teb tej. Ib ev kawj mus 4840 ib nrab daj losyog Askiv hu ua "yards" no losyog muaj txog 43,560 xwm fab taw (squire feet).
[English] (n) <English> Acre.

f (y) Ib tus ntawv siv rau cov lus xws li fwj, faib, fab, fo ltn... Qee lo lus uas xws li fwj neeg kuj hais tias hwj, fiab ua hiab ltn...
[English] A consonant used for words such "fwj, faib, fab" etc...

fa (u) Mloog; ua li lwm tus hais losyog nyiam: *Nws tsis fa peb hais.*
[English] (v) Pay attention to; listen to; obey.

fab[1] (u,p) Muaj nroj tsuag ntau ntau heev: *Nws daim teb fab heev.*
[English] (v,adj) Having many weeds, weedy, such as a weedy farm, for example.

fab[2] (u) Mob xws li yog noj tej yam tsis haum losyog txhaum es ua rau tus neeg tsis meej pem: *Nws fab vim nws noj cov ntsuag qaub.*
[English] (v) Sickness or illness caused by food reaction or allergy.

© 2003 Jay Xiong. All rights reserved.

fab[3] (y) 1. Sab, phab losyog daim: *Lub thawv muaj plaub fab.* 2. Ib sab losyog ib zaj lus uas hais kom muaj ib txwm: *Ib txwm kwv txhiaj muaj ob fab.*
[English] (n) 1. Side, wall. 2. A verse; a phrase.

fab fo (pu) Tseem tabtom tshawb losyog ua: *Nws tshawb lub hnab fab fo.*
[English] (adv) Still doing or working on.

fab hnyo (p) 1. Muaj nroj ntau thiab fab heev: *Nws cia nws daim teb nyob fab hnyo.* 2. Muaj ntau yam nyob sib xyaws daws: *Nws lub txaj nyob fab hnyo.*
[English] (adj) 1. Weedy, having many weeds. 2. Messy, such as disorderly.

Fab Kis (y) 1. Cov neeg tawv dawb, muaj caj ntswm siab, thiab cov plaubhau daj uas nyob rau tebchaws Fabkis: *Tus neeg tsim cov ntawv Hmoob no yog ib tus neeg Fabkis.* 2. Lub tebchaws Fabkis.
[English] 1. Of, or relating, to French or its people, culture or language. 2. France.

fab ntxeeb (u) Txhoj pob; nyiam kov txhua yam: *Tus liab fab ntxeeb dhau.*
[English] (v) Mischievous, naughty.

fab seeb (u) Mus thawj thiab, xws li rov mus yug ua dua lwm tus neeg tej. Feem ntau, neeg siv xws li tias "fab seeb lwm sim" kuv rov los ua neeg ltn...
[English] (v) Reincarnate; to be reborn; to incarnate.

fab taws ntsos (pu) Ua uas xws li maj heev; tsis so li: *Nws ua num fab taws ntsos.*
[English] (adv) Productively, energetically, such as nonstop.

faib[1] (u) 1. Muab xws li ib pawg ua kom tau ntau pawg: *Muab thooj nqaij faib ua plaub pawg.* 2. Muab mentsis rau; qee rau: *Koj faib ib qho mov rau kuv noj.*
[English] (v) 1. To divide; to separate. 2. To distribute or give little to.

faib[2] (y) Tus ntawv '/' uas xws li siv los faib: *10 / 2 = 5; 20 / 2 = 10 ltn...*
[English] (n) The forward slash '/' which is used for division.

faib thiab (u) Faib sia; cais kom tsis txhob koom ib txoj sia. Feem ntau yog siv rau lub sijhawm uas xws li tus pojniam muaj menyuam rau hauv plab xwb: *Nws tuaj faib thiab.* (p) Piav txog yam uas cais kom tsis txhob koom ib txoj sia: *Lawv ua neeb faib thiab.*
[English] (v) To separate or divide the spirits of a mother from a fetus.

fais fab (y) <Lostsuas> Cov hluav taws uas muaj zog thiab neeg siv los taws teeb, ua mov noj thiab siv rau hauv vajtse tej. Ib txhia neeg kuj hais tias hluav taws xob no thiab: *Fais fab yog yam uas neeg siv los taws kom pom kev.* Lo lus

© 2003 Jay Xiong. All rights reserved.

"fais" yog txhais tias hluav taws, hos fab yog ntuj losyog xob.
[English] (n) <Laotian> Electricity.

faj[1] (u) <Lostsuas> Nqa mus rau; muab rau: *Nws faj ib pob khoom los rau koj.*
[English] (v) <Laotian> To give (a gift, for example) to a person to deliver to the next or third person.

Faj[2] Ib lub xeem Hmoob: *Nws tus pojniam lub xeem yog Faj.*
[English] One of the Hmong's clan names--Fang or Fa.

faj khaum (y) Ib hom ntoo uas loj, siab thiab txi txiv luaj li ntivtaw, thiab muaj nyob rau tebchaws Lostsuas. Faj khaum cov nplooj thiab daim tawv muaj ib co kua dawb thiab nplaum heev: *Ib tsob ntoo faj khaum.*
[English] (n) Rubber tree; certain kind of huge rubber tree in Laos.

faj suab (y) Cov uas xws li thaum tshav ntuj tau ntau hli thiab sov heev es muaj cov pa zoo xws li huab tej: *Muaj faj suab vim auv thiab sov heev.*
[English] (n) Haze, such as to become misty or blur when it is very hot.

fam[1] (u) Ci rau lub qhov muag thiab ua rau tsis pomkev: *Lub hnub fam peb qhov muag. Ntsa lossis yog ci uas xws li ua rau tsis pom kev.*
[English] (v) To blind the vision of, esp. when looking directly at a light.

fam[2] (u) Ua mob rau; muaj yam phem tshwm sim rau cov neeg uas tseem ciaj: *Fam rau tej menyuam thiab xeeb leej xeeb ntxwv.*
[English] (v) Causing illness, esp. caused by unhappy deceased parents or grandparents. This is a spiritual believe only.

fam tawb (y) Cov tawb uas yog muab xyoob fiab thiab ua los ntim mov tej. Feem ntau yog neeg Lostsuas thiaj siv fam tawb xwb: *Ib lub fam tawb.*
[English] (n) A basket weaved or made by hand, esp. with bamboo, and it is mostly used by Laotian to store or keep their, cooked, sticky rice.

faus (u) Muab tso rau hauv lub qhov thiab muab av vov losyog npog rau: *Lawv faus tus neeg tuag. Nws faus cov qos rau hauv av.*
[English] (v) To bury; to put in or under the ground.

faus ntais (pu) Ua kom faus losyog ploj mus: *Ntog faus ntais rau nram qabke.*
[English] (adv) To disappear or vanish quickly.

fav (u) <Lees> Muab fiav.
[English] (v) <Leng> To swing; to cast thing away.

fav xeeb (u) Xav tau lossis muaj nyob rau hauv siab: *Lub tswv yim ntawv yog nws*

© 2003 Jay Xiong. All rights reserved.

fav xeeb--yog nws xav thiab tsim tuaj mus.

***[English]** (v) Think, cogitate, ponder.*

fawb (u) Muab tshawb; nrhiav, hus uas xws li kom pom: *Nws fawb seb puas pom nws lub xauv. Nws fawb cov khaub ncaws.*

***[English]** (v) To search or look for; to seek or find.*

fawm (y) <Lostsuas> Cov tej txoj uas yog muab hmoov nplej ua thiab feem ntau yog muab los hau xyaw nqaij noj tej: *Nws yuav tau ib pob fawm.*

***[English]** (n) <Laotian> Noodle or rice noodles.*

fee (u) Tig, qaij mus rau lwm sab xws li kom tsis txhob pom: *Nws fee vim nws tsis xav pom peb.*

***[English]** (v) To turn aside; to turn away as to avoid seeing.*

fee das (p) Tig mus rau lwm sab; fee uas xws li kom tsis pom: *Nws zaum tus fee das vim nws tsis xav pom peb.*

***[English]** (adj) Of, or relating to, something that turned aside.*

feeb[1] (y) Ib yam kev luj txog kev hnyav uas me~ heev: *Ib feeb yeeb ces loj luaj li ib tus menyuam rau tes xwb.* (u) Nco zoo; hnov meej; tsim los thiab paub zoo; meej thiab tiag: *Nws tsis feeb li.* (p) Yam uas feeb ntawv.

***[English]** (n) A unit of weight measurement, esp. for small amount. (v, adj) Conscious, aware, remember.*

feeb[2] (y) Lo lus no Hmoob tis tsis ntev los, thiab piav txog tus tes me uas dhia nyob rau ntawm lub sijhawm losyog lub moo <Lostsuas>: *60 feeb muaj ib fiab, 60 fiab muaj ib teev, 24 teev muaj ib hnub thiab ib hmo.*

***[English]** (n) Minute, such as a unit of time equal to one sixtieth of an hour.*

feeb[3] (u) Muab faib rau; muab saib uas xws li yog faib kom txhua: *Nws feeb cov nyiaj fi xov txwm lawm.*

***[English]** (v) To check, count.*

feem[1] (y) Tus ntawv '%': *50 feem kuj sau tau tias 50% thiab.*

***[English]** (n) A percent or percentage character '%'.*

feem[2*] (y) Cov ntawv suav uas muaj ib tus nyob sab sauv thiab ib tus nyob sab hauv, xws li 5/7, 3/4, 7/8 ltn... 3/4 ces muaj 0.75.

***[English]** (n) Fraction.*

feem[3] (t) Ib co xwb; ib nrab losyog ib txhia: *Feem coob yog neeg zoo.*

***[English]** (pron) Some.*

© 2003 Jay Xiong. All rights reserved.

feem[4] (y) Muaj cai losyog peev xwm los txuam losyog cuam tshuam: *Nws tsis muaj feem los faib peb cov nyiaj.*

[English] (n) Right. Ex: He does not have right to share our money.

feem cuam (y) Muaj cai losyog pccv xwm los txuam lossis cuamtshuam: *Nws tsis muaj feem cuam los faib peb cov nyiaj.*

[English] (n) Right. Ex: He does not have right to share our money.

feem pua (y) Tus ntawv %: *Ib nrab ces yog 50%.*

[English] (n) A percent or percentage. A fraction or ratio with 100 which is known as a denominator.

feem txhiab (y) Tus ntawv zoo li tus feem pua, tabsis nws muaj ob lub voj nyob rau hauv qab.

[English] (n) A fraction or ratio with 1000 which is known as a denominator.

fem feeb (p) Ua xyem xyas; tsis meej pem; tsis paub zoo: *Nws ua fem feeb tsis paub mus txoj kev twg li.*

[English] (adj) Undecided, not sure; inconclusive.

fi (u) Hais losyog qhia rau paub: *Koj puas fi nws li?*

[English] (v) To notify; to inform or tell.

fi xov (u) Hais rau kom paub; qhia rau kom paub tias: *Nkawv fi xov tas lawm.*

[English] (v) To notify; to inform or tell.

fiab[1] (y) Ib yam kev luj uas qhia txog kev hnyav xws li thaum neeg luj yeeb ltn... *Nws muaj ib fiab yeeb.*

[English] (n) A unit of mass or weight measurement similar to milligram

fiab[2] (u) Muab xws li ncau los sib cuam ua ib daim tej: *Nws fiab tau ib daim lev; nws fiab tau ib lub pob tawb.*

[English] (v) To weave (a basket, for example).

fiab[3] (y) Tus tes uas me thiab ntev nyob hauv lub sijhawm losyog lub moo (lus Nplog): *60 fiab muaj ib teev, 24 teev muaj ib hnub thiab ib hmos.*

[English] (n) Second, such as a unit of time equal to one sixtieth of a minute.

fiav (u) Ua kom txav mus, txav los: *Nws fiav txoj hlua.*

[English] (v) To swing; to sway; to throw.

fiav sis (pu) Fiav kiag mus: *Nws ua txoj hlua fiav sis yuav luag raug peb.*

[English] (adv) Swayingly, swingingly.

fij (y) Lwm, zaus. Feem ntau yog siv rau thaum tus neeg mus ev khoom losyog

© 2003 Jay Xiong. All rights reserved.

mus ris khoom los xwb: *Peb ev 100 fij thiaj tas nws txhab nplej.*
[English] (n) Trip, round, turn.

fim (u) Ua kom pom; los ntsia; ua kom ntsib: *Nws tsis xav fim peb.*
[English] (v) To face; to confront; to meet.

fiv (u) Hais rau kom muaj li cov lus thov losyog hais tseg: *Nws niam mob~ es nws fiv ib lub yeem nyuj.* Feem ntau yog siv rau lub sijhawm uas muaj mob loj losyog muaj kev nyuaj siab heev xwb.
[English] (v) To request help or assistance, esp. from God or higher spirit, with the promise or agreement to pay or compensate if the request or assistance is granted. This type of request is mostly used when facing a very dangerous or a life-and-death situation.

fob (u) Muab ntxeev mus los; muab xws li cov mov ua kom txhob sib nplaum: *Nws fob tsu mov.*
[English] (v) To loosen, esp. sticky rice, so the rice is not so lumpy or sticky.

foo (u) Muab zas; muab yam tsuas los zas: *Nws foo nws cov plaubhau liab.*
[English] (v) To color; to paint, esp. on the face with color or makeup.

foob[1] (u) Muab ua kom lub qhov txhaws; muab tej yam los thaiv losyog txhub lub qhov: *Tus nas kos foob nws lub qhov.* Ib lub npe siv rau cov tub.
[English] (v) Seal, esp. the entrance of a hole so it is blocked or closed. Also a proper name for boys.

foob[2] (u) <Lostsuas> Coj mus hais lawm tom tsev txiav txim; coj mus hais rau tom nom tswv: *Nws foob tias lawv nyiag nws tus nyuj.* Lo lus noj neeg kuj siv xws li "fooj" no thiab.
[English] (v) <Laotian> To sue; to bring suit against.

foob pam (y) Ob daim ntoo nyias~ uas ua los thaiv thiab kaw lub pub.
[English] (n) Two thin pieces of wood used to insulate or seal a vessel or vase.

foob pob (y) Ib yam pob, feem ntau, yog muab hlau ua thiab muaj peev xwm tawg thiab ua rau txhua yam nyob ze puas tsuaj. Feem ntau neeg tsim cov foobpob no los tua neeg nyob rau lub caij ua tsovrog xwb.
[English] (n) Bomb.

foob pob ntuj* (y) Yam pob uas loj thiab muaj zog tshaj plaws. Yog tau tawg lawm, nws yuav ua rau neeg tuag coob heev thiab ua rau tebchaws ntsoog tag.
[English] (n) Atomic bomb, atom bomb, nuclear bomb.

© 2003 Jay Xiong. All rights reserved.

foob xab (y) <Suav> Lub uas muab ntoo ua thiab siv los nqus thiab tshuab cua nyob rau hauv lub tsev lwjhlaus; lub lwjhlaus: *Nws muaj ib lub foobxab.*
[English] (n) <Chinese> A circular and hollow wooden windbox used to pump or blow air by a blacksmith when forging metal. See also "lwj hlaus."

foob yeem (u) Caiv uas tsis ua neeb xws li thaum yuav txog xyoo tshiab: *Nws foob yeem es nws tsis kam ua neeb lawm.* (p) Lub caij uas foob yeem.
[English] (v) A reserved or restricted period when the Shaman does not practice his services. (adj) Of, pertaining to such restricted period.

foom (u) Thov kom muaj raws li hais: *Peb foom kev zoo rau nej.* Feem ntau neeg siv lo "foom" los hais kom muaj kev phem xwb.
[English] (v) 1. To pray or wish, esp. good fortune to others. 2. To curse someone, esp. so that bad or evil things happen to a person.

fwj (y) Lub iav kheej~ uas luaj li caj npab thiab siv los ntim dej thiab cawv tej; lub hwj: *Nws muaj ib lub fwj.* Lo fwj thiaj hwj yog txhais tib yam xwb. Ib lub npe siv rau cov tub.
[English] (n) A bottle, esp. the glassy kind. Also a proper name for boys.

fws (y) 1. Hws; cov dej uas tawm ntawm neeg lub cev los, xws li thaum sov heev: *Lub caij sov, ua rau neeg tawm fws heev.* 2. Cov dej uas los ntawm cov pa sov nyob rau hauv lub tsu cub mov tej: *Cov fws mov.* Neeg kuj siv lo tias hws thiab.
[English] (n) 1. Sweat. 2. The process of sweating.

fwv[1] (u) Xyaum, kawm xws li kom txawj thiab paub: *Cov tubrog tuaj fwv tim tiaj.*
[English] (v) Practice, learn, exercise.

fwv[2] (u) Muaj hwjchim; muaj cai heev: *Tus nom loj fwv heev.* (p) Yam uas muaj hwjchim; yam uas heev: *Cov neeg fwv yog cov nom thiab neeg muaj nyiaj.*
[English] (v) Having a husky look; strongly built (body). (adj) Characterized by having authority or power.

g (y) 1. Ib tus cim siv rau cov lus xws li neeg, txuag, zog ltn... 2. Ib tus ntawv uas ib txhia Hmoob siv hloov tus ntawv "nk." Xws li lo lus "nkauj" ces yog muab sau ua "gauj"; "nkees" muab sau ua "gees" ltn...
[English] (n) 1. A tone marker. 2. A consonant used by some Hmong to replace the "nk" consonant. This consonant is similar to the English "go".

h (y) Ib tus ntawv siv rau cov lus xws li huab, hais, heev ltn...
[English] (n) A consonant used for words such as "hais, heev, hab" etc...

© 2003 Jay Xiong. All rights reserved.

ha (y) 1. Lub hav; lub kwjha: *Lub tsev nyob nram qab ha.* 2. Tus ntxhiab uas tsw xws li thaum cub cov mov nplej tshiab tej: *Cov mov tshiab tsw ha heev.*
[English] (n) 1. Valley. 2. The smell or odor of.

hab (tx) <Lees> Thiab, hiab: *Koj hab kuv; mej hab peb. (pu) Kuv moog hab.*
[English] (conj) <Leng> And. (adv) Too, also.

hab nuv (p) Tsis paub tomntej, tomqab; theem xws li tsis paub yuav ua li cas: *Nws nyob tus hab nuv ntawm kev.*
[English] (adj) Stun, astonish, such as to ponder or pause suddenly.

hai[1] (u) <Lees> Muab cab, luag, rub lawv yus qab; cab: *Nwg hai lub tsheb.*
[English] (v) <Leng> To drag or pull, esp. pulling something behind.

hai[2] (u) <Lees> Coj losyog muaj nyob rau hauv lub plab, xws li thaum muaj ib plab menyuam loj heev: *Nwg hai ib plaab mi nyuas.*
[English] (v) <Leng> To have, such as developing a baby within the body.

haib (u, p) <Lostsuas> 1. Heev, keej xws li muaj peev xwm tshaj cov. 2. Zoo.
[English] (adj) <Laotian> 1. Powerful, forceful, fierce. 2. Great, good.

hais[1] (u) Muab xws li rab diav mus yawm; muab xws li lub tais mus ua kom tau cov kua rau hauv; daus: *Muab diav hais cov mov. Muab lub tais hais cov zaub.*
[English] (v) To scoop or lift with a spoon, bowl or pail; to gather or collect with a spoon, bowl or pail and the like.

hais[2] (u) Tham lus; ua suab tawm ntawm lub qhovncauj: *Nws hais lus rau peb.*
[English] (v) Say, speak, talk, utter.

hais zoo li kus (z) Ib zaj lus pib hais nyob hauv Hmoob cov zaj tshoob: *Txhua~ zaj tshoob yuav tsum xub pib hais tias, "Hais, zoo li kus..."*
[English] (phr) A phrase used to start or begin a wedding song.

haiv (y) Pawg neeg; cov neeg; hom neeg: *Haiv neeg zoo thiaj coj zoo.*
[English] (n) Group, nation. Mostly used to classify a nation or nationality.

haj (u) Cus, dhia mus los xws li yog zoo siab: *Tus menyuam haj heev.*
[English] (v) Being energetic, lively or active, esp. jumping around a lot.

haj cav (pu) Tsis ua li xav; tsis zoo li xav: *Kuv muab pub, tabsis nws haj cav yig.*
[English] (adv) However, nonetheless, even.

haj tseem (pu) Tsis txav losyog tsis txawv; tseem zoo li: *Txawm nws ncaim peb mus deb lawm los nws haj tseem nco txog peb.*
[English] (adv) Still (he still cares, for example).

© 2003 Jay Xiong. All rights reserved.

haj yam (pu) Muaj losyog ua ntau tshaj yav dhau los: *Obpeb hnub no nws haj yam mob heev. Nws haj yam tub nkeeg. Nws haj yam phem.*
[English] (adv) Being lesser or greater in extent or degree.

ham[1] (u) Muab xws li ob daim hlau los ua kom sib lo losyog sib npuab: *Nws ham ob daim hlau. Lus Lostsuas hais tias "cuaj" no thiab.*
[English] (v) To solder; to bond or join two or more metallic parts.

Ham[2] Ib lub xeem Hmoob: *Nws lub xeem yog Ham.*
[English] One of the Hmong's clan or last names (Hang, for example).

has (nth) Lub suab neeg luag. (u) <Lees> Hais lus: *Mej has le caag?*
[English] (interj) A laughing sound, such as "ha, ha, ha." (v) <Leng> Speak, say, talk, utter.

Hasdas (y) <Askiv> Lo lus Askiv yog "Honda." Ib hom tsheb uas yog ua los ntawm cov neeg Nyijpooj--lus Lostsuas, thiab muaj lo lus sau rau ntawm lub tsheb tias "Honda" no.
[English] (n) <English> Honda, such as an automobile.

hasnim (y) <Askiv> Lo lus "honey." 1. Cov zib, xws li zib ntab, zib muv ltn... 2. Tus neeg yus hlub uas xws li yog yus tus pojniam losyog tus txiv tej.
[English] (n) <English> 1. Honey of bees. 2. A sweetheart, lover or a darling.

hau[1] (u) Muab xws li khoom noj mus tso rau hauv lub lauj kaub, muab dej xyaw, thiab muab tso rau hauv lub qhovcub xws li kom siav: *Nws hau cov nqaij.*
[English] (v) To boil such as with hot water or liquid.

hau[2] (y) Lub losyog daim uas siv los kaw, xws li fwj thiab lauj kaub tej; yam uas siv los vov xws li cov lauj kaub tej: *Lub hau lauj kaub.*
[English] (n) A cover (of a pot or pan, for example).

hau[3] (y) Ntu losyog qhov chaw siab ntawm tus dej tej; hauv: *Pem hau dev.*
[English] (n) The upper or higher section of a river or stream.

hau[4] (y) Nyob rau ntawm qhov chaw me losyog pem qhov chaw uas xaus, xws li pem lub ntsis riam tej: *Txhob tuav tus hau riam.*
[English] (n) The tip (of a knife, arrow, sword for examples).

hau txhov (y) Cov plaub mos~ thiab dawb~ uas nyob ntawm cov kav toovlaj.
[English] (n) The hairlike (seta) grew near the stems of palm trees.

haub (u) Ntxias, dag kom lwm tus neeg ua: *Lawv haub nws mus tubsab.*
[English] (v) Persuade, entice, lure.

© 2003 Jay Xiong. All rights reserved.

haub yauj (nth) Siv los qw, nthe tej; aub yauj: *Haub yauj, nws ua tawg lawm!*
[English] (interj) Used to express when something breaks or falls.

hauj lwm (y) Laj kam, num, kev ua noj, ua haus: *Nws tau ib txoj hauj lwm.*
[English] (n) Job, work, employment.

hauj sam (y) 1. Cov neeg hnav, npua daim ntaub daj~ thiab chais nws cov plaubhau, thiab nws nyob tom tsev teev mlom: *Tebchaws Lostsuas muaj hauj sam coob heev.* 2. Ib txoj kev ntseeg uas cov hauj sam teev.
[English] (n) 1. Buddha. 2. Buddhism.

hauj sim (pu) Tsis heev; tsim tsawv; tsis ntau heev: *Nws zoo nkauj hauj sim.*
[English] (adv) Somewhat, little, so so.

haum[1] (u) Yoj uas xws li mus rau hauv lub qhov tej: *Lub hnab haum rab riam.*
[English] (v) Fit, such as being the proper size.

haum[2] (u) Sib raug zoo uas xws li tsis sib ceg tej: *Nkawv sib haum heev.*
[English] (v) Getting along; being compatible.

haum[3] (u) Zoo, ntxim nyiam: *Nws hais lus haum peb siab.*
[English] (v) Appropriate, suit; to meet (one's expectation, for example).

haum xeeb (u) Sib haum xws li muaj kev sib hlub: *Peb haum xeeb zoo.* (p) *Kev haum xeeb yog txoj kev zoo.*
[English] (v) Getting along; being compatible. (adj) Compatible.

haus[1] (u) Muab lub qhovncauj mus nqus dej; ua kom dej losyog yam ua kua los rau hauv lub qhov ncauj: *Nws haus dej thiab haus cawv.*
[English] (v) Drink, sip. She drinks water, for example.

haus[2] (u) Nqus cov pa mus rau hauv lub qhov ncauj: *Nws haus yeeb.*
[English] (v) To smoke; to inhale. Ex: He smokes cigarettes.

hauv (r) Nyob rau sab uas ze lub plawv; tsis nyob rau sab nrauv: *Nws nyob hauv tsev.* (y) Qhov chaw losyog yam uas nyob rau hauv: *Hauv muaj ntau yam neeg.* (h) Ib lub losyog yam uas zoo xws li tobhau tej: *Ib hauv zaub.* Neeg kuj siv los piav txog ib tauv, pob, xws li tshuaj tej thiab: *Muab ib hauv tshuaj pub kuv.*
[English] (prep) Inside. (n) Inside. (cl) A or the.

hauv caug (y) Lub pob uas txuas txhais ncejpuab thiab txhais kav hlaub: *Muaj lub hauv caug neeg thiaj quav tau nws txhais taw.*
[English] (n) Knee.

hauv muag tsev (y) Lub kaum tsev uas ntse thiab siab nyob rau saum lub ru tsev.

© 2003 Jay Xiong. All rights reserved.

Qee leej kuj hu tias lub “qhov muag tsev” no thiab.
[English] (n) The top two corners of a roof.

hauv ncoo (y) Lub uas yog muab ntaub los xaws thiab siv los tiag lub tobhau thaum neeg pw: Qee leej neeg kuj hu ua lub “tog hauv ncoo” no thiab.
[English] (n) Pillow.

hauv nrob (y) Thaj uas siab thiab nyob ntawm lub hauvsiab: *Qaib lub hauvnrob yog lub uas nyob ze ntawm nws lub txia.*
[English] (n) The highest part of a chest, esp. of a chicken or bird.

hauv ntej[1] (y) Ntu losyog yav uas nyob rau tomntej; pem suab: *Nyob tom hauv ntej tsis muaj neeg pom thiab paub.* Lus rov: *Qub qab; tom qab.*
[English] (n) Future.

hauv ntej[2] (y) Ntu losyog qhov chaw ze ntawm lub xubntiag: *Tus tsov nyob tom hauv ntej.* Lus rov: *Tom qab.*
[English] (n) Front, esp. such as a point or location directly ahead.

hauv ntsis (y) Lub ntsis; ntu losyog yav uas nyob rau saum lub ntsis: *Ib tsob ntoo muaj lub hauv paus thiab lub hauv ntsis.* Lus rov: *Hauv paus.*
[English] (n) The uppermost part; the top part of (a tree, for example).

hauv paus[1] (y) Qhov xub pib losyog xub muaj tuaj mus: *Lub hauv paus yog nws cem kuv es wb thiaj li muaj teeb meem.*
[English] (n) Beginning, root, origin.

hauv paus[2] (y) Ntu lossis yav uas xub muaj tuaj mus: *Lub hauv paus ntoo.*
[English] (n) The beginning or root of.

hauv pem teb (y) Nyob rau hauv av; nyob rau hauv daim uas neeg tsuj: *Nws thooj mov poob rau hauv pem teb.*
[English] (n) Ground, floor.

hauv pes (y) Tej roob; tej hav. Feem ntau siv tuaj tomqab ntawm los “hauv toj."
[English] (n) Mountain, esp. used to describe a mountainous place.

hauv plag (y) Thaj av losyog qhov chaw uas neeg nyob thiab siv los noj mov tej, thiab nyob hauv lub tsev: *Peb pw ntawm hauv plag xwb.*
[English] (n) The floor of a living room; floor.

hauv plawv (y) Nyob rau hauv nruab nrab; nyob rau sab hauv: *Tso rau hauv plawv.* (p) *Nws nyiam pw hauv plawv.*
[English] (n, adj) Inside, internal, interior. Ant: *Exterior, outside.*

© 2003 Jay Xiong. All rights reserved.

hauv pliaj (y) Thaj nyob saum qaum plaub muag thiab hauv qab ntawm txoj kab uas cov plaub hau tuaj: *Peb pom nws lub hauv pliaj xwb.*
[English] (n) Forehead.

hauv qab (pu) Qhov chaw uas nyob rau sab qis losyog sab hauv: *Nws pw hauv qab.* (r) *Nws pw hauv qab rooj.* (y) Qhov chaw hauvqab.
[English] (adv,prep,n) Under, underneath, beneath.

hauv qhua (y) Cov neeg txheeb ze uas mus saib thiab mus ua kab ke rau tus neeg tuag lub ntees: *Lawv muaj ntau pab hauv qhua.*
[English] (n) Relatives who come to pay final respect to the deceased, esp. the people who were invited to come.

hauv siab (y) Thaj lossis qhov chaw nruab nrab ntawm lub caj dab thiab lub plab; lub xub ntiag: *Neeg ob lub mis nyob ntawm lub hauv siab.*
[English] (n) Chest, such as the part between the neck and the abdomen.

hauv toj (y) Qhov chaw siab uas nyob saum lub roob losyog ntawm qhov chaw uas siab: *Nws lub tsev nyob tim lub hauv toj.*
[English] (n) Mountain or a higher part of mountains; hills.

hauv toj-hauv pes (y) Tej roob, tej hav: *Nws nyiam tej hauv toj-hauv pes heev.*
[English] (n) Mountains and hills.

hauv xaws (y) Lub losyog thaj uas nyob saum tobhau. Feem ntau nws muag heev yog thaum nyuam qhuav yug tau tus menyuam los: *Tus menyuam lub hauv xaws tseem muag heev.*
[English] (n) Fontanel. Also fontanelle.

hav[1] (y) Qhov chaw losyog thaj chaw uas qis tshaj lwm qhov, xws li muaj nyob rau tom tej liaj, hav zoov thiab teb tej: *Nws lub tsev nyob hauv lub hav.*
[English] (n) Valley.

hav[2] (nth) Ib lo lus nug, teb rovqab rau lwm tus neeg: *Hav, koj hais dabtsi?*
[English] (interj) Hey, oh, what.

hav dej (y) Tus kwj losyog lub hav uas muaj dej: *Peb nuv ntses tom hav dej.*
[English] (n) 1. River. 2. Lake, pond.

hav fab (y) Daim av losyog qhov chaw uas muaj nyom thiab muaj cov ntoo me ntau heev: *Tsov nyiam nkaum tom hav fab.*
[English] (n) A wooded area, esp. where there are many shrubs and bushes.

hav iav (y) Lub hav losyog thaj uas muaj dej thiab muaj nyom ntau heev: *Nyob*

© 2003 Jay Xiong. All rights reserved.

tebchaws tiaj nws muaj hav iav ntau heev.

***[English]** (n) Marsh, swamp.*

hav khaub (y) Hav fab; daim av uas muaj nyom thiab muaj menyuam ntoo ntau: *Tus tsov khiav rau tom hav khaub.*

***[English]** (n) A wooded area, esp. where there are bushes and dead trees.*

hav mos txhov (y) Tej hav (av) uas muaj nroj tsuag, feem ntau yog mos txhov, ntau heev: *Tus tsov nkaum hauv koog hav mos txhov.*

***[English]** (n) A wooded area, esp. where there are bushes and dead trees.*

hav nras (y) Tej hav uas muaj nras losyog muaj menyuam nyom ntau heev: *Peb mus ua si tim lub hav nras.*

***[English]** (n) An open field, esp. with dried weeds and shrubs.*

hav nroj-hav tsuag (y) Tej hav uas muaj nroj thiab menyuam ntoo tej; hav fab.

***[English]** (n) An open field, esp. with weeds and shrubs.*

hav txwv yeem (y) Thaj av losyog qhov chaw uas muaj cov ntoo me thiab siab txij li rutsev tej: *Nws daim qub teb ua hav txwvyeem tas lawm.*

***[English]** (n) A wooded area, esp. where there are bushes and dead trees.*

hav xuab zeb (y) Lub hav losyog qhov chaw uas muaj hmoov zeb ntau: *Tom tus dej ntuj muaj hav xuab zeb ntau heev.*

***[English]** (n) An area, esp. where there are sand, such as by the seashore.*

hav zoov (y) Daim losyog thaj chaw uas muaj ntoo ntau heev: *Nyob rau tom hav zoov muaj nas thiab muaj noog.*

***[English]** (n) Forest, jungle, woods.*

haw[1] (u) Mob plab thiab ua rau tso quav xws li ua kua; raws plab: *Nws haw quav.*

***[English]** (v) To have diarrhea.*

haw[2] (u) Ua rau tus menyuam poob losyog tawm los ua ntej thaum tsis tau txog caij yug: *Nws plab menyuam haw lawm.*

***[English]** (v) To miscarry a fetus, an unborn baby.*

haw quav (u) Mob plab thiab tso quav ua kua xwb; raws plab: *Nws haw quav ib hmos. Nws haw quav vim nws noj nqaij rog ntau dhau.*

***[English]** (v) To have diarrhea.*

hawb[1] (u) ua pa nrov; ua pa qig qawg zoo li tus miv: *Nws hawb vim nws hnoos tau ntau hnub. Nws hawb vim nws lub ntsws tsis zoo.* (p) Yam uas hawb.

***[English]** (v) To breathe with hoarseness. (adj) Wheezy, hoarse.*

© 2003 Jay Xiong. All rights reserved.

hawb[2] (u) Ua pa nrov xws li hawb losyog hawb pob tej: *Tus miv hawb heev.*
[English] (v) Wheeze, purr, such as the soft vibrant sounds made by cats.

hawb pob (u) Hawb; ua pa nrov heev: *Nws hawb pob vim nws hnoos tau ntau hnub. Nws hawb pob vim nws lub ntsws tsis zoo.* (p) Tus neeg uas hawb: *Neeg hawb pob mus kev ceev tsis tau.*
[English] (v) Wheeze; to breathe with hoarseness or croup. (adj) Hoarse.

hawj[1] (u) Khav txiv losyog nyiam qua heev: *Tus qaib dib hawj heev.*
[English] (v) Being energetic or active, esp. wanting to crow or boast by a cock or rooster.

Hawj[2] Ib lub xeem Hmoob: *Nws lub xeem yog Hawj.* Ib lub npe neeg.
[English] One of the Hmong's clan names. Also a proper name.

hawm (u) Teev txog; qhuas thiab thov txog: *Nyob rau hnub Chiv, ib txhia neeg mus hawm Huabtais Ntuj. Pejxeem mus hawm tus nom.*
[English] (v) To worship; to revere; to utter or say a prayer to.

haws (y) Ib hom hmab uas txi cov txiv luaj li taub tes tej, thiab ib txhia neeg kuj siv los ua tshuaj kho thaum mob ceeb ltn...
[English] (n) Certain kind of herb.

haws heem (pu) Siv los piav txog cov lus xws li ntsaj ltn... *Nws ntsaj haws heem.*
[English] (adv) Groaningly.

hawv[1] (u) Hais tias yuav ua phem rau; qhia tias yuav ua tsis zoo rau: *Nws hawv tias nws yuav nyiag koj cov nyiaj.*
[English] (v) To menace; to assault, such as will do harm or danger to.

hawv[2] (y) Tej qhov chaw uas nqis losyog zawj zoo xws li lub pasdej tej.
[English] (n) A low area resembling a pond or lake.

hee (u) Lub suab uas nees quaj losyog ua tawm tuaj: *Tus txiv nees hee vim tsis muaj ib tus maum nrog nws nyob. Tus nyuj nqov, tus nees hee, tus qaib qua, thiab tus dev tom ltn...*
[English] (v) To neigh; a sound uttered or made by a horse.

heev (u) Ua tau; muaj peev xwm: *Nws heev vim nws muaj nyiaj.* (pu) Dhau, tshaj: *Nws tus tub phem heev. Zoo heev, nkees heev, nco heev ltn...* (y) Ib tus ntawv '~' uas siv los qhia tias hais dua losyog muaj dua: *Nws zoo~ nkauj.*
[English] (v) Able, capable, can, esp. with strong or powerful force. (adv) Very, much, more. (n) A character, ~, placed after a Hmong word to indicate

© 2003 Jay Xiong. All rights reserved.

to a reader the he must repeat the current word one more time.

heev nyuj (y) Tus nyuj uas loj thiab tiav txiv lawm: *Nws muaj ib tus heev nyuj.*
[English] (n) A full-grown bull; a male cow.

hem (u) Ua losyog hais kom ntshai; dag kom ntshai: *Nws hem peb tias nws pom ib tus dab. Nws hem tus menyuam kom ntsiag.*
[English] (v) To scare; to alarm; to frighten.

hes (u) Mus hawm; mus teev uas xws li tus nom losyog tus vaj loj tej: *Thaum ub neeg tseem mus hes Vaj (tus Huabtais tebchaws).* Feem ntau, yog muab tus Vaj kwv ncig lub vav (lub tsev teev mlom) xwb.
[English] (v) To worship, such as a king or an important person.

hiab[1] (y) Ib hom kab me~ luaj li lub noob nplej thiab nyob rau hauv hav iav, thiab nyiam tom neeg: *Ib tus hiab.*
[English] (n) Leech or leechlike worm.

hiab[2] (u) Muab xws li ntau daim ncau los sib cuam, sib qhaib kom ua tau ib daim loj; fiab: *Nws hiab tau ib daim lev.*
[English] (v) To weave, a bamboo basket, for example.

hiab[3] (tx) Thiab, hiab: *Koj hiab kuv; nej hiab peb. (pu) Kuv mus hiab.*
[English] (conj) And. (adv) Too, also.

hiam (u) Liam tias yog; hais tias muaj li losyog zoo li: *Nws hiam tias lawv nyiag nws cov nyiaj.* Iab hiam thiab iab liam kuj siv thiab txhais tib yam xwb.
[English] (v) To allege; to accuse.

hiav[1] (u) Dub uas xws li yog hluav taws kub losyog thaum yuav kub hnyiab: *Lub hau lauj kaub hiav vim lub lauj kaub kub hnyiab.* (y,p) Yam dub uas xws li kub hnyiab ntawv: *Muab lub lauj kaub hiav pub rau kuv.*
[English] (v) The visible result of a burn or fire. (n,adj) A burned color.

hiav[2] (y) Qhov mob lossis qhov tuag tej: *Lawv ua ib thaj neeb hloov hiav.*
[English] (n) A severe illness or death.

hiav txwv (y) Lub pas dej ntuj; lub pas dej loj thiab dav uas nyob thoob lub qab ntuj: *Peb mus ua si tom tus dej hiav txwv. Dej hiav txwv qab ntsev heev.*
[English] (n) Ocean, sea.

hib (y,pu) Lub suab uas neeg luag, xws li yog muaj kev zoo siab tej.
[English] (n,adv) A human laughing sound, he, he, for example.

his (y,nth) Piav txog lub suab thaum neeg luag es nrov.

© 2003 Jay Xiong. All rights reserved.

[English] (n,adv) A human laughing sound, he he, for example.

his has (y,pu) Piav txog lub suab thaum neeg luag es nrov.

[English] (n,adv) A human laughing sound, such as he, he, ha, ha etc...

his his-has has (y,pu) Piav txog lub suab thaum neeg luag heeev es nrov tej.

[English] (n,adv) A human laughing sound.

hl (y) Ib tus ntawv uas siv rau cov lus xws li hla, hle, hluas ltn...

[English] (n) A consonant used for words such as "hla, hle, hluas" etc...

hla[1] (u) Rhais ruam mus uas xws li kom dhau: *Nws hla yav cav.*

[English] (v) To step over; to walk or lift the leg over something.

hla[2] (u) Mus kom dhau losyog mus rau lwm sab: *Peb hla tus dej.*

[English] (v) To cross or go through, such as a river or town.

hla[3] (u) Tsis hais txog; muab cia losyog ncua tseg: *Peb hla koj cov lus.*

[English] (v) To skip over; to omit.

hla[4] (u) Mus ua lwm xeem uas xws li mus yuav txiv: *Tus ntxhais hla rooj lawm.*

[English] (v) To become a different family member, esp. used to describe a woman when she got married.

hlab (u) Muab dej kub losyog tej yam kua kub los ywg kom muag: *Muab dej kub hlab cov zaub. Nws ua dej kub hlab nws tes.* (y) Txoj, tus, ntshua xws li txoj hlua: *Nws muaj ntau txoj hlab.*

[English] (v) To soak or dip, esp. in hot water or liquid. (n) Strap.

hlab ntaws (y) Txoj hnyuv uas nyob ntawm lub pwj ntaws xws li thaum nyuam qhuav yug tau tus menyuam los: *Txiav tus menyuam txoj hlab ntaws povtseg.*

[English] (n) Umbilical cord.

hlab ntsha (y) Tej txoj zoo xws li hlua thiab me~ uas muaj nyob rau hauv neeg lub cev losyog cov nqaij tej: *Neeg muaj ntau txoj hlab ntsha.*

[English] (n) Vein, artery, blood vessel.

hlab pwj ntaws (y) Txoj hnyuv uas nyob ntawm lub pwj ntaws xws li thaum nyuam qhuav yug tau tus menyuam los: *Txiav tus menyuam txoj hlab ntaws pov tseg.* Ib txhia neeg kuj siv lo "hlab ntaws" xwb.

[English] (n) Umbilical cord.

hlab raum (y) Txoj hlab uas txuas lub raum mus rau lub zais zis.

[English] (n) Ureter. Narrow duct or tube that conveys urine from the kidney to the urinary bladder or cloaca.

© 2003 Jay Xiong. All rights reserved.

hlais (u) Muab riam losyog tej yam uas muaj hniav thiab ntse los txiav losyog suam kom to losyog tu tej: *Rab riam hlais nws tes. Nws hlais daim nqaij.*
***[English]** (v) To cut; to slice; to sheer.*

hlau[1] (y) Tej daim dub thiab tawv heev uas xws li neeg siv los ua riam thiab ua txuas tej: *Nws yuav tau ib daim hlau.*
***[English]** (n) Metal.*

hlau[2] (y) Rab uas yog muab hlau ua thiab neeg siv los khawb av thiab ncaws nroj tej: *Neeg siv hlau los ncaws nroj thiab khawb av.*
***[English]** (n) Hoe; any hoe-like gardening tools made of metal.*

hlau nplaum (y) Tej daim hlau uas muaj qaum teb thiab qab teb, thiab nplaum tau lwm yam hlau: *Nws muaj ib daim hlau nplaum.*
***[English]** (n) Magnet.*

hlauv (u) Ua kom tawm tuaj; ua kom tshwm losyog hlev los: *Sov~ es tus dev hlauv nws tus nplaig. Tus dev hlauv nws tus nplaig mus haus dej.*
***[English]** (v) To drop down; to fall out; to droop.*

hlauv leg (p) Hlauv xws li tau ntev los lawm: *Pom tus nplaig hlauv leg.*
***[English]** (adj) Droopy.*

hlauv ncuv (p) Hlauv xws li tau ntev los lawm: *Pom tus nplaig hlauv ncuv.*
***[English]** (adj) Droopy.*

hlav (u) Muaj tawm losyog tshwm tuaj: *Cov nyom hlav zoo heev.*
***[English]** (v) To grow or increase in size naturally, such as grass and weeds.*

hlaws[1] (u) Kheej thiab puv heev: *Cov txiv hlaws heev.* (p) Rua xws li lub qhov muag kom loj thiab kheej: *Nws ua ob lub qhov muag hlaws heev.*
***[English]** (v) Of, characterized by, or being fully-grown. (adj) Widely opened.*

hlaws[2] (y) Tej lub kheej~ thiab toqhov hauv plawv thoob ob sab: *Ib hnab hlaws.*
***[English]** (n) Bead.*

hlaws hlo (p) Kheej thiab hlaws heev: *Nws ua qhov muag hlaws hlo rau peb.*
***[English]** (adj) Widely or fully opened.*

hlawv (u) Muab ua kom kub hnyiab; muab tso rau hauv hluav taws: *Nws hlawv daim ntawv. Nws hlawv daim teb.*
***[English]** (v) To burn; to set on fire.*

hlawv hlo (pu) Piav txog yam uas ntxeev, tig, mus, losyog los tej: *Nws ev dej rov hlawvhlo tas hnub. Nws mus rov hlawv hlo tsis so li.*

© 2003 Jay Xiong. All rights reserved.

[English] (adv) 1. Used to describe something flips or rotates repeatedly. 2. Used to describe something that moves back and forth repeatedly.

hle (u) Ua kom plam; daws tawm mus: *Nws hle lub ris; nws hle nkawm khau.* Lus rov: *Hnav, rau.*

[English] (v) To uncover; to take off (a hat, for example).

hle ris zuav (p) Tsum, tso tseg; tsis kam ua: *Nws ua tus hle ris zuav.*

[English] (adj) Unwilling; to back out from a situation or agreement.

hle tawv (u) Tsoo thiab txhuam xws li daim tawv nqaij: *Nws ntog txhuam nws lub hauvcaug thiaj li hle tawv xwb.*

[English] (v) Skin, such as to injure the skin.

hle tawv qaib (u) Tsoo thiab txhuam xws li daim tawv nqaij, thiab ua rau daim tawv nqaij ntuag losyog txoom: *Nws ntog txhuam nws lub hauvcaug thiaj li hle tawv qaib lawm.*

[English] (v) Skin, such as to injure the skin.

hleb (y) Lub dab losyog lub thawv uas ua los ntim tus neeg tuag: *Lawv muab tus neeg tuag tso rau hauv lub hleb.*

[English] (n) Coffin.

hlev (u) Ua kom tawm tuaj; hlauv tuaj, cev tuaj: *Nws hlev tus nplaig rau peb.*

[English] (v) To stick out (a tongue, for example); to protrude or thrust out.

hlev leg (p) Piav txog yam uas hlev losyog hlauv tuaj: *Nws ua tus nplaig hlev leg.*

[English] (adj) Used to describe something that is protruded.

hli[1] (y) Lub kheej thiab loj xws li lub hnub tabsis tsis ci npaum lub hnub, thiab nyob saum ntuj: *Hmo xiab kaum-tsib lub hli ci thiab ntsa heev.* Ib lub npe siv rau cov ntxhais.

[English] (n) Moon. Also a proper name for girls.

hli[2] (y) Lub sijhawm uas suav muaj 28 hnub mus txog rau 31 hnub; hlis: *Peb mus txhua hli.* Ib lub npe uas siv rau cov ntxhais, tabsis Hmoob kuj muaj ib zaj lus hais tias, "Nkauj hnub thiab nraug Hli" no thiab.

[English] (n) Month.

hli nqig (y) Lub caij uas xws li thaum lub hli pib yau thiab nqig.

[English] (n) The period when a moon is shrinking or decreasing in size.

hli xiab (y) Lub caij uas xws li thaum lub hli pib loj thiab puv tuaj.

[English] (n) When the moon is expanding or increasing in size.

© 2003 Jay Xiong. All rights reserved.

hlias (pu) Piav txog lub caij uas tsis nco zoo; tsis meej pestsawg lawm: *Nws tsis ncoqab hlias lawm. Nws looj hlias ltn...*
[English] (adv) 1. Suddenly, quickly. 2. Unconsciously.

hliav (u) Muab ua kom ntse; txhuam, chais uas xws li kom ntse losyog zuag: *Peb hliav pas mus cog nplej. Nws hliav pas los ci nqaij.*
[English] (adv) To sharpening, an arrow, for example.

hlib[1] (u) Muab xws li pas mus ua kom tawm los; muab tej yam mus dig kom tawm losyog pom (hauv lub qhovcub los, pivtxwv): *Nws hlib cov nplooj qhua.*
[English] (v) To remove an object or thing using a stick, esp. from a fireplace or place, such as when looking or searching for something.

hlib[2] (u) Hais tias yog lwm tus neeg txoj haujlwm: *Nws hlib tias yog lawv num.*
[English] (v) To pass a task or responsibility to others.

hlis (y) Lub sijhawm uas muaj 28 hnub losyog 31 hnub ntawv; hli: *Ib xyoos muaj 12 lub hlis.*
[English] (n) Month. Variant of "hli"

hliv (u) Muab cov kua laub tawm; muab cov kua nchuav tawm: *Muab hnab dej hliv povtseg. Nws hliv dej rau hauv av.*
[English] (v) Pour, dump.

hlo (pu) Muaj losyog ua kiag tamsim ntawv; tshwm sim sai: *Nws nkaus hlo; nws lem hlo; nws zoo hlo; nws tig hlo; nws hle hlo lub tsho ltn...*
[English] (adv) Immediately, instantly, quickly.

hlob[1] (u) Loj, siab tuaj: *Tus menyuam hlob zoo heev.*
[English] (v) Grow; to increase or expand in size naturally.

hlob[2] (u) Xub yug losyog laus dua: *Nws hlob kuv 10 xyoo.*
[English] (v) Being older; being born first.

hlob[3] (y) Yus txiv tus tijlaug; yus txiv cov tij: *Kuv muaj ob tus hlob.*
[English] (n) An uncle who is older than one's dad, esp. being the same clan.

hlob[4] (u) Muab tes zaws kom xws li cov nyob hauv tawm los: *Nws hlob cov hnyuv npua. Nws hlob cov hnyuv qaib.*
[English] (v) To squeeze or compress, esp. with a hand.

hloob (u) Haus xws li haus luam yeeb thiab haus yeeb thooj tej: *Nws hloob yeeb.*
[English] (v) Smoke, such as to smoke a cigarette.

hloov (u) Muab lwm yam los pauv yus yam; pauv yam txawv: *Nws hloov lub ris.*

© 2003 Jay Xiong. All rights reserved.

[English] (v) To change; to exchange; to swap.

hlua (y) Tej txoj saw; txoj uas neeg siv los pav losyog khi khoom tej: *Neeg siv hlua los khi tsiaj. Siv hlua los zoj pob khoom.*

[English] (n) Rope, cable, line, cord.

hlua kais (y) Cov hlua uas ua los cuab tsiaj xws li noog tej: *Nws cuab tau ib rooj hlua kais. Lawv mus cuab hlua kais tim roob.*

[English] (n) Certain kind of trapping device consisting of a noose and used for trapping birds. A snare; certain trapping device used to capture birds.

hlua kaus (y) Ib hom hlua uas yog muab cov ntaub ruaj thiab khov los ua: *Nws siv txoj hlua kaus los khi tus twm.*

[English] (n) Nylon rope or string; rope or string made with nylon.

hlua ncaws (y) Cov hlua uas ua los cuab tsiaj xws li noog tej. Hlua ncaws yog muab tus kab tso rau hauv lub plawv voj hluas.

[English] (n) Certain kind of trapping device consisting of a noose used to catch birds. A snare; certain trapping device used to catch birds.

hluas[1] (u) Tseem me; tsis tau laus; tseem yau; lub caij nyoog uas xws li thaum tus neeg muaj li 15-25 xyoo ntawv: *Nws hluas thiab muaj zog heev.* (p) Tus neeg uas hluas: *Neeg hluas hais lus txawv neeg laus.*

[English] (v) Young, such as being in an early stage or age of life.

hluas[2] (y) Kev tham hluas nkauj thiab tham hluas nraug: *Muaj pojniam ces txhob mus ua hluas lawm. Kev hluas tsis zoo txob; kev mob tsis zoo kis.*

[English] (n) The act or process of dating (courtship, for example).

hluas nkauj[1] (y) Cov ntxhais hluas uas tsis tau yuav dua txiv. Feem ntau, yog cov muaj hnub nyoog xws li 16 txog rau 30 xyoo xwb: *Ib tus hluas nkauj.* Lus rov: *Hluas nraug.*

[English] (n) Girl, woman, esp. the unmarried ones. Ant: Boy, man.

hluas nkauj[2] (y) Tus ntxhais uas yog yus tus phooj ywg losyog tus yus hlub: *Nws yog kuv tus hluas nkauj.* Lus rov: *Hluas nraug.*

[English] (n) Girlfriend. Ant: Boyfriend.

hluas nraug[1] (y) Cov tub hluas uas tsis tau yuav dua pojniam. Feem ntau, yog cov muaj hnub nyoog xws li 16 txog rau 30 xyoo ntawv: *Ib tus hluas nraug.* Lus rov: *Hluas nkauj.*

[English] (n) Boy, guy, man, esp. the unmarried ones.

© 2003 Jay Xiong. All rights reserved.

hluas nraug[2] (y) Tus tub uas yog yus tus phooj ywg losyog tus yus hlub: *Nws yog kuv tus hluas nraug.* Lus rov: *Hluas nkauj.*
[English] (n) Boyfriend. Ant: Girlfriend.

hluav (y) Tej thooj dub~ xws li tomqab thaum muab thooj ntoo hlawv tag es muaj nyob rau ntawm lub cubtawg; hluav ncaig: *Yav cav kub ua hluav tag.*
[English] (n) Charcoal, ash or burned matters.

hluav ncaig (y) Tej thooj dub~ xws li tomqab thaum muab thooj ntoo hlawv tag es muaj nyob rau ntawm lub cubtawg; ncaig: *Ib pawg hluav ncaig.*
[English] (n) Charcoal.

hluav ncuav (u) Muaj pob thiab tsis du, xws li ntxhib; tej yam uas zoo li kub hnyiab thiab tsis du ntawv: *Nws lub plhu ntxhib thiab hluav ncuav heev.*
[English] (v) Having a rough or coarse surface or texture, esp. when it looks as if it has been burned.

hluav taws (y) Yam uas muaj nplaim thiab ua tau lwm yam kub hnyiab taus: *Neeg siv hluav taws los ua kom zaub thiab mov siav.*
[English] (n) Fire.

hlub[1] (u) Pub rau noj, haus thiab tsis cia txomnyem: *Nws hlub nws cov menyuam.*
[English] (v) To love, such as to care or nurture.

hlub[2] (u) Muaj kev nyiam, tshua thiab nco txog: *Nws hlub nws tus pojniam heev.*
[English] (v) To love, such as having deep, tender and caring feeling of affection for (he loves his wife, for example).

hlub[3] (u,p) <Lees> Hlob uas xws li laus dua: *Nwg hlub kuv ob xyoos.*
[English] (v,adj) <Leng> Being older, older.

hlw[1] (u) Pau losyog cau~ rovqab rau hauv av: *Nws lub pobtw hlw.* (p) Thaj losyog ntu uas ib nyuag qis dua cov: *Nws nyob tim ntu roob hlw.*
[English] (v) Being very flat, esp. used to describe the buttock of a person. (adj) Used to describe the lowering part or point of a running mountain.

hlw[2] (u) Majmam haus me~, xws li thaum khob dej tseem kub heev.
[English] (v) To sip; to drink in small amount.

hlwb[1] (y) Cov tej thooj dawb~ uas nyob hauv lub tobhau, thiab yog yam uas ua rau txhua yam tsiaj thiab neeg muaj kev xav thiab kev paub: *Neeg thiab tsiaj puavleej muaj hlwb.*
[English] (n) Brain.

© 2003 Jay Xiong. All rights reserved.

hlwb[2] (y) Txoj kev xav; lub tswvyim nyob ntawm tus neeg: *Nws hlwb zoo es nws thiaj li kawm tau ntawv zoo.*
[English] (n) Mind. Ex: Your mind is very good.

hlws (u) Muab quav, ntxeev losyog tsem rau ib tog tej: *Nws hlws nws sab thom khwm. Nws hlws nws lub ris.* Lus rov: *Qaws.*
[English] (v) 1. To fold; to corrugate. 2. To make one or several folds.

hlws ris (y) Lub taus ris: *Hmoob Lees lub hlws ris ntev dua Hmoob Dawb li.*
[English] (n) The crotch or junction, formed by joining two pieces of fabric, of the pants.

hlwv (y) Tej lub ua dej uas nyob ntawm daim tawv nqaij, xws li thaum kub hnyiab tas es muaj tawm tuaj: *Nws txhais tes tawm hlwv vim yog kub hnyiab.*
[English] (n) A blister; a swelling of the skin that contains watery fluid.

hm (y) Ib tus ntawv uas siv rau cov lus xws li hma, hmoob, hmob ltn... Tus ntawv no yus yuav tsum xub ua pa tawm ntawm lub qhov ntswg ua ntej thaum hais tus 'm'. Xws li h + m = hm losyog hos + mos = hmos.
[English] (n) A consonant used for words such as "hma, hmoob, hmob" etc...

hma (y) Ib hom tsiaj zoo li dev tabsis nyob tom hav zoov: *Ib pab hma.*
[English] (n) Wolf.

hma daj (y) Ib hom hma uas muaj cov plaub daj.
[English] (n) Yellow wolf.

hma liab (y) Ib hom hma uas muaj cov plaub liab tsim tseb.
[English] (n) Red wolf.

hma ntsuab (y) Ib hom hma uas muaj cov plaub xiav lim lus: *Ib pab hma ntsuab.*
[English] (n) The bluish and greenish-fur wolf; green wolf.

hmab (y) Tej tsob tuaj zoo xws li dib thiab muaj nyob rau tom hav zoov: *Tsob hmab tuaj khaub zig tsob ntoo.*
[English] (n) Vine.

hmab dag (y) Ib hom hmab uas hauv plawv daj heev.
[English] (n) Yellow vine.

hmab hleb (y) Ib hom hmab uas neeg siv los lom xws li ntses: *Ib tsob hmab hleb.*
[English] (n) Certain kind of vine. Some people used this kind of vine to poison or kill fish.

hmab si nees (y) Ib hom hmab uas me thiab liab. Ib txhia neeg kuj siv los kho

© 2003 Jay Xiong. All rights reserved.

cov mob xws li cov pojniam uas muaj cev ntas tsis zoo tej.
[English] (n) Red vine.

hmab soo (y) Ib hom hmab.
[English] (n) Certain kind of vine.

hml (y) Ib tus ntawv siv rau cov lus xws li hmlos.
[English] (n) A consonant used for words such as "hmlos."

hmlav (y) Lub suab quaj: *Nws quaj ob hmlav.*
[English] (n) A crying sound; a cry.

hmlos (u) Pluav rau hauv plawv; zuav rau hauv: *Nws lub tsheb hmlos.* (p) Yam uas hmlos ntawv: *Tsis muaj neeg nyiam lub tsheb hmlos.*
[English] (v) To dent. (adj) Become dented.

hmlos hmlee (p) Hmlos ntau qhov chaw: *Tsis nyiam lub tsheb hmlos hmlee.*
[English] (adj) Become dented, esp. in many places.

hmlos hmliv (p) Hmlos thiab pluav ntau qhov chaw: *Lub tsheb hmlos hmliv.*
[English] (adj) Become dented, esp. in many places.

hmlos hmluav (p) Muaj hmlos ntau qhov: *Nws tsoo lub tsheb hmlos hmluav.*
[English] (adj) Become dented, esp. in many places.

hmo (y) 1. Lub sijhawm uas tsaus ntuj; hmos; hmo ntuj: *Muaj ntau hmo.* 2. Pluas mov noj nyob rau yav tsaus ntuj: *Nws noj hmo tas lawm.*
[English] (n) 1. Night. 2. Dinner

hmo ntuj (y) Lub caij uas thaum lub hnub poob thiab tsaus ntuj lawm: *Hmo ntuj neeg mus pw.* Lus rov: *Nruab hnub.*
[English] (n) Night, nighttime.

hmob[1] (y) Ib hom kab me~ xws li yoov tabsis tom neeg thiab tsiaj mob heev: *Lub zes qaib muaj hmob coob heev.*
[English] (n) Fleas. Any of various small and wingless bloodsucking insects.

Hmob[2] Ib lub xeem Hmoob Xyooj. Lo lus Hmob yog lus Hmoob hos lo lus Xyooj yog lus Suav. Xyooj yog txhais tias dais, xws li tus tsiaj dais. Hmoob Lees ces hais tias Mob no.
[English] One of the Hmong clans or last names. Xiong is a Chinese word stands for a bear.

hmob qaib (y) Cov hmob muaj nyob ntawm qaib losyog qaib lub zes tej.
[English] (n) Chicken fleas.

© 2003 Jay Xiong. All rights reserved.

hmoo (y) Yam tshwm sim uas xws li zoo losyog phem uas muaj rau tibneeg; txoj hmoov: *Nws muaj txoj hmoo zoo. Txoj hmoo phem ces tau phem.*
[English] *(n) Fate, fortune, luck.*

Hmoob[1] (y) Ib haiv neeg plaubhau dub uas xws li, feem ntau, muaj nyob rau tebchaws Suav: *Neeg Hmoob yog ib haiv neeg uas tsis muaj tebchaws.* (p) Piav txog haiv neeg losyog Hmoob ltn... *Nws paub hais lus Hmoob.*
[English] *(n) Of, relating to, or characteristic of the Hmong people or culture. (adj) Of, or relating to, the Hmong people and their language. Also called Mong and Miao.*

hmoob[2] (y) Cov neeg uas tsis txheeb; tus neeg yus tsis paub zoo: *Kuv xav tias koj yog hmoob.*
[English] *(n) Stranger.*

Hmoob Dawb (y) Cov neeg Hmoob uas hnav ristsho tsis txaij thiab hais lus tsis dov nplaig, xws li lo lus "dawb" tsis hais tias "dlawb" no. Lo lus "dawb" yog hu los ntawm daim tiab dawb, xws li cov Hmoob no tsis muab lawv cov tiab zas li.
[English] *(n) White Hmong. Also called Hmong Der. Certain kind of Hmong who speak with different dialect than the Hmong Leng. Hmong Leng do not have the 'H' or a nasal sound in the word Hmong. Instead they write and pronounce it as Mong. Another big difference is that there is no 'D' word in Mong Leng. Their replacement is "DL", such as "dlub, dlawb" vs. Hmong Der's "dub and dawb."*

Hmoob Dub (y) Ib hom Hmoob nyob rau Suav teb. Los ntawm Tsab Chij phau ntawv "Paj Tawg Lag Teb."
[English] *(n) Certain kind of Hmong people.*

Hmoob Lees (y) Cov neeg Hmoob uas hnav tiab txaij thiab hais lus dov nplaig heev; xws li "dawb" ua "dlawb" no. Ib txhia kuj hu Hmoob Lees ua Hmoob Ntsuab, tabsis Hmoob Ntsuab thiab Hmoob Lees kuj txawv thiab.
[English] *(n) Certain kind of Hmong that speak with different dialect than the Hmong Der or White Hmong. See also Hmong Dawb.*

Hmoob Ntsuab (y) Ib hom Hmoob uas xws li Hmoob Lees, tabsis thaum ub Hmoob Ntsuab noj neeg thiab siv neeg los txi dab qhuas.
[English] *(n) Certain kind of Hmong with similar dialect to the Mong Leng.*

Hmoob Peg (y) Ib hom Hmoob nyob rau Suav teb. Los ntawm Tsab Chij phau

© 2003 Jay Xiong. All rights reserved.

ntawv "Paj Tawg Lag Teb."

[English] (n) Certain kind of Hmong people, esp. live in China.

Hmoob Quas Npab (y) Cov Hmoob uas hnav cov tsho muaj ntau kab txaij nyob ntawm ob sab npab tsho.

[English] (n) Certain kind of Hmong that have different custom, esp. their dresses and pants that they wear.

Hmoob Sis (y) Ib hom Hmoob nyob rau Suav teb. Los ntawm Tsab Chij phau ntawv "Paj Tawg Lag Teb."

[English] (n) Certain kind of Hmong, esp. live in China.

Hmoob Xauv (y) Ib hom Hmoob nyob rau Suav teb. Los ntawm Tsab Chij phau ntawv "Paj Tawg Lag Teb."

[English] (n) Certain kind of Hmong, esp. live in China.

hmoob zeeg (y) Tus neeg; tus txiv losyog tus ntxhais; tsev neeg: Lo lus no yog siv rau thaum hais kwv txhiaj xwb: *Mus tau nkaus tsev hmoob zeeg...*

[English] (n) A person; a family. This is mostly used during chanting or singing the Hmong "kwv txhiaj" only.

hmoov[1] (y) Yam tshwm sim uas xws li zoo losyog phem uas muaj rau tibneeg; txoj hmoo: *Nws muaj txoj hmoov zoo. Hmoov phem thiab tau phem.*

[English] (n) Fate, fortune, luck.

hmoov[2] (y) Tej cov me~ heev thiab tsis ua lub li lawm: *Muab cov txhuv zom kom ua hmoov. Cov hmoov av, hmoov nplej ltn...*

[English] (n) 1. Powder, flour. 2. Dust or any of the powder like particles.

hmu (u) Tuaj tshwm rau saum npoo av uas xws li cov nplej pib tawm hauv av tuaj: *Nws cov nplej nyuam qhuav hmu xwb--nyuam qhuav ua kaus tawm rau saum npoo av xwb.* (y) Lub caij nyuam qhuav hmu ntawv.

[English] (v) To appear or emerge, such as a sprout or shoots that are just arising from the ground. (n) A period or season where plants or crops just beginning to grow or arising from the ground.

hmuv (y) Rab losyog tus uas zoo li tus pas, tabsis ib tog me thiab ntse: *Hmoob siv hmuv los cog nplej. Mab Qus siv hmuv mus nkaug tsiaj.*

[English] (n) Spear.

hn (y) Ib tus ntawv uas siv rau cov lus xws li hnub, hnab, hnoos ltn...

[English] (n) A consonant used for words such as "hnub, hnab, hnoos" etc...

© 2003 Jay Xiong. All rights reserved.

hnab (y) 1. Lub uas muab ntaub xaws thiab siv los ntim khoom tej: *Nws xaws tau ib lub hnab. Lawv xaws hnab los ntim nplej.* 2. Ua tej lub xws li lub hnab: *Xyoo no cov nplej zoo thiab muaj hnab heev.*
[English] (n) 1. A bag or any bag like containers. 2. Seed or grain, i.e., rice.

hnab cua* (y) Cov hnab uas thaum su tuaj yog cua nyob hauv plawv xwb, thiab tsis tag li, yog ua los tso rau hauv tsheb es kom thaum muaj sib tsoo, tus neeg tsis txhob dhia mus tsoo pem lub tobhau tsheb losyog kom txhob raug tus neeg sab: *Txhua lub tsheb yuavtsum muaj hnab cua thiab siv rooj.*
[English] (n) Air bag.

hnab kos daub (y) <Kos daub yog lus Lostsuas> Cov hnab uas siv rau khoom thiab ev khoom me tej: *Nws muaj ib lub hnab kos daub.*
[English] (n) A bag, esp. the kind that carried by the shoulder.

hnab looj tes (y) Cov hnab siv los looj txhais tes: *Nws ob lub hnab looj tes.*
[English] (n) Glove.

hnab nruas (y) Tej lub hnab uas yog muab ntaub xaws thiab neeg siv los khiab rau ntawm lub xubpwg.
[English] (n) A bag, esp. the kind that carried by the shoulder.

hnab ntawv (y) Tej lub hnab uas yog muab ntawv losyog lwm yam ua, thiab neeg siv los xa ntawv nyob rau hauv: *Nws yuav tau ib pob hnab ntawv.*
[English] (n) Envelopes, esp. for a letter.

hnab nyiaj (y) Tej lub hnab uas yog muab ntaub xaws, tabsis muab xws li txiaj npib thiab txij hob los xaws tuaj rau sab nrauv. Feem ntau, Hmoob siv cov hnab nyiaj no los hnav rau lub caij noj Pebcaug xwb.
[English] (n) A small bag, normally hand-sewn and made from fine cloths, and then threaded with silver coins, such as with quarters and dimes.

hnab ris (y) Lub qhov uas tho nyob rau ntawm lub ris thiab, feem ntau, yog xaws los rau khoom losyog tau txig tes tej: *Daim nyiaj nyob hauv nws lub hnab ris.*
[English] (n) A pocket of a pants.

hnab tsaj (y) Ib hom hnab uas muab tsaj los xaws. Hnab tsaj feem ntau yog siv los ntim txhuv thiab nplej tej: *Ib lub hnab tshaj.*
[English] (n) The big bag, esp. made from hemp and used for storing crop.

hnab tshos (y) Cov qhov uas tho nyob rau ntawm lub tsho, thiab nyob rau ntawm lub xubntiag: *Nws lub tsho muaj ob lub hnab tshos.*

© 2003 Jay Xiong. All rights reserved.

[English] (n) A pocket of a shirt.

hnav[1] (u) Muab xws li lub cev mus ntxig rau hauv lub ris losyog lub tsho: *Nws hnav lub ris.* Lo lus hnav yog siv rau ris thiab tsho xwb. Kaus mom ces yog siv lo "ntoo"; hos khau ces yog siv lo "rau."

[English] (v) To wear; to put (clothes on, for example).

hnav[2] (y) Ib hom khoom uas neeg cog los ua noj: *Nws nyiam noj mov hnav.*

[English] (n) Certain kind of wheat.

hnee (y) 1. Rab hneev: *Nws xuas ib hnee.* 2. Tus hneev taw.

[English] (n) 1. A bow, such as a hunting bow or weapon. 2. Footprint.

hneev[1] (y) Rab uas yog muab ntoo txua, muaj ib tus nta thiab ib txoj hlua, thiab siv los tua nas noog tej: *Neeg siv hneev los tua nas thiab noog.*

[English] (n) Bow, such a weapon used for hunting.

hneev[2] (y) Cov qhov uas thaum txhais taw tsuj cov av nkos es hmlos; hneev taw: *Peb pom hneev kauv thiab hneev npua teb tim daim teb.*

[English] (n) Footprint.

hneev laug* (y) Tus ntawv '{' thiab yog ib tus ntawv tis tshiab.

[English] (n) The left brace '{' character.

hneev nti (y) 1. Rab uas yog muab xws li xyoob losyog ntoo ua, tabsis tsuas muaj tus nta thiab txoj hlua xwb. Feem ntau yog ua los tua xws li qav thiab ntses tej. 2. Cov hneev uas zoo li hneev nti, tabsis loj thiab neeg siv los tua xws li kauv.

[English] (n) 1. A small, less power hunting bow or weapon. 2. Bow, esp. used for hunting and as a weapon.

hneev taw (y) Cov qhov uas thaum txhais taw tsuj cov av nkos es hmlos; hneev: *Peb pom nws cov hneev taw.*

[English] (n) Footprint.

hneev tes* (y) Cov hneev uas yog los ntawm cov ntiv tes: *Pom tus hneev tes.*

[English] (n) Fingerprint.

hneev xis* (y) Tus ntawv '}' thiab yog ib tus ntawv tis tshiab.

[English] (n) The right brace '}' character.

hnia[1] (u) Muab lub qhov ntswg mus twb rau uas xws li kom hnov tsw: *Nws hnia lub paj seb puas tsw qab.*

[English] (u) Smell.

© 2003 Jay Xiong. All rights reserved.

hnia[2] (u) Muab di ncauj twb rau losyog ua kom chwv: *Nws hnia kuv sab plhu.*
[English] (v) Kiss.

hniav[1] (y) Cov kaushniav; tej tus txha uas dawb thiab tuaj nyob hauv lub qhov ncauj, thiab yog siv los zom, tom thiab xo khoom tej: *Nws tuaj ob tus hniav.*
[English] (n) Tooth, teeth.

hniav[2] (y) Tej tus, yam, daim uas ntse thiab hlais tau lwm yam: *Tus hniav riam.*
[English] (n) Blade.

hniav dev (y) Tus hniav uas ntse thiab nyob rau ob sab ntawm neeg lub qhov ncauj: *Nws tuaj ob tus hniav dev.*
[English] (n) Cuspid, canine.

hniav lo* (y) Tej los hniav uas yog muab pobtxha losyog roj hmab los ua. Feem ntau yog ua rau cov neeg laus thiab cov neeg lov nws cov hniav tag lawm xwb.
[English] (n) Denture or dentures, esp. a complete set of artificial teeth.

hniav puas (y) Cov kaushniav uas loj thiab nyob ze tom lub qa, thiab siv los zom mov tej: *Nws tuaj cov hniav puas lawm.*
[English] (n) Molar, a tooth with broad crown located behind the premolar.

hniav puas nrab (y) Cov kaushniav uas loj thiab nyob nruab nrab ntawm cov hniav puas thiab cov hniav tabmeej.
[English] (n) Bicuspid, esp. a premolar.

hniav tabmeej (y) Cov hniav uas tuaj nyob rau tom hauv ntej thiab siv los ntxo losyog tom. Ib txhia kuj hu ua hniav txaug thiab: *Ob tus hniav tabmeej.*
[English] (n) Incisor.

hniav txaug (y) Cov hniav uas tuaj nyob rau tom hauv ntej thiab siv los ntxo losyog tom; hniav tabmeej. *Ob tus hniav txaug.*
[English] (n) Incisor.

hniav txhab (y) Ob tus hniav uas tuaj ntxiv nyob rau tom kawg ntawm cov hniav puas. Feem ntau twb yog tiav hluas lawm mam li muaj cov hniav no.
[English] (n) Wisdom tooth or teeth.

hno (u) Muab tej yam ntse xws li hmuv thiab koob los chob losyog ua kom to: *Nws muab rab hmuv hno lub dib. Nws muab rab koob hno nws tus ntiv tes.*
[English] (v) To puncture or pierce, such as to make holes.

hnoos (u) Tshuab pa tawm xws li hauv lub ntsws tuaj, thiab ua ib lub suab nrov xws li thaum muaj mob nyob rau hauv lub ntsws: *Nws hnoos ib hmos.*

© 2003 Jay Xiong. All rights reserved.

[English] (v) Cough, to expel air from the lungs with a loud noise.

hnoos qeev (y) Cov kua nplaum~ thiab daj uas tawm hauv lub qhov ncauj los, xws li thaum neeg hnoos es muaj tej: *Nws hnoos tau ib co hnoos qeev.*
[English] (n) Mucus, phlegm.

hnov[1] (u) Txais losyog muaj suab mus rau hauv lub qhovntsej: *Nws hnov peb hais lus. Nws hnov ib zaj kwv txhiaj.*
[English] (v) Hear, to perceive sound by the ear.

hnov[2] (u) Paub tias muaj tej yam los chwv losyog kov xws li cov tawv nqaij tej: *Kuv hnov nws kov kuv txhais taw.*
[English] (v) To feel, such as to perceive through the sense of touch or contact.

hnov qauj (u) Nco tsis tau zoo; tsis nco tias yog li cas: *Nws hnov qauj vim nws laus heev.* (p) Tus neeg uas lub hlwb nco tsis tau zoo: *Tus neeg hnov qauj.*
[English] (v) Forget. (adj) Forgetful.

hnub (y) 1. Lub kheej, loj thiab ci tshaj plaws uas nyob rau saum ntuj: *Lub hnub ci thiab kub heev.* 2. Lub sijhawm tsis tau tsaus ntuj losyog thaum lub hnub tsis tau poob: *Nws thiab kuv ces txawv npaum hnub thiab hmo.*
[English] (n) 1. Sun. 2. Day, daytime, daylight.

Hnub Chiv (y) Hnub so; hnub uas cov neeg ntseeg Ntuj mus hawm Huabtais Ntuj; Hnub Xya nyob rau hauv lub lis piam.
[English] (n) Sunday.

hnub hnub (y) Hnub uas ua ntej ntawm hnub hmo; hnub peb uas dhau los lawm: *Hnub hnub peb mus nuv ntses.*
[English] (n) The 3rd day ago; the other day.

hnub i (y) Obpeb hnub uas dhau los lawm: *Hnub i peb mus nuv ntses.*
[English] (n) The other day.

hnub nraus (y) Hnub uas tuaj tomqab ntawm nagkis. Hnub 3 uas tuaj tomqab ntawm hnub no: *Hnub nraus ces peb mus tsev.*
[English] (n) The 3rd day that comes after today.

hnub nyoog (y) Lub caij uas muaj sia thiab ua neeg nyob; lub sijhawm txij li thaum yug thiab muaj sia los: *Koj hnub nyoog muaj pestsawg xyoo?*
[English] (n) The age or time that one has existed; duration of life.

hnub qab nram ntsis (n) Lub sijhawm uas nyob rau tom hauv ntej; pem suab: *Hnub qab nram ntsis nej puas yuav hlub peb?* Neeg kuj siv tias "hnub qab

© 2003 Jay Xiong. All rights reserved.

nram lub ntsis" no thiab.

[English] (n) In the future; someday.

hnub qub (y) Tej lub me thiab ci nyob rau saum ntuj uas xws li pom nyob rau hmo ntuj: *Hmo ntuj peb pom hnub qub ntau heev.*

[English] (n) Star (stars in the sky, for example).

hnub qub hmo (y) Lub hnubqub loj, ci thiab tawm nyob rau sab hnub poob thiab tawm rau thaum yav tsaus ntuj: *Lub hnub qub hmo ci ntsa iab.* Lub hnub qub hmo thiab lub hnub qub tshais yog tib lub hnub qub xwb.

[English] (n) Evening star; Venus, such as the second planet from the sun. Evening star and morning star are the same star called Venus.

hnub qub tshais (y) Lub hnubqub loj, ci thiab tawm nyob rau sab hnub tuaj, thiab tawm rau thaum yav sawv ntxov. Feem ntau yog lub sij hawm uas 3 S.N. mus rau 4 S.N: *Lub hnub qub tshais ci ntsa iab.* Lub hnub qub hmo thiab lub hnub qub tshais yog tib lub hnub qub xwb.

[English] (n) Morning star. Venus, such as the second planet from the sun. Evening star and morning star are the same star called Venus.

hny (y) Ib tus ntawv siv rau cov lus xws li hnya, hnyav, hnyos ltn...

[English] (n) A consonant used for words such as "hnya, hnyos" etc...

hnya (u) Muab lub ntsej muag ua kom txoom losyog me xws li thaum noj tej yam qaub heev: *Nws hnya vim nws noj lub txiv qaub heev.* (p) Yam uas hnya.

[English] (v) Squint, frown (adj) Squint-eyed.

hnyav[1] (u) Muaj ntau uas xws li ua rau muaj ceebthawj; tsis sib: *Lub pobzeb hnyav tshaj lub pob ntoos. Hnab txhuv hnyav heev.* (p) Yam ua hnyav losyog muaj ceebthawj: *Nws tsis nyiam cov nra hnyav.* Lus rov: *Sib.*

[English] (v) Heavy. (adj) Having relatively great weight or gravity.

hnyav[2] (u) Hais lus cem losyog hais phem rau: *Koj cov lus hnyav zog lawm.* (p) *Nws hais lus hnyav kawg rau peb.*

[English] (v,adj) Harsh, rough (a harsh speech, for example).

hnyav ncawv (pu) Muaj ntau uas xws li hnyav; tsis sib: *Nws nqa ib hnab txhuv hnyav ncawv rau hauv lub tsheb.*

[English] (adv) Heavily.

hnyawv hnyo (pu) Siv rau xws li thaum tus neeg mus kev es nws mus siab, mus qis ltn...*Nws tsaj hnyawv hnyo tuaj txog ntawv.*

© 2003 Jay Xiong. All rights reserved.

[English] (adv) Used to describe an up-and-down movement or walk.

hnyev (pu) Siv los pab lo lus ua "mos": *Nws mos hnyev tus noog.*
[English] (adv) Quickly, immediately.

hnyo (pu) Siv pab lo lus ua "ntxhov": *Nws lub tsev ntxhov hnyo.*
[English] (adv) Messy, such as being disorderly and/or unkept.

hnyoo (pu) Nyob rawv tos; npaj tos txog lub caij zoo ua rau: *Nws tos hnyoo peb ua txhaum xwb.* (r) Txog, taus: *Nws tos tsis hnyoo ib qho txhaum li.*
[English] (adv) To wait patiently for. (prep) Until.

hnyos (u) Hais lus thuam; hais cem xws li thaum muaj neeg ua phem losyog ua tsis zoo tej: *Nws hnyos peb.*
[English] (v) Taunt, ridicule, rebuke, criticize.

hnyuj hnyo (pu) Muaj txav mus, txav los: *Nws tshawb hnyuj hnyo los txog ntawv.*
[English] (adv) Appearing, visibly.

hnyuv (y) Cov tej txoj uas nyob rau hauv neeg thiab tsiaj lub cev, thiab txuas rau lub plab: *Cov quav nyob hauv cov hnyuv.*
[English] (n) Intestine.

hnyuv laus (y) Ntu hnyuv uas loj thiab pib ntawm cov hnyuv mos thiab mus kawg rau nram lub qhov quav: *Ib txoj hnyuv laus.*
[English] (n) Large intestine.

hnyuv mos (y) Ntu hnyuv uas me~ thiab tsis muaj cov quav dub losyog tsis muaj cov quav laus (ntxhib nyob hauv): *Nws nyiam noj npua cov hnyuv mos.*
[English] (n) Small intestine.

hnyuv ntxwm (y) Cov hnyuv npua uas neeg muab cov quav tawm tas, thiab coj cov hnyuv los ntim xws li nqaij rau hauv: *Nws nyiam noj hnyuv ntxwm heev.*
[English] (n) Sausage, bratwurst.

hnyuv tws (y) Ib yav hnyuv uas tws thiab nyob ntawm xws li neeg sab plab xis: *Txhua tus neeg yeej muaj ib yav losyog txoj hnyuv tws.*
[English] (n) Appendix, esp. relating to the body organ or intestine.

ho[1] (u) Ua rau xws li tus menyuam hauv plab poob losyog tawm los ua ntej thaum tsis tau loj txaus ntawv: *Nws ho menyuam.* Lo lus no feem ntau yog siv los piav txog thaum tus menyuam yug los tabsis tuag lawm xwb.
[English] (v) Abort, such as to terminate a fetus before its full maturity.

ho[2] (pu) Uas xws li: *Nws ho nyiam koj. Nws ho hais zoo.*

© 2003 Jay Xiong. All rights reserved.

[English] (adv) Even, still.

ho[3] (pu) Siv tuaj tom kawg, xws li thiab: *Kuv tsis mus ho. Nws tuaj lawm ho.*
[English] (adv) Used at the end of a sentence similar to "perhaps, maybe"

hob (u) Ntsim xws li cawv thiab txhawb rau saum lub qhov ntswg: *Cov pum hub qhuav hob thiab ntsim heev.* (p) *Nws yuav tau ib co tshuaj hob.*
[English] (v, adj) Hot, such as having high heat or high temperature, esp. from certain medicine or drugs.

hoeb (nth) Ib lo lus siv piav txog lub sijhawm xws li tsis npaj txog losyog xav tias yuav zoo li ntawv: *Hoeb, nej tuaj thiab! Hoeb, kuv tsis ncoqab lawm!*
[English] (interj) Oh.

hoeb yoej (nth) Siv rau lub sijhawm xws li thaum yus ua khoom poob, plam losyog tawg tej: *Hoeb yoej, nws muab ua puas tag!*
[English] (interj) Oh, oh no.

hom[1] (u) Muab ua sim; ua dag: *Nws hom tias nws yuav ntau peb.* (pu) Pheej ua xws li: *Nws hom ua tug nquag~.* (y) Yam: *Neeg kuj muaj ntau hom.*
[English] (v) Pretend, tease. (n) Kind, sort.

hom[2] (u) Muab tej yam los mus rhais, tws losyog tso rau xws li kom lwm tus neeg paub tias muaj tsw lawm: *Nws hom tau ib daim teb.*
[English] (v) To reserve or mark (an area, for example) as being taken.

hom phiaj (y) Yam uas yuav ua xws li nyob rau pem suab losyog tom hauv ntej: *Kuv lub hom phiaj yog sau phau ntawv "Lus Hmoob Txhais" no.*
[English] (n) Goal, target.

hooj twm (y) Ib hom nas uas loj thiab daj tsim tsawv thiab loj dua cov nas ncuav: *Nws tua tau ib tus nas hooj twm.*
[English] (n) Squirrel, esp. the bigger kind with yellowish fur (hair).

hoos mom (y) <Lostsuas> Lub tsev uas ua los kho cov neeg muaj mob tej: *Nws mus kho mob tim hoos mom lawm.* Lub tsev kho mob.
[English] (n) <Laotian> Hospital, esp. a place that provides medical care.

hos (tx) Tabsis, uas tshuav: *Peb noj mov tas lawm hos nws tseem tsis tau noj. Hos koj yuav noj abtsi?* (pu) Tib yam, thiab: *Kuv mus hos.*
[English] (conj) But. (adv) Too, also.

hos huam (y) Ib hom tsiaj uas zoo li yaj yuam thiab nyob tom hav zoov: *Tus hos huam quaj nrov heev.*

© 2003 Jay Xiong. All rights reserved.

[English] (n) Peacock.

hov[1] (u) 1. Muab xws li rab riam mus txhuam lub zeb ho kom tus hniav ntse; muab tus hniav riam tam kom ntse: *Nws hov rab riam.* 2. Muab txhuam lwm yam: *Muab yav tshuaj hov kom ua ib co hmoov.*

[English] (v) 1. To sharpen. 2. To grind or rub against something.

hov[2] (pu) <Lees> Ntawm losyog qhov chaw ntawv; ntawv: *Nwg nyob hov.* (p) <Lees> Tus uas piav txog ntawv: *Tug tuab neeg hov.* <Lees> (t) Siv los piav txog yam losyog tus ntawv: *Hov yog puab le.*

[English] (adv, adj, pron) <Leng> There, that. See also "nov."

hov[3] (pu) Npaum li cas; ntau pestsawg: *Koj muaj hov ntau? Hov deb?*

[English] (adv) How (how far, how much, for examples).

hov txob (y) <Lees> Cov kua txob; cov tej lub menyuam txiv uas liab thiab ntsim: *Nwg nyam noj hov txob.*

[English] (n) <Leng> Pepper.

hu (u) Hais xws li ua lub suab kom lwm tus hnov: *Nws hu peb mus tsev.*

[English] (v) Call, such as to say or utter, someone's name, in a loud voice.

hu dab (u) Noj, haus loj thiab ntau: *Nws hu dab vim nws noj tas ib tsus mov.* (p) Tus neeg uas noj ntau: *Nws yog ib tus neeg hu-dab.*

[English] (v) Being greedy; being gluttonous. (adj) Greedy, gluttonous.

hu ua (u) Muaj lub npe li; hais lub npe muaj lub suab li; yog: *Nws hu ua Tuam.*

[English] (v) Is, am, such as "he is Tony. I am Steve" etc...

huab (y) Cov tej thooj dawb~ uas muaj nyob saum ntuj: *Thaum muaj huab ntau ces yog yuav los nag.* Ib lub npe siv rau cov ntxhais.

[English] (n) Cloud. Also a proper name for girls.

huab cua (y) Tej huab thiab tej cua; yam uas ua rau sov thiab no: *Huab cua nyob rau tebchaws Lostsuas sov thiab xis nyob heev.*

[English] (n) Weather, atmosphere.

huab hwm (y) Cov neeg pejxeem; cov neeg: *Tus nom hais lus rau nws cov huab hwm.* Feem ntau yog siv tuaj tomqab ntawm lo "pejxeem" uas xws li "pej xeem huab hwm" xwb.

[English] (n) People, citizens, but mostly used after the word "pejxeem" only.

Huab Tais (y) 1. Tus nom losyog tus tswv kav lub tebchaws: *Tus Huab Tais Thaib.* 2. Tus tswv ntuj; tus uas tsim txhua txhia yam nyob hauv ntiaj teb thiab

© 2003 Jay Xiong. All rights reserved.

saum ntuj; Huab Tais Ntuj: *Kuv ntseeg tias Huab Tais hlub txhua txhia leej.*
[English] (n) 1. The King of a country. 2. God, Lord, esp. of the universe.

Huab Tais Leej Ntuj Plig (y) Tus Huabtais Peb uas nyob rau ntawm txoj kev Ntseeg Ntuj. Leej Ntuj Plig yog tus ua rau yus xav thiab paub txog qhov txhaum thiab qhov yog.
[English] (n) The Holy Spirit or the third person of the Christianity Trinity.

Huab Tais Leej Tub (y) Tus neeg uas yog Huab Tais Ntuj tus tub, tabsis nws los yug ua ib tus neeg, thiab muaj lub npe hu-ua "Yesxus" no: *Huab Tais Leej Tub ces yog Huab Tais Yesxus. Lus Askiv yog "Jesus Christ."*
[English] (n) The Son or the second person of the Christianity Trinity; Jesus Christ.

Huab Tais Leej Txiv (y) Tus txiv Tswv Ntuj uas tsim tag ib puas tsav yam , xws li nyob saum ntuj thiab hauv ntiaj teb: *Nws hu txog Huab Tais Leej Txiv, Leej Tub, thiab Leej Ntuj Plig.* Ib txhia neeg ntseeg kuj hais tias "Vajtswv" no thiab.
[English] (n) Father God or the first person of the Christianity Trinity.

Huab Tais Ntuj (y) Tus txiv Tswv Ntuj uas tsim tag ib puas tsav yam, xws li nyob saum ntuj thiab hauv ntiajteb: *Nws ntseeg tias muaj Huab Tais Ntuj.*
[English] (n) God or the Father God of the universe.

Huab Tais Tswv Ntuj (y) Tus Huab Tais uas yog tus Tswv Ntuj; Vajtswv.
[English] (n) God or the Father God of the universe.

Huab Tais Yesxus (y) Tus neeg uas yog Huab Tais Ntuj tus tub, tabsis nws los yug ua ib tus neeg, thiab muaj lub npe hu-ua "Yesxus" no.
[English] (n) Jesus Christ.

huag (nth) Siv rau xws li lub caij ntshai losyog tsis ncoqab txog tias yuav zoo li: *Huag, tsis pom kuv cov nyiaj lawm! Huag, nej tuaj thiab!*
[English] (interj) Oh!

huaj cheej (u) Nti thiab tuam tes, tuam taw xws li thaum muaj mob heev losyog thaum yuav tuag ntawv: *Tus qaib huaj cheej tas ces mam tuag.*
[English] (v) To tremble or quake, esp. when having severe pain.

huam[1] (u) 1. Hlav, hlob, muaj ntau tuaj: *Cov nroj huam thiab hlav puv teb.* 2. Loj xws li tus dej puv losyog phwj tuaj: *Tus dej huam loj heev.*
[English] (v) 1. Grow, to increase in size naturally. 2. Expand or enlarge.

huam[2] (u) Tshaib, nqhis uas xws li xav haus tej: *Nws huam yeeb heev.*

© 2003 Jay Xiong. All rights reserved.

[English] (v) To crave; to have an intense or strong desire for.

huam[3*] (u) Ua kom ntau losyog coob ntxiv: *2 huam 2 ces muaj 4. 5 x 5 = 10.* Tus ntawv uas siv kom huam xws li tus 'x'. (y) Yam uas muab ua kom muaj ntau losyog huam vam.

[English] (v) To multiply, such as to increase the amount or number of. (n) Multiplication.

huam ceem (pu) Nti thiab tuam tes, tuam taw uas xws li yog mob heev. Lo lus yog siv tuaj tomqab ntawm los "huam leej" xwb: *Nti huam leej, huam ceem.*

[English] (adv) Used to describe a hurtful or painful condition where one is moving and/or turning constantly.

huam leej (pu) Nti thiab tuam tes, tuam taw uas xws li mob heev. Los lus no yog siv ua ntej los "huam ceem" xwb: *Nws nti huam leej, huam ceem.*

[English] (adv) Used to describe a hurtful or painful condition where one is moving and/or turning constantly.

huam leej-huam ceem (pu) Nti thiab tuam tes, tuam taw uas xws li mob heev: *Nws nti huam leej huam ceem.*

[English] (adv) Used to describe a hurtful or painful condition where one is moving and/or turning constantly.

huam vam (u) Huam thiab loj losyog muaj ntau tuaj: *Nws tsev neeg huam vam vim nws coj ncaj thiab coj zoo.*

[English] (v) Prosper, flourish, esp. when increased in numbers.

huam yuaj (u) Ua plam; ua nrov uas xws li tsis yog txhobtxwm: *Nws ua phom huam yuaj.*

[English] (v) Accident, mistrigger or triggering by accident.

huas[1] (u) Mus txeeb; mus muab xws li kom tau los: *Cov tsov huas nqaij.*

[English] (v) To grab or fight as to get or have the most of something.

huas[2] (u) Mus txeeb xws kom nyob rau qhov chaw zoo: *Nws huas peb qhov chaw.*

[English] (v) To fight for a position, such as to be the first in line.

hub (y) Lub thoob uas yog muab av losyog hmoov zeb los puab: *Nws muaj ntau lub hub. Neeg siv hub los ntim dej.* (nth) Ib lo lus qw: *Hub, kuv tsis kam!*

[English] (n) Any of the large storage vessels or pots. (interj) No, oh.

hum (u) <Lees> Haum; txaus nyob losyog yoj xws li mus rau hauv lub qhov: *Lub mom hum nwg lub tobhau.*

© 2003 Jay Xiong. All rights reserved.

***[English]** (v) <Leng> Fit, appropriate.*

hus (u) Muab txhais tes losyog tej yam mus fawb xws li kom los: *Nws hus cov nplooj qhua los ua ib pawg.*

***[English]** (v) Rake, gather or collect, esp. by using hands or rake.*

huv (u) Tsis muaj hmoov av; tsis paug dabtsi li; tsis qias: *Lub tais huv heev.* (p) Khee kawv, du lug, tsis tshuav li: *Tais dej huv.* (pu) *Nws ntxuav lub tais huv.*

***[English]** (v) Clean, pure. (adj,adv) Clean.*

huv si (p) Huv heev: *Ntxuav tes huvsi mam li noj mov.* (pu) Txhua tus, tas nrho: *Peb mus huvsi yog txhais tias "peb mus tas nrho."*

***[English]** (adj) Clean. (adv) Altogether.*

huv tibsi (pu) 1. Tas nrho, txhua leej: *Peb mus huv tibsi.* 2. Ua tiav losyog tau tibsi: *Nws ua tau mov huv tibsi.*

***[English]** (adv) 1. Altogether, all. 2. Completely, already.*

hv* (y) Ib tus ntawv, tis tshiab, uas siv rau cov lus xws li: *Tsam nws tsis pom hvos. Hvuav, ua cas koj ua li hvos?*

***[English]** (n) A consonant used for words such as "ua li hvos."*

hvaw (lm) Ib lo lus mos: *Ntxawm hvaw, koj puas nco kuv thiab hvos?*

***[English]** A sweet or friendly word mostly used after calling a person's name.*

hvos (lm) Ib lo lus siv rau lub caij xws li: *Tsis pom lawm hvos.*

***[English]** A sweet or friendly word mostly used at the end of a sentence.*

hvov (pu) Siv rau tomqab ntawm zaj lus; nawb: *Tsis txhob ua li hvov.*

***[English]** (adv) Alright, esp. used to express assent or agreement.*

hvuav (nth) Ib lo lus siv rau lub caij qw: *Hvuav, tsis pom lawm hvos!*

***[English]** (interj) Oh.*

hwb (pu) Nov losyog ntawm no: *Hwb, koj lub ris. Hwb, koj cov nyiaj hvos.*

***[English]** (adv) Here.*

hwj (u) Pab tuav thiab saib kom tsis txhob poob losyog vau: *Nws hwj tus Txiv Neeb.* (y) Lub fwj: *Ib hwj cawv.* Ib lub npe siv rau cov tub.

***[English]** (v) To hold or assist, esp. with the hands. (n) A bottle. Also a proper name for boys.*

hwj chim (y) Meej mom; yam ua rau lwm tus neeg hwm thiab ntshai; ib txhia neeg kuj siv lo "fwj chim" no thiab: *Huab Tais Ntuj yog tus muaj hwj chim heev.*

***[English]** (n) Prestige, honor.*

© 2003 Jay Xiong. All rights reserved.

hwj huam (y) Txuj ci; ua tau txhua yam: *Huab Tais Ntuj yog tus muaj hwj huam.*
[English] (n) Power, knowledge.

hwj kais (y) Lub hwj rhaub dej haus uas muaj ib tus kais: *Ib lub hwj kais.*
[English] (n) Kettle.

hwj sawv (y) Tus neeg hwj thiab saib tus ntxiv neeb: *Nws yog ib tus hwj sawv.*
[English] (n) A man who assists and oversees a shaman when he is practicing his ritual.

hwj txob (y) Cov noob me~, dub~ thiab hob~ uas neeg nyiam muab rau xyaw nqaij qaib tej: *Nws yuav tau ib hnab hwj txob.*
[English] (n) Black peppers.

hwj txwv (y) Cov plaub tuaj nyob ntawm tus txiv neej lub plhu: *Nws muaj hwj txwv ntau heev.*
[English] (n) Mustache.

hwj xwm (u) Tswj hwm; saib xyuas txog; hwj: *Tus nom hwj xwm lub zos.*
[English] (v) Control, manage.

hwm[1] (u) Muab saib kom muaj nqis; saib taus uas xws li yog tseemceeb: *Cov me nyuam hwm lawv niam thiab txiv.*
[English] (v) Respect, honor.

hwm[2] (y) 1. Plaub daim; plaub nplais losyog plaub qho: *Ib hwm yog muaj plaub daim.* 2. Siv los piav txog obpeb lub tshuaj uas yog muaj txhua losyog txaus noj ib zaug: *Nws muab ib hwm tshuaj rau kuv.*
[English] (n) 1. Foursome, esp. of things. 2. A suit of medicine.

hws (u) Cov dej uas yog muaj los ntawm cov cua kub txuam rau cov cua txias: *Lub pobzeb hws vim lub pobzeb txias, tabsis cov cua sov.* (y) *Cov hws poob rau hauv lub tais. Peb tawm hws vim cov cua sov heev.*
[English] (v) To sweat. (n) Sweat.

hwv (pu) Heev, tshaj cov: *Koj phem hwv.* (nth) Ib lo lus hnyos: *Hwv, phem diam cia kom paub!*
[English] (adv) Very, extremely. (interj) To rebuke or criticize, esp. with bitter expression or statement.

i[1] (y) Ib tus ntawv uas siv rau cov lus xws li i, ib ltn... (t) Tus tswv losyog yam uas hais txog ntawv: *Muab tus i rau kuv. Tus i mus tsev lawm.*
[English] (n) The 15th letter of the English alphabet. (pron) That.

© 2003 Jay Xiong. All rights reserved.

i[2] (y) Ib tus ntawv, lub suab, uas siv rau cov suab xws li hli, lib, dib ltn...
[English] (n) A vowel used for words such as "hli, lib, dib" etc...

ia (y) Ib lub suab uas siv rau cov lus xws li qhia, hnia, liab, piav, dhia ltn...
[English] (n) A vowel used for words such as "qhia, hnia, piav " etc...

iab (u) Qab xws li yeeb; qab xws li cov kua tsib: *Cov yeeb iab heev.* (p) Siv los piav txog yam uas iab: *Nws tsis nyiam noj yam khoom iab.* Ib lub npe uas siv rau cov ntxhais.
[English] (v) Having bitter taste. (adj) Bitter. Also a proper name for girls.

iab liam (u) Liam, hais tias yog li: *Nws iab liam tias kuv nyiag nws cov nyiaj.*
[English] (u) Accuse, allege, charge.

iav[1] (y) Tej daim uas yog yus saib ces ua rau pom yus tus duab nyob hauv: *Neeg siv daim iav los saib nws lub ntsej muag.*
[English] (n) Mirror.

iav[2] (y) Tej daim dawb, kaj thiab khov heev uas neeg siv los ua qhovrai tej: *Neeg siv iav los thaiv thiab ua qhovrai.*
[English] (n) Glass.

ib[1] (y) Tus ntawv suav 1 uas nyob nruab nrab ntawm tus 0 thiab tus 2: *Nws suav txog ib.* (p) Piav txog yam uas muaj ntau li ib: *Nws muaj ib xyoos.*
[English] (n, adj) One or the number 1.

ib[2] (u) Muab tso pheeb rau; tso vau mus pheeb rau lwm yam: *Nws ib tus ntoo.*
[English] (v) To lean against something.

ib[3] (y) Tus uas tuaj nyob rau saum xws li qaib lub tobhau: *Qaib tus ib liab heev.*
[English] (n) A cock's comb or comb-like that grows on the crown of the head of chickens and birds.

ib cag (pu) Nyob rau ib sab; nyob ze tabsis tsis nyob uake: *Nws sawv ib caj saib.* (p) Tsis txheeb losyog tsis sib ze: *Nws yog niag neeg ib cag.*
[English] (adv) Aside. (adj) Of or being on the outside or not related to.

ib ce (y) Lub cev: *Muaj ib co pob nyob thoob nws ib ce.*
[English] (n) Body (a human body, for example).

ib chim (pu) Ib lub sijhawm tsis ntev tomqab: *Ib chim wb mam mus tsev.*
[English] (adv) Awhile, later on; for a short time.

ib co (p) Qee tus losyog qee yam xwb; qee cov; ib txhia: *Ib co neeg tsis tuaj.* (t) *Ib co tuaj txog lawm, tabsis tshuav ob leeg tsis pom tuaj.*

© 2003 Jay Xiong. All rights reserved.

[English] (adj, pron) Some.

ib ke (pu) Ib sij tias ua li: *Koj ib ke hais tias mus, tabsis ib ke hais tias nyob.*
[English] (adv) Undecidedly.

ib nrab[1] (y) Nrab; ib sab uas xws li yog muab ob sab los uake ces ua tau ib lub losyog ib yam: *Nws suav txog ib nrab.* (p) *Nws muab ib nrab txhuv rau kuv.*
[English] (n, adj) Half.

ib nrab[2*] (y) Tus ntawv suav uas xws li yog muab 1 faib rau 2: *½ ntawm 10 ces yog 5. ½ ntawm 20 ces yog 10 ltn...*
[English] (n) Half, esp. a fraction number 1/2.

ib nta (y,p) Nyob rau ib nrab xws li kev siab tej: *Nws nce txog ib nta.*
[English] (n,adj) The half, middle, of the height.

ib nyuag (pu) Muaj mentsis; ua mentsis: *Nws ib nyuag nkees. Koj ib nyuag txav.*
[English] (adv) Slightly, little.

ib pliag (pu) Ib lub sijhawm tsis ntev tomqab: *Ib pliag wb mam mus tsev.*
[English] (adv) Awhile, later on; for a short time.

ib puas nees nkaum xyoo (y) Mus txog hnub tuag; txog hnub kawg uas tsis muaj txoj sia lawm. Feem ntau yog siv los piav txog thaum tus neeg tuag lawm xwb: *Nws niam puv ib puas nees nkaum xyoo lawm.*
[English] (n) 1. Death. 2. The end of once's life.

ib puas tsavyam (t) Txhua yam, tas nrho: *Huabtais Ntuj tsim tas ib puas tsavyam. Ib puas tsavyam yog txhais tias txhua~ yam.*
[English] (pron) Everything.

ib si (y) Sim neej, tiam neej, tas mus li, ib sis: *Peb sib hlub mus tas ib si.* (pu) *Tsis muaj neeg nyob mus ib si.* Ib si thiab ib sim yog txhais tib yam xwb.
[English] (n) Forever, lifetime. (adv) Forever.

ib siab-ob qig (y) Muaj teebmeem; muaj txoj kev nyuaj siab: *Thaum peb muaj ib siab ob qig, peb yuavtsum sib pab.*
[English] (n) Problem, matter.

ib sij huam (pu) Muaj uas xws li tsis npaj tos losyog tsis paub txog; ib pliag ntshis: *Ib sij huam, peb tuaj txog tas.*
[English] (adv) Suddenly, unexpectedly.

ib sim (y) Sim neej, tiam neej, tas mus li, ib sis: *Peb sib hlub mus tas ib sim.* (pu) *Tsis muaj neeg nyob mus ib sim.* Lo lus no tej zaum yog ob los uas xws

© 2003 Jay Xiong. All rights reserved.

li ib thiab sim xws li tiam, tabsis neeg tsis siv tias ob sim lossis peb sim li ntawv.
[English] (n,adv) Forever, lifetime.

ib tsam (pu) Ib lub sijhawm uas xws li lig ntawv: *Ib tsam wb mam mus tsev.*
[English] (adv) Later or later on.

ib txhia (p) Qee tus losyog qee yam xwb; tsis yog tas nrho: *Ib txhia neeg; ib txhia tsiaj.* (t) *Ib txhia tuaj txog lawm.*
[English] (adj, pron) Some.

ib txhiab-ib txhis (y,pu) Mus tas ib sim; tsis muaj hnub kawg: *Thov kom nej sib hlub mus tas ib txhiab ib txhis. Nws zoo mus ib txhiab ib txhis.*
[English] (n,adv) Forever, always.

ib txhij (pu) Tib txhij; ua losyog muaj rau ib lub sijhawm: *Peb ib txhij khiav.* Lo no thiab lo "tib txhij" yog txhais tias tib lub caij: *Peb tib txhij khiav.*
[English] (adv) Simultaneously.

ib txhis (pu) 1. Tas mus li losyog tag tiam neej: *Thov kom nej sib hlub mus ib txhis.* 2. Ibtxwm; txhua lub sijhawm: *Peb ib txhis cub mov hauv tsu.*
[English] (adv) 1. Forever. 2. Always.

ib txwm (pu) Ib txhis; txhua lub sijhawm; puag thaum ub los lawm: *Peb ib txwm cub mov hauv tsu. Hmoob ib txwm nyob saum roob.*
[English] (adv) Always, usually, naturally.

ib yam (pu) Sib xws; tsis txawv li; zoo xws li: *Wb zoo ibyam .*
[English] (adv) Same, alike.

j (y) 1. Ib tus cim siv rau cov lus xws li koj, noj, loj ltn... 2. Ib tus ntawv ib txhia Hmoob siv hloov tus ntawv "nts." Xws li lo lus "ntsaum" ces yog muab sau ua "jaum"; "ntses" muab sau ua "jes" ltn...
[English] (n) 1. A tone marker. 2. A consonant used by some Hmong to replace the "nts" consonant. This consonant is similar to the English "j".

k[1] (y) Ib tus ntawv uas siv rau cov lus xws li koj, kom, kuv, koom ltn...
[English] (n) A consonant used for words such as "koj, kom, kuv" etc...

kab[1] (y) Tej tsiaj me xws li ntsaum thiab yoov ltn... *Tom hav zoov muaj kab coob.*
[English] (n) Insect.

kab[2] (y) Txoj lw; txoj xws li kev mus thiab los: *Ib txoj kab npua.*
[English] (n) Path, trail.

kab[3] (y) Tej zaug, tom, lwm uas piav txog xws li kev haus yeeb tej: *Lawv haus*

© 2003 Jay Xiong. All rights reserved.

ib kab yeeb. Haus ob kab yeeb yog txhais tias haus ob lwm losyog ob zaug.
***[English]** (n) Round, such as one drink per person around the table.*

kab[4] (u) Muab haus kom tag; tsa hlo lub khob uas xws li kom tas: *Peb kab kiag.*
***[English]** (v) To finish a drink; drink entire cup.*

kab civliv (y) Cov kab uas me xws li tus kab ziam, tabsis dub thiab me uas loj zog tus laum thiab quaj thaum tsaus ntuj, "civ liv, civ liv" no: *Ib tus kab civliv.*
***[English]** (n) Cricket, esp. such as insects.*

kab hluas nees (y) Ib hom kab uas ntev li ib dos thiab muaj ntivtaw thoob plaws nws lub qab plab: *Nws pom ib tus kab hluas nees.*
***[English]** (n) Millipede. Also called diplopod.*

kab ke (y) Kev ua noj thiab ua haus; kevcai losyog cov txheej txheem: *Hmoob tej kab ke tshoob kos thiab kev ploj tuag tsis yog ib yam yoojyim.*
***[English]** (n) 1. Tradition, culture, system. 2. Ritual.*

kab laum (y) Cov kab uas me zoo li lub noob taub, tabsis nws muaj testaw thiab nyob rau hauv tsev; kab laum pij: *Lub tsev muaj kab laum coob heev.* Neeg kuj siv lo "laum" thiab xwb.
***[English]** (n) Roach or cockroach.*

kab laum dej (y) Cov kab uas zoo li kab laum tabsis yog nyob saum nplaim dej: *Nws pom ob tus kab laum dej.*
***[English]** (n) Water bug, water boatman.*

kab laum pij (y) Cov kab laum: *Lub tsev muaj kab laum pij coob heev.* Neeg siv lo "kab laum" thiab los "laum" ntau xwb.
***[English]** (n) Roach or cockroach.*

kab laum sab (y) Cov kab uas muaj tes, taw ntev thiab cab sab rau tomtej kaum tsev losyog rau tom hav zoov: *Nws pom ib tus kab laum sab.*
***[English]** (n) Spider, esp. the smaller kinds.*

kab laum tshooj (y) Cov kab uas ntev li ib dos thiab zoo li tus cua nab, tabsis nws muaj ntau txhais tes thiab taw. Nws muaj kaus thiab muaj kua taug uas yog plev neeg mas mob heev. Qee leej kuj hais tias "laum kev tshooj" no thiab.
***[English]** (n) Centipede.*

kab laum tsov (y) Cov kab uas zoo xws li kab laum sab, tabsis nws loj dua thiab nyob hauv qhov av xwb: *Nws pom ib tus kab laum tsov.*
***[English]** (n) Spider, esp. the bigger kinds and live in the ground.*

© 2003 Jay Xiong. All rights reserved.

kab lia[1] (y) Cov kab dawb~ zoo xws li cov kab nyuam dev, tabsis nws nyob hauv cov cag ntoo thiab cov hauvpaus ntoo uas qhuav tej xwb: *Ib tus kab lia.*
[English] (n) Caterpillars; any insects resembling caterpillars.

kab lia[2] (y) Lub qhov uas muaj nyob ntawm neeg sab plhu xws li thaum tus neeg luag es hmlos losyog muaj: *Nws muaj ob lub kab lia.*
[English] (n) Dimple, such as found in a person's cheek.

kab mob (y) Ib hom kab me~ heev uas muaj nyob rau hauv neeg lossis tsiaj lub cev, cov nqaij thiab cov ntshav, thiab ua rau neeg mob lossis tuag taus.
[English] (n) Disease, bacteria.

kab muag ntsais (y) <Lees> Kab taws tsau.
[English] (n) Firefly. Also called lightning bug.

kab nplias (y) Ib hom kab uas luaj li tus xib xub thiab muaj nyob ntawm cov ntoo nplias. Yog li ntawv, neeg thiaj hu cov kab no ua kab nplias.
[English] (n) Certain kind of insect.

kab nqos vias (y) Ib hom kab uas quaj es muaj lub suab "nqos vias, nqos vias": *Kab nqos vias quaj ua rau peb kho siab heev.*
[English] (n) Certain kind of insect.

kab ntsig (y) Cov kab zoo li kab nyuam dev, tabsis nws muaj plaub zoo li plaub hau, thiab cov plaub ntawv txawj chob neeg: *Ib tus kab ntsig.*
[English] (n) Caterpillar like insects that can sting.

kab ntsig ntsuab (y) Cov kab ntsig uas ntsuab thiab nws plev neeg mob heev: *Tus kab ntsig ntsuab plev nws txhais caj npab.*
[English] (n) Green caterpillar like insects that can sting.

kab nyuam dev (y) Cov kab muajntsis zoo li kab ntsig, tabsis nws txawj quaj nyob rau hmo ntuj: *Ib tus kab nyuam dev.*
[English] (n) Caterpillar.

kab peem (u,p) Ua rau tsis hlob losyog hlob tsis yooj yim lawm: *Nws noj qab zib ntau dhau es ua rau nws kab peem lawm.*
[English] (v,adj) To sting the growth of; to show little or no growth, esp. due to certain chemical or bad food reaction.

kab pij nyug (y) Cov kab uas luaj li ntivtaw, thiab nws muaj tus kub zoo xws li twj kum ob tus: *Nws pom ib tus kab pij nyug.*
[English] (n) Rhinoceros beetle.

© 2003 Jay Xiong. All rights reserved.

kab qeeg (y) Cov kab uas muaj nyob rau hauv av thiab feem ntau yog nyiam nyob rau hauv cov quav twm thiab quav nyuj tej: *Ib tus kab qeeg.*
[English] (n) Certain kind of insect.

kab quav nyuj (y) Cov kab uas nyiam noj quav nyuj thiab muaj nyob ntawm cov quav nyuj: *Ib cov kab quav nyuj.*
[English] (n) Certain kind of insect that like to eat the cows' excrement.

kab raus (y) Cov kab uas ntsuab thiab me luaj li kooj, tabsis nws tsw phem heev: *Ib tus kab raus.*
[English] (n) Certain kind of insect.

kab sab (y) Nyob ua ib kab; sib raws zoo li ib txoj kab: *Cov tub kawm ntawv sawv ua ib kab sab.*
[English] (n) Line, row.

kab taws tsau (y) Cov kab uas me thiab thaum ya nws lub pobtw ci~ xws li ib lub teeb: *Hmo ntuj kab taws tsau ya coob heev.*
[English] (n) Firefly. Also called lightning bug.

kab tes (y) Kabteg, cov kab losyog kwj uas muaj nyob ntawm neeg txhais xibtes: *Txhua~ txhais tes yeej muaj ib co kab tes.*
[English] (n) Palm lines.

kab tias (pu) <Kab yog lus Lostsuas> Xav tias; tej zaum: *Kab tias nws pw lawm.*
[English] (adv) Perhaps, maybe.

kab tsaus ntuj (y) Ib hom kab uas nyiam quaj nyob rau lub sijhawm thaum yuav tsaus ntuj. Ib txhia neeg nyiam muab ob tus pas los sib tsoo xws li dib kom cov kab no tuaj losyog ya los tsaws ntawm yus.
[English] (n) Certain kind of insect, esp. that flies and comes out at dusk.

kab tshoob-kev kos (y) Kev ua tshoob thiab ua kos, thiab feem ntau yog piav txog tus txheej txheem: *Hmoob tej kab tshoob-kev kos tsis yoojyim.*
[English] (n) Wedding ceremony or ritual.

kab tsib (y) Ib yam khoom noj uas tuaj ua tsob zoo li tsob xyoob, tabsis me thiab nws muaj cov kua qab zib heev: *Nws cog tau ib tsob kab tsib.*
[English] (n) Sugar cane.

kab tsib ntxhw (y) Ib hom kab tsib uas loj thiab txho: *Ib tsob kab tsib ntxhw.*
[English] (n) Certain kind of sugar cane that is bigger than the normal kind.

kab txws (y) Ib hom kab uas thaum muaj neeg kov, nws caws losyog nkaum ua

© 2003 Jay Xiong. All rights reserved.

ib thooj xws li lub txws: *Ib tus kab txws.*
***[English]** (n) Marble worm.*

kab uv niam (y) Ib hom kab uas thaum nws quaj es ua lub suab "uv niam, uv niam losyog kuv niam, kuv niam" no.
***[English]** (n) Certain kind of insect that makes the sound "uv niam."*

kab xiv xi (y) Ib hom kab uas quaj thiab ua lub suab "xiv xi": *Cov kab xiv xi.*
***[English]** (n) Certain kind of insect.*

kab yob (y) Cov tej tus uas yog muab daim hmoov txhuv los kauv cov fawm, xyaw rau cov nqaij, thiab muab kib kom siav: *Nws nyiam noj kab yob heev.*
***[English]** (n) Egg roll.*

kab ziam (y) Ib hom kab uas zoo xws li kab civ liv, tabsis nws loj luaj li ntiv tes thiab nyiam noj nyom thiab nyob hauv qhov av: *Nws pom ib tus kab ziam.*
***[English]** (n) Certain kind of cricket like insect but it is much bigger.*

kag (u) <Lees> Maj, tsuag~, nrawm. Feem ntau yog siv xws li: *Kag kag moog.*
***[English]** (v) <Leng> Hurry, haste.*

kaim kauj zis (p) Ua lub qhov muag ntxeev losyog tig mus, tig los: *Ceevfaj cov neeg uas ua qhov muag kaim kauj zis.*
***[English]** (adj) Turn or glance using the eyes without turning the head.*

kais (y) Tus ua rau dej ntws mus los tau: *Dej ntws hauv tus kais.* (p) Txaij uas xws li tsis dub~ thiab tsis dawb~, tabsis muaj ib kuag plaub dub txuam cov plaub dawb. Feem ntau yog siv los piav txog xws li qaib tej: *Tus qaib kais.*
***[English]** (n) Spout (of a kettle, for example). (adj) Grayish, esp. mixed with strips or spots.*

kais dej (y) Tus kais uas tuam rau dej kom ntws tau mus los: *Tus kais dej.*
***[English]** (n) Faucet, spout.*

kaj[1] (u) Pomkev: *Ntuj kaj lawm.*
***[English]** (v) Dawn or clear.*

kaj[2] (u) Tsis nyuaj losyog tsis txhawj txog; zoo: *Ob hnub no nws kaj zog lawm.*
***[English]** (v) Being better, such as not so ill; being less ill.*

kaj[3] (y) Txoj, tus: *Muab ob kaj rau kuv.* (h) *Ib kaj zaub.* (nth) Siv rau tomqab ntawm zaj lus: *Nws mus lawm kaj!*
***[English]** (n) String, rope. (cl) Of or relating to string like objects. (interj) Used at the end of a sentence similar to English word "ha."*

© 2003 Jay Xiong. All rights reserved.

kaj lug (p) 1. Pomkev, kaj losyog ci: *Lub teeb ci kajlug.* 2. Tsis muaj kev nyuaj siab: *Huabtais Ntuj ua kuv siab kaj lug.*
[English] (adj) 1. Bright, shiny, clear. 2. Free from being worry.

kaj niab (p) Ua tej kaj; ua tej txoj ntev uas xws li neeg mus kev losyog sawv ua tej kab: *Neeg muskev ua kaj niab.*
[English] (adj) Resembling a line; resembling a row of.

kaj nrig (p) Kajlug; pomkev; tshav ntuj nrig: *Lub hnub tuaj kaj nrig.* 2. Tsis muaj kev nyuaj siab. Feem ntau neeg siv tias "kaj siab nrig" xwb.
[English] (adj) Bright, shiny, clear. 2. Free from being worry.

kaj ntug (y) Pomkev uas xws li thaum lub hnub pib tawm tim npoo ntuj losyog pib pomkev: *Peb tuaj txog thaum kaj ntug.* (u) Kaj, ci: *Lub ntuj kaj ntug lawm.*
[English] (n) Dawn, such as having daylight. (v) Having daylight.

kam[1] (u) Pomzoo; cia rau; zoo siab: *Nws kam kuv mus.* (pu) Twb muaj li diam: *Nws kam muaj 100 xyoo.*
[English] (v) Allow, let, permit. (adv) Already.

kam[2] (u) Ua, kho, kov, hais ltn... *Nws kam ib hnub tsis tiav.*
[English] (v) Deal, work, handle.

kam[3] (y) <Lostsuas> Haujlwm, num: *Nws mus ua kam; nws txoj kam zoo heev.*
[English] (n) <Laotian> Job, work, duty.

kas[1] (y) Cov kab uas los ntawm cov qe yoov, thiab feem ntau yog muaj nyob rau ntawm cov nqaij uas lwj xwb: *Tus nas lwj muaj kas ntau heev.*
[English] (n) Maggots.

kas[2] (y) Cov menyuam. Ib lo lus phem xws li siv los cem xwb: *Nws cov kas.*
[English] (n) Kid, child, esp. used as a swear or obscene word only.

kascees (y) Ib hom mob uas muaj nyob rau neeg qhov chaw mos (paum thiab qau) tej. Feem ntau yog kis los ntawm kev sib deev: *Nws mob kascees.*
[English] (n) Venereal disease; gonorrhea.

kastom (y) Tus neeg losyog tus menyuam: *Niag kastom.* Ib lo lus phem.
[English] (n) Brat, such as a spoiled or ill-mannered child (obscene word).

kau (u) Ua lub suab quaj uas xws li los ntawm cov tsiaj cuam thiab yij tej: *Tus cuam kau tim lub roob.*
[English] (v) Noise or sound made by the gibbons or quails.

kaub huam (u) Pluag xws li tsis muaj noj thiab tsis muaj haus; txom nyem heev:

© 2003 Jay Xiong. All rights reserved.

Nws kaub huam vim nws haus yeeb. (p) *Tus neeg kaub huam.*
***[English]** (v,adj) Poor, flat broke.*

kaub puab[1] (y) Tej daim dub~ uas xws li muaj nyob hauv lub qab lauj kaub mov. Feem ntau yog thaum muab cov mov ua kub hnyiab: *Ib daim kaub puab mov.*
***[English]** (n) Crust, esp. formed when something is over cooked.*

kaub puab[2] (y) Tej daim uas muaj nyob rau ntawm tej qhov kiav txhab uas xws li thaum lub qhov kiav txhab qhuav lawm.
***[English]** (n) Scab.*

kaug (y) 1. Tej kaus; muab lub qhov ncauj tom: *Tsov tom nws ib kaug.* 2. Tej lo losyog muaj ib qhov ncauj xws li noj mov tej: *Noj ob kaug mov.*
***[English]** (n) Bite.*

kauj (y) Lub kheej xws li lub voj: *Kauj tooj thiab kauj nyiaj; lub kauj vab.* (h) Tej yam uas kheej li lub kauj: *Ib kauj hlua thiab ib kauj hmab.*
***[English]** (n) Ring, wheel. (cl) Ringlike objects.*

kauj ruam (y) Ib ruam uas xws li thaum mus kev es muab txhais taw txav losyog rhais rau pem hauv ntej: *Nws mus tej kauj ruam loj heev.*
***[English]** (n) Step, such as when walking.*

kaum[1] (y) Qhov chaw uas ob daim losyog ob yam los sib twb losyog los xaus uake: *Lub kaum tsev. Nws nkaum tim kaum.*
***[English]** (n) Corner, edge.*

kaum[2] (y) Tus ntawv suav 10 uas nyob nruab nrab ntawm tus 9 thiab tus 11: *Nws suav txoj kaum.* (p) Ntau npaum li: *Nws muaj kaum xyoo.* (t). Hmoob cov suav txawv xws li Askiv li. Kaum-ib, kaum-ob mus txog kaum-cuaj ces sau xws li Askiv cov nees nkaum-ib mus txog rau nees nkaum-cuaj.
***[English]** (n,adj,pron) Ten, tenth.*

kaus[1] (y) Lub ua siv los khwb thiab roos neeg tobhau uas xws li kom tshav ntuj txhob kub losyog nag txhob ntub: *Nws muaj ib lub kaus.*
***[English]** (n) Umbrella.*

kaus[2] (u) Muab khawb los; muab kuam los; ua kom tawm los: *Nws kaus cov nplooj qhua. Nws kaus cov mov hauv lub tsu.*
***[English]** (v) To scrape or scoop; to dig.*

kaus[3] (y) 1. Cov tej tus uas nyuam qhuav tawm hauv lub noob txiv losyog hauv lub hauvpaus tuaj: *Kaus tauj, kaus nqeeb, kaus nplej ltn...* 2. Cov hniav losyog

© 2003 Jay Xiong. All rights reserved.

kaushniav: *Tus tsov tsis tau muaj kaus.*

[English] (n) 1. A shoot or sprout. 2. Tooth, teeth.

kaus hniav (y) Hniav; cov tej tus dawb thiab zoo xws li txha, thiab tuaj nyob hauv lub qhov ncauj: *Tus menyuam tuaj ib tus kaus hniav.*

[English] (n) Tooth, teeth.

kaus mom (y) Lub mom; lub uas muab ntaub xaws thiab siv los ntoo saum neeg lub tobhau: *Nws ntoo lub kaus mom.*

[English] (n) Hat, cap.

kaus ncauj (y) Tus kaus uas muaj nyob ntawm lub qhov ncauj: *Qaib siv tus kaus ncauj mus thos kab.*

[English] (n) Beak (of birds and chickens, for examples).

kaus ple (y) 1. Tus ple; tus zoo xws li tus kaus uas tuaj nyob ntawm xws li muv, ntab thiab daiv lub pobtw: *Ntab siv nws tus kaus ple los plev neeg.* 2. Tus me nyuam nqaij me~ uas nyob ntawm pojniam lub paum.

[English] (n) 1. A stinging organ part of bees or insects. 2. Clitoris.

kaus siab (y) Tus losyog daim txha uas pluav thiab muaj nyob ntawm cov tsiaj uas muaj txha lub hauvsiab. Tus kaus siab los mus xaus rau saum lub plab.

[English] (n) Sternum.

kaus taum (y) Cov taum uas muab tsau dej es tuaj cov kaus, thiab feem ntau neeg ua li no los noj cov kaus xwb: *Nws yuav tau ib hnab kaus taum.*

[English] (n) Bean sprouts

kaus txuas (y) Tus kaus uas nkhaus thiab nyob pem tus hauv txuas: *Nws ua tus kaus txuas lov lawm. Neeg siv tus kaus txuas mus qi hmab tej.*

[English] (n) The small hook at the end of the Hmong made knife.

kaus vej-kaus vuam (y) Kaus; lub kaus uas nqa mus hais tshoob tej. Los lus no yog siv rau lub caij hais kwv txhiaj thiab hais tshoob xwb.

[English] (n) Umbrella. This term is used mostly at a wedding only.

kaus vom (y) Tej tus uas caws xws li rab liag; yam uas zoo xws li rab liag.

[English] (n) Hook; any hook like objects.

kauv[1] (y) Cov dub~ uas muaj nyob ntawm neeg daim tawv nqaij losyog lub cev. Feem ntau, yog muaj los ntawm hmoov av thiab kev tsis da dej xwb: *Nws muaj kauv heev vim nws tsis da dej tau ntau hli.*

[English] (n) Dirt or dirty particles accumulated on the skin or body.

© 2003 Jay Xiong. All rights reserved.

kauv[2] (u) Muab qhwv; muab pav ua ib pob: *Muab daim pam kauv tus menyuam.*
[English] (v) To wrap (gift or things); to cover with something.

kauv[3] (y) Ib hom tsiaj uas daj thiab luaj li tus tshis, tabsis nws tuaj kub thiab nyob tom hav zoov: *Nws tua tau ib tus kauv.*
[English] (n) Deer.

kauv qaib (y) Ib hom tsiaj me luaj li miv tabsis nws muaj cov plaub zoo xws li cov tsiaj kauv: *Nws pom ib tus kauv qaib.*
[English] (n) Certain kind of animal resembling a deer but as big as a cat.

kav[1] (y) Tus nyob nruab nrab ntawm tus ntoo thiab daim nplooj; tus uas uav daim nplooj thiab tus ceg ntoo: *Tus kav yog tus yug daim nplooj.*
[English] (n) A stem; a stalk or trunk.

kav[2] (u) Saib xyuas zoo heev; tsis cia nrug deb: *Nws kav nws tus ntxhais heev.*
[English] (v) Protect, watch, guard.

kav[3] (u) Mus xyuas uas xws li mus yuav khoom tom khw: *Nws mus kav khw.*
[English] (v) Shop, such as shopping in a mall.

kav[4] (u) Muaj txaus siv; tsis ploj mus qhov twg: *Ib plab mov kav ib hnub.*
[English] (v) To last; to have enough until a specific time.

kav chawj (u) Tsis thab; puam chawj; kavliam: *Peb kav chawj nws.*
[English] (v) Forget, ignore, disregard.

kav hlaub (y) Yav losyog ntu uas nyob nruab nrab ntawm neeg lub hauv caug thiab txhais taw; tabsis mas, yog sab uas nyob rau sab xub ntiag: *Nws ua tsoo nws txhais kav hlaub.*
[English] (n) Shank, leg, esp. the front part between the knee and the foot.

kav liam (u) Ciali, kavchawj, puam chawj: *Peb kav liam peb tsis mus.*
[English] (v) Forget, ignore, disregard.

kav pub (y) Tus menyuam ntoo losyog tus pas uas siv los thawb cov pa nyob hauv lub pub.
[English] (n) A straw or stalk used to push the air in the vessel called "pub."

kav theej (y) Tej tsob zoo li hmab thiab loj luaj li ntiv tes uas xws li tuaj nyob rau tom hav zoov, thiab nyob ncig ntoo tej: *Neeg siv kav theej los fiab kawm.*
[English] (n) Rattan.

kav tsij (pu) Ua xws li maj; rau siab ntso: *Peb kavtsij mus. Peb kav tsij noj ltn...*
[English] (adv) Being hurried, hastily; hurry up.

© 2003 Jay Xiong. All rights reserved.

kav xwm (y) Tus neeg uas los tswj lub ntees tuag: *Nws yog tus kav xwm.*
[English] (n) A man who oversees and in charge of a funeral.

kav xyeem (nu) Cia li siv xws li lwm yam mus; cia li yuav lossis ua mus; khaws xyeem; ntxab ntxawm: *Peb kav xyeem siv rooj mov no los ua nej tsaug.*
[English] (aux. v) To use, thing or opportunity, without making it.

kav ywm (y) Tej tsob uas zoo li qos, tabsis neeg cog los noj xws li cov kav: *Nws muab kav ywm hau xyaw nqaij qaib.*
[English] (n) Ba-ha. Certain kind of edible plant having big leaves. Mostly people eat the stem or stalk.

kav ywm dub (y) Ib cov kav ywm uas tus kav dub, thiab feem ntau neeg siv los ua tshuaj. Neeg siv los hau xyaw qaib noj thaum muaj tsoo losyog raug mob nyob rau nruab nrog.
[English] (n) Certain kind of ba-ha that has a black stem.

kaw[1] (y) Rab uas yog muab hlau ua thiab ib sab muaj ib leej hniav: *Siv rab kaw los txiav yav ntoo.* (u) Muab rab kaw txiav xws li ntoo tej: *Nws kaw yav ntoo.*
[English] (n) Saw. (v) To saw or cut with a saw.

kaw[2] (y) Ib hom noog uas muaj tus kaus ncauj zoo li tus hniav kaw, thiab nws nyiam noj ntses heev: *Tus kaw tom tau ib tus ntses.*
[English] (n) Certain kind of bird having a beak similar to that of a saw.

kaw[3] (u) Muab mus tso rau hauv lub nkuaj losyog qhov chaw uas tsis muaj kev dim: *Nws kaw tus nyuj rau hauv lub nkuaj. Lawv kaw tus tubsab.*
[English] (v) To lock (an animal in a pen or cage, for example). To lock (a person in jail or house, for example).

kaw[4] (u) Muab xws li lub qhovrooj qos uas tsis pub neeg mus rau hauv: *Nws kaw lub qhov rooj. Lawv kaw lub khw.*
[English] (v) Close (close the door, close the mall, for examples).

kaw lo (y) Tus ntawv " " uas siv los quas tej lo lus: *Nws hais tias, "Noj mov."*
[English] (n) A double quotation mark.

kaw tus (y) Tus ntawv ' ' uas siv los quas tej tus ntawv: *Nws nyiam tus 'P' xwb.*
[English] (n) A single quotation mark.

kawb (u) Chom losyog caws rov los uas xws li rau sab sauv: *Nws lub pob tsaig kawb heev.* (p) *Tus neeg kawb tsaig.*
[English] (v,adj) To curve or bend upward.

© 2003 Jay Xiong. All rights reserved.

kawg[1] (u) Xaus, tws, tsis muaj ntxiv: *Txoj kev kawg rau ntawm tus dej.*
[English] (v) To end; to finish.

kawg[2] (y) Lub kawm losyog muaj ntau li ib kawm ntim tau: *Ob kawg nplej.*
[English] (n) One full load of the Hmong back basket, "kawm."

kawg[3] (y) Lub sijhawm uas xaus losyog tag: *Thaum kawg, nws rov ua zoo.*
[English] (n) End, final.

kawg[4] (pu) Heev, tshaj plaws li; ntau: *Kuv nco nws kawg; nws zoo kawg.*
[English] (adv) Very, much.

kawg kiag (pu) Kawg nkaus; heev, tshaj plaws li; ntau heev: *Nws nco kuv kawg kiag. Kuv nyiam nws kawg kiag.*
[English] (adv) Very, much, completely.

kawg nkaus (pu) Kawg kiag; heev, tshaj plaws li; ntau heev: *Nws nco kuv kawg nkaus. Nws zoo nkauj kawg nkaus.*
[English] (adv) Very, much, most.

kawg tias (tx) Rau qhov tias; vim tias: *Nws nkees heev kawg tias nws pw xwb.*
[English] (conj) Because, therefore.

kawm (y) Lub tawb uas muaj ob txoj hlua thiab siv los ev khoom: *Nws ev lub kawm.* (u) Xyaum ua kom txawj losyog kom paub tej: *Peb kawm qeej. Peb kawm kwv txhiaj.* Ib lub npe siv rau cov ntxhais.
[English] (n) A back basket used by the Hmong to carry things. (v) Learn, study, practice, train. Also a proper name for girls.

kaws[1] (u) Muab cov kaushniav mus tom losyog ntxo uas xws li kom tau me~ los: *Tus dev kaws yav pobtxha.*
[English] (v) To cut or bite using teeth.

kaws[2] (u) Txhuam me~ tawm: *Tus hlau kaws nws lub tsheb.*
[English] (v) To grind, esp. by rubbing between two hard surfaces.

kawv (pu) Tas nrho; du lug; tsis seem li, thiab siv tuaj tomqab ntawm lo suaj kaum, sua, tag ltn... *Nws noj sua kawv.*
[English] (adv) Completely gone, such as having nothing left.

kawv kev (pu) Hais losyog thov tas mus li: *Nws kawv kev thov kuv pab.*
[English] (adv) Constantly, always.

ke (y) Txoj kev; txoj kab uas neeg mus losyog taug: *Nws mus txhua txoj ke.* (pu) Muaj rau tib lub caij: *Nws ke mus ke noj mov.*

© 2003 Jay Xiong. All rights reserved.

[English] (n) Way, path, road. (adv) Simultaneously, together, concurrently.

keb[1] (u) <Lostsuas> Pab kom dim teebmeem: *Nws keb lawv cov teebmeem.*

[English] (v) <Laotian> To solve, or find a solution to, a problem.

keb[2] (u) <Lostsuas> Mus ua kom tau xws li qhov uas poob lawm rovqab los: *Nws keb seb puas tau nws cov nyiaj.*

[English] (v) <Laotian> Trying to recoup; trying to recover.

kee[1] (y) Lub sijhawm losyog caij nyoog: *Tas nws lub kee ua nom lawm.*

[English] (n) The time or period.

kee[2] (u) Yuam kom muab xws li nyiaj, khoom; yuam kom ua: *Nom kee neeg mus ua tubrog.*

[English] (v) To mandate or demand with authority.

kee[3] (y) Lub laub uas siv los rau twm losyog nyuj cab.

[English] (n) A cart with two or more big wheels pulled by cows or horses.

keeb (y) Lub hauvpaus; qhov chaw uas pib tuaj mus: *Koj piav ntawm lub keeb tuaj seb yog li cas.* (u) Txawj heev; paub zoo; ua tau zoo: *Nws keeb tshaj txhua leej.* (p) Piav txog tus uas keeb ntawv.

[English] (n) Origin, a starting point. (v,adj) Excellent, expert, skillful.

keeb kwm (y) Lub hauvpaus; lub keeb; yam uas ibtxwm muaj los: *Nws lub keeb kwm thaum ub tsis muaj leej twg paub zoo.*

[English] (n) Origin, background (of one's family, for example).

keeb tawb phom (y) Hauv taw ntawm lub txhab khaum phom uas neeg siv los teem rau ntawm lub xub pwg, xws li ua ntej thaum tua rab phom.

[English] (n) The base or frame of a gun around the metal tube where people used to set on the shoulders prior to firing a gun, and mostly made from wood.

keeb xeeb (u) Ib txwm zoo li: *Nws keeb xeeb li ntawv.*

[English] (v) Originally, naturally, but used similar to "is naturally"

keej (u) <Lostsuas> Keeb; txawj losyog ua tau zoo: *Nws keej hais kwv txhiaj. Nws yog ib tus neeg keej.*

[English] (v,adj) <Laotian> Skillful, excellent, expert.

keev[1] (u) Sib txhom; sib khawm uas xws li thaum sibtom tej: *Tus npua thiab tus tsov sib keev hauv lub tiaj.*

[English] (v) Fight, wrestle.

keev[2] (u) Yuav tas nrho uas xws li tsis faib rau lwm tus: *Nws keev tais mov.*

© 2003 Jay Xiong. All rights reserved.

***[English]** (v) To take things, all or entirely, without sharing.*

keev xeeb (p) Tsis nyiam koom lwm tus; nyiam ua ib leeg; twm zeej: *Tus neeg keev xeeb.*

***[English]** (adj) Solitary, alone.*

kem[1] (u) Muab thaiv kom txhob uake; cais: *Nws muab tus pas kem ob tus nees.*

***[English]** (v) To separate; to disunite.*

kem[2] (u) Cheem; tsis pub ua: *Nws kem kom nkawv txhob sib ntaus.*

***[English]** (v) To stop or prevent (two people from fighting, for example).*

kem[3] (u) Cais; muab tej yam los quas: *Nws kem chav pw ua ob qhov chaw pw.*

***[English]** (v) To divide; to separate into parts, sections, areas.*

kem[4] (u) Noj tsis haum uas xws li ua rau muaj mob: *Nws noj nqaij qaub kem nws lub plab.* (p) Yam mob uas kem ntawv: *Nws mob plab kem.*

***[English]** (v,adj) Upset stomach; stomachache caused by indigestion.*

kem[5] (u) Tsis txheeb uas xws li tsis sib ze; tsis yog ib tsev neeg: *Peb kem lawv.*

***[English]** (v) Not closely related, such as family members.*

kes (u) Muab kos kom tawm losyog kom los; muab kuam xws li kom daim tawv poob mus: *Nws kes saum daim tawv xwb.*

***[English]** (v) To scratch; to use nails or claws to scrape at.*

kev (y) Txoj ke; txoj uas neeg siv mus, los tej: *Ib txoj kev loj.* (h) Yam los yog hom: *Kev noj, kev haus, kev phem, kev zoo ltn...*

***[English]** (n) Road, way, path. (cl) A way; a method.*

kev tshuam (y) Qhov chaw uas muaj ob losyog ntau txoj kev los uake losyog los sib tshuam: *Nws nyob ntawm kev tshuam tos nej.*

***[English]** (n) Intersection, such as road intersection.*

kev tws (y) Ntu losyog txoj kev uas kawg losyog tws, uas xws li tsis muaj mus lwm qhov ntxiv lawm: *Nws nyob ntawm ntu kev tws.*

***[English]** (n) 1. Dead-end road. 2. Cul-de-sac.*

kevcai (y) Cov cai uas tsim los tswj tibneeg kom muaj kev ncaj ncees: *Txhua lub tebchaws yeej muaj ib co kevcai. Ua raws kevcai thiaj tsis txhaum.*

***[English]** (n) Law, rule, policy, ordinance.*

kh (y) Ib tus ntawv siv rau cov lus xws li khob, khoob, khuam ltn...

***[English]** (n) A consonant used for words such as "khob, khoob" etc...*

Khab[1] Ib lub xeem Hmoob: *Nws lub xeem yog Khab.*

© 2003 Jay Xiong. All rights reserved.

[English] One of the Hmong's last name or clan name, Khang.

Khab[2] (y) Ib hom neeg uas nyob tom hav zoov es tsis ua teb thiab ua liaj. Mab qus. Feem ntau lawv nyob tsis muaj tsev thiab tsis hnav khaub ncaws.

[English] (n) 1. Indian, esp. the kind that live in the wilderness. 2. Wild people.

khab seeb (u) 1. Dav thiab tsis muaj ntau yam nyob rau hauv: *Nws lub tsev khab seeb heev.* 2. Tsis muaj kev cov nyom uas xws li tsis muaj dabtsi ua: *Nws khab seeb vim nws tsis muaj dabtsi ua li.*

[English] (v) 1. Spacious, roomy, open. 2. Available, free, such as without restraint or work.

khais (y) Rab uas zoo xws li lub zuag tabsis loj thiab siv los kuam losyog tshom teb thiab liaj: *Neeg siv khais los tshom liag.*

[English] (n) Plow, a metal blade, esp. used to plow farm.

khaiv (u) <Lees> Txib kom ua; hais kom ua: *Kuv khaiv nwg.*

[English] (v) <Leng> Order, ask, such as someone to do certain task.

khaj (u) Txog caij uas zoo li; yog lub sijhawm; tsimnyog: *Nws khaj tuag es nws thiaj tuag.* (y) Txoj kev ua si thiab dhia mus, los ltn... Feem ntau yog siv rau tomqab ntawm lo lus "hom" xwb: *Tus menyuam tshis nyiam hom khaj heev.*

[English] (v) Predestine; meant to be. (n) Jest, prank, jink.

khau (y) Txhais losyog yam uas ua los qhwv txhais taw: *Nws rau nkawm khau.*

[English] (n) Shoe, shoes, esp. used for covering human feet.

khau khiab (y) Cov khau uas muaj ob txoj hlua los khiab txhais taw xwb: *Nyob tebchaws sov, neeg nyiam rau khau khiab xwb.*

[English] (n) Sandal, such as shoes fastened to the foot by thongs or straps.

khau noog (y) Nkawm khau uas muab rau tus neeg tuag rau: *Txhais khau noog.*

[English] (n) Shoe used to put on a dead person.

khau qhwv (y) Cov khau uas thaum rau, nws qhwv losyog vov txhais taw.

[English] (n) Shoe (gym shoes, for example), esp. those that covers the feet.

khau sov* (y) Cov khau uas rau nyob rau lub caij ntujno, thiab feem ntau yog tuab thiab sov heev: *Nws muaj ib nkawm khau sov.*

[English] (n) Winter boot.

khau tawv (y) Cov khau uas yog muab tsiaj cov tawv los ua: *Txhais khau tawv.*

[English] (n) Leather shoe.

khaub (y) Cov menyuam ntoo losyog ceg ntoo uas tsis muaj nplooj thiab qhuav

© 2003 Jay Xiong. All rights reserved.

lawm: *Tus nas nkaum hauv cov khaub.*

[English] (n) Small branches of trees or bush, esp. without leaves.

khaub dluag (y) <Lees> Khaub ncaws, xws li ris thiab tsho ltn...

[English] (n) <Leng> Clothes, garments.

khaub hlab (y) Cov ris thiab tsho; khaub ncaws: *Nws tej khaub hlab ntau heev.* (u) Muaj ntuag losyog toqhov: *Daim pam khaub hlab heev.* (p) Yam uas ntuag: *Tsis muaj neeg nyiam lub ris khaub hlab.*

[English] (n, v, adj) Older or torn clothes, esp. those that have many holes and/or have been worn for a long time.

khaub hlab-khaub hluas (p) Khaub hlab uas xws li ntuag ntau qhov chaw: *Nws hnav cov khaub ncaws khaub hlab-khaub hluas xwb.*

[English] (adj) Draggy, worn-out clothes, old clothes.

khaub lig (u) Los sib cuam; los sib qhaib uas xws li tus + : *Ob tus ntoo khaub lig* (y) Yam uas los khaub lig: *Yesxus tuag rau saum tus ntoo khaub lig.*

[English] (v) To cross or intersect, such as a plus sign. (n) The Cross.

khaub ncaws[1] (y) Tej daim ntaub uas neeg xaws los hnav xws li ris thiab tsho: *Nws muaj khaub ncaws ntau heev.*

[English] (n) Clothes, garments.

khaub ncaws[2] (y) Ib lo lus uas siv rau tus pojniam uas nws lub cev ntas losyog muaj ntshav tawm hauv nws lub cev (paum) los: *Tus pojniam coj khaub ncaws.*

[English] (n) Menstruation, menses, catamenia. Often used with the verb "coj", such as "nws coj khaub ncaws" means she has her period or menses.

khaub noom (y) <Lostsuas> Tej yam khoom noj uas qab zib heev.

[English] (n) <Laotian> Candy.

khaub ntxhais (y) Tus ntxhais: *Nws yog ib tus khaubntxhais.*

[English] (n) Daughter.

khaub plees nkauj nraum (y) Kev tham hluas nkauj thiab hluas nraug; kev ua nkauj thiab ua nraug. Feem ntau yog siv rau lub caij hais kwv txhiaj xwb: *Peb kev khaub plees nkauj nraum zoo luaj li no...*

[English] (n) Courtship; the act or process of dating or courting.

khaub ruab (y) Rab uas muab xws li ntsis tauj los ua, thiab neeg siv los cheb hmoov av hauv tsev tej: *Neeg siv khaubruab los cheb tsev.*

[English] (n) Broom.

© 2003 Jay Xiong. All rights reserved.

khaub thuas (y) Cov mob uas xws li ua rau hnoos, los ntswg losyog dias tobhau tej: *Nws tau khaub thuas; nws mob khaub thuas.*
[English] (n) Common cold or flu.

khaub zig (u) Muab pav ncig; pav ntau lwm ncig: *Tus nab khaub zig tus ntoo.* (p) Yam uas zoo xws li khaub zig.
[English] (v,adj) To wrap around; to wind or coil in spirals.

khauj (y) Cov pob tes uas nyob ntawm tej ya ntiv tes; khauj tsiav: *Nws xuas ib khauj rau kuv tobhau.*
[English] (n) Knuckle.

khauj khaum (y) Daim tawv uas nyob rau txheej nrauv; daim uas npog tus tsiaj xws li tus vaub kib: *Vaub kib muaj ib daim khauj khaum.*
[English] (n) A shell or hard outer cover (of a turtle, for example).

khauj poob (y) <Lostsuas> Cov tej txoj uas zoo li fawm, tabsis yog kheej, loj thiab feem ntau yog noj xyaw kua nqaij tej xwb: *Nws nyiam noj khauj poob.*
[English] (n) <Laotian> Noodle soup, curry.

khauj tsiav (y) Khauj; cov pob tes uas nyob ntawm tej ya ntiv tes: *Nws xuas ib khauj tsiav rau kuv tobhau.*
[English] (n) Knuckle.

khaum[1] (u) Muaj phem raws li foom losyog hais tseg; tau txais yam uas muaj raws li lwm tus tau foom thiab hais tseg: *Lawv foom es thiaj li khaum nws.*
[English] (v) Misfortune; bad fortune or ill luck.

khaum[2] (u) Muab tso rau sab sauv; muab xws li pas khuam rau sab sauv: *Muab cov nqaj khaum rau sauv.*
[English] (v) To put or hang on top.

khaum[3] (u) Nyob tav losyog thaiv txoj kev: *Tus pas khaum peb kev heev.*
[English] (v) Obstruct, block, esp. such as causing a delay or difficulty.

khaum kaj-khuam kus (p) Muaj ntau yam los sibkhuam losyog khaum ntau, thaum yog siv ua ntej ntawm lo "khaum kus" xwb: *Nws tso cov nqaj khaum kaj khaum kus rau ntawm kev.*
[English] (adj) Of, or being, crisscrossed.

khaus (u) Xeebtxob nyob rau ntawm daim tawv uas xws li xav khawb: *Khaus nws ib ce vim nws tsis da dej. Khaus nws lub tobhau.*
[English] (v) Itch, irritate.

© 2003 Jay Xiong. All rights reserved.

khaus pim (u) Piav txog tus pojniam uas nyiam deev txivneej heev. Lo lus no yog ib lo lus phem thiab siv los cem xwb. (p) Piav txog tus neeg uas nyiam deev losyog tham txivneej heev xwb. Lus rov: *Khaus qau.*
***[English]** (v,adj) To have an obsessive sexual desire and used to describe a lustful woman only. To cuss (obscene word).*

khaus qau (v) Piav txog tus txivneej uas nyiam deev pojniam. Lo lus no yog ib lo lus phem thiab siv los cem xwb. (p) Piav txog tus neeg uas nyiam deev losyog tham pojniam heev. Lus rov: *Khaus pim.*
***[English]** (v,adj) To have an obsessive sexual desire and used to describe a lustful man only (obscene word).*

khaus tes (u, p) Txhojpob, nyiam kov ub, kov no: *Nws khaus tes dhau.*
***[English]** (v,adj) Of, relating to, being naughty, esp. when a person likes to touch many things.*

khauv xim (u) <Lees> Khuv xim. Tseem xav tau losyog xav yuav.
***[English]** (v) <Leng> Regret; wanting to have something back.*

khav (u) 1. Zas losyog ua tus yeebyam xws li tsis ntshai leej twg: *Tus lau qaib khav heev.* 2. Qhuas losyog hais tias zoo tshaj cov: *Nws khav tias nws muaj ntau tshaj sawvdaws.*
***[English]** (v) 1. To act tough or powerful, such as when a rooster is getting ready for a fight. 2. To boast, brag or show off.*

khav cuam (u) 1. Zas losyog ua tus yeebyam xws li tsis ntshai leej twg: *Tus lau qaib khav cuam heev.* 2. Qhuas losyog hais tias zoo tshaj cov: *Nws khav cuam tias nws ntse tshaj sawvdaws.*
***[English]** (v) 1. To act tough or powerful, such as when a rooster is getting ready for a fight. 2. To boast, brag or show off.*

khav theeb (u) Khav; ua tus paub heev. Feem ntau yog ua kom lwm tus neeg qhuas: *Nws khav theeb heev.* (p) *Tsis muaj leej twg nyiam tus neeg khav theeb.*
***[English]** (v) To boast, brag, or show off. (adj) Boastful, pompous.*

khav txiv (u) Khav xws li tias yog ib tus txivneej: *Nws lam khav txiv xwb, tabsis nws cia nws tus pojniam ua txhua yam.*
***[English]** (v) To boast, brag, such as being a tough and dominating man.*

khaw (y) Tej los uas xws li ua kom puv lub qhov ncauj; khawv: *Noj ob khaw mov.*
***[English]** (n) Bite, such as a mouthful.*

© 2003 Jay Xiong. All rights reserved.

khawm[1] (u) Muab puag; muab xws li ob txhais tes mus ua kom lwm yam los nyob rau hauv lub xubntiag: *Nws khawm kuv.*
[English] (v) Hug; to hold closely with two arms.

khawm[2] (u) Tuav, rub xws li ob yam uakc: *Siv txoj hlua los khawm ob daim ntoo.*
[English] (v) To lock or hold, esp. two things together.

khawm[3] (y) Cov tej lub me~ thiab neeg siv los xaws rau ntawm ris thiab tsho tej. Feem ntau yog siv los tuav ob daim ntaub uake: *Nws muaj ib co khawm.*
[English] (n) Button, such as used to fasten or hold two pieces of a garment.

khawm ris (y) Cov khawm uas siv los khawm xws li ris.
[English] (n) Fastener or button for pants.

khawm tes[1] (y) Ib txoj kev ntsuas uas loj luaj li thaum muab tus ntiv tes nta, tus ntiv uas ntev tshaj, los twb rau tus ntiv tes xoo: *Tus ntses luaj li ib khawm tes.*
[English] (n) A method of measurement, esp. of something that is circular, by making the tip of an index finger touching the tip of the thumb.

khawm tes[2] (y) Cov khawm uas siv rau txhais tes tsho xwb: *Ob lub khawm tes.*
[English] (n) Fastener or button used for the sleeves.

khawm tsho (y) Cov khawm uas siv los khawm cov tsho.
[English] (n) Fastener or button used for shirts.

khawm xauv (y) Cov khawm uas siv los khawm cov xauv.
[English] (n) Silver fastener used to fasten the Hmong neck-ring neckless.

khaws[1] (u) Muab cia; muab tso rau qhov chaw zoo; ceev tseg: *Nws pab nej khaws nej cov nyiaj.*
[English] (v) Keep, save, retain, esp. in a safe way.

khaws[2] (u) Mus muab los; siv tes mus tsuab los: *Nws khaws tus pas hauv av.*
[English] (v) Pick, such as to pick up items from the floor.

khaws xyeem (u) Khaws lwm tus li losyog ciali siv lwm tus li; ciali siv mus uas xws li tsis tau pib lub hauvpaus tuaj; ntxab ntxawm: *Tsob ntoo loj vau hla tus dej ces peb khaws xyeem siv tus ntoo ua peb tus choj.*
[English] (v) To use, thing, without creating or implementing it.

khawv (y) Khaw; tej qhov ncauj xws li noj mov: *Nws noj tej khawv loj heev.*
[English] (n) Bite. Example: I take a bite of your cake.

khawv khuav (pu) Muaj xws li tsis xaus; tsis paub tsum: *Nws khiav khawv khuav ib hnub tsis so li.*

© 2003 Jay Xiong. All rights reserved.

[English] (adv) Back and forth, esp. such as traveling or running.

khawv koob (y) Tej zaj lus uas hais tas ces txawj ua rau xws li tus neeg zoo losyog mob tej: *Nws txawj zaj khawv koob uas ua rau kom ntshav tu.*

[English] (n) Magic, bewitchment.

khee[1] (u) 1. Noj tej yam uas xws li lwm tus twb noj yuav tas ntawv: *Nws khee cov qub zaub. Nws khee tais mov.* 2. Ua xws li kom tas losyog ua uas xws li yog zaum kawg thiab tiav: *Peb khee dob kom tag cov nroj.*

[English] (v) To finish, such as a leftover of work or task.

khee[2] (u) Zoo zog lawm; mob tsis heev lawm: *Ob hnub no nws khee lawm. Ib txhia kuj siv lo tias "khees" no thiab.*

[English] (v) Better, such as not being so sick or ill.

khee kawv (pu) Du lug, tas nrho; tsis seem li: *Nws noj khee kawv.*

[English] (adv) Completely gone, such as having nothing left.

kheej[1] (u) Lub zoo xws li lub pob; yam uas xwm yeem xws li lub hnub: *Lub hnub kheej thiab ci heev.* (p) Yam uas kheej.

[English] (v) To make round or circle. (adj) Circular, round.

kheej[2] (p) Ib leeg uas xws li tsis muaj lwm tus: *Nws tus kheej los yeej kam thiab.* (pu) Tsis faib rau leej twg: *Nws noj kheej. Nws yuav kheej.*

[English] (adj) Alone, himself or herself. (adv) Entirely, wholly.

khees (u) Zoo zog lawm; mob tsis heev lawm: *Ob hnub no nws khees lawm. Ib txhia neeg kuj siv lo tias "khee" no thiab.*

[English] (v) Better, such as not being so sick or ill. Variant of "Kee."

khees xawj (y) <Askiv> Ib hom mob uas ua rau cov nqaij txawj tuag losyog lwj.

[English] (n) <English> Cancer (one of the most deadly illness).

kheev (u) 1. Kam, cia rau; pomzoo: *Nws kheev kuv mus.* 2. Pomzoo muab rau: *Nws kheev ob txhiab.* (nu) 1. Nquag, nyiam: *Nws kheev tham.* 2. Nyiam losyog qab los noj: *Nws kheev noj mov heev.*

[English] (v) 1. Allow, permit, let. 2. Agree, permit. (vt) Like to; prefer to.

kheev lam (tx) Xav kom; lam yog tias: *Kheev lam yog peb nyob uake.*

[English] (conj) Use this word similar to the verb wish but it does not followed by any pronouns. It is mostly used at the beginning of a sentence.

khej khem (y) Lub tobhau qau; lub uas zoo xws li nceb uas nyob ntawm rab qau.

[English] (n) A mushroom-shaped tissue or gland of a penis.

© 2003 Jay Xiong. All rights reserved.

khi[1] (u) Muab hlua los pav losyog zoj: *Lawv khi tus npua ob txhais taw.*
[English] (v) To tie, strap or fasten with a cord or rope.

khi[2] (u) Tso siab rau; cia-siab rau; vam khom txog: *Nws khi nws txoj sia rau peb.*
[English] (v) To rely on; to depend on.

khi tes (u) Muab xov paj los khi txhais tes thiab foom koob hmoov rau: *Peb khi nws tes.* (p) Piav txog rooj mov uas khi tes: *Nws ua ib rooj mov khi tes.*
[English] (v) To tie the wrist using white yarn or threads, esp. at weddings or birthday ceremonies.

khiab (u) Muab khuam rau; muab tso rau sauv; dai: *Nws muab lub hnab khiab rau saum nws lub xubpwg.*
[English] (v) Hang, such as hanging a strap of a purse or bag on a shoulder, hanger, nail and hook etc...

khiav[1] (u) 1. Tsiv mus nyob rau lwm qhov chaw: *Peb khiav tawm hauv lub zos.* 2. Mus kev ceev heev; muab ob txhais taw mus kev kom nrawm heev: *Peb khiav vim peb ntshai tus tsov.*
[English] (v) 1. Leave, depart from an area. 2. Move. 3. Run.

khiav[2] (u) Mus saib xyuas; mus zeem xws li yog neej tsa losyog txheebze tej: *Koj tuaj khiav peb thiab nawb.*
[English] (v) Visit, such as to establish a friendship or bond.

khib[1] (y) Rab uas neeg ua los ev khoom. Feem ntau yog siv los ev taws: *Ib rab khib; nws ev ib khib taws.* (u) Tsis zoo siab vim lwm tus tau losyog muaj yam uas yus tsis muaj: *Nws khib tias peb tau ntau.*
[English] (n) A Hmong made carrying frame used for carrying fine woods or sticks, esp. on the back. (v) Envy, covet.

khib[2] (y) Tsis muaj khub uas xws li yog ib xwb: *Ib sab khau ces yog khib; ob sab ces yog khub.* Lus rov: *Khub.*
[English] (n) Odd, such as not having a pair. Ant: Even.

khib dwb (u) <Lostsuas> Txhoj uas xws li nyiam kov ntau yam heev: *Tus me nyuam khib dwb heev.* (p) Tus neeg uas txhoj.
[English] (v) <Laotian> Naughty, mischievous.

khib liam (u) <Lostsuas> Tsis huv; vuab tsuab; qias: *Nws khib liam vim nws tsis ntxuav tes li.* (p) *Nws yog ib tus neeg khib liam.*
[English] (v,adj) Dirty, filthy.

© 2003 Jay Xiong. All rights reserved.

khib nywab (y) <Lostsuas> Cov khoom uas xws li tomqab thaum neeg siv tag thiab dhau lawm. Tej yam khoom uas xws li yog qub thiab tsis zoo siv lawm: *Ua ib pluag mov loj mas muaj khib nywab ntau heev.*
[English] (n) <Laotian> Garbage, esp. such as food wastes.

khis (u) Ntais, tawg ib daim losyog ib qho mus lawm: *Rab riam khis vim nws muab txiav tus hlau.* (p) Yam uas khis: *Muab rab riam khis pub kuv.*
[English] (v) Chip or break, such as when a small portion chips off from the main part or portion.

khis noj-khis kaws (p) Muaj khis losyog ntais ntau qhov chaw heev: *Nws muaj ib rab riam khis noj khis kaws.*
[English] (adj) Of, or relating to, being chipped or dented in many places.

kho[1] (u) 1. Ua kom zoo; ua kom tsis mob losyog tsis puas: *Nws kho lub tsheb.* 2. Ua kom zoo pw losyog yog: *Nws kho lub chaw pw.*
[English] (v) 1. Fix, repair, mend. 2. Fix or put in proper order.

kho[2] (u) Muab nyiaj them losyog ua ib pluas mov los thov xws li kev tau ua txhaum tej: *Nws kho lawv ob txhiab.*
[English] (v) To pay, with money, esp. for one's penalty or wrong.

kho plawv (u) Kho siab; nco txog. Feem ntau yog siv lo "kho siab" xwb.
[English] (v) To think of; to feel the lack or loss of.

kho siab (u) Nco txog; xav txog tas mus li xws li tsis xav ua lwm yam: *Nws kho siab vim nws nco txog nws tus hlub. Nws kho siab vim nws nyob ib leeg.*
[English] (v) To think of; to miss or feel as being lonely.

khob[1] (u) Tsoo kom nrov; ua kom lwm tus neeg hnov: *Nws khob lub qhovrooj.*
[English] (v) Knock, such as knocking the door.

khob[2] (u) Qee leej kuj siv lo lus no los piav txog lub sijhawm uas lwm tus neeg muab yus cem losyog nplua yus thiab: *Lawv khob peb.*
[English] (v) 1. To scold; to reprimand. 2. To fine or penalize.

khob[3] (y) Tej lub menyuam tais uas neeg siv los haus dej thiab haus cawv: *Nws muaj ib lub khob.*
[English] (n) Cup, glasses, esp. a cup like glass.

khom[1] (u) Muab khuam rau; tso kom nyob rau sauv: *Nws muab rab phom khom rau saum tus ceg ntoo zoo.*
[English] (v) To set on; to put or rest on.

© 2003 Jay Xiong. All rights reserved.

khom[2] (u) Qee leej kuj siv tias mus pw no thiab: *Koj sab ces mus khom tom txaj.*
[English] (v) To rest or lie down, such as taking a nap.

khom[3] (u) Tham thiab pomzoo txog tus nqi; hais haum: *Nws khom tau ib tus nyuj.*
[English] (v) To settle; to agree (for something, for example); negotiate.

khoo[1] (u) Nkatawv losyog yuag heev: *Nws khoo kawg li.*
[English] (v,adj) Skinny, lean, such as having little weight or body fat.

khoo[2] (u) <Lostsuas> Kav; saib zoo heev; tsis pub nrug: *Lawv khoo tus tubsab.*
[English] (v) <Laotian> 1. Control, protect. 2. Guard, supervise.

khoob (u) 1. To losyog muaj lub qhov nyob rau hauv nruab nrab losyog hauv plawv: *Yav xyoob khoob.* 2. Toqhov; muaj qhov: *Sab phabntsa khoob tej lub qhov haum neeg.* (p) Yam khoob.
[English] (v) Hollow. (adj) 1. Having holes. 2. Being hollow.

khoob lug (p) Khoob; tsis muaj dabtsi nyob rau hauv: *Lub tsev toqhov khoob lug.*
[English] (adj) Hollow; having big cavity or being very hollow.

khoob ntshuv (p) Khoob; tsis muaj dabtsi nyob rau hauv: *Toqhov khoob lug.*
[English] (adj) Hollow; having big cavity or being very hollow.

khoob saub (p) Khoob; khab seeb lug; nqha nrig: *Lub tsev nyob khoob saub tag.*
[English] (adj) Empty; having no elements.

khoob saub luag (p) Khoob; khab seeb lug; nqha nrig: *Lub tsev khoob saub lug.*
[English] (adj) Empty, such as having nothing left.

khooj (u) Zaum losyog nyo rau; mus ib rau ntawm tej uas xws li yog tsaug zog tej: *Nws khooj ntawm tus ntaiv. Nws khooj ntawm taw rooj.*
[English] (v) To rest, esp. with the knees bent tightly together so that the buttock almost touches the floor.

khoom[1] (y) <Lostsuas> Tej txhiam laj-txhiam xwm: *Rooj, tog, lauj kaub, hauv ncoo thiab tais puavleej yog khoom vaj, khoom tsev.*
[English] (n) <Laotian> Thing, object.

khoom[2] (u) Xyeej; tsis ua dabtsi; nyob xwb: *Yog koj khoom, thov koj pab kuv.*
[English] (v) Available, free, esp. when a person is not doing anything.

khoos (u) <Lostsuas> Ua rau xws li phom, riam tua tsis to: *Lawv tua tsis tau tus npua teb vim nws khoos heev.* (p) Yam uas khoos.
[English] (v,adj) <Laotian> Bulletproof; unable to pierce or stab.

khoos phib tawj (y) <Askiv> Lub tshuab uas neeg siv los suav thiab ntaus ntawv

© 2003 Jay Xiong. All rights reserved.

tej: *Neeg siv khoos phib tawj los pab lawv sau ntawv.*
***[English]** (n) <English> Computer.*

khoov[1] (u) Rawv mus rau hauv av; nyo mus rau hauv av: *Nws khoov mus khaws rab diav. Nws khoov kom txhob tsoo nws tobhau.*
***[English]** (v) Bend, such as to lower the head toward the ground.*

khoov[2] (u) <Lees> Muab ncu losyog ua kom siav xws li muab mov tso saum lub lauj kaub dej, thiab muab ua kom cov mov siav losyog sov.
***[English]** (v) <Leng> To steam or heat with steam.*

khoov pob (u) Khoov xws li cov neeg uas laus heev es mus kev tsis ntseg lawm: *Nws khoov pob vim nws muaj 100 xyoo lawm.* (p) Tus neeg uas khoov pob.
***[English]** (v,adj) Hunchback or humpback.*

khov[1] (u) Ruaj; tsis plam yoojyim: *Lub tsev pobzeb khov dua lub tsev ntoo.* (p) Yam uas ruaj thiab khov: *Nws ua tau ib lub tsev khov heev.*
***[English]** (v, adj) Sturdy, firm, strong.*

khov[2] (u) Muaj peev xwm ua tau losyog ua kom tiav: *Nws khov heev.* (p) Tus neeg uas muaj peev xwm losyog khov.
***[English]** (v,adj) Able, capable, can.*

khov[3] (u) Ua thooj losyog daim uas xws li thaum no heev es cov dej tsis ntws losyog tsis ua kua lawm: *Tais dej khov vim no heev.*
***[English]** (v) 1. Freeze, frozen. 2. Become solid.*

khov fij (y) <Askiv> Ib co nroj uas neeg cog. Feem ntau neeg muab cov noob ziab kom qhuav thiab muab zom kom ua hmoov. Thaum ua hmoov lawm, neeg mam li muab los xyaw dej kub thiab haus cov kua. Feem ntau, neeg kuj paub lo tias "kasfes" no thiab: *Neeg haus khov fij.*
***[English]** (n) <English> Coffee.*

khov kho (p) Khov heev; ruaj heev; tawv heev: *Nws sia txoj siv khov kho.* (pu) Muaj zog thiab khov: *Nws hais lus khov kho.*
***[English]** (adj) Sturdy, strong, firm.*

khov kuam (u) Muab ob tus kuam (kub saib tej) los cuam lossis dov rau hauv av.
***[English]** (v) To toss or flip the horn called "kuam" on the floor.*

khuab (u) Khuam, daig xws li yog muaj hlua los khi tej: *Hmab khuab nws taw.*
***[English]** (v) To catch or suspend as with a rope or string.*

khuab ha (y) Ua roob, ua hav uas xws li tsis zoo ua teb: *Lawv lub tebchaws ua*

© 2003 Jay Xiong. All rights reserved.

khuab ha xwb. (p) Piav txog tebchaws uas yog khuab ha.

***[English]** (n,adj) Of, or relating to, having many cliffs and valleys etc...*

khuab luab (u) Ua roob, ua hav: *Lawv lub tebchaws khuab luab heev.* (p) Piav txog tebchaws uas khuab luab.

***[English]** (n,adj) Of, or relating to, having many cliffs and valleys etc...*

khuam[1] (u) Muab khiab; muab dai; ua kom txhob plam: *Nws khuam nws lub hnab.*

***[English]** (v) To hang (a hat, for example) on a hook or something.*

khuam[2] (u) Daig; txav losyog mus tsis tau rau lwm qhov chaw: *Nws khuam tom lawv zos. Tus pas los khuam ntawm cov khaub.*

***[English]** (v) 1. To stop or clog; to block; to force to stay or stop. 2. To jam.*

khuam siab (p) Ua rau nco txog; muaj nyob hauv siab: *Nws hais lus khuam siab.*

***[English]** (adj) Of or being missed; to think of.*

khuav (pu) 1. Ua kiag; tamsim ntawv: *Nws khiav khuav tuaj saib.* 2. Muaj nyob rau hauv siab: *Nws kho-siab khuav vim nws nco nws tus hlub heev.*

***[English]** (adv) 1. Immediately, quickly. 2. Constantly, always.*

khub[1] (u) Lo rau, nplaum rau: *Cov qe khub lub lauj kaub.* (p) Yam uas lo ntawv.

***[English]** (v,adj) To stick; to cover or encrust as with a crust.*

khub[2] (y) Muaj ob tug; nkawm: *Ib khub qaib ces yog ob tus qaib.*

***[English]** (n) Pair, dual, even, such as having two of the same kind.*

khub[3] (y) Tus neeg uas nrog lwm tus nyob lossis mus ua ke: *Wb ua khub mus.*

***[English]** (n) Partner.*

khuj khuav (pu) Kov, ua qeeb tsawv uas xws li tsis paub tsum: *Nws ntxuav tais khuj khuav. Tus menyuam ua si khuj khuav.*

***[English]** (adv) Nonstop, constantly but slowly.*

khuv (nu) Tsimnyog; txaus losyog zoo ua: *Koj khuv txib nws; koj khuv pab nws.*

***[English]** (aux. v) Should, ought to.*

khuv xim (u) Tseem xav kom tau losyog muaj dua: *Nws khuv xim nws pob nyiaj.*

***[English]** (v) Regret; wanting to have something back.*

khw (y) Qhov chaw uas neeg tuaj muag khoom: *Lub khw loj heev.*

***[English]** (n) Mall, shopping center, shop, store.*

khwb (u) Muab vov; muab npog rau: *Muab lub tawb khwb tus qaib.*

***[English]** (v) To cover; to put the lid on.*

khwb kho (p) 1. Ruaj heev; khov heev: *Lub tsev pobzeb khov khwbkho.* 2. Tsis

© 2003 Jay Xiong. All rights reserved.

muaj teebmeem; nyob ruaj: *Sawvdaws nyob khov khwb kho.*
[English] (adj) 1. Sturdy, strong, firm. 2. Permanent, steady.

khwb khuav (pu) Piav txog xws li thaum cus thiab dhia mus, dhia los: *Cov me nyuam nyob zoo thiab dhia khwb khuav.*
[English] (adv) Actively, lively, playfully.

khwb rwg (p) Muab lub xubntiag tso rau sab hauv, xws li hauv av, xws li thaum pw tej: *Nws nyiam pw khwb rwg.* Lus rov: *Ntxeevtiaj.*
[English] (adj) To lie with face down.

khwj ywb (u) Zaum tabsis tsis pub lub pobtw chwv hauv pem teb: *Peb khwj ywb xwb.* Ib txhia kuj siv lo tias "khooj ywb" no thiab. (p) Piav txog thaum zaum xws li ntawv: *Nws zaum khwj ywb vim nws tsis muaj tog.*
[English] (v) Squat. (adj) To sit in a squat position.

khwv (u) Ua num losyog ua tej yam xws li tsis tau so li: *Nws khwv vim nws xav muaj nyiaj ntau.*
[English] (v) Working hard; to labor or work endlessly.

ki (y) Tus neeg uas los faib nqaij xws li rau cov hauvqhua ntawm lub ntees tuag.
[English] The person that distributes meat to the siblings at a funeral.

kiab (u) Tsis quaj taug: *Tus menyuam kiab heev.* (p) Piav txog tus menyuam uas kiab. Ib lub npe siv rau cov ntxhais.
[English] (v,adj) Good baby; not colic. Also a proper name for girls.

kiab khw (y) Lub khw; qhov chaw uas neeg tuaj muag khoom. Lo lus no, feem ntau, neeg siv xws li mus kav kiab thiab kav khw xwb.
[English] (n) Mall, shopping center.

kiag (pu) Ua xwb; ua li; ua tamsim : *Hais kiag, cem kiag, mus kiag ltn...*
[English] (adv) 1. Immediately, now, right away; 2. Just, such as just go.

kiag li (pu) 1. Muaj losyog ua li; kiag: *Nws tsis nco kiag li.* 2. Ua losyog zoo xws li; tsis txawv: *Nws ua kiag li koj qhia. Nws yog kiag li koj hais.*
[English] (adv) 1. Completely, at all. 2. Exactly.

kiaj kiam (y) Tus ciam losyog txoj kab uas cais ob yam tej: *Tus dej yog tus kiaj kiam ntawm nkawv ob daim teb.*
[English] (n) Boundary line, division line.

kiam txab (u) Quaj yoojyim; nquag quaj heev; quaj taug: *Nws kiam txab dhau.* (p) *Peb tsis nyiam tus menyuam kiam txab.*

© 2003 Jay Xiong. All rights reserved.

[English] (v) Cry easily; colic. (adj) Crying baby.

kiav (u) Muab hloov; muab pauv uas xws li yus lub xeem: *Thaum ub nws yog Hmoob Xyooj, tabsis nws kiav xeem ua Hmoob Yaj lawm.* (y) Cov tej daim uas xws li kaubpuab.

[English] (v) Change, transform. (n) Crust. A hard, crisp covering a surface.

kiav roj (y) Npua daim tawv uas nrog cov roj xws li yog muab kib ntev~ kom nkig: *Ib daim kiav roj. Muab cov kiav roj hau xyaw zaub ntsuab.*

[English] (n) Pork rinds or skins, esp. when it has been deep fried.

kiav txhab (y) Tej lub qhov uas xws li yog riam losyog tej yam ntse hlais uas xws li muaj nyob rau ntawm daim tawv nqaij: *Nws lub kiav txhab tsis zoo li.*

[English] (n) A wound, esp. when it encrusts or partially healed.

kib (u) Muab zaub losyog nqaij tso xyaw cov roj, thiab muab tso rau hauv lub yias losyog lauj kaub thiab muab tso rau saum nplaim taws xws li kom siav: *Kib ntses, kib qe, kib zaub, kib nqaij ltn... Siv roj los kib zaub.* (p) Piav txog yam muab kib ntawv: *Nws nyiam noj nqaij kib.*

[English] (v) To fry or stir-fry. (adj) Of or being fried.

kig koog (y) Lub suab uas xws li muab khoom txav losyog ua khoom sib tsoo es nrov tej: *Hnov kig koog hauv tsev.* (pu) *Nws ntsaig khoom nrov kig koog.*

[English] (n,adv) A loud sound (of moving items, for example).

kim (u) Tsis pheej yig; yuavtsum them nyiaj ntau rau: *Kub kim tshaj nyiaj.* (p) Yam uas kim ntawv: *Nws yuav tau ib lub nplhaib kim heev.*

[English] (v,adj) Expensive.

kis[1] (u) Txais mus rau; muaj mus rau lwm qhov chaw: *Cov kab mob kis thoob zos.*

[English] (v) To infect; to transmit or spread into.

kis[2] (y) Kem; kab uas tsis muaj dabtsi thaiv: *Kis tav, kis zeb.*

[English] (n) Gap, esp. such as an open or hollow section.

kis[3] (y) Suam, qhov chaw: *Nws hais ncaj kis kawg.*

[English] (n) The point; the main area of.

kis[4] (y) Nyiaj, xws li tej lub nyiaj: *Ib kis; ob kis nyiaj ltn...*

[English] (n) Coin, esp. such as dime, quarter and silver coins (money).

kis[5] (y) <Lostsuas> Cov nyiaj ntawv uas siv nyob rau tebchaws Lostsuas.

[English] (n) <Laotian> A unit of currency, kip, of Laos.

kiv (u) Ua kom ncig thiab tig mus, los: *Cua tshuab lub nkoj kiv mus, kiv los.*

© 2003 Jay Xiong. All rights reserved.

[English] (v) To turn, spin or rotate.

kiv cua (y) Tej lub uas neeg ua los, thiab muaj peev xwm ua rau kom cua tuaj losyog tshuab tau cua tawm mus: *Neeg siv kiv cua thaum sov heev.*

[English] (n) Fan, esp. a device that creates a current of air.

ko[1] (y) Yav losyog, ntu, tog uas ua los tuav nyob ntawm rab riam: *Tus ko riam.*

[English] (n) Handle. Ex: The handle of a knife.

ko[2] (pu) Qhov chaw uas ze ntawm tus neeg yus hais lus rau, xws li koj: *Nws nyob ze ntawm ko.* (p) Yam losyog qhov ntawv: *Lub tsho ko tsis phim koj.* (nth) Siv los tso rau tom kawg: *Ua dabtsi li ko!*

[English] (adv, adj, interj) There, that.

ko[3] (y) Tog losyog sab uas yog, yeej, zoo: *Nws tau ko es nws thiaj li yeej peb.*

[English] (n) The winning or righteous side (of an issue, for example).

ko taw (y) Txhais taw; taw: *Ib tus neeg muaj ob txhais ko taw.*

[English] (n) Foot, feet.

ko tw (y) Tus tw; tus uas tuaj nyob rau nram lub pobtw: *Tsov tus ko tw.*

[English] (n) 1. Tail. 2. Tail feathers (of bird, for example).

kob[1] (y) Ib nplua; ib vuag; ib lwm uas xws li nag thiab te los: *Los nag ntau kob.* (h) *Hnub no los ob kob nag.* Ib lub npe siv rau cov tub.

[English] (n) Occurrence, instance. Mostly used to describe each occurrence of rain or snow. (cl) Such occurrence. Also a proper name for boys.

kob[2] (y) Tej daim av uas nyob hauv lub pas dej: *Lub nkoj mus theem tim lub kob.*

[English] (n) Island.

koj[1] (t) Tus neeg uas yus hais lus rau; tus neeg ob: *Koj hu li cas? Muab pub koj.*

[English] (pron) You, your, yours.

koj[2] (y) Tus cim uas siv rau cov lus xws li noj, pauj, nej.

[English] (n) A tone marker used for words such as "noj, pauj, nej" etc...

koj[3] (y) Ib hom tshuaj uas ib txhia neeg siv los xyaw nqaij qaib rau cov pojniam uas yug tau menyuam thiab tseem nyob nruab hlis.

[English] (n) Certain kind of herb.

koj niam (y) Siv los hais rau tus neeg uas yog yus tus pojniam: *Koj niam, kuv nco koj kawg li.* Thiab yog hu los ntawm tus txiv neej xwb.

[English] (n) Honey, mommy, such as when called by a husband.

koj txiv (y) Siv los hais rau tus neeg uas yog yus tus txiv: *Koj txiv, kuv nco koj*

© 2003 Jay Xiong. All rights reserved.

kawg li. Thiab yog hu los ntawm tus pojniam xwb.
[English] (n) Honey, daddy, such as when called by a wife.

kom[1] (u) Hais, thov: *Nws kom koj mus. Kuv kom nws nyob.* (r) Tos txog lub sijhawm: *Nws tos kom txias. Muab cia kom siab.* (tx) *Peb nyob kom nej mus.*
[English] (v) Ask, request, say that. (pre) Until; up to the time that. (conj) So.

kom[2] (u) Sib do; sib hais; sib thawb ltn...*Tus tsov me kom tsis yeej tus tsov loj.*
[English] (v) Wrestle, fight.

kom[3] (r) Mus cuag rau; mus ncav rau; txog rau: *Pib lub ntujno kom rau ntuj so.*
[English] (pre) To, until.

kom nyos (p) Ntev thiab dauv, xws hwj txwv: *Nws muaj ib co hwj txwv kom nyos.*
[English] (adj) Long, esp. such as long mustache.

Koo Ib lub xeem Hmoob: *Koo yog ib xeem Hmoob.* Ib lub npe siv rau cov tub.
[English] One of the clan names of the Hmong--Kong. Also a proper name for boys.

koo cawv (u) Muaj kev noj haus thiab haus cawv: *Nws caw kom peb mus koo cawv nrog nws.*
[English] (v) To drink, esp. beer, wine or alcohol, at a party or event.

koob[1] (y) Tej rab me~ uas zoo li tus pos tabsis yog hlau, thiab ib tog muaj qhov hos ib tog ntse: *Neeg siv koob los xaws khaub ncaws thiab xaws paj ntaub.*
[English] (n) Needle.

koob[2] (y) Yam uas ntse thiab zoo li koob: *Nploos thiab tsaug yog tsiaj muaj koob.*
[English] (n) Quill, esp. the sharp hollow spines of a porcupine.

koob[3] (y) Yam uas zoo li koob thiab tuaj nyob rau ntawm xws li cov ntoo thuv: *Thuv yog hom ntoo muaj koob.* Ib lub npe neeg.
[English] (n) Any needle-like leaves, as those of pines. Also a proper name.

koob hmoov (y) Yam uas muaj tshwm sim, tabsis tsis paub tias yuav zoo los phem; hmoo, koob hmoo: *Nws muaj koob hmoov zoo nws thiaj li muaj nyiaj.*
[English] (n) Luck, fortune.

koob meej (y) Npe, meej mom, moo: *Tus nom mus tubsab ces ua rau nws lub koob meej puas tag.* Ib lub npe siv rau cov tub.
[English] (n) Fame, reputation. Also a proper name for boys.

koog (y) Pawg; muaj ntau nyob uake: *Nws cog tau ib koog.* (h) Piav txog yam uas ua koog: *Nws muaj ib koog xyoob.* (pu) Co mus, co los xws li ua zog tej:

© 2003 Jay Xiong. All rights reserved.

Cuab tshuab lub tsev ua zog koog.

***[English]** (n) Area, section. (cl) Group (of trees, for example) (adv) Used to describe the verb move, shake, such as moving "back and forth" etc...*

kooj (y) Cov kab uas muaj ob sab tis thiab luaj li ntiv tes. Feem ntau yog muaj nyob rau tom hav nyom: *Kooj nyiam noj nplooj thiab noj nyom.*

***[English]** (n) Grasshopper.*

kooj tshuab (y) Ib hom kooj daj: *Daim teb muaj kooj tshuab coob heev.*

***[English]** (n) Locust, esp. grasshoppers.*

kooj txig (y) Ib hom kooj uas loj luaj li ntiv tes xoo: *Ib tus kooj txig.*

***[English]** (n) Certain kind of grasshopper, esp. the big and yellowish kind.*

koojtis (y) Txhais tuaj cov tis; phab tis: *Qaib muaj ob txhais koojtis.*

***[English]** (n) Wing (bird wings, for example).*

koom (u) Uake; los uake xws li ib pawg: *Peb koom lawv.*

***[English]** (v) Join, such as to work together; to cooperate or participate.*

koom haum (y) Lub tsev losyog qhov chaw uas neeg ua los sib pab: *Peb mus sibtham tim lub koom haum.*

***[English]** (n) Association, organization.*

koom pheej (y) <Suav> Kev sib koom; kev los uake: *Kevcai koom pheej.* Lus rov: *Ywj pheej.*

***[English]** (n) <Chinese> Republic. Ant: Democracy.*

koom txoos (y) Lub tsev losyog qhov chaw uas neeg tuaj sibtxoos thiab sib koom; lub tsev teev ntuj: *Peb mus sibtham tim lub tsev koom txoos.*

***[English]** (n) 1. Church. 2. Building.*

koos[1] (u) Thaiv tag xws li lub kauj vab; muaj ncig. Feem ntau yog siv rau xws li toj roob thiab hauv pes xwb: *Cov roob koos lub zos zoo heev.*

***[English]** (v) Surround, enclose.*

koos[2] (u) Mus thaiv; mus tav uas xws li kom nyob rau hauv plawv: *Ua neeb los koos ntsuj, koos hlauv ltn...*

***[English]** (v) To surround, stop, prevent (a spirit, for example) from leaving.*

koos loos (y) Tej lub thoob; lub thawv uas xws li yog muab hlau ua: *Nws muaj ib koos loos dej. Nws ntim puv ib koos loos.*

***[English]** (n) Bucket or small tank, esp. made of metal.*

koov (u) Nkhaus, rawv, khoov uas xws li rab liag: *Tus zaj koov siab kawg.*

© 2003 Jay Xiong. All rights reserved.

[English] (v) To arc or form an arc, such as similar to a rainbow.

kos[1] (y) Lub hlau uas muaj peb tus ceg thiab siv los tau txawb xws li lauj kaub thiab yias rau sauv: *Tso lub lauj kaub rau saum lub kos.*

[English] (n) Trivet, such as a metal stand used to support a pot over a fire.

kos[2] (u) Muab khawb kom to losyog kos ua tej kab; sau xws li ntawv: *Tus me nyuam kos sab phab ntsa dub tas. Nws muab tus mem kos daim ntawv.*

[English] (v) To scratch; to write; to scribble on something.

kov (u) 1. Muab tes mus chwv; muab tes mus xuas losyog tuav: *Nws kov rab riam.* 2. Ua losyog nrog lwm tus sib ntau thiab sib rub: *Nws kov yeej tus tsov.*

[English] (v) 1. Touch. 2. Handle, fight.

kov kom (u) Tsis nti; tsis hais lus, xws li thaum uas pw tej, thiab tsuas siv tomqab ntawm lo lus "pw" xwb: *Nws pw kov kom lawm.*

[English] (v) Sleep, lie down, and mostly used after the word "pw" only.

ku (y) <Lees> Tus ko, xws li kom riam thiab ko taus; ntu xub pib tuaj ltn...

[English] (n) <Lees> Handle, the beginning part.

kua (y) Yam uas ua dej, tabsis yog muaj los ntawm lwm yam: *Dej yog ib yam kua. Kua dib, kua taub ltn...*

[English] (n) Liquid, juice.

kua ciab (y) Cov kua uas yog los ntawm cov ciab: *Ib tais kua ciab.*

[English] (n) Liquid wax, esp. from bees and insects.

kua dis (y) Cov mov uas thaum siav es tseem muaj kua ntau heev. Feem ntau, yog muab txhuv tso rau hauv lauj kaub dej, ces muab hau kom siav xwb: *Tus menyuam nyiam noj kua dis xwb.*

[English] (n) Rice soup, esp. made with just water.

kua mis (y) 1. Cov kua dawb~ uas tawm ntawm lub mis los: *Tus menyuam haus nws niam cov kua mis.* 2. Cov kua uas dawb ibyam li kua mis thiab muaj nyob ntawm xws li ntoo losyog hmab tej: *Daim nplooj muaj ib co kua mis.*

[English] (n) 1. Milk. 2. Milk or white liquid from plants.

kua muag (y) Cov kua uas tawm ntawm qhov muag los: *Neeg cov kua muag.*

[English] (n) Tear, such as from the eyes when one cries.

kua ntses* (y) Ib hom kua uas yog muab nyoj los ntawm ntses. Cov kua no feem ntau ua nyob rau hauv hwj thiab neeg siv los rau xws li taub ntoos qaub thiab zaub noj tej: *Ib hwj kua ntses.* Ib txhia kuj siv lo lus "naj pas" no thiab.

© 2003 Jay Xiong. All rights reserved.

[English] (n) Soy sauce.

kua ntxhai (y) Cov (dej) kua uas siv los hau cov txhuv thiab muab tsi tawm ua ntej thaum cov txhuv twb muag thiab yuav siav.

[English] (n) Rice broth.

kua paug (y) Cov kua daj lis lossis dawb uas muaj nyob hauv tej rwj; paug.

[English] (n) Pus, secretion; a yellowish liquid, esp. found in wound.

kua quav (y) Cov quav uas yog kua xwb; cov kua uas nyob hauv quav: *Nws cov kua quav tsis muaj ib lub mov li.*

[English] (n) A substance such as watery feces within the intestine.

kua si (y) Cov uas xws li thaum muab cov noob taum mus zom thiab hau es tshuav cov phuas losyog cov taum xwb: *Nws nyiam noj cov kua si.*

[English] (n) Soybean broth.

kua taug (y) Cov kua uas muaj nyob ntawm cov tsiaj xws li nab thiab laum kiav tshooj tej; taug: *Nab cov kua taug.*

[English] (n) Poison, esp. the liquid poison (from snake, for example).

kua taum (y) Cov kua uas muab nyoj los ntawm cov noob taum: *Hnab kua taum.*

[English] (n) Soymilk; milk or liquid made from soybeans.

kua tsib (y) Cov kua (iab heev) uas nyob hauv lub tsib.

[English] (n) Bile. Also called gall.

kua twv (y) <Lees> Tus ko tw; tus muaj nyob nram lub tw.

[English] (n) <Leng> Tail.

kua txob (y) Ib hom txiv uas thaum siav nws liab thiab ntsim heev: *Tuav qaub yuavtsum muab kua txob rau thiaj li qab.*

[English] (n) Peppers, esp. the red and spicy kind.

kua txob phawv (y) Ib hom kua txob uas loj tshaj: *Ib tsob kua txob phawv.*

[English] (n) The bigger kind of peppers.

kua txob quav tsuag (y) Cov kua txob me~ uas loj zog lub noob nplej, tabsis liab thiab ntsim heev: *Kua txob quav tsuag me tabsis ntsim heev.*

[English] (n) Certain kind of pepper that is very tiny but very spicy.

kua txob txhuv nplej (y) Cov kua txob me~ uas loj zog lub noob nplej, tabsis liab thiab ntsim heev: *Kua txob txhuv nplej me tabsis ntsim heev.*

[English] (n) Certain kind of pepper that is very tiny but very spicy.

kua yig (y) Cov kua uas muaj nyob hauv tej rwj losyog qhovtxhab, tabsis tsis

© 2003 Jay Xiong. All rights reserved.

nyeem thiab daj npaum li kua paug, paug: *Nws lub qhovtxhab ua kua yig.*
***[English]** (n) Pus, secretion, esp. the whitish kind.*

kua zaub ntsuab[1] (y) Cov kua uas yog los ntawm cov zaub ntsuab.
***[English]** (y) The juice extracted from green vegetables.*

kua zaub ntsuab[2] (y) Ib lo lus uas txhais tias yuav ua (phem) pauj: *Nws yuav pauj kua zaub ntsuab.* Txhais tau tias nws yuav ua phem los pauj lossis rau lwm tus.
***[English]** (n) (slang) Revenge; vengeance.*

kuab[1] (y) Muaj cov lus yog thiab lus haum siab nyob rau hauv; muaj ceem: *Nws cov lus muaj kuab heev.*
***[English]** (n) Meaningful, powerful, forceful, esp. meaning of words.*

kuab[2] (y) Muaj cov kua uas ua rau mob heev: *Nab cov kua taug muaj kuab heev.*
***[English]** (n) Strong, potency, esp. such as poisonous.*

kuab dev vwm (y) Ib hom nroj losyog tshuaj ntsuab uas feem ntau yog zoo rau cov mob tes thiab taw vwm--lam mob vwm ntsuav.
***[English]** (n) Certain kind of herb.*

kuab ib (y) Ib hom nroj uas tuaj txij li hauvcaug. Feem ntau yog hob thiab ntsim heev. Cov nroj no noj tsis tau thiab tsis zoo siv los ua tshuaj.
***[English]** (n) Certain kind of poisonous plant.*

kuab tua hnyuv (y) Ib hom nroj uas yog noj ces tuag. Ib txhia kuj hu tias nroj noj tuag no thiab.
***[English]** (n) Certain kind of poisonous plant.*

kuag[1] (y,pu) Lub suab uas thaum tej yam poob saum ntoo los rau hauv av, xws li yog poob rau qhov chaw uas muaj ceg ntoo thiab xyoob ntau tej.
***[English]** (n,adv) A sound of something falling, esp. from a tree to the ground where there are bushes.*

kuag[2] (p,t) Ib txhia; ib nrab nyob hauv; qee leej: *Ib lub zos yeej muaj ib kuag neeg phem thiab ib kuag neeg zoo.*
***[English]** (adj,pron) Some.*

kuag tooj kuag hlau (p) Tus neeg uas ruam, xws li tsis muaj tswvyim zoo.
***[English]** (adj) Incompetent, stupid, mental.*

kuaj (u) <Lostsuas> Saib xyuas; tshawb saib: *Nws kuaj peb daim ntawv.*
***[English]** (v) <Laotian> Check, examine, inspect.*

© 2003 Jay Xiong. All rights reserved.

kuam[1] (u) Muab khawb los ntawm yus; hus thiab thawb los ntawm yus: *Nws kuam nroj. Muab riam kuam tus npua cov plaub.*
[English] (v) To plow, to scrape.

kuam[2] (y) Ob daim uas yog muab xws li kub sai losyog kub tshis los phua ua ob sab uas cov Txiv Neeb siv: *Ob tus kuam.*
[English] (n) The horn of mountain goats, and mostly just the top part and also cut in half and used by shaman to toss or flip on the floor as a way to communicate to the spirits or God.

kuam yej (y) Ob daim ntoo uas neeg siv los caws xws li yej thiab ntxiab tej.
[English] (n) The two pieces of small wood that used to hold the trigger of certain ground traps.

kuas (p) Txaij thiab ua tej teev ntau~ xws li yog muaj dub thiab dawb uake: *Nws muaj ib tus dev kuas (txaij).*
[English] (adj) Spotty, esp. having black and white spots all over.

kuav (u) Muab tshoob mus; ua kom ntws mus; thawb mus: *Dej kuav cov cav.*
[English] (v) To wash or blow away, such as with water or river's current.

kub[1] (u) Raug hluav taws hlawv; kub hnyiab: *Hluav taws kub nws daim teb.*
[English] (v) Burn, ignite, such as by fire.

kub[2] (u) Sov heev uas xws li muaj peev xwm ua rau kub: *Hwj dej kub heev.*
[English] (v) Hot, such as having high heat.

kub[3] (y) Tej thooj losyog tej daim zoo xws li tooj tabsis daj thiab kim dua: *Ib thooj kub kim dua ib thooj nyiaj.* Ib lub npe neeg.
[English] (n) Gold. Example: Gold is more expensive than silver.

kub hnyiab[1] (u) Ua rau hluav taws kub: *Lub tsev kubhnyiab.* (p) Yam uas kub hnyiab lawm: *Nws lam nyob lub tsev kub hnyiab.*
[English] (v) Burn, ignite, esp. by fire. (adj) To mark by fire or high heat.

kub hnyiab-kub hnyoo (p) Kub hnyiab ntau qhov: *Nws ua tau ib lauj kaub mov kub hnyiab kub hnyoo.*
[English] (adj) Of or relating to something being mostly burnt

kub ntxhov (y) Muaj teebmeem thiab kev nyuaj: *Lawv lub tebchaws muaj kev kub ntxhov vim yog muaj tsovrog loj heev.*
[English] (n) Trouble, difficulty, turmoil.

kublug[1] (p) Kub tsis heev; sov uas xws li thaum yuav kub hnyiab: *Nws rhaub tau*

© 2003 Jay Xiong. All rights reserved.

ib yias dej kublug. (pu) *Nws txhuam kublug.*

[English] (adj) Very warm or having high heat. (adv) Warmly.

kublug[2] (p) Muaj siab heev; txaus siab ua heev: *Nws ua siab kub lug rau nws txoj haujlwm.*

[English] (adj) Longing for; wanting to.

kug (p) Thaum xws li daim nplej siav heev thiab siav thoob plaws li lawm: *Tshav ntuj tau ob hlis ces ua rau daim nplej siav kug lawm.*

[English] (adj) Very ripe or fully grown, esp. used to describe fully grown rice in the rice fields or farms.

kuj (pu) Ua li, yog, tseem, xws li uas: *Nws kuj hais lus zoo.*

[English] (adv) Even, still. Example: He even talks nice.

kuj kaub (pu) Piav txog xws li thaum tus neeg xuavkauv thiab mus kev rau ub, rau no: *Nws xuav kauv kuj kaub vim nws kho siab heev.*

[English] (adv) To whistle or make similar sound, esp. when one is lonely.

kuj yees (p) Txaus, xws li tsis xav noj lossis tsis haus ntxiv lawm: *Nws haus cawv kum yees lawm.*

[English] (adj) Enough, full, satiate, esp. relating drink, smoke and eat.

kuj yem (y) Ib hom ntoo uas cov nplooj loj thiab dav, thiab neeg siv cov nplooj los vov xws li tsev tej: *Nws siv nplooj kuj yem los vov nws lub tsev.*

[English] (n) Certain kind of palm tree.

kum xeeb (y,p) Ib hom kev txiav losyog phua, xws li thaum phua ncau, uas yog muab, tus xyoob, phua ua ntau txauj nyias~.

[English] (n,adj) A way of cut, esp. a bamboo, as to make straps or strings.

kus kes (p) Nyiam ua kom zoo lossis yog li nws nyiam xwb: *Tus neeg kus kes.*

[English] (adj) Picky, meticulous.

kuv (t) Tus neeg uas hais lus; tus neeg ib; yus: *Kuv muab rau koj. Koj muab pub kuv. Lawv tuaj saib kuv. Lub tsheb ntawv yog kuv li.*

[English] (pron) I, my, me, mine.

kw (y) Tus kwv; lo lus kwv uas siv xws li tej kw, tej tij.

[English] (n) Younger brother or relatives. Variant of "kwv."

kwj (y) Txoj kab uas saus; kab qis tshaj uas nyob rau hauv nruab nrab ntawm ob phab: *Nws poob rau hauv tus kuj.*

[English] (n) 1. Gully or ravine. 2. Valley, such as an elongated lowland or

© 2003 Jay Xiong. All rights reserved.

line between two mountains or hills. 3. Ditch.

kwj deg (y) Tus kwj uas nyob hauv lub hav thiab muaj dej: *Tus qav nyob nram tus kwj deg. Peb mus txog ntawm tus kwj deg.*

***[English]** (n) 1. A small river or stream. 2. Gully, ravine. 3. Gutter.*

kwj ha (y) Tus kwj uas nyob hauv lub hav; qhov chaw losyog txoj kab uas qis tshaj ntawm ob sab toj: *Nws pw nram tus kwj ha. Peb ce dej nram tus kwj ha.*

***[English]** (n) Gully, ravine.*

kwj tse (y) Tus kwj uas muaj losyog khawb ncig lub tsev kom cov dej losyog nag txhob ntws mus rau hauv tsev: *Nag ntws rau hauv tus kwj tse.*

***[English]** (n) A lowland line dug around the outside of a house to prevent rain from running into the house.*

kwj tw (y) Tus kwj uas nyob nruab nrab ntawm ob thooj pobtw.

***[English]** (n) A gully like line between the buttocks.*

kwm[1] (u) Mus rau hauv tus dej losyog lub pas dej; hla dej: *Peb kwm tus dej mus nuv ntses. Tus nyuj kwm tus dej mus noj lawv cov nplej.*

***[English]** (v) To walk or swim through a river or lake, such as to cross a river.*

Kwm[2] <Suav> Ib xeem Hmoob. Lo lus lossis lub xeem Hmoob tiag~ yog hu ua Nkwg no. Ib lub npe siv rau cov tub.

***[English]** One of the Hmong's clan name--Kue. Also a proper name for boys.*

kws (y) Tus neeg uas paub thiab txawj: *Tus kws kho mob.* (tx) <Lees> Uas: *Koj yog tug kws kuv hlub. Tswv Ntuj yog tug kws hlub peb txhua leej.*

***[English]** (n) An expert. (conj) <Leng> That.*

kwv[1] (u) Muab tso saum lub xubpwg thiab mus kev: *Peb kwv tus nqaj.* (y) Tus txivneej uas yau yus: *Kuv muaj ob tus kwv.* Lus rov: *Tij, tijlaug.*

***[English]** (v) To carry on the shoulder. (n) A younger brother.*

kwv[2] (u) Tsis pomzoo; tsis ua li hais; txheem, nyom: *Nws kwv lawv rooj plaub.*

***[English]** (v) To reject or object; to challenge.*

kwv ceg (nu) Mus. Feem ntau siv rau xws li lub caij chim losyog cem: *Nws kwv ceg mus lawm. Nws kwv ceg tuaj txog ntawv.* Yog tiag, lo lus no siv xws li tias kwv ob txhais ceg mus losyog los tej.

***[English]** (aux. verb) Go, come, travel.*

kwv huam (y) Cov lus uas xws li lus dab neeg thiab yog piav txog puag thaum ub losyog yav uas dhau tau ntau tiam los lawm: *Nws piav txog kwv huam.*

© 2003 Jay Xiong. All rights reserved.

***[English]** (n) Stories or tales based on fact or reality.*

kwv lam (pu) Tej zaum; xav tias yog losyog zoo li; tsis paub zoo tabsis xav tias; kwv yees: *Nws tus npua kwvlam muaj li yim taus.*

***[English]** (adv) Perhaps, maybe, about, approximately.*

kwv luag (y) Tus neeg uas feem ntau yog lwm xeem; phoojywg: *Ob tus kwvluag.* Lo lus no feem ntau yog siv rau thaum hais tshoob kos xwb.

***[English]** (n) Friend, pal, fellow, colleague.*

kwv npawg (y) Tus kwv uas feem ntau yog lwm xeem: *Ob tus kwv npawg.*

***[English]** (n) A younger friend, pal.*

kwv ntswg (p) 1. Ua tus caj ntswm chom thiab nkhaus rau sauv: *Tus npua kwv ntswg. 2. Muab hlob; ua tus yeeb yam loj thiab ntse heev.*

***[English]** (adj) 1. To raise the nose high. 2. Stuck-up, snobbish, conceited.*

kwv ntxawg (y) Tus kwv uas yau tshaj: *Kuv muaj ib tus kwv ntxawg.*

***[English]** (n) The youngest brother.*

kwv tij (y) 1. Cov txivneej uas yog tib tug niam yug: *Peb muaj plaub kwv tij.* 2. Cov txiv neej uas yog tib lub xeem: *Nej yog kuv cov kwv tij.*

***[English]** (n) 1. Brothers. 2. Relatives, esp. those that have the same last name.*

kwv txhiaj (y) Tej txwm lus seev uas hais nyob rau thaum lub Tsiab Pebcaug: *Nws hais kwv txhiaj zoo heev.*

***[English]** (n) A Hmong song or chant sung mostly at the New Year celebration.*

kwv yees (u) Tej zaum yog; tsis paub tseeb; kwv lam: *Nws kwv yees xwb.*

***[English]** (v) Guesstimate, estimate, guess, predict.*

l (y) Ib tus ntawv siv rau cov lus xws li "lo, lus, liab" ltn...

***[English]** (n) A consonant used for words such as "lo, lus, liab" etc...*

lab (y) <Lees> 1. Liab, uas xws li cov tsiaj liab. 2. Tsuas uas liab. Ib lub npe neeg.

***[English]** (n) <Leng> 1. Monkey. 2. Red. Also a proper name.*

lag[1] (y) Ib hom kev ntsuas txog kev hnyav thiab me xws li yeeb tej. Ib lag losyog ib las muaj kaum txiaj; ib txiaj muaj kaum fiab; ib fiab muaj kaum feeb: *Nws muaj ob lag yeeb.*

***[English]** (n) A unit of weight similar to gram, milligram etc...*

lag[2] (u) Tsis hnov lus zoo lawm; lag tseg: *Nws lag es peb hu nws thiaj tsis hnov.*

***[English]** (v,adj) To be deaf or lack of the sense of hearing.*

lag[3] (nth) Siv rau tom kawg ntawm zaj lus; las: *Muab rau kuv lag.*

© 2003 Jay Xiong. All rights reserved.

[English] (interj) Okay.

lag luam (y) Tej kev uas muag khoom uas xws li kom tau nyiaj thiab tau paj tej: *Zos loj thiaj muaj lag luam ntau.*

[English] (n) Business, trade.

lag luas (pu) Muaj kiag uas xws li quaj, thov: *Nws quaj lag luas; thov lag luas.*

[English] (adv) Loudly, esp. like when crying.

lag ntseg (u) Lub qhovntsej tsis hnov lossis hnov lus tsis zoo lawm: *Nws lag ntseg vim nws laus heev.* (p) *Nws pab cov neeg lag ntseg.*

[English] (v) To be deaf or lack of hearing. (adj) Of or relating to deaf.

lag zeb (y) Tej daim txiag zeb; daim uas yog zeb: *Nyob saum daim lag zeb.*

[English] (n) A piece of stone or rock and normally it is large and flat.

lag zeb nplua (y) 1. Daim lag zeb uas siv los tso rau ntawm lub ntxa. 2. Ib lo lus paj lug hais txog kev tuag lossis thaum tuag lawm.

[English] (n) 1. A tombstone or gravestone. 2. Death.

laib (u) Tau los, muaj: *Nws laib ob txhiab.* (y) <Lostsuas> Cov neeg phem thiab tubsab losyog tsis tsim txiaj: *Nws yog ib tus laib.*

[English] (v) To have or get; to acquire. (n) <Laotian> Gang; a gangster.

laig[1] (u) Muab zaub thiab mov los teev txog; hu txog xws li kom cov dab losyog cov ntsuj plig los noj: *Nws laig nws pog thiab yawg.*

[English] (v) To worship, with food, esp. the dead, mostly grandparents.

laig[2] (u) Noj, tawg. Ib lo lus siv los cem: *Nws laig mov tas tej phaj.*

[English] (v) To eat but used as a bad or sarcastic way.

laij[1] (u) Tshom av uas kom zoo cog qoob loo: *Nws laij nws daim liaj.*

[English] (v) To plow, the land or soil, as to make it ready for planting.

laij[2] (u) 1. Mus ncig ua si: *Peb laij ib hnub.* 2. Mus yos hav zoov.

[English] (v) 1. Wander, travel. 2. To go hunting.

laij[3] (u) 1. Yuam kom tawm mus xws li tsis pub nyob: *Nws laij peb los tsev.* 2. Hais kom them losyog kom muab rau: *Nws laij kom peb them nyiaj rau nws.*

[English] (v) 1. To force out; to evict or expel. 2. To request for payment.

laim[1] (u) Muab cuam mus; tso rau; txawb mus; pov mus: *Nws laim sab khau rau nram qabke.*

[English] (v) To throw or cast (out things, for example); abandon.

laim[2] (u) 1. Ntsais losyog ci mus los: *Xob laim vim yuav los nag.* 2. Txav mus,

© 2003 Jay Xiong. All rights reserved.

txav los xws li thaum lub pas dej ntas: *Lub pas dej laim vim cua hlob heev.* (pu) Siv los pab cov lus xws si, khiav: *Kua muag si laim.*
***[English]** (v) 1. Lightning, flash. 2. Wave. (adv) Dripping, running.*

laim muag (u) Tig mus ntsia ib plia: *Nws laim muag tuaj saib peb.*
***[English]** (v) To glance at; to turn and look at, esp. with a quick glance.*

laim ntoom (p) Ntxhee; txav mus, txav los uas xws li thaum cua tshuab lub pas dej losyog cov nplooj ntoo tej: *Cua tshuab lub pas dej laim ntoom.*
***[English]** (adj) Wavy. Ex: A wavy lake.*

laim txias (p) Muaj laim thiab ua rau txias, xws li nyob ze ntawm lub pas dej loj.
***[English]** (adj) Wavy and cool, esp. such as a cool freeze from the lake.*

laiv (nth) Siv tuaj tomqab ntawm zaj lus: *Nws zoo heev laiv.* (pu) Xws li; zoo li: *Nws zoo heev laiv.*
***[English]** (interj) Okay, as such. (adv) Too, also, really.*

laj[1] (nu) Nkees, nyuaj; tsis yoojyim; tsis xav ua; ceeblaj: *Laj khwv, laj khiav laj ua, laj hais ltn...*
***[English]** (aux. v) Difficult to (work, for example); troublesome to (run, for example); tough to (learn, for example).*

laj[2] (nu) Tsis uas xws li tsis kam, tsis yeem ltn... *Nws laj kheev peb mus.*
***[English]** (aux. v) Not permit or allow; unwilling.*

laj[3] (u) Muab cuam mus; muab yuj losyog fiav mus: *Nws laj tus pas los raug peb.*
***[English]** (v) To swing using a stick or rod.*

laj[4] (u) Txias uas xws li huab cua: *Cov cua laj heev.*
***[English]** (v) Cool, such as not having high temperature or heat.*

laj[5] (y) Qhov chaw siab thiab tiaj uas xws li nyob rau saum lub roob: *Peb taug tus laj roob.* Ib lub npe uas siv rau cov tub.
***[English]** (n) The flat (ridge) area on top of the mountain. Also a proper name for boys.*

laj kab (y) Tej phab uas xws li yog muab ntoo, hlau los xov es kom neeg losyog tsiaj mus tsis dhau: *Nws xov laj kab ncig nws lub tsev.*
***[English]** (n) Fence.*

laj mej-pej xeem (y) Neeg pejxeem; cov neeg: *Nws tej laj mej-pej xeem.*
***[English]** (n) People, citizens of a city, town or country, for example.*

laj muam (u) Muab ob lub qhov muag ntsia mus, tabsis tsis tig lub ntseg muag

© 2003 Jay Xiong. All rights reserved.

mus saib: *Nws lajmuam tuaj saib peb.* (p) Tus neeg uas ntsia zoo li lajmuam.

[English] (v, adj) 1. To look by glancing or with a gaze briefly. 2. Cross-eyed.

laj xeeb (pu) Ib lo lus uas Hmoob siv los xaus zaj kwv txhiaj. Feem ntau yog siv rau xws li "chim lub laj xeeb..."

[English] (adv) A word used to end when chanting or singing the Hmong "kwv txhiaj."

lam (pu) Tsis xav ua pestsawg; tsis muaj siab ua tiag: *Nws lam noj.* (u) Pomkev, ntsa, ci: *Lub teeb lam thiab pomkev heev.*

[English] (adv) Just; not really want to. (v) Bright, well-lighted.

lam cum (u) Pomkev; kaj heev uas xws li koog ntoo tsis muaj nplooj: *Koog hav zoov lam cum heev vim cov nplooj zeeg tag lawm. Nws taws teeb lam cum nrig.*

[English] (v) Bright, clear, full of birhtness or light.

lam fwj (y) Lub fwj uas yog iav. Lub iav uas kheej thiab luaj li txhais caj npab es neeg siv los ntim cawv thiab dej tej: *Neeg siv lam fwj los ntim cawv.*

[English] (n) Bottle, esp. the kind that made with glass.

lam lug (p) Ci thiab pom kev heev xws li thaum lub hnub ci tuaj rau: *Thaj hav zoov pom kev lam lug; nws taws teeb lam lug cia.*

[English] (adj) Bright, well-lighted.

lam taus lam (pu) Ua yam uas tsis xav tomntej thiab tomqab li; ua yam uas tsis xav kom zoo~ thiab kom yog: *Nws lam taus lam cem peb.* Ib txhia kuj siv lo tias "lam tau lam" thiab.

[English] (adv) Just; without a reason.

las[1] (u) Muab ntsev los pleev thiab nphoo rau cov nqaij: *Nws las daim nqaij.*

[English] (v) To marinate; to salt or season (meat, for example).

las[2] (y) Tus taw npua uas muab sam lawm, thiab feem ntau yog siv tias "las npua."

[English] (n) A castrated male pig.

las[3] (u) Mus dob nroj; mus nthua teb uas xws li zaum ob ltn...*Lawv rov mus las yeeb lawm. Txog caij las nplej dua lawm.*

[English] (v) To weed, such as to remove weeds from the garden.

las mas* (y) <Askiv> Ib hom tsiaj muaj tsos zoo li tus nees thiab muaj nyob rau lub tebchaws Miskas Qab Teb xwb.

[English] (n) <English> Llama or lama.

las mees (u) Tsis txhawj txog; tsis quav ntsej; ua tus tsis paub txog: *Kuv thov nws*

© 2003 Jay Xiong. All rights reserved.

pab tabsis nws las mees.

***[English]** (v) Ignore. Example: He ignores my request.*

las npua (y) Tus npua uas muab sam thiab pub rau noj kom rog. Feem ntau yog tu los tua noj thiab kom tau nws cov roj los siv xwb: *Ib tug las npua.*

***[English]** (n) A castrated pig.*

las npua tsiab (y) Tus las npua uas tu los tua noj rau lub Tsiab Pebcaug: *Nws muaj ob tug las npua tsiab.*

***[English]** (n) A full-grown castrated pig raised especially to be butchered during the Hmong New Year.*

las tshav (u) Nyob rau nraum zoov; nyob rau sab nrauv; nyob rau nraum tshav puam: *Nws nyob las tshav.*

***[English]** (v) To expose to a sun; to be out in the open.*

las voos (u,y) <Lostsuas> Muab lub cev qoj; qojce: *Nws nyiam las voos heev.*

***[English]** (v,n) Dance.*

lau[1] (u) Nqhuab, nqig uas xws li thaum dej yau: *Lub pas dej lau vim tshav ntuj tau ntau hli.*

***[English]** (v) To become lower or less, esp. substance such as water and lake which caused by excessive heat or due to vapor; to decrease in volume.*

lau[2] (y) Tus muaj noob qes thiab siv rau cov tsiaj xws li noog, qaib thiab os xwb: *Nws muaj ob tus lau thiab ob tus poj.* Lus rov: *Poj.*

***[English]** (n) Male, esp. used for poultry. Ant: Female.*

laub[1] (u) Hliv, nchuav xws li dej thiab yam ua kua tej: *Nws laub dej povtseg.*

***[English]** (v) To pour, such as water or liquid from a container.*

laub[2] (u) Sib thawb mus, los xws li thaum twm sib nraus: *Ob tus twm sib laub.*

***[English]** (v) To push, esp. using the head or shoulder.*

laug[1] (u) Muab thawb mus; tsij mus: *Nws laug tus nqaj.*

***[English]** (v) To stack or stock things, such as pipes or columns.*

laug[2] (u) Majmam ua xws li kom tsis txawj tas: *Peb laug lub sijhawm.*

***[English]** (v) To procrastinate; to waste the time.*

laug[3] (y) Ib hom paj ntaub uas Hmoob xaws: *Nws xaws paj ntaub laug.*

***[English]** (n) Certain kind of Hmong needle art work.*

laug[4] (y) Sab tes lauj: *Sab xis thiab sab laug.*

***[English]** (n) Left, such as a left hand.*

© 2003 Jay Xiong. All rights reserved.

laug[5] (y) <Lees> Yus txiv tus tijlaug losyog cov tijlaug: *Laug Nyaj Tuam.*
[English] (n) <Leng> 1. The older brother of one's father. 2. The older cousin of one's father, esp. having the same last name and born in the same generation; older uncle.

laug[6] (y) Txiv, xws li tus txiv tshis, sai thiab kauv tej: *Ib tus laug tshis.*
[English] (n) Male, and only used for deer, goat etc...

laug laws (pu) Siv piav txog lo quaj: *Nws quaj laug laws ntawm kev.*
[English] (adv) Loudly, such as when crying.

lauj[1] (u) Muab thau los; rub kom tawm los: *Nws lauj tus nab hauv lub qhov.*
[English] (v) To pull out; to take, things such as columns or string, out.

lauj[2] (nth) Siv tuaj tom kawg ntawm zaj lus; lau: *Cas hais qhov qub xwb lauj!*
[English] (interj) Used at the end of a sentence.

Lauj[3] Ib xeem Hmoob: *Nws yog Hmoob Lauj.*
[English] One of the Hmong clan or last name, Lor, Lo, Lao.

lauj[4] (y) Sab tes uas tsawg leej neeg nyiam siv; phab maum: *Sab tes lauj.*
[English] (n) Left, such as a left hand.

lauj kaub (y) Lub uas neeg siv los hau zaub thiab ua mov noj tej: *Nws muaj ib lub lauj kaub. Nws hau tau ib lauj kaub zaub.*
[English] (n) Pot, esp. the kind that used for cooking.

Lauj Npliaj Yob Ib tus neeg Hmoob uas muaj lub npe hu-ua Npliaj Yob Lauj. Npliaj Yob yog tus neeg Hmoob uas xub~ tau nom "Kiabtoom" ua nyob rau Lostsuas teb. Tsis paub zoo tias lo lus "Kiabtoom" txhais li cas tiag, tabsis neeg ntseeg tias yog ib lub npe nom.
[English] A name of a very first Hmong man who was elected to be in office in Laos perhaps during the 1930-1940. His position is perhaps equivalent to that of a mayor.

lauj vaub (y) Cov plaubhau; cov plaub uas tuaj nyob saum neeg lub tobhau: *Thov koj txiav koj cov lauj vaub vim nws ntev heev lawm.*
[English] (n) Hair, esp. the kind that covers the scalp or head.

lauj xibnas (nu) Luaj losyog muab, thiab feem ntau, yog siv rau lub caij hais kwv txhiaj xwb: *Wb lauj xib nas los muab tsis tau....*
[English] (aux. v) To grab or take, and mostly, used when singing only.

laum[1] (u) Muab ntiv tes mus kov losyog muab khawb mus~, los~ kom rhiab: *Peb*

© 2003 Jay Xiong. All rights reserved.

laum nws sab tav kom nws luag.

***[English]** (v) To tickle.*

laum[2] (u) Muab tho lossis tshau kom muaj lub qhov losyog ua kom lub qhov loj tuaj: *Nws muab tus chaslas laum tau ib lub qhov.*

***[English]** (v) Drill (a hole, for example).*

laum[3] (u) Muab ob txhais taw npuab tus ntoo es doom losyog nce mus: *Nws laum tsob ntoo.*

***[English]** (v) To climb a pole or post, esp. when using the feet and hands.*

laum[4] (y) Ib co kab me~ luaj li lub noob taub thiab feem ntau yog muaj nyob rau hauv tsev: *Lub tsev muaj laum coob heev.* Ib lub npe siv rau cov tub.

***[English]** (n) Roach, cockroach. Also a proper name for boys.*

laum kev tshooj (y) Ib hom kab uas ntev li ib dos tej, thiab muaj ntau txhais taw: *Ib tus laum kev tshooj.* Ib txhia kuj siv lo "kab laum tshooj, laum kiav tshooj."

***[English]** (n) Centipede, esp. the poisonous kind.*

laus (u,p) Muaj ntau xyoo uas xws li nyob tau ntev los lawm: *Nws laus heev vim nws muaj ib puas xyoo lawm.*

***[English]** (v,adj) Old, such as having lived or existed for a long time.*

laus nkoos (p) Tus neeg uas laus heev: *Nws nyob laus nkoos.*

***[English]** (adj) Very old, such as having lived for long time.*

lauv (y,p) <Lees> Lau, xws li yog tus txiv tej: *Nwg muaj ib tug lauv qab.*

***[English]** (n,adj) <Leng> Male.*

lav[1] (u) Mus txiav pem hauv ntej; txais pem hauv ntej: *Peb lav lawv kev.*

***[English]** (v) To cut, esp. such as to pass or cross the path where someone is going or heading, hoping to meet or see that person.*

lav[2] (u) <Lostsuas> Cog lus tseg; kam ua li hais: *Nws lav tias nws tsis ua tub sab lawm. Nws lav ua zaub thiab ua mov tos peb.*

***[English]** (v) <Laotian> Guarantee, assure, promise.*

lawb[1] (u) Muab povtseg; muab rhuav; tso tseg: *Peb lawb dab tau ntau xyoo.*

***[English]** (v) To throw away; to cast out.*

lawb[2] (u) <Lostsuas> Tas sijhawm thiab mus tsev: *Peb lawb ntawv thaum 4 T.N. (plaub teev tsaus ntuj).*

***[English]** (v) <Laotian> Get out or get off; leave. We leave school at 4 P.M.*

lawg[1] (y) Cov nag uas khov ua lub thiab poob saum ntuj los, xws li thaum los nag

© 2003 Jay Xiong. All rights reserved.

thiab muaj cua tshuab tej: *Los ib co lawg loj heev.*
[English] (n) Hail.

lawg[2] (u) Ua kom tsoo lossis kom raug: *Nws lawg nrig rau kuv.*
[English] (v) To swing (an object as to hit) into something; to hit.

lawj (y) Qhov chaw uas nyob siab saum daim av; txheej losyog ib qho chaw nyob siab saum npoo av, xws li tsev losyog chaw nyob tej: *Ua tau ib lub lawj.*
[English] (n) Deck, such as a roofless, floored area that adjoins to a house.

lawm[1] (u) Mus uas xws li dhau los: *Koj tuaj lig dhau es nws twb lawm.* (pu) Uas yog li; dhau losyog muaj los: *Nws hais yog lawm. Nws mus lawm.*
[English] (v) Leave, left, go, went, gone. (adv) Already.

lawm[2] (u) Yog phaj; yog phaum uas: *Koj lawm tub hos kuv lawm txiv.*
[English] (v) Is, are, am or be. Example: You are my uncle.

laws[1] (u) Muab tev tawm; ua kom xws li daim tawv yaws mus: *Nws laws tus nab daim tawv. Nws laws daim tawv ntoo.*
[English] (v) Peel.

laws[2] (pu) Nyob ua lub qhov muag ntxi pliv; ua lub qhov muag rua: *Nws zaum plhe muag laws ntawm kev.*
[English] (adv) Widely opened and used to describe the word "plhe."

laws les (y,pu) Lub suab uas tham tsis paub tsum: *Nws hais laws les rau kuv.*
[English] (n,adv) To pester, esp. when keep asking for the same thing.

laws lum (pu) Nqos xws li mov ntau heev: *Tus menyuam nqos mov laws lum.*
[English] (adv) To swallow food in a hurry or in a gobbling manner.

lawv[1] (t) Pab neeg uas yus piav losyog tham txog; feem ntau, yog coob tshaj ob leeg: *Wb muab rau lawv. Lawv yog neeg zoo.*
[English] (pron) They, their, theirs, them.

lawv[2] (u) Yuam kom mus; tav kom mus: *Nws lawv cov nyuj.*
[English] (v) To route or direct, animals, so that they go certain direction.

lawv[3] (u) Mus xws li nyob rau tomqab: *Peb lawv nej qab.*
[English] (v) To follow or be behind of someone.

lawv qab (u) Mus tabsis nyob tomqab xws li mus kev tej; ua qab: *Koj ua ntej es peb mam li lawv qab. Peb mam li lawv koj qab.* Lus rov: *Ua ntej.*
[English] (v) To follow; to be behind of someone.

le (p) <Lees> Li; xws li yog nws yam khoom losyog tug: *Pob mov yog koj le.*

© 2003 Jay Xiong. All rights reserved.

[English] (adj) <Leng> Used at the end of a sentence similar to the possessive form of his, her, my, their. Examples: Her car, his hat.

leeb (u) Sib zog tsuj roj xws li kom lub tsheb khiav ceev: *Nws leeb lub tsheb.*

[English] (v) Accelerate; to increase the speed of.

leeb nkaub (y) Ib hom noog uas ntsuab thiab tus kaus ncauj koov thiab luaj li tus nquab: *Ib pab noog leeb nkaub.*

[English] (n) Parrot or any parrotlike birds.

leeg[1] (y) Tej txoj uas tawv, dawb thiab feem ntau yog los tuav xws li cov nqaij cov pobtxha: *Mob nws txoj leeg puab tais.*

[English] (n) Tendon, ligament.

leeg[2] (y) Tus neeg; leej: *Cuaj leeg tuaj saib peb. Ib leeg tuaj xwb.*

[English] (n) Person, individual.

leeg nrob qaum (y) Txoj leeg loj uas nyob raws tus txha nrob qaum.

[English] (n) Spinal cord; spinal vein.

leeg puab tais (y) Cov leeg loj nyob ntawm sab puab tais, thiab tuav txhais ceg thiab lub cev ua ke: *Mob nws ob txoj leeg puab tais.*

[English] (n) The tough tendons located near the groin.

leeg raws (y) Ob txoj leeg uas nyob tomqab ntawm lub qhovraws.

[English] (n) The two tendons behind the knee.

leeg tsos (y) Cov leeg loj nyob ntawm qhovtsos thiab yog los tuav txhais npab thiab lub cev. Ib txhia kuj hais tias "leeg qhovtsos" no thiab.

[English] (n) The tough tendons located at the armpit that connected the arm and the body.

leej[1] (y) Tus, tug xws li leej tibneeg: *Kuv tsev neeg muaj yim leej.* Leej thiab leeg txhais tau tib yam: *Ib leeg tabsis kaum leej.*

[English] (n) Person, people.

leej[2] (u) Zoo thiab muaj raws li: *Nws zaj khawvkoob leej heev.*

[English] (v) True and precise; accurate.

leej[3] (y) Ua tej kab; tuaj thiab nyob ua tej kab losyog zoo xws li tej kab: *Nws cog tau ib leej pobkws.* Ib lub npe siv rau cov tub.

[English] (n) Row, column, line. Also a proper name for boys.

leej faj (y) Ib hom tshuaj daj~ uas ua tej pob zoo li cov pobzeb thiab Hmoob siv los zaws neeg tej: *Nws muaj ib thooj leej faj.*

© 2003 Jay Xiong. All rights reserved.

[English] (n) Sulfur. Also sulphur.

leem[1] (u) Muab xws li av losyog tej yam hmoov los txhub rau kom tiaj, xwm yeem, puv losyog du; meem: *Lawv leem txoj kev kom du.*

[English] (v) To pave; to surface, such as to cover with a pavement.

leem[2] (u) Mloog, yuav losyog ua raws li: *Nws yog ib tus neeg tsis leem cai.*

[English] (v) Obey, follow (the law or rule, for example).

lees[1] (u) Txais, yeem, kam, pomzoo; qhia tias yog: *Nws lees tias nws yog tus tub sab.* (pu) Siv pab cov lus ua xws li rais, tig: *Nws tig lees los saib peb.*

[English] (v) Admit, confess. (adv) Suddenly, quickly.

Lees[2] (y) Ib hom Hmoob uas hais lus ntog lossis dov nplaig, xws li lo lus "dawb" hais ua "dlawb", thiab "mus" ua "moog" no. Feem ntau, neeg hais tias "Hmoob Lees" no xwb.

[English] (n) Hmong Leng. Also known as Blue Hmong or Blue Mong. Certain kind of Hmong who speak the word "d" with a "dl" and having different dialect than the Hmong Der (White Hmong).

leg (y) Khuam kev; ua rau tsis yoojyim; ua rau nyuaj; ua rau tabkaum: *Kuv tuaj ua koj leg xwb.* (u) Pab, ua, khiav: *Nws leg txoj num zoo heev.*

[English] (n) Trouble, burden, hardship. (v) To handle; to take care of.

lej (y) <Lostsuas> Cov ntawv suav; ntawv zauv xws li 1, 2, 3 ltn...

[English] (n) <Laotian> Number, numeric.

lem (u) Tig rau lwm qhov; ua kom mus tsis ncaj: *Lub tsheb lem rau tom qabke.*

[English] (v) Turn.

lem cees (p) Lem heev; nkhaus vos: *Tus nab pw lem cees hauv kev.*

[English] (adj) Having or marked by bends, curves.

lem coj-lem cees (p) Lem heev; nkhaus rau ub, nkhaus rau no: *Tus nab mus lem coj lem cees.*

[English] (adj) Having a zigzag; having curves in alternating directions.

lem fias (u) Lem kiag rov; tig kiag rov los: *Tus nab leem fias los ntawm peb.*

[English] (v) To turn quickly; to suddenly turn.

lev (y) Daim pua pw uas yog neeg muab xws li xyoob los fiab: *Pw saum daim lev.*

[English] (n) Mat, esp. the kind made with bamboo or straw.

lev les (y) Tej lub menyuam raj tshuab zoo li raj nplaim, tabsis yog muab kav nplej losyog menyuam xyoob los ua xwb: *Nws txawj tshuab lev les.*

© 2003 Jay Xiong. All rights reserved.

[English] (n) A musical instrument made with rice straw or small bamboo.

li[1] (r) Xws li, zoo li; tib yam uas: *Loj luaj li txhais tes. Zoo li lub tsev.*
[English] (prep) Like, similar to.

li[2] (u) Ua rau qhov muag me losyog tsis pomkev zoo: *Nws qhov muag li vim nws tsis tau tsaug zog li.*
[English] (v) Causing or making the eyes tiresome or sleepy.

li[3] (u) Muab ob tus rau tes los sibnias, xws li kom mub thiab tuv tuag tej.
[English] (v) To make the two nails of the two thumbs come together as to crush something. This term is mostly used when one is trying to kill lice by crushing a louse with the tips of the two nails.

li[4] (p) Yog yus li; yus yam; li: *Nws siv nws li nyiaj.* (y) *Nws siv nws li xwb.*
[English] (adj) His, hers, theirs. (n) Of one's own; one's own belongings.

li cas (pu) 1. Pestsawg; npaum twg: *Nws muaj li cas?* 2. Ua mus txoj kev twg: *Wb ua li cas? Nej hais li cas?*
[English] (adv) 1. Much or many. Ex: He has how much? 2. What, how.

li muag (u,p) Ua rau qhov muag li xws li yog mob tej.
[English] (v,adj) An eye which is red due to infection or lack of sleep.

li nrho (pu) Siv pab cov lus xws li tag, xaus, dhau ltn... *Lub xyoo laus tag li nrho.*
[English] (adv) Already, suddenly.

li plaws (pu) Siv pab cov lus xws li tawm, tshwm, dhia: *Lub hnub tawm liplaws.*
[English] (adv) Appear quickly.

li tej hov (y) <Lees> Ntau yam uas tsis hais npe losyog hais txog. Lus nyob yog lth... Lus Hmoob Dawb kuj siv xws li "li tej ntawv" losyog ltn...
[English] (n) Et cetera, etc...

li tej ntawv (y) Ntau yam uas tsis hais npe losyog hais txog. Lus nyob yog ltn... Lus Hmoob Lees kuj siv xws li "li tej hov" losyog lth...
[English] (n) Et cetera, etc...

li ub-li no (pu) Hais ntau yam uake; lob ntau yam los hais: *Nws tsis xav them nyiaj rau peb es nws hais li ub-li no.*
[English] (adv) Mention many things; this and that.

li yeev (pu) Muaj losyog yog li: *Nws ua nkauj li yeev nyob.*
[English] (adv) Such as; like such.

liab[1] (y) Ib hom tsiaj uas zoo li nyaj, tabsis tsis muaj tw ntev: *Ib pab liab.*

© 2003 Jay Xiong. All rights reserved.

***[English]** (n) Monkey.*

liab[2] (y) Tsuas uas zoo xws li cov ntshav: *Liab yog ib hom tsuas.* (u) *Lub txiv liab vim nws siav lawm.* (p) Yam uas liab: *Ib daim ntaub liab.* Ib lub npe uas siv rau cov tub.

***[English]** (n,v,adj) Red, such as the color red. Also a proper name for boys.*

liab doog (p) Muaj tsuas liab txuam rau doog lossis tsaus: *Daim ntaub liab doog.*

***[English]** (adj) Dark red; dark brownish-red color.*

liab npog muag (y) Ib hom tsiaj uas zoo li liab, tabsis nws me.

***[English]** (n) Certain kind of animal similar to a monkey but it is smaller.*

liab plaim (p) Liab~ heev: *Nws pleev nws daim dincauj liab plaim.*

***[English]** (adj) Red, esp. very red.*

liab pliv (p) Muaj tsuas liab tsimtsawv; liab tsis ntau heev: *Thaum lub hnub poob lawm ces tsuas pom lub qab ntuj liab pliv puag tim npoo ntuj xwb.*

***[English]** (adj) Reddish, somewhat red.*

liab ploog (p) Liab~ heev: *Nws noj cov kua txob liab ploog.*

***[English]** (adj) Red, esp. very red.*

liab qab (u) Tsis hnav dabtsi; tsis hnav ristsho: *Tus menyuam liab qab.* (p) Tus uas tsis hnav ris tsho: *Nws nyiam pw liab qab.*

***[English]** (v,adj) Bare, such as having no clothes on; naked, nude.*

liab tseb (p) Liab tsis heev: *Ob daim nplooj liab tseb.*

***[English]** (adj) Reddish; sort a red.*

liab twm hawj (y) Ib hom liab uas loj heev: *Ib pab liab twm hawj.*

***[English]** (n) Certain kind of monkey, esp. the bigger kind.*

liab vog (p) Muaj tsuas liab ntau qhov chaw; muaj liab cuag cas: *Hluav taws kub liabvog tim roob. Cov pob tawm liab vog thoob ib ce.*

***[English]** (adj) Red, esp. all over.*

liag[1] (y) Rab uas nkhaus, muaj hniav ntse, thiab neeg siv los hlais nplej tej: *Siv liag los hlais nplej.* Ib lub npe uas siv rau cov ntxhais.

***[English]** (n) Sickle. Also a proper name for girls.*

liag[2] (pu) Lawv qab ze heev; caum qab ze~: *Nws lawv liag peb qab.*

***[English]** (adv) To quickly follow (someone, for example) closely.*

liaj[1] (y) Ib hom noog uas zoo li tus dav, tabsis nws me zog: *Ib tus liaj .*

***[English]** (n) Falcon.*

© 2003 Jay Xiong. All rights reserved.

liaj[2] (u) Muab xauv; muab kaw xws li kom qhib tsis tau: *Nws liaj lub qhovrooj.*
***[English]** (v) Lock, such as to lock a door, for example.*

liaj[3] (y) Daim av losyog teb uas tso dej rau es mam li cog nplej: *Nws muaj ib daim liaj. Neeg Lostsuas nyiam ua liaj hos Hmoob nyiam ua teb.*
***[English]** (n) Paddy, esp. irrigated or flooded field where rice is grown.*

liaj[4] (y) Tus ntoo losyog hlau uas neeg siv los xauv xws li lub qhovrooj tej: *Siv tus liaj los liaj lub qhovrooj.*
***[English]** (n) A handle or lever used for locking gates or doors; a lock.*

liaj ia (y) Daim liaj losyog cov liaj: *Nej lub tebchaws muaj liaj ia ntau.*
***[English]** (n) Paddy, rice paddy.*

liaj teb (y) Liaj thiab teb; liaj ia: *Nej lub tebchaws muaj liaj teb ntau.*
***[English]** (n) Paddy and farm fields in general.*

liam[1] (u) Hais tias muaj li; dag tias muaj li; txhobtxwm hais tias yog: *Nws liam tias peb nyiag nws cov nyiaj.*
***[English]** (v) Accuse, allege.*

liam[2] (u) Puas, phem, ntsoog: *Lub tsheb liam tag.*
***[English]** (v) Ruin, broken, ruined.*

liam[3] (u) Puas tsuaj, tsis tsim txiaj: *Nws liam heev vim nws haus yeeb.*
***[English]** (v) Of, or relating to, being financially poor or ruined.*

liam fab (nu) Thub laj; tsis quavntsej: *Peb liam fab noj nws cov mov.*
***[English]** (aux. v) Ignore, forget about.*

liam moj (u,p) Tsis kam tsum; tsis tais losyog nyoo li. Feem ntau siv rau thaum xws li qaib sib ncaws tej: *Tus qaib me liam moj es nws thiaj yeej tus qaib loj.*
***[English]** (v,adj) Endure, such as when fighting, as not to give up even when one is not likely to win.*

liam sim (u) Puas losyog phem; liam mus; puas uas xws li tsis zoo: *Lub tebchaws liam sim tas.* (p) Yam uas puas tsuaj lawm.
***[English]** (v,adj) Broken, ruin.*

liam txwv (u,p) Phem, puas, tsis zoo lawm: *Lub tebchaws liam txwv tag.*
***[English]** (v,adj) Broken, ruin.*

lias[1] (pu) Ua kiag thiab siv pab cov lus xws li ua lias, qaim lias, khawm lias ltn...
***[English]** (adv) Suddenly, quickly.*

lias[2] (pu) Uas xws li; kuj zoo li thiab: *Nws kuj lias hloov lawm ntau.*

© 2003 Jay Xiong. All rights reserved.

[English] (adv) Even.

lib (u) Mus tsuj; mus kov xws li cov av nkos tej: *Npua lib av.* Ib lub npe neeg.

[English] (v) To play in (mud or puddle, for example). Also a proper name.

lig (u) Tuaj, los losyog muaj tomqab ntawm lub caij uas teem cia: *Nws lig heev.* (p) *Nws tuaj lig heev.* Lus rov: *Ntxov.*

[English] (v,adj) Late, delay, tardy. Ant: Early.

lig xov (y) Lub uas muab cov xov kauv rau: *Nws muaj ib lub lig xov.*

[English] (n) Spool (a spool full of thread, for example).

lij[1] (u) Muab tshum losyog laum mus: *Muab pas lij lub qhov.*

[English] (v) To drill, esp. by using a stick or finger, through an existing hole.

lij[2] (u) Muab xws li ntiv tes los laum: *Nws lij kuv phab tav.*

[English] (v) Tickle.

lij xeeb (y) Lub losyog yam uas tsim txoj kev xav nyob ntawm neeg losyog tsiaj tej; tswv yim: *Nws lub lij xeeb zoo nws thiaj kawm tau ntawv zoo.*

[English] (n) Idea, thought, brain.

lim[1] (u) Muab tshau losyog cais tawm mus: *Muab daim ntaub lim cov dej.*

[English] (v) Filter, screen, purify.

lim[2] (u) Sab, nkees, tsis muaj zog: *Nws lim vim nws ua teb ib hnub.*

[English] (v) Tire, such as being fatigue; of or characterized by lethargy.

lim hiam (u) Siab phem; siab dub; siab tsis ncaj. Feem ntau yog piav txog yam kev phem uas txhob txwm ua: *Nws lim hiam rau peb xwb.* (p) Piav txog tus neeg uas lim hiam: *Nws yog ib tus neeg lim hiam.* Lo lim hiam thiab lim xyiam yog txhais tib yam xwb.

[English] (v,adj) Mean, cruel, brutal, malicious.

lim lias (pu) Ntau zog losyog tsim tsawv: *Dub lim lias; dawb lim lias.*

[English] (adv) Somewhat; to some extent.

lim liv (pu) Siv los piav txog cov lus xws li daj: *Daim ntaub daj limliv.*

[English] (adv) Somewhat; to some extent.

lim lus (pu) Muaj mentsis; tsim tsawv; feem ntau yog siv los piav txog lo "xiav": *Lub tsho xiav lim lus.*

[English] (adv) Somewhat; to some extent.

lim tiam (y) Lub sijhawm losyog lub caij nyoog uas muaj xya hnub: *Ib xyoos muaj 52 lub lim tiam.* Ib txhia neeg kuj hais tias "lis piam" no thiab.

© 2003 Jay Xiong. All rights reserved.

[English] (n) Week. Ex: There are seven days in a week.

lim xyiam (u) Siab phem; siab dub; siab tsis ncaj. Feem ntau yog piav txog yam kev phem uas txhob txwm ua: *Nws lim xyiam rau peb xwb.* (p) Piav txog tus neeg uas lim xyiam: *Nws yog ib tus neeg lim xyiam.* Lo lim xyiam thiab lim hiam yog txhais tib yam xwb.

[English] (v,adj) Mean, cruel, brutal, malicious.

lis[1] (u) Mus ua; saib xyuas: *Nws lis nws tej haujlwm zoo heev.*

[English] (v) To handle; to take care; to do.

lis[2] (y) Tej txoj kab losyog kev uas muaj nyob hauv plawv ntawm cov ntoo. Feem ntau yog ua rau tuab thiab tawv heev: *Txiav ntoo raws lis yooj yim dua.*

[English] (n) Grain, such as the pattern of the fibrous tissue in wood.

Lis[3] <Suav> Ib lub xeem Hmoob. Ib lub npe uas siv rau cov tub.

[English] <Chinese> One of the Hmong's clan name, Lee. Also a proper name for boys.

lis piam (y) Lub sijhawm losyog lub caij nyoog uas muaj xya hnub: *Ib xyoos muaj 52 lub lis piam.* Ib txhia neeg kuj hais tias "lim tiam" no thiab.

[English] (n) Week. Example: There are seven days in a week.

lis xaus* (y) Ob hnub uas kawg ntawm lub lis piam; hnub rau thiab hnub xya.

[English] (n) Weekend.

lis zoj (pu) Siv los pab lo dag, ua: *Nws ua lis zoj.* Feem ntau yog siv nyob rau lub caij hais kwv txhiaj: *Wb dam lis zom (suab kwv txhiaj).*

[English] (adv) As such; suddenly.

liv nyug (y) Ib hom noog uas zoo li tus dav, thiab nws quaj nyob rau hmo ntuj: *Ib tus liv nyug.* Ib txhia neeg kuj hu ua "dav liv nyug" no thiab.

[English] (n) Hawk, esp. the kind that hunt during the night.

lo (u) Nplaum rau: *Mov lo txhais tes.* (y) 1. Tej los xws li puv lub qhov ncauj; los: *Nws noj tau ib lo mov.* 2. Tej los lus: *Ib lo lus phem.*

[English] (v) Stick, affix, glue. (n) 1. Mouthful, a bite. 2. Word, esp. when uttering or speaking it.

lob (u) Muab, rub los, khaws; yuav xws li khoom tej: *Nws lob ntau yam khoom.*

[English] (v) Grab, take, collect.

lob laig (y) Ib hom noog uas cov lau muaj cov plaub liab tabsis cov poj li daj.

[English] (n) Certain kind of bird, esp. the kind that the male is red and the

© 2003 Jay Xiong. All rights reserved.

female is yellow and exists mostly in Laos.

loe* (nth) Piav txog lub sijhawm uas xws li tsis zoo losyog muaj dabtsi poob tej; loej: *Nws tuaj qeeb ua luaj li loe! Xyov li loe!*
[English] *(interj) Ho, what, why.*

loej* (nth) Siv tib yam li lo lus loe: *Nws tuaj qeeb ua luaj li loej! Xyov li loej!*
[English] *(interj) Same as word "loe" above.*

log (y) Tej lub kheej thiab ua los tso rau hauv qab ntawm lub tsheb es kom xws li lub tsheb ntog tau mus: *Tsheb muaj plaub lub log.*
[English] *(n) Wheel.*

log cam (y) Lub losyog yav ntoo uas neeg siv los tiag kom zoo muab riam txhoov losyog txiav nqaij tej: *Txhoov nqaij saum lub log cam.*
[English] *(n) Cutting board or a chopping block.*

log laig (pu) Muaj cuag li cas; muaj ntau heev: *Pom hneev taw log laig.*
[English] *(adv) Everywhere; in all places.*

loj[1] (u) Huam, vam, dav losyog siab tuaj: *Tus dej loj vim los nag tau ntau hnub.* (p) Piav txog yam uas loj: *Nws nyiam lub tsev loj xwb.* Lus rov: *Me, yau.*
[English] *(v) Grow, enlarge, getting bigger; expand. (adj) Big, large, huge. Ant: Small, little.*

loj[2] (p) Nyob rau qib siab; nyob rau theem siab uas xws li kev ua nom: *Cov nom loj hais lus txawv cov nom me.*
[English] *(adj) High, important, prestigious, esp. such as holding high and important position.*

loj cov (y) Cov tawb uas neeg fiab thiab siv los yawm ntses.
[English] *(n) Certain kind of fishing net.*

loj cuj (y) Lub kauj xauv neeg kotaw: *Siv lub lojcuj xauv nws ob txhais taw.*
[English] *(n) A metal ring used to lock the ankle; shackle.*

loj faj (y) Lub tsev uas siv los kaw cov neeg tubsab thiab neeg phem: *Lawv muab cov tubsab kaw rau hauv lub tsev loj faj.*
[English] *(n) Prison, confinement.*

loj leeb[1] (u) Khiav mus uas xws li tsis ua num li: *Nws loj leeb txhua hnub.* (y) *Niag loj leeb tuaj txog ntawv. (p) Tsis nyiam cov neeg loj leeb.*
[English] *(v) To wander or travel around. (n,adj) Transient.*

loj leeb[2] (u) Mus cuav zos losyog mus ncig ua si: *Peb mus loj leeb tim lawv zos.*

© 2003 Jay Xiong. All rights reserved.

(p) *Nws yog ib tus neeg loj leeb.*
***[English]** (v) To visit (friends, for example).*

loj lees (pu) Tig mus, tig los: *Lub ntiaj teb tig loj lees. Ncig loj lees txog ntawv.*
***[English]** (adv) Being rotated; being turned around.*

loj nteev (p) Loj uas xws li tsis ntshai losyog tsis txhawj: *Nws ua siab loj nteev nyob. Nws ua siab loj nteev mus.*
***[English]** (adj) Courageous, brave; to act tough or courageously.*

loj xov (pu) Tas nrho; huv si; tsis tseg ib yam li: *Nws loj xov cem peb.*
***[English]** (adv) Altogether, all, whole, completely.*

lom[1] (u) Muab xws li tshuaj rau noj losyog haus, xws li kom muaj mob losyog tuag tej: *Lawv lom cov ntses. Lawv lom tus tsov.*
***[English]** (v) Poison.*

lom[2] (u) Muab txhaus losyog ua kom qaug: *Lawv muab cawv lom peb.*
***[English]** (v) To force someone to drink excessively.*

lom[3] (y) Zaug, zaus, lwm: *Koj tuaj ib lom es peb twb tsis muaj dabtsi pub koj.*
***[English]** (n) Instance, occurrence, time.*

lom kaub (y) Ib hom noog uas nyiam qog lus, thiab txawj hais lus yog qhia thaum me los. Nws muaj cov plaub dub thiab nyob rau ntawm nws lub tobhau muaj ob daim tawv nqaij daj thiab liab tseb: *Ib tus noog lom kaub.*
***[English]** (n) Hill myna; any of several birds of the family myna.*

lom txwm (u) Tabmeeg, xwbtim, txhobtxwm: *Nws lom txwm xwb.* (pu) *Nws lomtxwm hais phem. Nws lomtxwm cem peb.*
***[English]** (v) To do, something, with a purpose. (adv) Purposely, intentionally.*

lom vab~ (pu) Muaj suab nrov li ub, li no; muaj ntau lub suab nrov losyog qw: *Mob nws txhais taw es nws qw lom vab~.*
***[English]** (adv) Noisily, boisterously.*

lom zem (u) Muaj kev nyiam thiab ua rau zoo siab: *Lub Pebcaug no lom zem heev.* (p) *Nws tham lom zem kawg li.*
***[English]** (v,adj) Fun, joyful.*

loo (pu) 1. Ua kiag. Siv los pab cov lus ua xws li lav, khav, thaiv, hais, cev ltn... *Nws lav loo lawv cov nyiaj. Nws nqa loo, tsa loo, npuab loo ltn...* 2. Ntev tsawv: *Nws mus ntev loo.*
***[English]** (adv) 1. Do, esp. without hesitation; immediately. 2. Somewhat.*

© 2003 Jay Xiong. All rights reserved.

loob[1] (u) Tsis hnov lus lawm; lag ntseg lawm: *Nws loob es nws thiaj tsis hnov lus.*
[English] *(v) To be deaf.*

loob[2] (u) <Lostsuas> Hu nkauj; seev suab hais zaj lus: *Nws loob phee zoo heev.*
[English] *(v) <Laotian> Sing, chant.*

loob tswb (u) Lag ntseg; tsis hnov lus zoo: *Nws loob tswb dhau.* (p) Piav txog tus neeg losyog tsiaj uas tsis hnov lus zoo.
[English] *(v,adj) To be deaf; deaf and/or unable to hear.*

loog[1] (u) Ua rau tsis hnov: *Txhais taw loog.* (p) Yam uas loog.
[English] *(v,adj) Numb.*

loog[2] (y) Muaj nyob ncig zoo xws li lub vaj; lub vaj loog: *Mus ua si tom lub loog.*
[English] *(n) A fenced in area; an enclosed area, esp. with walls around.*

looj[1] (u) Muab xws li lub hnab los qhwv: *Muab lub hnab looj nws txhais tes.*
[English] *(v) To wear or put on, esp. things such as glove and hat.*

looj[2] (u) Los ua rau kom tsis hnov losyog tsis xeev: *Dab looj nws lawm.*
[English] *(v) To make, a person, unconscious or unaware of.*

Looj Ceeb Ib lub zos Hmoob uas nyob rau tebchaws Lostsuas uas thaum ub Hmoob nyob coob heev. Lub zos no yog ib lub zos uas nais phoo Vaj Pov thiab haiv neeg Hmoob tau los tiv thaiv Nyablaj thiab Nplog Liab tau ntau xyoo. Thaum 1975 Lostsuas tau swb rog ces Hmoob thiaj li tau khiav tawm mus rau Thaib teb, Miskas, Fabkis thiab ntau lwm lub tebchaws.
[English] *A name of a popular city in Laos where most Hmong used to live and fought a major war against the North Vietnamese during 1965-1975. General Vang Pao, a Hmong nationality, was the General Commander in charge of that (known as the 5th) region or district.*

looj hlias (pu) Tsis nco losyog tsis hnov uas xws li thaum tsaug zog lawm: *Nws tsaug zog looj hlias es peb hu nws thiaj tsis hnov.*
[English] *(adv) Unconsciously.*

looj koov (u) Ua nyuaj rau; tsim txom losyog ua kom ntxhov: *Nws cov Dab Neeb loojkoov es nws thiaj li mob. Tus menyuam loojkoov heev.*
[English] *(v) To bother; to harass; to torment, esp. by ghosts or spirits.*

looj loog (y) Hwj huam ntawm tus neeg: *Yus looj loog duav yus thiaj li yeej.*
[English] *(n) Spiritual power of a person.*

looj mem (y) Thaj av losyog qhov chaw ntawm lub ntxa. Ib txhia Hmoob ntseeg

© 2003 Jay Xiong. All rights reserved.

tias yog yus muab tej pog losyog yawg uas tuag lawm faus rau qhov chaw zoo, xws li yog tau looj mem zoo, ces yus thiab yus tej menyuam yuav vammeej thiab ua neej zoo: *Nws tau nom ua vim nws yawg tau looj mem zoo.*
***[English]** (n) Geomancy.*

loos[1] (u) Ua ntxiv; ua kom txaus losyog ntau rau: *Nws tua tus tsov tsis tuag es nws loos kom tuag.*
***[English]** (v) To do again; to repeat as to finish or complete.*

loos[2] (u) Nqawm, xaws, zoo uas xws li tsis muaj qhov: *Lub qhovtxhab tsis loos li.*
***[English]** (v) To close or seal (a wound, for example). To heal, i.e., a wound.*

los[1] (u) Rov mus ntawm qhov chaw uas tuaj: *Nws los lawm.* Mus rau ntawm qhov chaw: *Nws los ntawm kuv.* (pu) *Koj tuaj los.*
***[English]** (v) Come, came; return, arrive. (adv) Too, as well.*

los[2] (y) Tej lo lus; ib lo lus: *Nws hais ib los lus phem.* 2. Puv ib qhov ncauj: *Noj tau ib los mov.*
***[English]** (n) 1. Word, esp. when say or utter a word. 2. A mouthful, a bite.*

los[3] (u) Txeej losyog ntws mus rau hauv: *Dej los tsev.*
***[English]** (v) To leak, such as water, into a house.*

los[4] (u) Muaj tawm tuaj: *Txhais tes los ntshav; nws los kua muag.*
***[English]** (v) To bleed; to excrete; to shed (tear, for example).*

los[5] (u) Muab faus rau hauv av; log: *Lawv los tus neeg tuag.*
***[English]** (v) Bury, such as to place in the ground.*

los kaj (nth) Siv los nug lwm tus neeg xws li: *Koj vwm lawm los kaj!*
***[English]** (interj) Used at the end of the sentence sort of like a question mark.*

los kuj (pu) Thiab, zoo li, tib yam li: *Nws los kuj nyiam kuv.*
***[English]** (adv) Also, even, same.*

los mas (lm) Siv rau tom kawg: *Yog li ntawv los mas.* Los maj thiab los mav kuj siv mus tib yam, tabsis nws kuj nyob ntawm lub suab uas tus neeg hais xwb.
***[English]** (sw) Right, and use at the end of a sentence to express friendliness.*

los plhu (u) Ua rau lub ntsej muag tshiab tuaj xws li tsis muaj mob lawm: *Ntu no nws los plhu thiab zoo nkauj heev.*
***[English]** (v) Becoming healthier or stronger, such as not looking so sick.*

los puas (tx) Lossis, losyog thiab siv los txuas ob zaj lus: *Txawm yog nws yau los puas nws hlob los nws yog peb ib tsev neeg.*

© 2003 Jay Xiong. All rights reserved.

[English] (conj) And/or.

los sav (pu) 1. Uas yog li; uas twb muaj dhau los: *Koj muab rau nws los sav.* 2. Tib yam, thiab: *Nej tuaj los sav.*

[English] (adv) 1. True? Right? 2. Too, same, also.

los siav (u) Txaus siab; ntxim siab; txaus yees; zoo siab: *Haus kua zaub tsuag mas los siav heev.*

[English] (v) Satisfy, content; fully relaxed or satisfied.

lossis (tx) 1. Txawmtias; ho muaj li; twb yog: *Lossis nws tsis paub es nws thiaj ua txhaum.* 2. Losyog: *Koj lossis koj tus menyuam tuaj los tau.*

[English] (conj) 1. Even though, however. 2. Or. Ex: You or your kid.

Lostsuas (y) 1. Lub tebchaws uas nyob nruab nrab ntawm Thaib thiab Nyablaj. Peb khiav ntawm lub tebchaws Lostsuas tuaj. 2. Cov neeg nyob rau tebchaws Lostsuas losyog tebchaws Nplog. 3. Hais txog Lostsuas cov lus, neeg lossis lawv tej kabke.

[English] (n) 1. A country southeast Asian called Laos. 2. The people of Laos, also known as Laotian. 3. Of or relating to the language of Laos.

losxij (pu) Tsis ua li cas; puam chawj; las mees: *Koj tsis ua losxij.*

[English] (adv) Alright, never mind.

losyog (tx) Lossis, uas yog lwm yam: *Nws muab rau koj losyog muab rau kuv?*

[English] (conj) Or but mostly used as "and/or." Ex: He and/or she can go.

lov[1] (u) Muab dam; muab xws li ib ya ua kom tu ua ob ya: *Lov tus pas ua ob ya.*

[English] (v) Break, esp. one piece, into two or more pieces.

lov[2] (u) Rho, poob losyog plam: *Nws tus hniav lov lawm.*

[English] (v) To uproot, esp. such as to pull out a tooth.

lth...(y) Le tej hov; li tej ntawv; ntau yam uas tsis hais npe losyog hais txog.

[English] (n) Et cetera, etc...

ltn...(y) Li tej ntawv; ntau yam uas tsis hais npe losyog hais txog. Lus Hmoob Lees kuj siv xws li "li tej hov" losyog lth...

[English] (n) Et cetera, etc...

luab (u) Mus qiv; mus txais lwm tus lis los siv: *Nws luab lawv nyiaj.*

[English] (v) To borrow; to use or take someone's resource and pay later.

luab lim (u) Ua num rau lwm tus neeg; ua xeeb txob lwm tus: *Luab lim koj xwb.*

[English] (v) To bother; to give work or trouble to others.

© 2003 Jay Xiong. All rights reserved.

luag[1] (u) Ua kom muaj lub suab nrov xws li tawm hauv lub qhov ncauj los. Feem ntau yog muaj rau lub sijhawm zoo siab heev: *Nws luag vim nws zoo siab.*
[English] (v) Laugh, cackle, giggle.

luag[2] (u) Ua rau lub qhov ncauj ntxi losyog rua, xws li thaum muaj kev zoo siab thiab nyiam tej: *Nws luag vim nws nyiam koj.*
[English] (v) Smile.

luag[3] (u) Muab cab lawv qab; muab rub lawv qab: *Nws luag yav ntoo.*
[English] (v) Drag, haul; to pull, something, behind.

luag[4] (t) Lwm tus neeg; lawv, luag tej: *Luag nyiam cov neeg zoo. Muab rau luag.*
[English] (pron) Other people, someone.

luag[5] (y) Nrog nyob, mus lossis uake, xws li kom lwm tus neeg tsis ntshai: *Thov koj ua kuv luag mus nuv ntses.*
[English] (n) Companion.

luag hauj lwm (y) Dejnum, haujlwm, num lossis yam uas yuav tsum ua: *Cheb tsev, ntxuav tais, thiab luaj teb yog neeg tej luag hauj lwm.*
[English] (n) Work, duty, job. Ex: Cleaning the house is my job.

luag ntxhi (u) Kheev luag; nyiam luag uas xws li yog zoo siab: *Nws luag ntxhi rau koj xwb.* (pu) *Nws hais lus luag ntxhi rau koj.*
[English] (v) Smile. (adv) Smilingly, smiley.

luag nyav (u) Kheev luag; nyiam luag uas xws li yog zoo siab: *Nws luag nyav rau koj xwb.* (p,pu) *Nws hais lus luag nyav rau koj.*
[English] (v) Smile. (adj) Smiley. (adv) Smilingly, smiley.

luag tej (t) Lwm tus neeg; luag lwm tus; lawv: *Luag tej tsis phem li nej.*
[English] (pron) Other, other people, someone else.

luaj[1] (u) *Muab txiav losyog ntov xws li xyoob thiab ntoo tej: Peb luaj teb.*
[English] (v) To cut down or chop, esp. trees and bushes for farming.

luaj[2] (u) Loj losyog me li: *Nws luaj koj.* (pu) Muaj npaum li; muaj li hais: *Kuv nco koj luaj no.*
[English] (v) Is as big; having same size. (adv) Like, as such.

luaj zus (pu) Tsis tseg ib yam; loj xov; tas nrho: *Nws luaj zus cem peb.*
[English] (adv) Altogether, entirely.

luam[1] (y) Kev yuav thiab muag khoom tej; kev lag luag: *Nws tuaj ua luam.*
[English] (n) Trade, business, esp. when dealing with buying and selling.

© 2003 Jay Xiong. All rights reserved.

luam[2] (u) Muab tsuj losyog nias rau hauv av uas xws li muab txhais taw losyog tsheb lub log txav mus los: *Tsheb luam tus nab.*
[English] *(v) To run over (something, for example).*

luam[3] (pu) Pw xws li muab lub cev xyab rau hauv pem teb: *Tus menyuam da luam rau hauv av.*
[English] *(adv) Quickly, immediately, esp. such as to lie on the floor.*

luam dej (y) Mus thiab ntab nyob rau hauv dej: *Nws txawj ua luam dej.*
[English] *(n) Swimming.*

luam laws (y) Ib hom nroj tsw qab uas neeg siv los xyaw nqaij noj: *Neeg siv luam laws los xyaw nqaij.*
[English] *(n) Certain kind of herb used for seasoning.*

luam laws pos (y) Ib hom nroj tsw qab uas neeg siv los xyaw nqaij noj: *Neeg siv luam laws pos los xyaw nqaij.*
[English] *(n) Certain kind of herb used for seasoning.*

luam lees (y) Muaj losyog zoo li cov leeg; ua leeg daws: *Thooj nqaij yog luam lees ntau xwb.* (p) Yam uas zoo li leeg: *Thooj nqaij ua luam lees heev.*
[English] *(n) Tendon. (adj) Being or having tendon.*

luam luab (u) Tsim txom; ua phem rau: *Dab phem los luam luab xwb.*
[English] *(u) Bother, torture.*

luam taw (u) Muaj ntau heev; muaj pawglug ntawm tej: *Cov txiv luam taw.*
[English] *(v) To step on (things) easily, such as the things are everywhere.*

luam taw laws (pu) Muaj ntau heev; muaj pawg lug ntawm tej: *Cov txiv poob luam taw laws.*
[English] *(adv) All over the place; everywhere.*

luam yeeb (y) 1. Ib hom nroj neeg cog los haus cov nplooj: *Nws haus luam yeeb. Nws cog tau ib thaj luam yeeb.* 2. Cov tej pob losyog tej tus luaj li ntiv tes, uas yog muab cov nplooj luam yeeb qhuav ua, thiab neeg siv ntais los hlawv es haus cov pa: *Ib hnub nws haus tas tsib pob luam yeeb.*
[English] *(n) 1. Tobacco. 2. Cigarette.*

luas[1] (u) Muab riam hlais kom cov rog tawm ntawm cov nqaij mus: *Nws luas cov nqaij rog tawm.*
[English] *(v) To trim, esp. the unwanted fat from the lean, off.*

luas[2] (pu) Kiv losyog poob kiag rau, xws li hauv av tej: *Daim nplooj kiv luas los.*

© 2003 Jay Xiong. All rights reserved.

[English] (adv) Quickly, immediately.

luav (y) Ib hom tsiaj uas zoo li nees tabsis me: *Ib pab luav.*
[English] (n) Donkey.

lub[1] (y) Yam khoom; thaj chaw; thooj thiab feem ntau siv rau cov khoom uas kheej xwb: *Nws muaj ntau lub.*
[English] (n) Things, esp. objects, that are round.

lub[2] (h) Yam uas yog lub: *Lub paj, lub tsev, lub ris ltn...*
[English] (cl) Used for round objects.

lub[3] (u) Ua rau mob losyog tsis zoo mloog: *Lub nws sab qhov muag heev.*
[English] (v) Irritate or hurt, esp. when there is something in the eye.

lug[4] (u) Mus lwm txoj kev xws li kom tsis txhob ncaj: *Peb lug lub pas dej.*
[English] (v) To go around; to bypass; to avoid.

lug[5] (u) Tuaj khiav; tuaj saib xyuas uas xws li kev phooj ywg: *Nws lug peb.* (pu) 1. Muaj ntau: *Nws tawm hws lug; nws kaj siab lug; ncho pa lug ltn...* 2. Muab qhib cia; muab cuab tos: *Nws qhib qhovrooj lug tos peb.*
[English] (v) To visit, esp. to make friends. (adv) 1. Much, more, many. 2. Openly, widely.

luj[1] (u) 1. Muab xyuas seb hnyav npaum li cas: *Nws luj cov nqaij cas.* 2. Muab ob losyog ntau yam coj los saib, xav seb qhov twg zoo dua.
[English] (v) 1. Weight. 2. Compare, measure.

luj[2] (y) Ib hom tsiaj uas zoo li miv, tabsis nws lub tobhau me thiab txawj tom lwm cov tsiaj heev: *Luj tom nws cov qaib.*
[English] (n) Mongoose.

luj[3] (y) Lub pobtxha uas nyob rau tomqab ntawm txhais taw thiab txhais tes: *Neeg lub luj tshib thiab lub luj taws.*
[English] (n) 1. Heel. 2. Elbow.

luj[4] (u,p) <Lees> Loj. Lus rov: *Miv, me.*
[English] (v,adj) <Leng> Big, huge. Ant: Small, tinny, little.

luj khau (y) Qhov chaw ntawm txhais khau uas yog ua los rau lub pob luj taws.
[English] (n) The place of a shoe which made to hold the human heel.

luj laws (pu) Hais lus losyog tham xws li tsis tsum: *Nws tham lujlaws tom txaj.*
[English] (adv) To talk for very long time, esp. when mumbling; to mumble.

luj leg (pu) Ua lub suablawv lwm tus zaj lus: *Nws qog kuv lujleg.*

© 2003 Jay Xiong. All rights reserved.

[English] (adv) To utter in duplication of another's utterance, esp. in an unclear and annoying manner.

luj les (pu) Hais kom ua; thov kom ua xws li tsis paub tsum li: *Nws hais luj les kom peb mus.*

[English] (adv) To continuously ask, nag or request, esp. in an annoying manner.

luj loos (pu) Hais lus losyog tham tas mus li: *Nws tham lujloos tom txaj.*

[English] (adv) To talk for very long time, esp. when mumbling; to mumble.

luj luam (pu) Mus losyog nkag tsis ceev; tsis muaj zog nkag: *Nws da luj luam vim nws tsis muaj zog.* Ib txhia neeg kuj hais tias "luj lam" no thiab.

[English] (adv) To crawl slowly. To move or turn slowly, such as when one is very sick or ill.

luj lug (pu) Piav txog cov lus xws li lam, ci: *Tshav ntuj lam lujlug.*

[English] (adv) Brightly.

luj taws (y) Lub pobtxha uas nyob tomqab ntawm neeg txhais taw: *Ib txhais taw yuav tsum muaj ib lub pob luj taws. Mob nws lub luj taws.*

[English] (n) Heel.

luj tshib (y) Lub pobtxha uas nyob ruab nrab ntawm neeg yav caj npab thiab ua rau txhais npab quav tau mus, los: *Ib txhais npab muaj ib lub luj tshib.*

[English] (n) Elbow.

luj xeeb (y) Tej lub qe hlau: *Nws txawj ntaus luj xeeb.*

[English] (n) Metal ball, esp. used by Chinese as an instrument of defense.

lum thawj (y) Ob daim ntoo uas nyob hauv lub hleb thiab siv los thaiv rau pem tus tuag lub tobhau thiab ob txhais taw.

[English] (n) Two pieces of wood used to place at the head and the feet of a corpse, a dead human body.

lus (y) 1. Lub suab uas neeg hais losyog siv los tham: *Nws hais cov lus zoo xwb.* 2. Cov suab uas ib hom neeg siv ntawv: *Muaj ntau hom lus xws li lus Suav, lus Hmoob, thiab lus Thaib ltn...*

[English] (n) 1. Word, sound of human. 2. Language.

lus dev (y) Neeg cov lus uas tham txog kev sibdeev. Feem ntau, yog tham txog pojniam thiab txiv neej kev sibdeev xwb: *Nws nyiam hais lus dev xwb.*

[English] (n) Foul, esp. related to sex, conversation or language.

© 2003 Jay Xiong. All rights reserved.

lus nruas (y) Ib hom lus uas hais ua ib zaj rau lwm tus neeg twv seb txhais li cas.
[English] (n) Idiom.

lus rov (y) 1. Hais lus rovqab xws li tias zoo yog phem; loj yog me; dub yog dawb: *Nws siv lus rov rau peb.* 2. Cov lus hais ntxeev losyog tig: *"Nuam reeg" yog txhais tias "Neeg ruam." . "Neg pheem" yog txhais tias "Neeg phem."*
[English] (n) 1. Antonym. 2. Words or phrase that having the sound or vowels reversed or opposite, but when turn around, it will be the actual phrase.

lus sam (y) Zaj lus; cov lus uas xws li lwm tus hais los. Feem ntau yog siv rau lub caij hais tshoob kos xwb: *Lus sam ces niamtxiv hais li no, "Nej txawj tuaj los nej txawj rov..."*
[English] (n) Message, and mostly used at wedding negotiation only.

lus taum (y) Cov lus uas Hmoob hais ua zaj xws li kwv txhiaj tabsis lub suab txawv. Feem ntau yog pib hais tias, "Ua ciab, nkaum See..."
[English] (n) Certain kind of chant or singing sung by the Hmong.

lus txhiaj txhais (y) Tej zaj lus uas hais es kom lwm tus txhais seb zaj lus ntawv lub ntsiab yog li cas: "Rauv taws nram tiaj es ncho pa pem looj hiaj" txhais tias yog lub yeeb thooj.
[English] (n) Idiom; a special saying that the listener has to guess the true meaning of.

lus xaiv (y) Cov lus uas piav txog lwm tus neeg cov teebmeem. Feem ntau yog hais txog kev phem losyog yam uas tsis muaj tseeb xwb: *Ib zaj lus xaiv.*
[English] (n) Gossip, rumor.

luv[1] (u) Me uas xws li mus tsis deb; tsis ntev: *Txoj hlua luv heev.* (p) Yam uas tsis ntev ntawv. Lus rov: *Ntev.*
[English] (v) Short, such as having little length. (adj) Short. Ant: Long.

luv[2] (y) Ib hom noog me thiab dub uas muaj peev xwm ya ceev thiab ntev heev: *Cov noog luv yog ib hom noog uas ya tau ntev thiab nrawm heev.*
[English] (n) Swallow, such as the swift-flying passerine birds.

luv[3] (y) <Lostsuas> Lub tsheb: *Nws muaj ntau lub luv.*
[English] (n) <Laotian> Car, automobile.

luv[4] (u,p) <Lees> Lov.
[English] (v,adj) <Leng> Break, broken.

Luvkas (y) <Askiv> Ib phau ntawv ntawm phau Vajluskub lossis lus Askiv hu

© 2003 Jay Xiong. All rights reserved.

ua "Bible" thiab lo lus Askiv yog sau tias "Luke" no.
[English] (n) <English> Luke, esp. a name from the Bible.

lw (y) Txoj kab; txoj kev uas pom tias muaj tsiaj mus, los tej: *Nas txoj lw.*
[English] (n) Trace, such as made by footprint; path.

lwb lug (pu) Muaj ntau; muaj cuag li cas: *Nws cov hws tawm lwb lug.*
[English] (adv) All over; everywhere.

lwg (y) Tej lub dej uas muaj nyob saum nplooj thaum lub caij sawvntxov losyog tsaus ntuj tej: *Tebchaws muaj lwg yog tebchaws qoobloo zoo.* (u) Muab ua kom poob losyog plam mus: *Muab tus pas lwg cov nplooj ntoos.*
[English] (n) Dew. (v) To strike (leaves, for example), esp. such as to remove leaves from its stem using a rod or stick.

lwj (u) Yam uas tuag xws li tau ntev thiab ua rau cov nqaij phom thiab tsw: *Tus npua lwj vim nws tuag tau ntau hnub.* (p) *Muab lub dib lwj povtseg.*
[English] (v) Rot. (adj) Rotten.

lwj hlaus (y) Lub raj ntoo uas Hmoob siv los tshuab pa rau hauv lub qhovcub uas nyob rau hauv lub tsev ntaus hlau. Lub "foob xab" uas yog lus Suav: *Nws txua tau ib lub lwj hlaus.*
[English] (n) A cylindrical and hollow wooden device used by the blacksmith to generate wind, esp. for blowing wind to the fire where the metal is placed.

lwj kas (u) Ua rau lwj thiab muaj kas: *Tus dev uas tuag ces lwj kas tag lawm.*
[English] (v) Rot, esp. to decay with maggots.

lwj lam (u) Puas, phem, tsis zoo: *Vim lub tebchaws lwj lam. (p) Yam uas puas tsuaj lossis phem.*
[English] (v) Corrupt, damage. (adj) Of being corrupted or damaged.

lwj liam (p) Lam taus lam ua; hais txog ntau yam. Feem ntau yog siv xws li: *Ua lwj ua liam, hais lwj hais liam ltn...*
[English] (adj) Careless; not being concerned about right or wrong at all.

lwj xws (pu) Tabmeeg ua; txhobtxwm ua; xwbtim ua: *Nws lwj xws mus tsev.*
[English] (adv) Purposely, intentionally.

lwm[1] (u) Muab ua kom ncig: *Tus dav ya lwm cov qaib.*
[English] (v) To encircle; to go around as to circle.

lwm[2] (p) Txawv, tsis yog yam losyog tus ntawv: *Koj thov lwm tus. Tos lwm zaus.*

© 2003 Jay Xiong. All rights reserved.

[English] (adj) Other, different.

lwm[3] (p) Tus yau; tus qis ntawm tus thawj: *Tus lwm mej koob.*

[English] (adj) Vice, such as a Vice President.

lwm[4] (y) Zaus, tom: *Koj tuaj ntau lwm.*

[English] (n) Round, trip, time. Example: He comes here many times.

lwm[5] (p) Tus lossis yam yuav muaj tuaj mus; tus lossis yam muaj tomqab ntawm tus nov: *Lwm xyoo wb mam li mus.*

[English] (adj) Next.

lwm coj (y) Tus neeg uas khiav thiab ua haujlwm pab tus coj losyog tus thawj; tus lwm: *Tus coj tsis nyob lawm tabsis tshuav tus lwm coj.*

[English] (n) Vice, such as the Vice President.

lwm qaib (u) Muab tus qaib ciaj los lwm; muab tus qaib los kiv ncig xws li thaum coj tus nyab tshiab los: *Nej puas tau lwmqaib?*

[English] (v) To take a live chicken and to encircle the newly daughter-in-law as a way of welcoming and to notify the home spirits, ghosts, of the new member. This is true for all Hmong who still believe and practice shamanism.

lwm tsib (y) 1. Ib hom ntoo uas txi cov txiv luaj li ntiv taw thiab qabzib: *Ib tsob txiv lwm tsib.* 2. Cov txiv uas txi los ntawm cov ntoo no. Feem ntau, neeg siv lo "txiv lwm tsib" xwb.

[English] (n) 1. Lychee. Any various of litchi. 2. Fruit from this tree.

lws[1] (y) Ib hom txiv uas neeg cog los noj: *Ib tsob lws.* (u) Nyiag, muab, nqa: *Tus tubsab lws lawv cov nyiaj.*

[English] (n) Eggplant. (v) Steal; to take things without permission.

lws[2] (y) Kev, yam muaj tuaj mus: *Thov kom tsuas muaj lws zoo mus xwb.*

[English] (n) Path, way, such as a healthy way ahead of the future.

lws suav (y) Ib hom txiv uas kheej thiab liab~: *Ib tsob lws suav.*

[English] (n) Tomato or tomatoes.

lws suav soob (y) Ib hom txiv lws suav me, kheej thiab liab: *Nws cog tau ib tsob lws suav soob.*

[English] (n) Cherry tomato.

lws txaij (y) Ib hom lws uas lub txiv luaj li lub qe, tabsis lub txiv txaij: *Nws muaj ib tsob lws txaij.*

© 2003 Jay Xiong. All rights reserved.

[English] (n) Thai eggplant.

lwv[1] (u) Hais rovqab rau; teb lus lossis hais zaj kwv txhiaj rov rau: *Nkawv lwv kwv txhiaj ib hnub.*

[English] (v) Compete, esp. such as when chanting and/or singing.

lwv[2] (u) <Lostsuas> Muab ua kom ploj losyog tsis pom, uas xws li yog siv lub yas uas nyob tomqab ntawm tus mem ncaig: *Nws lwv lo lus phem tawm.*

[English] (v) <Laotian> Erase.

m[1] (y) Ib tus ntawv uas siv rau cov lus xws li muaj, meej, mom ltn...

[English] (n) The 13th letter of the English alphabet, and used for words such as "muaj, meej, mom" etc...

m[2] (y) Tus cim niam; lub suab uas qis tshaj plaws: *Niam, nom, zom ltn...*

[English] (n) A tone marker used for the lowest tone or sound in the Hmong language. Example: Bot-tom. BOT would be the highest and TOM would be the lowest--m tone marker.

maa (y) <Lees> Hma, cov tsiaj uas zoo li dev, tabsis nyob tom hav zoov.

[English] (n) <Leng> Wolf.

mab (y) 1. Ib hom tsiaj zoo li miv tabsis cov plaub dub thiab nyob tom hav zoov: *Mab nyiam noj txiv tsawb.* 2. Lwm haiv neeg: *Tej Mab tej Sua.*

[English] (n) 1. Certain kind of animal that is similar to raccoon. 2. Foreigner, other nationality, other non-Hmong people.

mab dais (y) Ib hom tsiaj uas zoo li mab, tabsis nws loj zog: *Ib tus mab dais.*

[English] (n) Certain kind of animal.

Mab Dawb (y) Ib hom neeg loj, siab thiab dawb, feem ntau yog muaj plaub hau daj, xws li Neeg Miskas thiab Fabkis.

[English] (n) Caucasian, White, such as the White people.

Mab Dub (y) Ib hom neeg uas loj thiab dub. Feem ntau yog muaj nyob rau yav qab ntuj ntau.

[English] (n) Negro, Black, such as the Black people.

Mab Liab Tus poj niam uas yug Yesxus Khestos. Lus Askiv yog “Mary." Ib txhia neeg kuj hu ua "Maiv Liag lossis Maiv Lag" no thiab.

[English] Mary, esp. the mother of Lord Jesus Christ.

Mab Qus (y) Ib hom neeg uas nyob tom hav zoov thiab tsis ua teb thiab ua liaj.

© 2003 Jay Xiong. All rights reserved.

Feem ntau lawv nyob tsis muaj tsev thiab tsis hnav khaub ncaws.
[English] (n) Indian, esp. the ones who live in the country or wilderness. 2. The people who live in the wilderness or jungle. 3. Bushman.

mag (u) 1. Daig, khuam uas xws li khiav tsis dim: *Tus nas mag ntxiab. Tus noog mag zia.* 2. Raug khi; raug ntes ltn... *Nws mag lawv khi. Nws mag lawv cem.*
[English] (v) 1. To take or catch in; to be ensnared or caught as if with a snare. 2. Being arrested or caught.

maim (u) Txav, zam losyog qaij kom tsis txhob raug; zam losyog nkaum kom txhob tsoo losyog raug: *Tus dev maim rab pas.*
[English] (v) To duck or move away, such as to avoid being hit.

mais (y) <Askiv> Ib hom kev ntsuas txog kev deb thiab ntev uas xws li muaj 5280 taw (feet) losyog 1760 tshim (1609 mev).
[English] (v) <English> Mile.

maiv (y) Tus ntxhais; tus pojniam uas xws li tsis tau muaj txiv: *Nws tus maiv puas nyob lawm?* Ib lub npe siv rau cov ntxhais.
[English] (n) Daughter, girl. Also a proper name for girls.

maj[1] (nu) Rawm ua losyog rawm kom muaj: *Nws maj mus tsev. Nws maj noj.*
[English] (aux. v) Hurry, haste, rush, anxious.

maj[2] (u) Rawm: *Nws maj dhau; Nws maj hwv.*
[English] (v) Hurry, haste, rush, anxious.

maj[3] (y) 1. Ib hom menyuam ntoo uas neeg cog thiab muab cov tawv los xaws ua tiab thiab khaub ncaws hnav: *Ib thaj maj.* 2. Ib hom ntoo uas muaj nyob rau xws li tej qub teb: *Noog nyiam noj txiv ntoo maj.*
[English] (n) 1. Cannabis, hemp. 2. Certain kind of wild tree that is similar to cannabis but is much larger.

maj[4] (nth) Siv rau nram kawg ntawm zaj lus: *Tuaj kiag maj!*
[English] (interj) Used at the end of the sentence similar to the word "now."

maj laib (y) Ib hom xyoob uas tus kav luaj li ntiv tes, thiab tuaj ua plas txij li ib nta tsev tej: *Ib tsob xyoob maj laib.*
[English] (n) Certain kind of vine like bamboo.

maj mam (pu) Tsis sib zog; tsis ua nchav losyog ua nrov: *Nws maj mam mus; nws maj mam noj; nws maj mam hais lus ltn...*

© 2003 Jay Xiong. All rights reserved.

[English] (adv) 1. Lightly, gently, softly. 2. Slowly.

mam (nu) Yuav ua; ua nyob rau lub sijhawm tomntej: *Kuv mam muab; kuv mam mus; kuv mam hais ltn...*

[English] (aux. v) Will, such as used to indicate simple futurity. Ex: I will go; he will do etc...

mam li (nu) Yuav ua; ua nyob rau lub sijhawm tomntej: *Kuv mam li tuaj.*

[English] (aux. v) Will, such as used to indicate simple futurity. Ex: I will go; he will do etc...

mas (tx) Tabsis, vim tias; rau qhov tias: *Mas kuv tsis paub.* (pu) Yog, zoo xws li, lawm: *Koj hais yog mas.*

[English] (conj) But, however. (adv) Already, too.

maub (u) Mus uas xws li rau thaum yav tsaus ntuj; mus tabsis tsis pom kev losyog tsis paub kev zoo: *Nws maub tuaj txog lawm.*

[English] (v) Go, travel, esp. during dark or night, and without clear direction.

maum[1] (y) 1. Tus poj; tus muaj taus menyuam: *Ib tus maum npua.* 2. Tus ntxhais: *Hais maum los noj mov.*

[English] (n) 1. Female, woman, girl. 2. Daughter.

maum[2] (p) Loj losyog ntau dua tej: *Nws noj ib maum tais mov. Tej maum diav.*

[English] (adj) Of considerable size, quantity or amount; big, large (taking a big bite, for example).

maum kawv (y) Ib hom tsiaj nyob tom hav zoov thiab luaj li miv: *Nws tua tau ib tus maum kawv.*

[English] (n) Certain kind of animal that is similar to a raccoon.

maus taus (y) <Askiv> Lub tsheb uas muaj ob lub log, siv roj a thiab khiav ceev heev: *Nws nyiam ib lub maus taus.* Los lus Miskas yog "motorcycle" no.

[English] (n) <English> Motorcycle.

me (u) Yau uas xws li tsis tau hlob losyog loj; mi : *Cov qaib tseem me heev.* (p) Yam uas me ntawv: *Tus neeg me noj mov tsawg.* Ib lub npe neeg. Lus rov: *Loj.*

[English] (v,adj) Small, little, tiny. Also a proper name. Ant: Big, large, huge.

me aiv (u) Me, yau heev; tsis loj: *Lub qe ntsaum me aiv heev.* (p) Tsawg, tsis ntau: *Nws muab mov me aiv rau peb xwb.* Lo no thiab lo "mi aiv" neeg kuj siv mus los tib yam.

© 2003 Jay Xiong. All rights reserved.

[English] (v,adj) Small, little, tiny. It has same meaning as word "mi aiv."

me naib (y) Tus menyuam uas yus hlub losyog tshua; minaib: *Kuv tus menaib.*
[English] (n) Baby, child.

me ntswb-me ntsis (p) Tsawg losyog tsis ntau; mentsis: *Nws muaj me ntswb me ntsis nyiaj xwb.* (pu) *Nws chim mentswb-mentsis lawm.*
[English] (adj) Few, little, some. (adv) Somewhat, to some extent.

me quav (u) Me heev; tsis loj li; me aiv: *Lub qe ntsaum me quav heev.* (p) Tsawg, tsis ntau: *Nws muab mov me quav rau peb xwb. Tus neeg me quav.*
[English] (v,adj) Tiny, small, little.

me quav naim (u) Me heev; tsis loj li: *Lub qe ntsaum me quav naim heev.* (p) Tsawg, tsis ntau: *Nws muab mov me quav naim rau peb xwb.*
[English] (v, adj) Very small or tiny; very few.

me yaus (t) Tus neeg uas yau; tus neeg uas tsis muaj hwjchim; kuv: *Me yaus tuaj thov kom tus nom loj pab. Thov koj pab me yaus.*
[English] (pron) I, my, me, mine. esp. used to speak to someone who has higher authority.

meb[1] (nth) Siv tuaj tomqab ntawm zaj lus: *Txhob ua li ntawv meb!*
[English] (interj) Okay, alright.

meb[2] (t) <Lees> Neb, xws li ob leeg tibneeg uas yus hais lus rau.
[English] (pron) <Leng> You, your, yours and used for two persons only.

mee (y) <Lostsuas> Cov tej lub hlau uas neeg tsim los kom txawj tawg thiab raug neeg tuag. Feem ntau yog siv rau lub caij ua tsovrog: *Lawv caws mee tom kev.*
[English] (n) <Laotian> Land mine.

meej (p) 1. Tag, tiav, txaus, huv: *Nej haus meej lawm.* 2. Nco tau zoo thiab tseeb: *Nws nco meej.* 3. Hais tau lub suab yog: *Nws hais lus Hmoob meej heev.*
[English] (adj) 1. Finished, done, gone. 2. Clear, concise, exact. 3. Fluent.

meej mom (y) Hwj chim; muaj lub cev loj, siab thiab zoo nraug uas xws li ua rau tus neeg muaj hwj chim: *Tos nws tau nom los nws muaj meej mom.*
[English] (n) A naturally superior or powerful characteristic or feature of some people who have the look or appearance of superiority.

meej pem (u) Ncoqab zoo; xav losyog nco tau tseeb: *Nws muaj 100 xyoo, tabsis nws tseem meej pem heev.* (p) Nco tau tseeb: *Nws nco tau meej pem.*

© 2003 Jay Xiong. All rights reserved.

[English] (v) Conscious; to remember clearly. (adj) Exact, clear, correct.

meem[1] (u) Ua kom xwm yeem; ua rau kom tiaj losyog zoo sib xws: *Nws meem txoj kev kom du.* (y) Ib hom kev luj txog hnyav: *Nws muaj ib meem nplej.*
[English] (v) Pave, surface, such as to fill holes or gap. (n) A unit of weight or a way of measuring weight.

meem[2] (y) Daim losyog txheej ntaub uas nyob losyog xaws tuaj rau sab hauv qab ntawm lub tsho: *Ib daim meem tsho. Ob meem tsho.*
[English] (n) The inner layer of fabric of a shirt.

meem nias (p) Muaj xws li dej losyog av ntau thiab puv nkaus; muaj nyob puv nkaus txhua txhia qhov chaw: *Dej ntws meem nias.*
[English] (adj) Full, abundant, plentiful.

meem txom (u) Chim; tsis zoo siab rau: *Nws meem txom vim peb tsis tos nws.*
[English] (v) Mad, angry, upset.

mej (t) <Lees> Nej. Cov neeg uas yus hais lus rau: *Mej tuaj hab.*
[English] (pron) <Leng> You, your, yours and used for more than two persons only. For exactly two, use "meb or neb" and "koj" if only one person.

mej koob (y) Tus txivneej uas hais losyog cev cov lus nyob rau hauv rooj tshoob: *Ib rooj tshoob yuav tsum muaj ob tus mej koob.*
[English] (n) A person, usually four people. Two from the bridegroom and two from the bride side, who oversee and handle the wedding negotiation.

mej loos (y) Cov thawv uas siv los rau khaub ncaws thiab khoom tej.
[English] (n) Luggage, suitcase.

mej txwv (y) Tus uas siv mus dib kom cov coob los: *Tus mej txwv yog tus siv los dib cov qus. Nws cuab tau ib tus nquab los ua mej txwv.*
[English] (n) The one, mostly bird, used for calling other wild birds.

mej zeeg (y) Tus cawv uas haus ua cov mej koob tsaug: *Haus tus cawv mej zeeg.*
[English] (n) A drink, at a wedding, to thank the "mejkoob" for their help.

mem[1] (y) Tus uas muaj kua thiab neeg siv los sau ntawv: *Siv mem los sau ntawv.*
[English] (n) Pen, such as pens the people used for writing.

mem[2] (y) Kev ntoj los ntawm xws li thaum lub plawv xa cov ntshav raws cov leeg mus rau neeg cov hlab ntsha es muaj dhia.
[English] (n) Pulsation.

© 2003 Jay Xiong. All rights reserved.

mem hluav* (y) Cov mem uas yog muab xws li hluav ncaig los ua.
[English] (n) Pencil.
mem kua* (y) Cov mem uas siv cov kua los sau ntawv.
[English] (n) Fountain pen, ink pen.
mem muj qus (p) Ua rau tsis meejpem; ua rau tsis paub zoo xws li thaum uas qaug cawv tej: *Ua rau nws mem muj qus.*
[English] (adj) Unconscious; not completely awake or aware.
mem taw (y) Cov hlab ntsha uas dhia losyog ntoj nyob rau ntawm txhais taw.
[English] (n) The pulsation by the ankle or foot.
mem tes (y) Cov hlab ntsha uas dhia losyog ntoj nyob rau ntawm txhais tes.
[English] (n) The pulsation by the wrist or hand.
mem toj (y) Tej qhov chaw uas ib txhia neeg ntseeg tias yog qhov chaw zoo thiab yuav pab cov xeeb leej-xeeb ntxwv kom muaj nyiaj txiag thiab vammeej yog muab xws li tej niam, tej txiv uas tuag faus rau qhov chaw zoo ntawv: *Lawv yawg tau zoo mem toj es lawv thiaj li vam meej.*
[English] (n) A fortunate or lucky location, if one happens to be buried or lives at such location, will be lucky and prosperous.
menyuam[1] (y) Tus neeg uas xws li nyuam qhuav yug los; tus tseem me losyog yau: *Nws muaj ib tus menyuam.*
[English] (n) Baby, child, infant, kid.
menyuam[2] (y) Tus uas tseem nyob hauv tus niam lub plab: *Nws muaj menyuam.*
[English] (n) 1. Fetus. 2. Unborn baby.
menyuam yaus (y) Menyuam, cov neeg uas tseem yau: *Nws yog ib tus me nyuam yaus xwb. Cov menyuam yaus tuaj kawm ntawv.*
[English] (n) Child, children, kid, kids.
mes (y) Ib hom kab uas luaj li yoov thiab nyob ua tej pawg xws li muv, thiab nws muaj ib co kua nplaum~: *Nws pom ib xub mes.*
[English] (n) Certain kind of insect similar to bees, and produces sticky wax.
mes es (y) Cov tsiaj tshis: *Ib pab mes es.*
[English] (n) Goat. See also the word "tshis."
mi nyuam (y) Menyuam; ab me: *Koj muaj ob tus mi nyuam.*
[English] (n) Variant of menyuam. Kid, child, children.

© 2003 Jay Xiong. All rights reserved.

mi nyuam yaus (y) Menyuam yaus. Cov neeg uas tseem yau.
[English] (n) Variant of menyuam yaus. Kid, child, children.

miaj loos (y) Mej loos. Lub thawv losyog lub tawb uas neeg ua los ntim losyog rau khaub ncaws: *Nws muaj ib lub miaj loos.*
[English] (n) Luggage, suitcase. Same as "mej loos."

mij (y) <Lostsuas> Cov fawm qhuav uas ua tej pob nyob rau hauv tej lub hnab yas thiab muaj txuj lom nyob uake: *Nws nyiam noj mij xwb.*
[English] (n) Instant noodle.

miob* (y,u) Ib lub suab uas thaum tus miv quaj.
[English] (n,v) Meow, such as the cry of a cat.

mis (y) 1. Ob lub uas nyob ntawm neeg lub xubntiag: *Tus menyuam noj nws niam lub mis.* 2. Cov kua dawb uas tawm losyog nyob hauv lub mis: *Tus me nyuam haus mis.*
[English] (n) 1. Breast, boob. 2. Milk.

misniv (y) <Askiv> Ib yam kev ntsuas sijhawm uas muaj 60 teev nyob hauv ib xuaj moos: *Ib xuaj moos muaj 60 mis niv.*
[English] (n) <English> Minute. See also "fiab."

Miskas (y) 1. Neeg Amelikas: *Cov neeg Miskas.* 2. Lub tebchaws Miskas: *Tebchaws Miskas muaj 52 lub xeev.* 3. Miskas cov lus.
[English] (n) 1. American. 2. America. 3. Language relating to American.

miv[1] (y) Ib hom tsiaj uas zoo li plis, tabsis yog tsiaj nyeg: *Miv nyiam tom nas heev. Hmoob Lees hu tus miv ua "tshws losyog tshws miv" no.*
[English] (n) Cat, kitten.

miv[2] (u) <Lees> Me, yau, tsis loj: *Koj miv dlua kuv.*
[English] (v,adj) <Leng> Small, tiny, little.

miv nyuas (y) <Lees> Menyuam; mi nyuam.
[English] (n) <Leng> Kid, child, children.

ml (y) Ib tus ntawv uas siv rau cov lus xws li mlom, mloog, mluav ltn...
[English] (n) A consonant used for words such as "mlom, mloog" etc...

mlaus (y,u,pu) Lub suab uas thaum tus tsov quaj.
[English] (n,v,adv) The crying sound of a tiger.

mlom (y) Cov tej tus zoo li neeg tabsis yog muab tooj losyog hlau puab: *Tom tsev*

© 2003 Jay Xiong. All rights reserved.

Hauj Sam muaj mlom ntau heev.
***[English]** (n) Idol. An image, usually made to represent some super natural being, used as object for worship.*

mloog[1] (u) Cuab losyog tig pobntseg kom hnov: *Peb mloog nws hais lus.* Hmoob Lees li yog hais tias "noog": *Nwg noog kuv has.*
***[English]** (v) Listen, obey.*

mloog[2] (u) Ua raws li hais; ua raws li qhia: *Nws mloog kuv qhia.*
***[English]** (v) Obey, listen to.*

mluas (u) Ua tus chim~ losyog ntsoos xws li tsis zoo siab: *Nws mluas vim nws nco nws niam.*
***[English]** (v) Depress, sad, unhappy.*

mluas mlob (p) Nyob ib leeg uas xws li chim, ntsoos; tsis zoo siab: *Nws nyob mluas mlob vim nws nco nws niam heev.*
***[English]** (adj) Depressed, sad, unhappy.*

mluav (u) Hmlos; zawj mus rau hauv; saus xws li muaj dabtsi tsoo: *Lub tsheb mluav vim nws ua tsoo ntoo.* (p) Yam uas mluav.
***[English]** (v) Dent. (adj) Dented.*

mo (y) <Lees> Hmo, hmo ntuj, xws li lub caij uas tsaus ntuj lawm.
***[English]** (n) <Leng> Night, nighttime.*

mob[1] (u) Ua rau nqaij to; ua rau nyob losyog mloog tsis taus vim nqaij ntuag losyog ua rau ntshav los tej: *Mob nws txhais tes vim hluav taws kub.*
***[English]** (v) Sore, pain, hurt, ache, such as having a physical pain.*

mob[2] (u) Chim, tsis zoo siab: *Mob peb siab vim nws ua tsis ncaj.*
***[English]** (v) Pain, hurt, such as being upset, mad or angry.*

mob lib (u) Ua rau mob, me thiab xws li li muag: *Nws mob lib tau ntev los lawm.*
***[English]** (v) Being sick or ill, esp. for a long time.*

mob nkeeg (y) Kev muaj mob thiab nkees: *Nws tsis muaj mob nkeeg li.*
***[English]** (n) Sickness, illness.*

mob siab (nu) Rau siab ua; sib zog ua: *Nws mob siab ua teb. Nws mob siab kawm ntawv.* (u) Sib zog ua: *Nws mob siab heev yog hais txog kev kawm ntawv.*
***[English]** (aux. v, v) Being wholly committed to a task or function; dedicated.*

mog (pu) Siv rau tom kawg ntawm zaj lus: *Koj mus mog; ua li mog.* (p) Mos

© 2003 Jay Xiong. All rights reserved.

losyog hluas: *Ib tus nkauj mog.*
[English] (adv) Okay, alright. (adj) Young.

mog muav* (pu) Hais lus mos thiab zoo: *Tus hluas nkauj hais lus mog muav.*
[English] (adv) Sweetly, such when talking softly and gently.

moj (nth,pu) Siv tuaj tom kawm ntawm zaj lus: *Tsis paub li moj! Lam noj moj!*
[English] (interj) Okay, so. (adv) So.

moj tuam (y) Tus uas yog muab plaubhau ntxias ua ib tus tw nyob rau nraum nrob qaum. Lo lus tiag yog hu ua "moj tw tuam" no: *Nws muaj ib tus moj tuam.*
[English] (n) Braid (of hair), resembling the tail of a tiger.

moj tw tuam (y) Tus uas yog muab plaubhau ntxias ua ib tus tw nyob rau nraum nrobqaum: *Nws muaj ib tus moj tw tuam.*
[English] (n) Braid. Variant of moj tuam.

moj zeej (y) Tus zoo li neeg tabsis yog muab lwm yam los ua. Feem ntau yog muab xws li quav nyab npleg los pav ua ib tus zoo li tibneeg, thiab muab khaub ncaws rau hnav. Feem ntau, yog ua los zov qaib thiab teb kom tsiaj qus ntshai thiab xav tias tus moj zeej yog ib tus tibneeg tiag: *Ib tus moj zeej.*
[English] (n) Scarecrow. A crude image or effigy of a person set up in the field, rice paddy and/or farm to scare wild animals.

mom[1] (nth,pu) Siv rau tom kawg ntawm zaj lus; moj: *Nws tsis paub dabtsi li mom.*
[English] (interj) Okay, so. (adv) So.

mom[2] (y) Lub kaus mom; lub uas neeg ua los ntoo saum lub tobhau: *Nws ntoo lub mom vim tshav kub heev.*
[English] (n) Hat, cap.

mom kaum (y) Lub kaum; qhov chaw kawg xws li ntawm lub kaum tsev tej: *Nws lub tsev muaj ntau lub mom kaum. Mom kaum tsev, mom kaum txhab ltn...*
[English] (n) Corner, angle.

moo[1] (y) Xov, lub npe uas hnov txog ntawm tus neeg: *Peb hnov moo tias koj yuav pojniam lawm. Ntu no peb tsis hnov nws moo li lawm.*
[English] (n) News, such as information of a person, city or country.

moo[2] (y) <Lostsuas> 1. Lub sijhawm uas muaj 12 teev, thiab neeg coj nyob rau ntawm txhais tes; moos: *Nws muaj ib lub moo.* 2. <Lostsuas> Cov tej teev uas muaj 12 teev nyob rau hauv lub sijhawm: *Pestsawg moo lawm?*

© 2003 Jay Xiong. All rights reserved.

[English] (n) <Laotian> 1. Time, watch, clock. 2. Hour.

moo cua (p) Moo losyog xov uas hnov los ntawm neeg hais: *Nws hnov lus moo cua tias peb khiav lawm.*

[English] (adj) Of or relating to gossip or news.

Moob (y) <Lees> Hmoob, xws li haiv neeg Hmoob thiab lus Hmoob ltn....

[English] (n) <Leng> Hmong. Hmong Leng used the word Mong instead.

moog (u) <Lees> Mus, xws li mus kev, mus tsev ltn... *Peb moog tsev.*

[English] (v) <Leng> Go, went, gone.

mooj (u) Ua rau tsis paub txog qhov phem thiab qhov zoo: *Dab mooj nws es nws thiaj ua tus vwm ntsuav.*

[English] (v) To make, a person unconscious or not fully aware, for example.

moos (y) <Lostsuas> Lub zos loj; lub nroog: *Nws mus nram moos.*

[English] (n) <Laotian> City, esp. the big cities.

moov (y) <Lees> Hmoov, xws li hmoov zoo thiab hmoov phem ltn...

[English] (n) <Leng> See word "Hmoov."

mos[1] (u) Nyuam qhuav hlob losyog nyuam qhuav tuaj, thiab siv rau xws li zaub thiab nroj tsuag tej xwb: *Cov zaub mos heev.*

[English] (v) Young and fresh, such as vegetables.

mos[2] (u) Mos uas xws li tus menyuam me cov tawv nqaij tej: *Tus menyuam lub plhu mos heev.* (p) Yam uas mos, xws li tsis ntxhib ntawv.

[English] (v) Soft and tender, such as the baby skin. (adj) Soft, tender.

mos[3] (u) Muab txiav, tsuav losyog hlais kom ua tej daim me~ xws li ua hmoov: *Cov nqaij mos heev. Cov txhuv kib mos heev.* (p) Yam uas mos ntawv.

[English] (v,adj) Of or relating to mash, esp. after crunched and/or grinded (grains, for example) into small pieces.

mos[4] (u) Muab caum uas xws li kom ntes tau; mus txhom: *Lawv mos tus qaib.*

[English] (v) Catch, arrest, esp. when it requires chasing.

mos caum (y) Cov neeg uas tus txiv neeb txheev dab rau tas es kom lawv pab tus txiv neeb caum tus losyog cov dab tawm ntawm tus neeg mob mus: *Lawv ua mos caum mus ntau dab.*

[English] (n) The people who, the shaman spiritually, selected to help him cast out the devil, esp. when someone was possessed by the devil or ghost.

© 2003 Jay Xiong. All rights reserved.

mos dab (y) Cov yoov uas feem ntau nyiam tom nyuj thiab nees.
[English] (n) Horsefly; any of the large flies that like to suck blood from other animals and mammals.

mos hlub (y) Ib hom tsiaj uas loj thiab siab, thiab nws muaj ob yas txha uas xws li ib yas tes thiab ib yas taw xwb: *Ib tus mos hlub.*
[English] (n) Certain kind of animal that only has two long bones.

mos liab (y) Tus menyuam uas nyuam qhuav yug los. Feem ntau yog siv rau cov menyuam uas muaj li obpeb hlis xwb: *Koj tus mos liab luaj li cas lawm?*
[English] (n) Baby, infant, esp. new born child.

mos lwj (y) Ib hom tsiaj uas zoo li kauv, tabsis loj dua thiab tuaj ntau ceg kub.
[English] (n) Fallow deer.

mos lwj dawb (y) Ib hom mos lwj uas muaj cov plaub dawb: *Ib tus mos lwj dawb.*
[English] (n) White fallow.

mos lwj dub (y) Ib hom mos lwj uas muaj cov plaub dub: *Ib tus mos lwj dub.*
[English] (n) Black fallow.

mos nyoos (p) 1. Mos heev; nyuam qhuav tuaj tshiab uas xws li tsis tau laus: *Nws cog tau ib tiaj zaub mos nyoos.* 2. Muab tsoo losyog ua tej daim me~ heev; mos: *Daim iav tawg mos nyoos.*
[English] (adj) 1. Soft and young such fresh plants or vegetables. 2. Of, or relating to, being very small pieces, esp. after crushing or grinding.

mos nyuj nyoos (p) Mos nyoos; mos heev. Feem ntau yog siv rau thaum hais kwv txhiaj xwb: *Tawg paj mos nyuj nyoos...*
[English] (adj) Soft and tender, i.e., such as the skin of a baby, and mostly used during singing the "kwv txhiaj" only.

mos txwv (y) Tej lub qe hlau ua los tua ntawm rab phom: *Nws muaj mos txwv ntau heev.*
[English] (n) Bullet, esp. the kind that used in guns; ammunition, shot.

mov (y) 1. Cov txhuv uas thaum muab hau losyog cub es siav lawm: *Ib tais mov.* 2. Rooj uas muaj zaub thiab mov: *Lawv hu peb mus koom lawv rooj mov.*
[English] (n) 1. Rice, esp. when it is cooked. 2. Meal, esp. when served as a dinner, lunch or feast.

mov ci (y) Cov hmoov nplej (txhuv) uas yog muab puab ua tej lub thiab ci kom su

© 2003 Jay Xiong. All rights reserved.

thiab siav. Khauj cij--lus Lostsuas: *Nws nyiam noj mov ci.*

***[English]** (n) Bread.*

mov kuam (y) Cov hmoov pobkws uas neeg coj los cub noj losyog coj los cub xyaw cov mov nplej: *Ib tais mov kuam.*

***[English]** (n) Ground or crushed corns mixed with rice.*

mov lauj kaub (y) Cov mov uas muab lub lauj kaub hau cov txhuv thiab ncu kom cov txhuv siav xwb: *Nws nyiam noj mov lauj kaub xwb.*

***[English]** (n) The kind of rice that cooked by using the pot and water.*

mov mes (y) Ib hom txiv hmab uas neeg noj: *Ib tsob txiv mov mes.*

***[English]** (n) Certain kind of fruit that grows on vine.*

mov nplaum (y) Cov mov uas thaum muab cub siav es nws nplaum: *Ib tais mov nplaum. Hmoob siv mov nplaum los ua ncuav.*

***[English]** (n) Sticky rice.*

mov nplej (y) Cov mov uas yog los ntawm nplej; txhuv.

***[English]** (n) Rice.*

mov nplej tshiab (y) Cov mov uas yog muab cov nplej tshiab, cov nplej uas nyuam qhuav siav, los ua: *Peb noj mov nplej tshiab.*

***[English]** (n) The new, just ripened, rice.*

mov npoj (y) Cov mov uas yuavtsum muab cov txhuv tsau, cub, vom, ces mam muab rov los cub kom siav: *Nws nyiam noj mov npoj xwb.*

***[English]** (n) The rice that cooked by first soak, steam, rinse and then steam again until it is soft and/or ready to eat.*

mov ntshav (y) Ib hom mov uas doog losyog muaj tsuas xws li ntshav. Feem ntau yog mov npaum xwb: *Ib tais mov ntshav.*

***[English]** (n) Purple rice.*

mov vom (y) Cov mov uas muab cov txhuv hau, cub, vom, thiab rov muab cub kom muag losyog siav: *Nws nyiam noj mov vom xwb.*

***[English]** (n) The kind of rice that cooked by first boil, steam, rinse and then steam until it is soft and/or ready to eat.*

muab[1] (u) Xuas tes mus rub los; cev mus rau: *Nws muab rab diav rau kuv.* (nu) Ua losyog tsim: *Nws muab kho; nws muab ntaus ltn...*

***[English]** (v) Give, hand to. (aux. v) Have, has, such as he has fixed his car;*

© 2003 Jay Xiong. All rights reserved.

he has hit the wall, for examples.

muab[2] (u) Khaws, coj mus, nqa xws li khoom tej: *Nws muab lawv cov nyiaj.*
[English] (v) Take, grab.

muab[3] (u) Sau qoobloo los cia; khaws los rau ib qho chaw: *Nws muab paj.*
[English] (v) Harvest (a crop), reap. To gather (a crop, for example).

muag[1] (u) Muab xws li khoom, tsiaj, losyog lwm yam mus pauv nyiaj: *Nws muag tus npua. Nws muag nws lub tsheb.* Lus rov: *Yuav.*
[English] (v) Sell. Ant: Buy, purchase.

muag[2] (u) Tsis tawv; phom heev: *Lub txiv tsawb muag heev.* (p) Yam uas muag ntawv. (y) Lub qhov muag. Lo lus no siv tau xws li ntsej tsis hnov thiab muag tsis pom.
[English] (v) Soften. (adj) Soft. (n) Eye.

muag[3] (u) Tsis muaj peev xwm ua; tsis kam ua; tsis tawv: *Koj siab muag dhau.*
[English] (v) Soft-hearted, scare, afraid, fear. Mostly used to express when someone quits and/or gives up easily due to fear.

muaj (u) Tau uas xws li coj los ua yus li; nyob ntawm yus: *Kuv muaj ob tus npua.*
[English] (v) 1. Have, has. 2. Got. He got two pigs, for example.

muaj ntsis (pu) Zoo xws li, sib xws: *Koj muaj ntsis zoo li koj txiv.*
[English] (adv) Somewhat, sort of; likely.

muaj plhus (u) Ua tus tsis txajmuag; ua xws li nquag~; khav theeb: *Nws muaj plhus heev.* (p) Tus neeg uas muaj plhus.
[English] (v,adj) Pompous, cocky, conceited.

muaj siab (u) Nyiam, txaus siab rau; xav ua: *Koj muaj siab heev.*
[English] (v) Desire, want.

muam[1] (y) Ib lo lus uas tus nus losyog tus tub hu tus ntxhais uas yog nws niam yug thiab: *Ntxheb, Kiab thiab Khu yog kuv cov muam.* Lus rov: *Nus.*
[English] (n) Sister. Ant: Brother.

muam[2] (y) Cov ntxhais uas yog yus tib xeem: *Kuv muaj muam coob heev.*
[English] (n) Girl, female cousins, esp. those that have the same last name.

muam[3] (y) Ntxhais, pojniam, hluas nkauj: *Cov muam, nej yog xeem dabtsi?*
[English] (n) Girl, woman.

muam npaws (y) Tus ntxhais (muam) uas xws li yog tus niam dab laug losyog

© 2003 Jay Xiong. All rights reserved.

phauj yug: *Ob tug muam npaws.* Lus rov: *Nus npaws.*

***[English]** (n) A daughter of one's aunt or uncle. Also used by a guy only.*

muas[1] (u) Muab xws li nyiaj mus yuav los; yuav: *Nws muas tau ib tus nyuj.* Lus rov: *Muag.*

***[English]** (v) Buy, purchase. Ant: Sell.*

Muas[2] Ib lub xeem Hmoob: *Nws lub xeem yog Muas.* Ib lub npe uas siv rau neeg.

***[English]** One of the last name or clan name of the Hmong people--Moua. Also a proper name.*

muas phua (y) Tej tus ntsia uas pem lub hau pluav thiab nyias, thiab neeg siv los phua lossis tswm kom lwm yam rua losyog tawg tej.

***[English]** (n) A device similar to a chisel, but it is much wider and bigger. People used this device to insert into small gaps so they can pound the other end with a hammer as a way to split (a log into half, for example).*

mub (y) Ib hom kab me~ thiab dub uas nyob rau ntawm xws li dev daim tawv nqaij lossis cov plaub: *Tus dev muaj mub ntau heev.*

***[English]** (n) Flea.*

muj mum (y) Xeeb mujmum; cov menyuam uas yog yus cov xeeb ntxwv muaj losyog yug los: *Kuv cov muj mum losyog cov xeeb muj mum.*

***[English]** (n) The child or children of one's grandchild. Great grandchild.*

mus (u) Muab ob txhais taw txav uas xws li rau tom hauv ntej; rhais ruam rau tom hauv ntej: *Nws mus teb; peb mus tsev ltn:..* Lus rov: *Los.*

***[English]** (v) Go, leave, depart. Ant: Come, arrive.*

mus kev (u) Muab ob txhais taw mus; rhais ruam; mus: *Tus menyuam mus kev.*

***[English]** (v) Walk.*

muslos (pu) Tib yam; sib xws: *Lo lus "nyiaj" thiab "nyiajtxiag" siv muslos tau tib yam.* (v) Muaj mus thiab los: *Nws mus los ntau lwm dhau.*

***[English]** (adv) Back and forth, interchangeably. (v) Travel, commute.*

muv (y) Ib hom kab uas zoo li ntab tabsis me zog, thiab nws ua tej xub nyob rau hauv qhov ntoo tej: *Nws pom ib xub muv.*

***[English]** (n) Certain kind of honeybee.*

muv doom (y) Ib hom kab uas loj, dub, thiab nyiam tho qhov nyob hauv tej ntoo qhuav tej: *Ib tus muv doom.*

© 2003 Jay Xiong. All rights reserved.

[English] (n) Certain kind bee that can produce honey. It is bigger than normal bees and like to make holes in dead trees.

n (y) Ib tus ntawv uas siv rau cov lus xws li nas, noj, noob ltn...

[English] (n) A consonant used for words such as "now, not, none" etc...

na[1] (nth) Siv rau tom kawg ntawm zaj lus; naj: *Koj tsum na!* (pu) *Lawv ntshai na.*

[English] (interj) Okay. (adv) Oh.

na[2] (u) <Lees> Hnia, xws li muab lub qhov tswg mus twb rau. Saib lo hnia.

[English] (v) <Leng> 1. To smell. 2. To kiss.

na has (nth) Raws li; xws li; thiab feem ntau yog siv rau tom kawg ntawm zaj lus: *Nws hais koj na has! Tsum kiag na has!*

[English] (interj) Okay, alright. For example: Stop it right now, okay?

nab[1] (y) Ib hom tsiaj uas zoo li cab tabsis loj thiab nws daim tawv muaj nplais thiab txawj tom: *Nab tom tus qav.*

[English] (n) Snake.

nab[2] (nth) Siv rau thaum muab khoom cev rau lwm tus neeg: *Nab koj lub ris.*

[English] (interj) Here.

nab ntsuab (y) Ib hom nab uas daim tawv ntsuab thiab feem ntau tus tw liab.

[English] (n) Green snake, esp. the kind where the tip of the tail is red.

Nab Phem* (y) Tus nab uas, cov neeg ntseeg Ntuj, ntseeg tias puag thaum Huab Tais Ntuj nyuam qhuav tsim tau lub ntiajteb es muaj ib tus nab loj thiab ntxias thawj tus pojniam neeg mus noj Huabtais Ntuj tsob txiv.

[English] (n) Serpent, esp. relating to Satan.

nab rajkubsai (y) Ib hom nab dub uas thaum nws yuav tom, nws tsa lub tobhau siab, thiab ua nws lub cajpas nthuav dav heev: *Ib tus nab rajkubsai.*

[English] (n) Cobra. Example: Cobra is the most poisonous snake.

nabpas (y) <Lostsuas> Cov kua uas yog muab nyoj los ntawm xws li ntses thiab roobris. Feem ntau yog nyob ua tej hwj thiab neeg siv los xyaw xws li taub ntoos qaub thiab zaub noj tej: *Ib hwj nabpas.* Ib txhia neeg hu ua "najpas" thiab.

[English] (n) <Laotian> Soy sauce, fish sauce.

nabqa (y) Ib hom tsiaj uas muaj plaub txhais testaw thiab nyiam nyob hauv av.

[English] (n) Lizard.

nabqa dev (y) Cov nab qa uas loj luaj li plab hlaub: *Ib tus nabqa dev.*

© 2003 Jay Xiong. All rights reserved.

[English] (n) Reptile, crocodile.

nabqa nqhuab (y) Cov nab qa uas nyiam nyob saum nqhuab xwb.
***[English]** (n) Reptile, esp. the kind that lives mostly on land.*

nabqa ntsuab (y) Cov nab qa uas me thiab ntsuab.
***[English]** (n) The green lizard.*

nabqa tsiav (y) Cov nab qa uas me thiab luaj li ntiv tes.
***[English]** (n) The smallest kind of lizard.*

nag[1] (y) Cov dej uas poob saum ntuj los; coj dej los saum huab los: *Nag los ntau heev. Tebchaws muaj nag ces qoobloo thiaj li zoo.*
***[English]** (n) Rain. "Los nag" means "rain comes or falls."*

nag[2] (y) Hnub uas dhau los, tas xws li ua ntej hnub no: *Nag nws tuaj txog lawm.*
***[English]** (n) Yesterday, last night.*

nag tshauv (y) Cov nag uas los tabsis ua hmoov losyog ua tej lub me~: *Nag tshauv los ib hnub. Tagkis yuav los nag tshauv.*
***[English]** (n) Drizzle, such as a fine, gentle, misty rain.*

nag hmo (y) Hmo losyog hnub ua ntej ntawm hnub no: *Peb tuaj txog nag hmo.*
***[English]** (n) Last night, yesterday.*

nag kis (y) Hnub uas tuaj tomqab ntawm tagkis; hnub ob uas tuaj tom qab ntawm hnub no: *Nag kis peb mam mus tsev.*
***[English]** (n) The day after tomorrow. The second day after today.*

nai (y) <Lostsuas> Tus nom; tus thawj uas xws li yog tus coj.
***[English]** (n) <Laotian> Someone who holds an important position; boss.*

naib (y) Tus menyuam: *Naib los kuv hais koj. Muab rau kuv tus naib.*
***[English]** (n) Baby, honey, such as a kid or child.*

naiskhu (y) <Lostsuas> Tus xibfwb; tus neeg uas qhia ntawv nyob rau hauv xws li tsev kawm ntawv; naikhu: *Nws yog ib tus naiskhu.*
***[English]** (n) <Laotian> Teacher.*

naj (pu) Siv tuaj tomqab ntawm zaj lus: *Nws hais dabtsi naj? Noj li cas naj?*
***[English]** (adv) How.*

naj hoom (y) <Laotian> Cov kua uas tsuag rau ris thiab tsho kom tsw qab tej: *Nws hwj naj hoom tsw qab heev. Pojniam nyiam pleev najhoom heev.*
***[English]** (n) Perfume, fragrance.*

© 2003 Jay Xiong. All rights reserved.

Naj Khoos <Laotian> Tus dej loj thiab ntev uas quas lub tebchaws Thaib thiab tebchaws Lostsuas. Tus dej no nws ntws thiab ntev li 4,138 km.
[English] Mekong; name of a river between Thailand and Laos.

naj nub (p) <Lees> Niaj hnub.
[English] (adj) Everyday.

Naj Nyeej <Laotian> Ib tus dej loj thiab ntev uas nyob rau tebchaws Lostsuas.
[English] A name of a main river in Laos.

nam (u) Txav mus kom ze; txeeb lwm tus qhov chaw los ua yus li: *Nws nam los ntawm peb. Nws nam peb ib ntsug av.* (y) <Lees> Niam, leej niam.
[English] (v) 1. To advance, esp. toward someone's territory. 2. To possess or take, a portion or part of, someone's land. (n) <Leng> Mother, mom.

nas[1] (y) Ib hom tsiaj me uas muaj tw thiab plaub txhais testaw. Muaj ntau hom nas xws li nastsuag, nas kos, nas liab, thiab nas txheeb ltn...
[English] (n) Rat, mouse, squirrel, rodent.

nas[2] (y) Tej daim uas cov ntab losyog muv ua nyob rau ntawm nws qhov chaw.
[English] (n) Honeycomb.

nas ciav (y) Ib hom nas me, txaij tej kab liab thiab luaj li nastsuag: *Tus nas ciav.*
[English] (n) Chipmunk; any of the striped and small squirrels.

nas hooj twm (y) Ib hom nas uas loj li caj npab thiab tuaj cov plaub daj tsim tsawv: *Ib tus nas hoojtwm.*
[English] (n) The bigger kind of squirrels, normally have yellow fur.

nas kauv (y) Ib hom nas uas zoo li nastsuag, tabsis nws muaj cov plaub liab li tus kauv cov: *Nws cuab tau ib tus nas kauv.*
[English] (n) Certain kind of rat having red fur and hunt at night.

nas kos (y) Ib hom nas uas luaj li miv thiab nyiam nyob hauv qhov av. Feem ntau nas kos nyiam noj cag xyoob xwb: *Lawv khawb tau ib tus nas kos.*
[English] (n) A type of rodent, esp. similar to beaver, characterized by large incisors adapted for nibbling bamboo roots.

nas liab (y) Ib hom nas uas muaj cov plaub liab thiab nyob tom hav zoov: *Tebchaws Lostsuas muaj nas liab coob heev.*
[English] (n) Red squirrel, esp. those that exist in Asia, such as Laos.

nas ncuav (y) Ib hom nas uas muajntsis zoo li nas txheeb, tabsis nws tus ko tw

© 2003 Jay Xiong. All rights reserved.

tsis txheeb: *Nws pom ib tus nas ncuav.*
***[English]** (n) Certain kind of squirrel that the fur is grayish.*

nas ntsooj (y) Ib hom nas loj luaj li caj npab thiab muaj cov plaub zoo li kauv cov, thiab nws tawm rau hmo ntuj xwb; ntsooj: *Nws pom ib tus nas ntsooj.*
***[English]** (n) Certain kind of night rat or rodent.*

nas ntxhw (y) Ib hom nas uas muajntsis zoo li nas kos, tabsis nyiam nyob thiab noj cov hauvpaus tau, uas xws li cov tauj ntxhw xwb.
***[English]** (n) A kind of rodent similar to beaver but lives in the ground.*

nas tsuag (y) Ib hom nas uas me thiab tawm los nrhiav noj nyob rau hmo ntuj; tsuag: *Nastsuag nyiam noj nplej heev.*
***[English]** (n) Rat, mouse, rodent.*

nas txheeb (y) Ib hom nas uas luaj li caj npab thiab nws tus ko tw tuaj ib cov plaub txheeb losyog txho: *Nws pom ib tus nas txheeb.*
***[English]** (n) Certain kind of squirrel where the hair or fur is grayish.*

nas txom fav (y) Cov nastsuag uas feem ntau ciali muaj coob xws li tsis neeg paub tias yog los qhov twg los: *Xyoo no muaj nas txom fav coob heev.*
***[English]** (n) Certain kind of rat that, only once in awhile, appears to be so many and usually will eat and destroy most of the crop.*

nasthis (y) <Lostsuas> Ib yam kev ntsuas sijhawm uas muaj 60 teev nyob hauv ib xuaj moos: *Ib xuaj moos muaj 60 nas this.*
***[English]** (n) <Laotian> Minute. See also "fiab."*

nav[1] (nth) Nab, ib lo lus uas siv rau tom kawg ntawm zaj lus: *Koj ua dabtsi li ntawv nav? Nyob qhov twg nav?*
***[English]** (interj) Used at the end of a sentence in conjunction to the word why, how, what, when etc...*

nav[2] (y) <Lees> Hniav, xws li cov kaus hniav ltn... *Mob nwg tug nav.*
***[English]** (n) <Leng> Tooth, teeth. Example: Hurts his tooth.*

naw (nth) Siv tuaj rau tom kawg ntawm zaj lus. Lo naw, nawb, nawj thiab nawv feem ntau yog siv thiab txhais tib yam xwb: *Txhob ua li ntawv nawb!* (pu) Kiag li; uas xws li hais; tseeb li hais: *Nws tsis muaj li naw.*
***[English]** (interj) Okay, alright.*

nawb (nth) Kom ua li hais; thiab siv rau tom kawg ntawm zaj lus; naw: *Koj mus*

© 2003 Jay Xiong. All rights reserved.

tsev nawb! Koj tsum nawb! Koj tseg kiag nawb!

***[English]** (interj) Okay, alright.*

nawv (nth) Siv thiab txhais zoo tib yam li nawb thiab naw.

***[English]** (interj) Okay, alright.* Variant of nawb and naw.

nc (y) Ib tus ntawv uas siv rau cov lus xws li nco, ncaim, ncau, ncoo ltn...

***[English]** (n) A consonant used for words such as "nco, ncau, ncoo" etc...*

ncab (u) 1. Muab tig mus, tig los uas xws li kom ncaj: *Neeg ncab nws lub duav.* 2. Nyom losyog kho kom ncaj: *Nws ncab cov xib xub.*

***[English]** (v) 1. Stretch. 2. To straighten (an arrow, for example).*

ncaib (y) Ib hom ntoo uas neeg siv los lom ntses: *Ib tsob ncaib.*

***[English]** (n) Certain kind of tree.*

ncaig (y) Cov tej thooj dub~ uas xws li thaum muab cov cav hlawv tag es muaj nyob ntawm lub qhovcub; hluav ncaig: *Yav cav kub hnyiab ua ib pawg ncaig.*

***[English]** (n) Charcoal.*

ncaim (u) Mus uas xws li tsis nyob uake; ncau: *Nws ncaim peb tau ntau xyoo.* (p) Qhov chaw uas pib ncaim ntawv: *Peb nyob ntawm txoj kev ncaim.*

***[English]** (v) Depart, leave, separate from. (adj) Diverged, separated.*

ncaim toj (y) Ib hom menyuam ntoo thiab nws tawg lub txiv ua plaub txau.

***[English]** (n) Certain kind of small tropical plant.*

ncais (y) Rab uas muaj ob daim thiab siv los rho plaub tej. Feem ntau yog siv los rho xws li plaub hwj txwv: *Muab rab ncais los rho cov plaub hwj txwv.*

***[English]** (n) Tweezers.*

ncaj[1] (u) Muaj losyog mus uas xws li tsis lem losyog tsis nkhaus: *Txoj kev ncaj heev.* (p) Yam uas ncaj: *Nws mus txoj kev ncaj xwb.* Lus rov: *Nkhaus.*

***[English]** (v,adj) Straighten; to become straight. Ant: Crooked, curve.*

ncaj[2] (u) Siab tsis phem; siab zoo: *Nws siab ncaj heev.* (p) *Nws nyiam tus neeg ncaj xwb. Nws yog ib tus neeg coj ncaj.* Lus rov: *Nkhaus, phem.*

***[English]** (v,adj) Straight, honest, fair.*

ncaj ncees (p) Coj ncaj thiab zoo; tsis ua phem , nkhaus: *Tus neeg ncaj ncees yog tus neeg siab zoo.*

***[English]** (adj) Honest, sincere.*

ncaj nraim (pu) Mus tsis lem li; mus ncaj qha rau: *Nws ncaj nraim mus tsev.*

© 2003 Jay Xiong. All rights reserved.

[English] (adv) Straight forward; directly toward.

ncaj qha (pu) Mus tsis lem li; mus ncaj nraim rau: *Nws ncaj qha mus tsev.*
[English] (adv) Straight forward; directly toward.

ncas (y) Rab uas yog muab tooj ua, me~ thiab muaj ib tus nplaim uas Hmoob tshuab hais lus, thiab feem ntau yog siv los tham hluas nkauj rau thaum tsaus ntuj: *Nws txawj tshuab ncas heev. Nws muaj ib rab ncas.*
[English] (n) A Hmong musical instrument, esp. made with either one or two very thin metal blades, and mostly used guys as a way to communicate to girls or as a way to wake up girls at night.

ncau (u) Ncaim losyog tsis mus uake lawm; tawg ua ntau tus losyog txoj: *Tsob ntoo ncau ua ob ceg.* (y) Tej daim losyog tej txoj uas Hmoob muab xyoob losyog hmab coj los ua es kom tau pav tsev, khoom tej: *Nws muaj ib pob ncau.*
[English] (v) Branch, diverge. (n) Strap, string made by peeling from the bamboo, esp. used to weave things such as baskets.

ncau ceg (u) Ncau ua tej tus losyog tej ceg, xws li ceg ntoo tej.
[English] (v) Branch.

ncau ceg nyas (p) Yam uas ncau ceg ntawv: *Tus kauv los tug ncau ceg nyas.*
[English] (adj) Having many branches; branching into many.

ncauj (y) 1. Lub qhov ncauj: *Koj tsis muaj ncauj los cas?* 2. Qhov chaw uas yuav tsum mus txog losyog mus rau ua ntej tshaj: *Lub ncauj txag.* 3. Qhov uas pib losyog muaj tuaj mus: *Lub ncauj lus.*
[English] (n) 1. Mouth. 2. Gate, entrance. 3. The beginning or basis.

ncauj lwj txwv (y) Lub uas yog muab av nplaum los tuav xyaw xua thiab puab ua ib lub kheej~ nyob tom kawg ntawm tus raj cua thiab lub qhovcub: *Neeg siv lub ncauj lwjtxwv los thaiv kom hluav taws tsis kub tus raj cua.*
[English] (n) A device, made with certain sticky clay, placed between the wind pipe and the fireplace. This device prevents fire from burning the bamboo wind pipe which connected to the "lwj hlaus."

ncauj ntau (u) Ncauj loj; hais ua ntej es mam xav tomqab; hais lus ntau: *Nws ncauj ntau dhau hwv.* (p) Tus neeg uas nyiam tham losyog hais lus ntau.
[English] (v,adj) Big mouth, talkative, loquacious.

ncauj puam suav khawv (p) Tham ntau heev; kheev tham heev: *Nws yog tus*

© 2003 Jay Xiong. All rights reserved.

neeg ncauj puam suav khawv.

***[English]** (adj) Talkative, loquacious.*

ncauj qab zib nplaig qab ntse (z) Txawj hais lus uas xws li txawj ntxias heev.

***[English]** (idiom) Of or relate to a person who can sweet-talk and persuade.*

ncauj tsiag (y) Cov nyiaj uas niamtais thiab yawmtxiv muab rau tus ntxhais thiab tus vauv, xws li thaum tus ntxhais tas sim neej lawd es tus vauv yuavtsum tua ib tus nyuj losyog ib tus tsiaj rau tus ntxhais: *Cov nyiaj ncauj tsiag.*

***[English]** (n) The money given to the son-in-law by the parent-in-law at the wedding. The purpose of this money is for the son-in-law to buy a cow, in the event his wife would pass away (die), for their daughter's funeral.*

ncav (u) Ua kom lub cev siab losyog ntev uas xws li kom mus txog, cuag rau: *Tus tshis ncav mus noj cov zaub.* (r) Mus cuag, mus txog rau lub sijhawm hais tseg ntawv: *Peb tuaj ncav nej rooj mov.*

***[English]** (v) Stretch, esp. as when reaching for something. (prep) On time.*

ncawg (u) 1. Swm qhov chaw; nyiam: *Cov qaib ncawg lub cooj.* 2. Nyiam, swm, tsis ntshai tus neeg losyog tus tsiaj: *Tus menyuam ncawg pog thiab yawg heev.*

***[English]** (v) 1. Habituate, accustom, familiarize. 2. To like, such as prefer to stay and/or be with. Ex: The children like to be with their grandmother.*

ncaws[1] (u) Muab txhais taw mus tsoo, xws li fiav kom raug: *Nws ncaws kuv.*

***[English]** (v) Kick.*

ncaws[2] (u) Muab xws li rab hlau khawb av: *Peb ncaws nroj.*

***[English]** (v) To dig up or cultivate land with a hoe, for example.*

nce[1] (u) Mus losyog txav rau qhov siab: *Nws nce tus ntaiv.* Lus rov: *Nqis.*

***[English]** (v) Climb.*

nce[2] (u) Muaj nqis losyog kim dua yav tas los: *Ntu no kub nce lawm.*

***[English]** (v) Rise, appreciate, such as become more valuable or expensive.*

nce toj (u,p) Mus rau qhov chaw siab losyog ntxhab uas xws li mus rau saum lub roob: *Txoj kev ncetoj heev.* Lus rov: *Nqes hav.*

***[English]** (v,adj) Uphill, steep.*

nceb[1] (y) Tej lub losyog tej daim uas tuaj nyob ntawm xws li tej cav lwj losyog tej ntoo qhuav: *Peb mus de nceb. Nws nyiam noj nceb.*

***[English]** (n) Mushroom.*

© 2003 Jay Xiong. All rights reserved.

nceb[2] (y) Lub paum, thiab siv ua si losyog rau lub caij sib ceg xwb.
[English] (n) Vagina (slang and obscene).

nceb a (y) Ib hom nceb uas tuaj ua tej thooj tabsis yog av thiab pobzeb sib txuam. Ib txhia neeg kuj siv los ua tshuaj kho (pleev) xws li mob qog thiab mob rwj tej.
[English] (n) Certain kind of ground mushroom.

nceb lwg qaib (y) Ib hom nceb uas tuaj rau hauv av losyog nyob rau ntawm tej povtoj: *Neeg nyiam noj nceb lwg qaib heev.*
[English] (n) Certain kind of white ground mushroom.

nceb ntswm (y) Ib hom nceb uas ua tej daim dub, nplua, thiab tuaj nyob rau ntawm cov ntoo qhuav tej: *Nws de tau ib hnab nceb ntswm.*
[English] (n) Certain kind of black fungus, esp. the slimy kind.

nceb paj dawb* (y) Cov nceb uas tuaj lub nceb zoo xws li res zaub paj, thiab feem ntau yog muaj nyob rau xws li Suav teb tej: *Ib plas nceb paj dawb.*
[English] (n) White fungus.

nceb paj dub* (y) Cov nceb uas xws li nceb lwg qaib, tabsis nws dub~ zoo li lub hluav ncaig: *Ib plas nceb paj dub.*
[English] (n) Black fungus.

nceb txhais (y) Ib hom nceb uas tuaj ua tej daim me~ thiab tuaj ua plas xws li nyob rau ntawm cov ntoo qhuav. Feem ntau yog muaj nyob rau cov ntoo faj khaum qhuav xwb: *Tus ntoo faj khaum tuaj ib co nceb txhais.*
[English] (n) Certain kind of small and white fungus.

nceb vaug (y) Ib hom nceb uas tuaj ua tej ntsau losyog muaj ntau daim nceb nyob ua tej tauv: *Ib tauv nceb vaug.*
[English] (n) Oyster mushroom.

ncej (y) Tus ntoo losyog tej tus uas neeg muab txhos rau hauv av: *Ib lub tsev yuavtsum muaj plaub tus ncej es cua tshuab thiaj tsis vau.*
[English] (n) Post, column, mainly set upright into the ground.

ncej cog (y) Daim ntoo uas neeg siv los tuav daim nqos cos. Feem ntau yog ob tus ncej. Ib tus ncej muaj ib lub qhov uas xws li yog muab txhos los tuav daim nqos cos es kom thaum tsuj yav cav cos es lub cos thiaj li tsa.
[English] (n) The two vertical posts or columns that support a mortar.

ncej ntxheb (y) Tus ncej uas Hmoob coj los txhos rau lub caij noj Pebcaug, thiab

© 2003 Jay Xiong. All rights reserved.

Hmoob tuaj sibtham nyob rau thajtsam ntawv. Feem ntau Hmoob siv lo tias "ncej ntxheb-ncej ntxhoo" xwb.

[English] (n) A tall post which set upright into the ground at a Hmong New Year during celebration, esp. in China.

ncej ntxheb ncej ntxhoo (y) Tus ncej ntxheb.

[English] (n) A tall post which set upright into the ground at a Hmong New Year during celebration, esp. in China.

ncej puab (y) Yav ceg uas nyob nruab nrab ntawm lub hauv caug thiab lub duav.

[English] (n) Thigh.

ncej puab ntug (y) Ntu cej puab uas txuas rau lub cev.

[English] (n) The upper part of the thigh.

ncej qab (y) Sab ceg uas nyob nruab nrab ntawm lub pobtw thiab lub qhov raws.

[English] (n) The back part of the thigh.

ncej tag (y) Tus ncej tas. Cov ncej uas siv los txheem tus nqaj ru uas tav nyob saum lub ruv; tus ncej uas txhos nyob rau ntawm lub hauvplag: *Ib tus ncej tag.*

[English] (n) The main vertical column inside of the Hmong's home.

ncej tas (y) Tus ncej tag. Tus ncej uas nyob nruab nrab hauv lub tsev thiab yog ua los txheem tus nqaj ru.

[English] (n) Variant of "ncej tag."

ncej tshuav (y) Ob tus ntoo uas zoo ibyam li tus ntoo cuam uas Hmoob muab los txho rau lub caij tshwm tshav ntawm tus neeg tuag.

[English] (n) The cross like pieces of wood put nearby a dead person. This is only applicable to those that still practice shamanism.

nch (y) Ib tus ntawv uas siv rau cov lus xws li ncha, nchuav ltn...

[English] (n) A consonant used for words such as "ncha, ncho" etc...

ncha (u) Hnov mus deb heev; nrov thiab hnov lub suab mus deb: *Tus tubsab lub npe ncha thoob lub zos.* (p) Nrov: *Nws hais lus ncha heev.*

[English] (v) Echo. (adj) Loud, echoey.

ncha lug (pu) Ncha mus deb: *Huabtais Ntuj lub npe nrov ncha lug.*

[English] (adv) Popularly, very popular.

nchav (u) Sib zog dhau; tsis majmam: *Nws nchav dhau.* (p) Loj losyog sib zog dhau: *Nws mus kev nchav heev.*

© 2003 Jay Xiong. All rights reserved.

[English] (v,adj) Rough, such as being forceful.

nchawv nchias (pu) Piav txog cov lus xws li los, mus ltn... *Tus kauv los nchawv nchias tim roob.*

[English] (adv) Used to describe words such as walk or march.

nchi (u) Ua rau lub plab kub thiab tsam; mob plab: *Nws lub plab nchi.*

[English] (v) Upset stomach.

nchias (y) Siv cov ntsis ntivtaw majmam mus kev: *Nws mus kev ua nchias xwb.*

[English] (n) A walk of tiptoeing.

nchias taw (y) Siv cov ntivtaw mus kev xwb; majmam mus kev uas xws li kom tsis muaj neeg hnov: *Tus tubsab ua nchias taw xwb.*

[English] (n) A walk of tiptoeing.

ncho (u) Ua losyog muaj pa xws li thaum muaj hluav taws kub; pob: *Lub cub tawg ncho vim los nag rau.* (p) Yam uas muaj pa ncho tuaj.

[English] (v) To emit smoke into the air. (adj) Having smoke.

nchos (u) Muab co~ kom muaj lwm yam plam losyog poob mus: *Nws nchos lub hnab kom cov av poob.*

[English] (v) To shake (clothes, for example) so that particles fall off.

nchuav (u) Ua kom txeej losyog ntws tawm mus: *Khob dej nchuav.*

[English] (v) Pour, spill.

nchuav cev (u) Ua rau tus menyuam hauv plab poob, feem ntau, tuag lawm: *Nws tsis ua zoo es nws nchuav cev lawm. Lo lus no thiab lo "cev nchuav" yog kuj siv mus los tib yam thiab.*

[English] (v) Miscarry (a fetus, for example).

ncia (u) Tsis mus; theem, daig, khuam: *Nws ncia mov.*

[English] (v) Gasp, such as having difficulty breathing or swallowing.

ncig (u) 1. Mus zoo li lub voj; mus xws li kom rov los xaus rau ntawm qhov chaw uas pib: *Peb ncig lub pas dej.* 2. Mus saib: *Nws ncig ntau lub tebchaws.*

[English] (v) 1. To go or walk around; encircle. 2. To tour or travel around.

ncig lees (pu) Ncig mus los xws li lub voj: *Nws tawg qeej ncig lees xwb.*

[English] (adv) To spin or rotate around the center or middle.

nco[1] (u) 1. Xav txog; tshua txog; muaj nyob rau hauv lub siab: *Kuv nco koj.* 2. Puv heev; phwj: *Kawm nplej nco heev.* (p) Yam uas puv ntawv.

© 2003 Jay Xiong. All rights reserved.

[English] (v) 1. To think of; to miss, such as "he missed her." 2. (v,adj) Very full or filled to the very top.

nco[2] (u) Paub txog; tseem muaj nyob rau hauv siab zoo: *Nws nco koj lub npe zoo.*
[English] (v) Remember, recognize, recall.

nco laws (p) Puv nkaus; phwj yaws: *Nws muaj ib kawm nplej nco laws.*
[English] (adj) Very full; fully.

nco qab (u) Nco nyob rau hauv siab; paub zoo losyog nco txog: *Nws nco qab tias tshuav nws hnab nyiaj. Nws nco qab zoo heev.* Lus rov: *Nov qab.*
[English] (v) Remember, recognize, recall.

ncoo (u) Sib sau uake; los nyob ua ib pawg; los khooj rau: *Cov menyuam qaib los ncoo ntawm lub qhovrooj. Tus menyuam ncoo nws niam.*
[English] (v) To come together, esp. to form a group or flock.

ncos (y) Cov nyiaj uas muab pub losyog them rau tus nus tij, txiv dab laug, thiab tus nus npaws uas thaum ua rooj tshoob. Cov nyiaj no yog muab rau xws li cov neeg uas hais dhau lo xwb. Tsis yog muab rau niamtais thiab yawmtxiv. Yog niamtais thiab yawmtxiv xav kom rau peb ncos, ces tog vauv yuav tau tuaj ob ncos hos tog niamtais thiab yawmtxiv tuaj ib ncos.
[English] (n) The money given to the bride's older brother, her mom's brother, and the bride's first cousin, esp. with a different clan at the Hmong wedding.

ncov (p) Phwj losyog puv uas zoo xws li lub hauv roob: *Ntim kawm nplej kom ncov.* (y) Qhov chaw uas siab tshaj: *Nws mus txog saum lub ncov roob.*
[English] (adj) Full. (n) The ridge of a mountain.

ncu[1] (u) Muab cub losyog muab ua kom sov thiab siav: *Ncu cov ntses kom siav.*
[English] (v) Steam.

ncu[2] (u) <Lees> Nco, xws li xav txog; nco txog: *Nwg ncu koj heev.*
[English] (v) <Leng> To think of; to miss (someone, for example).

ncua[1] (u) Tseg losyog tsum uas xws li so: *Peb ncua tau ob hlis peb tsis mus nuv ntses lawm.* (pu) Tsis ua ntxiv lawm; tsum lawm: *Nws tseg ncua txoj kev ua si.*
[English] (v) To pause; to stop temporarily; to wait for a while. (adv) Immediately, quickly.

ncua[2] (u) Kav mus txog; muaj txaus mus cuag losyog txog rau: *Nws txhab nplej*

© 2003 Jay Xiong. All rights reserved.

ncua nws ib xyoos.

[English] *(v) Last to; enough until.*

ncuab (y) Ib hom noog: *Nws cuab tau ib tus ncuab.*

[English] *(n) Certain kind of bird.*

ncuav (y) 1. Cov tej daim losyog tej lub uas neeg muab mov nplaum zom losyog tuav los ua: *Peb tuav tau ib dab ncuav.* 2. Ib hom neeg uas xws li muaj nyob rau Lostsuas thiab Suav tebchaws.

[English] *(n) 1. The Hmong rice cake, esp. made with sticky rice. 2. Certain kind of people or nationality live in Laos and China.*

ncuav pias[1] (y) Cov ncuav uas yog muab cov hmoov pias los ua: *Lub ncuav pias.*

[English] *(n) The kind of Hmong pancake made with "pias" or millet.*

ncuav pias[2] (y) Xuas txhais xibtes mus ntaus losyog npuaj: *Mag ib ncuav pias.*

[English] *(n) A slap or hit, esp. using the palm of a hand.*

ncus (u) Mob thiab ua rau ntoj heev: *Nws lub qhovtxhab ncus thiab mob heev.*

[English] *(v) Throb, esp. when related to pain.*

ncuv (pu) Qauv, dai losyog dauv los rau hauv av: *Tauv paj dai ncuv xwb.*

[English] *(adv) Used to describe things, such as flowers, that are falling or bending downwardly.*

ncuv luv (y) Ib hom noog uas nyiam ua zes dai rau tej ceg ntoo losyog nplooj ntoo tej: *Ib lub zes ncuv luv.*

[English] *(n) Swallow, such as any of the small, swift-flying passerine birds.*

ncw (u) Muaj ntau thiab tuab heev xws li txiv hmab thiab txiv ntoo tej: *Cov txiv ncw heev.* (p) *Tsob txiv txi ncw heev.*

[English] *(v,adj) Very fruitful; having many fruits.*

ncwb (y) Ib hom noog me thiab daj uas luaj li ntivtaw. Feem ntau yog ya ua pab thiab muaj rau lub caij yuav txog Pebcaug ntawv: *Ncwb los haus paj ntoos.*

[English] *(n) Certain kind of, very small, birds similar to finch.*

ncwm[1] (u) Hais losyog qhia rau tus tsiaj uas ciaj tias kom nws mus pab losyog mus theej tus neeg qhov txhoj–chaw: *Muab tus qaib ncwm tas ces mam tua.*

[English] *(v) To speak to an animal before making the sacrifice, esp. when offering to a spirit.*

ncwm[2] (u) Thov xws li Tswv Ntuj, Dab ntuj losyog Dab zos pab qhia seb txoj kev,

© 2003 Jay Xiong. All rights reserved.

yam twg losyog qhov twg yog qhov zoo thiab qhov phem. Feem ntau, neeg siv lo lus ncwm los saib xyuas xws li thaum yus muaj ntau txoj kev ua losyog mus, tabsis yus tsis paub tias txoj kev twg yog txoj zoo thiab txoj phem. Yog li, yus thiaj li muab xws li txhuv, feem ntau yog siv 6 lub tej, los ncwm: *Nws ncwm seb mus zoo dua losyog nyob yuav zoo dua.* Feem ntau, yog muab 6 lub txhuv tso rau hauv lub voos nyob, thiab 6 lub tso rau hauv lub voos mus. Thaum ncwm ces yog thaum thov Ntuj tias, yog tias mus zoo ces kom cov txhuv uas nyob hauv lub voos mus nyob uake li thaum tso. Yog tias mus es phem ces kom 6 lub txhuv ntawv tawm thiab txav hauv lub voos. Thaum ncwm tag li no, ces muab xws li phiab los khwb ob pawg txhuv no ciali ib hmos. Tag kig, rov tuaj saib seb phawg nyob zoo los pawg mus zoo.

***[English]** (v) To make a request either to God, Ghost of the universe or Ghost of the land to help a person determine which decision is the best.*

ndhl (y) <Lees> Ib tus ntawv siv rau cov lus xws li ndhlij ndhloj.

***[English]** (n) A consonant used for words such as "ndhlij, ndhloj."*

ndhlij ndhloj (y,pu) <Lees> Lub suab uas thaum hau yias npua qhauv lossis lauj kaub kua dis es nrov tej.

***[English]** (n,adv) <Leng> A bubbling sound made when boiling something; any of such gurgling sounds.*

ndl (y) <Lees> Ib tus ntawv uas siv rau cov lus xws ntws, ntiav, ntas ltn... Cov lus no yog sau ua Hmoob Lees ces sau ua ndlwg, ndlav, ndlaas lth (li tej hov)

***[English]** (n) A consonant used for words such as "ndlwg, ndlav, ndlaav" ltn...*

ndlaas (u) <Lees> Ntas, xws li thaum lub pas dej lossis cov nplaim dej ntas tej.

***[English]** (v) To wave, esp. such as the wave of an ocean or lake.*

ndlav (u,p) <Lees> Ntiav, xws li tsis tob tej: *Tug dlej ndlav heev.*

***[English]** (v,adj) Shallow, as not deep. Example: The river is very shallow.*

ndluag (u) <Lees> Ntuag, xws li lub ris lossis lub tsho ntuag, tu ua ob sab tej.

***[English]** (v,adj) <Leng> Being torn.*

ndluav (u) <Lees> Ntov, xws li ntov lossis nchuav tais dej pov tseg ltn...

***[English]** (v) To pour, water or liquid, such as to throw or cast it away.*

ndlwg (u) <Lees> Ntws, xws li dej ntws tej: *Tug dlej ndlwg ceev heev.*

***[English]** (v) To flow or run. Example: The river flows very fast.*

© 2003 Jay Xiong. All rights reserved.

ne (p) Siv los nug txog: *Koj ne?* (pu) *Kuv kom nws mus ne.* (nth) Siv los hais rau lub caij xws li thaum muaj tej yam yus tsis nyiam losyog yus twb hais kom txhob ua es tseem pheej ua li: *Ne, kuv hais tsis mloog!*
***[English]** (adj) What about? (adv) Such. (interj) Oh, see!*

neb (t) Ob tus neeg uas yus hais lus rau: *Neb hais lus zoo heev. Muab rau neb.*
***[English]** (pron) You, your, yours and used for two persons only. "Koj" is used for "you"--single person, and "Nej" is used for "you"--more than two persons.*

Neeb (y) Ib txoj kev ntseeg uas ib cov Hmoob hawm thiab teev: *Ua ib thaj Neeb los saib nws niam.* Ib lub npe uas siv rau neeg.
***[English]** (n) Shaman, shamanism. Also a proper name.*

neeb hloov hiav (y) Ib thaj neeb uas loj thiab ua hnyav tshaj plaws li. Hom neeb no yog ua los hloov lossis pab kom tus neeg uas mob loj thiab yuav tuag rov zoo lossis ciaj rov los. Lo lus hloov hiav ces yog mus hloov tus neeg uas mob lub chaw tuag: *Nws ua ib thaj neeb hloov hiav.*
***[English]** (n) A shaman ritual that is considered the most difficult one and it is normally done as the last effort to try to save the life of a very ill person.*

neeb khaub ruab (y) Ib hom neeb uas yog muab tus khaubruab los txheev cov dab saum cov hnubqub hu ua "Txhiaj Txivmim" no. Cov hnubqub no muaj xya lub nyob sibze losyog nyob uake.
***[English]** (n) Certain kind of spiritual practice that the spirits come from the Big Dipper stars.*

neeb kho (y) Ib thaj neeb uas yog ua los kho, feem ntau yog tua ib tus tsiaj, xws li tom qab thaum tus neeg uas mob tau zoo lawm: *Nws ua ib thaj neeb kho.*
***[English]** (n) A shaman ritual that served as a payment or reimbursement by a way of sacrificing an animal (a pig, for example), and it is normally done after an ill person is well or feeling better.*

neeb ntsia cua (y) Ib thaj neeb kho mob uas ua rau lub caij xws li muaj ib tus neeg mob loj heev. Lo lus cua yog tus nees dab thiab lo lus ntsia ces yog muab tus nees dab faus lossis kaw es kom tus neeg uas mob loj, feem ntau yuav tuag, ntawv rov zoo los. Neeb ntsia cua yog ib thaj neeb uas loj thiab hnyav heev, thiab ua seb cawm puas tau tus neeg uas yuav tuag lawm xwb.
***[English]** (n) Certain kind of spiritual cure that a shaman used to help a very sick or ill person who is considered dying or near death.*

© 2003 Jay Xiong. All rights reserved.

neeb poj qhe (y) Ib hom neeb uas yog muab rab diav los kiv es ua raws rab diav.
[English] (n) Certain kind of shamanism that used a spoon to encircle the fire place.

neeb saib (y) Ib thaj neeb uas yog ua los saib tus neeg losyog tsev neeg tej, xws li seb puas muaj teebmeem lossis kev yuav muaj mob loj tej.
[English] (n) A shaman ritual that is generally done to check up on a person or family to see if there is any problem or illness that is going to happen or occur to a person or family.

neeb siv yis (y) Ib hom neeb uas yog mus kawm es txawj lossis txawj vim yog muaj lwm tus txiv neeb qhia: *Feem ntau, neeg txawj cov neeb siv yis xwb.*
[English] (n) A shaman who obtained his shaman knowledge or practice by learning from other experienced shaman.

neeb tab (y) Cov neeb uas ib tiam tsuas muaj ib leeg hauv ib pab kwvtij txawj xwb: *Nws txawj neeb tab.*
[English] (n) A shaman spirit that comes once in a generation to each clan.

neeb txooj (y) Cov neeb uas ntau leej txawj thiab paub: *Feem ntau, neeg paub neeb txooj xwb.*
[English] (n) A shaman spirit that is very common, and is known by many people.

neeb txwv txoob (y) Ib hom neeb uas yog muaj dab neeb los thawj es tus neeg ntawv thiaj li paub thiab txawj ua neeb xwb.
[English] (n) A shaman who obtained his shaman knowledge or spiritual power because the spirits or holy ghosts made and/or wanted him to be a shaman.

neeg (y) 1. Tus neeg; cov neeg; tibneeg: *Peb sawvdaws yog neeg. Neeg txawv tsiaj.* 2. <Lees> Nees, xws li cov tsiaj uas siv los thauj nra.
[English] (n) 1. Person, people, human. 2. <Leng> Horse.

neej (y) Txoj kev ua neeg nyob; lub cuab, lub yig: *Nws lub neej zoo heev.*
[English] (n) Life. Example: His life is very good. He got a good life.

neejtsa (y) Cov neeg uas yog yus tus pojniam tsev neeg losyog tib xeem ntawv: *Kuv cov neejtsa yog Hmoob Yaj.*
[English] (n) Relatives-in-law; relatives of one's wife.

neem (y) Txoj kev uas ua thawj zaug losyog xub pib: *Nws qhib neem tsis zoo*

© 2003 Jay Xiong. All rights reserved.

ces zaum twg nws ua los thiaj tsis zoo.
***[English]** (n) Beginning, initiation, start.*

nees (y) Ib hom tsiaj uas muaj plaub txhais testaw thiab luaj li nyuj, tabsis tsis muaj kub. Feem ntau neeg siv nees los caij thiab thauj khoom: *Neeg siv nees los thauj nra. Nws muaj ib tus nees.*
***[English]** (n) Horse.*

nees daj dua (y) Ib hom tsiaj uas zoo li nees tabsis me thiab nyiam nyob saum ntoo tej: *Ib tus nees daj dua.*
***[English]** (n) Certain kind of small animal that is similar to a horse.*

nees nkaum (y) Tus ntawv suav 20 uas nyob nruab nrab ntawm tus 19 thiab tus 21: *Nws suav txog nees nkaum.* (p) Yam uas muaj nees nkaum: *Nws muaj nees nkaum xyoo.* (t).
***[English]** (n, adj,pron) Twenty.*

nees nkaum ib (y) Ib hom phaib uas yog leej twg tau ntau tshaj 21 ces nws swb.
***[English]** (n) Blackjack, the card game.*

nees taw (y) Ob tus ntoo uas yog muab ua los kom tau tsuj thiab mus kev nyob siab saum daim av: *Nws caij ob tus nees taw.*
***[English]** (n) Stilts.*

nees txaij (y) Ib hom tsiaj zoo li nees, tabsis me zog thiab muaj tej kab txaij (dub) nyob thoob plaws nws lub cev dawb.
***[English]** (n) Zebra.*

nej (t) Cov neeg uas yus hais losyog tham lus rau: *Nej hais lus zoo heev.*
***[English]** (pron) You, your, yours and used for more than two persons.*

nej qaib nyob peb cooj, peb os nyob nej nkuaj (z) Txhais tias peb neeg nyob nej tsev; nej neeg nyob peb tsev. Feem ntau yog siv rau lub caij hais plaub ntug.
***[English]** (idiom) It means that your people, daughters, are a part of our families, our people, daughters, are a part of your families.*

nem (nth) Siv rau lub caij uas xws li qhia tas es tseem ua tsis yog losyog tsis tsum: *Nem, kuv twb kom tsum! Nem, hais tsis mloog!*
***[English]** (interj) Oh, see!*

nev (nth) Nem, siv los qw rau: *Nev, kuv twb kom tsum!*
***[English]** (interj) Oh, see!*

© 2003 Jay Xiong. All rights reserved.

niab (pu) Siv los piav txog cov lus xws li pos huab, auv: *Hnub no pos huab niab.*
[English] (adv) Cloudily; has much of, esp. such as smoke everywhere.

niab tav nov (tx) Ib zaj lus uas siv los txuas ob fab kwv txhiaj: *Niab tav nov luag leem tub...*
[English] (conj) Used to join two paragraphs or verses during chanting or singing the Hmong "kwv txhiaj."

niab yai (tx) Ib lub suab uas Hmoob siv los pib hais zaj kwv txiaj; niaj yai, niam yai: *Niab yai txiv leem tub...*
[English] (conj) Used mostly to start the song of the Hmong "kwv txhiaj."

niag (t) Tus, hom, yam: *Niag loj, niag dawb ltn...* (h) *Niag neeg phem.*
[English] (pron) He, she, it. That or such person. (cl) A, the.

niaj (y) Sijhawm xws li xyoo: *Sib hlub mus thawm niaj. Ntev niaj, ntev xyoo.* (p) Txhua, muaj txhua lub caij: *Niaj hnub, niaj hmo.*
[English] (n) Year, esp. such as a period of 12 months. (adj) Every.

niam[1] (y) Tus pojniam uas yug yus: *Xis Tsab yog kuv niam.* Lus rov: *Txiv.*
[English] (n) Mother, mom. Ant: Father, dad.

niam[2] (y) Tus poj niam uas xws li muaj menyuam lawm: *Niam Txoov Pov.* Lus rov: *Txiv.*
[English] (n) Wife, spouse (of someone, for example).

niam[3] (y) Siv los piav txog tias yog tus loj losyog tus xub tsim tuaj mus: *Sooj Lwj Yaj yog peb tus niam ntawv, niam dej ltn...*
[English] (n) The mother of; the biggest of things; the creator of things.

niam hlob (y) Yus tus txiv hlob tus pojniam: *Nws yog kuv tus niam hlob.*
[English] (n) Aunt, esp. the wife of one's uncle who is older than one's dad.

niam hluas (y) Tus pojniam uas yau yus (yuavtsum yog tus ntxhais thiab): *Nws yog kuv tus niam hluas.* Lus rov: *Niam laus.*
[English] (n) Younger sister.

niam laus (y) Tus pojniam uas hlob yus (yuavtsum yog tus ntxhais thiab): *Nws yog kuv tus niam laus.* Lus rov: *Niam hluas.*
[English] (n) Older sister.

niam leej ntxhais (y) Tus ntxhais, tus pojniam. Feem ntau yog siv rau lub caij hais kwv txhiaj xwb: *Niam leej ntxhais ntauj taw tuaj txog...* Lus rov: *Txiv leej*

© 2003 Jay Xiong. All rights reserved.

tub. Txiv leej tub thiab leej tub yog txhais tibyam xwb.

***[English]** (n) Girl, gal, mostly used when singing the "kwv txhiaj" only.*

niam loj (y) Thawj tus pojniam uas tus txivneej xub yuav: *Nws tus niam loj.*

***[English]** (n) First wife.*

Niam Mab Liab Tus pojniam uas yug Yesxus Khestos; Maiv Lag.

***[English]** Mary, the mother of Jesus Christ.*

niam nrab (y) Tus pojniam uas yuav tomqab ntawm tus niam loj, tabsis ua ntej ntawm tus niam yau: *Nws muaj peb tus pojniam: niam loj, niam nrab, thiab niam me losyog niam yau.*

***[English]** (n) The middle wife.*

Niam Ntawv Ib tus txivneej Hmoob hu ua Sooblwj, xeem Yaj uas tsim tau ib co ntawv hu ua Phajhauj (? - 1971).

***[English]** A name of the Hmong man called Shong Lue who invented the Phahauh Hmong written language or manuscript (?-1971). Also called the Hmong's Mother of Writing.*

niam ntiav (y) Tus pojniam uas nws kam txiv neeg deev, tabsis tus txivneej yuavtsum them nyiaj rau: *Nws yog ib tus niam ntiav.*

***[English]** (n) Prostitute.*

niam ntxawm (y) Yus tus txiv ntxawm tus pojniam: *Kuv tus niam ntxawm.*

***[English]** (n) Aunt, esp. the wife of one's younger uncle.*

niam tais (y) 1. Tus pojniam uas yug yus niam: *Nws yog kuv tus niam tais.* 2. Cov pojniam uas yog yus niamtais cov viv ncaus: *Kuv cov niam tais.* Lus rov: *Yawm txiv.*

***[English]** (n) 1. The mother of one's mother. 2. Relatives, esp. girls, of one's mother.*

niam tais hluas (y) Yus niam cov niam hluas: *Nws yog kuv tus niam tais hluas.*

***[English]** (n) The younger sister of one's mother.*

niam tais laus (y) Yus niam cov niam laus: *Nws yog kuv tus niam tais laus.*

***[English]** (n) The older sister of one's mother.*

niam tais ntsuab (y) Tus ntxhais uas nrog yus tus pojniam uake thaum mus hais yus rooj tshoob: *Nws yog tus niam tais ntsuab.*

***[English]** (n) A bride's female chaperone; maid of honor.*

© 2003 Jay Xiong. All rights reserved.

niam tsev (y) Tus pojniam uas kav losyog nyob hauv tsev neeg: *Kuv niam yog peb tug niam tsev.* Lus rov: *Txivtsev.*
[English] (n) Housewife.

niam tub (y) 1. Tus pojniam thiab cov menyuam: *Nws cov niam tub.* 2. Tsev neeg: *Nws tsis hlub nws cov niam tub.* Lus rov: *Txiv tub.*
[English] (n) 1. Wife and children. 2. Family, esp. the wife and kids.

niam tub txiv nyuag (t) Txhua leej hauv tsev neeg: *Niam tub txiv nyuag puav leej tuaj. Nqa mus rau niam tub txiv nyuag.* (y) Tsev neeg.
[English] (pron,n) Family, everyone in the family.

niam txais tog txiv txais nta (y) Ib zaj lus uas siv los piav txog xws li tus niam thiab tus txiv los sib yuav hauv nrab neej, xws li yog poj nrauj, poj ntsuam thiab yawg nrauj thiab yawg ntsuag.
[English] (n) A married couple who had both been divorced or widowed.

niam txiv[1] (y) 1. Ob tus neeg uas sib yuav lawm, xws li tus pojniam los nyob nrog tus txivneej : *Nkawv yog niam txiv.* 2. Yus niam thiab yus txiv.
[English] (n) 1. Spouse. 2. Parents, such as both mother and father.

niam txiv[2] (y) Tus txivneej uas xaiv los mus nres losyog sawvcev ntawm tus vauv niam thiab txiv uas nyob rau hauv rooj tshoob: *Nws yog niam txiv tom ub.*
[English] (n) A man who represents the bridegroom's parents at the wedding.

niam ua mov (y) Tus pojniam uas thov los ua zaub mov nyob rau hauv lub ntees tuag. Feem ntau yog thov cov tsis muaj txiv xwb: *Nws yog tus niam ua-mov.*
[English] (n) The cook (woman) whose responsibility is to serve food at the funeral. Mostly, these are divorced and/or widowed women only.

niam yau (y) Tus pojniam uas yuav tomqab ntawm tus niam loj: *Nws yog tus niam yau.* Nws muaj ob tus pojniam: *Niam loj thiab niam yau.*
[English] (n) 1. The second or latter wife. 2. The second or latter mother.

nias[1] (u) 1. Muab tsuam; muab ua kom nyob rau sab hauv qab: *Nws muab lub rooj nias lub qhovrooj.* 2. Muab nyiaj losyog tej yam khoom los them ua ntej losyog los yuam rau: *Nws muab tsib txhiab nias tseg.*
[English] (v) 1. To push down; to hold, firmly, down. 2. To make a down payment or initial deposit.

nias[2] (u) Hais lus tshaj tawm kom tus neeg tubsab, feem ntau tsis paub tias yog

© 2003 Jay Xiong. All rights reserved.

leej twg tiag, xa lossis nqa yam khoom nws nyiag rovqab tuaj rau tus tswv: *Lawv nias losyog tsuam tubsab.*

***[English]** (v) To give a message to the suspected people who might have taken or stolen certain items the opportunity to return the stolen items to the owner at a specific location on certain date without a penalty or charge.*

nias[3] (u) Muab nyiaj los tso saum rooj lossis lub tsum: *Muab nyiaj los nias rooj.*

***[English]** (v) To put money on the table, esp. at the wedding negotiation.*

nij txws (pu) Ibtxwm; tas mus li: *Tej laus nij txws piv lus tias...*

***[English]** (adv) Always, usually.*

nim (pu) Ua li; hais li; xws li uas: *Koj nim tsis nco kuv li.*

***[English]** (adv) Even, just. Ex: You even did not think of me.*

nim no (pu) Tamsim no; lub sijhawm no: *Peb mus nimno. Nws tuaj nim no.*

***[English]** (adv) Now, immediately; right away.*

nim tau tav nuav (z) Ib zaj lus pib thaum hais kwv txhiaj, thiab feem ntau yog siv rau cov kwv txhiaj Hmoob Lees xwb: *Nim tau tav nuav...*

***[English]** (phr) A phrase used for starting the Hmong Leng "kwv txhiaj."*

nim yaw (nth) Siv los qw losyog piav txog lub caij uas muaj tej yam yus tsis nco txog losyog yus ua puas lawm: *Nim yaw, ua cas kuv tsis nco qab li hvos!*

***[English]** (interj) Oh, esp. when one completely forgot about something.*

nim yog (tx) Twb vim yog; vim tias: *Tos nws tuaj los nim yog kuv hu.*

***[English]** (conj) Because.*

nim yuav (pu) 1. Tsis: *Tev txiv tsawb nim yuav nyuj hvos.* 2. Uas xws li; npaum li: *Ua cas koj nim yuav nco nws npaum li?*

***[English]** (adv) 1. Not, is not. 2. So, as such.*

nk (y) Ib tus ntawv siv rau cov lus xws li nkauj, nkawv, nka ltn...

***[English]** (n) A consonant used for words such as "nkauj, nkoj" etc... The equivalent sound is similar to the English "g" as girl, gate, go etc...*

nka (u) Yuag uas xws li tsis muaj nqaij ntau: *Nws nka heev.* (p) Yam uas nka ntawv: *Tus neeg nka noj tsis ntau li tus neeg rog.*

***[English]** (v,adj) Skinny, slim, thin.*

nka tawv (u) Yuag thiab tsis muaj nqaij ntau; nka: *Nws nkatawv thiab yuag heev.* (p) Tus uas nkatawv: *Tus neeg nka tawv noj tsis ntau li tus neeg rog.*

© 2003 Jay Xiong. All rights reserved.

[English] (v,adj) Skinny, slim, thin.

nkag[1] (u) 1. Muab ob txhais tes thiab ob lub hauvcaug mus kev: *Tus menyuam nkag los ntawm nws niam.* 2. Muab lub cev txav mus rau hauv av: *Tus nab nkag; tus ntsaum nkag.*

[English] (v) 1. Crawl, creep. 2. Crawl, creep, esp. as a snake.

nkag[2] (r) Txog rau hauv losyog mus rau sab hauv: *Nws tua nkag lub qhov.*

[English] (prep) In, such as going into a hole, for example.

nkag[3] (u) Mus hauv: *Nws nkag lawv lub tsev.*

[English] (v) To go in; to enter (a house, for example).

nkag siab (u) Paub, totaub; hnov tias hais li cas: *Peb nkag siab koj cov lus zoo.*

[English] (v) Understand, comprehend, know.

nkaib (u,p) Dag xwb; tsis muaj tiag; tsis tseeb: *Nws nkaib koj xwb.*

[English] (v,adj) Lie, joke, fake.

nkais[1] (t) Tus txivneej : *Tus nkais ntawv nyiam koj.* (y) Menyuam yaus.

[English] (pron) Man, guy, he. (n) Kid, child.

nkais[2] (y) Npem nkais; ib hom nas: *Ib tus nkais.*

[English] (n) Certain kind of squirrel.

nkaj (y) Ib hom ntoo uas neeg siv los tsuas xws li ntaub: *Neeg siv kua nkaj los tsuas ntaub.*

[English] (n) Indigos, such as used to dye fabric or clothes.

nkaj liab (y) Ib hom nroj uas zoo li hmab. Tus kav liab, cov nplooj liab thiab txi tej lub txiv kheej, me thiab liab: *Nws cog tau ib tsob nkaj liab.*

[English] (n) Certain kind of vine like plant.

nkaub (y) Lub daj~ thiab kheej uas nyob hauv plawv ntawm lub qe: *Txhua lub qe yeej muaj nkaub.* Ib lub npe neeg siv rau cov tub.

[English] (n) Yolk. Also a proper name for boys.

nkaubqes (y) Lub daj~ thiab kheej uas nyob hauv plawv ntawm lub qe: *Txhua lub qe yeej muaj nkaubqes.*

[English] (n) Yolk. See English words egg, eggshell and egg white also.

nkaug[1] (u) Muab tej yam ntse mus tshum losyog hno: *Nws muab rab hmuv nkaug tus nab.*

[English] (v) Stab, prod.

© 2003 Jay Xiong. All rights reserved.

nkaug[2] (u) Liam losyog hais tias muaj li; qhia rau lwm tus tias muaj li: *Nws nkaug lawv rau tus nom.*
[English] (v) To report to an authority, esp. in an alleged way, that someone did something wrong or illegal.

nkauj (y) 1. Tej zaj lus uas neeg muab los hu. Feem ntau yog hais ua kev lom zem tej: *Nws sau tau ib zaj nkauj.* 2. Tus pojniam losyog tus poj: *Ob tus nkauj qaib; tus nkauj Hmoob; tus nkauj Co; tus nkauj Suav ltn...*
[English] (n) 1. Song, chant. 2. Female, girl, gal.

nkauj fa (y) Tus pojniam uas yuav txiv, tabsis nws khiav tawm ntawm tus txiv rov mus nrog nws niam thiab txiv nyob: *Nws yog tus nkauj fa.* (u) Khiav mus uas xws li tsis muaj neeg paub: *Nws nkauj fa tuaj txog ntawv.* (p) Tus poj niam uas ua nkauj fa: *Peb ntshai cov neeg nkauj fa.*
[English] (n) A married woman who runs back to live with her parents, esp. after having marriage problems. (adj) Such a woman.

Nkauj Iab Thawj~ tus pojniam uas Huabtais Ntuj tsim los nyob rau hauv lub ntiajteb no: *Nkauj Iab thiab Nraug OO.*
[English] The first woman God created on earth; Eve.

Nkauj Kubkaws Ib tus hluas nkauj uas phem, tsis zoo tabsis nws txawj ntxias lossis mus dag txivneej tias nws zoo heev. Feem ntau, yog siv nyob rau lub caij hais dabneeg xwb. Ib txhiaj neeg kuj siv lo "niam nkauj kubkaws" no thiab.
[English] A name of a woman who likes to trick and lie to other men that she is better than any other women, but in reality she is not. This name of person is only used during fiction or story telling only.

nkauj laug (y) Tus ntxhais uas tsis yuav txiv thiab nws laus lawm.
[English] (n) An older woman who has never been married.

nkauj muam (y) Tus ntxhais; tus hluas nkauj: *Nkauj muam, koj puas hlub kuv tiag?* Lus rov: *Nraug nus.*
[English] (n) Girl, woman. Used by guys only.

nkauj muam nraug nus (y) Yog muam thiab nus; yog nus muag.
[English] (n) Cousin, relative.

Nkauj Ntsuab Ib txhia Hmoob ntseeg tias thaum ub muaj ib tus pojniam nqis saum ntuj los thiab nws muaj lub npe hu ua Nkauj Ntsuab thiab zoo nkauj heev.

© 2003 Jay Xiong. All rights reserved.

[English] Name of a pretty Hmong woman who came to earth from heaven.

nkauj nyab (y) Tus nyab tshiab; tus nyab. Lus rov: *Nraug vauv.*
[English] (n) Bride, daughter-in-law.

nkauj txhav qaib nraug txhav noog (y) Ob niamtxiv uas yog sib yuav thawj zaug xwb: *Nkawv yog ob niam txiv nkauj txhav qaib nraug txhav noog.*
[English] (n) The girl's first husband and the guy's first wife together.

nkauj xwb (y) Tus ntxhais uas tseem hluas thiab tsis tau yuav dua txiv: *Nws yog ib tus nkauj xwb.*
[English] (n) A virgin; a woman, esp. young one, who is still single.

nkauj zeb (y) Tus pojniam uas nws lub paum tsis muaj lub qhov zoo xws li lwm tus pojniam li, xws li muaj lub qhov, tabsis me heev.
[English] (n) A girl who has a smaller than normal opening in her vagina.

nkaum[1] (u) 1. Mus nraim; mus nyob rau qhov chaw uas kom tsis muaj neeg pom: *Tus tsov nkaum hauv koog zoov.* 2. Nraim kom tsis txhob raug losyog txhob ntub: *Peb nkaum hauv qab ntoo kom nag txhob ntub.*
[English] (v) 1. Hide. 2. To seek refuge.

nkaum[2] (u) Ploj mus, xws li rau hauv: *Tus vaub kib lub tobhau nkaum lawm.*
[English] (v) Retract, recede.

nkaus[1] (pu) 1. Xws li; zoo li; cuag li: *Nws phem nkaus li nws txiv.* 2. Ua kiag; muaj kiag tamsim ntawv: *Nws txais nkaus; nws tuav nkaus.*
[English] (adv) 1. Such, same. 2. Immediately.

nkaus[2] (pu,p) Tsis muaj lwm tus losyog lwm yam ntxiv: *Tshuav ib leeg nkaus.*
[English] (adv,adj) Only.

nkaus[3] (pu) Muaj sia nyob losyog muaj tau ntev los li: *Muaj ib puas xyoo nkaus.*
[English] (adv) Entirely, wholly, completely.

nkaus[4] (pu) Puv, txwm, uas xws li tsis muaj txhij: *Puv nkaus lub tais.*
[English] (adv) Fully, completely.

nkaus hlo (u) Muab los kiag; khaws nkaus los: *Nws nkaus hlo ib tus pas.*
[English] (v) Grab, take, esp. quickly and/or suddenly.

nkaw (y) Ib lo lus; ib zaj lus: *Niamtxiv nkaw lus.*
[English] (n) Message, words.

nkawg (y) Nkawm, ob tus uas xws li tus niam thiab tus txiv: *Ib nkawg niamtxiv.*

© 2003 Jay Xiong. All rights reserved.

Ib nkawg khau. Nkawg thiab nkawm txhais tib yam xwb.
***[English]** (n) Couple, pair.*

nkawj (y) Ib hom kab uas zoo li ntab tabsis loj dua: *Nws pom ib xub nkawj.*
***[English]** (n) Wasp, esp. the bigger kind.*

nkawm (y) Ob tus uas xws li tus niam thiab tus txiv; nkawg: *Ib nkawm niamtxiv. Ib nkawm khau. Nkawm thiab nkawg txhais tib yam xwb.*
***[English]** (n) Couple, pair.*

nkaws (pu) Qeeg thiab ua rau hnov tshee cuag cas: *Tus tsov nyooj thiab ua rau daim av qeeg nkaws.*
***[English]** (adv) Used to describe verbs such as "qeeg, ntseeg"--tremble.*

nkawv (t) Ob tus neeg uas yus tham txog: *Nkawv tuaj txog lawm.*
***[English]** (pron) They, their, theirs, them but used for two persons only.*

nkawv nkaus (pu) Muab losyog khaws xws li tsis tsum: *Nws khaws nkawv nkaus.*
***[English]** (adv) Back and forth, esp. when doing or grabbing things.*

nkees (u) Tsis muaj zog; tsis xav ua; tsis nquag: *Nws nkees vim nws tsis tau noj mov.* (p) Tus neeg uas nkees ntawv.
***[English]** (v) Being exhaust, tired. (adj) Tiresome, lethargic, tired.*

nkh (y) Ib tus ntawv uas siv rau cov lus xws li nkham, nkhaus, nkhawb ltn...
***[English]** (n) A consonant used for words such as "nkhaus, nkhawb" etc...*

nkham (y) Nkag, mus losyog muab ob txhais tes thiab taw mus tej ruam deb thiab dav: *Nws kom peb ua nkham xws li tus tsov mus kev.*
***[English]** (n) To walk, esp. using both feet and hands, by making a long stride.*

nkham las (u) Siab thiab yuag: *Nws nkham las heev.* (p) Tus neeg uas nkham las.
***[English]** (v,adj) Skinny, thin, tall.*

nkhaus[1] (u,p) Zij, tsis ncaj, lem: *Tus dej nkhaus heev.*
***[English]** (v) Bend, crook, curve. (adj) Crooked, curvy.*

nkhaus[2] (u,p) Tsis zoo losyog tsis ncaj xws li kev coj ntawm tus neeg; siab phem.
***[English]** (v,adj) Crooked, wicked, such as not being honest.*

nkhaus cees (p) Lem cees; nkhaus mus rau lwm qhov: *Nws pom tus nab pw khaus cees saum tsob ntoo.*
***[English]** (adj) Crooked, curvy.*

nkhaus niv nkhaus nom (p) Nkhaus laug thiab nkhaus xis uas xws li thaum tus

© 2003 Jay Xiong. All rights reserved.

nab nkag: *Nws pom ib tus dej nkhaus niv nkhaus nom.*
[English] (adj) Crooked, curvy, esp. back and forth.

nkhaus nkoos (p) Lem cees; nkhaus mus rau lwm qhov: *Nws pom tus nab pw khaus nkoos saum tsob ntoo.*
[English] (adj) Crooked, curvy.

nkhaus vos (p) Nkhaus heev thiab caws: *Nws muaj ib rab liag nkhaus vos.*
[English] (adj) Crooked, curvy.

nkhawb (y) Cov tej txoj dub thiab muaj nyob rau saum lub qaum cubtawg. Feem ntau yog muaj los ntawm tej hmoov av thiab pa taws: *Cov tsev Hmoob thaum ub muaj nkhawb ntau heev.*
[English] (n) Soot.

nkhaws nkhoom (y,pu) Lub suab noj es nrov.
[English] (n,adv) The sound of gnawing bones or crunchy food.

nkhib (y) Qhov chaw uas ncau ua ob losyog ntau ceg: *Ntawm tus nkhib ntoo.*
[English] (n) The V-like angle between the two branches of tree.

nkhis nkhoos (y,pu) Lub suab uas xws li thaum tsov cua pobtxha es nrov.
[English] (n,adv) The sound of gnawing bones or crunchy food.

nkhoos lam (p) Muab lub nrobqaum ua kom nkoov thiab siab xws li lub me nyuam roob: *Tus npua los tib tug nkhoos lam los tom tus dev.*
[English] (adj) Being arced, arched, esp. similar to a rainbow.

nkig (u) Qhuav heev uas xws li ua rau dam thiab tawg yoojyim: *Daim nplooj qhua nkig heev.* (p) Yam uas nkig.
[English] (v,adj) Brittle, fragile.

nkignkuav (p) Nkig thiab qhuav heev: *Tshav ziab cov nplooj qhua nkignkuav.*
[English] (adj) Dried and brittle.

nkim (u) Puas uas xws li tsis zoo siv; tas losyog ploj uas xws li tsis tau siv: *Nws nkim kuv lub sijhawm. Nws noj tsis tas ces nkim peb cov mov.*
[English] (v) Waste.

nkoj (y) Lub uas neeg caij thiab siv mus hauv dej: *Caij nkoj mus nuv ntses.*
(u) Vau losyog qaug rau hauv av; nkoj cag: *Tsob ntoo nkoj vim cua hlob heev.*
[English] (n) Boat, ship. (v) Uproot, to fall by uprooting.

nkoj cag (u) Vau losyog cov cag nrho tawm los: *Tsob ntoo nkoj cag vim cua*

© 2003 Jay Xiong. All rights reserved.

hlob heev.

***[English]** (v) Uproot; to fall by uprooting.*

nkoog (u) Khov ua tej daim uas xws li thaum no heev es dej khov tej: *Nyob rau tej lub tebchaws no~, dej nkoog thiab dej tsis ntws li.* (p) Piav txog yam nkoog.

***[English]** (v) Freeze, solidify. (adj) Frozen.*

nkoov (p) Nrov soob thiab loj xws li neeg losyog tsiaj cov suab tej: *Tus npua daig lajkab es nws quaj lub suab nkoov heev.*

***[English]** (adj) Having a high and sharp sound.*

nkoov zim (pu) Muaj lub suab nkoov heev thiab nrov heev: *Peb hnov lub suab nrov nkoov zim dua puag tim roob lawm.*

***[English]** (adv) Having a high and sharp sound.*

nkos (u) Muaj kua ntau xws li dej txuam nrog av losyog lwm yam, thiab ua rau nplaum: *Daim teb nkos vim los nag ntau dhau.* (p) Yam uas nkos ntawv.

***[English]** (v, adj) Muddy.*

nkuaj[1] (y) Lub losyog qhov chaw uas neeg muab xws li ntoo losyog pas hlau los xov uas xws li siv los kaw tsiaj losyog neeg tej: *Kaw tus npua hauv lub nkuaj.*

***[English]** (n) Pen, such as a fenced enclosure for animals.*

nkuaj[2] (y) Lub tsev uas ua los kaw cov neeg phem losyog neeg raug txim.

***[English]** (n) Jail, prison.*

nkuaj[3] (y,pu) Lub suab uas xws li thaum ceg ntoo dam losyog lov es nrov.

***[English]** (n,adv) The sound that is produced when a branch of a tree breaks.*

nkuav (pu) Siv pab lo lus tawv. Tawv heev; tsis kam: *Nws tawv nkuav tsis kam li.*

***[English]** (adv) Solidly, sturdily, firmly.*

no[1] (pu) Txij losyog txog li: *Peb tsum no.* (p) Siv los piav txog tomqab ntawm tus tswv losyog yam khoom: *Tus neeg no; qhov chaw no; yam no ltn...*(y) Ntawm qhov chaw nov: *Peb so ntawm no.*

***[English]** (adv,adj,n) Here, this.*

no[2] (u) Txias uas xws li lub caij 12 hlis ntuj tej: *Nag hmo no heev.* (p) Txias; tsis sov: *Cov cua no los txog lawm.* Lus rov: *Sov, suv.*

***[English]** (v,adj) Cold. Ant: Warm, hot.*

nog[1] (u) Muab xws li khoom ntim rau; muab khoom pav, khi thiab ntim ua ib pob es kom zoo ev losyog thauj; muab khoom ntsaws losyog ntim ua tej pob:

© 2003 Jay Xiong. All rights reserved.

Nws nog nra (khoom) rau tus nees thauj. Nws nog tau ib kawm zaub npuas.
***[English]** (v) Pack, stuff.*

nog[2] (u) Noj, xws li nyuj thiab nees noj zaub tej: *Pab nyuj nog zaub nram tiaj.*
***[English]** (v) To graze, such as to feed on grasses; to pasture.*

nog[3] (u) 1. Muab tso rau; muab cia rau uas xws li lwm tus neeg: *Peb nog rau nws.* 2. Liam losyog hais tias muaj losyog zoo li: *Nej txob nog kuv nawb.*
***[English]** (v) 1. To delegate (a task to someone). 2. Charge, allege.*

noj (u) 1. Muab lub qhov ncauj zom losyog xo: *Tus twm noj nyom; nws noj mov.* 2. Muab siv losyog khaws ua nws li: *Tus nom noj pejxeem cov nyiaj.*
***[English]** (v) 1. Eat. 2. To take, esp. public things or goods, as one's own. To steal; to take into possession secretly.*

noj kuj sim (u) Sib tuav tswvyim losyog sablaj ua ntej: *Lawv twb noj kuj sim tas lawv mam li tuaj.*
***[English]** (v) Brainstorm, discuss, plan, esp. before the actual time.*

noj mov (u) Noj xws li mov thiab zaub; noj: *Nws tabtom noj mov.*
***[English]** (v) Eat. Example: He is eating now.*

noj xwm (p) Tseem ceeb, xws li hais taus thiab yog tus coj tej: *Nej tus kwvtij noj xwm yog leej twg?*
***[English]** (adj) Important, such as an important position or person. Mostly used to refer to the leader of a clan.*

nom (y) Tus neeg uas pejxeem xaiv los coj sawvdaws: *Tus nom yuav tuaj saib peb noj Pebcaug. Nws yog ib tus nom.*
***[English]** (n) Person who holds an important public position.*

nom tswv (y) 1. Cov neeg uas yog nom: *Cov nom tswv yuav tuaj saib peb.* 2. Cov neeg uas ua haujlwm los saib pejxeem: *Nom tswv muaj cai sau se.*
***[English]** (n) 1. Person who holds a public position. 2. Government.*

noo (u) Tsis qhuav tabsis ho tsis ntub~ heev: *Cov av noo vim nyuam qhuav los nag tas.* (p) *Daim av noo yog daim ua rau qoobloo zoo.*
***[English]** (v,adj) Moist, damp.*

noob (y) 1. Cov tej lub uas nyob hauv lub txiv; lub uas siv los mus cog es kom tuaj thiab ua tau lwm tsob xws li ntoo: *Lub noob txiv txhais.* 2. Tus losyog yam uas tseg los kom ciaj thiab ua tau ntau lawm yav tomntej: *Lawv tsev neeg ces*

© 2003 Jay Xiong. All rights reserved.

tshuav nws ua noob lawm xwb.

***[English]** (n) 1. Seed. 2. Grain, animal or person saved for propagating.*

noob ncoo[1] (y) <Lees> Ib daim paj ntaub uas xa mus rau tus neeg tuag uas yog txheeb yus, thiab feem tau yog yus tus pojniam cov neeg, yus cov neejtsa, xwb. Feem ntau, yog muab daim paj ntaub thiab mentsis nyiaj xa mus rau tus tuag uas yog txheeb yus, xws li yog ua kev tu moo.

***[English]** (n) <Leng> A padao (Hmong needle-art-sewn cloth) made especially so one can give to the aunts and uncles or brothers of one's wife when they die.*

noob ncoo[2] (y) <Lees> Ib daim paj ntaub uas siv los xa mus povhwm xws li yus tus pojniam niam thiab txiv lossis cov dablaug tej. Ib txhia hais tias noob ncoos.

***[English]** (n) <Leng> A padao (Hmong needle-art-sewn cloth) made especially so one can give to the aunts and uncles or brothers of one's wife.*

noob neej (y) Yog tus tibneeg; neeg: *Peb yog noob neej xwb.*

***[English]** (n) Human, humankind, human being.*

noob qis (y) Ob lub noob uas muaj nyob hauv qab ntawm rab qau: *Txiv neej yog cov muaj noob qis. Noob qis qaib thiab noob qis nyuj ltn...* Neeg kuj siv lub suab tias "noob qes" no thiab.

***[English]** (n) Testis, testicle.*

noog[1] (y) Cov tsiaj uas muaj tis thiab txawj ya: *Muaj ntau yam noog.*

***[English]** (n) Bird.*

noog[2] (u) <Lees> Mloog: *Nwg noog kuv has – txhais tias nws mloog kuv hais.*

***[English]** (v) <Leng> Listen, obey.*

noog daj (y) Ib hom noog me thiab muaj cov plaub daj.

***[English]** (n) Yellow bird, esp. small like finch.*

noog lob laig (y) Ib hom noog uas yog lau ces nws cov plaub liab; hos cov poj muaj plaub daj: *Nws pom ib pab noog lob laig.*

***[English]** (n) Certain kind of bird. The male is red similar to cardinal and the female is yellow.*

noog ncuv luv (y) Ib hom noog uas ua zes dai rau tej nplooj ntoo thiab ceg ntoo xwb: *Ib pab noog ncuv luv.* Ib txhia kuj hu ua "ncuv luv" xwb.

***[English]** (n) Swallow, esp. the kind of bird that fly swiftly.*

© 2003 Jay Xiong. All rights reserved.

noog roov (y) Ib hom noog uas muaj tus kaus ncauj loj, daj thiab ntev.
[English] (n) Toucan, hornbill.

noog roov dev (y) Ib hom noog roov uas tus kaus ncauj loj thiab ntev, tabsis nws lub cev me zog cov noog roov: *Nws pom ib tus noog roov dev.*
[English] (n) The smaller kind of toucan or hornbill.

noog roov umvaj (y) Ib hom noog roov uas loj heev, thiab nws tus kaus ncauj loj: *Nws pom ib pab noog roov-umvaj.* Ib txhiaj kuj hu ua "umvaj" xwb.
[English] (n) Trumpeter hornbill or hornbill; the larger kind of toucan.

noog taub (y) Ib hom noog uas muaj plaub ntau thiab cov plaub liab.
[English] (n) Certain kind of bird that has a lot of feathers.

noog xib xub (y) Ib hom noog dub thiab tuaj ob tus tw ntev zoo li ob tus xib xub.
[English] (n) Certain kind of black bird where the tail feather resembles the end of a bow arrow.

noog ziag (y) Ib hom noog uas muaj tus kaus ncauj nkhaus, me thiab ntev, thiab feem ntau nws nyiam haus zib tsawb thiab zib paj heev.
[English] (n) Hummingbird.

noos (y) Ib txoj kev ntsuas xws li muab tus ntiv tes xoo thiab tus ntiv tes thawj los nrhab seb ntev npaum li cas: *Ib noos luv dua ib dos.*
[English] (n) A unit of measure, esp. for length, as long as from the tip of the thumb to the tip of an index finger when stretching the two fingers flat.

noov (y) <Lees> Qau: *Tus menyuam tub muaj ib tus noov.* Lus rov: *Paum.*
[English] (n) <Leng> Penis.

nov[1] (y) Qhov chaw ntawm no; nuav: *Tso rau ntawm nov.* (p) Siv los piav txog tus ntawv: *Lub tsev no. Tus neeg no.* (pu) *Koj nyob nov.* (nth) Siv los teb lwm tus cov lus: *Nov!*
[English] (n,adj,adv,interj) Here, this, these.

nov[2] (u) <Lees> Hnov: *Nwg nov mej tuaj.*
[English] (v) <Leng> Hear.

nov qab (u) Tsis ncoqab txog; tsis nco zoo lawm: *Kuv nov qab txog tias nej tuaj.* Lus rov: *Nco qab.*
[English] (v) Forget. Ant: Remember.

np (y) Ib tus ntawv uas siv rau cov lus xws li npauj, npaim, npaj ltn...

© 2003 Jay Xiong. All rights reserved.

[English] (n) A consonant used for words such as "npauj, npaim." This consonant has the same pronunciation as the English word "baw."

npab[1] (y) Txhais caj npab; txhais tes uas xws li txij pem lub xubpwg mus txog nram cov ntiv tes: *Neeg ob txhais npab.* (u, p) <Lostsuas> Vwm.

[English] (n) Arm, hand, refer to human beings only.

npab[2] (u,p) <Lostsuas> Vwm.

[English] (v,adj) <Laotian> Crazy, mental, insane.

npab[3] (nth) Siv piav txog thaum tsis nco zoo lawm: *Npab, nws ua twg lawm!*

[English] (interj) Oh, hey.

npag (u) Pham, loj, muaj qaij ntau: *Tus menyuam npag heev.* (p) *Tus neeg npag noj mov ntau dua tus neeg yuag.*

[English] (v,adj) Chubby.

npaj (u) Nyob tos; ua tos uas xws li kom tiav losyog txhij rau: *Nej npaj mov kom txaus. Lawv npaj ib rooj mov tos peb.*

[English] (v) Prepare, plan.

npam (u) <Lostsuas> Khaum; muaj kev phem raws li lwm tus neeg foom tseg losyog vim yog yus tau ua phem rau lwm tus los lawm: *Npam nws vim nws nyiag lawv cov nyiaj.* (p) Tus uas npam ntawv.

[English] (v) <Laotian> To receive misfortune because of past evil or ill action done to others.

Npas Koj <Thaib> Lub zos tebchaws uas nyob rau tebchaws Thaib: *Npas Koj yog Thaib lub zos tebchaws.*

[English] <Thai> Bangkok; the capital and the largest city of Thailand.

npau[1] (u,p) Tsis zoo siab; chim rau: *Nws npau vim peb tsis tos nws.*

[English] (v,adj) Being upset, angry, mad.

npau[2] (u) Ua ib co npuas xws li thaum dej kub~ heev: *Lauj kaub dej npau lawm.*

[English] (v) Boil.

npau ntub (y) Npau suav thiab feem ntau yog siv rau thaum hais kwv txhiaj xwb.

[English] (n) Dream.

npau suav (u) Tej zaj, yam uas tshwm sim losyog muaj nyob rau hauv lub hlwb uas thaum tus neeg tsaug zog ntawv: *Nws npau suav tias nws tuaj saib peb.* (y) Zaj npau suav: *Nws ua ib zaj npau-suav zoo heev.*

© 2003 Jay Xiong. All rights reserved.

[English] (v) Dream, esp. during a sleep. (n) Dream.

npau taws (u) Npau rau; chim rau: *Nws npau taws vim peb tsis tos nws.* (p) Tus neeg uas chim losyog npau.

[English] (v,adj) Upset, mad, angry.

npau xi (p) Muaj ntau uas xws li npau npuas ntau: *Lub tsev muaj laum npau xi.*

[English] (adj) Many, esp. such as the boiling bubbles.

npaug (y) Npaum li ntawv; muaj ntau ibyam li: *Kuv muaj 10 tus nyuj, tabsis nws muaj ob npaug ntawm kuv.*

[English] (n) Time, as much as. He has 10 times more than mine, for example.

npauj[1] (y) 1. Cov kab uas me thiab muaj ob sab tis: *Thaum los nag tas muaj ib co npauj ya puv zos.* 2. Cov kab me thiab txawj ya ntawv.

[English] (n) 1. Moth. 2. Any of the numerous moth like insects.

npauj[2] (u) Muab ob sab tis los ntxuaj losyog ua kom cov av zawj: *Tus qaib npauj ntawm lub qhov av.*

[English] (v) To bathe, esp. by digging a hole and flapping the wings on the ground or soft soil, such as to cool off the body (chickens, for example). Most of the time they do this to cool off.

npauj npaim (y) Ib hom kab uas muaj ob daim tis loj, dav, txaij thiab nws nyiam hnia paj tej: *Ib tus npauj npaim tsaws ntawm tsob paj.*

[English] (n) Butterfly.

npaum (pu) Ntau losyog muaj ibyam li: *Nws muaj npaum li kuv.*

[English] (adv) Same, as much, equal to.

npawg (y) Txivneej tus phooj ywg uas yog txivneej thiab: *Nws tus npawg.*

[English] (n) Pal, buddy.

npaws[1] (y) Mob tobhau uas xws li ua rau no thiab tshee tej: *Nws ua ib tus npaws.*

[English] (n) Fever, headache.

npaws[2] (u) Muab de; muab lov uas xws li kom ua tej daim losyog tej ya me: *Nws npaws cov zaub.*

[English] (v) To break vegetables with the hands into smaller pieces.

npawv (u) Pham, loj, su thiab kheej uas xws li tus neeg rog lub plhu: *Nws loj thiab npawv heev.* (p) Tus neeg npawv.

[English] (v,adj) Chubby, plump.

© 2003 Jay Xiong. All rights reserved.

npe (y) Lub suab losyog lo lus uas muab tis rau tus neeg, tsiaj losyog qhov chaw es kom paub tias txawv lwm tus losyog lwm yam: *Zeb yog kuv npe hos Xyooj yog kuv lub xeem. Koj lub npe hu li cas?*
***[English]** (n) Name. Example: What is your name?*

npe hluas (y) Lub npe uas muab tis losyog hu rau thaum tus menyuam yug tau los mus txog rau thaum tsis tau yuav pojniam: *Kuv txiv lub npe hluas yog Neeb, tabsis lub npe laus yog hu ua Txoov Neeb.* Lus rov: *Npe laus.*
***[English]** (n) The name given to a guy from birth until he is married.*

npe hluas nkauj (y) Lub npe uas niam thiab txiv tis rau tus ntxhais thiab siv rau lub caij uas tsis tau muaj txiv: *Kuv niam lub npe hluas nkauj yog Xis.*
***[English]** (n) The name given to a girl from birth until she is married.*

npe laus (y) Lub npe uas Hmoob muab tis ntxiv rau lub npe hluas xws li thaum nws muaj obpeb tus menyuam lawm.
***[English]** (n) A name given to a man, esp. when he has been married and has two or more kids with his wife. This name is often given or selected by his parents-in-law.*

npeeg (u) Tsis raug xws li thaum txawb lub tujlub mus tsis tsoo lub nyob tom hauv ntej; tsis chwv losyog tsis txhuam: *Nws npeeg tas li xwb.*
***[English]** (v) Miss, such as fail to hit a target.*

npem (y) Ib hom nas; npem nkais: *Nws cuab tau ib tus npem.* (p) Tus neeg uas nyiam mus thab lwm tus losyog mus ua lwm tus tej num uas xws li tsis tau muaj neeg tuaj thov kom nws ua; nquag mus thab: *Koj ua npem dhau.*
***[English]** (n) Certain kind of squirrel. (adj) A person who opts to do things even when it is not his duty.*

npem nkais (y) Ib hom nas uas zoo li nas txheeb, tabsis lub taub ntswg ntev thiab nyiam haus zib tsawb; npem: *Tus npem nkais hla kev.* Qee leej kuj hu ua npem no thiab. (p) <Siv dag> Piav txog tus neeg uas nyiam thab lwm tus losyog mus ua lwm tus tej num: *Koj ua npem nkais dhau.*
***[English]** (n) Certain kind of squirrel. (adj) A person who opts to do things even when it is not his duty.*

nph (y) Ib tus ntawv uas siv rau cov lus xws li nphau, nphav, thiab nphoo ltn...
***[English]** (n) A consonant used for words such as "nphoo" etc...*

© 2003 Jay Xiong. All rights reserved.

nphau[1] (u) 1. Muab ntxeev uas xws li kom sab sauv mus rau sab hauv; muab ua kom nchuav: *Dej nphau ntub peb. Nws nphau tsu mov.* 2. Pob thiab nchuav los.
[English] (v) 1. To tip over; to flip over. 2. To fall, such as a landslide

nphau[2] (u,p) Quav, vau, lem xws li rov rau hauv plawv: *Nws tus kaus siab nphau.*
[English] (v) Bend, crook. (adj) Crooked.

nphav (u) 1. Ua chwv; ua raug xws li majmam tej: *Nws nphav kuv tais dej.* 2. Kov, thab losyog ua txhaum: *Txhob mus nphav cov neeg nkhaus.*
[English] (v) 1. Touch. 2. Bother.

nphaws (pu) Siv los piav txog lo lus xws li ntaug tej; kiag li: *Cov tshuaj ua rau lub plab ntaug nphaws--zoo losyog tsis mob heev kiag lawm.*
[English] (adv) Suddenly, immediately, quickly.

nphawv nphoov (pu) Piav txog lub suab uas muab tej yam los ntaus losyog los tsoo: *Nws ntaus tus dev nphawv nphoov.*
[English] (adv) Used to describe verbs such as hit, spank, fight etc...

nphis nphoos (y) Piav txog lub suab uas thaum muaj neeg ua noj, ua haus coob heev. (pu) *Hmoob noj tshoob nrov nphis nphoos.*
[English] (n) A boisterous activity. (adv) Noisily, boisterously.

npho (pu) Nphau kiag los; nchuav kiag los: *Thoob dej nphau npho los.*
[English] (adv) Flip or tip over suddenly.

nphob (u) Qub uas xws li tsis muaj neeg nyob tau ntev los lawm: *Lub tsev nphob vim neeg tsis nyob tau ntev los lawm.* (p) Yam uas nphob ntawv.
[English] (v,adj) Old, such as dusty due to not being used or occupied.

nphob tsus (p) Nphob ntev los lawm: *Lawv cia lub zos nyob nphob tsus.*
[English] (v,adj) Old, such as dusty due to not being used or occupied.

nphob xuav (p) Nphob ntev los lawm: *Lawv cia lub zos nyob nphob xuav.*
[English] (v,adj) Old, such as dusty due to not being used or occupied.

nphom* (y,t) Tus ntawv suav 1,000,000,000. Tus ntawv 10^9. (p) Siv los piav txog yam uas ntau npaum li: *Nws muaj nphom nyiaj xwb.*
[English] (n,adj,pron) Billion.

nphoo (u) Muab tej yam hmoov los w rau: *Nws nphoo ntsev rau cov nqaij.*
[English] (v) Sprinkle, strew, esp. powder, on to something.

nphoo ntxuas (p) Muaj nyob sib xyaws daws; coob: *Neeg nyob nphoo ntxuas.*

© 2003 Jay Xiong. All rights reserved.

[English] (adj) Many, a lot, esp. like everywhere.

nphoov (p) Siv pab lo ntxhov: *Tus tsov cov plaub ntxhov nphoov.*
[English] (adj) A thick growth of shrubs, bushes or fur.

nphoov tes (y) Muab ob txhais tes los uake xws li kom zoo li lub tais; txaus li ob txhais tes cug: *Nws yawm tau ib nphoov tes noob zaub rau kuv.*
[English] (n) The use of two hands, forming as a bowl, as to scoop water.

nphwv (pu) Nphau kiag los: *Thoob dej nphau nphwv los ntub peb.*
[English] (adv) Suddenly, immediately.

npib (y) Ib hom nyiaj uas ua tej lub; cov nyiajnpib: *Nws muaj nyiajnpib ntau.* Ib lub npe siv rau cov ntxhais.
[English] (n) A coin similar to nickels. Also a proper name for girls.

npij (y) <Askiv> Lo lus yog "bit" no. Tus ntawv uas me tshaj plaws nyob rau hauv lub khoos phib tawj: *Npij tsuas muaj txaus 1 losyog 0 nkaus xwb.*
[English] (n) <English> Bit, a single character of a computer language having just two possible digits, as either 1 or 0.

npiv (y) <Askiv> Lo lus yog "bic." Tus mem uas siv los sau ntawv.
[English] (n) Bic, such as the brand name of a pen.

npl (y) Ib tus ntawv uas siv rau cov lus xws li nplej, nplaum, nplias ltn...
[English] (n) A consonant used for words such as "nplej, nplaum" etc... This is very similar to the English word "blaw."

nplai[1] (y) Tej daim uas nyob ntawm ntses daim tawv; nplais: *Ntses cov nplai.*
[English] (n) Scale (of the fish, for example).

nplai[2] (y) Tej yam uas zoo xws li nplai ntses; tej yam uas ua tej daim nyias thiab me zoo li daim nplai ntses. Saib lo "nplais" thiab.
[English] (n) Any of various objects resembling the scale of a fish.

nplaig (y) Tus uas nyob hauv lub qhov ncauj thiab ua rau neeg hais tau lus: *Ib tus neeg muaj ib tus nplaig. Dev siv tus nplaig los haus dej.*
[English] (n) Tongue.

nplaim[1] (y) 1. Cov uas tawm losyog cig los ntawm hluav taws: *Cov nplaim hluav taws.* 2. Txheej uas nyob saum lub pas dej: *Daim nplooj nyob saum nplaim dej.*
[English] (n) 1. Flame. 2. The surface of water, such as a lake or river.

nplaim[2] (y) Cov tej daim me thiab nyias heev: *Nws txawj txua nplaim tooj mus*

© 2003 Jay Xiong. All rights reserved.

rau Hmoob ua raj tshuab.

***[English]** (n) A musical instrument blade made from very thin bronze, esp. used on the "raj and ncas" etc...*

nplaim dej (y) Txheej uas nyob saum lub pas dej: *Nplooj ntab saum nplaim dej.*

***[English]** (n) The surface of water, lake, river etc...*

nplaim taws (y) Cov uas tawm losyog cig los ntawm hluav taws.

***[English]** (n) Fire flame.*

nplais (y) Ua tej daim uas xws li tej ces kaum tsev: *Lub txiv muaj ntau nplais.*

***[English]** (n) Piece, of a larger thing or part.*

nplajteb (y) <Lees> Ntiajteb: *Nyob hauv lub nplajteb nuav.*

***[English]** (n) <Leng> World, earth.*

nplaum[1] (u) Lo xws li cov zia tej: *Cov zia nplaum heev.* (p) Yam uas nplaum. (y) Lub neeg siv coj los caws kom raug neeg tuag xws li lub caij ua tsovrog.

***[English]** (v) Stick, glue, adhere. (adj) Sticky. (n) Grenade, bomb.*

nplaum[2] (u,p) Cuaj khaum; qia dub: *Nws nplaum heev.*

***[English]** (v,adj) Being stingy.*

nplawg (y) Muab tus nplawm ntaus; muab nplawm: *Nws mag ib nplawg.*

***[English]** (n) Whip, rod, stick, esp. used for whipping or hitting.*

nplawg niab (p) Muaj dai ntau; dai cuag li cas: *Cov puav pw dai nplawg niab.*

***[English]** (adj) Many.*

nplawg ntia (pu) Muaj ntau; muaj cuag cas ntawm tej: *Lawv mus nplawg ntia.*

***[English]** (adv) Many, a lot, numerous.*

nplawm (y) Tus pas losyog txoj hlua uas siv los ntaus neeg losyog tsiaj: *Nws muab tus nplawm ntaus tus dev.* (u) 1. Muab tus nplawm los ntaus: *Nws nplawm tus dev.* 2. Mus tsoo; mus raug: *Nws txhais tes nplawm tus ntoo.*

***[English]** (n) Whip, stick. (v) 1. To whip or hit with a whip. 2. To hit.*

npleem[1] (u) Plam, ntog uas xws li ob txhais taw tsuj tsis tau daim av vim yog nplua: *Nws npleem es nws thiaj li ntog.*

***[English]** (v) Slip, such as to fall or lose one's balance or foothold.*

npleem[2] (u) Tsoo tabsis tsis to: *Lub mostxwv npleem vim raug daim hlau.*

***[English]** (v) To hit but diverged because unable to penetrate or puncture.*

npleg (y) Cov nplej: *Nws muaj ib daim teb npleg.*

© 2003 Jay Xiong. All rights reserved.

[English] (n) Rice, esp. the grains that still have the shells or hard covers.
nplej (y) Npleg; cov txhuv uas tseem muaj plhaub qhwv: *Ib hnab nplej.*
[English] (n) Rice, esp. the grains that still have the shells or hard covers.
nplej nplaum (y) Cov nplej uas muaj cov txhuv nplaum: *Ib thaj nplej nplaum.* Lus rov: *Nplej txua.*
[English] (n) Sticky rice.
nplej ntshav (y) Cov nplej uas lub npluag thiab lub txhuv ntshav: *Nws muaj ib daim nplej ntshav.*
[English] (n) Sticky and purple rice.
nplej tshiab (y) Cov nplej uas muab hlais thaum nyuam qhuav siav: *Lawv muaj ib hnab nplej tshiab.* (p) *Lawv noj mov nplej tshiab.*
[English] (n,adj) New rice, esp. those just harvested.
nplej txua (y) Cov nplej uas muaj cov txhuv txua. Cov nplej (txhuv) uas thaum muab cub tau los nws tsis nplaum: *Ib thaj nplej txua.* Lus rov: *Nplej nplaum.*
[English] (n) Normal and unsticky kind of rice. Ant: *Sticky rice.*
nplh (y) Ib tus ntawv siv rau cov lus xws li nplhaib thiab nplhos ltn...
[English] (n) A consonant used for words such as "nplhaib, nplhos" etc...
nplhaib (y) Tej lub voj uas xws li yog muab kub thiab nyiaj ua, thiab neeg siv los coj rau ntawm neej cov ntiv tes: *Ib lub nplhaib kub.*
[English] (n) Ring, esp. the kind (jewelry) wore on fingers.
nplhaus nplhiv (p) Muaj qhov to ntau heev: *Daim pam toqhov nplhaus nplhiv.*
[English] (adj) Having many holes; having holes everywhere.
nplhawv nplho (pu) Mus dhau rau sab tov; mus tshwm rau sab tov uas xws li muaj mus los ltn... *Nws chaws nplhawv nplho; nws nkag nplhawv nplho.*
[English] (adv) Going or passing through a gate or a hole quickly.
nplho (pu) Ua kiag; chaws kiag; nkag kiag: *Nws chaw nplho yav qab ca.*
[English] (adv) Immediately, esp. when going under or through something.
nplhos (u) Muab nkaug kom toqhov; muab tej yam ntse mus hno losyog tshum kom toqhov: *Nws muab rab riam nplhos lub hnab.*
[English] (v) Stab, jab, pierce.
npliag[1] (u) Ntub: *Peb npliag tas vim los nag hlob heev.* (p) Yam uas npliag.
[English] (v) Wet, such as being soaked or rained on. (adj) Of being wet.

© 2003 Jay Xiong. All rights reserved.

npliag[2] (u) Du thiab ntaug: *Daim ntaub npuag npliag heev.* (p) Yam uas npliag.
[English] (v,adj) Smooth, soft, silky.

npliag[3] (p) Tsis daig; hais lus tau zoo heev: *Nws hais lus Hmoob npliag heev.*
[English] (adj) Fluent, smooth.

npliag deg (y) Ib hom tsiaj, qwj, uas muaj ob nplais tawv, khauj khaum, thiab nyob hauv dej. Feem ntau neeg noj cov tsiaj no lub cev. Hmoob Lees hu ua "nplag dleg" no.
[English] (n) Clam, mussel.

npliag nplaws (p) Ntub heev: *Los nag ntub nws npliag nplaws.*
[English] (adj) Very wet or completely soaked.

nplias (y) Ib hom ntoo uas txi txiv thiab noog nyiam noj heev: *Ib tsob nplias.* Ib lub npe siv rau cov ntxhais.
[English] (n) Certain kind of tree. Also a proper name for girls.

nplij (u) Ua yoog uas xws li kom lwm tus neeg zoo siab; ntxias: *Koj nplij nws es nws thiaj zoo siab.*
[English] (v) Pacify, appease, soothe.

nplij nploj (y) Lub suab uas dej tawg losyog nrov xws li thaum ntses dhia tej. (pu) *Ntses txais kab nrov nplij nploj.*
[English] (n,adv) The sound of, fish, for example, jumping or splashing into the water.

npliv (pu) Siv los piav txog cov lus xws li tshwm, tawm ltn... *Nws tshwm npliv.*
[English] (adv) Appearing as to peek at something.

nplob (y) Ib hom phom ua si uas yog muab xws li raj xyoob los ua thiab siv txiv losyog ntawv ua cov mostxwv xwb: *Ib rab phom nplob.* Lo lus no feem ntau siv uake nrog lo phom xwb, xws li phom nplob.
[English] (n) A small play gun made with a small piece of bamboo, and used with fruit, seeds, or wet papers as bullets.

Nplog (y) 1. Cov neeg uas nyob hauv lub tebchaws Lostsuas. 2. Lub tebchaws Lostsuas. 3. Nplog cov lus. (p) Yam uas yog Nplog li.
[English] (n) 1. Laos. 2. Laotian. 3. Language of the Laotian. (adj).

Nplog Liab (y) Cov neeg Nplog uas coj txoj kevcai khoosmisniv losyog kev sib koom uas xws li kev noj haus, lag luam thiab kev vammeej ltn...

© 2003 Jay Xiong. All rights reserved.

***[English]** (n) The communist Laotian.*

nplooj[1] (y) Tej daim uas tuaj nyob ntawm tej xyoob thiab tej ntoo: *Tsob ntoo muaj nplooj ntau heev. Nplooj xyoob thiab nplooj ntoos.*

***[English]** (n) Leaf or leaves of trees or plants.*

nplooj[2] (y) Yam uas zoo xws li nplooj ntawv: *Neeg tej nplooj siab nplooj ntsws.*

***[English]** (n) Things (lung, for example) that are similar to a leaf.*

nplooj[3] (y) Ib txhiab, xws li nyiaj ntawv, thiab siv hais rau hauv tshoob kos xwb.

***[English]** (n) Thousand, esp. money, and used at wedding negotiations only.*

nplooj ntse (y) Ib hom nroj uas muaj nplooj loj thiab ua tej daim txaus qhwv ncuav, thiab feem ntau tuaj nyob ntawm tej hav iav: *Ib tsob nplooj ntse.*

***[English]** (n) Certain kind of plant that has big leaves.*

nplooj ntsws (y) Ntsws. Saib los lus "ntsws." Lub plawv Askiv hu ua "heart" no.

***[English]** (n) Lung. See Hmong word "ntsws."*

nplooj qhua (y) Cov nplooj uas xws li poob rau hauv av thiab qhuav lawm: *Lub caij ntuj qhua muaj nplooj qhua ntau heev. Ib daim nplooj qhua.*

***[English]** (n) Dried leaf, esp. the ones that have fallen on to the ground.*

nplooj qoov (y) Thaum cov pobkws tseem yuav tawm tus twv yaj xwb: *Peb cov pobkws tseem nyuam qhuav ua nplooj qoov xwb.*

***[English]** (n) A stage when the corn stalk is ready to produce the corn silk.*

nplooj siab (y) 1. Daim siab, lub siab: *Koj tsis muaj nplooj siab li los?* Lub plawv ces Askiv hu ua "heart" no. 2. Tus neeg uas yus hlub thiab nco.

***[English]** (n) 1. Liver. See Hmong word "siab."* 2. Sweetheart.

nploos (y) Ib hom tsiaj uas luaj li tus nyuam npua, thiab nyob tom hav zoov. Nploos nyob ua tej pab thiab feem ntau nyob hauv qhov tsua tej. Nploos losyog tsaug cov koob Askiv hais tias "quill" losyog "calamus" no.

***[English]** (n) Porcupine.*

nplos (y) Lub voj lossis lub qhov uas nyob ntawm tus ko riam thiab txuas tej.

***[English]** (n) A circular or round metal formed at the end of the handle, (the metal part) of a knife, to secure the wooden handle.*

nplua[1] (u) Ua rau npleem yoojyim xws li yog nkos: *Txoj kev nplua heev vim nyuam qhuav los nag tas.* (p) Yam uas nplua: *Nws ua txoj kev nplua heev.* (y) Zaus, lwm uas xws li kev mus los: *Nws ua luam ob nplua los lawm.*

© 2003 Jay Xiong. All rights reserved.

[English] (v, adj) Slippery. (n) Trip, time. Example: He went two times.

nplua[2] (u) Kom tus neeg tau ua txhaum them nyiaj; muab nyiaj los them losyog kho tus neeg uas yus tau ua txhaum rau: *Lawv nplua tus tubsab ib txhiab.*

[English] (v) Fine, such as to pay money; to penalize.

nplua mag (p) <Lees> Ntau, tsis kawg losyog tsis tag.

[English] (adj) <Leng> Much, plenty, abundant.

nplua npleev (p) Nplua uas xws li nkos heev: *Ib txoj kev nplua npleev.*

[English] (adj) Slippery.

nplua nuj (u) Muaj nyiaj ntau; vammeej: *Nws nplua nuj vim nws yog ib tus nom.* (p) Tus neeg uas nplua nuj: *Nws yog ib tus neeg npluanuj.* Lus rov: *Pluag.*

[English] (v,adj) Rich, wealthy, affluent.

npluag (y) Daim tawv uas qhwv lub txhuv; lub plhaub: *Piv muab cov nplej ntxais tag es tshuav cov npluag xwb.*

[English] (n) Chaff, such as the hard covers of rice and grains.

npluas (y) Ib hom kab nyias thiab nyob hauv dej. Feem ntau yog nyob ntawm tej pobzeb losyog tej nplooj: *Nws pom ib tus npluas.*

[English] (n) Certain kind of flat worms that lives in water.

npluj npliv (pu) Siv los piav txog tej yam uas muaj tshwm lossis tawm muslos: *Tus nas tsuag tawm npluj npliv los xauj peb.*

[English] (adv) To appear or show the appearance frequently, esp. in a short and quick interval.

npo[1] (u) 1. Muab ua kom tawm hauv cov kua los: *Koj npo cov nqaij.* 2. Pab kom dim txoj kev txhaum losyog kev tsis zoo; cawm: *Lawv npo nws.*

[English] (v) 1. To screen, such as to separate or sift out (things, meat, items) by means of a sieve or screen. To take out the meat or vegetables from the cooking oil or broth. 2. To help or assist as to set a person free from trouble.

npo[2] (u) Tsis pub kom tawm mus; tsis cia kom dim mus: *Nws npo quav thiab npo zis. Thaum yus nyob hauv dej, yus yuavtsum npo pa xwb.* (pu) Puv phwj npoo kiag losyog phwj yaws: *Nws noj tsau npo; haus tsau npo; ntim puv npo ltn...*

[English] (v) To hold or stop, urine or excrement, for example, from coming out or being excreted from the body. (adv) Fully.

npog[1] (u) Muab vov rau; muab lwm yam los khwb rau: *Muab daim pam npog*

© 2003 Jay Xiong. All rights reserved.

tus menyuam txhais taw.

***[English]** (v) Cover. He covered his baby with a blanket, for example.*

npog[2] (u) Zais; tsis qhia lwm tus paub: *Nws npog cov lus phem.*

***[English]** (v) To hide; to protect or cover up (a problem, for example).*

npog[3] (y) Kev vwm losyog yam tshwm sim uas muaj tawm tuaj xws li txawv thiab tsis muaj neeg paub tias vim li cas: *Yog ua npog es tej tsiaj thiaj mus dai tuag.*

***[English]** (n) Any wierd or strange events, problems or occurrences.*

npoj (y) Nyob losyog mus ua tej pab; muaj coob nyob uake: *Cov noog piv nyiam nyob ua npoj xwb.* (p) Yam uas nyob ua tej npoj: *Piv yog noog npoj.*

***[English]** (n) Flock, group. (adj) Flock like.*

npoj ntws (p) Ua tej pab; muaj coob nyob uake: *Cov noog ya npoj ntws los haus dej. Lawv khiav npoj ntws tuaj saib peb.*

***[English]** (adj) Of being a flock; flock like.*

npoo[1] (y) Qhov chaw uas siab; nyob rau saum qaum xws li lub roob tej: *Lub tsev nyob saum lub npoo roob. Saum npoo av.*

***[English]** (n) Wedge, ridge, bank.*

npoo[2] (y) Qhov chaw, av, uas los xaus rau ntawm tus ntuj dej.

***[English]** (n) Bank.*

npoo dej (y) Qhov chaw, av, uas los xaus rau ntawm tus ntuj dej.

***[English]** (n) Riverbank.*

npoog[1] (u) Muab xws li av los meem rau; muab av los txhub rau xws li lub qhov es kom tiaj xwm yeem: *Muab av npoog lub qhov.*

***[English]** (v) To pave or cover, holes or lower areas, so it is even or uniform.*

npoog[2] (y) Ib lub suab uas thaum kaw lub qhovrooj es nrov tej. (pu) Lub suav uas nrov xws li: *Nws kaw lub qhovrooj nrov npoog.*

***[English]** (n,adv) A sound of shutting or slamming a door shut.*

npooj (u) Los khooj uake; los nyob ua ib pawg tej: *Cov tsiaj npooj ua ib pawg.*

***[English]** (v) To come together, such as a group or flock.*

npoom (y) Tus neeg uas tub nkeeg; tus neeg tos noj xwb: *Nws nyob zoo li tus npoom vim nws tos peb ua rau nws noj xwb.*

***[English]** (n) A lazy person.*

npoos (y) <Lostsuas> Lub caij ua si uas xws li yog muaj kev lom zem.

© 2003 Jay Xiong. All rights reserved.

[English] (n) <Laotian> A festival or celebration.

npua[1] (u) Muab daim ntaub losyog tiab los kauv lub cev; muab tej daim ntaub los hnav: *Nws npua daim ntaub.*

[English] (v) To cover the body, such as with a towel.

npua[2] (u) Nyiaj losyog cia muaj xws li kev mob tej: *Nws npua nws tus mob.*

[English] (v) To bear or withstand a pain; to endure or tolerate a pain.

npua[3] (y) Ib hom tsiaj uas muaj plaub txhais testaw thiab nyiam tshom av heev.

[English] (n) Pig, hog, swine.

npua dab (y) Tus npua uas tua los txi tus dab ncej tag.

[English] (n) A pig used to sacrifice to the ghost or spirit that oversees one's family and lives by the main floor column or post.

npua dab roog (y) Tus npua uas tua los txi dab, thiab tus dab no yog nyob hauv txaj uas xws li yog pojniam tus dab. Tsis tas li no, tus npua no yuavtsum yog tus nkauj npuas uas tsis tau muaj taw tshov dua li: *Tus npua dab roog.*

[English] (n) A pig used to sacrifice to the ghost or spirit that oversees and protects the bedroom.

npua loog (y) Tus npua uas yog nws muaj ib kab txaij nyob thoob plaws nws lub duav; tus npua no yuavtsum muab yug kom loj thiab muab tua.

[English] (n) A pig born with a stripe around its body. This pig then must be raised until fully grown and then butcher as a sacrifice.

npua qhauv (y) Cov pobkws losyog nplej uas muab hau los rau npua noj: *Nws hau tau ib yias npua qhauv.*

[English] (n) Pig food; food used to feed pigs.

npua tai (y) Tus npua uas tua los rau cov poj yawm txwv koob uas twb los thov noj xws li lub qe, tus qaib, tus npua, thiab tus nyuj tas los lawm. Tus tsiaj tom kawg nkaus ces yog ib tus "txiv" npua tai uas yuag~ lawm xwb.

[English] (n) A pig that is butchered as a sacrifice and given to the great grandparent who has already received the egg, chicken, pig and a cow. This pig is the last animal used for such sacrifice.

npua teb (y) Cov npua qus uas nyob tom hav zoov uas tsis yog neeg tu: *Lawv tua tau ib tus npua teb. Ib pab npua teb los noj pobkws.*

[English] (n) Wild pig, wild boar.

© 2003 Jay Xiong. All rights reserved.

npuab (u) 1. Sawv uake ntawm ib sab; nyob uake ntawm ib sab; khawm losyog sawv uake ntawm ib sab: *Nws npuab tus ntoo.* 2. Pab losyog txhawb; pomzoo li hais: *Peb npuab nws zaj.*
[English] (v) 1. Stand or lean against something. 2. Support or agree with.

npuag[1] (y) Ib hom ntaub uas mos thiab ntaug heev: *Ib daim ntaub npuag.*
[English] (n) Certain kind of fabric.

npuag[2] (y) Ib hom mob uas xws li yog cov ntshav tsis zoo es ua rau neeg daim tawv o thiab liab: *Nws mob npuag.*
[English] (n) Skin eruption, such as reaction from a hypodermic injection.

npuaj[1] (u) Muab txhais xibtes mus ntaus: *Nws npuaj tus menyuam lub pobtw.*
[English] (v) To slap or hit with the palm of a hand.

npuaj[2] (u) Muab ob txhais xibtes los sib tsoo: *Nws npuaj nws ob txhais tes.*
[English] (v) Clap, esp. the hands together.

npuas (y) Cov tej lub dawb thiab nyias uas xws li muaj nyob rau ntawm cov dej tsaws tsag tej: *Ib co npuas dej; tus dej ua ib co npuas.* (u) Nyob uake; nyob npuab: *Nws lub tsev npuas kuv lub.* (r) Nyob ntawm: *Nws sawv npuas kuv.*
[English] (n) Bubble. (v) Living or being nearby or closely together. (prep) In or near the area occupied by.

npuav (u) Muab tso rau hauv lub qhov ncauj: *Nws npuav lub txiv.*
[English] (v) To have or put in the mouth, such as a candy.

npub (u) 1. Tsis ntse losyog tsis zuag uas xws li chob tsis to: *Rab hmuv npub heev.* 2. Tus hniav tsis ntse losyog ua rau hlais tsis to yoojyim: *Rab riam npub heev vim nws siv los ntev lawm.* (p) Yam uas npub ntawv.
[English] (v,adj) Dull, such as not having a sharp edge or tip; blunt.

npug (u) <Lees> Npog, xws li muab tej yam los vov losyog khwb rau sab sauv.
[English] (v) <Leng> Cover.

npuj (u) Muab tswm losyog tsoo kom mus rau hauv lub qhov: *Nws npuj tus pas kom ploj rau hauv av.*
[English] (v) To pound down or strike, such as a stick or rod, into the ground.

npws[1] (u) Ntxhee lossis ntaug lees, thiab feem ntau yog siv los piav txog yam uas muag, mos thiab xwm yeem xwb: *Tus ntxhais cov plaub hau ntev thiab npws loo txog nram nws lub duav.*

© 2003 Jay Xiong. All rights reserved.

[English] (v) Used to describe things that are soft and fit along nicely, such as the long hair of a woman or her silky and long dress that fits nicely.

npws[2] (u) Haus, xws li haus dej tej. Lo lus no yog siv rau lub caij laig dab xwb.
[English] (v) Drink, but chiefly used for spirit only.

npws[3] (u) Laig lossis hu los noj thiab haus tej. Lo lus no yog siv rau dab lossis rau cov pogyawg uas twb tuag lawm xwb: *Nws npws pog thiab npws yawg.*
[English] (v) To invite or call the spirit to come eat or drink.

npwv (y) Dej, xws li yam uas neeg siv los haus tej. Lus menyuam yaus xwb.
[English] (y) Water, esp. drinking water and used mostly by children only.

nq (y) Ib tus ntawv uas siv rau cov lus xws li nqa, nqaij, nquab ltn...
[English] (n) A consonant used for words such as "nqa, nqaij" etc...

nqa (u) Muab tes tuav xws li tej yam khoom xws li kom nyob hauv txhais tes losyog kom tsis txhob nyob rau hauv av tej: *Nws nqa lub ris tuaj rau kuv. Nws nqa tus menyuam los rau kuv. Nws nqa dej los rau peb haus.*
[English] (v) 1. Bring, deliver. 2. Lift (thing, for example).

nqag (y) 1. Ua ib pab; ua ib leej xws li cov noog tsaws saum tus pas; nqaj: *Cov qaib tsaws ua ib nqag.* 2. Hais tib yam; tuaj ib tog: *Lawv tuaj ib nqag xwb.*
[English] (n) 1. A line of birds, chickens, esp. when perched on a wire or fence. 2. Team, side.

nqag ntxhias (pu) Muaj suab nrov ntau heev: *Pab liab ua xyoob nrov nqag ntxhias tim roob.*
[English] (adv) Noisily, boisterously.

nqai (u) <Lees> Nqe, xws li muab khuam rau.
[English] (v) <Leng> To hook; to put something on a hook, for example.

nqai lauj (y) <Lees> Nqe lauj; tej tus uas muaj ib tog nkhaus thiab neeg siv los khuam lossis khawb lwm yam tej.
[English] (n) <Leng> Hook, esp. the curved or sharply bent device used for hanging something.

nqaij (y) Cov uas nyob nruab nrab ntawm daim tawv thiab tus txha: *Tus qaib muaj nqaij tsawg tshaj tus npua. Nws nyiam noj nqaij tshaj noj zaub.*
[English] (n) Meat, such as the edible flesh of animals.

nqaij ntshiv (y) Cov nqaij uas tsis muaj tej thooj roj: *Ib thooj nqaij ntshiv.* Lus

© 2003 Jay Xiong. All rights reserved.

rov: *Nqaij rog.*

[English] (n) White meat or meat without fat or tendon. Lean meat.

nqaij rog (y) Cov tej thooj roj uas nyob nruab nrab ntawm daim tawv thiab cov nqaij: *Ib thooj nqaij rog.* Lus rov: *Nqaij ntshiv.*

[English] (n) Fat meat, fat.

nqaim[1] (u) Tsis dav; me uas xws li ib tog ntev: *Daim teb nqaim tabsis ntev heev.* (p) Yam nqaim ntawv: *Nws taug txoj kev nqaim.*

[English] (v,adj) Narrow.

nqaim[2] (u) Piav txog tus neeg siab me; cuaj khaum: *Nws siab nqaim heev.* (p) Piav txog tus neeg uas siab nqaim ntawv: *Nws yog ib tus neeg siab nqaim.*

[English] (v,adj) Narrow-minded person; stingy; unwilling to help or support.

nqaj[1] (y) Tej tus ntoo losyog hlau uas neeg txiav los ua tsev tej; ncej: Txhua~ lub tsev yuavtsum muaj ntau tus nqaj.

[English] (n) Raft, such as a flat structure or wood; plank.

nqaj[2] (y) <Lees> Nqaij: *Nwg nyam noj nqaj.*

[English] (n) <Leng> Meat.

nqaj hlaus (y) 1. Tus nqaj uas yog hlau. 2. Tus nqaj uas loj thiab nyob hauv lub qab plab tsheb: *Txhua lub tsheb muaj ib tus nqaj hlaus.*

[English] (n) 1. A metal shaft or raft. 2. The shaft, round and big, underneath an automobile; axle.

nqaj qaum (y) 1. Tus txha loj thiab ua tej thooj nyob nraum neeg losyog tsiaj lub nrobqaum. Feem ntau neeg hu tias tus "txha nqaj qaum.": *Txhua tus tav yeej txuas rau tus txha nqaj qaum.* 2. Qhov uas muaj zog tshaj; lub hauvpaus; tus thawj losyog tus uas pib tuaj: *Nws yog laww tus nqaj qaum.*

[English] (n) 1. Backbone, spinal column. 2. A person who starts the situation or matter and provides the support and resource to such matter.

nqaj ru (y) Tus nqaj uas loj, ntev thiab neeg siv los tav rau puag saum lub rutsev xws li kom zoo muab cov qhab los khuam rau: *Txhua lub tsev yuavtsum muaj ib tus qhab ru.*

[English] (n) Ridgepole.

nqawm (u) Kaw; xaus xws li tsis muaj lub qhov lawm: *Nws lub qhov kiav txhab nqawm lawm–zoo uas xws li tsis muaj lub qhov lawm.*

© 2003 Jay Xiong. All rights reserved.

[English] (v) Shut, closed, healed, esp. when a wound is healed.

nqaws (y) Siv los piav txog xws li qhov kawg ntawm daim tiab thiab lub tsho. *Nws tej nqaws tiab thiab nqaws tsho.*

[English] (n) The edge, or the bottom, of the shirt near the hip.

nqaws nquam (pu) Tus nyuj quaj uas xws li hu lwm tus nyuj, thiab siv los pab lo lus "nqov" xwb: *Tus nyuj nqov nqaws nquam tim roob.*

[English] (adv) Used to describe when a cow moos.

nqaws tiab (y) Qhov chaw uas nyob saum toj ntawm tus taw tiab.

[English] (n) The edge, or bottom towards the feet of a dress.

nqaws tsho (y) Qhov chaw uas nyob hauv qab ntawm lub ntiag tsho: *Nws siv lub nqaws tsho so nws cov kua muag.*

[English] (n) The edge, or bottom towards the hip of a shirt.

nqe (u) Muab xws li rab liag losyog tej yam nkhaus mus rub los: *Nws muab tus pas nqe kuv txhais taw.* (y) 1. Cov nyiaj losyog tej yam uas xav kom tau yog muab sib hloov losyog sib pauv nyob rau ntawm tej khoom losyog kev ua: *Tus nqe ntawm daim teb yog pestsawg?* 2. Tej nyiajtxiag uas xws li yus yuav lwm tus neeg cov khoom, tabsis tsis tau them nyiaj rau; nqi: *Nws tshuav nqe ntau heev.* Neeg kuj siv lo "nqi thiab nqe" mus los tib yam.

[English] (v) To hook, such as to catch or connect with a bent device or hook. (n) 1. The value or price of goods and/or services. 2. Debt.

nqe lauj (y) Tus pas uas nkhaus xws li rab liag thiab neeg siv los khuam xws li nqaij losyog khoom tej: *Ib tus nqe lauj.*

[English] (n) Hook.

nqe mis nqe hno (y) Cov nyiaj uas coj mus yuav tus pojniam: *Lawv sau nqe mis nqe hno yog yim choj yim kis.*

[English] (n) The cost of raising a child, esp. a girl. This term is only used at a wedding negotiation, and is referring to the price (money) of a bride.

nqee (u) Hu losyog hais kom los: *Lawv nqee kom tus plig los hauv tsev.*

[English] (v) To call in; to welcome in, esp. such as "come in."

nqeeb (y) Ib hom nroj uas muaj nplooj luaj li ntiv tes thiab ntev uas neeg siv cov nplooj los vov xws li tsev tej: *Ib thaj nqeeb.*

[English] (n) Thatch.

© 2003 Jay Xiong. All rights reserved.

nqes (u) Mus rau qhov qis losyog tiaj; mus rau qhov nyob hauv qab; nqis: *Tus liab nqes saum tsob ntoo los rau hauv av.*

[English] (v) To come or go down; to move into a lower place or location.

nqes hav (u) Ntxhab mus rau qhov qis: *Txoj kev nqeshav dhau. Dej tsuas muaj ntws nqes hav xwb--ntws mus rau qhov chaw qis.*

[English] (v) Slope, incline, slant; downward.

nqes tes (u) Pib ua mus; pib mus; nqistes: *Peb nqes tes hnub no.*

[English] (v) Start, begin, initiate.

nqes tsev (u) Mus nyob lwm lub tsev; nqis tsev. Feem ntau yog siv rau xws li tus tub thiab tus nyab tawm ntawm tus tub niam thiab txiv mus nyob rau lwm lub tsev: *Nkawv tus tub hlob nqes tsev lawm.*

[English] (v) To move out of the house, esp. when the son and daughter-in-law have two or more kids. The son and the daughter-in-law then have to move out to make room for the younger brothers and sisters.

nqh (y) Ib tus ntawv uas siv rau cov lus xws li nqha, nqhis, nqhuab ltn...

[English] (n) A consonant used for words such as "nqha, nqhis" etc...

nqha (u) Tsis tsaus uas xws li tsis muaj ntoo ntau; tsis ntxhov: *Thaj hav zoov nqha vim neeg ntov cov ntoo loj tas lawm.*

[English] (v,adj) Clear, such as not having a dense growth of trees.

nqha nrig (p) Tsis muaj dabtsi ntau; khoob lug losyog nqha heev: *Lawv tsiv es tshuav lawv lub tsev nyob nqha nrig xwb.*

[English] (v,adj) Clear, such as not having a dense growth of trees.

nqhis (u) Xav noj; xav haus; tshaib: *Nws nqhis dej. Nqhis zaub; nqhis mov.*

[English] (v) 1. Hungry; desire to eat or drink. 2. Thirst.

nqho (pu) Siv pab lo lus nthe: *Nws nthe nqho tsis pub neeg txav.*

[English] (adv) Making a loud command.

nqhuab (u) Qhuav uas xws li tsis muaj kua: *Lub pas dej nqhuab vim tsis los nag tau ntau hli.* (y) Saum daim av: *Qav yog hom tsiaj nyob saum nqhuab thiab nyob hauv dej.*

[English] (v) To become dry or evaporate. (n) Land, esp. the part or portion that is not within the water; upland.

nqi (y) Kev tshuav lwm tus nyiaj; nqe: *Nws tshuav luag nqi ntau heev.* Lo lus

© 2003 Jay Xiong. All rights reserved.

"nqi thiab nqe" neeg kuj siv mus los tib yam.

[English] (n) Debt. See the word "nqe" for definition.

nqia (u) Ua rau me dua lwm thaj losyog lwm ntu; me: *Yav qos nqia heev.* (p) Ntu losyog yav uas me tshaj ntawv: *Yav qos muaj ib ntu nqia.*

[English] (v,adj) Small, tiny esp. the most narrow section of an object.

nqig[1] (u) Lau, yau uas xws li dej tsawg tej: *Lub pas dej nqig vim tsis los nag li.*

[English] (v) Lower, such as having less amount or volume because of evaporation or leakage.

nqig[2] (u) Zoo siab lawm; tsis chim lawm: *Nws siab nqig lawm.*

[English] (v,adj) Calm, ease.

nqos (u) Noj mus rau hauv lub plab: *Tus nab nqos tus qav.* Lus rov: *Nti, ntuav.*

[English] (v) Swallow.

nqos cos (y) Yav losyog daim ntoo uas ua los tuav yav cav cos, thiab nyob ze nram tus taw cos. Ob tus ncej cog yog ob tus uas txheem tus nqos cos. Thaum neeg tsuj tus taw cos ces tus dauj cos tsa. Thaum neeg tso ces tus dauj poob los tsoo/ntaus cov nplej hauv lub qhov cos. Hmoob lub cos muaj xws li yav cav cos, tus dauj cog, lub qhov cos, nqos cos, thiab ob tus ncej cog.

[English] (n) A piece of wood which used to hold the mortar, esp. the horizontal rod (a big piece of log) as a pivot point.

nqos vias (y) Ib hom kab uas quaj es muaj lub suab "nqos vias, nqos vias" no: *Nyob rau tebchaws Lostsuas muaj ib co kab nqosvias.*

[English] (n) An insect that makes a sound similar to "nqos vias."

nqov (u) Tus nyuj quaj losyog ua lub suab hu lwm tus nyuj: *Tus nyuj nqov, tabsis tus nees hee.*

[English] (v) Moo. A cow moos, but a horse neighs.

nqu (u) <Lees> Hnoos, xws li yog tau khaub thuas tej.

[English] (v) Cough.

nquab (y) Ib hom noog uas luaj li lub nrig tej. Muaj ntau hom nquab xws li nquab ntsuab, nquab lauj kaub tawg, nquab av: *Nws muaj ob tus nquab.*

[English] (n) Pigeon.

nquab av (y) Ib hom nquab uas feem ntau nyiam nyob hauv av: *Ib tus nquab av.*

[English] (n) The kind of pigeon that mostly lives on the ground.

© 2003 Jay Xiong. All rights reserved.

nquab dais (y) Ib hom nquab qus uas loj tshaj lwm hom nquab.
[English] (n) A kind of pigeon, esp. the biggest kind.
nquab dawb* (y) Ib hom nquab uas muaj cov plaub dawb~.
[English] (n) White pigeon.
nquab lauj kaub tawg (y) Ib hom nquab uas quaj es muaj lub suab nrov xws li "lauj kaub tawg."
[English] (n) The kind of dove that has the yellow feathers and makes the sound "lauj kaub tawg." This dove mostly exists in Asia or Laos.
nquab ntsuab (y) Cov nquab uas muaj cov plaub ntsuab thiab ob txhais kotaw liab: *Nws muaj ob tus nquab ntsuab.*
[English] (n) Green pigeon. Mostly exists in tropical countries.
nquab ntxuam* (y) Ib hom nquab nyeg uas nws cov plaub ko tw nthuav zoo li rab ntxuam: *Nws muaj ib tus nquab ntxuam.*
[English] (n) A kind of pigeon that has a tail resembling a fan.
nquab qaib* (y) Ib hom nquab uas loj luaj li qaib tej, thiab feem ntau nws ya tsis taus mus deb li lwm yam nquab: *Nws muaj ib pab nquab qaib.*
[English] (n) Certain kind of pigeon, esp. having the size of a small chicken.
nquab tsev* (y) Ib hom nquab nyeg uas yog nws yug nyob rau qhov chaw twg, nws tsis mus nyob rau lwm qhov chaw li. Hom nquab no nws nco tau nws lub cooj losyog nws lub tsev zoo heev.
[English] (n) Homer, a homing pigeon.
nquag[1] (u) Nyiam ua uas xws li tsis nkees; tsis tub nkeeg: *Nws nquag vim nws xav muaj nyiaj.* (p) Tus neeg uas nquag. Lus rov: *Nkees, tub nkeeg.*
[English] (v,adj) Ambitious, energetic.
nquag[2] (u) Zoo lawm; tsis mob lawm: *Nws nquag lawm.* Lus rov: *Mob, nkees.*
[English] (v) Well, fine, such as not being sick or ill.
nquam (u) Muab rab duav hus dej kom lub nkoj mus: *Nws nquam lub nkoj.*
[English] (v) Row, such as to row a boat or canoe.
nquam paj nquam nruas (u) Dhia Qaib; noj Pebcaug: *Lawv mus nquam paj nquam nruas.*
[English] (v) Celebrate, esp. the Hmong New Year.
nquj nquas (pu) Ncig mus, ncig los: *Tus twm ncig nquj nquas nram tiaj.*

© 2003 Jay Xiong. All rights reserved.

[English] (adv) To walk or wander back and forth.

nqus[1] (u) Muab lub qhov ncauj twb rau thiab sib zog ua kom cov pa mus rau hauv lub qhov ncauj: *Nws nqus dej; nws nqus pa.* Lus rov: *Tshuab.*

[English] (v) Suck, sip, esp. liquid, so it goes into a mouth or a container.

nqus[2] (u) Mus coj los; muab losyog yuav los: *Nws nqus tau ib co ntaub.*

[English] (v) To purchase or buy, esp. goods or products, to resell.

nqus[3] (u) Muab ua kom tsa siab losyog tsa rovqab: *Nws nqus lub nrim los ntaus peb.* Nqus nrig losyog nqus nrim yog txhais tias nws tsa lub nrig.

[English] (v) To pull back (a fist, for example) as to get ready to hit or strike.

nqus daj (u) Tsa txhais tes kom siab uas xws li yuav ntaus: *Nws nqus daj vim nws yuav ntaus peb.*

[English] (v) To pull back (a fist, for example) as to get ready to hit or strike.

nqws (u) Tu, yaig, luv uas xws li rov los rau ntawm lub hauvpaus: *Tsob zaub nqws vim kab noj.* (p) Yam uas nqws ntawv.

[English] (v,adj) To become shorter or smaller; missing a portion or part of, i.e., body, hand or finger etc, esp. due to illness or disease.

nr (y) Ib tus ntawv siv rau cov lus xws li nraim, nraum, nruab, nroog ltn...

[English] (n) A consonant used for words such as "nraim, nraum" etc...

nra[1] (y) Pob khoom uas xws li muab ev losyog ris; nras: *Nws lub nra loj heev.*

[English] (n) The luggage, baggage or load of something, esp. prepared to be carried on the back.

nra[2] (u) Ci, ntsa xws yog muaj ntau heev: *Lub paj nra.* (p) Yam uas nra ntawv.

[English] (v) Shine, reflect. (adj) Shinny, reflective.

nrab[1] (y) Ib sab; yam uas muaj 50 feem; nruab nrab: *Nws noj txog nrab.* (p) Nyob rau hauv plawv: *Kuv yog tus tub nrab. Nws yog tus niam nrab.*

[English] (n) 1. Half. 2. Middle. (adj) 1. Half. 2. Middle.

nrab[2] (y) Ib tus ntawv feem ½ uas xws li muaj ib nrab.

[English] (n) The fractional number of 1/2.

nrag (y) Nram tiaj; qhov chaw uas tiaj thiab qis: *Nws lub tsev nyob puag nram nrag.* Feem ntau neeg siv lo tias nruab nrag losyog nram nrag.

[English] (n) Valley, esp. an area with elongated lowland.

nraim[1] (u) Mus nkaum; mus nyob rau qhov chaw uas kom neeg tsis pom: *Peb*

© 2003 Jay Xiong. All rights reserved.

nraim nram qabke. (p) Nyob rau qhov chaw uas neeg pom tsis yoojyim: *Lub tsev nyob rau qhov chaw nraim heev.*

***[English]** (v) Hide. (adj) Obscure; not apparent or easily seen; hidden.*

nraim[2] (pu) Tsis txawv li; zoo kiag li: *Nws ua nraim li peb qhia.*

***[English]** (adv) Exactly.*

nraim[3] (pu) Tsis ncaim mus qhov twg; nyob uake: *Nws sawv nraim ntawm kuv.*

***[English]** (adv) Nearby, closely.*

nraim kev (p) Tsis nyob ntawm kev; nraim; xu kev: *Lub tsev nyob nraim kev.*

***[English]** (adj) Obscure; not apparent or easily seen; hidden.*

nraj (y) Ib hom tsiaj uas zoo li qaib, tabsis nws txaij thiab nyob rau tom hav zoov: *Nws pom ib pab nraj.*

***[English]** (n) Pheasant.*

nraj dawb (y) Ib hom nraj uas muaj cov plaub dawb.

***[English]** (n) Silver pheasant. Also known as white pheasant.*

nraj dub (y) Ib hom nraj uas muaj cov plaub dub.

***[English]** (n) Black pheasant.*

nraj kub* (y) Ib hom nraj uas muaj cov plaub daj thiab zoo xws li cov kub.

***[English]** (n) Golden pheasant.*

nram (r) Nyob rau qhov chaw qis dua: *Nws nyob nram qab zog. Nram tus dej.*

***[English]** (prep) At, by, esp. at a lower place or location.*

nram hav (y) Qhov chaw uas qis zog: *Nws txav rau nram hav.* Lus rov: *Pem toj.*

***[English]** (n) A lower place; a place below the current location.*

nram ntej (y) Ntu losyog yav dhau los; lub sijhawm dhau los: *Yav nram ntej peb nyob ib lub zos.*

***[English]** (n) A time or period before; past moment.*

nras (y) Lub tiaj uas muaj nyom tabsis tsis muaj ntoo ntau: *Tus kauv noj zaub nram lub nras.*

***[English]** (n) Field, esp. full of grass or weed.*

nras tiaj (y) Lub tiaj uas muaj nyom tabsis tsis muaj ntoo ntau; lub tiaj nrag.

***[English]** (n) Field, esp. a flat and full of grass or weed.*

nrau (u) 1. Sib nraus uas xws li muab lub tobhau thiab ob tus kub los sib tsoo: *Tus twm nrau tus nyuj.* 2. Muab lub tobhau mus tsoo: *Lub tsheb nrau tus ntoo.*

© 2003 Jay Xiong. All rights reserved.

[English] (v) 1. To hit or fight, esp. when using the head and the horn (ox, for example). 2. To crash or hit using the head first (a car hits a tree, for example).

nraug (y) Tus txivneej uas tsis tau muaj pojniam; hluas nraug: *Nraug Hmoob.* Lus rov: *Nkauj.*

[English] (n) A single man, esp. one that has never been married.

nraug nus (y) Tus txivneej ; txiv leej tub; tus tub hluas: *Nraug nus, koj puas hlub kuv tiag?* Lus rov: *Nkauj muam.*

[English] (n) 1. Boy friend. 2. Guy.

nraug vauv (y) Tus losyog cov tub hluas uas nrog tus vauv tuaj; vauv: *Nej cov nraug vauv los ntawm no.*

[English] (n) Groomsman.

nraug xwb (y) Tus txivneej uas tsis tau yuav dua pojniam. Feem ntau yog siv rau cov uas tseem hluas xwb: *Nws yog ib tus nraug xwb.* Lus rov: *Nkauj xwb.*

[English] (n) A man who is young and has never been married.

nrauj[1] (u) Muab cais uas xws li tsis pub nyob uake; tsis sib yuav losyog tsis ua niamtxiv lawm: *Nws nrauj nws tus pojniam lawm.* (p) Tus neeg uas nrauj.

[English] (v) Divorce. (adj) Of being divorced.

nrauj[2] (u) Tso tseg; tsum: *Nws nrauj nws txoj kev ua si.*

[English] (v) To forget; to quit or stop; to abandon.

nrauj zoo (pu) Coj mus povtseg; coj mus tso tseg rau lwm qhov chaw: *Nws xa tus dev mus nrauj zoo.*

[English] (adv) To abandon; to forsake.

nraum (r) Nyob rau qhov chaw uas tsis yog hauv; nyob rau nrauv: *Nws nyob nraum roob.*

[English] (prep) Outside, other side.

nraum zoov (y) Qhov chaw uas nyob rau sab nrauv, thiab feem ntau yog siv los piav tias tsis nyob rau hauv tsev: *Tus dev pw nraum zoov. Nws ua si nraum zoov. Peb mus nyob nraum zoov.*

[English] (n) Outside, such as not within the house. Ant: Inside, indoor.

nraus (u) Sib nrau: *Ob tus nyuj sib nraus.* (p) Sab losyog qhov chaw uas nyob nrauv: *Nws nyob sab ntuj nraus.*

[English] (v) See Hmong word "nrau." (adj) Other side.

© 2003 Jay Xiong. All rights reserved.

nrauskis (y) Hnub peb tomqab ntawm hnub no: *Nrauskis peb mam mus tsev.*
[English] (n) The third day after today.

nrauv (y) Nyob rau sab nraum; tsis nyob rau hauv: *Muab tso rau nrauv. Nws pw nrauv. Lub noob nyob hauv hos daim tawv nyob nrauv.* Lus rov: *Hauv.*
[English] (n) Outside, external. Ant: Inside, within. Internal.

nrav (y) Qhov chaw uas qis dua; nyob rau nram: *Nws nyob nrav.* (t) *Nrav muaj ntau lub zos.* (p) *Tus neeg nrav paub.* Lus rov: *Pev.*
[English] (n) 1. South. 2. A southern location. (pron,adj) There.

nrawm (u) Ceev uas xws li mus kev, khiav, hais, ua ltn... *Nws nrawm tshaj kuv.* (p) *Nws noj mov nrawm heev; nws hais lus nrawm.* Lus rov: *Qeeb, taj.*
[English] (v,adj) Fast, quick, speedy.

nrawm nroos (pu) Nrawm uas xws li mus kev tej: *Nws mus nrawm nroos.*
[English] (adv) Hastily, quickly.

nrawv nroos (pu) Nrawm, cauj xws li mus kev, noj mov, ua ltn... *Nws noj nrawv tag kiag ib taig mov. Nws ua nrawv nroos tag nws daim teb.*
[English] (adv) Quickly.

nre (y) Tej kab, tus, nreej, txoj uas xws li muaj nyob ntawm ib txhia tiab thiab ris tej: *Cov nre tiab.*
[English] (n) Skirt ruffles; pleat.

nreeb[1] (u) Nrawm; ceev uas xws li hais lus: *Nws ncauj nreeb heev.*
[English] (v) Quick, smart, intelligent.

nreeb[2] (y,pu) Lub suab uas lub tswb tooj losyog hlaus nrov tej.
[English] (n,adv) The sound of a bell or when a metal hitting another metal.

nreeg (y) Tus pas losyog tus ntoo uas neeg muab txhos ze ntawm tsob taum es kom tsob taum hlob thiab laum mus rau: *Nws txhos tau ib tus nreeg.*
[English] (n) Stakes or wooden sticks, used in gardening. Stakes used in garden esp. so beans, peas and other vines can climb.

nreej (y) Cov tej caj losyog ua tej daim uas xws li cag thiab nyob ntawm lub hauv paus ntoo: *Tsob ntoo muaj nreej ntau heev.*
[English] (n) Any of flange like roots at the base of certain types of trees, esp. the big and very tall trees.

nrees (pu) Tsis tso; khawm losyog tuav ruaj ltn...*Tus nas khawm nrees tus ntoo.*

© 2003 Jay Xiong. All rights reserved.

[English] (adv) Firmly, tightly.

nres[1] (u) Theem, tsis txav; tsis ua zog: *Peb nres ntawm tsob ntoo.*

[English] (v) Stop, pause.

nres[2] (u) Mus txais; mus lees ua: *Nws nres lawv rooj tshoob.*

[English] (v) Handle, manage; to take responsibility of.

nres nroos (pu) Nyob losyog sawv uas xws li tsug: *Nws sawv ob tug nres nroos.*

[English] (adv) Of or relating to standing; in a standing position.

nrh (y) Ib tus ntawv siv rau cov lus xws li nrhab, nrhiav, thiab nrhoob ltn...

[English] (n) A consonant used for words such as "nhrab, nrhiav" etc...

nrhab (u) Muab ua kom qhib losyog rua: *Nws nrhab nws ob txhais ceg.* (y) Ib hom ntoo me~ thiab tawg ib co paj nplaum~: *Cov nrhab lo tus dev.*

[English] (v) Spread, such as to widen or make wider. (n) Bur.

nrhau (u) Tuaj xws li cag xyoob thiab cag ntoo tej; ua kaus tawm tuaj: *Tsob ntoo nrhau ntau tus cag. Lub noob txiv nrhau cag lawm.*

[English] (v) To put forth roots, esp. the new roots coming from the seeds.

nrhawj (y,pu) Lub suab uas hlua tu; nrhawv: *Hnov lub suab nrhawj.*

[English] (n,adv) A sound of a rope breaking.

nrhiav (u) Xam kom pom; xauj kom pom; tshawb kom pom: *Nws nrhiav nws lub nplhaib. Nws nrhiav pob nyiaj.*

[English] (v) Seek, search, find, locate.

nrho (pu) Tu losyog txiav kiag lawm; siv pab cov lus xws li de, txiav, tu: *Tu nrho ua ob txoj. Txiav nrho peb txoj kev ua si.*

[English] (adv) Immediately (the rope immediately breaks into two pieces, for example).

nrhoob (y) Tej txoj phuam uas Hmoob siv los pav yav plab hlaub: *Pojniam nyiam rau nrhoob.*

[English] (n) A legging, esp. made with soft fabric and used by Hmong women to wrap between the knees and the ankles.

nrhw (pu) Nrhwv; vam txog; cia-siab rau; thiab siv los pab cov lus xws li nyas, tos, npaj ltn... *Nws tos nrhw koj ib leeg.*

[English] (adv) Always, esp. such as waiting or longing for.

nrhwv (pu) Nrhw; siv los pab cov lus xws li nyas, tos, npaj ltn... *Nws nyas*

© 2003 Jay Xiong. All rights reserved.

nrhwv peb; nws tos nrhwv peb ua txhaum.

***[English]** (adv) Always, esp. such as waiting or longing for.*

nriaj (u) Nti kom plam; txav kom dim losyog plam mus: *Tus twm nriaj plam vim lawv khi txoj hlua tsis khov.*

***[English]** (v) Struggle, such as to pull apart a knot, for example.*

nrib (u) Tawg ua tej kab me~; rua ua tej kab uas xws li yuav tawg.

***[English]** (v) Crack, esp. when there are small lines prior to breaking.*

nrib nrus (p) Tawg ua tej kab. Feem ntau siv tuaj tomqab ntawm cov lus xws li tawg tej xwb: *Tsis los nag tau ntev es ua rau daim liaj tawg pleb nrib nrus.*

***[English]** (adj) Broken into lines or gaps, esp. when a wetland is drying.*

nrib pleb (u) Tawg ua tej kab me~; rua ua tej kab ua ntej thaum yuav tawg; tawg pleb: *Tsis los nag tau ntau hli ces ua rau av nrib pleb cuag cas.*

***[English]** (v) Crack, such as having small gaps or openings.*

nrig[1] (y) Lub uas thaum neeg muab cov ntiv tes nyem los ua ib thooj: *Nws siv nws lub nrig ntaus peb.* (u) Muab lub nrig los ntau: *Nws nrig kuv.*

***[English]** (n) Fist. (v) To punch or hit with a fist.*

nrig[2] (u) Muab tus pas los txheem kom txhob vau losyog los pab mus kev: *Nws nrig tus pas.*

***[English]** (u) To use a cane to support, esp. during walking.*

nrig[3] (pu) Siv los pab cov lus xws li lam, kaj, tshav ntuj: *Tshav ntuj nrig; lam cum nrig; nqha nrig ltn...*

***[English]** (adv) Brightly, clearly.*

nrig nphau (y) Muab ob txhais tes txheem rau hauv av, thiab muab ob txhais taw dov losyog ua kom vau mus pem hauv ntej: *Nws ua nrig nphau.* (u) Ua nrig nphau: *Nws nyiam nrig nphau heev.*

***[English]** (n) Cartwheel. (v) To do a cartwheel.*

nrig nphau ntsos (pu) Ntog losyog vau zoo li nrig nphau: *Nws ntog nrig nphau ntsos rau nram qabke.*

***[English]** (adv) Similar to or like cartwheel.*

nris (u) Thaiv losyog npog kom tsis pom: *Tsob ntoo nris lub hnub.*

***[English]** (v) Block, obstruct.*

nro (u) Ua rau tsis ntshiab uas xws li cov dej muaj kua av tej; muaj txo: *Lub pas*

© 2003 Jay Xiong. All rights reserved.

dej nro vim nyuam qhuav los nag tas. (p) Yam uas nro ntawv.
[English] (v,adj) Murky or muddy (such as water, for example).

nrob (y) Lub hauvsiab losyog thaj uas su: *Qaib lub nrob.*
[English] (n) The chest or breast part.

nrob qaum (y) Sab uas nyob rau nraum lub pobtw mus txog rau pem lub tob hau: *Kuv khawb nws lub nrobqaum.*
[English] (n) Back, the section between the buttock and the head. Dorsum.

nrog[1] (u) Dej poob losyog txeej ua tej tee: *Cov dej nrog rau hauv av.*
[English] (v) Drip, leak, dribble.

nrog[2] (u) Mus thiab nyob uake: *Nws nrog kuv.*
[English] (v) To be with; to go along with.

nrog[3] (r) Nyob rau hauv plawv; nyob rau sab hauv: *Peb mus nrog lawv.*
[English] (prep) With, along.

nrog[4] (y) Sab hauv neeg lub cev; hauv plawv: *Nyob hauv nrog.*
[English] (n) Internal, inside, interior, within.

nrog kua (u) Muaj kua nrog; muaj kua poob los: *Lub hnab nrog kua ntau heev.*
[English] (v) Drip, leak, dribble.

nrog rau (tx) Nrog, uake; thiab: *Nej nrog rau lawv tuaj noj mov.*
[English] (conj) With, along, together.

nrog zig (pu) Muaj kua tawm thiab nrog: *Nws cov kua muag ntws nrog zig.*
[English] (adv) Of or being dripped or dripping.

nroj (y) Tej nyom; tej menyuam ntoo; tej hmab uas tuaj nyob tom teb thiab liaj; nroj tsuag: *Daim teb muaj nroj ntau heev.*
[English] (n) Weed or grass, esp. those found in the garden or farmland.

nroj nkauj ntsuab tiab (y) Ib hom nroj uas ntsuab, dav, thiab zoo xws li pojniam daim tiab thiab tuaj nyob saum tej nta ntoo: *Ib tsob nroj nkauj ntsuab tiab.*
[English] (n) Certain kind of plant having big and wide leaves resembling the Hmong woman's skirt.

nroj tsuag (y) Nroj; txhua yam uas tuaj nyob rau hauv av tej; nyom: *Tom hav zoov muaj nrojtsuag ntau yam.*
[English] (n) Weed, grass; general shrubs.

nroj txaj muag (y) Ib hom nroj uas muaj tej daim nplooj me~ thiab yog muaj

© 2003 Jay Xiong. All rights reserved.

neeg chwv nws cov nplooj ces cov nplais quav los sib npuab.
***[English]** (n) Sensitive plant. Also called mimosa.*

nrom (u) Muab povtseg; muab cuam mus: *Nws nrom nws lub hnab rau hauv av.*
***[English]** (v) Throw, cast.*

nrom ca (p) Pw losyog nyob rau hauv pem teb: *Nws pw nrom ca ntawm kev.*
***[English]** (adj) Lying flat or straight.*

nrom kus (p) Pw losyog xyab rau hauv av; nrom ca: *Tus dev pw nrom kus.*
***[English]** (adj) Lying, on the ground or floor, for example.*

nroo[1] (u) Yws uas xws li hais lus cem tas mus li: *Nws nroo tias peb tsis pab nws.*
***[English]** (v) Moan, complain.*

nroo[2] (u) Lub suab nrov xws li thaum ntuj yuav los nag es muaj xob laim ntawv: *Xob nroo vim yuav los nag.*
***[English]** (v) To thunder.*

nroo nreb (pu) Nrov mus deb losyog thoob plaws: *Nws lub npe nrov nroo nreb.*
***[English]** (adv) Popularly, throughout.*

nroo ntws (pu) 1. Muaj coob heev xws li tsheej pab: *Lawv tuaj noj Pebcaug nroo ntws.* 2. Nrov mus deb losyog thoob plaws: *Nws lub npe nrov nroo ntws.*
***[English]** (adv) 1. Boisterously, noisily. 2. Popularly, throughout.*

nroog (y) Lub zos uas muaj neeg coob nyob: *Nws nyiam nyob hauv nroog.*
***[English]** (n) City, town, village.*

nroos[1] (pu) Nrawm losyog ceev thiab siv los pab cov lus xws li nrawm thiab maj: *Nws maj nroos.*
***[English]** (adv) Hastily, hurrily.*

nroos[2] (pu) Ua kiag; cuam kiag rau; sai heev: *Nwg nrum nroos rua huv aav.*
***[English]** (adv) Immediately, quickly. Ex: He quickly threw it on the floor.*

nroos[3] (pu) Lav loo; kam thiab yeem ua li: *Nws nres nroos lawv cov lus.*
***[English]** (adv) Willingly, absolutely, definitely.*

nrov[1] (u) Nto moo; hnov losyog muaj neeg hais thiab cav txog: *Tus nom lub npe nrov vim nws coj ncaj.*
***[English]** (v) Popular, famous.*

nrov[2] (u) Muaj lub suab tawm tuaj: *Nws lub nruas nrov zoo heev.* (p) Yam uas muaj suab nrov tuaj: *Nws hais lus nrov heev.*

© 2003 Jay Xiong. All rights reserved.

[English] (v) Having or making noise. (adj) Loud.

nrov rig (u) Mus, los: *Nws nrog rig rau Thaib teb ces nrog rig los. (nu) Nws nrog rig mus txog Lostsuas teb ces txawm siv nrog rig los lawm thiab.*

[English] (v, aux. v) Go, come, such as to move or travel.

nruab[1] (u) Muab ntxig losyog tso rau hauv: *Nws muab cov mostxwv nruab rau hauv rab phom.*

[English] (v) Put, insert, shove (bullets into a gun, for example)

nruab[2] (u) Muab ntxig losyog tso rau hauv: *Nws muab cov mostxwv nruab rau hauv rab phom.* (y) Cov xyoob uas muab phua ua tej daim thiab muab riam tsuav kom muaj ntau kab qhov: *Nws pw saum daim nruab.*

[English] (n) A piece of bamboo which cut open and chopped many openings so it can be used as boards or floor coverings.

nruab[3] (r) Nyob rau hauv; hauv plawv: *Nyob nruab siab; ya nruab ntug.*

[English] (prep) Inside, internal, within, in.

nruab hmo (y) Lub caij losyog sijhawm uas tsaus ntuj; ib tag hmo: *Nruab hmo neeg pw tag lawm.* Lus rov: *Nruab hnub.*

[English] (n) Night, nighttime, midnight. Ant: Daytime.

nruab hnub (y) Lub caij losyog sijhawm uas tsis tsaus ntuj; lub caij uas tseem muaj lub hnub ci: *Nruab hnub neeg mus ua teb.* Lus rov: *Hmo ntuj, nruab hmo.*

[English] (n) Day, daytime, midday. Ant: Nighttime.

nruab hnub nrig (y) Thaum lub hnub tuaj thiab ci lam lug uas xws li lub caij tav su: *Nws tuaj txog thaum nruab hnub nrig.*

[English] (n) In a daylight; during a daytime.

nruab nrab[1] (y) Nyob hauv plawv; nyob hauv nrab: *Tus ntiv tes nruab nrab yog tus ntev tshaj. Nws nyob hauv nruab nrab.* (p) Qhov chaw losyog yam uas nruab nrab: *Nws yug hauv nruab nrab xyoo.*

[English] (n,adj) Middle, between.

nruab nrab[2] (y,p) Tsis tuaj tog twg: *Nws yog tus neeg nruab nrab.*

[English] (n,adj) Neutral.

nruag (y) <Lees> Nruas, xws li lub uas neeg siv los ntaus nyob rau hauv lub ntees tuag lossis kev lom zem tej.

[English] (n) Drum, esp. the kind used to create music.

© 2003 Jay Xiong. All rights reserved.

nruam (u) Muab xws li rab vuv mus txiav losyog hlais: *Lawv nruam nplej lawm.*
[English] (v) To harvest, collect. To cut, the rice stem, using a small crescent-shaped rice harvesting instrument, made with sharp metal blade, that fits into the palm of the hands.

nruas (y) Lub uas neeg muab tus pas los ntaus kom nrov thiab siv rau lub caij xws li ua Neeb tej: *Nws muaj ib lub nruas.* Ib lub npe txivneej .
[English] (n) Drum. Also a proper name for boys.

nruas neeb (y) Lub nruas uas siv los ntaus rau lub caij ua Neeb xwb.
[English] (n) A metal drum used by a shaman.

nruas ntsej* (y) Daim nplooj nqaij nyias~ uas thaiv tom kawg ntawm lub qhov ntsej. Feem ntau yog thaiv kom dej nkag txhob tau mus rau hauv.
[English] (n) Eardrum.

nruas tuag (y) Lub nruas uas siv los ntaus rau lub caij muaj neeg tuag xwb.
[English] (n) A drum used for, or at, the funeral only.

nrug[1] (u) Txav xws li kom tsis nyob uake: *Nws nrug peb mus deb.* (p) Tsis nyob ze; tsis nyob uake: *Lawv nyob nrug peb li ib hnub ke.*
[English] (v) To distance; to be apart from. (adj) Distant, away.

nrug[2] (u,r) <Lees> Nrog, xws li nyob uake, mus uake ltn... *Moog nrug puab.*
[English] (v,prep) <Leng> With, along.

nruj[1] (u,p) Ua rau txoj hlua khov xws li tsis taug: *Txoj hlua nruj vim nws rub.*
[English] (v,adj) Tight, such as being stretched or extended out fully.

nruj[2] (u,p) Tsis pub txav mus deb; tsis pub ua txawv li: *Nws niam nruj heev.*
[English] (v,adj) Strict, such as in the imposition of discipline.

nruj nraim (pu) Muaj nyob rawv; muaj tsis ploj li: *Kuv nco txog koj nruj nraim.*
[English] (adv) Always, constantly.

nruj nreem (pu) Nruj heev; tsis taug li: *Nws rub txoj hlua nruj nreem.*
[English] (adv) Tightly, firmly.

nruj nrees (pu) Ceev, ntom uas xws li thaum muaj tej yam daig losyog xiab tej: *Daim nqaij xiab nws ob tus hniav nruj nrees.*
[English] (adv) Tightly, firmly.

nruj nriaj (pu) Nti mus nti los uas xws li tsis plam losyog tsis dim: *Nws ua nruj nriaj tsis paub dim li.*

© 2003 Jay Xiong. All rights reserved.

[English] (adv) Slowly rotate, esp. when one can hardly move the body.

nruj nris (p) Piav txog thaum tus neeg zaum tsaug zog es ua rau nws lub tob hau ncaws mus, ncaws los: *Nws tsaug zog nruj nris ntawm ntug cub.*
[English] (adj) Nodding the head, esp. when one is sleepy.

nrum (u) Nrom; muab cuam povtseg; povtseg uas xws li tsis yuav lawm: *Nws nrum nws lub mom rau nram qabke.*
[English] (v) Cast, throw.

nrw nrees (p) Muaj nyob uake cuag li cas; nyob uake coob heev: *Cov txiv txi ua nrw nrees.* Neeg kuj siv xws li "ua nrw, ua nrees" no thiab.
[English] (adj) Bearing many fruits; being fruitful, esp. in a bunchy way.

nrwb (u) Mus nrhiav; mus xam losyog xawb seb puas pom: *Nws nrwb mov.*
[English] (v) Seek, search, find, locate.

nrwg (u) Poob los; dauv los; dai los uas xws li tej tauv paj: *Tauv paj nrwg.* (p) Yam uas nrwg los ntawv.
[English] (v) Droop. (adj) Droopy.

nrwg vias (p) Nrwg heev; poob los; dauv los: *Tauv paj nyob nrwg vias.*
[English] (adj) Droopy.

nrws (u) Muab tej yam xws li plaub qaib losyog tej pas me~ los ntxig rau hauv lub qhov thiab muab tig mus, tig los: *Nws nrws tus menyuam lub qhovntsej.*
[English] (v) To swab; to clean with a swab.

nt (y) Ib tus ntawv uas siv rau cov lus xws li ntaub, ntais, ntuas, ntab ltn...
[English] (n) A consonant used for words such as "ntaub, ntais" etc...

nta[1] (u) Muab caws tos; rub los kom khuam: *Nws nta rab hneev.*
[English] (v) To set a trigger; to pull back a string of a bow as to be ready to launch arrows.

nta[2] (u) Ua kom cig losyog pomkev; taws teeb: *Nws nta lub teeb.*
[English] (v) To turn or flip (a light switch on, for example).

nta[3] (u) Them nyiaj xws li rau lwm tus neeg rooj tshoob tas nrho rau tus nqi pojniam losyog nqi tobhau: *Nws nta nws tus tub lub neej.*
[English] (v) To pay for the expenses, including the dowry, of someone's wedding.

nta[4] (y) Tej tus pas xyoob losyog ntoo uas neeg siv los kwv rau saum lub xub

© 2003 Jay Xiong. All rights reserved.

pwg; tus ntas kwv dej; ntas: *Ib tus nta.*
***[English]** (n) A flat piece of wood or bamboo made to carry two buckets on the shoulders, having one bucket on each end.*

nta[5] (y) Ntav, yav uas xws li ib nrab ntawm tus ntoo; nrab: *Nws nce txog nta.*
***[English]** (n) Midpoint, middle, half.*

nta hneev (y) Tus nta losyog ntas uas siv los ua rab hneev: *Ib tus nta hneev.*
***[English]** (n) A bow, esp. the bent, curved or arched and flexible strip of material, mostly made with wood or bamboo.*

nta npuj (y) Rab hmuv uas neeg ua los cuab tsiaj: *Nws cuab tau ib rooj nta npuj.*
***[English]** (n) Certain kind of trap which used a piece of bamboo or wood having one end being very sharp.*

ntab[1] (y) Ib hom kab uas luaj li yoov thiab txawj plev neeg. Ntab feem ntau nyob ua pab: *Ib xub ntab nyob saum tsob ntoo.*
***[English]** (n) Bee (bees like to make a beehive, for example).*

ntab[2] (u,p) Nyob rau saum nplaim dej: *Daim nplooj qhua ntab hos lub pobzeb tog.* Lus rov: *Tog.*
***[English]** (v) Float. (adj) Afloat.*

ntab[3] (u) Tshwm losyog hnov xws li lub moo: *Nws lub npe ntab thoob tebchaws.*
***[English]** (v) Hear or heard through out; become known or heard.*

ntab ntws (u) Muaj tshwm; tawm tuaj; nrov: *Peb tsis hnov nws moo ntab ntws li.*
***[English]** (v) Hear or heard through out; float around.*

ntag (pu) Siv los piav xws li muaj li tiag; tseeb li: *Muaj li ntag.* (y) Rab ntaj; rab zoo li riam tabsis ntev thiab nkhaus: *Nws xuas ib ntag rau tus tsov.*
***[English]** (adv) Such. (n) Sword.*

ntaim[1] (u) Muab xws li hlau tso rau hauv hluav taws losyog tej yam uas kub es kom muag losyog liab.
***[English]** (v) Forge as to form metal, for example.*

ntaim[2] (u) Taij, thov kom muab losyog ua; hais kom ua li. Feem ntau, yog siv nyob rau hauv kev tshoob kos xwb: *Tsis zoo ntaim niam thiab ntaim txiv.*
***[English]** (v) Request, beg and used mostly at a wedding negotiation only.*

ntais[1] (u) Muab ua kom tawg mus; ua kom khis losyog txhob ua ib thooj: *Nws ntais lub ncuav ua ob sab.*

© 2003 Jay Xiong. All rights reserved.

[English] (v) To break, esp. a small part or portion from the main part.

ntais[2] (u) Muab pobkws de los: *Nws ntais pobkws.*

[English] (v) To harvest corn; to pick the corn from the cornstalk.

ntais[3] (y) Lub uas muaj roj thiab ua tau hluav taws: *Nws muaj ib lub ntais.*

[English] (n) Lighter, match (that ignites fire.)

ntais[4] (pu) Ploj losyog pawv kiag: *Ploj ntais, dua ntais, tsaus ntais ltn...*

[English] (adv) Suddenly, quickly, esp. used to describe word such as disappear, vanish etc...

ntaiv[1] (y) 1. Tus uas muaj ntau theem thiab neeg siv nce mus rau qhov chaw siab losyog rau saum nthab tej: *Peb nce tus ntaiv.* 2. Yam uas muaj tej theem zoo xws li tus ntaiv: *Nws ua ntau tus ntaiv nce mus saum nws lub tsev.*

[English] (n) 1. Ladder. 2. Stairs.

ntaiv[2] (u) Sov thiab kub uas xws li thaum nyob ze ntawm lub qhovcub tej: *Lub qhovcub ntaiv heev.*

[English] (v) Radiate.

ntaiv dais (y) Ib hom ntaiv uas yog ua los cuab dais. Feem ntau, yog muaj ob tus hmuv nyob rau hauv qab es kom thaum tus dais nce tus ntaiv mus noj qhov khoom losyog nqaij ces nws poob los chob ob tus hmuv.

[English] (n) A trapping device, esp. used to trap bears.

ntaj (y) Rab riam uas ntev thiab ntse: *Neeg Suav nyiam siv ntaj.* Ib lub npe neeg uas siv rau cov tub.

[English] (n) Sword. Also a proper name for boys.

ntaj huab txhib (y) Cov ntaj uas yog muab ntoo huab txhib los ua: *Lawv siv ntaj huab txhib mus caum dab.*

[English] (n) A small wooden knife made from the "huab txhib" tree.

ntas[1] (u) Ua rau xws li dej txav mus, txav los: *Lub pas dej ntas vim cua hlob heev.* (y) Tus losyog daim xyoob uas neeg txua los kwv khoom: *Neeg Los Tsuas siv ntas los kwv dej.*

[English] (v) To wave, esp. such as a ridge or swell moving through or along the surface of a large body of water. (n) Any flat wooden bar, esp. used by Laotian, to carry buckets on both ends.

ntas[2] (u) Ua rau ntshav tawm xws li hauv (pojniam) lub paum los. Feem ntau,

© 2003 Jay Xiong. All rights reserved.

ib hlis cov pojniam muaj los li ib zaug. Ib txhia neeg kuj siv lo tias "ua cev poj niam losyog coj khaub ncaws" no thiab: *Nws cev ntas lawm.*

***[English]** (v) Menstruate; to under go menstruation.*

ntau (u) Muaj coob; tsis tsawg; muaj tshaj li suav tau: *Nws cov nyiaj ntau heev.* (p) Yam uas ntau losyog suav txhua: *Nws muaj ntses ntau heev.* (pu) Tsis tsawg: *Kuv zoo siab ntau.*

***[English]** (v) Having or being much. (adj,adv) Many, much, more.*

ntaub[1] (y) Tej daim uas neeg siv los xaws ua ris thiab tsho tej: *Ib thooj ntaub.*

***[English]** (n) Fabric, cloth.*

ntaub[2] (u) Raug, yog, tsoo: *Nws hais nws cov lus ntaub koj.*

***[English]** (v) Hit, imply, relate to.*

ntaub nplaum (y) Cov ntaub uas muaj ib sab nplaum. Feem ntau neeg siv ntaub nplaum los lo khoom tej: *Ib daim ntaub nplaum.*

***[English]** (n) Any adhesive material, such as plastic or paper. Adhesive tape.*

ntaub npuag (y) Cov ntaub uas nyias, ntaug, thiab muag heev.

***[English]** (n) Certain kind of soft and silky fabric or cloth.*

ntaug[1] (u) Tsis nruj, xws li txoj hlua; muag uas xws li daim ntaub nyias~ tej: *Daim ntaub ntaug heev.* (p) *Nws nyiam daim ntaub ntaug xwb.*

***[English]** (v,adj) Soft and silky.*

ntaug[2] (u) Muab txhais taw sib zog tsuj losyog tsoo xws li daim av: *Nws ntaug rau ub ntaug rau no.*

***[English]** (v) Stamp, esp. using a foot.*

ntaug lees (p) Ntaug thiab ntxhee heev: *Nws muaj ib daim ntaub ntaug lees.*

***[English]** (adj) Very soft and silky.*

ntaug taw (u) Xuas kotaw sib zog tsuj; xuas taw tsoo xws li daim av: *Tus me nyuam ntaug taw vim nws chim.*

***[English]** (v) Stamp, esp. using a foot.*

ntauj taw (nu) Siv ntxiv rau cov lus xws li tuaj, los, thiab mus ltn... *Kuv ntauj taw tuaj txog... Leej tub ntauj taw tuaj txog...* Feem ntau, siv rau lub caij hais kwv txhiaj xwb.

***[English]** (aux. v) Come, go, travel etc... Only used when chanting.*

ntauj taws sua yeev (nu) Ntauj taw. Feem ntau yog siv rau lub caij hais kwv

© 2003 Jay Xiong. All rights reserved.

txhiaj: *Txiv leej tub ntauj taws sua yeev tuaj txog.*

[English] (aux. v) Come, go, travel etc... Only used when chanting.

ntaus[1] (u) Muab tes losyog lwm yam los tsoo; ua kom raug: *Nws ntaus tus dev.*

[English] (v) Hit, spank, slap, smack, strike.

ntaus[2] (u) Muab tsoo kom ua lwm yam: *Muab hlau ntaus ua riam. Muab nyiaj ntaus ua xauv.*

[English] (v) To forge, metal or silver.

ntaus[3] (u) Tsim tawm tuaj mus; pib tuaj mus: *Nws ntaus kev phooj ywg.*

[English] (v) To establish or create a relationship.

ntaw (y) Ntawv uas xws li kev sau thiab nyeem: *Neeg txawj ntaw.*

[English] (n) 1. Education. 2. Alphabets. Variant of "ntawv."

ntawg (u) Hais lus rau kom coj mus; hais kom txais mus; muab cob rau. Feem ntau yog siv rau dab losyog tus neeg uas tuag xwb: *Nws muab tus npua ntawg rau tus neeg tuag.*

[English] (v) To talk or speak to an animal, esp. when making a sacrifice to a spirit or a dead person. To divine or augur concerning the spirit or God.

ntawg ntiag (pu) Tamsim ntawv; sai~ uas xws li tsis tau xav txog losyog paub ua ntej: *Nws ua ntawg ntiag ces nws thiaj li yuamkev lawm.*

[English] (adv) Suddenly, quickly, hastily.

ntawm (r) Nyob rau thaj losyog qhov chaw ntawv: *Nws nyob ntawm lub roob.*

[English] (prep) At, by.

ntaws (y) Lub puj ntaws; lub uas muaj ib txoj hlab txuas xws li ntawm tus niam mus rau tus menyuam lub plab uas thaum nyuam qhuav yug tus menyuam tawm los ntawv: *Txhua tus neeg yeej muaj ib lub ntaws.* Feem ntau neeg siv lo "puj ntaws" xwb. Txoj hlua los txuas hu ua "hlab ntaws."

[English] (n) Navel, umbilicus. See also English word "umbilical cord."

ntawv[1] (y) Cov tej tus losyog yam uas neeg siv los sau nws cov lus: *Muaj ntau hom ntawv xws li ntawv Hmoob, ntawv Suav, ntawv Thaib ltn...*

[English] (n) Alphabets, characters; letters of a language.

ntawv[2] (y) Daim uas neeg sau cov lus rau: *Nws sau rau daim ntawv.*

[English] (n) Letter, such as a written document or paper directed to a person.

ntawv[3] (y) Hmoov: *Ntawv raug ces thiaj sib tau.*

© 2003 Jay Xiong. All rights reserved.

[English] (n) Luck, fate.

ntawv[4] (t) Hauv losyog nyob ze qhov chaw: *Ntawv yog kuv li.* (p) *Tus neeg ntawv tsis nyiam peb.* (y) Qhov chaw uas: *Nws zaum ntawv.* (pu) Ntawm qhov chaw: *Nws tsis mus ntawv ntxiv lawm*

[English] (pron,adj,n,adv) There, that.

Ntawv Bres* (y) Ib hom ntawv sau ua tej lub pob me~, thiab siv rau cov neeg dig muag. Cov ntawv Bres, lus Askiv yog "Braille" no. Cov ntawv no yog tsim thiab sau los ntawm tus neeg Fabkis (1809-1852) hu ua "Louis Braille."

[English] (n) Braille, a written language (patterns of raised dots) for the blind.

ntawv digmuag* (y) Ib hom ntawv sau ua tej lub pob me~, thiab siv rau cov neeg digmuag. Cov ntawv Bres, lus Askiv yog "Braille" no. Cov ntawv no yog tsim thiab sau los ntawm tus neeg Fabkis (1809-1852) hu ua Louis Braille.

[English] (n) Braille, a written language (patterns of raised dots) for the blind.

ntawv loj (y,p) Cov ntawv uas loj thiab siab, xws li A,B,C, D ltn...

[English] (n,adj) Uppercase. Ant: Lowercase (a,b,c, for example).

ntawv me (y,p) Cov ntawv uas loj thiab siab, xws li a, b, c, d ltn...

[English] (n,adj) Lowercase. Ant: Uppercase (A,B,C, for example).

ntawv niam (y) Cov ntawv uas yog siv los ua suab, xws li a, ai, au, ua ltn... Cov ntawv niam muaj li 13 tug: a, ai, au, aw, e, ee, i, ia, o, oo, u, ua, w. Tabsis cov tshiab kuj muaj ntau tus los ntxiv, xws li: io, oe, ui ltn...

[English] (n) Vowels. There are 13 original vowels; however, a few new ones have been added, such as io, oe, ui etc...

ntawv noj haus (y) Daim ntawv uas qee leej neeg ntseeg tias txhua tus neeg tuag yog vim nws daim ntawv nojhaus tas lawm: *Nws tuag vim nws daim ntawv noj haus tas lawm.* Neeg kuj siav tias “ntawv noj-ntawv haus” no thiab.

[English] (n) Fate. The length of time granted or permitted to a person to live on earth by God. Once the term or time expires, a person will die.

ntawv ntia (pu) Muab rub losyog chua uas xws li tsis paub tsum; ntia: *Nws chua ntawv ntia kuv txoj siv. Nws chua ntawv ntia wb tes.*

[English] (adv) Frequently, such as when pulling a rope or someone's hands.

ntawv nyias* (y) Cov ntawv uas tsis tuab, xws li: Nov yog ntawv nyias.

[English] (n) Writing or document having normal font--not bold.

© 2003 Jay Xiong. All rights reserved.

ntawv piavtes* (y) Ib hom ntawv sau rau cov neeg lag ntseg. Cov ntawv no yog siv ob txhais tes los piav xwb.
[English] (n) Sign language.

ntawv qaij* (y,p) Cov ntawv uas sau kom qaij, xws li: *Nov yog ntawv qaij.*
[English] (n,adj) Italic.

Ntawv Sooblwj* (y) Ib hom ntawv Hmoob uas yog tsim los ntawm ib tus neeg Hmoob muaj lub npe hu ua Sooblwj xeem Yaj.
[English] (n) A Hmong written language created by a Hmong man named Shonglue Yang.

ntawv tuab* (y) Cov ntawv uas tuab thiab dub dua, xws li: **Nov yog ntawv tuab.**
[English] (n) Bold, esp. relating to font and writing.

ntawv txiv (y) Cov ntawv uas yog sau ua ntej ntawm cov suab, xws li k, c, d ltn... Cov ntawv txiv muaj 56 tus. Tabsis tomqab no, kuj muaj ntau tus tshiab los ntxiv rau lawm thiab.
[English] (n) Consonants. There are 56 original consonants; however, there a few new ones have been added.

Ntawv Vajtswv* (y) Phau ntawv uas muaj sau thiab piav txog Vajtswv lossis Huabtais Tswv Ntuj cov lus: *Cov neeg ntseeg Yesxus, lawv nyiam nyeem thiab kawm los ntawm phau Ntawv Vajtswv.*
[English] (n) Bible, esp. the sacred book of Christianity.

nte (u) Mus nyob ze ntawm lub qhovcub uas ciaj kom sov: *Nws nte hluav taws.*
[English] (v) Heat; to sit near a heat or fire; to receive heat or radiation.

ntees (y) 1. Qhov chaw uas muaj neeg coob tuaj sib koom xws li thaum noj Peb Caug losyog thaum muaj ib tus neeg tuag tej: *Ib lub ntees tuag.* 2. Keev ua neej: *Nws ua neej poob ntees.*
[English] (n) 1. Occasion, event. 2. A normal course or process of life.

nteg (u) Ua qe rau; muaj qe tawm los: *Tus pojqaib nteg qe; yoov nteg qe.*
[English] (v) To lay, esp. to produce or output, eggs.

ntej (y) Nyob rau tom hauv; nyob rau tom lub caij yuav muaj tuaj; pem suab: *Yav tomntej tsis muaj neeg paub.* (adv) Qhov chaw deb zog: *Txav tomntej.*
[English] (n) Fore, front. (adv) Little place away from a specific location.

ntes (u) Muab tes mus tuav; muab txhom kom tau los: *Nws ntes tus qaib.*

© 2003 Jay Xiong. All rights reserved.

[English] (v) 1. Catch. 2. Capture, arrest.

ntev (u) 1. Tsis luv; muaj mus txog deb: *Txoj hlua ntev li ob dag.* 2. Tsis chim yoojyim; tsis npau taws yoojyim: *Nws siab ntev heev.* (p) 1. Tsis sai; qeeb heev; tsis luv: *Nws pw ntev heev. Nws tham ntev dhau.* 2. Yam uas ntev: *Nws nyiam txoj hlua ntev.*

[English] (v) 1. Long, such as having a great length. 2. Being patient. (adj) 1. Long, such as having a lengthy duration. 2. Long as having a great length.

nth (y) Ib tus ntawv siv rau cov lus xws li "nthab, nthua" ltn...

[English] (n) A consonant used for words such as "nthab, nthua" etc...

nthab (y) Qhov chaw uas Hmoob ua los tau rau khoom thiab nyob saum lub qaum qhovcub: *Nce mus saum nthab. Cov txiv tsawb nyob saum lub nthab.*

[English] (n) Attic.

nthaj (y) Lub suab uas thaum rooj ntxiab txhais es nrov; lub suab uas thaum muaj ob tug kub losyog ob tug pas los sib tsoo es nrov: *Hnov lub suab nthaj vim rooj ntxiab txhais.* (pu) Yam uas nrov nthaj: *Hnov rooj ntxiab txhais nthaj.*

[English] (n) The sound of mouse trap "ntxiab" triggered or a sound of hitting two rods or sticks together. (adv) Relating to such a sound.

nthav (pu) Poob kiag mus; plam kiag los; txhawj kiag txog: *Lub txiv poob nthav.*

[English] (adv) Suddenly, quickly, immediately.

nthaw (u) Muaj cag losyog kaus tawm tuaj; tshwm tuaj xws li cov kaus txiv: *Lub txiv nthaw kaus.*

[English] (v) To sprout; to give off shoots or buds.

nthaws (pu) Siv los piav txog cov lus xws li rog, loj, pham ltn... *Nws rog nthaws.*

[English] (adv) Much, more, somewhat. Ex: He is somewhat fat.

nthawv (u) 1. Muab ua kom cov nyob sab hauv qab los mus nyob rau sab sauv; hos cov sab sauv mus nyob rau sab hauv: *Nws nthawv tsu mov.* 2. Deeg sab hauv tuaj; xoom losyog muab lub pobtw tsoo tuaj: *Nws nthawv.*

[English] (v) 1. To flip or rotate, esp. by moving things from the bottom to the top and things from the top to the bottom. 2. To make a quick movement or jerk forward using just the buttock.

nthawv nthav (pu) Sai~; tamsim ntawv; ceev thiab maj heev: *Nws mob nthawv nthav ua rau peb txhawj heev. Nws tham nthawv nthav.*

© 2003 Jay Xiong. All rights reserved.

[English] (adv) Quickly, suddenly.

nthe (u) Hais lus thiab ua lub suab nrov xws li thaum qw: *Nws nthe peb.* (p) Lub suab hais lus nthe: *Peb hnov nws lub suab nthe xwb.* Lus sib xws: *Qw.*

[English] (v,adj) Yell, shout, scream.

nthee (u) Muab kib uas xws li kib qe tej: *Nws nthee qe rau peb noj.*

[English] (v) Fry, such as to cook in hot oil or fat (he fries eggs, for example).

ntheeb (p) Ua rau ceg nkhaus thiab mob, xws li yog mus kev ntau hnub heev: *Lawv tuaj ko taw tau peb hnub thiaj ua rau lawv ceg ntheeb tas.*

[English] (adj) To walk limply, such as when one walks for many days.

nthi (pu) Ua kiag li; muaj kiag li. Lo lus no siv los pab cov lus ua xws li tuag, tsuj, thiab pw ltn... *Tuag nthi, tsuj nthi, pw nthi ltn...*

[English] (adv) Immediately, quickly.

nthij nthaj (y) Piav txog lub suab uas nrov nthij thiab nrov nthaj ltn...(pu) *Cov ntxiab txhais nthij nthaj.*

[English] (n,adv) The sound of a trap "ntxiab" triggered. See nthaj.

ntho (pu) Muaj kiag; xws li kiag: *Nws lov ntho tus pas.*

[English] (adv) Quickly, immediately.

nthos (u) Muab tes mus tuav; muab tes mus tsuab los: *Nws nthos tus pas.*

[English] (v) Grab, take, grasp.

nthua (u) Dob, nrho, kuam xws li nroj thiab nyom tawm: *Peb nthua daim teb.*

[English] (v) Hoe; to weed, esp. to remove weeds from garden or farmland.

nthuav (u) Qhib xws li lub paj ntoos tawg tshiab; muab rua losyog ua kom qhib: *Lub paj nthuav; lub kaus nthuav. Tus noog nthuav nws ob sab tis.*

[English] (v) Open, unfold; to spread out (the wings of birds, for example).

nthw (y,h) Nthwv: *Cov cua tuaj ua tej nthw. Ib nthw cua.*

[English] (n,cl) Gust, such as an abrupt rush of wind.

nthwb nthi (pu) Muaj tshwm sim sai; ua kiag li: *Nws pw nthwb nthi saum txaj.*

[English] (adv) Frequently, esp. such as an off-and-on situation.

nthwv[1] (y) Ib vuag uas xws li cua tshuab tej: *Cua tuaj ua tej nthwv.* (h) *Tuaj ib nthwv cua txias heev.*

[English] (n,cl) Gust, such as an abrupt rush of wind.

nthwv[2] (y,cl) Thooj losyog pob: *Ib nthwv nqaij.* (pu) Txeej kiag; nchuav kiag:

© 2003 Jay Xiong. All rights reserved.

Thoob dej nchuav nthwv rau hauv av.
***[English]** (n,cl) Bunch, bundle. (adv) Quickly, immediately.*

nti[1] (u) Txav losyog tig mus los: *Tus menyuam nti vim nws hnov peb hais lus.*
***[English]** (v) Move, such as creating a movement or motion.*

nti[2] (u) Muab nto mus; muab ua kom xws li cov qaub ncaug dhia tawm hauv lub qhov ncauj mus: *Tus menyuam nti cov mov tawm.*
***[English]** (v) 1. Spit (saliva from the mouth, for example). 2. To eject things or matters from the mouth.*

nti[3] (y,h) Ntiv xws li tej ntiv nplhaib thiab ntiv tes, ntivtaw tej: *Ib nti nplhaib.*
***[English]** (n,cl) 1. Ring-like objects. 2. Digits, such as human fingers and toes.*

nti[4] (p) Tsaus losyog tsis pomkev li: *Nws nyiam nyoj lub tsev tsaus nti.*
***[English]** (adj) Dark, very dark, such as having little or no light.*

ntia (pu) 1. Siv los piav txog cov lus xws li puv, ua: *Nws tso khoom puv ntia nws lub tsev.* 2. Ua kiag li: *Nws cuam ntia lub nra rau hauv av.*
***[English]** (adv) 1. Everywhere. 2. Quickly, immediately.*

ntiab (u) Hais kom khiav mus; kom tawm mus nyob rau lwm qhov chaw: *Nws ntiab peb. Lawv ntiab cov neeg phem mus tsev.*
***[English]** (v) Evict, expel. To cast (person, ghost, spirit or animal) out.*

ntiag (pu) Siv tuaj tomqab ntawm cov lus ua xws li nam, txav, nias ltn... *Nws nam ntiag los ntawm kuv. Nws nias ntiag rau peb yuav.*
***[English]** (adv) Forcefully, obviously toward.*

ntiag tsho (y) Qhov chaw ntawm lub tsho uas hnav nyob ntawm lub xubntiag.
***[English]** (n) The front part of a shirt.*

ntiag tug (y) Yog yus li; yus yam; li: *Nws siv nws ntiag tug.*
***[English]** (n) Of one's own; his or her own belongings.*

ntiaj chaw* (y) Cov tej lub uas muab nyob rau hauv lub ntuj, xws li lub hli, lub ntiajteb, lub hnub ltn...*Nyob hauv lub qab ntuj, muaj ntau lub ntiaj chaw.*
***[English]** (n) Planet.*

ntiaj teb (y) Lub qab ntuj; daim av uas neeg nyob: *Peb ua neeg nyob hauv lub ntiajteb. Lub ntiajteb muaj ntau haiv neeg.*
***[English]** (n) World, earth.*

ntiaj tog qaum pes (t) Txhua txhia qhov chaw: *Ntiaj tog qaum pes muaj neeg*

© 2003 Jay Xiong. All rights reserved.

nyob txhua. (p) Txhua txhia qhov chaw: *Neeg ntiaj tog qaum pes hnov txhua.*
***[English]** (pron,adv) Everywhere.*

ntiav[1] (u) Muab nyiaj them xws li kom lwm tus neeg pab losyog ua: *Nws ntiav kuv luaj nws daim teb.* (p) Yam uas ntiav: *Nws muaj haujlwm ntiav ntau heev.*
***[English]** (v) Pay, esp. such as hiring someone to do something. (adj) A hired or paid job, duty or position.*

ntiav[2] (u) Tsis tob: *Lub pas dej ntiav heev.* Lus rov: *Tob.* (p) 1. Yam uas ntiav: *Nws tsis ntshai lub pas dej ntiav.* 2. Hais cov lus yoojyim: *Cov lus ntiav~ xwb.*
***[English]** (v,adj) Shallow. Ant: Deep.*

ntiav[3] (p) Yoojyim; tsis cov: *Nws hais cov lus ntiav~ xwb.*
***[English]** (adj) Simple, easy to understand.*

ntig (y) Lub ntim; ntim: *Nws haus tag ib ntig dej.*
***[English]** (n) Bowl, esp. the small dish used to serve food or rice.*

ntig ntwg (y) Lub suab nrov xws li thaum neeg khiav tej. (pu) *Neeg khiav ntig ntwg lawm.*
***[English]** (n,adv) A sound of people or animals, running or rushing.*

ntim[1] (y) Lub tais me~ zoo li lub khob uas siv los haus dej tej: *Ib lub ntim.*
***[English]** (n) Bowl, esp. the small dish used to serve food and rice.*

ntim[2] (u) 1. Muab tso rau hauv: *Nws ntim kom puv nkaus lub hnab.* 2. Npaj losyog qhwv xws li su tej: *Nws ntim tau ib pob su rau kuv.*
***[English]** (v) 1. To stuff or fill objects into a bag or hole. 2. Pack, make (food for lunch, esp. when traveling, for example).*

ntim[3] (u) Hnav khaub ncaws: *Nws ntim tau ib lub zam zoo heev.*
***[English]** (v) To dress, esp. such as clothing.*

ntis (u) Tiv, thaiv uas xws li kom txhob raug lwm tus: *Nws ntis tshav, ntis nag.*
***[English]** (v) Block, obstruct.*

ntiv[1] (y) Tej lub qhov uas xws li siv ntiv tes los pos uas nyob ntawm rab qeej: *Nws kawm cov ntiv qeej.*
***[English]** (n) A note of the musical instrument called "qeej."*

ntiv[2] (y,cl) 1. Tej tus xws li ntiv tes thiab ntivtaw: *Tus ntiv tes.* 2. Yam losyog lub uas ua los coj rau ntawm ntiv tes tej: *Ib ntiv nplhaib.*
***[English]** (n) 1. Digit, such as fingers or toes. 2. Ring, such as a wedding ring.*

© 2003 Jay Xiong. All rights reserved.

ntiv[3] (u) Muab tus ntiv tes ua kom plam mus tsoo losyog kom raug.
[English] (v) To hit or strike with a finger, esp. by a way of making the thumb to hold an index finger back and then release the index finger forward as to hit or strike other objects.

ntiv luav (y) Ntiv qeej uas loj thiab nrov laus tshaj: *Xyaum pos tus ntiv luav.*
[English] (n) The lowest musical note or tone of the Hmong "qeej."

ntiv taw (y) Cov tej tus nyob ntawm txhais taw: *Tsib tus ntiv taw.*
[English] (n) Toe, such as digits of the foot.

ntiv taw rwg qab (y) Tus ntiv taw uas me thiab luv tshaj plaws: *Tus ntiv taw rwg qab yog tus uas nyob tom kawg thiab me tshaj.*
[English] (n) Baby toe; the shortest and smallest toe of a foot.

ntiv taw xoo (y) Tus ntiv taw uas luv thiab loj tshaj: *Tsoo nws tus ntiv taw xoo.*
[English] (n) The short thick toe of the human or animal foot.

ntiv tes (y) Cov tej tus ntiv uas nyob ntawm txhais tes: *Neeg muaj tsib tus ntiv tes.*
[English] (n) Finger; digits of the hand.

ntiv tes nta (y) Tus ntiv tes uas ntev tshaj; tus ntiv tes uas nyob hauv plawv.
[English] (n) Middle finger.

ntiv tes rwg qab (y) Tus ntiv tes uas me thiab luv tshaj cov: *Tus ntiv tes rwg qab yog tus uas nyob tom kawg thiab me tshaj.*
[English] (n) Baby finger; the smallest and short finger of the human or animal hand.

ntiv tes thawj (y) Tus ntiv tes uas nyob puab tus ntiv tes xoo.
[English] (n) Index finger. Also known as first finger or forefinger.

ntiv tes xoo (y) Tus ntiv tes uas luv thiab loj tshaj: *Tus ntiv tes xoo.*
[English] (n) Thumb.

nto[1] (u) Muab nti xws li hauv lub qhov ncauj mus: *Nws nto qaub ncaug.*
[English] (v) Spit, esp. saliva out from the mouth.

nto[2] (u) Tshwm losyog tawm rau sab nrauv; muaj: *Nws nto ib ce hws.* (r) Mus txog losyog mus tshwm rau qhov chaw siab: *Nws nce nto lub roob.*
[English] (v) To surface; to appear at the top or surface.

nto[3] (r) Mus txog losyog mus tshwm rau qhov chaw siab: *Nws nce nto lub roob.*
[English] (prep) To, over, esp. when reaching at the top of.

© 2003 Jay Xiong. All rights reserved.

ntob (u) 1. Raug, tsoo: *Nws rov ua ntob nws.* 2. Yog, ncaj rau: *Nws hais ntob koj.*
[English] (v) 1. Hit, contact, affect or backfire. 2. Direct or relate to.

ntog[1] (u) Vau mus rau hauv av: *Nws ntog vim nws dawm tus cag ntoo.*
[English] (v) Fall, to fall down.

ntog[2] (u) Kiv mus; dov mus xws li lub log tsheb losyog tej yam kheej: *Lub pob zeb ntog los tsoo tus ntoo.*
[English] (v) Roll. Ex: A rock rolls down the hill.

ntog[3] (u) 1. Qee leej neeg siv los hais tias tuag: *Nws ntog lawm.* 2. Suffered.
[English] (v) <Slang> 1. Die, dead, decease. 2. Suffer.

ntoj (u) 1. Dhia losyog muaj mus los xws li txoj hlab ntsha: *Txoj leeg ntoj.* 2. Mus saib xyuas uas xws li kev neej kev tsav tej: *Mus ntoj thiab mus thuv.*
[English] (v) 1. Pulsate. 2. To visit, someone, esp. to establish a relationship.

ntoj ntws (pu) Siv los pab lo xws li pus: *Sibpus ntoj ntws mus rau Suav Teb.*
[English] (adv) Together, along.

ntoj taws (nu) Siv mus, los thiab siv rau thaum hais kwv txhiaj xwb: *Txiv leej tub ntoj taws tuaj txog.*
[English] (aux. v) Use, utilize. Used when singing "kwv txhiaj" only.

ntoj taws sua yeev (nu) Siv mus, los thiab siv rau thaum hais kwv txhiaj xwb: *Txiv leej tub ntoj taws sua yeev tuaj txog.*
[English] (aux. v) Use, utilize. Used when singing "kwv txhiaj" only.

ntom (u) Nyob sib ti heev; tsis muaj kis losyog tsis muaj qhov li: *Sab phabntsa ntom heev.* (p) *Nws xov lub tsev ntom heev.*
[English] (v) Fit tightly together; solid as one piece, as having no gaps or openings. (adj) Tight, solid.

ntom nti (p) Ntom heev; tsis muaj qhov li: *Nws xov lub tsev ntom nti.*
[English] (adj) Very solid; fitted tightly, as having no gaps or openings.

ntoo[1] (u) Muab khwb rau saum lub tobhau: *Nws ntoo lub mom.* Hnav yog siv rau ris thiab tsho; hos rau yog siv rau khau xwb: *Nws hnav ris thiab rau khau.*
[English] (v) Wear, esp. a hat. See also Hmong word "hnav and rau."

ntoo[2] (y) Cov tej tsob uas muaj ceg thiab muaj nplooj nyob tom hav zoov: *Ib tsob ntoo. Ib daim ntoo. Ib tus ntoo.*
[English] (n) 1. Tree. 2. Lumber, wood.

© 2003 Jay Xiong. All rights reserved.

ntoo cawj (y) Ib hom ntoo: *Ib tsob ntoo cawj.*
[English] (n) Certain kind of tree.
ntoo cev (y) Ib hom ntoo: *Ib tsob ntoo cev.*
[English] (n) Certain kind of tree.
ntoo ciab (y) Ib hom ntoo: *Ib tsob ntoo ciab.*
[English] (n) Certain kind of tree.
Ntoo cuam (y) Tus ncej uas muaj ib tus los tav, thiab siv los dai xws li cov neeg txhaum tej: *Huabtais Yesxus tuag saum tus Ntoo cuam.*
[English] (n) Cross. Ex: Jesus Christ was crucified on the Cross.
ntoo faj yeeb (y) Ib hom ntoo: *Ib tsob ntoo faj yeeb.*
[English] (n) Certain kind of tree.
ntoo huab txhib (y) Ib hom ntoo: *Ib tsob ntoo huab txhib.*
[English] (n) Certain kind of tree.
ntoo lob laig (y) Ib hom ntoo: *Ib tsob ntoo lob laig.*
[English] (n) Certain kind of tree.
ntoo maj (y) Ib hom ntoo: *Ib tsob ntoo maj.*
[English] (n) Certain kind of tree.
ntoo maj mum (y) Ib hom ntoo: *Ib tsob ntoo maj mum.*
[English] (n) Certain kind of tree.
ntoo moos (y) Ib hom ntoo: *Ib tsob ntoo moos.*
[English] (n) Certain kind of tree.
ntoo ncaib (y) Ib hom ntoo: *Ib tsob ntoo ncaib.*
[English] (n) Certain kind of tree.
ntoo npauj npaim (y) Ib hom ntoo uas nws cov paj dawb thiab ua ob daim zoo xws li tus npauj npaim. Ib txhia neeg kuj siv los rhaub haus thiab ua tshuaj kho xws li thaum mob qoob tej: *Ib tsob ntoo npauj npaim.*
[English] (n) Certain kind of tree having white flowers similar to a butterfly.
ntoo npuv (y) Ib hom ntoo: *Ib tsob ntoo npuv.*
[English] (n) Certain kind of tree.
ntoo ntooj (y) Ib hom ntoo: *Ib tsob ntoo ntooj.*
[English] (n) Certain kind of tree.
ntoo nyab (y) Ib hom ntoo: *Ib tsob ntoo nyab.*

© 2003 Jay Xiong. All rights reserved.

[English] (n) Certain kind of tree.

ntoo peeb lab (y) Ib hom ntoo: *Ib tsob ntoo peeb lab.*

[English] (n) Certain kind of tree.

ntoo qheb (y) Ib hom ntoo: *Ib tsob ntoo qheb.*

[English] (n) Certain kind of tree.

ntoo qiaj (y) Ib hom ntoo: *Ib tsob ntoo qiaj.*

[English] (n) Certain kind of tree.

ntoo tsob (y) Ib hom ntoo uas txia losyog tuaj nyob saum (nkhib) ntawm lwm cov ntoo. Ib txhia kuj hu ua "ntoo txia" no thiab.

[English] (n) A kind of tree that exists on the branch bark ridge of other trees.

ntoo txhais (y) Ib hom ntoo: *Ib tsob ntoo txhais.*

[English] (n) Certain kind of tree.

ntoo txia (y) Ib hom ntoo uas txia losyog tuaj nyob saum (nkhib) ntawm lwm tsob ntoo. Ib txhia kuj hu ua "ntoo tsob" no thiab.

[English] (n) A kind of tree that exists on the branch bark ridge of other trees.

ntoo zaws (y) Ib hom ntoo: *Ib tsob ntoo zaws.*

[English] (n) Certain kind of tree.

ntoob (p) Siv piav txog yam uas ntug losyog loj: *Nws lub cajdab ntug ntoob.*

[English] (adj) Large, huge, big, such as being muscular.

ntoog (u) Cia mob xws li tsis kho; tsis ua kom zoo; thev: *Nws ntoog tus mob.*

[English] (v) Endure, tolerate, esp. a pain or hardship.

ntoom mem (u,y) Ntoj; muaj dhia losyog txav mus los, xws li cov leeg dhia tej.

[English] (v,n) Pulsation, throb, vibration.

ntos[1] (u) Muab cov xov los sib chaws uas xws li kom ua tej daim ntaub losyog tej daim tiab; ua ntos: *Nws ntos nws daim tiab.* (y) Lub uas neeg siv los ntos.

[English] (v) Weave. (n) A machine used for weaving cloths.

ntos[2] (u) Hais lus rau lwm tus neeg: *Yeej meem ntos tuaj.*

[English] (v) Say, speak, talk. Used mostly at a wedding negotiation and it is more polite than the word "hais."

ntov[1] (u) Muab riam losyog tau mus txiav kom xws li tus ntoo vau: *Nws ntov tsob ntoo. Nws ntov tsob tsawb.*

[English] (v) To chop or cut down, esp. trees or any standing plants.

© 2003 Jay Xiong. All rights reserved.

ntov[2] (u) Muab xws li dej nchuav povtseg: *Nws ntov dej povtseg.*
[English] (v) Spurt, gush, spout.

nts (y) Ib tus ntawv siv rau cov lus xws li ntsaum, ntsa, ntsuag ltn... Ib txhia kuj siv tus ntawv "J los j" los ua tus no thiab.
[English] (n) A consonant used for words such as "ntsuam, ntsa" etc... Some people used the letter jay 'J' instead of "nts." This consonant has the sound of the English letter jay--'J'.

ntsa (u) Ua rau ci losyog pomkev xws li thaum lub hnub ci: *Lub teeb ntsa heev.* (p) Cig losyog lam. (y) Sab, phab ntawm lub tsev losyog ib chav pw; phabntsa: *Lub tsev muaj plaub sab ntsa.*
[English] (v) Shine; to reflect light. (adj) Shining, bright. (n) Wall.

ntsa iab (p) Cig thiab ntsa heev: *Lub hnub cig ntsa iab.*
[English] (adj) Bright, shining.

ntsab (y) <Lees> 1. Cov txhuv: *Ib hnaab ntsab.* 2. <Lees> Muab ntsiab.
[English] (n) <Leng> Rice, esp. the kind that is ready to be cook.

ntsag[1] (y) 1. Qhov chaw uas su nyob ntawm neeg lub pobtw: *Mob nws lub ntsag es nws thiaj ev tsis taus thoob dej.* 2. Qhov chaw uas zoo li lub ntsag: *Nws mus txog tim lub ntsag roob.*
[English] (n) A hip of the pelvis or a pelvic area from the waist to the thigh.

ntsag[2] (u) <Lees> Ntsiag.
[English] (v) <Leng> Stop or end, esp. from crying or a continuous noise.

ntsaig (u) Muab cov tais thiab diav tsaws losyog tshem mus cia: *Nws ntsaig cov tais mus cia. Noj mov tas yuavtsum muab ntsaig mus cia.*
[English] (v) To clean or clear (dishes from a table, for example.)

ntsais (u) 1. Muab lub qhov muag kaw mus, kaw los: *Nws ntsais nws lub qhov muag.* 2. Cig mus, cig los xws li lub teeb: *Lub teeb ntsais vim roj yuav tas.* (p) Mus kev uas yog siv sab tav ua ntej: *Nws mus kev ua ntsais; pw ua ntsais ltn...*
[English] (v) 1. Blink, flicker. 2. Flicker, to shine on and off. (adj) Sideways.

ntsaj (u) Ua lub suab nrov xws li thaum mob heev: *Nws ntsaj ib hmos vim mob nws lub plab heev. Nws ntsaj vim mob nws tus hniav.*
[English] (v) Groan, moan.

ntsau (y) Ua tej ntsauv; ua tej thooj xws li lub paj; ntsaus; tauv: *Cov paj tawg ua*

© 2003 Jay Xiong. All rights reserved.

ntau ntsau. (h) *Ib ntsau paj.*

***[English]** (n,cl) Bunch, bundle, cluster.*

ntsaub[1] (u) Ya mus kom qis losyog mus rau hauv daim av: *Tus dav ntsaub los tom tus qaib.*

***[English]** (v) Dive; to fly toward the ground.*

ntsaub[2] (u) Muab los uake losyog ua ib pawg: *Lawv ntsaub ua ib pab.*

***[English]** (v) Consolidate; be or come together as one group.*

ntsaub[3] (u) Nrog nyob xws li uake; los raws: *Nws los ntsaub peb.*

***[English]** (v) Stay or be with; live with.*

ntsaum (y) Ib hom kab me~ uas muaj nyob rau hauv xws li av tej: *Ib pab ntsaum.*

***[English]** (n) Ant. Ex: I saw many ants.*

ntsaum kabrwg (y) Ib hom ntsaum uas muaj nyob hauv cov povtoj: *Cov ntsaum kabrwg noj tus ncej tas lawm.*

***[English]** (n) Certain kind of ant that likes to eat wood.*

ntsaum kwv tw (y) Ib hom ntsaum uas nws tus tw kwv~ losyog chom~.

***[English]** (n) Certain kind of ant that has the tail bents backward.*

ntsaum liab (y) Ib hom ntsaum liab: *Ib tus ntsaum liab.*

***[English]** (n) Red ant.*

ntsaum nab (y) Ib hom ntsaum liab thiab plev neeg mob heev: *Tus ntsaum nab.*

***[English]** (n) A kind of ant that is red and big, and can sting.*

ntsaum taub (y) Ib hom ntsaum uas nyiam ua lub zes kheej xws li lub taub thiab nyiam nyob saum cov nplooj ntoos: *Ib xub ntsaum taub.*

***[English]** (n) Certain kind of ant that likes to make the round nest, by cutting and combining leaves into a big ball.*

ntsaus (u) Mus qis ntawm qhov homphiaj; raug hauv qab ntawm qhov chaw uas tsom: *Lub mostxwv ntsaus lawm.* Lus rov: *Yaws.* (y) Muaj ntau lub nyob uake xws li res paj, tauv txiv ntoo tej: *Cov paj tawg ua ib ntsaus.*

***[English]** (v) Below, hit below the mark or where targeted. (n) Bunch, bundle.*

ntsauv (u) Mus nyob uake rau ib qho chaw xws li mus saib losyog xyuas: *Neeg ntsauv nws hais kwv txhiaj.* (y,h) Yam uas ua tej ntsauv: *Ib ntsauv nceb.*

***[English]** (v) To gather; come together. To surround, such as to observe, an event or an object. (n,cl) Bunch, cluster.*

© 2003 Jay Xiong. All rights reserved.

ntsawg (u) 1. Muab ntsawm losyog tsoo; muab ua kom tsoo daim av tej: *Nws tsawg ub, ntsawg no.* 2. Cua sib zog tshuab: *Cua tib ntsawg nws lub mom poob kiag.* Lo lus no, feem ntau, yog siv tuaj tomqab ntawm lo "tib" xwb.
[English] (v) 1. To throw or thrust into the ground. 2. To thrust or blow.

ntsawj (u) 1. Muab tshuab mus: *Cua ntsawj.* 2. Ntas losyog ntws mus tsoo: *Dej ntsawj tus choj puas lawm.*
[English] (v) To thrust or blow, such as by a strong current of wind or water.

ntsawm[1] (u) Muab tsoo xws li rau hauv av: *Nws ntsawm lub fwj thawg tas.*
[English] (v) To throw or thrust (objects) into the ground.

ntsawm[2] (u) Puv losyog ti heev: *Kawm pobkws ntsawm heev.* (p) Yam uas ntsawm ntawv.
[English] (v,adj) Fully packed or filled.

ntsaws[1] (u) Muab ntxig rau hauv xws li lub qhov: *Muab mov ntsaws tus me nyuam lub qhov ncauj.*
[English] (v) Shove or push (objects) into, (a hole or mouth, for example).

ntsaws[2] (u) Muab tej yam los thaiv losyog ntxig rau lub qhov: *Nws ntsaws nws lub pobntseg kom txhob hnov peb hais lus.*
[English] (v) Block, plug, cover (an ear so one can't hear, for example).

ntsawv (u) Ua rau nyuaj siab losyog ntxhov siab tej; ua rau muaj kev chim lossis kev tu siab: *Lawv hais lus ntsawv nws siab.* Ib lub npe siv rau cov ntxhais.
[English] (v) Upset, bother, irritate. Also a proper name for girls.

ntse[1] (u) Muaj tswvyim zoo; paub thiab txawj ntau yam: *Nws ntse vim nws paub txhua yam.* (p) Tus neeg uas ntse: *Nws nyiam cov neeg ntse xwb.* Lus rov: *Ruam.*
[English] (v,adj) Smart, wise, intelligent, clever, prudent. Ant: Stupid, dumb.

ntse[2] (u) Nyias uas xws li hlais tau zoo heev; hlais lwm yam to yoojyim: *Rab riam ntse heev.* (p) Yam uas ntse thiab hlais tau zoo. Lus rov: *Npub.*
[English] (v, adj) Sharp, such as having thin blade capable of cutting.

ntse[3] (u) Muab yam tsis yog kua tov rau yam ua kua; muab raus rau hauv dej; Muab (khoom) xyaws dej tej: *Nws muab tais mov ntse dej.*
[English] (v) Mix, dried matters, with liquid or water.

ntse[4] (u) Ua rau daim tawv nqaij liab thiab mob: *Nws sab puab tais ntse.* (p) Yam

© 2003 Jay Xiong. All rights reserved.

uas liab thiab mob ntawm daim tawv.

[English] (v,adj) Causing a painful rash, (diaper rash, for example).

ntse ntsuav (pu) Ntse, paub losyog txawj: *Nws hais lus ntse ntsuav.*

[English] (adv) Wisely, intelligently, prudently.

ntseeb (y) Ib hom kab uas txawj plev neeg thiab nyob ua tej xub: *Ib xub ntseeb.*

[English] (n) Certain kind of bee; killer bees, hornet.

ntseeg[1] (u) Xav tias muaj tseeb losyog tiag: *Peb ntseeg nws cov lus.*

[English] (v) Believe.

ntseeg[2] (u) Tso siab rau; xav tias tsis muaj teebmeem: *Kuv ntseeg nws heev.*

[English] (v) Trust.

ntseeg nkaws (pu) Tshee mos~ xws li thaum lub tshuab khiav ceev heev: *Lub tsheb khiav ntseeg nkaws.*

[English] (adv) Smoothly, such as (a machine runs) without any vibration.

ntseej (y) Ib hom ntoo uas tawv thiab khov heev: *Ib tsob ntseej.*

[English] (n) Chestnut; a chestnut tree.

ntsees (pu) Hais kiag rau; hais rau kom ua raws: *Kuv hais ntsees rau nws.*

[English] (adv) Explicitly, definitively, esp. in a commanding manner.

ntseg (u) Tuaj ncaj xws li tsa mus rau saum ntuj; tsis nkhaus: *Tus ncej ntseg heev.* (p) Yam uas ntseg ntawv: *Lub hnub nyob ntseg heev.*

[English] (v,adj) Straight up; vertical, upright.

ntseg ntsees (pu) Yam uas ntseg xws li tsob ntoo tej: *Tsob ntoo nyob ntseg ntsees.*

[English] (adv) Uprightly, vertically.

ntsej[1] (y) Lub pobntseg: *Ntsej tsis hnov thiab muag tsis pom.*

[English] (n) Ear.

ntsej[2] (y) Ob lub voj uas siv los khi losyog nyob tom khawg ntawm tus nta hneev.

[English] (n) The loops (of a string) of a bow.

ntsej muag[1] (y) Lub plhu; sab uas muaj ob lub qhov muag: *Lub ntsej muag dub.*

[English] (n) Face, esp. of human and animal.

ntsej muag[2] (y) Ib lo lus siv los cem lwm tus neeg. Feem ntau yog thaum yus chim losyog tsis zoo siab rau; ntxim ntxub: *Ntsej muag, koj ua dabtsi?*

[English] (n) Used as an offensive word. Its means obnoxious, odious, hateful.

ntsej muag lag dig (p) Ua txuj tsis pom thiab tsis hnov; ua tus tsis paub: *Nws ua*

© 2003 Jay Xiong. All rights reserved.

ntsej muag lag dig vim nws tsis xav pab.

***[English]** (adj) Purposely ignore and/or not pay attention to.*

ntsej rag (y) Cov mob uas ua kua nyob rau lub qhovntsej: *Nws mob ntsej rag.*

***[English]** (n) Ear infection, otalgia, earache, esp. having fluid in the inner ear.*

ntses (y) Ib hom tsiaj uas nyob rau hauv dej: *Peb nuv tau ob tus ntses.*

***[English]** (n) Fish.*

ntses choo (y) Ib hom ntses uas muaj testaw thiab zoo li vaub kib, tabsis nws loj thiab nyob hauv dej xwb: *Peb pom ob tus ntses choo.*

***[English]** (n) Certain kind of turtle-like species that lives in the water.*

ntses dawb (y) Cov ntses uas me thiab dawb: *Ib tus ntses dawb.*

***[English]** (n) White fish, esp. the small kind.*

ntses dub (y) Ib hom ntses uas luaj li ib xib, tabsis nws cov nplai thiab cov tawv dub~ heev: *Peb nuv tau ob tus ntses dub.*

***[English]** (n) 1. Tilapia fish. 2. Blackfish.*

ntses hli* (y) Ib hom ntses uas nyias thiab loj luaj li ib xib ntau, thiab nws dawb heev: *Ib tus ntses hli.*

***[English]** (n) Moonfish.*

ntses hnub* (y) Ib hom ntses uas luaj li xibtes tej, thiab muaj cov nplai ntsuab, xiav thiab ci.

***[English]** (n) Sunfish.*

ntses hnub qub* (y) Ib hom ntses uas nyias thiab ntxhib, tabsis muaj tsib txhais tes thiab zoo xws li lub hnub qub: *Ntses hnub qub muaj tsib txhais tes.*

***[English]** (n) Starfish.*

ntses kaus (y) Cov ntses uas muaj ob tus kaus nyob ntawm lub tobhau.

***[English]** (n) 1. Catfish. 2. Bullhead.*

ntses kaus me (y) Ib hom ntses kaus me thiab luaj li ko riam tej xwb.

***[English]** (n) Catfish, esp. the small kind; bullhead, baby catfish.*

ntses kaus xiav* (y) Ib hom ntses kaus uas loj heev, thiab hnyav li 100 phaus tej. Cov ntses no yog muaj nyob rau cov dej loj xwb.

***[English]** (n) Blue catfish. Also called blue cat.*

ntses keem (y) Ib hom ntses: *Nws txhom tau ob tus ntses keem.*

***[English]** (n) Certain kind of fish.*

© 2003 Jay Xiong. All rights reserved.

ntses leev (y) Ib hom ntses me~ luaj li ntiv tes rwg qab: *Ob tus ntses leev.*
[English] (n) Certain kind of small fish; minnow, minnows.

ntses nab (y) Ib hom ntses uas zoo li nab tabsis tsis muaj nplais: *Ib tus ntses nab.*
[English] (n) Eel.

ntses npauj npaim* (y) Cov ntses me thiab muaj nyob rau hauv dej ntuj uas nws muaj tsos zoo xws li npauj npaim: *Ib pab ntses npauj npaim.*
[English] (n) Butterfly fish.

ntses ntaj* (y) Ib hom ntses muaj tus kaus ncauj ntev thiab zoo xws li rab ntaj.
[English] (n) Swordfish.

ntses nyiaj* (y) Ib hom ntses uas me~ thiab zoo xws li tus cab, thiab muaj ob lub qhov muag dub: *Nws yawm tau ib hnab ntses nyiaj.*
[English] (n) Silver fish.

ntses qav (y) Ib hom ntses uas muaj nplais thiab dub: *Ib tus ntses qav.*
[English] (n) Certain kind of tropical fish.

ntses siv* (y) Ib hom ntses uas zoo xws li ntses kaus, tabsis muaj ob lub qhov muag loj~: *Nws txhom tau ib tus ntses siv.*
[English] (n) Beltfish or belt fish.

ntses taub* (y) Ib hom ntses uas lub cev loj, kheej thiab su zoo xws li lub taub.
[English] (n) Puff fish or blowfish.

ntses tsaug* (y) Ib hom ntses uas muaj nyob rau hauv dej ntuj thiab nws tuaj cov koob zoo xws li tus tsaug: *Ib tus ntses tsaug.*
[English] (n) Porcupine fish.

ntses txaij tw* (y) Ib hom ntses uas luaj li ntiv tes, thiab muaj ntau teev dub~ nyob rau ntawm tus ko tw: *Ib tus ntses txaij tw.*
[English] (n) Spinny eel fish.

ntsev (y) Cov hmoov uas dawb thiab feem ntau yog muaj nyob ze tom dej hiav txwv, thiab neeg siv los tso xyaw zaub thiab nqaij tej: *Nws muaj ib hnab ntsev.*
[English] (n) Salt, esp. the kind used as a food seasoning; table salt.

ntsh (y) Ib tus ntawv siv rau cov lus xws li ntshiab, ntshai, ntshaus ltn... Ib txhia kuj siv tus ntawv "jh", xws li jhiab, jhais ltn...
[English] (n) A consonant used for words such as "ntshai, ntshiab" etc... Some people also used the "jh" to represent this consonant.

© 2003 Jay Xiong. All rights reserved.

ntshaav (y) <Lees> Ntshav, xws li tej ntshav uas nyob hauv txoj leeg.
[English] (v) <Leng> Blood.

ntshab (u) <Lees> Ntshiab, xws li tus dej ntsiab tej.
[English] (v) <Leng> Clear, such as a clear or crystal water.

ntshai (u) Tsis tauluag rau; txhawj txog: *Nws ntshai tus tsov.* (pu) Ntshe, tej zaum; xyov puas: *Ntshai koj tsis nyiam; ntshai peb tsis paub.* Neeg kuj siv lo ntshe uas xws li ntshe koj tsis nyiam.
[English] (v) Scare, fear, afraid. (adv) Perhaps, maybe.

ntshaub (y) Ib hom ntoo uas yog muab txiav coj los txhos rau hauv av, nws tsis txawj lwj sai: *Ib tsob ntshaub.*
[English] (n) Certain kind of tree.

ntshaus[1] (u) Ua rau tsis muaj zog; ua rau ntog: *Nws ntshaus ceg.*
[English] (v) To stumble, such as when missing one's step in walking; to trip and almost fall.

ntshaus[2] (u) Ua rau lub ntsej muag dub losyog tsis tshiab xws li muaj mob tej: *Nws ntshaus vim nws mob tau ntau hli.*
[English] (v) Not bright or vivid, esp. when a person is sick; being pale.

ntshaus[3] (u) Ntshai uas xws li ua rau lub ntsej muag dub: *Nws lub ntsej muag ntsaus vim nws ntshai heev.*
[English] (v) Having or showing a frightful or horrifying facial expression.

ntshaus ntshiv (p) Toqhov ntau heev: *Daim tiab toqhov ntshaus ntshiv.*
[English] (adj) Having many holes; have holes everywhere.

ntshauv (y) Ib hom kab me~ uas muaj nyob rau saum qee leej neeg lub tobhau.
[English] (n) Louse (single), lice (plural).

ntshav[1] (y) Cov kua liab~ uas nyob rau hauv xws li cov leeg losyog ntawm daim nqaij: *Tus ntiv tes los ntshav vim nws ua riam hlais.*
[English] (n) Blood.

ntshav[2] (y) Cov tsuas uas liab li ntshav. (p) Yam uas liab li ntshav.
[English] (n) Purple. (adj) Having such purple color.

ntshav A* (y) Ib hom ntshav uas ib txhia neeg muaj: *Nws haum cov ntshav A.* Cov neeg muaj hom ntshav no, nws txais tau cov ntshav A thiab hom O.
[English] (n) Blood type A. Type A can only take blood type A and/or O.

© 2003 Jay Xiong. All rights reserved.

ntshav B* (y) Ib hom ntshav uas ib txhia neeg muaj: *Nws haum cov ntshav B.* Cov neeg muaj hom ntshav no, nws txais tau hom ntshav B thiab hom O.
[English] (n) Blood type B. Type B can only take blood type B and/or O.

ntshav ciaj (y) Cov ntshav uas tsis tuag losyog tsis khov ua tej thooj. Feem ntau yog cov ntshav uas neeg muab ntsev do xyaw rau es kom cov ntshav txhob tuag losyog dub: *Ib tais ntshav ciaj.* Lus rov: *Ntshavtuag.*
[English] (n) The blood, mostly from freshly butchered animal, mixed with water and salt. This kind of blood will solidified, but remains red.

ntshav dawb* (y) Cov ntshav lub (me~ heev) uas muaj nyob hauv neeg thiab tsiaj lub cev, thiab yog los pab tiv thaiv kom txhob muaj kab mob.
[English] (n) White blood cells.

ntshav liab* (y) Cov ntshav lub (me~ heev) uas muaj nyob hauv neeg thiab tsiaj cov ntshav thiab yog los xa pa muslos.
[English] (n) Red blood cells.

ntshav O* (y) Ib hom ntshav uas ib txhia neeg muaj: *Nws cov ntshav yog hom O.* Cov neeg muaj hom ntshav no, nws txais tau cov ntshav O xwb.
[English] (n) Blood type O. Type O can only accept O type and not A nor B.

ntshav tuag (y) Cov ntshav uas tuag losyog khov ua tej thooj dub~: *Ib tais ntshavtuag.* Lus rov: *Ntshavciaj.*
[English] (n) The dead blood; dead blood cells.

ntshaw (u) Nyiam thiab xav kom yog yus li: *Nws ntshaw ib lub nplhaib kub.*
[English] (v) Desire; to wish or long for; want.

ntshawb (u) Muab cov pa taws tso rau: *Cov pa taws ntshawb cov nqaij.*
[English] (v) To blow or direct, smoke or carbon monoxide, into something.

ntshawv ntshis (pu) Muaj tsis tu; muaj tas mus li: *Nws hnia ntshawv ntshis kuv.*
[English] (adv) Frequently, often.

ntshe (pu) Xyov, ntshai tsam, tejzaum: *Ntshe koj nyiam; ntshe peb mus.*
[English] (adv) Perhaps, maybe.

ntshi (u) Muab dua ua tej txoj me~: *Nws ntshi tus ntsuag.*
[English] (v) Peel, rind, strip (bamboo shoot, for example) into small pieces.

ntshiab[1] (u,p) Huv thiab kaj xws li cov dej uas dawb losyog huv: *Tus dej ntshiab.*
[English] (v,adj) Clear, crystal.

© 2003 Jay Xiong. All rights reserved.

ntshiab[2] (u) Tsis muaj lawm; pawv tag lawm: *Neeg ntshiab tag.*
[English] (v) Clear, such as having nothing; everything gone.

ntshiabsi (p) Ntshiab thiab huv xws li dej: *Ib tus dej ntshiabsi.*
[English] (adj) Of being crystal or clear.

ntshij (u) Muab koob los hno; muab tej yam ntse los hno: *Nws muab rab koob ntshij nws lub pobtw.*
[English] (v) To puncture, esp. with a needle.

ntshis[1] (pu) Tamsim ntawv; ploj kiag lawm: *Nws yaj ntshis ntawm peb qhov muag.*
[English] (adv) Immediately, quickly.

ntshis[2] (pu) Ua rawv losyog muaj tas mus li. Feem ntau yog siv pab cov lus ua xws li zais, nyiag, xav: *Nws zais ntshis nws cov nyiaj.*
[English] (adv) Always, constantly.

ntshiv[1] (u) Tsis muaj nqaij rog: *Daim nqaij ntshiv heev.* (y) Cov nqaij uas tsis muaj roj ntawv: *Daim ntshiv.* (p) *Nws daim nqaij ntshiv xwb.*
[English] (v) Lean, such as containing little or no fat. (n,adj) Lean meat.

ntshiv[2] (y) Cov ua tej txoj me~ nyob rau ntawm xws li thaum tus ntoo ntshua tej.
[English] (n) Genuine wood; solid wood.

ntshoo (u) Muaj suab ntau thiab nrov; muaj ntau yam suab nrov: *Rooj tshoob ntshoo dhau ua rau peb tsis hnov lus.* (p) *Lawv tham ntshoo heev.*
[English] (v,adj) Boisterous, noisy; being loud and noisy.

ntshoo nrooj (pu) Ntshoo heev xws li muaj ntau lub suab nrov tej: *Neeg sibtham ntshoo nrooj.*
[English] (adv) Boisterous, noisy; being loud and noisy.

ntshua[1] (u) Muab ua kom ntais; muab ntais kom ua tej tus me~: *Ntshua ib sab rau kuv. Tus ceg ntoo ntshua vim cua tshuab.* (y) Ntshuas xws li ntshuas ntawv.
[English] (v) To break or strip (objects) into small pieces. (n) Bundle, bunch.

ntshua[2] (pu) Toqhov dhau plaws: *Nws hno to ntshua ib lub qhov.*
[English] (adv) Quickly, immediately. Mostly used after the word "to" only.

ntshuab (y) Ib hom tsiaj nyob hauv dej thiab nyiam tom ntses heev: *Tus ntshuab caum cov ntses. Ntshuab nyiam ua luam dej.*
[English] (n) Otter.

ntshuas (y) Tej tus losyog txoj xws li muab ntau txoj los uake: *Muaj ntau*

© 2003 Jay Xiong. All rights reserved.

ntshuas. (h) *Ib ntshuas ntawv.*

***[English]** (n,cl) Bundle, bunch.*

ntsia[1] (u) Muab qhov muag saib; xyuas: *Koj ntsia kuv.*

***[English]** (v) Watch, see, observe; to look at.*

ntsia[2] (u) Muab tej yam ntse xws li koob thiab hmuv mus chob: *Nws muab rab koob ntsia rau ntawm tus ntoo.* (y) Cov tej tus uas ntse~ thiab siv los chob: *Nws txua tau ob tus ntsia.*

***[English]** (v) To nail; to attach as with a nail. (n) A nail or nail-like objects.*

ntsia[3] (y,h) Ntsiav; cov tej lub uas tuaj nyob rau ntawm lub pobkws.

***[English]** (n) A corn kernel. (cl) Used for any kernel-like objects.*

ntsia hlau (y) Cov ntsia uas yog muab hlau ua: *Siv ntsia hlau los ntsia vajtse thiab ntsia ntoo tej. Ib thawv ntsia hlau.*

***[English]** (n) Nail, esp. the metal kind.*

ntsia thawv (y) Cov ntsia hlau: *Ib hnab ntsia thawv.*

***[English]** (n) Metal nail.*

ntsiab[1] (u) Muab rub los; muab tes mus khawm losyog tuav: *Nws ntsiab kuv txhais tes. Nws ntsiab tau koj lub tsho.*

***[English]** (v) Grab, grasp; to take, something by hands, suddenly.*

ntsiab[2] (y) Lub noob: *Lub ntsiab txiv.*

***[English]** (n) Seed, grain.*

ntsiab[3] (y) Qhov uas tseemceeb tshaj: *Lub ntsiab ntawm zaj lus.*

***[English]** (n) The main, or the most important, part of a sentence or speech.*

ntsiab[4] (y) Lub me uas nyob rau hauv plawv xws li ntsiab muag, ntsiab teeb ltn...

***[English]** (n) 1. Pupil, esp. of the eye. 2. Iris.*

ntsiabmuag (y) Lub noob kheej~ uas nyob hauv lub qhov muag: *Nws lub ntsiabmuag tsis zoo heev es nws thiaj tsis pomkev zoo.*

***[English]** (n) 1. Pupil, esp. of the eye. 2. Iris.*

ntsiabteeb (y) Lub me~ nyob hauv plawv ntawm lub teeb, thiab ua rau lub teeb ci thiab pomkev: *Nws ua lub ntsiabteeb tu lawm.*

***[English]** (n) Filament, a fine wire inside of a light bulb.*

ntsiag (u) Tsum xws li tsis quaj; tsis hais lus; tsis ua suab nrov: *Tus menyuam ntsiag vim nws tau mis noj.*

© 2003 Jay Xiong. All rights reserved.

[English] (v) Stop, end (of a sound, for example). Ex: He stops crying.

ntsiag to (pu) Tsis muaj suab nrov li; tsis ua suab sab: *Nws nyob ntsiag to xwb.*
[English] (adv) Quietly, calmly.

ntsiav (y) Ua tej lub me~ xws li cov noob pobkws; ntsia: *Lub pobkws muaj ntau lub ntsiav.* (h) Tej lub xws li ntsiav: *Ib ntsiav pobkws. Ib ntsiav tshuaj.*
[English] (n) Kernel, seed, grain. (cl) Kernel-like objects.

ntsiav kws (y) Lub losyog cov noob uas nyob ntawm lub pobkws: *Khaws cov ntsiav kws los ua noob.*
[English] (n) Seed or kernel of corn.

ntsib (u) Pom; sib fim: *Peb ntsib nws tom kev. Peb ntsib ib tus hma.*
[English] (v) 1. Meet, encounter, confront. 2. See.

ntsij ntsiaj (y) Lub suab uas xws li thaum laug losyog rub cov mostxwv nyob rau ntawm rab phom es hnov nrov tej. (pu) *Nws laug phom nrov ntsij ntsiaj.*
[English] (n,adv) A sound when someone is pulling and pushing the lever of a gun as to advance the next bullet into a position before firing.

ntsim (u) Hob uas xws li kua txob: *Kua txob ntsim heev.* (p) Yam uas ntsim.
[English] (v,adj) Hot or spicy, such as having too much hot peppers.

ntsim lib (y) Ib hom noog uas me thiab sawvntxov los quaj nyob rau tomtej pob ntoos losyog ceg cav: *Nws pom ib tus ntsim lib.*
[English] (n) Certain kind of bird similar to a sparrow.

ntsim txob (p) Ntsim uas xws li yog rau kua txob ntau dhau.
[English] (adj) Hot or spicy, such as having too much hot peppers.

ntsis[1] (u) Muab xws li lub zuag los kuam cov plaubhau: *Nws ntsis plaubhau.*
[English] (v) Comb, such as the hair.

ntsis[2] (y) Yav kawg thiab siab tshaj ntawm tsob ntoo: *Saum tus ntsis ntoo.*
[English] (n) Treetop; the tip or the highest point of a tree.

ntsis[3] (y) Qhov ntse, me, thiab kawg uas xws li nyob ntawm rab riam.
[English] (n) The tip of a knife or any sharp objects.

ntsis[4] (y) Ib lub caij tsis ntev tomntej: *Ib ntsis wb mam mus tsev.*
[English] (n) Later in time; in a little while; a period of time later.

ntsis[5] (y) Muaj tsos uas zoo xws li: *Koj muajntsis zoo xws li koj txiv.*
[English] (n) Likeness, similarity.

© 2003 Jay Xiong. All rights reserved.

ntsis daj taws (y) <Lees> Txhais tias yog Hmoob Dawb. Feem ntau yog siv rau lub caij sibceg losyog thaum cem Hmoob Dawb xwb.

[English] (n) <Leng> Used to refer to a Hmong Der or White Hmong, and it is considered a swear word or obscene use.

ntso (pu) Ua heev uas xws li tsis tsum losyog tsis nkees: *Rau siab ntso ua. Rau siab ntso noj; rau siab ntso mus ltn...*

[English] (adv) Ambitiously.

ntsob (y) Lub, thooj uas siab tshaj nyob saum tus heev nyuj lub nrobqaum: *Tus txiv nyuj lub ntsob mas siab heev.* Qee leej kuj hais tias lub ntsov thiab.

[English] (n) The hump on top of the cow, camel etc...

ntsoj ntsuag (y) Kev ua ntsuag; kev tsis muaj niam, tsis muaj txiv tej. (p) Tus uas yog ntsuag: *Neeg ntsoj ntsuag nyob tsis muaj niam tsis muaj txiv.*

[English] (n,adj) 1. Orphan. 2. Orphanage.

ntsoog (u) Puas thiab tawg ua ntau daim: *Lub qe ntsoog tas.* (p) Yam uas tawg xws li ua tej daim me~ lawm: *Nws nyob ze ntawm qhov chaw ntsoog.*

[English] (v) To shatter or broken into small pieces. (adj) Being shattered.

ntsooj (y) Ib hom nas uas nyob rau tom hav zoov thiab tawm los nrhiav noj nyob rau hmo ntuj: *Nws cuab tau ob tus nas ntsooj.*

[English] (n) Certain kind of night rat that is as big as a squirrel.

ntsoos (u) Tsis zoo siab; chim uas xws li muaj mob losyog txhawj txog: *Tus qaib ntsoos vim nws muaj mob.* (p) Piav txog tus uas ntsoos.

[English] (v) Depress, sadden. (adj) Being depressed or sad.

ntsoov (pu) Muaj nyob rawv ntawm; tsis ploj mus: *Nws nco ntsoov kuv.*

[English] (adv) Always, constantly.

ntsos (y) Lub caij uas xws li tus neeg noj mov tsau es nws ua cov pa losyog ua lub suab hauv cajpas tuaj: *Nws ua ntsos vim nws tsis haus dej.* (pu) Dhia losyog muaj tawm tuaj. Siv los pab cov lus xws li dhia thiab khiav: *Sib zog ntsos, dhia ntsos, paj paws ntsos ltn...*

[English] (n) Hiccup. (adv) Used to describe words such as jump, hop.

ntsov (y) Lub ntsob; thooj uas nyob saum tus phaw nyuj lub nrobqaum.

[English] (n) Hump, esp. a rounded protuberance on the back of some cattle.

ntsu (u) Tau losyog muaj ntau: *Cov yeeb ntsu heev.* (p) Yam uas ua tsawg tabsis

© 2003 Jay Xiong. All rights reserved.

thaum sau losyog muab los es tau ntau.

[English] (v,adj) Abound, teem, rich; having or possessing great amount.

ntsua muag (y) Ntsuas; deb li ob lub qhov muag pom txog: *Deb li ib ntsua muag.*

[English] (n) A distance roughly about a mile long. A straight distance where an eye can see to the end--roughly a mile or two.

ntsuab (u) Tsuas uas zoo xws li cov nplooj ntoos uas tsis tau daj: *Lub txiv tsawb ntsuab yog thaum nws tsis tau siav.* (y) Tsuas uas ntsuab. (p) Yam uas ntsuab.

[English] (v) Green. (n) The color green. (adj) Of the color green.

ntsuab xiab (p) 1. Ntsuab heev: *Ib koog zoov ntsuabxiab.* 2. Xiav thiab tsis muaj huab uas xws li lub qab ntuj: *Lub qabntug ntsuab xiab.* 3. Xiav xws li lub pas dej ntuj: *Lub pas dej ntsuab xiab.*

[English] (adj) 1. Very green. 2. Blue such as a clear sky. 3. Blue such as the color of an ocean or lake.

ntsuag[1] (y) 1. Tus menyuam uas niam thiab txiv tuag tas lawm: *Nws yog ntsuag.* 2. Nyob twmzeej; nyob ib leeg xwb.

[English] (n) 1. Orphan. 2. Living alone or by oneself.

ntsuag[2] (y) 1. Cov tej tus uas tawm ntawm cov cag xyoob tuaj: *Ib co ntsuag. Ib hnab ntsuag.* 2. Cov tuaj tej tus xws li ntsuag xyoob: *Cov ntsuag nyiaj thiab ntsuag kub; ntsuag ntoo ltn...*

[English] (n) 1. Bamboo shoot. 2. Any of the bulbs, buds, young plants.

ntsuag ciaj (y) Tus menyuam uas niamtxiv muab nws tso povtseg losyog tsis yuav es cia nyob zoo li menyuam ntsuag: *Nws yog ib tus ntsuag ciaj.*

[English] (n) An abandoned or deserted child or person.

ntsuag nos (y) 1. Tus menyuam uas niam thiab txiv tuag lawm; neeg ntsuag: *Ntsuag nos yog tus neeg uas tsis muaj niam thiab txiv.* 2. Nyob twm zeej losyog ib leeg xwb; twjcuab: *Nws los nyob zoo li tus ntsuag nos.*

[English] (n) 1. Orphan. 2. A person who lives alone, esp. where there are not many people or relatives nearby.

ntsuag nyuj (y) Tus nyuj (txiv) uas loj tabsis tsis tau tiav txiv.

[English] (n) A young male cow.

ntsuag qees (pu) Muaj coob; muaj ntau: *Lawv tham ntsuag qees.*

[English] (adv) Boisterously, noisily (they talk boisterously, for example.)

© 2003 Jay Xiong. All rights reserved.

ntsuam (u) Saib seb zoo li cas; soj thiab ntsuas: *Nws ntsuam teb, ntsuam chaw.*
[English] (v) To check; to survey; investigate, research.

ntsuam xyuas (u) Saib xyuas; soj thiab xyuas; ntsuam: *Nws ntsuam xyuas seb nkawv puas txawj sibhlub. Nws mus ntsuam xyuas tebchaws.*
[English] (v) Investigate, research, survey.

ntsuas[1] (u) 1. Saib xyuas seb txij li cas losyog zoo li cas: *Nws ntsuas seb tus dej tob npaum li cas.* 2. Muab xav kom thoob uas xws li paub kom zoo: *Nws ntsuas seb kev lag luam puas zoo.* 3. Paub tias zoo li cas: *Kuv ntsuas tau koj lub siab.*
[English] (v) 1. Measure, examine. 2. Research, survey. 3. Know, perceive.

ntsuas[2] (u) 1. Muab cov kaushniav zom losyog noj kom tau cov kua xwb: *Tus tshis ntsuas zaub tas hnub. Nws ntsuas tus kabtsib.* 2. Tsis muaj kua heev lawm; tsis qab heev lawm: *Tus kabtsib ntsuas vim nws noj ntev los lawm.*
[English] (v) 1. To gnaw or chew on; 2. Being chewy, esp. when there is not much juice left.

ntsuas[3] (y) Cov kab zoo xws li kooj tabsis nws muaj cov testaw ntev dua.
[English] (n) Mantis.

ntsuas[4] (y) <Leng> Cov tej tus zoo li kabtsib, tabsis luaj li ntiv tes xoo, thiab neeg nyiam cog los haus cov kua lossis zom yuav cov kua tej; quav ntsuas.
[English] (n) <Leng> A tall and tiny (about thumb size) tropical southeast Asian grass that is similar to a sugar cane.

ntsuas muag (y) Ntsua muag; deb npaum li qhov muag pom txog: *Nws nyob deb li ib ntsuas muag. Ib txhia neeg kuj siv lo "ntsua muag" no thiab.*
[English] (n) A distance as far as the eye can see (roughly about a mile).

ntsuas phoo (y) Lub uas yog muab hlau ua thiab siv los xauv qhovrooj thiab phij xab tej: *Nws yuav tau ib lub ntsuas phoo.*
[English] (n) Lock, such as a metal device operated by key or combination.

ntsuav (pu) Muaj ntau tsawv thiab siv los pab cov lus ua xws li vwm, txom nyem, phem, thiab nkos ltn... *Nws vwm ntsuav; nws phem ntsuav.*
[English] (adv) Somewhat, considerably.

ntsub (u) Kaw pa pem qhov ncauj thiab sib zog ua kom xws li zis losyog quav tawm hauv lub cev mus. Feem ntau yog xub nqus pa tas ces mam li ntsub: *Tus menyuam ntsub kom cov quav tawm mus. Neeg ntsub quav thiab ntsub zis.*

© 2003 Jay Xiong. All rights reserved.

[English] (v) 1. To push (urine or excrement) by holding air in the stomach. 2. To exert power or strength in such manner.

ntsug[1] (y) 1. Ua tej kab; ua tej thaj me thiab ntev: *Ib ntsug teb.* 2. Zaus, lwm: *Mus ua luam ob ntsug lawm.*

[English] (n) 1. Section, row. 2. Round, trip, time.

ntsug[2] (p) Siv los piav txog xws li lo lus tiav ltn... *Nws hlob tiav txiv ntsug.*

[English] (adj) Mature, fully grown (person, for example).

ntsuj[1] (y) Tus plig; tus uas qee leej neeg ntseeg tias nws yog tus uas nrog lub cev nyob es tus neeg thiaj tsis tuag: *Nws tus ntsuj.*

[English] (n) Soul. See also "spirit."

ntsuj[2] (y) Ntsug, kab: *Peb dob ntsuj nov kom tas tso.*

[English] (n) Row, section.

ntsuj ntso (pu) Ua tsis tsum; ntsos: *Nws rau siab ntsuj ntso kawm ntawv.*

[English] (adv) Ambitiously, constantly, persistently.

ntsuj ntsoov (pu) Muaj nyob rau hauv siab tas mus li: *Kuv nco koj ntsuj ntsoov.*

[English] (adv) Constantly, always.

ntsuj ntsuav (pu) Muaj tsis ploj losyog tsis tu: *Nws kho-siab ntsuj ntsuav.*

[English] (adv) Often, somewhat, frequently.

ntsujplig (y) Tus plig; tus uas qee leej neeg ntseeg tias nws yog tus uas nrog lub cev nyob es tus neeg thiaj tsis tuag: *Neeg tej ntsujplig.*

[English] (n) Spirit, soul.

ntsw (u) 1. Muab coj mus ua kom lo losyog chwv: *Muab thooj mov ntsw tais kua txob.* 2. Hais lus kom mus raug losyog ua rau mob: *Nws hais lus ntsw peb.*

[English] (v) 1. To dip (sticky rice from one's hand into a dish of hot sauce, for example). 2. To talk or say, about something, and intent to imply to someone.

ntswb ntsuav (pu) Cuag li cas; ntau heev. Feem ntau yog los piav txog cov lus ua xws li lwj thiab qias: *Cov dib lwj ntswb ntsuav. Lub tsev qias ntswb ntsuav.*

[English] (adv) Very, much and used to describe verbs such as rotten, dirty.

ntswg[1] (y) 1. Cov kua uas tawm hauv lub qhov ntswg los: *Nws los ntswg vim no.* 2. Lub taub ntswg losyog lub qhov ntswg: *Noj ntawm ncauj tsw ntawm ntswg.*

[English] (n) 1. Mucus from the nose. 2. Nose.

ntswg[2] (y) Ntswm; ua tej tus losyog tej caj xws li neeg tus caj ntswm; caj ntoo

© 2003 Jay Xiong. All rights reserved.

tej: *Tus ntswg ntoo. Txo ntoo cov ntswg; tus ntswg liaj.*
***[English]** (n) 1. A barrier (dam) used to isolate or control water level within the rice field. 2. A nose-like tree flange locates near the base of a tree.*

ntswg dej* (y) Qhov chaw uas neeg muab xws li xuabzeb nplaum los puab thiab ua thaiv kom tus dej loj losyog ntws mus rau lwm qhov chaw: *Neeg puab ntswg dej los tauv dej kom tau ua liaj thiab ua hluav taws xob tej.*
***[English]** (n) Dam.*

ntswg liaj (y) Cov tej tus uas yog muab av puab thiab ua nyob rau hauv liaj kom thaiv thiab teev tau cov dej: *Ib daim liaj yuavtsum muaj ntau tus ntswg liaj.*
***[English]** (n) A barrier (dam) used to isolate or control water level within the rice field.*

ntswj (u) Muab tig uas xws li kom ob tog mus txawv sab; muab ob txhais tes tuav es muab ib sab tig mus ib seem: *Ntswj lub tsho kom cov dej tawm.* (y) Yam uas zoo li muab ntswj: *Nws mob plab ntswj.*
***[English]** (v) Twist, coil. (n) Certain kind of stomach pain; stomachache.*

ntsws[1] (y) Lub losyog daim uas nyob hauv neeg thiab tsiaj lub cev, thiab nws pab kom ua taus pa thiab muaj sia: *Neeg lub ntsws. Nws hnoos vim nws mob ntsws.*
***[English]** (n) Lung.*

ntsws[2] (u) Tuag thiab caws xws li lub paj uas qub lawm: *Cov zaub ntsws vim tshav kub heev.* (p) Yam uas ntsws losyog tuag ntawv.
***[English]** (v) Shrink, esp. due to heat and/or age; contract, constrict. (adj) Has been shrunk. Has been contracted or reduced in size.*

ntu[1] (y) Yav, toom: *Tus dej muaj ntu loj thiab ntu me.*
***[English]** (n) Block, section, segment.*

ntu[2] (y) Lub sijhawm; lub caij nyoog; yav: *Ntu thaum peb tseem nyob uake.*
***[English]** (n) When, period, duration of time.*

ntua (pu) Nyuam qhuav txog kiag; nyuam qhuav ua losyog muaj kiag: *Txog ntua, zaum ntua, txawb ntua ltn...*
***[English]** (adv) Recently, shortly.*

ntuag (u) Tawg, to ua ntau lub qhov; tu ua ntau txoj: *Lub ris ntuag.* (p) Yam uas ntuag: *Muab lub ris ntuag rau kuv.* (y) Ib hom ntoo me uas neeg cog thiab siv cov tawv los xaws ua ntaub tej: *Nws cog tau ib thaj ntuag.*

© 2003 Jay Xiong. All rights reserved.

[English] (v) Tear, rip. (adj) Become torn. (n) Cannabis, hemp. Any of various plants yielding a similar fiber or bark. People normally use fibers from these plants to make fabric, cloths and ropes.

ntuas[1] (u) Qhia kom ua zoo; hais kom tsim txiaj: *Nws ntuas kom peb ua neeg zoo.* (p) Cov lus uas ntuas: *Ua tsaug rau koj cov lus ntuas.*

[English] (v,adj) Counsel, advise.

ntuas[2] (p) Siv los piav txog xws li cov lus ci: *Thaum tshav ntuj ci ntuas.*

[English] (adj) Used to describe when a sun starts shining or emitting light.

ntuav (u) Ua kom cov mov losyog cov dej hauv plab tawm los mus rau pem lub qhov ncauj: *Nws ntuav vim nws haus cawv ntau dhau.*

[English] (v) Vomit; to eject or expel, contents from the stomach, through the mouth. To throw up, esp. food from the stomach.

ntub (u) Muab kua ua kom txuam xws li dej; muab tso rau hauv tej yam kua uas xws li dej tej: *Dej ntub kuv; nag ntub lub tsho.* (p) *Muab daim pam ntub los ziab kom qhuav.* Lus rov: *Qhuav.*

[English] (v,adj) Wet or to become wet. Ant: Dry.

ntug[1] (u) Tuaj losyog hlob ua tej tus loj xws li qos cov cag tej: *Qos ntug zoo heev.* (p) Yam uas ntug losyog loj ntawv.

[English] (v) Enlarge, expand, increase in size. (adj) Become large.

ntug[2] (y) 1. Lub ntuj: *Lub qab ntug.* 2. Qhov chaw uas kawg: *Ntawm ntug zos.* 3. Qhov av uas dej los xaus: *Nws zaum ntawm ntug dej.*

[English] (n) 1. Universe, world. 2. The edge; the boundary. 3. Bank (of a river or lake, for example).

ntuj[1] (y) Lub uas khwb tag lub ntiajteb no: *Cov hnubqub nyob saum ntuj.*

[English] (n) Sky (the stars in the sky, for example).

Ntuj[2] (y) Huabtais Tswv Ntuj; Vajtswv: *Peb thov Ntuj rau nws.*

[English] (n) God or the Father of the universe.

ntuj nag (y) Lub caij uas muaj nag los heev. Feem ntau yog muaj rau xws li lub Tsib Hlis mus txog rau lub Rau Hli tej: *Lub caij ntujnag muaj nag los ntau heev.* Lus rov: *Ntuj qhua.*

[English] (n) Spring season.

ntuj no (y) Lub caij muaj huab cua no: *Daus los lub caij ntuj no.*

© 2003 Jay Xiong. All rights reserved.

Lus rov: *Ntuj sov.*

[English] (n) Winter. Ant: Summer.

ntuj ntev (pu) Ntev, xws li txhob chim yoojyim: *Nws ua siab ntuj ntev tos peb.*

[English] (adv) Patiently.

Ntuj Plig (y) Tus plig uas neeg ntseeg tias nws muaj hwj huam thiab yog los ntawm Huabtais Ntuj: *Thov kom leej Ntuj Plig nrog nej nyob.*

[English] (n) The Holy Spirit.

ntuj qhua (y) Lub caij uas sov thiab tsis muaj nag los heev, thiab ua rau xyoob ntoo zeeg nplooj: *Caij ntuj qhua yog lub caij sov thiab qhuav heev.* Lus rov: *Ntuj nag.*

[English] (n) Summer.

ntuj qubqab (y) Lub tebchaws uas nyob dhau los: *Nyob rau yav ntuj qubqab, peb tseem tshuav neeg Hmoob coob heev.*

[English] (n) The past, esp. a country or place where one had lived before.

ntuj so (y) Lub caij uas tshav ntuj kub thiab sov heev: *Lub caij ntuj so yog lub caij uas sov thiab tshav ntuj heev.* Lus rov: *Ntujno.*

[English] (n) Summer.

ntuj taghmo (y) Lub sijhawm thaum ib tag hmo, xws li 10 teev Tsaus ntuj mus rau 3 teev Sawvntxov tej: *Ntuj taghmo es nws tseem hu tuaj rau peb.*

[English] (n) Midnight; late at night; during the night.

ntuj tsaug (y) Lub caij ntuj nag; lub caij uas muaj nag los heev.

[English] (n) Rain season; spring season.

ntuj zeeg (p) Puv nkaus; txwm nkaus: *Ib xyoos ntuj zeeg.*

[English] (adj) Full, such as a full year. Entire, such as an entire year.

ntus (y) Ntu, toom, yav uas xws li tej ntus dej: *Tej ntus loj; tej ntus me ltn...*

[English] (n) Section, segment (of river, road for examples).

ntuv[1] (pu) Ua rau khuam losyog dai ntsoov. Feem ntau yog siv pab cov lus ua xws li khuam, dai, plim ltn... *Nws hais lus khuam siab ntuv.*

[English] (adv) Used to describe words such as stick, hang, clog etc...

ntuv[2] (u) <Lees> Muab ntov, xws li ntov ntoo tej.

[English] (v) <Leng> To cut or chop down trees.

ntwg[1] (y) Tej thooj; muab obpeb lub los ua ib pob: *Muab ib ntwg rau kuv.*

© 2003 Jay Xiong. All rights reserved.

(h) Tej ntwg losyog tej vuag xws li cua tshuab: *Ib ntwg txiv; ib ntwg cua.*

***[English]** (n) Bunch, bundle. (cl) Bundle, a gust (of win, for example).*

ntwg[2] (y) Lub suab uas nrov zoo xws li xob nroo tej. (pu) *Neeg khiav nrov ntwg tuaj saib tus nom.*

***[English]** (n) A thunderstorm sound. (adv) Having such a sound.*

ntwgniab (pu) Dai thiab ua tej ntwg: *Cov noog mag zia ua ntwgniab.*

***[English]** (adv) Of, or relating to, a bunch or clump.*

ntws[1] (u) Ua kom cov kua mus rau qhov chaw qis: *Tus dej ntws saum lub roob mus rau nram lub tiaj.*

***[English]** (v) Flow, run (water flows from the mountain, for example).*

ntws[2] (pu) Sib zog ua; siv tas lub zog rau: *Nws tso sas ntws.*

***[English]** (adv) Mightily; exert all of one's energy to do something.*

ntx (y) Ib tus ntawv uas siv rau cov lus xws li ntxias, ntxaug, ntxob ltn...

***[English]** (n) A consonant used for words such as "ntxias, ntxaug" etc...*

ntxa (y) Thaj av uas muab tus neeg tuag faus rau hauv; ntxas: *Ib lub ntxa. Hos lub thawv uas muab tus tuag tso rau hauv yog hu ua hleb.*

***[English]** (n) Grave. Coffin is the oblong box for the corpse (dead body).*

ntxab ntxawm (pu) Ciali khaws ua losyog siv mus: *Peb tsiv tuaj lawm es nws ntxab ntxawm nyob peb lub tsev.*

***[English]** (adv) Just use, operate or occupy something without inventing or creating it, esp. when someone has already done it and is ready to be use.*

ntxag[1] (u) <Lees> Tham xws li hluas nkauj tej: *Nwg ntxag hlua nkauj.*

***[English]** (v) <Leng> To date or court as trying to gain the love of.*

ntxag[2] (u) <Lees> Ntxias, xws li hais lus zoo rau: *Nwg ntxag peb moog.*

***[English]** (v) <Leng> 1. Persuade, lure, coax. 2. Pacify.*

ntxaib (y,p) Muaj ob tug losyog ob yam rau tib lub sijhawm: *Tus pojniam yug taug ob tus menyuam ntxaib.*

***[English]** (n,adj) Twin, pair.*

ntxaig (y) Mus losyog txav tib lub sijhawm; sawv losyog mus ua leej: *Lawv mus kev ua ib ntxaig. Lawv muab peb sawv ua ib ntxaig.*

***[English]** (n) Row, line. Example: Stand in line.*

ntxaij[1] (y) 1. Lub uas yog muab tej daim xyoob nyias~ los fiab thiab siv los qha

© 2003 Jay Xiong. All rights reserved.

nqaij tej: *Nws fiab tau ib daim ntxaij.* 2. Daim tshuas ntxaij.
[English] *(n) 1. A screen made with small and flat bamboo pieces. 2. A screen or bamboo platform used for drying meat and located just above the Hmong fireplace (very primitive homes in Laos only).*

ntxaij[2] (y) Daim menyuam xyoob uas muab quav ua peb tsem thiab siv los tso rau nram lub hauvpaus xib xub: *Nws ua tau ib co ntxaij.* Ib lub npe siv rau cov tub.
[English] *(n) A tail fin, having the shape of a triangle, of an arrow. Also a proper name for boys.*

ntxaij xub (y) Daim ntxaij uas nyob nram lub hauvpaus xib xub: *Nws ua tau ntau lub ntxaij xub.*
[English] *(n) Arrow fin. Tail fin of an arrow.*

ntxais[1] (u) Muab lub qhov ncauj twb thiab nqus kom tau cov kua los: *Tus me nyuam ntxais nws niam lub me.*
[English] *(v) To suck, esp. liquid or juice, into the mouth.*

ntxais[2] (u) Mob losyog ntsim uas xws li thaum ua riam hlais to thiab ua ntub dej tej: *Nws lub kiav txhab txais heev.*
[English] *(v) Having pain or hurt, esp. such as when a new wound got wet by water or medicine; smarting pain.*

ntxais[3] (y) Lub ntxaij uas Hmoob muab xyoob los fiab thiab feem ntau yog siv los rhais rau ntawm lub qhovrooj. Feem ntau yog qhia tias lawv caiv, xws li tsis pub lwm tus neeg mus hauv lub tsev: *Nws tshuam lub ntxais rau ntawm nws lub qhovrooj.*
[English] *(v) A screen made from small and flat bamboo pieces having an octagon shape, and mostly used to place by the door to indicate that no one should enter into that particular house due to spiritual restriction.*

ntxais hniav (u) Muab ob sab hniav los sib tom thiab ua lub suab tawm ntawm tus ntsis nplaig tuaj; ntxais quav hniav: *Nws ntxais hniav rau peb.*
[English] *(v) To make an angry noise by having the tongue hitting the front teeth and sucking in little bit of the saliva. This is normally used to warn someone that his or her activity is not good or not acceptable.*

ntxas (u) Tawm losyog chom uas xws li mus rau sab nrauv: *Nws cov hniav ntxas.* (y) Ntxa uas xws li toj ntxas, roob ntxas, tiaj ntxas ltn...
[English] *(v) To bulge or jut out. To protrude, esp. a protruding tooth. (n)*

© 2003 Jay Xiong. All rights reserved.

Cemetery, graveyard.

ntxas kaus (u) Muaj tus hniav ntxas: *Nws ntxas kaus.* (p) *Niag neeg ntxas kaus.*
[English] *(v,adj) Having a protruding tooth.*

ntxaug (u) Yuag heev uas xws li plhu tsis tshiab: *Nws ntxaug vim nws mob tau ib hlis ntau.* (p) Piav txog tus neeg uas yuag thiab daj ntseg.
[English] *(v,adj) Skinny, thin, esp. due to sickness or illness.*

ntxaum (u) Ntub thawm; muaj kua lo thawm: *Nag los ntxaum daim teb xwb.*
[English] *(v) Wet; covered or soaked with liquid.*

ntxaus meyias (z) Ib zaj lus hais tig ntawm zaj "ntxias meyaus."
[English] *(idiom) A saying which turned the words around, and it means to trick or appease a child.*

ntxawg (p) 1. Tus tub uas yug puag tom kawg: *Nws yog tus tub ntxawg.* 2. Tus txivneej uas yau yus ntau xyoo, xws li yog tus ntxawg: *Tus kwv ntxawg.* Ib lub npe uas siv rau cov tub.
[English] *(adj) 1. The youngest or last son. 2. A guy or man who is considered being younger than oneself. Also a proper name for boys.*

ntxawm[1] (p) 1. Tus ntxhais uas yug puag tom kawg: *Nws yog tus ntxhais ntxawm.* 2. Tus ntxhais uas yau tshaj ntawv: *Leej muam ntxawm.* Ib lub npe uas siv rau cov ntxhais, feem ntau yog cov yug tom kawg.
[English] *(adj) 1. The youngest or last daughter. 2. The girl or woman who is considered being the youngest.*
[English] *(adj) Cover or discuss (a subject) completely; thoroughly.*

ntxawm[2] (u) Txhua, meej, tag losyog kawg: *Peb tham ntxawm heev.*
[English] *(adj) Cover or discuss (a subject) completely; thoroughly.*

ntxee[1] (y) 1. Ntxees, qhov chaw uas pib ntxhab: *Saum lub ntxee roob.* 2. Sab nrauv; sab uas ntxeev rau sab nrauv: *Ntxee ntuj nraus.*
[English] *(n) 1. The ridge of a mountain. 2. The other side.*

ntxee[2] (u) Ua rau leeg lem, txav losyog tig tej: *Nws txhais tau ntxee.*
[English] *(v) Sprain.*

ntxee leeg (u) Ua rau txoj leeg tig, txav thiab mob: *Txhais taw ntxee leeg es thiaj li mob heev.* (p) Yam uas leeg ntxeev.
[English] *(v) Sprain. (adj) Become sprained.*

© 2003 Jay Xiong. All rights reserved.

ntxeem (u) Peem losyog ua kom dhau; thev kom dhau: *Ntxeem kom dhau tus dej. Ntxeem kom dhau txoj kev txomnyem.*
[English] (v) To endure; to persevere.

ntxees (y) 1. Lwm, ncig: *Muab hlua pav ntau ntxees es thiaj li khov.* 2. Sab losyog qhov chaw nrauv; ntxee: *Ntxees ntuj nraus.*
[English] (n) 1. Loop, round. 2. The other side.

ntxeev[1] (u) 1. Muab tig mus lwm sab; muab sab hauv tig mus rau sab sauv: *Nws ntxeev daim nqaij.* 2. Hloov lus losyog hais txawv li qhov uas hais dhau los; dag, tig, liam tias muaj li: *Nws ntxeev peb cov lus.*
[English] (v) 1. To flip or turn something over. 2. To reverse; to turn around.

ntxeev[2] (u) Lub caij uas thaum cov cawv tig losyog ntsim heev lawm: *Cov cawv ntxeev lawm.*
[English] (v) At a point where the alcohol becomes very potent.

ntxeev tiaj (u) Muab lub rob qaum pw tuaj rau hauv av: *Tus menyuam ntxeev tiaj lawm.* (p, pu) *Nws pw ntxeev tiaj.* Lus rov: *Khwbrwg.*
[English] (v,adv,adj) Upside down. Become upside down.

ntxeev tiaj kus (p) Yam uas ntxeev tiaj: *Nws pw ntxeev tiaj kus ntawm kev.*
[English] (adj) Upside down. Become upside down.

ntxeev tisqaib (u) Muab ob txhais tes pav losyog khi uake rau nraum nrobqaum: *Lawv muab tus tubsab ntxeev tisqaib.* (p) Yam khi uas zoo xws li ntawv.
[English] (v) To tie both hands on the back.

ntxh (y) Ib tus ntawv uas siv rau cov lus xws li ntxhais, ntxhee, ntxhe ltn...
[English] (n) A consonant used for words such as "ntxhais, ntxhee" etc...

ntxhab (u) Ncetoj; nyob rau qhov chaw uas tsis tiaj uas xws li nyob ntawm ib nta toj tej: *Lub roob ntxhab heev.* (p) *Nws lub tsev nyob ntawm qhov chaw ntxhab.*
[English] (v) Slope, hilly; going up or down a hill. (adj) Become sloped, hilly.

ntxhai (y) Piav txog xws li thaum cov nqaij dawb vim yog muab tsau dej txias ntev dhau: *Nws da dej ib hnub es nws ob txhais tes tuag ntxhai tas.*
[English] (n) Whitish and wrinkled skin due to prolonged soaking in water.

ntxhais[1] (y) Tus menyuam uas tsis yog tus tub; tus pojniam thiab feem ntau yog siv rau tus tsis tau muaj txiv xwb: *Nws muaj ib tus ntxhais.* Lus rov: *Tub.*
[English] (n) Daughter. Ant: Son.

© 2003 Jay Xiong. All rights reserved.

ntxhais[2] (y) Tus neeg uas yog pojniam losyog tsis yog tus tub: *Ib pab ntxhais tuaj kawm ntawv.*
[English] (n) Girl, female, woman. Ant: Boy, male, man.

ntxhe (u) Lub suab uas muaj tomqab thaum lub suab xaus: *Yog nyob hauv lub qhov tsua, cov lus ntxhe heev.*
[English] (v) Echo or having an echo.

ntxhee (u) Du thiab huv xws li cov plaubhau uas nyuam qhuav muab zawv tas: *Cov plaubhau ntxhee heev.* (p) Yam uas ntxhee ntawv.
[English] (v,adj) Become soft, smooth and silk like.

ntxhee yees (p) Ntaug thiab tus xws li tus dej ntws; ntxhee heev: *Tus dej ntws ntxhee yees. Nws nyiam cov plaubhau ntxhee yees.*
[English] (v,adj) Become soft, smooth and silky.

ntxheev (u,p) Tsis nplaum; tsis siblo xws li cov xuab zeb uas nyob rau tom ntug hiav txwv tej: *Cov mov kuam ntxheev heev; cov xuab zeb ntxheev heev.*
[English] (v,adj) Not sticky, such as the dry sand.

ntxhi[1] (u) Majmam hais lus uas xws li tsis muaj lub suab nrov yog tsis hais ze ntawm lub pobntseg: *Nws ntxhi rau nws niam lub pobntseg.* (p) Cov lus uas hais yau heev: *Nws nyiam hais lus ntxhi xwb.*
[English] (v,adj) To whisper; to utter very quietly.

ntxhi[2] (pu) Siv los pab lo lus luag: *Nws luagntxhi rau koj.*
[English] (adv) Smilingly.

ntxhia (u) Mob heev uas ua rau tus neeg thev tsis taus: *Nws lub hauvsiab ntxhia thiab mob heev.* (adj) Yam mob ua ntxhia.
[English] (v) Severe and unbearable pain. (adj) Become such a pain.

ntxhiab (y) Tus losyog yam uas tsw los ntawm neeg thiab tsiaj: *Dev hnov kauv tus ntxhiab; hnov tsw nws tus ntxhiab.*
[English] (n) Odor or certain smell of (human, animal, for example).

ntxhias (pu) 1. Ua kiag li; yeem kiag li: *Kam ntxhias; yeem ntxhias; lees ntxhias.* 2. Yiag heev uas xws li tsis nkhaus li: *Nws lub cev yiag ntxhias.*
[English] (adv) 1. Quickly and admittedly; willingly. 2. Straightly.

ntxhiav (pu) Siv rau lub caij hais kwv txhiaj: *Nag tshauv nag ntxej ntxaum, ntxaum lis ntxhiav...* Ib lub npe siv rau cov ntxhais.

© 2003 Jay Xiong. All rights reserved.

[English] (adv) Used to describe a drizzle or misty rain. Mostly used when singing the Hmong "kwv txhiaj" only. Also a proper name for girls.

ntxhib[1] (y) Lub nplej uas tseem muaj lub npluag losyog lub plhaub qhwv: *Nws khaws cov ntxhib povtseg. Xaiv cov ntxhib rov mus tuav.*

[English] (n) A rice (seed) that still has the hardcover or shell.

ntxhib[2] (u) Tsis mos; tsis du: *Nws lub plhu ntxhib heev.* (p) Yam uas ntxhib.

[English] (v,adj) Rough, course.

ntxhib[3] (u) Ua tej thooj loj: *Lauj kaub nqaij ntxhib dhau.*

[English] (v) Become lumpy or chunky.

ntxhib[4] (p) Hais lus nchav, xws li cem losyog qhia ncaj dhau: *Nws hais ntxhib.*

[English] (adj) Harsh.

ntxhoo[1] (y) Tus ntoo uas muab coj los txhos rau hauv av es cov neeg tuaj muaj kev lom zem uake; tus ncej ntxheb, ncej ntxhoo: *Tus ncej ntxhoo.* Ib lub npe uas siv rau cov ntxhais.

[English] (n) A post or pole which set or put up at the Hmong New Year. This is normally true for the Hmong that are living in China only. Also a proper name for girls.

ntxhoo[2] (u,p) Ua rau ntxoov xws li yog muaj huab, tabsis ho tshav ntuj me ntsis thiab. Feem ntau, yog tsis tshav ntuj heev vim yog muaj ntau tauv huab: *Hnub no ntuj ntxoov heev.*

[English] (v,adj) Partly cloudy, such as mixed with some sunshine.

ntxhov[1] (u) Muaj menyuam ntoo losyog nroj ntau; fab heev: *Thaj hav zoo ntxhov heev.* (p) Yam uas fab losyog ntxhov. Lus rov: *Nqha, lam cum.*

[English] (v) Become thick and woody, esp. where there are many vines, shrubs and small trees. (adj) Such thick and woody area.

ntxhov[2] (u) Muaj khoom ntau; muaj ntau yam nyob uake: *Lub tsev ntxhov heev.* (p) Yam losyog qhov chaw uas ntxhov: *Nws pw lub txaj ntxhov.*

[English] (v,adj) Messy; having many things in a disorderly state or condition.

ntxhov[3] (u) Nyuaj siab; txhawj txog: *Ntxhov nws siab heev.*

[English] (v) Concern, worry.

ntxhov hnyo (p) Muaj ntau yam nyob uake: *Nws ua lub tsev ntxhov hnyo.*

[English] (adj) Messy; having many things in a disorderly state or condition.

© 2003 Jay Xiong. All rights reserved.

ntxhua (u) Muab khaub ncaws zawv kom tshiab losyog ua kom huv: *Nws ntxhua cov khaub ncaws. Nws ntxhua nws lub ris.*
[English] (v) Wash, cleanse, esp. such as clothes and garments.

ntxhuab (y) Tej nyom uas tuaj nyob rau hauv xws li pas dej: *Lub pobzeb muaj ib co ntxhuab. Tus dej muaj ntxhuab ntau heev.*
[English] (n) Moss; water weed or weeds exist within water, lake and stream.

ntxhuav (y) 1. Cov zoo xws li plaubhau uas nyob ntawm lub pobkws: *Pobkws cov ntxhuav dub thiab qhuav lawm.* 2. Yam uas zoo li plaubhau.
[English] (n) 1. Corn silk. 2. Any of various hairlike items.

ntxhuj ntxhi (pu) Siv los piav txog kev luag, tham thiab hais: *Nws luag ntxhuj ntxhi. Nws tham ntxhuj ntxhi.*
[English] (adv) 1. Smilingly. 2. Of, or relating, to whispering.

ntxhw (y) Ib hom tsiaj uas loj heev thiab nyob tom hav zoov: *Ib tus ntxhw.* Ib lub npe uas siv rau cov tub.
[English] (n) Elephant. Also a proper name for boys.

ntxi (u) Muab rua kom dav; muab qhib kom pom; muab plhe: *Ntxi nws lub qhov muag. Nws ntxi lub qhov ncauj.*
[English] (v) To gap; to open.

ntxi pliv (pu) Ntxi me thiab pom yoojyim: *Nws ob lub qhov muag rua ntxi pliv.*
[English] (adv) Having the eyes open little; to open little bit.

ntxiab (y) 1. Rooj uas ua los cuab nas thiab noog xws li nyob rau hauv av: *Ib rooj ntxiab.* 2. Cuab tos uas xws li kev plaub ntug: *Lawv cuab ntxiab tos nej.*
[English] (n) 1. A snare or trap consists of two sticks or rods by snapping together when an animal pushes or touches the small trigger in the middle of these two sticks. 2. A trick or trap.

ntxiag (pu) Muaj zoo xws li: *Nws zoonraug ntxiag; nws tsw qab ntxiag.*
[English] (adv) Used to describe words such as "pretty, handsome, smell" etc...

ntxias[1] (u) 1. Majmam hais kom lwm tus neeg ua losyog yeem: *Nws ntxias peb mus tsev.* 2. Dag: *Nws ntxias noj, ntxias haus xwb.*
[English] (v) 1. Persuade, induce. 2. To trick or entice.

ntxias[2] (u) Muab ua kom sib qhaib losyog los uake: *Ntxias nws cov plaubhau.*
[English] (v) To braid; to weave; to interweave.

© 2003 Jay Xiong. All rights reserved.

ntxias[3] (y) Ib hom noog uas muaj nyob rau tom teb thiab liaj tej: *Ib pab ntxias.*
[English] (n) Certain kind of bird resembling a robin but lives mostly in the farm during the farming season.

ntxias[4] (y) Qaib. Lo lus no siv rau lub caij tshoob kos xwb.
[English] (n) Chicken. This term is mostly being used at a wedding only.

ntxias dej (y) Hom ntxias uas nyob raws ntug dej xwb: *Ib tus ntxias dej.*
[English] (n) Certain kind of bird lives near or by rivers, lakes, and ponds.

ntxias teb (y) Hom ntxias uas nyob rau tom teb xwb: *Ib pab ntxias teb.*
[English] (n) Certain kind of bird resembling a robin but lives mostly in the farm during the farming season.

ntxias tshauv (y) Ib hom noog dub uas nyiam ntaus cov dav thiab liaj tej: *Ib pab ntxias ntshauv ya caum tus dav.*
[English] (n) Certain kind of black bird.

ntxias zoov (y) Ib hom ntxias uas nyob rau tom hav zoov.
[English] (n) Certain kind of bird resembling a robin and lives in the wood.

ntxias zoov dawb (y) Ib hom ntxias zoov uas nyob tom hav zoov thiab muaj cov plaub dawb.
[English] (n) Certain kind of bird resembling a robin having grayish feathers.

ntxias zoov dub (y) Ib hom ntxias zoov uas nyob tom hav zoov thiab muaj cov plaub dub.
[English] (n) Certain kind of bird resembling a robin having black feathers.

ntxias zoov liab (y) Ib hom ntxias zoov uas nyob rau tom hav zoov thiab muaj cov plaub liab.
[English] (n) Certain kind of bird resembling a robin having reddish feathers.

ntxias zoov txaij (y) Ib hom ntxias zoov uas nyob rau tom hav zoov thiab muaj cov plaub txaij.
[English] (n) Certain kind of gray or striped bird resembling a robin.

ntxig (u) Muab tsij mus rau hauv lub qhov; muab ua kom mus hauv xws li lub qhov; muab tsij mus rau hauv: *Nws ntxig txhais taw rau hauv nkawm khau.*
[English] (v) Insert; to put or fit into a hole.

ntxim (u) 1. Ua rau zoo; haum thiab ua rau zoo: *Nws tus mob ntxim cov tshuaj.* 2. Haum, txaus, phim, tsimnyog: *Koj ntxim nws cem xwb.*

© 2003 Jay Xiong. All rights reserved.

[English] (v) 1. Cure, relief. 2. Deserve, fit, call for.

ntxiv[1] (u) Muab los uake: *1 ntxiv 1 muaj 2. 4 ntxiv 5 ces muaj 9.* (y)* Tus ntawv '+' uas siv los muab ntawv suav los uake: *2 + 2 = 4.* Lus rov: *Rho.*

[English] (v) Add. (n) Addition; the plus '+' character used for addition. Ant: Subtraction.

ntxiv[2] (u) Muab xaws kom los uake; xaws kom tsis muaj lub qhov: *Nws ntxiv kuv lub ris vim ntuag lawm.*

[English] (v) To sew or stitch, such as when making a repair.

ntxo[1] (u) Muab kaushniav tom uas xws li kom tu losyog to: *Nws ntxo daim nqaij.*

[English] (v) Bite, esp. using the teeth.

ntxo[2] (u) Liam tias yog; dag tias muaj li: *Nws ntxo tias lawv muab nws cov nyiaj.*

[English] (v) Allege, accuse.

ntxob (u) Muab ua kom su losyog chom tuaj: *Nws ntxob nws lub pobtw.* (p) Piav txog yam uas su losyog chom tuaj: *Tus neeg ntxob pobtw.*

[English] (v,adj) Protrude, bulge, projected outward.

ntxoov (u) Muaj huab ntau uas xws li thaiv lub hnub: *Ntuj ntxoov tau ntau hnub.* (p) Poshuab; tsis tshav ntuj.

[English] (v) To shadow; to be cloudy. (adj) Cloudy, overcast

ntxoov ntuj (u,p) Ntxoov thiab tsis tshav ntuj: *Hnub no ntxoov ntuj heev.*

[English] (v) To shadow; to be cloudy. (adj) Cloudy, overcast.

ntxoov ntxoo (y) Tsis muaj hnub ci mus txog; qhov chaw uas lub hnub tuaj tabsis muaj xws li ntoo losyog lwm yam thaiv: *Tsis muaj ntxoov ntxoo li.* (p) Qhov chaw uas ntxoov ntxoo: *Peb so ntawm qhov chaw ntxoov ntxoo.*

[English] (n) Shade. (adj) Shady.

ntxov (p) Muaj ua ntej lub caij uas teem tseg losyog lub caij uas niaj hnub ua: *Nws pw ntxov heev. Nws mus ua num ntxov heev.*

[English] (adj) Early; of or occurring before the scheduled time.

ntxov tsees (pu) Lub sijhawm uas lub hnub tsis tau tuaj: *Nws sawv ntxov tsees los ua tshais. Nws sawv ntxov tsees mus ua teb.*

[English] (adv) Of or occurring early.

ntxuag (r) Nrog rau; muab los uake; sibxyaws: *Nws noj mov ntxuag nqaij.*

[English] (prep) With, along.

© 2003 Jay Xiong. All rights reserved.

ntxuaj (u) 1. Muab xws li rab ntxuam fiav mus los kom muaj cua: *Nws siv rab ntxuam los ntxuaj peb.* 2. Muab ob sab tis ntxuaj losyog ua kom muaj cua: *Tus lau qaib ntxuaj nws sab tis.*

[English] (v) 1. To fan or move current of air using a fan. 2. To flap the wings.

ntxuam (y) Rab losyog daim uas neeg ua los tau ntxuaj cua: *Muab rab ntxuam los ntxuaj peb kom txhob sov.* Ib lub npe siv rau cov ntxhais.

[English] (n) Fan, such as a device used to create a current of air. Also a proper name for girls.

ntxuav (u) Muab dej losyog tej yam kua los yaug kom huv; muab dej los txhuam kom huv. Feem ntau yog muab xus npus pleev thiab txhuam ces mam li muab dej los yaug kom huv: *Nws ntxuav txhais tes. Nws ntxuav lub tsheb.*

[English] (v) Wash, clean, cleanse.

ntxub (u) Tsis nyiam; ua rau muaj kev chim uas xws li tsis xav tau losyog tsis xav pom tej: *Neeg ntxub cov dab phem. Nws ntxub nab.* Lus rov: *Nyiam.*

[English] (v) Hate, dislike. Ant: Love, like.

ntxuj ntxiag (pu) Muaj cua tuaj tej ntwg: *Cua tuaj ntxuj ntxiag.*

[English] (adv) Having a gentle wind; to blow lightly and softly as a soft wind.

ntxwg (u) Muaj tawm tuaj, xws li ua hws tej: *Thaum sawv ntxov cov nyom ntxwg fws losyog dej heev.*

[English] (v) To dew or as being wet with dew or moisture.

Ntxwg Nyoog (y) Qee leej neeg ntseeg tias muaj tus losyog cov dab phem uas ua rau neeg muaj mob thiab tuag: *Neeg ntxub Ntxwg Nyoog.* Ib txhia neeg kuv hais tias "Ntxwj Nyoog" no thiab.

[English] (n) Devil.

ntxws[1] (y) Thaj uas nyob nruab nrab ntawm lub duav thiab lub pobtw: *Nws lub ntxws loj heev.*

[English] (n) The area between the waist and the buttock of a human.

ntxws[2] (y) Lub pob me, muaj roj thiab tuaj cov plaub ko tw uas muaj nyob nram noog, qaib thiab os lub pobtw tej: *Tus qaib lub ntxws.* Ib txhia hu tias "puj ntxws" no thiab.

[English] (n) Oil gland, uropygial gland. Also called "puj ntxws."

nuamyaj (u) Xam losyog saib qhov chaw uas xws li deb ntawm yus; saib

© 2003 Jay Xiong. All rights reserved.

thiab xyuas xws li toj roob thiab hauv pes tej: *Nws nuamyaj seb toj roob hauv pes zoo li cas.*

***[English]** (v) To observe or view a scenery.*

nuav (pu,p,nth,y) <Lees> Nov, ntawm no.

***[English]** (adv,adj,interj, n) <Leng> Here, this, these.*

nug (u) Hais lus uas xws li kom lwm tus teb rovqab; hais lus uas xws li kom lwm tus neeg qhia txog: *Nws nug kuv tias kuv nyob lub zos twg tuaj.* (y) Tus ntawv '?' uas siv rau tom kawg ntawm zaj lus: *Koj yog leej twg?*

***[English]** (v) Ask, question. (n) A question mark.*

nuj neb (pu) Hais lus, nug, quaj uas xws li tsis paub tsum: *Nws quaj nujneb.*

***[English]** (adv) To ask, cry, utter constantly. Ex: He cries constantly.*

nuj nqis (y) Tej yam uas tsis tau them tas losyog them rau lwm tus neeg. Feem ntau yog muab xws li lwm tus neeg cov khoom los siv, tabsis tsis tau them nyiaj tas rau: *Nws tshuav nuj nqis ntau heev.*

***[English]** (n) Debt. Ex: He has so much debt.*

nuj nuv (pu) Xam rau ub, rau no uas xws li tsis pom qab mus qhov twg losyog tsis paub ua dabtsi lawm: *Nws nyiaj tag es nws xam nujnuv.*

***[English]** (adv) To look blankly, esp. such as when not sure where to go.*

Nuj Sisloob Ib tus txivneej Hmoob uas thaum ub nws txawj tshuab qeej heev. Feem ntau yog siv xws li "Txiv Nuj Sisloob" xwb.

***[English]** A Hmong man who was very good with the musical instrument called "qeej", and mostly people refer to him as "Txiv Nujsisloob."*

nuj txeeg (p) Muaj hav zoov loj thiab ntoo ntau. Lo lus no siv tuaj tomqab ntawm lo "hav zoov losyog zoov" xwb: *Ib plas hav zoov nuj txeeg.*

***[English]** (adj) Characterized by being a big forest; of or relating to a jungle.*

nuj xiab (p) Muaj hav zoov loj thiab ntoo ntau heev: *Ib plas havzoo nuj xiab.*

***[English]** (adj) Characterized by being a big forest; of or relating to a jungle.*

num (y) 1. Lajkam, haujlwm, kev ua noj, ua haus: *Mus ua num. Muaj num ntau.* 2. <Lees> Nom, tus neeg uas tsa los saib pejxeem lossis coob leej neeg.

***[English]** (n) 1. Work, job. 2. <Leng> A person who holds an important or high position (a mayor, for example).*

nus (y) 1. Tus txivneej uas koom tib tus niam losyog koom tib tus txiv. Lo lus no

© 2003 Jay Xiong. All rights reserved.

yog cov ntxhais lossis cov muam siv los hu cov txivneej xwb: *Kuv yog kuv cov muam ib tus nus.* 2. Cov txivneej uas yog tus pojniam tib phaj thiab tib xeem ntawv: *Peb yog nws cov nus.* 3. Cov txivneej uas feem ntau yog tseem hluas thiab tsis tau yuav pojniam: *Cov nus, nej mus dabtsi?* Lus rov: *Muam.*
[English] (n) 1. Brother. 2. A nephew or cousin (male) who has the same last name. 3. A man or guy who is young and unmarried.

nus kwv (y) Tus nus uas yau tus pojniam losyog tus ntxhais.
[English] (n) A younger brother of a sister.

nus muag (y) Yog muam thiab nus uas feem ntau yog koom niam thiab koom txiv losyog koom tib lub xeem: *Peb yog nusmuag xwb.*
[English] (n) Brother and sister; cousins that have the same last name.

nus npaws (y) Tus nus uas xws li yog tus niam dab laug yug: *Ob tug nus npaws.* Lus rov: *Muam npaws.*
[English] (n) A son of one's aunt or uncle. Also used by a girl only.

nus tij (y) Tus nus uas hlob txhua tus hauv tus ntxhais tsev neeg, thiab yog hu los ntawm cov muam: *Nws yog peb tus nus tij.*
[English] (n) The sister's oldest brother.

nuv (u) Ua kom xws li ntses los noj kab ntawm tus khawb ntses: *Nws nuv ntses. Nws nuv tau ntses ntau heev.* Ib lub npe siv rau cov tub.
[English] (v) Fish. Also a proper name for boys.

nwg (t) <Lees> Nws.
[English] (pron) <Leng> He, she, it.

nwg nuav (pu,p,y,tx) <Lees> Nimno, tamsim no: *Puab moog nwg nuav.*
[English] (adv,adj,n,conj) <Leng> Now, immediately.

nwj (u) Muab hnia; muab daim di ncauj mus kov losyog ua kom chwv: *Nws nwj tus menyuam. Nws nwj tus hluas nkauj.*
[English] (v) Kiss, smooch.

nws (t) Tus neeg; tus tsiaj losyog yam uas tham thiab hais txog: *Nws mus tsev. Kuv muab rau nws. Kuv nyiam nws heev.*
[English] (pron) He, she, it.

Nws Yoj <Askiv> Ib lub npe xeev nyob rau tebchaws Miskas.
[English] <English> New York, a state of the northeast United States.

© 2003 Jay Xiong. All rights reserved.

ny (y) Ib tus ntawv uas siv rau cov lus xws li nyab, nyob, nyuaj ltn...
[English] (n) A consonant used for words such as "nyab, nyob" etc...

nyaaj (y) <Lees> Tus phauj; Hmoob Lees kuj siv lo tias "pujnyaaj" thiab. Lus rov: *Txivkwj, yawglaus.*
[English] (n) <Leng> Aunt, esp. a sister of one's father. Ant: Uncle.

nyab[1] (y) Tus ntxhais uas yuav yus tus tub: *Kuv niam muaj plaub tus nyab.*
[English] (n) Daughter-in-law.

nyab[2] (y) Cov quavnyab losyog cov nroj uas qhuav lawm: *Ib pawg nyab.*
[English] (n) Hay, dried grass.

nyab[3] (u) Dej los nyob puv lossis phwj rau tej qhov chaw uas feem ntau nws qhuav thiab ibtxwm tsis muaj dej: *Dej nyab lub zos. Dej nyab lub tsev.*
[English] (v) 1. Flood. 2. Overflow.

Nyablaj (y) 1. Ib lub tebchaws uas nyob puab lub tebchaws Lostsuas thiab lub tebchaws Qhab Meem: *Ib co Hmoob nyob rau lub tebchaws Nyablaj.* 2. Cov neeg nyob rau lub tebchaws Nyablaj: *Nws yog neeg Nyablaj.* (p) Yog losyog piav txog Nyablaj.
[English] (n) 1. Vietnam. 2. Vietnamese. (adj) Of or relating to Vietnamese.

Nyablaj Liab (y) 1. Lub tebchaws Nyablaj uas muaj kev koompheej. 2. Cov neeg Nyablaj uas tsis nyiam kevcai ywjpheej. (p) Yog losyog piav txog cov neeg losyog lub tebchaws Nyablaj Liab.
[English] (n) 1. Communist Vietnam. 2. Communist Vietnamese. (adj) Of or relating to communist Vietnam or its people.

nyabxeeb (p) Zoo uas xws li tsis muaj mob, tsis muaj nkeeg thiab tsis muaj kev nyuaj siab tej: *Koj muas nyob nyabxeeb?*
[English] (adj) Well, fine, good, okay, such as possessing good health.

nyag (t) <Lees> Nyias, xws li nyias mus nyias.
[English] (pron) <Leng> He, she, it; one, such as oneself; a person.

nyaj[1] (y) Ib hom tsiaj uas zoo li liab, tabsis nws muaj cov plaub txho, tus ko tw ntev thiab nyob tom hav zoov: *Ib pab nyaj nyob saum ntoo.*
[English] (n) Certain kind of monkeys that have grey hair with long tails.

nyaj[2] (pu) Tej zaum; xyov puas muaj li: *Nyaj nws nyiam.*
[English] (adv) Maybe, perhaps, possibly.

© 2003 Jay Xiong. All rights reserved.

nyaj[3] (y) <Lees> Nyiaj, xws li yam uas neeg siv los yuav khoom tej.
[English] (n) <Leng> Money.

nyam[1] (u) Nplaum heev xws li av nkos tej: *Cov av nyam heev.* (p) Yam uas nyam.
[English] (v,adj) Mucky, muddy.

nyam[2] (u) <Lees> Nyiam.
[English] (v) <Leng> Like, prefer.

nyas (u) Majmam mus kom ze xws li tsis pub kom pom thiab hnov: *Tus tsov nyas tus npua. Nws nyas tus kauv.*
[English] (v) To stalk, esp. to track or follow (a person or animal) secretly.

nyaum (u) 1. Tsiv, phem, nkhaus uas xws li tsis pub lwm tus los ze: *Tus maum tsov nyaum heev.* 2. Muaj zog losyog muaj kuab heev, xws li tshuaj tej: *Cov tshuaj nyaum heev.* (p) *Tus neeg nyaum hais lus tshawv.*
[English] (v) 1. Harshen. Severe or strict, such as when treating of others. 2. Powerful or strong, such as having too much potency.

nyav (y) Ib hom tsiaj uas thaum ub Hmoob ntseeg tias noj neeg. (pu) Siv pab lo lus "luag" uas xws li: *Nws luagnyav rau koj.*
[English] (n) Certain kind of mammal that once existed and like to eat human.

nyeem[1] (u) Muaj kua thiab phuas ntau sibnpaug uas xws li ua rau yuav nplaum: *Cov kua suabthaj nyeem heev.* (p) Yam uas nyeem: *Nws hau cov kua zaub nyèem dhau.* Lus rov: *Sab.*
[English] (v) Viscous, viscid. Ant: Watery, runny, aqueous.

nyeem[2] (u) Saib losyog xyuas cov ntawv uas neeg sau: *Nws nyeem daim ntawv.*
[English] (v) Read. Example: He reads his book. He reads my letter.

nyeg (p) Hom tsiaj uas tsis nyob rau tom hav zoo: *Dev thiab qaib yog tsiaj nyeg.*
[English] (adj) Tame, domestic (kind of animals); not wild.

nyem (u) Muab zuaj rau hauv xws li txhais tes: *Nws nyem thooj mov.*
[English] (v) Squeeze, compress.

nyiag (u) Mus muab lwm tus neeg cov khoom losyog nyiaj uas xws li tsis pub tus tswv paub: *Nws nyiag lawv cov nyiaj. Nws nyiag lawv tus nyuj.* (y) Nyiaj.
[English] (v) Steal, burglarize. (n) Money.

nyiaj[1] (y) Tej daim ntawv losyog tej lub uas xws li neeg tsim los yuav xws li khoom tej: *Nws muaj nyiaj ntau heev.* (u) Thev losyog ntoog: *Nws nyiaj kom*

© 2003 Jay Xiong. All rights reserved.

dhau nws tus mob.

***[English]** (n) Money, paper money; silver money; currency. (v) To endure.*

nyiaj[2] (y) Tej daim losyog tej thooj uas dawb thiab neeg siv los ua luam tej. Cov nyiaj no, neeg muab ntaus los ua xws li txiaj npib, txiaj hob thiab nyiajchoj. Ib lub npe neeg uas siv rau pojniam thiab txivneej .

***[English]** (n) Silver money. Also a proper name.*

nyiaj choj (y) Tej daim nyiaj uas yog muab nyiaj hlau ua: *Hmoob siv nyiaj choj los yuav pojniam.* Neeg kuj siv tias "nyiaj daim" no thiab.

***[English]** (n) Silver money, esp. the boat like bars.*

nyiaj laus* (y) Cov nyiaj uas muaj rau cov neeg ua haujlwm tau ntau xyoo thiab yog nws laus txaus lawm. Feem ntau yog muaj xws li 65 xyoo ces thiaj li tau txais cov nyiajlaus: *Cov neeg nyob rau Miskas yuavtsum ua haujlwm kom muaj 65 xyoo ces thiaj li muaj cai noj nyiaj laus.*

***[English]** (n) Social security.*

nyiaj npib (y) Tej lub qe qaum nyiaj uas yog hom me tshaj ntawm cov nyiaj txiaj. Cov nyiaj txiaj no nws muaj xws li: *txiaj mam laus, txiaj tsib, txiaj hob, thiab txiaj npib.*

***[English]** (n) Coin money; a coin similar to a dime.*

nyiaj ntawv (y) Cov nyiaj uas yog muab ntawv ua: *Nws muab nyiaj ntawv mus pauv nyiaj choj.*

***[English]** (n) Paper money; cash. Money or currency made with papers.*

nyiaj ntsuab (y) Cov nyiaj uas yog muab ntawv los ua: *Ib puas nyiaj ntsuab.*

***[English]** (n) Cash.*

nyiaj txiag (y) Nyiaj uas xws li nyiaj ntawv thiab nyiajchoj: *Nws tej nyiaj txiag.*

***[English]** (n) Money, finance.*

nyiam (u) 1. Xav kom tau; xav kom yog yus li; tsis ntxub: *Nws nyiam tus hluas nkauj heev.* Lus rov: *Ntxub.* 2. Noj tsis dhuav: *Nws nyiam noj mov.*

***[English]** (v) 1. Like. Ex: He likes her. 2. Like, prefer. He likes to eat rice.*

nyias[1] (u) Tsis tuab; ua tej daim dav thiab me~ xws li daim ntawv: *Daim ntawv nyias dua daim pam.* (p) Yam uas nyias. Lus rov: *Tuab.* (y) Ib daim ntaub uas siv los ev menyuam: *Nws muaj ib daim nyias.*

***[English]** (v,adj) Thin. (n) A garment, usually fastened in the front, used by the*

© 2003 Jay Xiong. All rights reserved.

Hmong people to carry babies on the back.

nyias[2] (t) Nws, yus, tus neeg: *Nyias ua rau nyias ris. Nyias mus nyias tsev.*
[English] (pron) One. Ex: One must be true to himself. A person.

nyiav (u) Quaj thiab hais tej zaj lus nrov rau tus neeg tuag: *Nws nyiav nrov heev.*
[English] (v) Yowl, wail, esp. over a dead person.

nyo (u) Muab lub tobhau khoov mus rau hauv av uas xws li kom pom ob txhais taw: *Peb nyo ua ntej peb thov Huabtais Ntuj.*
[English] (v) To bow, as to bend the head downward.

nyo hau (u) Muab lub tobhau nyo: *Peb sawvdaws nyo hau.*
[English] (v) To bow; to make the head bent downward.

nyo nyes (p) Dauv, nyo uas xws li saib rov rau hauv kotaw tej: *Nws chim thiab nyob ib leeg nyo nyes.* Feem ntau, neeg siv tias "nyo hau nyes" xwb.
[English] (adj) Droop; to bend or sag gradually.

nyob (u) 1. Tsis mus lwm qhov chaw; tsis txav: *Nws nyob hauv tsev.* 2. Tsis ua dabtsi: *Peb nyob xwb.* 3. Ua raws li nyiam: *Nyob ntawm koj xwb.*
[English] (v) 1. Stay, live, reside; be, such as he is inside. 2. Free, such as not doing anything. 3. It is up to; depending on.

nyob quas tsawg (u) <Lees> Nyobtsawg; zaum xws li saum lub tog; zaum.
[English] (v) <Leng> Sit, sit down (on a chair, for example).

nyob tsam (p) Ntshaitsam; tsam lam tsis zoo xws li: *Nyob tsam nws tsis nyiam.*
[English] (adj) Perhaps, maybe.

nyob tsawg (u) <Lees> Zaum, zaum xws li saum lub rooj losyog lub tog.
[English] (v) <Leng> Sit, sit down.

nyob zoo (nth) Siv los hu lwm tus neeg thaum lub caij sibntsib: *Nyob zoo, nej tuaj thiab los!* (y) Ib lo lus siv los hu neeg tej. (u) Hais "nyob zoo."
[English] (interj, n, v) Hello, hi.

nyog (p) Zoo losyog phim lawm; txaus thiab phim: *Noj nyog, mus nyog, nyob nyog, hais nyog ltn...*
[English] (adj) Worthy, deserved.

nyoj (u) 1. Muab xws li tej yam kua los hau ntev~ kom qhuav mus ua tej daim losyog kom tsis txhob muaj kua ntau: *Nyoj cov kua kabtsib.* 2. Muab zaj lus ntev los hais kom luv; hais lub ntsiab ntawm zaj lus xwb.

© 2003 Jay Xiong. All rights reserved.

[English] (v) 1. To solidify. 2. To abbreviate.

nyom[1] (u) Muab tej tus xws li pas ua kom nkhaus: *Nws nyom tus hlau.*

[English] (v) To bend; to cause or bend something into a curved shape.

nyom[2] (u) Muab xws li tus pas ua kom lwm yam txav losyog tsa: *Muab tus pas nyom yav cav. Nws siv tus pas los nyom lub pobzeb.*

[English] (v) To lift, something, with a lever. To fork or lift something with either a rod, stick or lever. To raise or move, objects, with a lever.

nyom[3] (y) Cov nroj uas muaj cov nplooj me thiab nyias uas nyob hauv av: *Ib thaj nyom. Nyuj nyiam noj nyom heev.*

[English] (n) Grass, weed.

nyom[4] (u) Txheem losyog tsis pomzoo; tsis yuav li hais thiab feem ntau yog siv los piav txog xws li kev plaub ntuj tej: *Nws nyom lawv rooj plaub.*

[English] (v) To oppose, esp. a solution or agreement; to resist; to rebel.

nyoo (u) <Lostsuas> Tsis cav losyog tsis thaiv; cia ua li lwm tus nyiam; tais lawm: *Tus neeg me nyoo tus neeg loj. Cov pejxeem nyoo tus nom.*

[English] (v) <Laotian> Surrender, giving in. Ant: Rebel, resist, oppose.

nyoob hoom (y) <Lostsuas> Dav hlau; nyuj hoom: *Nyoob hoom ya siab heev.*

[English] (n) <Laotian> Airplane. Variant of dav hlau.

nyoog (y) Lub sijhawm; lub caij: *Txog nyoog lawm.* Feem ntau, neeg siv txuam lo "caij", xws li txog caij, txog nyoog lawm.

[English] (n) Time, such as a period designated for a given activity.

nyooj (u) Ua lub suab nrov hauv lub qa tuaj uas xws li thaum tus tsov tsis kam lwm tus tsov los txeeb nws cov nqaij tej: *Tus dev nyooj; tus tsov nyooj.*

[English] (v) Groan, as of displeasure, pain, or anger.

nyoos[1] (u) Yam uas tsis tau muab hau losyog ci. Feem ntau yog siv los piav txog xws li cov nqaij uas tseem muaj ntshav tej xwb: *Daim nqaij nyoos.* (p) Yam uas tsis tau ci losyog hau kom siav: *Ib daim nqaij nyoos.*

[English] (v,adj) Raw, uncooked, esp. of or relating to meat.

nyoos[2] (u) Tseem ntsuab uas xws li lub txiv tsis tau siav losyog laus txaus: *Lub txiv tsawb tseem nyoos.* (p) Piav txog yam uas nyoos. Lus rov: *Siav.*

[English] (v) Not ripe, such as fruits that are not fully developed or mature.

nyoos[3] (u) Tseem tsis tau muab hau losyog ua kom siav: *Cov zaub nyoos heev.*

© 2003 Jay Xiong. All rights reserved.

(p) Piav txog yam khoom noj uas nyoos. Lus rov: *Siav.*
[English] (v) Raw, uncooked, esp. of or relating to vegetables.

nyoos[4] (p) Mus txia ua lwm yam xws li yog tsis tuag li: *Nws mus nyoos mus ua ib tus tsov li.*
[English] (adj) To literally transform or change one's body to another animal or species form without going through death.

nyoov (u) Muab xws li hmoov qab lauj kaub losyog tej yam tsuas los pleev losyog foob (lub ntsej muag, pivtxwv): *Nws nyoov nws lub plhu dub nciab.*
[English] (v) To put heavy make up, color or charcoal, esp. on the face.

nyos (nth) Siv los hais txog thaum tsiv nraim thiab tawb menyuam tej: *Nyos!*
[English] (interj) A word used when playing peekaboo with a baby.

nyov (adv) Tsim tsawv; mentsis tej; muaj mentsis: *Nws zoo nyov.*
[English] (adv) Somewhat.

nyuag (h) Tus neeg losyog tus tsiaj tej: *Nyuag dev; nyuag npua ltn...* (t) Koj: *Nyuag, los nov kuv hais koj hvos.*
[English] (cl) A, the, that particular person or animal. (pron) You.

nyuaj (u) Tsis yoojyim; cov nyom; ntxhov: *Txoj haujlwm nyuaj heev.* (p) Yam uas nyuaj: *Nws hais lus nyuaj dhau.*
[English] (v,adj) Complicate, difficult, hard, complex.

nyuam (y) Tus ab me; tus tseem mos; menyuam: *Nyuam Hmoob, nyuam tsov, nyuam ntses, nyuam tub, nyuam dev, nyuam qaib ltn...* Ib lo lus nyoj los ntawm lo "menyuam."
[English] (n) Baby, kid, child.

nyuam qhuav (pu) Muaj losyog ua tsis ntev los: *Peb nyuam qhuav noj mov.*
[English] (adv) Recently, shortly, just, such as only a moment ago.

nyuam tsaub (y) Tus menyuam uas tsis paub tias tus txiv yog leej twg; tsaub: *Nws yog tus nyuam tsaub.*
[English] (n) A child born from an unwedded parent, esp. when not knowing who is the father; a bastard.

nyuam yaus (y) Tus neeg uas tseem me thiab tsis paub tab; menyuam yaus: *Ob tus nyuam yaus. Nws tseem yog nyuam yaus xwb.*
[English] (n) Kid, child, children.

© 2003 Jay Xiong. All rights reserved.

nyuj (y) Ib hom tsiaj uas muaj ob tus kub thiab luaj li nees: *Ob tus nyuj.* (p) Hais, taij, thov uas xws li tsis paub tsum: *Nws ua nyuj dhau.*
***[English]** (n) Cow, steer, bull. (adj) To be annoying; become pestered.*

nyuj ciab (y) Cov nyuj me~ uas yog neeg muab cov ciab los puab: *Tus nyuj ciab.*
***[English]** (n) Certain kind of cow like objects made with wax.*

nyuj dab (y) Tus nyuj uas Hmoob muab tua ua kevcai rau tus neeg laus uas tuag, thiab vim yog tus tuag muaj kev txom nyem es nws rov los ua rau cov neeg muaj mob tej. Tus nyuj dab ces feem ntau yog cov niam txiv, pog yawg uas tau tuag lawm rov los looj koov lossis thov noj tej xwb.
***[English]** (n) A cow used as a sacrifice for the deceased, esp. to the parents, grandparents and/or uncles etc...*

nyuj hoom (y) Lub dav hlau; lub uas thauj tau neeg thiab ya nyob rau saum ntuj: *Peb siv nyuj hoom ya mus rau lwm lub tebchaws.*
***[English]** (n) Airplane, plane, jet.*

nyuj ncau (y) Cov nyuj me~ uas neeg muab cov ncau fiab ua: *Ob tus nyuj ncau.*
***[English]** (n) A small cow like objects made from bamboo strips.*

nyuj nyav (p) Piav txog tus neeg uas luag: *Nws luag nyuj nyav.*
***[English]** (adj) Smiley.*

nyuj nyes (pu) Quaj losyog hais tsis paub ntsiag: *Tus menyuam quaj nyujnyes.*
***[English]** (adv) To cry or make sounds constantly.*

nyuj nyoos (pu) 1. Siv pab lo mos: *Nws thaj zaub mos nyujnyoos.* 2. Gently, softly, kindly, esp. such as when speaking or talking.
***[English]** (adv) 1. Soft and fresh as young vegetables. 2. Very soft and gentle, such as when speaking.*

nyuj nyos (pu) Ua thiab nyob xws li uas yuav tsaug zog tej: *Nws xaws paj ntaub nyujnyos tas hnub. Nws tsaug zog nyujnyos ntawm ntug cub.*
***[English]** (adv) To lower the head, such as when a person is reading or sewing.*

nyuj qus (y) Ib hom tsiaj zoo xws li twm, tabsis nyob tom hav zoov: *Nws pom ib tus nyuj qus.*
***[English]** (n) Wild buffalo; wild ox.*

nyuj tooj (y) Ib yam khoom zoo li nyuj, tabsis me~ thiab yog muab tooj los puab.
***[English]** (n) A small cow like objects made with bronze.*

© 2003 Jay Xiong. All rights reserved.

nywb (u) Muab xws li khoom cob rau lwm tus neeg: *Lawv muab cov nyiaj nywb rau nws lawm--muab cob rau lawm.*
***[English]** (v) To hand (something) to a person.*

nywj (y) Tej yam uas los txhoov lossis tshoj neeg siab, xws li kom muaj neeg ua: *Tus nywj los txhoov lawv siab es lawv thiaj li ciaj saub.*
***[English]** (n) A spirit, esp. the kind that arouse, provoke, incite, human to do or act as a prophet.*

nyws (u) Muab zom losyog noj hauv lub qhov ncauj kom mos: *Nws nyws mov los pub nws tus menyuam.*
***[English]** (v) To chew or gnaw (rice, for example), esp. so it is mushy.*

o[1] (y) 1. Ib tus ntawv uas siv rau cov lus xws li os, ob ltn... 2. Ib lub suab uas siv rau cov lus xws li nco, hmo, no ltn...
***[English]** (n) 1. A consonant used for words such as "os, ob." 2. A vowel used for words such as "law, saw" etc...*

o[2] (u) Su tuaj; loj tuaj: *Txhais taw o.* (p) Yam uas o ntawv: *Muab txhais taw o los rau kuv saib. Pleev tshuaj rau txhais taw o.*
***[English]** (v) To swell. (adj) Swollen.*

o wv (u) O thiab liab; muaj o loj tuaj: *Nws txhais taw o wv xwb.* (p) Yam uas o.
***[English]** (v) To swell. (adj) Swollen.*

ob (y) Tus ntawv suav 2 uas nyob nruab nrab ntawm tus 1 thiab tus 3: *Nws suav txog ob.* (p,t) Ntau li ob: *Nws muaj ob xyoos.*
***[English]** (n,adj,pron) Two. A number 2.*

obcag (y) Nyob rau sab nrauv losyog lwm qhov chaw: *Cov neeg nyob rau obcag tsis pomzoo.*
***[English]** (n) Sideline, one the side; elsewhere.*

obceg (y) 1. Ob txhais ceg: *Rab diav poob rau hauv koj obceg.* 2. Yam uas zoo xws li ob ceg ntawv: *Nyob ntawm ob ceg ntoo.*
***[English]** (n) 1. The place between the two legs (of a person, for example). 2. The angle or place resembling the gap between the legs.*

obcuam (pu) Ib chim ntxiv; ib tsam ntxiv; ntau losyog ntxiv: *Koj pw obcuam ces peb mus lawm. Nws ua obcuam ces peb tsis tos.*
***[English]** (adv) More, additionally, again.*

© 2003 Jay Xiong. All rights reserved.

oblwm (pu) Tseem ua li ntxiv; ua dua li thiab: *Koj ua oblwm ces peb mus lawm.*
[English] (adv) Twice, more, additionally, again.

obpeb (p) Muaj tsawg losyog muaj tsis ntau; ntau tshaj ib tabsis tsis ntau: *Nws muaj obpeb lub tsev. Nws muaj obpeb tus npua.*
[English] (adj) Few. Ex: He has a few pigs.

obtsam (pu) Tseem ua li ntxiv; ua dua li thiab: *Koj tham obtsam ces peb mus tsev lawm hvos.*
[English] (adv) More, additionally, again.

obtug (t) Ob tus neeg uas yus hais lus rau; nkawv: *Obtug tuaj txog ntawv.*
[English] (pron) The two persons, animals etc...

oe* (y) 1. Ib tus ntawv uas siv rau cov lus xws li oeb. 2. Ib lub suab uas siv rau cov lus xws li hoeb thiab oeb ltn...
[English] (n) A vowel used for words having similar sound the English words "toe, so, hoe" etc...

oeb* (nth) Siv rau lub caij qw losyog ceeb; hoeb: *Oeb, koj tuaj thiab!*
[English] (interj) Oh!

oeb yoej* (nth) Siv los piav txog thaum ua tej yam poob losyog puas tej: *Oeb yoej, nws ua puas tag li lawm! Ib txhia kuj hais tias "oeb yoev" no thiab.*
[English] (v,interj) Oh, oh no!

oeb yoev* (nth) Siv los piav txog thaum ua tej yam poob losyog puas tej: *Oeb yoev, nws ua puas tag li lawm! Ib txhia kuj hais tias "oeb yoej" no thiab.*
[English] (v,interj) Oh, oh no!

oeskhes (u) <Askiv> Los ntawm lo "okay". Lub suab Askiv yog "Oes khes". Nws txhais tias zoo; yog li; kam rau: *Nws oes khes koj mus tsev.*
[English] (v,interj) <English> OK, okay.

oj (t) Koj, xws li tus neeg uas hais lus rau yus. Feem ntau yog hais los ntawm cov menyuam uas tseem hais lus tsis meej xwb: *Nws muab rau oj.* Lus rov: *Uv, kuv.*
[English] (pron) You, your, yours (infant and baby language only).

oo (y) 1. Ib tus ntawv uas siv rau lo lus xws li oov. 2. Ib lub suab uas siv rau cov lus xws li zoo, ntoo, hmoo ltn...
[English] (n) A vowel used for words such as "Hmoob, thoob" etc...

oov (u) Muaj pa taws pob losyog lwm yam pa ntau heev; ncho pa: *Nws hlawv nws*

© 2003 Jay Xiong. All rights reserved.

daim teb es oov thoob lub zos.

***[English]** (v) To become misty or hazy, esp. due to heavy smoke. To haze.*

os (y) Ib hom tsiaj uas loj luaj li qaib tabsis txawj ua luam dej: *Ib pab os.*

***[English]** (n) Duck, goose.*

os dej (y) 1. Cov os uas muaj tus kaus ncauj ntev thiab kotaw ntev, thiab nws nyiam noj ntses heev: *Ob tus os dej.* 2. Cov os uas nyiam nyob hauv dej heev.

***[English]** (n) 1. Certain kind of bird that like to eat fish. 2. Ducks that like to live or stay in the water most of the time.*

os nab (y) Cov os uas muaj lub cajdab ntev thiab loj dua cov os: *Ib tus os nab.*

***[English]** (n) Goose, geese.*

os thev (y) Cov os uas muaj lub plhu liab thiab feem ntau yog nyob saum nqhuab ntau dua hauv dej: *Ib tus os thev.*

***[English]** (n) Thai duck.*

p (y) Ib tus ntawv uas siv rau cov lus xws li paj, pom, peb ltn...

***[English]** (n) A consonant used for words such as "paj, pom, peb" etc...*

pa[1] (y) Cov cua uas xws li muaj tawm ntawm neeg lub qhov ncauj los, thiab ua rau neeg muaj sia: *Nws ua cov pa sov so.*

***[English]** (n) Air.*

pa[2] (y) Ib los uas xws li puv lub qhov ncauj; pas: *Ob pa cua.*

***[English]** (n) Air, esp. a mouthful of air; a breath of air.*

pa taws (y) Yam losyog cov pa uas muaj los ntawm xws li lub cubtawg: *Cov pa taws dub heev.*

***[English]** (n) Smoke, esp. from the fire or fireplace.*

paam dlev (y) <Lees> Pum hub. Lo lus no yog ib txhias Hmoob Lees thiaj siv xwb. Feem coob yeej yog siv lo lus "pum hub" xwb.

***[English]** (n) <Leng> 1. Aloe. 2. Mint, such as plants of the genus mentha.*

pab (u) Mus nrog ua; mus koom ua; cawm: *Nws pab kuv ua teb.* (y) Muaj ntau tus los nyob uake; pawg: *Hmoob muaj ntau pab.* (h) Pawg, pab: *Ib pab neeg; ib pab dev; ib pab npua ltn...*

***[English]** (v) Help, assist, aid. (n,cl) Group, team, gang.*

pabcuam (y) Kev pab; kev txhawb nqa tej: *Lawv muaj kev pabcuam.*

***[English]** (n) Assistance, help, aid.*

© 2003 Jay Xiong. All rights reserved.

pag[1] (y) Pas xws li lub pas dej; ib pawg: *Nws tso zis ua ib pag.* (h) The yam uas zoo xws li pas losyog pag: *Ib pag zis; ib pag quav.*
[English] (n) Pile. (cl) Pile-like matters, such as a pile of water.

pag[2] (y,pu) Lub suab phom nrov uas xws li thaum tua pom tej.
[English] (n,adv) Bang; a sudden loud noise, as from a gun shot.

paib (y) <Lostsuas> Tej daim uas xws li neeg ua los qhia txog kev tsav tsheb losyog kevcai ltn... *Tsav tsheb yuavtsum paub txog cov paib kev kom zoo.*
[English] (n) <Laotian> A sign used to display directions or advertisements.

paib nres* (y) Daim paib uas neeg tsim los txhos rau xws li ntawm tej kev tshuam. Feem ntau yog siv los qhia cov neeg tsav tsheb kom lawv nres thiab saib lwm lub tsheb kom zoo ua ntej thaum yuav hla txoj kev.
[English] (n) Yield sign.

paib theem* (y) Daim paib uas neeg tsim los txhos rau xws li ntawm tej kev tshuam. Feem ntau yog siv los qhia cov neeg tsav tsheb kom lawv theem thiab saib lwm lub tsheb kom zoo ua ntej thaum yuav hla txoj kev.
[English] (n) Stop sign.

paig txig (u,p) Muaj plaub tuaj nyob rau ntawm ob sab plhu: *Nws paig txig.*
[English] (v,adj) Having hair on a person's cheeks; having beard.

paim (u) Muaj kua tawm xws li los ntawm lub qhov losyog txoj kab tej: *Lub hnab dej paim.* (y) Lub txaj uas xws li neeg siv los pw.
[English] (v) Leak. Ex: The old roof leaks when it rains. (n) Bedroom.

paim quav[1] (u) Paim: *Lub hnab paim quav.*
[English] (v) Leak. The old roof leaks when it rains.

paim quav[2] (u) Ua rau tawm mus; ua rau neeg paub losyog hnov: *Nws txoj kev tubsab muaj ib hnub yuav paim quav xwb.*
[English] (v) Leak or break (a secret, for example) out into the public.

pais (u) <Lostsuas> Mus: *Nws pais tsev.*
[English] (v) <Laotian> Go, travel.

paiv (u) <Lees> Zaum; muab lub pobtw tso rau saum rooj tej: *Paiv nuav.*
[English] (v) <Leng> Sit, sit down; to sit on a chair, for example.

paj (y) Cov tej lub uas muaj tuaj thiab tawg nyob ntawm tej ntoo thiab hmab: *Tsob ntoo muaj paj ntau heev. Ib hnab paj.* Ib lub npe uas siv rau cov ntxhais.

© 2003 Jay Xiong. All rights reserved.

[English] (n) Flower. Also a proper name for girls.

Paj Cai Ib tus neeg Hmoob uas hu ua Pajcai xeem Thoj, thiab thaum ub nws tau sawv los tiv thaiv thiab tua cov neeg Fabkis nyob rau tebchaws Lostsuas nyob rau xyoo 1919 txog rau 1921. Ib txhia kuj hais tias "Rog vwm losyog rog phim npab" no thiab. Tabsis qhov tseeb yog Fabkis tuaj quab yuam cov neeg Hmoob ua lawv qhev thiab sau se loj heev.

[English] A Hmong person who lead the Hmong to fight against the French invasion in Laos during the 1920s.

paj hlwb (y) Cov hlwb; cov tej thooj me, dawb thiab muag nyob hauv xws li neeg thiab tsiaj lub tobhau: *Neeg muaj ib co paj hlwb.*

[English] (n) Brain, brain cells.

paj huam (y) Cov tej zaj lus uas hais muajntsis zoo xws li kwv txhiaj tabsis tsis muaj cuab lub suab: *Nws txawj hais paj huam heev.*

[English] (n) Certain kind of Hmong chanting.

paj huam tsav (y) Ib hom paj: *Nws nyiam hnia paj huam tsav.*

[English] (n) Certain kind of plant.

paj kws (y) Cov ntsiab pobkws uas neeg siv los kib kom tawg paj es mam li noj.

[English] (n) Popcorn.

paj laum (y) Cov nyiaj uas tau losyog sau los ntawm tus neeg txais losyog qiv yus cov nyiaj: *Nws tau paj laum ntau vim lawv qiv nws nyiaj ntau heev.* Feem ntau, neeg siv lo "paj" xwb.

[English] (n) Interest, esp. charges (additional money receives) for a loan.

paj lug (y) Cov lus uas hais muajntsis zoo li paj huam tabsis lwm tus yuav tsum twv seb zaj lus txhais li cas: "Rauv taws nram tiaj es ncho pa pem looj hiaj" yog txhais tias "lub yeeb thooj."

[English] (n) 1. Conundrum, riddle. 2. Proverbs.

paj noob hlis (y) Cov paj uas daj, loj thiab tawg ua tej lub zoo xws li lub hnub: *Nws cog tau ib thaj paj noob hlis.*

[English] (n) Sunflower.

paj pawm tshis (y) Ib hom nroj tuaj nyob rau hauv av: *Ib cov paj pawm tshis.*

[English] (n) Certain kind of weed.

paj paws (u) Dhia mus; dhia: *Tus miv paj paws rau saum lub pob ntoos.*

© 2003 Jay Xiong. All rights reserved.

[English] (v) Jump, hop, leap.

paj rwb (y) Cov paj uas muaj cov rwb nyob hauv: *Ib thaj paj rwb.*
[English] (n) Cotton, esp. the cotton plants.

paj tsiab pebcaug (y) Lub caij noj Pebcaug ntawm Hmoob lub Xyoo Tshiab. Feem ntau, yog siv rau lub caij hais kwv txhiaj xwb: *Muab lub paj tsiab pebcaug noj tag li nrho...*
[English] (n) The Hmong New Year and mostly used when chanting the Hmong "kwv txhiaj" only.

paj yeeb[1] (y) Cov paj uas muaj tawg los ntawm cov yeeb: *Ib lub paj yeeb.*
[English] (n) Opium flower.

paj yeeb[2] (y) Yam tsuas (xim) uas muaj tsuas liab thiab tshiab li ntshav tej. (p) Yam tsuas uas zoo xws li paj yeeb ntawv.
[English] (n,adj) Pink, esp. having a red-pink color.

pam[1] (y) Tej daim uas yog muab ntaub ua thiab neeg siv los vov thaum lub caij pw: *Ib daim pam.* Hmoob Lees lo lus yog hais tias "choj" no.
[English] (n) Blanket.

pam[2] (u) Npaj zaub thiab npaj mov los noj: *Lawv pam tau ib roog mov.*
[English] (v) Preparing food or a feast.

pam[3] (u) Cov hauj lwm thiab kev cai ua rau tus neeg tuag: *Lawv pam tus tuag.*
[English] (v) To perform a funeral ceremony.

pam rwb (y) Cov pam uas muaj rwb ntau thiab tuab heev: *Ib daim pam rwb.*
[English] (n) Blankets that made with cotton inside.

pam tab (y) Cov pam uas nyias losyog tsis tuab: *Ib daim pam tab.*
[English] (n) Thin blankets.

pam thawj (y) 1. Rab uas yog muab ntoo ua thiab siv los npuj losyog tsoo lwm yam tej: *Neeg siv rab pam thawj los npuj cov ntsia.* 2. Tso zog losyog sibzog tsoo rau: *Peb tso pam thawj rau nws.*
[English] (n) 1. A wooden mallet with a large head. 2. To exert forcefully.

pas[1] (y) 1. Tej tus me, nyias thiab kheej uas muaj tsos zoo xws li tus menyuam ceg ntoo tej: *Nws muaj ib tus pas.* 2. Tej tus menyuam ntoo uas xws li muab dam losyog lov ntawm tus ntoo los, thiab feem ntau nws tsis muaj nplooj lawm: *Nws khaws cov pas los rauv.*

© 2003 Jay Xiong. All rights reserved.

[English] (n) 1. Stick, esp. a long and slender piece of wood. 2. The small tree branches, esp. those that fell off from the trees (dried branches).

pas[2] (y) 1. Qhov chaw uas muaj dej ntau; thaj uas yog dej: *Cov dej ntws los ua ib lub pas.* 2. Muaj dej nyob uake xws li lub pas dej; yam uas nyob uake xws li lub pas dej ntawv; pag: *Ib pas zis; ib pas quav ltn...*

[English] (n) 1. Pond, lake. 2. A pile or pond-like matters.

pas[3] (y) Muaj ib los; puv xws li lub qhov ncauj: *Haus ib pas dej.*

[English] (n) A mouthful of food, air, drink etc...

pas dej (y) Tej lub lossis hav uas yog muaj dej nyob hauv: *Ntses nyob hauv lub pas dej. Ib lub pas dej loj thiab tob heev.*

[English] (n) Lake, pond.

pas dig hniav (y) Tej tus pas me~ uas yog muab ntoo lossis lwm yam ua thiab neeg siv los dig mov, zaub thiab nqaij kom tawm hauv neeg cov kis hniav los.

[English] (n) Toothpick.

pas hawv (y) Lub pas dej losyog lub hav dej tabsis cov dej twb nqhuab yuav tag: *Cov twm nyob hauv lub pas hawv.*

[English] (n) A small pond, or pond-like area, filled with mud and water.

pas hiav txwv (y) Lub pas dej ntuj; lub pas dej uas loj tshaj plaws nyob hauv ntiaj teb no: *Lub pas hiav txwv yog ib lub pas dej uas loj heev.*

[English] (n) Ocean, sea.

pas iav (y) Lub pas losyog thaj av uas muaj dej thiab muaj nyom nyob uake, thiab feem ntau yog muaj nyob sibxyaws daws: *Ib lub pas iav.*

[English] (n) Swamp.

pas ntses (y) Lub pas dej uas neeg ua los yug ntses: *Nws muaj ib lub pas ntses.*

[English] (n) Fishpond.

pas nuv ntses (y) Tus losyog rab pas uas siv los nuv ntses: *Ib tus pas nuv ntses.*

[English] (n) Fishing rod, fishing pole.

pas zaj (y) Lub pas dej, feem ntau tob, uas muaj zaj nyob hauv: *Ib lub pas zaj.*

[English] (n) Dragon pond, a lake or pond that a dragon lives.

pau (u,p) Rawv losyog quav rau hauv av: *Tus qaib tus tw pau heev.*

[English] (v) Droop; to bend or hang downward. (adj) Droopy.

paub (u) 1. Totaub; nkag siab; mus rau hauv lub tswvyim: *Peb paub koj cov lus*

© 2003 Jay Xiong. All rights reserved.

zoo. 2. Txawj, ua tau yog losyog zoo: *Nws paub hais tshoob; paub sau ntawv.*
***[English]** (v) 1. Know, understand, comprehend. 2. Know how.*

paub maim (y) <Lostsuas> Lub hom phiaj; yam uas yus tsom losyog xav tias yuav ua mus pem suab: *Kuv lub paub maim yog los khaws lus Hmoob.*
***[English]** (n) <Laotian> Goal, target.*

paub tab (u) Paub txog kev txhaum, kev phem thiab kev zoo uas xws li twb yog ib tus neeg hlob thiab laus txaus lawm: *Nws paub tab heev.* (p) Yog losyog zoo li tus uas paub tomntej thiab paub tomqab zoo lawm.
***[English]** (v,adj) Mature, such as having reached full development, either mental or intellectual. Ex: He is very mature for being so young.*

paug[1] (u) Muaj xws li hmoov av poob rau hauv: *Cov hmoov av paug thoob dej.* (p) Yam uas muaj khoom ntau los poob rau: *Neeg tsis xav haus tais dej paug.*
***[English]** (v) Causing to be dirty, esp. with dirt and other unclean particles. (adj) Being dirty, filthy (filthy water, for example).*

paug[2] (y) Cov kua dawb losyog daj uas muaj nyob rau hauv lub kiav txhab losyog hauv lub rwj tej: *Cov kua paug.*
***[English]** (n) Pus.*

paug[3] (y) <Lees> Lub xauv uas neeg ua los coj ntawm cajdab.
***[English]** (n) <Leng> A silver neck-ring, mostly worn by Hmong women.*

pauj[1] (u) Ua rovqab rau; muab them rau: *Peb pauj lawv zog.* Lus rov: *Pauv.*
***[English]** (v) Reimburse, to pay back, esp. when exchanging manpower.*

pauj[2] (y,pu) Lub suab uas thaum khoom poob rau hauv av es nrov tej.
***[English]** (n,adv) A sound of dropping small objects into the floor or ground.*

paum (y) Lub nyob ntawm cov pojniam ob ceg thiab tso zis tawm hauv los; lub pim: *Txhua tus pojniam muaj ib lub paum.* Lo lus "paum" yog ib los lus mos thiab neeg siv heev dua los "pim.." Lus rov: *Qau, noov.*
***[English]** (n) Vagina. The word "paum" is more polite than "pim." Ant: Penis.*

paus[1] (y) Cov pa uas tso tawm ntawm lub qhov quav los: *Nws tso ib paus.*
***[English]** (n) Intestinal gas.*

paus[2] (y) 1. Yav ntoo uas nyob ntawm daim av thiab muaj cov cag nyob rau hauv av; lub hauvpaus: *Yav paus ntoo.* 2. Qhov xub~ muaj tawm tuaj: *Yuavtsum paub paus thiab paub ntsis.* Lus rov: *Ntsis.*

© 2003 Jay Xiong. All rights reserved.

[English] (n) 1. Stump; the base of a tree. 2. The beginning or origin.

pauv (u) 1. Muab sibhloov: *Muab tus dub pauv tus dawb.* 2. Mus ua lwm tus li es lwm hnub lwm tus ho tuaj ua yus li: *Peb pauv zog hlais nplej.* Lus rov: *Pauj.*

[English] (v) 1. Change, trade. 2. To exchange the manpower.

pav[1] (u) Muab hlua los khi: *Muab txoj hlua pav tus npua ob txhais taw.* (y) Tej kab, tej caj, tej tus xws li thaum neeg ua zaub es muab cov av los ncaws ua tej leej: *Nws cog tau ib pav zaub pob thiab ob pav qos.*

[English] (v) Tie; to fasten or secure with a rope. (n) Row or column.

pav[2] (u) <Lees> Piav, xws li hais lus thiab muab tes qhia tias yog li cas.

[English] (v) <Leng> Mention, describe, talk about.

pav ca (p) Pw losyog vau rau hauv av uas xws li yav cav; xyab nqas: *Nws pw pav ca ntawm kev.*

[English] (adj) Flat, straight, such as lying flat on the floor, for example.

pav ywj (y) Tej daim roj losyog nqaij rog uas muaj nyob ntawm neeg losyog tsiaj lub cev: *Tej daim pav ywj losyog tej thooj pav ywj ltn...*

[English] (n) Fat.

paw[1] (y) Tej yam uas muaj plaub ceg kaum xws li yog muab xov losyog hlua los rig ua tej pob losyog thooj tej: *Ib paw lig xov.*

[English] (n) Spool (of threads or strings, for example).

paw[2] (y) Tej pawg uas xws li yog muab nplej los tum losyog teeb ua ke kom xws li hnag txhob ntub cov noob nplej: *Hmoob pawv nplej ua tej paw.*

[English] (n) Pile or heap of things, esp. by stacking things (rice that are still attached to the straws, for example) by facing the grains inside and the straws are outside in a tall cylindrical shape or silo shape to prevent the grains from getting wet from rains.

pawg (y) Muaj coob los nyob uake; pab: *Faib cov nplej ua ob pawg.* (h) Yam zoo li pawg: *Ib pawg nplej; ib pawg neeg; ib pawg av ltn...*

[English] (n,cl) 1. Pile, heap. 2. Group (of people, for example).

pawg lug (pu) Muaj nyob cuag cas ntawm tej: *Neeg zaum pawg lug ntawm tej.*

[English] (adv) Everywhere, everyplace, all over the place.

pawj (y) Nyob ntawm npoo; qhov chaw uas su thiab mus kawg rau: *Lub pawj qaus; lub pawj paum ltn...*

© 2003 Jay Xiong. All rights reserved.

[English] (n) An area between the human's abdomen and the penis or vagina.

pawj qab nkuag (y) Ib hom tshuaj ntshuab uas ib txhia neeg siv los noj xws li yog kiv tobhau. Cov tshuaj no kuj zoo rau thaum noj nqaij npuas phiv thiab.
[English] (n) Certain kind of herb.

pawj qaib (y) Ib hom tshuaj ntshuab uas ib txhia neeg siv los noj xws li yog muaj mob ntsws, pojniam hlauv duav, thiab kem nqaij qaib tej.
[English] (n) Certain kind of herb.

pawm (u) Muab sau los ua ib pawg losyog sibtshooj ua ib pawg; muab sibtsuam; tso sibtshooj ua tej pawg: *Muab cov nplej los pawm uake.*
[English] (v) To pile or stack into a heap or pile.

pawv[1] (u) Tsis pom lawm; tsis muaj lawm; ploj lawm: *Nws pawv lawm.*
[English] (v) Disappear, vanish.

pawv[2] (u) Muab tum losyog teeb ua tej pawg, xws li pawv nplej tej paw.
[English] (v) To stack or pile, rice grains with straws, for example into a tall cylindrical or silo-like shape.

pe (u) Muab ob lub hauvcaug txhos rau hauv av thiab muab ob txhais tes mus nias daim av, xws li thaum mus hawm nom: *Tus vauv pe niamtais thiab yawmtxiv.*
[English] (v) To kneel and bow, such as at the Hmong wedding.

peb (y) Tus ntawv suav 3 uas nyob nruab nrab ntawm tus 2 thiab tus 4: *Nws suav txog peb.* (p) Yam uas muaj peb: *Nws muaj peb xyoos.* (t) Muaj coob tshaj ob leeg ntawv: *Peb muaj kaum leej. Lawv tuaj saib peb.* Lus rov: *Nej, lawv.*
[English] (n,adj) Three. (pron) We, our, ours, us and only used for more than two persons. See the Hmong words, "kuv and wb" also.

pebcaug[1] (y) Tus ntawv suav 30 uas nyob nruab nrab ntawm tus 29 thiab tus 31: *Nws suav txog pebcaug.* (p) Yam uas muaj pebcaug: *Nws muaj pebcaug xyoo. Lawv muaj pebcaug tus nyuj.* (t).
[English] (n,adj,pron) Thirty.

Pebcaug[2] (y) Lub caij uas Hmoob los muaj kev lom zem thiab muaj pov pob nyob rau lub Kaum-ob Hlis ntuj ntawv: *Peb mus koom lawv lub Pebcaug.*
[English] (n) The Hmong New Year celebration.

peeb (y) Ib hom kab uas nplua, dub, thiab luaj li ntiv tes uas nyob hauv dej. Thiab nyiam nqus lwm hom tsiaj cov ntshav heev: *Tus peeb tom tus twm.*

© 2003 Jay Xiong. All rights reserved.

[English] (n) Certain kind of blood sucker, species, that live in the water.

peeb lab (y) Ib hom ntoo uas feem ntau cov pojniam Lostsuas muab los zom hauv nws lub qhov ncauj kom dub thiab xem: *Nws zom cov peeb lab.*
[English] (n) Certain kind of tropical palms.

peeb zeej (y) <Suav> Tubrog. thabham <Lostsuas>
[English] (n) <Chinese> Soldier.

peem (u) Ua kom dhau xws li kev nyuaj; thev: *Nws peem dhau ntu txomnyem.*
[English] (v) Endure, persevere; to force oneself to overcome obstacles.

peem las (u) Loj thiab rog; npag heev: *Nws peem las heev.* (p) *Tus neeg peem las.*
[English] (v,adj) Plump, fat, chubby.

peev (y) Cov nyiaj uas yog muab los ua luam; cov nyiaj uas siv los pib: *Nws qhov peev yog 5,000 tabsis nws cov paj yog 500.*
[English] (n) Capital, such as the start up money; down payment.

peev choj (y) Tej pob uas zoo li fawm tabsis me~, thiab neeg coj los hau xyaw nqaij tej. Feem ntau yog siv hmoov txhuv los ua: *Ib pob peev choj.*
[English] (n) Certain kind of noodles that are very small and fine.

peev xwm (y) Qhov losyog yam uas ua rau tus neeg ua tau: *Nws muaj peev xwm ua tiav nws daim teb.* Feem ntau neeg siv tias "rab peev xwm."
[English] (n) Ability, capability.

peg[1] (u) Muab ntaus: *Nws muab pas peg tus dev.*
[English] (v) Hit, whip.

peg[2] (u) Mus: *Nws peg rau tim lawv.*
[English] (v) Go, leave.

peg[3] (u) Siv, xa: *Nws peg kotaw xwb.*
[English] (v) Use, go by (foot, for example).

pej kum (y) Neeg sawvdaws; pejxeem: *Nws cov pej kum.*
[English] (n) Citizens, people.

pej thuam (y) Tej lub tsev lossis chaw uas siab thiab yog ua los rau neeg tau nce losyog mus nuam yaj kom pom deb tej: *Lawv ua tau ib tus pej thuam siab heev.*
[English] (n) Steeple, tower, esp. a tall and slender building or structure used for observation and usually surmounted by a spire.

pej xeem (y) Neeg sawvdaws; pejkum: *Nws cov pej xeem coob heev.*

© 2003 Jay Xiong. All rights reserved.

[English] (n) Citizens, constituent, people.

pej xeem huab hwm (y) Neeg sawvdaws; pejxeem: *Pej xeem huab hwm tsis pomzoo. Tus nom cov huab hwm coob heev.*

[English] (n) Citizens, constituent, people.

pem (r) Nyob rau qhov chaw siab zog; nyob rau yav qaum teb; pev: *Nws nyob pem lub roob. Nws nyob pem qaum zos.* Lus rov: *Nram, nrav.*

[English] (prep) Up there; a northen place or location.

pem teb (y) Nyob saum daim av; saum daim kotaw tsuj: *Nws pw hauv pem teb.*

[English] (n) Floor, ground.

pem toj (y) Qhov chaw uas siab zog; qhov chaw pev: *Nws lub tsev yog lub nyob pem toj.* (pu) Qhov chaw siab zog. Lus rov: *Nram hav.*

[English] (n,adv) At or just a little north of; a little northern distance.

pes[1] (y) Thaum uas pe ntawv: *Koj pe nws ob pes.*

[English] (n) Each time a person kneels and bows.

pes[2] (u) <Lostsuas> Txhais tias; qhia rau tias cov lus txhais mus li cas: *Lo lus Los Tsuas "pais" muab pes (txhais) ua lus Hmoob ces yog mus.*

[English] (v) <Laotian> Translate, interpret.

pes loj pes kis (pu) Txob losyog hais kom ua ntau yam: *Tus menyuam pes loj pes kis thov kom peb mus ua si.*

[English] (adv) To ask or request to do something constantly; to bother.

pes ntia (pu) Muab cuam losyog pov kiag rau; ntiag: *Nws cuam pes ntia nws tej khoom rau hauv av. Nws cuam pes ntia rau ntawm tej.*

[English] (adv) Quickly, immediately.

pes ntiag (pu) Muab cuam losyog pov kiag rau; ntiag: *Nws cuam pes ntiag nws tej khoom rau hauv av. Nws nrom pes ntiag rau ntawm tej.*

[English] (adv) Quickly, immediately.

pes tsawg (p) Muaj npaum li cas; ntau li cas: *Koj muaj pes tsawg tus npua?* (pu) Txawm li cas: *Ua zoo pes tsawg los nws tsis nyiam.*

[English] (adj,adv) How many; how much.

pes vog (pu) Muaj loj tuaj losyog ntau heev: *Xob pes vog; liab pes vog ltn...*

[English] (adv) To shine; to emit light, esp. in a rapidly manner.

pes zog (pu) Siv los piav txog cov lus xws li zuag, muab ltn... *Nws zuag pes zog*

© 2003 Jay Xiong. All rights reserved.

nws cov khoom rau hauv lub hnab.

[English] *(adv) Quickly, immediately.*

pev (y) Qhov chaw uas siab dua; nyob rau pem: *Nws nyob pev.* (pu) *Tsis mus pev ntxiv.* (t) *Pev muaj ntau lub zos.* (p) *Tus neeg pev paub.* Lus rov: *Nrav.*

[English] *(n,adv,pron,adj) A northward place or location.*

ph (y) Ib tus ntawv uas siv rau cov lus xws li phauj, pha, pheev ltn...

[English] *(n) A consonant used for Hmong words such as "phauj, pha" etc...*

pha (u) <Lostsuas> Coj kev; mus ua ntej; yaum kom mus losyog ua: *Nws pha peb mus nuv ntses.*

[English] *(v) <Laotian> To lead the way to do something.*

phab (y) Plas losyog daim, sab, koog losyog thaj: *Cov tsua muaj ntau phab.* (h) Yam uas zoo li phab: *Ib phab roob; ib phab tsua.*

[English] *(n) An upright wall or area. (cl) Resembling a wall or an upright structure (a wall of boulder, for example).*

phab ntsa (y) Tej daim ntsa; tej daim uas ua los thaiv losyog xov lub tsev: *Feem ntau, ib lub tsev yeej muaj plaub sab phab ntsa.*

[English] *(n) Wall; a wall-like structure.*

phab tis (y) 1. Daim uas ua rau tus noog ya tau; tis: *Ib tus noog muaj ob sab phab tis.* 2. Daim uas zoo li tis ntawv: *Dav hlau muaj ob sab phab tis.*

[English] *(n) 1. Wing, such as from birds. 2. Wing, such as from airplanes.*

phaib (y) <Lostsuas> Cov tej daim ntawv uas muaj tus suav 1 mus txog rau 10, thiab tseem muaj tus A, tus K, Q ltn... *Nws nyiam twv phaib heev.*

[English] *(n) <Laotian> Cards, such as used to play in card games.*

phais (u) Muab riam losyog tej yam ntse los phua losyog hlais kom to: *Nws phais lub plab qaib.*

[English] *(v) Incise; to cut open; operate, esp. during a surgery.*

phaj[1] (y) Phaum neeg losyog pab neeg uas yug nyob rau txheej ntawv: *Kuv yog phaj txiv hos nej yog phaj tub.*

[English] *(n) Generation (of when a person was born).*

phaj[2] (u) Muab nqa; thauj xws li khoom: *Nws phaj khoom ntau heev.*

[English] *(v) Take, deliver, haul.*

phaj[3] (y) Lub tais uas dav tabsis tsis tob, thiab siv los rau khoom noj tej: *Nws*

© 2003 Jay Xiong. All rights reserved.

muaj ntau lub phaj. Neeg siv phaj los hais mov noj tej.
***[English]** (n) Plate, such as a shallow dish which food is served.*

phaj kub lub (y) Lub phaj uas neeg siv los rau nws lub kub lub losyog cov khoom haus yeeb: *Nws muab ib lub phaj kub lub.*
***[English]** (n) A plate which opium is served or used as a smoking plate.*

phaj teeb (y) Lub phaj uas siv los rau teeb tej; phaj kub lub.
***[English]** (n) A plate used to set small light or candle on.*

pham[1] (u,p) Mos thiab loj xws li tus menyuam uas rog losyog npag tej: *Koj tus menyuam pham heev.* Lus rov: *Nka, yuag.*
***[English]** (v,adj) Chubby, fat, plumb.*

pham[2] (u,p) Yam uas loj thiab mos uas xws li zaub tej: *Nws cov zaub pham thiab mos heev.* Lus rov: *Me, nka.*
***[English]** (v,adj) Big and healthy, esp. such vegetables.*

phau (y) Muaj ntau daim xws li ntawv los uake; phoo: *Nws muaj ib phau.* (h) Hom, yam uas zoo xws li phau.
***[English]** (n) Book. (cl) Resembling a book.*

phauj (y) Yus txiv tus muam; cov ntxhais uas yog yus txiv tib phaj thiab yog yus tib lub xeem: *Kuv txiv muaj ob tus muam ces kuv thiaj muaj ob tus phauj.* Lus rov: *Yawglaus.*
***[English]** (n) Aunt, esp. a sister of one's father. This term can not be used for a sister of one's mother in the Hmong language. "Niamtais or tais" is the correct term for a sister of ones' mother. Ant: Uncle.*

phaum (y) Muaj losyog yug nyob rau tib lub caij uas xws li ib losyog ob xyoos sibze ntawv: *Peb yog ib phaum. Peb yog tib phaum neeg.*
***[English]** (n) 1. Generation. 2. Of, or relating to, the same period or season.*

phaus* (y) <Askiv> Lo lus Askiv yog "pound" no. Ib hom kev ntsuas txog kev hnyav: *Hnab txhuv hnyav li 100 phaus (100 lbs).*
***[English]** (n) <English> Pound, as a unit of weights equal to 16 oz.*

phav (u) <Lostsuas> So uas xws li tsis muaj kawm ntawv lawm: *Lawv phav lawm.* (y,p,t) <Lostsuas> Tus ntawv suav 1,000 uas nyob nruab nrab ntawm tus 999 thiab tus 1001; txhiab: *Nws muaj ib phav ces yog txhais tias ib txhiab.*
***[English]** (v) <Laotian> On vacation; on leave; off due to special holidays.*

© 2003 Jay Xiong. All rights reserved.

(n,adj,pron) <Laotian> Thousand.

phaw (y) Tus tsiaj uas yog tus txiv thiab loj txaus lawm, thiab feem ntau yog siv rau cov tsiaj twm xwb: *Tus phaw twm.* Lus rov: *Maum.*
[English] *(n) Bull; an adult male ox, cow or buffalo.*

phawv (y) 1. Lub uas neeg fiab ua ib lub kheej~ thiab siv los rau khoom xws li pobkws thiab nplej tej: *Nws muaj ib lub phawv.* Ib lub npe siv rau cov tub.
[English] *(n) 1. A big basket having a circular shape made with bamboos and mostly used for storing crops. 2. A small silo or corncrib. Also a proper name for boys.*

pheb (u) Puas, ntais, mluav uas xws li muab tus hniav riam mus txiav hlau tej: *Tus hniav riam pheb tag vim nws muab txiav pobtxha.* (p) Zoo li pheb ntaw.
[English] *(v,adj) Dent or broken, esp. used to describe knife blades.*

phee (y) <Lostsuas> Tej zaj nkauj uas neeg hu losyog hais: *Nws hu phee losyog loob phee zoo heev.*
[English] *(n) <Laotian> Song.*

pheeb (u) Muab tso vau uas xws li kom mus ib rau lwm yam: *Muab tus ncej pheeb tim sab phabntsa.*
[English] *(v) Lean, such as against the wall.*

pheeb suab (y) Muab suab, nplooj tsawb losyog lwm yam nroj los ua tsev, los vov tsev losyog xov tsev tej: *Nws muaj ib lub tsev pheeb suab xwb.*
[English] *(n) A house or shelter made from using banana leaves or straw.*

pheej[1] (pu) Ua tsis muaj tsum; muaj ntxiv: *Nws pheej cem peb.* (u) Pheeb rau; tso rau uas xws li tsis paub tias yuav zoo los phem; nyob ntawm: *Ua neeg nyob ces pheej hmoo xwb.*
[English] *(adv) Continue to; keep on. (u) Depend, rely.*

pheej[2] (u) Muab kho lossis ua kom tiaj, tus thiab xwm yeem: *Nws pheej nws lub qua tsev kom tiaj thiab tus.*
[English] *(v) To level; to make (the surface of a land, for example) even.*

pheej tab (pu) Pheej ua; ua tsis tsum: *Nws pheej tab pw; nws pheej tab cem.*
[English] *(adv) Continue to; keep on.*

pheej tsab (p) Ntov tus ntoo ob sab kom tus ntoo vau: *Feem ntau, neeg ntov ntoo pheej tsab xwb.*

© 2003 Jay Xiong. All rights reserved.

[English] (adj) To cut or chop a tree, using an ax, from both side diagonally.

pheej yig (u) Tsis kim; tsis tas nyiaj ntau: *Nyiaj choj pheej yig dua kub.* (p) Yam uas tsis kim losyog pheej yig: *Txhob yuav yam khoom pheej yig dhau.*
[English] (v,adj) Cheap, inexpensive.

pheev[1] (y,h) Phab, koog, kab xws li hav zoov: *Mus ua pem pheev pev.*
[English] (n,cl) Section, area.

pheev[2] (u) Muab los siv; ua losyog kov: *Nws pheev ub, pheev no tsis paub so li.*
[English] (v) Work, do.

pheev[3] (u) Sibzog tsoo losyog sibzog ua: *Nws pheev siav lawm xwb.*
[English] (v) To exert; to put forth one's effort; to work or do things.

phem[1] (u) Nkhaus uas xws li ua losyog coj tsis ncaj: *Nws phem heev.* (p) Piav txog tus neeg uas phem: *Peb tsis nyiam cov neeg phem.*
[English] (v,adj) Wicked, crooked, bad.

phem[2] (u) Tsis zoo uas xws li puas lawm: *Lub tsheb phem tas vim yog nws ua tsoo ntoo.* (p) Yam uas phem losyog tsis zoo ntawv: *Nws muab ua phem lawm.*
[English] (v,adj) Become damaged or ruined; bad.

phev (y) Cov kua dawb uas nyob hauv lub noob qes, thiab ua rau tus pojniam muaj taus menyuam: *Txivneej muaj ib co phev.*
[English] (n) Sperm, semen.

phiab (y) Cov tais uas loj thiab muaj lub qab tob: *Ib lub phiab.* Ib lub npe uas siv rau cov tub.
[English] (n) Bowl (a bowl of food, for example). Also a proper name for boys.

phiaj[1] (y) Daim cuab tom hauv ntej es kom zoo muab rab phom tua: *Nws tua tsis raug daim phiaj.*
[English] (n) Target.

phiaj[2] (y) Ua tej daim; nyob ua tej leej, kab losyog pawg: *Phiaj tsev, phiaj xauv.*
[English] (n) Section or area of many similar things (houses, for example) that are closely together; objects that have many things tied as one big piece.

phib[1] (u) Mluav xws li tus hniav riam uas muab txiav hlau losyog pobzeb tej: *Rab riam phib vim nws muab txiav hlau.*
[English] (v) Become dented or depressed, esp. such as the blade of a knife.

phib[2] (y,pu) Ib lub suab uas Hmoob nto qaub ncaug xws li lub caij tsis nyiam.

© 2003 Jay Xiong. All rights reserved.

[English] (n,adv) A sound made by spitting due to anger or disgust.

phij cuam (u) Muab khoom pub rau xws li lub caij uas thaum tus ntxhais mus yuav txiv tej: *Niam tais thiab yawm txiv phij cuam khoom ntau heev.*
[English] (v) Gift; to present with a gift.

phij laj (y) Tus tub hluas uas mus pab tus vauv pe niam tais thiab yawm txiv: *Txhua~ tus vauv yuav tsum muaj ib tus phij laj.* Lus rov: *Niam tais ntsuab.*
[English] (n) Best man. Ant: Maid of honor.

phij xab (y) Lub tawb uas neeg siv los rau khaub ncaws thiab khoom tej: *Nws muaj ib lub phij xab.*
[English] (n) Luggage, suitcase.

phim (u) Zoo thiab haum; zoo tib yam; ntxim: *Koj phim nws. Lub tsho phim koj.* (y) <Lostsuas> Tus dab, xws li dab phem thiab pojntxoog ltn...
[English] (v) Fit, match, suit. (n) <Laotian> Ghost, devil.

phim nyas vais (y) <Lostsuas> Ib hom dab uas muaj hwj huam thiab phem heev. Cov dab no nws muaj tsos zoo li tus cuam: *Ib tus phim nyas vais.*
[English] (n) <Laotian> Certain kind of ghost that resembles a gibbon.

phiv (u) <Lostsuas> Txhaum, yuamkev, tub qaug; tsis yog: *Lawv ua phiv nws.*
[English] (v) <Laotian> To wrong; to mistaken.

phob[1] (u) Muab nyiaj siv; muab nyiaj yuav; muab siv: *Koj phob nyiaj tas.*
[English] (v) Spend, use.

phob[2] (u) Muab ntaus: *Nws phob tus dev.*
[English] (v) Hit, spank, slap.

phob[3] (nu) Mus, los: *Nws phob tuaj txog ntawv.*
[English] (aux. v) To go; to travel.

phob vog (u) Tawm ib co menyuam pob liab~ nyob rau ntawm neeg cov tawv nqaij, thiab ua rau daim nqaij su losyog o tuaj: *Nws phob vog.* (y) Yam mob uas phob vog ntawv: *Nws mob phob vog.*
[English] (v) Having or causing bad (swelling) reaction, esp. relating to human health. (n) Such illness, esp. when having puffy face or swelling body, due to food or drug reaction; food or drug allergy.

phoj (u) Majmam mus; txav, nkag uas xws li lub caij mob thiab tsis muaj zog li lawm: *Nws phoj los pw saum txaj.*

© 2003 Jay Xiong. All rights reserved.

[English] (aux. v) To move slowly, such as when having a severe pain or after a bad injury.

phom[1] (y) Tej rab uas muaj tus kav hlau thiab muaj lub mostxwv, thiab neeg siv los tua tsiaj ltn... *Nws muaj ib rab phom.*

[English] (n) Gun.

phom[2] (u) Tsis tawv heev; muag: *Daim nqaij phom heev.* (p) Yam uas muag losyog tsis tawv: *Nws nyiam daim nqaij phom.*

[English] (v) Soft, tender.

phom hmoob (y) Cov phom uas yog Hmoob tsim thiab ua los.

[English] (n) The Hmong powder gun.

phom nphoob (p) Phom heev; tsis tawv li uas xws li khoom noj tej: *Nws cub tau ib tsu qos phom nphoob.*

[English] (adj) Soft and tender, such as food and meat.

phom nplob (y) Cov menyuam phom uas yog muab cov kav xyoob me~ los ua, thiab siv cov ntawv losyog txiv ntoo los ua cov mostxwv xwb.

[English] (n) A play gun made with small piece of bamboo, and used certain fruit seeds or wet papers as bullets.

phoo (y,h) <Lees> Phau, xws li phau ntawv: *Nwg nyeem phoo ntawv.*

[English] (n, cl) <Leng> Book.

phooj ywg (y) Cov neeg uas sibpaub zoo thiab niaj hnub nrog nyob uake: *Nws yog kuv tus phooj ywg.* Lus rov: *Yeeb ncuab.*

[English] (n) Friend. Ant: Enemy.

phoom (u) Mus ntsib thiab ua rau ceeb uas xws li tsis xav tias yuav pom: *Peb phoom ib tus kauv tom kev.*

[English] (v) To encounter or bump into (a deer, for example) unexpectedly.

phov (u) Ua losyog kov ntau yam: *Nws phov ib hmos. Nws phov ib hnub.*

[English] (v) Work or do, such as many tasks or chores.

phua[1] (u) Muab riam txiav kom tawg losyog tu ua ob sab: *Nws phua lub dib.*

[English] (v) To split (something) open using a knife or an ax.

phua[2] (u) Hais qhia rau; txhais lub ntsiab lus rau: *Nws phua lub ntsiab lus rau peb.*

[English] (v) To describe or explain the meaning of.

phuaj (y) Lub nkoj uas yog muab xyoob ua: *Peb caij lub phuaj hla tus dej.*

© 2003 Jay Xiong. All rights reserved.

[English] (n) Raft, esp. a boat-like object that floats on water.

phuaj nquam* (y) Cov phuaj uas siv cov duav nquam kom mus xwb.
[English] (n) Canoe. Lus suab hais yog "khas nus" no.

phuaj tshuab* (y) Cov phuaj losyog nkoj uas muaj lub tshuab nyob tomqab.
[English] (n) Boat, esp. the kind with a motor; a motor boat.

phuam[1] (y) Tej daim ntaub uas ua los tau so thaum da dej tas tej: *Muab txoj phuam so tus menyuam. Nws xaws tau ib txoj phuam.*
[English] (n) Towel.

phuam[2] (y) Tej daim ntaub uas ua los ntoo losyog khi nyob rau saum tobhau tej.
[English] (n) A piece of garment worn by Hmong women on their heads.

phuam txoom suab (y) Tej daim ntaub uas ua los ntoo losyog khi nyob rau saum pojniam Hmoob lub tobhau tej.
[English] (n) A piece of garment worn by Hmong women on their heads.

phuas (y) Cov uas tsis yog kua; yam uas kua tawm hauv los xws li kabtsib tej: *Noj kabtsib yuavtsum nti cov phuas tawm.*
[English] (n) 1. The inedible portion of things, esp. the remaining (stem) part of a sugar cane. 2. Any non-liquid things, esp. when cooking or boiling food.

phuv (y) Tej pawg; tej thooj losyog pob, thiab feem ntau yog siv los piav txog thaum faib khoom lossis nqaij tej xwb: *Muab tus npua faib ua cuaj phuv.*
[English] (n) Pile, part, portion, chunk, and it is mostly used to describe when dividing something of equal amount or quanity to people.

phwb (u) Mus, ncig: *Nws phwb txog ntawd. Zaj npuas phwb toj tsuas.*
[English] (v) Go, come, travel, wander.

phwb taws ntsos (nu) Tuaj losyog los tej: *Nws phwb taws ntsos tuaj txog ntawv.*
[English] (aux. v) Go, come, travel, wander.

phwj (u) Muaj puv uas xws li ua rau txeej: *Lauj kaub zaub phwj lawm.* (p) Puv nkaus uas xws li kom txeej me~ los: *Koj hliv kom phwj.*
[English] (v) Overflow, overfill. (adj) Become overflowed or overfilled.

piab (y) Ib rab uas yog muab hlau ua thiab siv los chais ntoo losyog tws ntoo tej. Feem ntau yog siv los tws tej daim ntoo nyias~ tawm xwb: *Nws muaj ib rab piab.* (u) Muab rab piab tws ntoo: *Nws piab tus ncej kom du.*
[English] (n) Adz or adze, a metal tool with a curved blade, used for dressing

© 2003 Jay Xiong. All rights reserved.

(to remove a very thin piece of) wood.

piam (u) Puas lawm; phem lawm; tsis zoo: *Rab ncas piam lawm.* (p) Yam uas puas losyog piam.

[English] (v,adj) Become damaged, bad or ruined.

piam sij (u) Piam, puas lawm; phem lawm; tsis zoo siv lawm: *Rab ncas piam sij tas lawm* (p) Yam uas piam lawm, puas: *Nws ua rab nras piam sij.*

[English] (v,adj) Become damaged, bad or ruined.

piam thaj (y) Tej thooj uas yog muab nyoj los ntawm cov kua kabtsib losyog tej yam kua uas qabzib: *Nws muab tau ib thooj piam thaj pub kuv.*

[English] (n) Sugar.

pias (y) Ib hom nroj uas muaj noob thiab neeg siv cov noob los noj: *Nws muaj ib thaj pias. Ib tsob pias.*

[English] (n) Certain kind of wheat cultivated in Asia for its grains.

piav (u) 1. Tham, qhia tias, hais txog: *Nws piav txog koj.* 2. Txav mus, txav los; muab xws li txhais testaw, qhia: *Nws muab txhais tes piav tias yog mus li cas.*

[English] (v) 1. Describe, explain. 2. Illustrate, show, esp. with the hands.

piav yeev (p) Mus kev khav cuam tsawv; piav yam uas tsis ntshai leej twg li: *Tus nom hais lus piav yeev nram tiaj.*

[English] (adj) To move the body back and forth, such as during a speech.

pib[1] (u) Xub ua mus; ua ua ntej; ua losyog muaj mus: *Nej pib luaj nws daim teb.*

[English] (v) Begin, start, initiate.

pib[2] (y) Cov khob me~ uas neeg siv los haus cawv; lub pibtxwv: *Ob lub pib.*

[English] (n) Any of the very small cups, chiefly used for serving alcohol.

pib[3] (y) <Lostsuas> Tej daim menyuam ntawv uas ua los qhia rau lwm tus neeg paub tias nws tau them nyiaj losyog tau kev tso cai mus (rau hauv lub tsev lawm, pivtxwv): *Nws yuav tau ob daim pib mus Lostsuas teb.*

[English] (n) <Laotian> Ticket, esp. a paper slip or card indicating that its holder has paid for or is entitled to a specified service.

pib txwv (y) Cov menyuam khob uas neeg siv los haus cawv tej.

[English] (n) Any of the very small cups, chiefly used for serving alcohol.

pig kis (y) <Lees> Tagkis; hnub tomqab ntawm hnub no: *Pig kis peb moog tsev.*

[English] (n) <Leng> Tomorrow.

© 2003 Jay Xiong. All rights reserved.

pig pag (y,pu) Lub suav uas thaum tua phom tej; pag.
[English] (n,adv) A sound of a gun shot; such a sound.

pig poog (y,pu) Lub suab uas thaum muaj khoom poob los tsoo es nrov: *Peb hnov lub suab pig poog xwb.* (pu) *Nws khiav pig poog los txog ntawv.*
[English] (n,adv) A sound when dropping heavy items on the floor or ground.

pim (y) Lub paum; lub uas pojniam tso zis tawm hauv los. Los lus "pim" ntxhib thiab siv los cem ntau xwb. Lus rov: *Qau, noov.*
[English] (n) Vagina. Ant: Penis.

piv[1] (y) Ib hom noog me~ uas nyiam noj nplej heev, thiab nws quaj lub suab "piv, piv" no: *Ib pab piv.* Ib txhia neeg kuj hu piv uas "tsig txhuv" no thiab.
[English] (n) Certain kind of finch, mostly black and like to grain and rice.

piv[2] (u) Muab ntau yam los saib seb yam twg zoo thiab phem: *Muab ob lub qe los piv seb lub twg loj dua.*
[English] (v) Compare. Ex: Compares two eggs to see which one is bigger.

piv txwv (y) Qhov uas ua los qhia; qauv: *Tsim ib yam los ua piv txwv.*
[English] (n) 1. Example, illustration. 2. Model.

piv xam (y) <Lostsuas> Pivtxwv tias; qauv qhia tias: *Nws hais piv xam li yog nws yog koj.*
[English] (n) <Laotian> For example; for instance.

pl (y) Ib tus ntawv siv rau cov lus xws li plas, plaub, plam, plees ltn...
[English] (n) A consonant used for words such as "plas, plaub" etc...

plab (y) 1. Lub uas ntim losyog rau cov khoom noj nyob hauv neeg losyog tsiaj lub cev: *Lub plab yog lub ntim mov.* 2. Yav cev uas nyob nruab nrab ntawm lub duav thiab lub hauvsiab: *Mob nws lub plab.* 3. Ntu losyog yav uas su thiab zais uas zoo li lub plab.
[English] (n) 1. Stomach. 2. Abdomen, belly. 3. Resembling an abdomen.

plab cua* (y) Lub uas muaj ib cov cua thiab muaj nyob hauv ntses lub cev, uas xws li kom ntses ntab tau zoo.
[English] (n) Air bladder. Also known as swimming bladder.

plab hlaub (y) Thooj nqaij uas nyob tomqab ntawm neeg lub roob hlaub: *Mob nws lub plab hlaub.* Lus rov: *Roob hlaub.*
[English] (n) Calf, esp. the back part behind the shank, esp. the part between

© 2003 Jay Xiong. All rights reserved.

the knee and the ankle.

plab hlav (y) Muaj mob hauv plab uas xws li yog ua rau lub plab khov losyog ua tej thooj tawv: *Nws mob plab hlav.*

***[English]** (n) An abdominal pain which creates a lump within the abdominal.*

plab mos (y) Lub plab uas ntim cov khoom tawm ntawm lub plab los: *Lub plab mos.* Neeg kuj siv lo tias "plab mog" no thiab.

***[English]** (n) The lower part or portion of the abdominal area; abdomen.*

plab qaib (y) Lub plab uas ntim cov quav hauv thiab nyob hauv tus qaib lub cev: *Nws nyiam noj plab qaib heev.*

***[English]** (n) Gizzard, esp. of chicken.*

plag[1] (u) Tsis tau; dim mus, plam: *Nws plag.*

***[English]** (v) Fail; fail to achieve or get.*

plag[2] (y) Thaj chaw uas nyob hauv tsev thiab nyob ze ntawm lub txee: *Muab tso pem plag.* Lo plag thiab "hauvplag" neeg kuj siv mus los tib yam. Lo no thiab lo "plas" siv mus los thiab txhais tib yam xwb. Tej thaj, tej phab.

***[English]** (n) The main area of the living room; the main floor of a room.*

plam[1] (u) Tsis khov; xoob uas xws li txoj hlua: *Txoj hlua plam es tus npua thiaj khiav lawm.*

***[English]** (v) Loosen; become untied or free from restraint.*

plam[2] (u) Tsis nrog uake; sibncaim: *Nws plam nws cov kwvtij.*

***[English]** (v) To separate from; to depart from.*

plas[1] (y) Ib hom noog uas muaj ob lub qhov muag loj, kheej, thiab nyiam tom lwm cov noog me: *Ib tus plas tsaws saum tsob ntoo.*

***[English]** (n) Owl.*

plas[2] (y) Lo no thiab lo "plag" yog txhais tias thaj; ib phab, ib daim xws li teb: *Nws cog ua tej plas. Ib plas hav zoov; ib plas pobkws; ib plag zaub ltn...*

***[English]** (n) Section, area (a section of trees, for example).*

plau (nu) Mus, los, tuaj: *Peb plau mus tsev; nws plau tuaj txog ntawv.*

***[English]** (aux. v) Go, come, travel.*

plaub[1] (y) Tus ntawv suav 4 uas nyob nruab nrab ntawm tus 3 thiab 5: *Nws suav txog plaub.* (p) Yam uas muaj ntau li: *Nws muaj plaub xyoos.* (t).

***[English]** (n,adj,pron) Four, such as a cardinal number 4.*

© 2003 Jay Xiong. All rights reserved.

plaub[2] (y) 1. Cov tej txoj me~ thiab dub~ uas tuaj nyob ntawm neeg losyog tsiaj daim tawv nqaij: *Npua cov plaub; neeg cov plaub.* 2. Cov uas muaj nyob ntawm xws li noog, qaib thiab os lub cev: *Noog thiab qaib muaj plaub ntau heev.*
***[English]** (n) 1. Hair, Fur. 2. Feather.*

plaub[3] (y) Teebmeem uas xws li kev hais tsis sibhaum; plaub ntug: *Peb tsis nyiam plaub.* Lo no thiab lo "plaub ntug" neeg siv mus los tib yam: *Peb tsis nyiam thab plaub. Nws nyiam hais plaub heev.*
***[English]** (n) Trouble, problem, esp. when relates to a litigation or suit.*

plaub caug (y) Tus ntawv suav 40 uas nyob nruab nrab ntawm 39 thiab 41: *Nws suav txog plaub caug.* (p) Muaj ntau npaum li: *Nws muaj plaub caug xyoo.* (t).
***[English]** (n,adj,pron) Forty.*

plaub dub (y) Teebmeem losyog plaub uas loj heev, xws li kev tubsab, kev tua neeg thiab kev deev luag pojniam ltn... *Txhob txob plaub dub.*
***[English]** (n) Serious crime, problem, esp. when relates to a litigation or suit.*

plaub hau (y) Cov plaub uas nyob saum neeg lub tobhau: *Nws cov plaub hau dub thiab ntev heev.*
***[English]** (n) Hair, esp. the kind that are on the head (human hair, example).*

plaub mob (y) Kev ua losyog hais txhaum rau lwm tus: *Nws paub nws plaub mob es nws thiaj khiav lawm.*
***[English]** (n) One's mistake, fault or problem.*

plaub ntug (y) Teebmeem xws li plaub; kev sibhais tsis haum xeeb xws li muaj los ntawm kev tubsab thiab kev ua tsis ncaj: *Plaub ntug tsis zoo txob.*
***[English]** (n) Trouble, problem, esp. when relates to litigation and suit.*

plaub tshwj nyam (y) Cov plaub me~ thiab mos uas muaj nyob ntawm tsiaj cov tawv nqaij: *Tus qaib muaj plaub tshwj nyam ntau heev.*
***[English]** (n) The small, soft and fine, hair exists on the skin of ducks or birds.*

plav (y) Lub plhaub losyog lub uas qhwv lwm yam nyob rau hauv: *Lub plav mos txwv; lub plav tooj.*
***[English]** (n) 1. Cartrige. 2. Shell, esp. the hollow tube containing explosives.*

plav tooj (y) Cov plav uas yog muab tooj los ua.
***[English]** (n) Cartrige or shell (of guns) made with copper.*

plaws (pu) Muaj kiag; tshwm sim kiag: *Plam plaws, dim plaws, ya plaws ltn...*

© 2003 Jay Xiong. All rights reserved.

[English] (adv) Immediately, quickly.

plawv[1] (y) Lub uas kheej thiab lim neeg losyog tsiaj cov ntshav mus los uas nyob rau hauv lub cev: *Txhua tus neeg muaj ib lub plawv.*

[English] (n) Heart.

plawv[2] (y) Qhov chaw uas nyob rau hauv nruab nrab: *Nws lub tsev nyob hauv lub plawv zos. Hauv plawv teb; hauv plawv dej ltn...*

[English] (n) 1. Center, middle. 2. Centrally located. 3. Centroid.

plawv plaws (pu) Muaj tshwm muslos tej: *Tus kauv tshwm plawv plaws tim roob.*

[English] (adv) To appear or be seen on and off.

plawv plo (pu) Ua ceev losyog maj heev: *Hais lus plawvplo; noj mov plawv plo.*

[English] (adv) To do something in a back and forth manner.

ple (y) 1. Tus losyog daim nqaij me~ uas nyob ntawm pojniam lub paum.. 2. Tus uas nyob rau nram cov kab xws li ntab, muv thiab daiv lub pobtw, thiab nws txawj plev losyog chob neeg tej: *Ntab siv nws tus ple los plev neeg.*

[English] (n) 1. Clitoris. 2. A stinger (of bees and other insects, for example).

pleb[1] (y) Cov av uas thaum tus nas losyog tus kab khawb lub qhov es nws muab ua tawm tuaj: *Cov pleb yog cov av uas khawb hauv lub qhov los.*

[English] (n) The soil or dirt, dug from a hole or a path.

pleb[2] (y) Tej txoj kab uas xws li thaum daim iav losyog daim av yuav tawg es muaj ntawv: *Lub dib tawg ua tej pleb vim nws siav heev.*

[English] (n) Crack, such as having small lines before something breaks.

plees (u) Muaj plhus; luag his~ has~ thiab nyob tsis tswm: *Nws plees heev.* (p) Piav txog tus neeg uas plees: *Nws nyiam tus neeg plees.* Hmoob siv "Ua plees, ua yi" los txhais tias kev ua si uas xws li kev sibdeev losyog ua hluas tej.

[English] (v) Being playful in a mischievous way. This term is mostly used to describe a mischievous girl or woman only.

plees nkauj nraum (y) Ib zaj lus uas hais rau lub caij hais kwv txhiaj, thiab piav txog kev ua hluas nkauj thiab hluas nraug xwb: *Peb kev plees nkauj nraum hais zoo ua luaj no...*

[English] (n) Courtship and only used when singing the Hmong "kwv txhiaj."

plees yi (y) Kev sibdeev losyog kev ua hluas. Feem ntau yog siv tias "Ua plees, ua yi" xwb. *Tsis txhob mus ua plees, ua yi.*

© 2003 Jay Xiong. All rights reserved.

[English] (n) Of or relating to courtship.

pleev (u) Muab tej yam xws li dej thiab tshuaj los ntub losyog so rau: *Tus me nyuam muab av pleev nws lub ris.*

[English] (v) 1. To put (lotion or medicine, for example) on. 2. Paint.

pleg (y,pu) Lub suab uas xws li thaum los ntswg es neeg tshuab kom ntswg tawm.

[English] (n,adv) A sound when someone blows his/her nose.

plem pliv (pu) Chig, pom lossis ntsa tsis ntau: *Lub teeb cig plem pliv. Ib txhia neeg kuj hais tias "plim pliv" no thiab.*

[English] (adv) 1. Little, such as in amount, degree. 2. Dimly.

ples (y) Plev, thaum uas plev tag lawm; zaus: *Nws mag tus ntab ib ples.*

[English] (n) An instance of a sting; an occurrence of a sting.

plev (u) Thaum cov kab uas xws li ntab, muv, thiab daiv muab tus ple los chob: *Tus ntab plev nws txhais tes. Tus muv plev nws ntiv tes.*

[English] (v) To sting, esp. by bees and other insects.

plh (y) Ib tus ntawv siv rau cov lus xws li plhaub, plhua, plhawv ltn...

[English] (n) A consonant used for words such as "plhaub, plhua" etc... The English equivalent is "pl, such as plumb, place, plot" etc...

plhaj (u,p) Yuamkev; txhaum uas xws li hais lus tej: *Nws hais lus tsis plhaj.*

[English] (v,adj) Mistake, wrong; not precise.

plhaub (y) Daim uas qhwv lub lwm yam, xws li txiv, nyob rau hauv; daim uas nyob rau sab nrauv thiab qhwv tej yam nyob rau sab nrauv: *Daim plhaub qes; daim plhaub pobkws; daim plhaub txiv ltn...*

[English] (n) Shell; the outer cover; cover.

plhaub qes (y) Daim dawb, tawv thiab nyias uas qhwv lub qe: *Daim plhaub qes.*

[English] (n) Eggshell.

plhaw (y) Dhia tej paj paws: *Tus kauv dhia ib plhaw.* (u) Dhia: *Nws plhaw rau ub, plhaw rau no.*

[English] (n,v) Hop, jump, leap.

plhaws[1] (y) 1. Daim plhaub nyias~ thiab dawb uas qhwv lub noob: *Daim plhaws dib yog daim uas qhwv lub noob dib.* 2. Cov tej daim me~ thiab dawb~ uas xws li muaj nyob rau sab nrauv daim tawv tej: *Muaj plhaws ntau heev.*

[English] (n) 1. A very thin, soft and white, sheet covers the outer part of most

© 2003 Jay Xiong. All rights reserved.

fruits. 2. Any of such covers.

plhaws[2] (y) Cov tej daim nyias~, dawb thiab me~ uas muaj nyob xws li saum neeg tej tobhau: *Tus menyuam lub tobhau muaj plhaws ntau heev.*

***[English]** (n) Dandruff.*

plhawv (pu) Hais lub ntsiab rau; hais ncaj qha rau: *Nws phua plhawv lub ntsiab lus rau peb.* Lo lus no feem ntau siv tuaj tomqab ntawm lo "phua" xwb.

***[English]** (adv) Directly, such as when say something straight to the point.*

plhawv plho (pu) Muaj ntxuaj losyog ya cuag cas: *Qaib ntxuaj tis plhawv plho.*

***[English]** (adv) Quickly, lively, esp. such as flapping the wings or arms.*

plhe (u) Muab ntxi; muab ua kom tawm losyog rua loj: *Nws plhe nws lub qhov ncauj rau peb.* (p) Piav txog yam uas plhe losyog ntxi ntawv.

***[English]** (v,adj) To bulge; to protrude; to stick out. To open the cover and stick out, i.e., the inner part outward.*

plhis[1] (u) Txia mus ua lwm yam tsiaj: *Nws plhis mus ua tau ib tus tsov loj heev.*

***[English]** (v) To transform into other form.*

plhis[2] (u) Txia mus ua tus tshiab; muab daim qub povtseg es muaj ib daim tshiab tawm tuaj hloov: *Tus nab plhis nws daim tawv. Tus qaib plhis nws cov plaub.*

***[English]** (v) To shed off the old feather or skin off, (a snake shedding its skin, for example).*

plho (pu) Muaj kiag; tshwm kiag; ya kiag: *Tus noog ya plho. Nws qhib plho lub qhovrooj. Nws nkag plho rau hauv tsev.*

***[English]** (adv) Immediately, quickly, esp. in a sudden manner.*

plhob (y) Hwj plhob; ib hom nroj uas tuaj nyob rau saum nplaim dej.

***[English]** (n) Water lily or pond lily.*

plhom (y) Tus ntawv suav 1,000,000. *Tsib plhom yog 5,000,000; hos kaum plhom yog 10,000,000.* Lus Lostsuas yog lanb.

***[English]** (n) Million.*

plhom moj (u) Hais lus tsis ntshai txhaum; hais lus tsis xav tomntej thiab tom qab: *Nws plhom moj heev.* (p) Piav txog tus neeg plhom moj.

***[English]** (v,adj) Being playful, mischievous, silly.*

plhov (u) Muab mus hlawv kom txhob muaj cov plaub: *Nws plhov tus nas.*

***[English]** (v) To put, dead animal, over a fire flame, esp. to burn off the hair*

© 2003 Jay Xiong. All rights reserved.

or fur from the skin so that the skin is edible.

plhu (y) Daim losyog thaj nqaij uas nyob ntawm neeg lub ntsej muag: *Nws ob sab plhu loj thiab dav.*
[English] (n) Cheek.

plhuaj taub (y) Lub taub uas qhuav thiab muaj tus ko nkhaus: *Nws siv plhuaj taub los ntim dej.*
[English] (n) Gourd, esp. the kind with a curved handle.

plhuav[1] (pu) Tu losyog tsis uake lawm thiab siv pab cov lus ua xws li tso, nqis, plam ltn... *Tso plhuav cia; nqis plhuav rau hauv av; plam plhuav ltn...*
[English] (adv) Immediately, quickly. Ex: He steps down immediately.

plhuav[2] (pu) Muaj qhib dav fo: *Peb qib kev plhuav tos nej. Law tso kev plhuav.*
[English] (adv) Widely, openly.

plhuj plhuav (pu) Siv zoo xws li plhuav: *Nws khiav plhuj plhuav tuaj saib peb.*
[English] (adv) Often, frequently.

plhwb plhaw (y) Dhia tej plhaw uas xws li yog muaj kev zoo siab: *Nws dhia tej plhwb plhaw. Tus kauv dhia tej plhwb plhaw.* (pu) *Dhia plhwb plhaw.*
[English] (n) A hop, leap or jump. (adv) Resembling such a hop or leap.

plhws (u) Muab txhais xibtes majmam mus kov uas xws li kom txhuam mus, txhuam los: *Nws plhws tus menyuam lub tobhau.*
[English] (v) 1. To brush, esp. by using the palm of a hand. 2. To gently stroke or caress by using the palm of a hand (on a child's head, for example).

pli (u) Ua yoog uas xws li kom lwm tus neeg zoo siab: *Nws pli tus neeg chim.*
[English] (v) Pacify, placate, appease.

plia[1] (y) Muab ob lub qhov muag saib ib lwm losyog ib pliag; plias: *Nws ntsia ib plia tuaj pom kuv.*
[English] (n) A glance, esp. a quick look at something.

plia[2] (u) Kho lossis ua kom xws li txheej sauv xwmyeem thiab tiaj tej: *Nws plia lub qua tsev.*
[English] (v) To level, even a surface.

pliab[1] (u) Muab lub cev ua kom qis losyog puab daim av, uas xws li thaum tus tsov tabtom npaj yuav dhia mus tom tsiaj tej: *Tus tsov pliab rau hauv av.*
[English] (v) To lay a body, flat or, as close to the ground as possible; creep.

© 2003 Jay Xiong. All rights reserved.

pliab[2] (u) Tsis siab heev uas xws li neeg tus caj ntswm; tiaj: *Tus caj tswm pliab.* (p) Yam uas pliab losyog tsis siab ntawv.
***[English]** (v,adj) Of, or relating to, something that has little ridge.*

pliab ntswg (u) Tus caj ntswm tsis siab; tsis muaj cag: *Nws pliab ntswg heev.* (p) Tus neeg uas pliab ntswg.
***[English]** (v,adj) Having a relatively flat nose or low ridge.*

pliag (y) Ib chim; lub sijhawm tsis ntev: *Ib pliag wb mam mus tsev.* (u) Mus, txav uas xws li nyob tsis muaj chaw: *Nws pliag ub, pliag no tsis kam zaum li.*
***[English]** (n) Moment, while. (v) Go, come, travel, esp. in a hasty manner.*

pliag ntshis (y) Lub sijhawm tsis ntev: *Ib pliag ntshis xwb peb twb laus tag lawm.*
***[English]** (n) A short while or moment; a brief interval of time.*

pliaj (y) Lub hauvpliaj; thaj uas nyob saum neeg losyog tsiaj lub qhov muag. Feem ntau yog siv rau tomqab ntawm lo "hauv" uas xws li lub "hauvpliaj."
***[English]** (n) Forehead. Mostly people used the word "hauvpliaj."*

plig (y) Tus uas ib txhia neeg ntseeg tias qhov muag tsis pom tabsis txhua~ tus neeg yeej muaj es tus neeg ntawv thiaj tsis tuag: *Nws tus plig tsis zoo siab.*
***[English]** (n) Spirit.*

plig plawg (y,pu) Lub suab uas xws thaum qaib, noog, thiab os ya es nrov tej.
***[English]** (n,adv) A flying sound of a flock of birds or chickens.*

plig plog (y,pu) Lub suab uas da losyog kov dej es nrov: *Hnov lub suab plig plog.*
***[English]** (n,adv) A sound of water splashing.*

plij ploj (y,pu) Lub suab uas xws li thaum muaj neeg hlawv teb res nrov.
***[English]** (n,adv) A sound of fireworks or firecracker.*

plim (u) Muab lub tobhau ntxeev losyog lem rovqab kom pom saum ntuj; muab lub cajqwb quav rov rau tom nrobqaum: *Koj plim es kuv thiaj zoo ntxuav koj lub cajdab.* Lus rov: *Nyo.*
***[English]** (v) To bend the head backward, such as when looking upright.*

plim pliaj (u) Muab lub hauvpliaj ua kom plim; muab lub ntsej muag ua kom xws li pw ntxeev tiaj: *Nws plim pliaj dhau.* (p) Yam uas plim pliaj.
***[English]** (v) To bend the head backward, such as when looking upright.*

plim pliaj kus (p) Plim pliaj heev: *Nws pw plim pliaj kus ntawm kev.*
***[English]** (v) To bend the head backward, such as when looking upright.*

© 2003 Jay Xiong. All rights reserved.

plim pliv (pu) Chig losyog ntsa me~ xwb: *Lub teeb pomkev plim pliv. Ib txhia kuj hais tias "plem pliv" no thiab.*
[English] (adv) Dimly.

plim ploom (y,pu) Lub suav uas xws li thaum muaj dej ntas nyob hauv neeg lub plab losyog hauv lub thoob tej: *Nws lub plab nrov plim ploom. Ib txhia neeg kuj siv tias "pliv ploov" no thiab.*
[English] (n,adv) A sound of water moves or waves, esp. from a person's stomach or container.

plis (y) Ib hom tsiaj uas zoo li tus miv, tabsis nws nyob tom hav zoov: *Tus plis los tom lawv cov qaib.*
[English] (n) Wildcat, bobcat.

plis kooskaim (y) Ib hom tsiaj uas quaj nyob rau hmo ntuj thiab muaj lub suab nrov tias, "kooskaim, kaim, kaim..." no: *Peb hnov ib tus plis koomkaim quaj.*
[English] (n) Certain kind of animal that makes a sound "kong kais, kais..." during the night, esp. where there is a big forest or jungle.

plob[1] (u) Mus yos hav zoov xws li mus tua tsiaj qus tej: *Nws mus plob ib hnub.*
[English] (v) Hunt, esp. such as hunting wild animals.

plob[2] (u) Tso quav. Lo no yog ib los neeg siv heev dua: *Nws mus plob lawm.*
[English] (v) Poop, defecate. This word is more polite than word "tso quav."

plog (y,pu) Lub suab uas muab khoom pov rau hauv pas dej es nrov.
[English] (n,adv) A sound of when dropping a big object into water or pond.

ploj (u) 1. Tsis pom lawm; pawv lawm: *Tus nyuj ploj tau ntau hnub.* 2. Ua kom tsis pom; nkaum: *Nws ploj rau hauv lub pas dej.*
[English] (v) 1. Disappear, vanish. 2. Submerge.

ploj ntais (u) Ploj kiag losyog pawv kiag uas xws li tsis pom lawm: *Tus ntses ploj ntais rau hauv qabthu.*
[English] (v) Disappear quickly; vanish quickly.

ploj tuag (y) Kev muaj ploj xws li tuag thiab pawv tej: *Tsis muaj ploj tuag li.*
[English] (n) Death.

ploog (u) Mus rau ub, mus rau no tej; phov: *Nws ploog dua tim hmoob zos lawm.*
[English] (v) To wander; to travel, esp. without much a plan.

plooj[1] (u) Muab thaiv lub qhov muag kom xws li tsis pomkev: *Daim ntaub plooj*

© 2003 Jay Xiong. All rights reserved.

nws qhov muag.

***[English]** (v) Cover or block, esp. so the eye can not see clearly.*

plooj[2] (u) Muab xaws tuaj rau sab nrauv: *Nws plooj daim paj ntaub.*

***[English]** (v) Sew or stitch, a piece of frabic, on the outside of another piece.*

ploom (y,pu) Lub suab uas xws li pobzeb poob rau hauv pas dej es nrov; ploov.

***[English]** (n,adv) A sound of when dropping, i.e., small rock, into water.*

ploov (y,pu) Lub suab uas xws li pobzeb poob rau hauv pas dej es nrov; ploom.

***[English]** (n,adv) A sound of when dropping, i.e., small rock, into water.*

plos[1] (u) Mus, los, yos: *Nws plos rau ub, plos rau no.*

***[English]** (n) Wander, go, come, travel.*

plos[2] (u) Ua kom ploj rau hauv; muab raus: *Tus os plos tobhau rau hauv dej.*

***[English]** (n) To submerge under water.*

plua (y) Ua hmoov losyog ua tej daim me~ heev; pluas: *Cov plua av.*

***[English]** (n) Powder; any of the powder like particles.*

plua av (y) Tej hmoov av; cov av uas qhuav thiab ua hmoov: *Cua tshuab cov plua av ya puv zos.*

***[English]** (n) Dust, esp. relates to dirt powder.*

plua lua (pu) Nyob qis thiab npuab kiag xws li hauv daim av: *Tus tsov pw plua lua rau hauv av.*

***[English]** (adv) To lie flatly on the ground or along the surface; to lie down as low to the surface as possible.*

plua plav (y) Tej hmoov, xws li plua av, rwb, ntoo ltn...

***[English]** (n) Dust.*

pluag[1] (u) Tsis muaj nyiaj xws li tebchaws, uas xws li tsis muaj zaub mov txaus noj thiab txaus haus; txomnyem: *Nws pluag heev vim nws haus yeeb.* Lus rov: *Nplua nuj.*

***[English]** (v,adj) Poor, such as having little or no wealth.*

pluag[2] (y) Pluas, zaus uas xws li kev noj mov tej: *Ib hnub peb noj peb pluag mov.*

***[English]** (n) Time, occurrence, instance of when people eat, (breakfast, lunch, and dinner, for examples).*

pluaj (y,h) Nplooj, daim, sab uas xws li lub siab: *Nws muaj ntau pluaj.*

***[English]** (n,cl) Strap, piece.*

© 2003 Jay Xiong. All rights reserved.

pluam (u) Plam, tu, poob, tsis nyob uake: *Lub thoob pluam tas lawm.* (p) Yam uas pluam ntawv.
[English] (v) Break, separate; to fragment. (adj) Become separated or fragmented; detached.

pluas[1] (y) Pluag, zaus xws li kev noj mov: *Ib hnub neeg noj peb pluas.*
[English] (n) Time, occurrence, such as when eating lunch, dinner or meal.

pluas[2] (u) Xem xws li lub txiv tsawb uas tsis tau siav: *Lub txiv tsawb ntsuab pluas.*
[English] (v) Tart; having a sour and astringent taste, such as when eating unripe fruit. Ex: Green banana is so tart.

pluas[3] (y) Ua tej yam me~ uas xws li hmoov; plua: *Cov pluas av.*
[English] (n) Dust; any powder-like particles.

pluav[1] (u) Nyias thiab tsis kheej; ib sab dav tabsis ib sab nyias: *Daim ntoo pluav.*
[English] (v) Thin, esp. having little thickness.

pluav[2] (y) Tej tus losyog tej nplais: *Nws muab ib qhoo rau kuv, tabsis kuv yuav qee pluav xwb.*
[English] (n) Strap; any flat and thin strip.

pluav[3] (u) Ua rau hmlos, mluav losyog qawj xws li muaj dabtsi tsoo: *Lub koospoom pluav vim nws muab txhais taw tsuj.* (p) Yam uas pluav.
[English] (v,adj) Dented or depressed, esp., when hit by something.

pluj (u) <Lees> Ploj, xws li tsis pom lawm; pawv.
[English] (v) <Leng> Disappear, vanish.

pluj plaws (pu) Tshwm mus, tshwm los: *Lawv tawm pluj plaws los saib peb.*
[English] (adv) Appearing back and forth or frequently.

pluj plias (pu) Muaj muslos xws li tsis muaj tsum: *Cov ntses laim pluj plias.*
[English] (adv) Of gleaming, shiningly, esp. in a flashing manner.

pluj pliv (pu) Muaj tshwm mus, tshwm los: *Tus nab tawm pluj pliv los xauj peb.*
[English] (adv) In and out; off and on; back and forth.

po[1] (y) Tus uas zoo xws li tus nplaig thiab nyob nrog lub plab: *Npua tus po.*
[English] (n) Spleen, esp. the vascular lymphoid organ.

po[2] (u) Phom~ uas xws li thaum tus ntoo lwj lawm: *Yav cav po heev.* (p) Yam uas po losyog tsis khov ntawv.
[English] (v) Decay, putrefy, become rotten and used to describe wood only.

© 2003 Jay Xiong. All rights reserved.

(adj) Of, or relating to, rotten or decayed wood.

pob[1] (u) Poob, plam, tu uas xws li tsis nyob uake: *Phab toj pob vim los nag loj.*
***[English]** (v,adj) To crumble; slide, esp. such as a landslide.*

pob[2] (u) Muaj cov pa tawm tuaj: *Lub cubtawg pob heev.*
***[English]** (v) Of, relating to, or smoke, esp. such as from a fire.*

pob[3] (y) Tej thooj, tej lub: *Nws muaj ntau pob.* (h) *Ib pob mov; ib pob zaub.*
***[English]** (n) Package, box, piece. (cl) Used to describe such objects.*

pob[4] (pu) Siv rau tom kawg ntawm zaj lus, thiab feem ntau, yog lub caij xws li tsis paub zoo tej: *Koj tsis nyiam pob?* (nth) *Pob, cas tsis pom nws tuaj li!*
***[English]** (adv) Perhaps, maybe. (interj) Oh, hey.*

pob caus (y) 1. Tej lub pob uas muaj ntau txoj hlua los sibkhi ua ib thooj: *Cov hlua sibkhi ua ib lub pob caus.* 2. Cov pob muaj nyob ntawm tus ntoo: *Tus ntoo muaj ib lub pob caus.*
***[English]** (n) Knot, such as become entangled into a snarl.*

pob kab ntxau (y) Cov pob uas muaj nyob ntawm neeg lub plhu: *Nws lub plhu muaj pob kab ntxau ntau heev.*
***[English]** (n) Pimple.*

pob kws (y) Ib hom khoom uas neeg cog los noj thiab pub tsiaj tej. Cov pob kws no txi cov txiv luaj li caj npab thiab lub pob kws muaj ntau lub ntsiav.
***[English]** (n) 1. Corn. 2. Ear of corn.*

pob kws nplaum (y) Ib hom pobkws uas, thaum hau siav lawm, nws nplaum: *Nws cog tau ib thaj pob kws nplaum.*
***[English]** (n) Sticky corn.*

pob kws qabzib (y) Ib hom pobkws uas qabzib thiab neeg cog los noj: *Nws cog tau ib thaj pob kws qabzib.*
***[English]** (n) Sweet corn.*

pob kws txua (y) Ib hom pobkws uas nws cov ntsiav, thaum hau siav lawm, tsis nplaum: *Nws cog tau ib thaj pob kws txua.*
***[English]** (n) Regular corn, esp. the unsticky kind.*

pob luj taws (y) Lub pob losyog thooj uas nyob tomqab ntawm txhais taw.
***[English]** (n) Ankle, anklebone, talus.*

pob muag (y) Thaj uas su thiab nyob saum toj ntawm lub qhov muag.

© 2003 Jay Xiong. All rights reserved.

[English] (n) The bony ridge extending over the eye; the eyebrow area.

pob ntoos[1] (y) Lub hauvpaus ntoo uas thaum muab tsob ntoo txiav losyog ntov lawm: *Tom daim teb muaj ntau lub pob ntoos.*

[English] (n) Stump, such as a tree trunk.

pob ntoos[2] (y) Dab, xws li tej dab phem; poj ntxoog: *Nws mob vim yog pob ntoos.*

[English] (n) (Slang) Ghost, evil spirit.

pob ntsaum (y) Lub pob uas ntsaum ua los nyob: *Ib lub pobntsaum.*

[English] (n) Ant nest, esp. the kind that is round like a ball.

pob ntseg (y) Ob lub uas nyob ntawm lub tobhau thiab ua rau neeg thiab tsiaj hnov: *Neeg muaj ob lub pobntseg.*

[English] (n) Ear (human ear, for example).

pob qa (y) Lub pob uas nyob ze ntawm tus qa: *Mob nws lub pobqa.*

[English] (n) The lump or area near the tonsil.

pob qij taws (y) Qhov txha uas txuas roob hlaub thiab txhais taw: *Mob nws lub pob qijtaws.* Ib txhia neeg kuj hais tias "pob qejtaws" no thiab.

[English] (n) Ankle joint.

pob qij tes (y) Qhov txha uas txuas yav npab thiab txhais tes: *Mob nws lub pob qijtes.* Ib txhia neeg kuj hais tias "pob qejtes" no thiab.

[English] (n) Wrist joint.

pob qij txha (y) Lub pob uas txuas losyog tuav ob yas txha: *Ib lub pob qijtxha.*

[English] (n) Bone joint.

pob taws (y) Lub pob losyog thooj su thiab yog txha uas nyob ze ntawm lub pob luj taws: *Mob nws lub pob taws.* Ib txhia neeg hais tias "pob lujtaws" no thiab.

[English] (n) Anklebone, talus, ankle.

pob teg (y) Lub pob uas yog txha thiab nyob nruab nrab ntawm txhais tes thiab yas npab: *Txhua tus neeg muaj ib lub pob teg losyog pob tes.*

[English] (n) Wrist bone; wrist.

pob thawj (y) Siv los piav txog thaum cov kaus xyoob uas nyuam qhuav tuaj siab li ib dos ntawm npoo av.

[English] (n) Used to describe the young growth of bamboo shoot that is just arising from the ground.

pob tsawb (y) Lub pob uas tawm ntawm tsob tsawb los es nws txi ua cov txiv

© 2003 Jay Xiong. All rights reserved.

tsawb: *Nws txiav tau ib lub pob tsawb.*
[English] (n) Banana blossom or banana flowers.

pob tsuas (y) Lub losyog thooj pobzeb uas loj heev; lub tsua: *Lub pob tsuas siab thiab loj heev.*
[English] (n) Boulder, cliff.

pob tw (y) Qhov chaw losyog ob thooj nqaij uas nyob nruab nrab ntawm neeg lub duav thiab ob txhais ceg: *Nws lub pob tw loj heev.*
[English] (n) Buttock, rear end.

pob txha (y) Lub pob uas yog txha; txha: *Ib yav pob txha.* Txha thiab pob txha siv muslos tibyam.
[English] (n) Bone.

pob yeeb (y) Lub pob uas su thiab nyob ntawm txivneej lub cajpas: *Txhua~ tus txiv neej muaj ib lub pob yeeb.*
[English] (n) Adam's apple.

pob zeb (y) Tej thooj losyog tej lub uas yog zeb: *Lub pob zeb loj heev.*
[English] (n) Rock, stone, gravel.

poe (u) Khoov heev; cau rov hauv xws li lub qab tsuas: *Lub qab tsuas poe heev.* Ib txhia neeg kuj hais tias "pau" no thiab. (p) Yam uas poe ntawv.
[English] (v) Droop. (adj) Droopy; become bent or curved downward;

poeb (nth) Ueb, hoeb, xws li tsis nco qab txog tej yam lawm: *Poeb, cas lam ua li ne!*
[English] (interj) Oh, why, how come.

pog[1] (y) Tus pojniam yug yus txiv: *Kuv pog yog niam Vamlis.* Lus rov: *Yawg.*
[English] (n) Grandmother, esp. the mother of ones' father.

pog[2] (y) Tus pojniam lossis tus ntxhais: *Tus pog uas hnav lub tsho liab.* (t) *Pog hais lus zoo heev. Nws muab rau pog lawm.*
[English] (n) Woman, girl. (pron) She, her, hers.

poj (y) Tus uas tsis yog tus lau; tus maum: *Nws nyiam tus poj.* (p) Tus uas yog poj. Lus rov: *Lau.* (nth) Siv tuaj tomqab ntawm zaj lus: *Koj tawv poj!*
[English] (n) Female, esp. used for female poultry. (adj) Being female. (interj) Used at the end of a sentence similar to a interrogative expression.

poj dab (y) 1. Tus poj niam dab: *Ib tus poj dab.* 2. Tus poj niam uas phem heev.

© 2003 Jay Xiong. All rights reserved.

[English] (n) 1. A female ghost; a witch or hag. 2. Bitch, esp. as being spiteful. Bitch is an offensive or improper word.

poj dab pog (y) Qee leej neeg ntseeg tias muaj ib nkawm niamtxiv uas xa thiab saib xyuas cov menyuam uas yug los: *Nkawm niam txiv poj dab pog.*

[English] (n) A spiritual parents who gave a child to each mother.

poj koob (y) Cov pog uas yog tuag tau xws li ntau tiam los lawm. Lo lus no feem ntau neeg siv txuas rau lo "yawm txwv" xwb: *Poj koob yawm txwv ib txwm ua li ntawv.*

[English] (n) Great-great grandparents.

poj koob yawm txwv (y) Cov pog thiab yawg uas tuag xws li tau ntau tiam los lawm: *Cov poj koob yawm txwv yeej ib txwm ua li ntawv.*

[English] (n) Great-great grandparents.

poj niam (y) 1. Tus neeg uas yog niam losyog tus ntxhais: *Tus poj niam yog tus neeg muaj taus menyuam.* Lus rov: *Txivneej.* 2. Tus ntxhais uas tus txiv neej yuav los nrog nws nyob uake: *Kuv tus poj niam.* Lus rov: *Txiv.*

[English] (n) 1. Woman, girl. Ant: Man, boy. 2. Wife. Ant: Husband.

poj niam tub se (y) Tsev neeg uas xws li tus pojniam thiab cov menyuam: *Tshuav nws poj niam tub se tseem nyob tom tsev.*

[English] (n) Family (wife and kids, for example).

poj nrauj (y) Tus pojniam uas yuav txiv, tabsis nws nrauj tus txiv lawm: *Nws yog ib tus poj nrauj.* Lus rov: *Yawg nrauj.*

[English] (n) A divorced woman.

poj ntsuam (y) Tus pojniam uas nws tus txiv tuag lawm: *Nws yog ib tus poj ntsuam vim nws tus txiv tuag lawm.* Lus rov: *Yawg ntsuag.*

[English] (n) Widow. Ant: Widower.

poj ntxoog (y) Cov dab uas neeg tsis pom, tabsis nws txawj los ua kom neeg muaj mob tej: *Lawv pom ib tus poj ntxoog.*

[English] (n) Ghost, demon.

poj qaib (y) Tus qaib uas loj txaus thiab yog tus poj: *Tus poj qaib nteg qe.* Lus rov: *Lau qaib.*

[English] (n) Hen. Ant: Rooster, cock.

poj tshob (y) Tus pojniam uas mus yuav txiv tabsis muaj tsis taus menyuam.

© 2003 Jay Xiong. All rights reserved.

[English] (n) A woman who can not conceive baby.

poj tsiag zov kwv (y) Tus pog losyog tus yawg. Feem ntau, yog siv rau lub caij hais tshoob kos xwb: *Niam txiv puas tshuav poj tsiag zov kwv thiab?*
[English] (n) Grandparent, grandmother, grandfather.

poj ua tseg yawm ua cia (z) Kev cai uas tej laus ib txwm ua los; ib txwm ua los: *Kev cai tshoob kos ces yog ib yam uas poj ua tseg yawm ua cia los ntau tiam.*
[English] (idiom) Normal procedure; the way the grandparents normally do.

pom (u) Muab lub qhov muag ntsia; saib: *Kuv pom koj. Peb pom lub hnub.*
[English] (v) See.

pom kev[1] (u) Kaj, pom xws li thaum lub hnub ci: *Lub teeb pom kev heev.* (p) Yam uas ci losyog ua rau pom kev.
[English] (v) Shine; emit light. (adj) Bright, clear, shiny.

pom kev[2] (u) Pom xws li paub muab lub qhov muag mus saib: *Nws menyuam pom kev lawm. Cov neeg laus tsis pom kev zoo npaum cov neeg hluas.*
[English] (v) See.

pom qab (nu) Paub tias mus li cas; txawj, paub: *Peb pom qab mus. Nws pom qab hais lus.* (u) Pom losyog paub tias mus qhov twg: *Nws pom qab zoo.*
[English] (aux. v) Know how to. (v) Know; remember where or what to do.

pom xeeb (nu) Muaj peev xwm; ua tau: *Nws pom xeeb tuaj txog lawm ces peb yuav tsum nyob. Nws pom xeeb ua nom, nws yuav tsum hais tau pej xeem xwb.*
[English] (aux. v) Can, able.

pom yim (nu) Muaj peev xwm; ua tau: *Nws pom yim thov ces nws yeej xav tau.*
[English] (aux. v) Can, able.

pom zoo (u) Nyiam, kam, xav tias yog li; tso cai losyog cia rau ua: *Peb pom zoo nws los ua peb tus coj. Peb pom zoo ua li nws hais.*
[English] (v) Agree, consent, accept, concur.

poo (u) Mus nrog lwm pab uake; mus nyob nrog lwm tus: *Tus taw npua mus poo cov maum npua lawm.*
[English] (v) Join; to unit, esp. with a larger group.

poob[1] (u) Muab nyiaj them rau lwm tus neeg: *Nws poob tsib puas nyiaj.*
[English] (v) Lose.

poob[2] (u) Plam losyog tu mus rau hauv av: *Lub txiv poob rau hauv av.*

© 2003 Jay Xiong. All rights reserved.

[English] (v) Drop or fall from.

poob[3] (u) Tuaj txog losyog nyob rau hauv: *Lawv tuaj poob hauv kuv tsev.*
[English] (v) To stay over at; to reside at.

poob[4] (u) Ua rau txajmuag losyog tau kev txajmuag: *Nws poob ntseg muag es nws thiaj khiav lawm.*
[English] (v) Lose, esp. a face or reputation.

poobsiab (u) Nyuaj siab txog; txhawj txog: *Nws poobsiab tias nyobtsam nws tus mob tsis zoo. Koj txhob poobsiab.*
[English] (v) Worry, concern.

poobtsag (u) Muaj kev txomnyem; muaj teebmeem loj: *Nws poobtsag ib zaug.*
[English] (v) Suffer or encounter difficulty, esp. such as death or divorce.

poobzoo (u) Nrhiav tsis tau kev rovqab; tsis paub txoj kev uas tuaj lawm: *Nws poobzoo vim lub hav zoov loj heev.*
[English] (v) Being lost, esp. in the jungle or location where one does not know where to go or where he came from.

poog[1] (u) Mus nrog lwm tus nyob; mus raws lwm tus; poo: *Kuv los poog nej.*
[English] (v) Join; to unite with a larger group.

poog[2] (y,pu) Lub suab uas nrov xws li thaum muaj tej yam loj poob, tawg.
[English] (n,adv) A sound of heavy objects drop into the ground; a sound of something explodes.

poom[1] (y) Lub qhov av uas muaj dej, thiab tsiaj nyiam los haus dej lossis los noj cov av ntawm lub qhov no: *Nws mus zov tsiaj nram lub poom.*
[English] (n) A well or a small pond where wild animals come for drink.

poom[2] (y) Lub koospoom; tej lub menyuam thawv uas yog muab hlau ua thiab feem ntau yog siv los rau khoom noj tej: *Ib poom zaub; ib poom dej.*
[English] (n) Can (soda can, for example).

poov (y) 1. Tshuav me~ uas txaus ua noob xwb: *Tseg ib dia ua poov.* 2. Tej yam uas tsawg thiab me uas neeg siv los tov xyaw lwm yam ntau es kom yam ntau ntawv qabzib tuaj: *Cov poov xab, poov cawv ltn...*
[English] (n) 1. The part, portion, person which is saved as being the last remaining source or seed. 2. Yeast cells, yeast.

poov xab (y) Cov poov lossis hmoov uas neeg siv los nphoo rau xws mov thiab

© 2003 Jay Xiong. All rights reserved.

nplej kom zoo muab coj los cub ua cawv: *Ib hnab poov xab.*
***[English]** (n) Yeast, yeast cells.*

pos[1] (y) 1. Cov tej tus uas muaj ib tog ntse zoo li rab koob, thiab nws muaj nyob ntawm ntoo losyog hmab tej: *Tus pos chob nws kotaw.* 2. Yam ntoo losyog hmab uas muaj pos ntau ntawv: *Ib tsob pos loj heev.*
***[English]** (n) 1. Thorn, prickle. 2. Any various trees that have thorns.*

pos[2] (y) Tej khoom noj uas tsw qaub xws li yog yuav lwj tej: *Cov nqaij tsw pos thiab tsis zoo noj lawm.* (u) Muab npog; muab khwb: *Muab txhais tes pos lub qhov ncauj.*
***[English]** (n) A smell of spoiled meat; a foul smell, esp. from meat which turns yellow just before decay. (v) To cover, such as a mouth or hole with the hand.*

pos[3] (u) Tsuam rau sab sauv xws li thaum tus lau qaib caij tus pojqaib tej: *Tus lau qaib pos tus pojqaib.*
***[English]** (v) Mating, such as poultry copulation; poultry sexual intercourse.*

pos hniav (y) Daim nqaij uas tuav cov kaus hniav nyob hauv lub qhov ncauj.
***[English]** (n) Gingiva, gum or gum tissue that surrounds the bases of the teeth.*

pos huab (u) Muaj huab nyob qis thiab ntau uas xws li ua rau tsis pom lub hnub ci: *Hnub no pos huab heev.* (p) Hnub uas muaj huab thiab tsis tshav ntuj.
***[English]** (v,adj) Cloudy, overcast, foggy.*

pos kaus ntsaj (y) 1. Ib hom hmab uas muaj ib co pos loj thiab ntev heev. 2. Cov pos uas tuaj thiab muaj nyob ntawm cov pos kaus ntsaj no: *Tus pos kaus ntsaj.*
***[English]** (n) 1. Certain kind of thorny vine. 2. The thorn from such plant.*

pos khawb (p) Ib lo lus siv los cem neeg xws li lo "tsovtom" ltn... *Niag pos khawb, koj khiav mus! Ib lo lus siv los cem lossis hais phem xwb.*
***[English]** (adj) An offensive or swear word, and it means a "thorned person."*

pos nphuab (y) Ib hom pos uas txi ib co txiv liab thiab neeg cog los noj.
***[English]** (n) Strawberry.*

pov[1] (u) Muab txawb mus; muab cuam mus: *Koj pov lub tais rau kuv.* Ib lub npe siv rau cov tub.
***[English]** (v) Throw, cast, toss. Also a proper name for boys.*

pov[2] (u) Hais lus tseg losyog cia rau: *Nws pov nws cov lus rau nej.*
***[English]** (v) To throw the words to, esp. when asking for an opinion.*

© 2003 Jay Xiong. All rights reserved.

pov cai (y) Ib hom nroj uas tawg cov paj dawb~ nyob rau lub caij Hmoob yuav noj Pebcaug: *Ib tsob paj pov cai.*
***[English]** (n) Certain kind of plant exists in Laos and it normally blooms or bears white flowers during the month of November and early December.*

pov haum (y) Tej lub kheej thiab me uas qee leej neeg ntseeg tias nws pab tau kom yus muaj nyiaj, muaj noj thiab muaj haus losyog muaj hmoo zoo: *Nws khaws tau ib lub pov haum.* Pov haum kuj muaj ntau yam xws li yam ua rau yus nplua nuj, khoo, thiab muaj kev vam meej ltn...
***[English]** (n) A special object, believed by some Hmong, that is very magical, powerful and/or lucky.*

pov hwm (u) Saib xyuas; xyuas kom tsis muaj teeb meem losyog kev txom nyem: *Huabtais Ntuj pov hwm peb sawvdaws.*
***[English]** (v) Protect, safeguard, guard.*

pov khawv (u) Tsau, txaus, tsis nqhis lawm xws li kev noj thiab kev haus: *Kuv pov khawv lawm.* (p) *Nws haus pov khawv lawm.*
***[English]** (v,adj) 1. Satiate or full, such as when eating. 2. Enough, sufficient.*

pov qab nkog (u) Thaum coj tus neeg tuag mus fau tag lawd, yuavtsum mus rauv ib lub cubtawg thiab muab peb pluaj ncau los xov zoo xws li lub kos thaiv txoj kev. Yuavtsum ua li no peb hmos tomqab thaum muab tus neeg tuag coj mus faus lawm. Ua li no kom tus tuag tus xyw losyog nws tus plig los tsis tau rau tom nws lub tsev lawm. Li no Hmoob hu tias "pov qab nkog" no.
***[English]** (n) A Hmong ritual that one must put up a fireplace and also blocking a pathway, where the deceased was transported for burial, by constructing a figure resembling to a tripod in the middle of the pathway. This is to prevent the spirit of the deceased from returning home. And this process must be done for the first three nights after the deceased was buried.*

pov roob (y) Lub ncov roob siab; lub qaum roob: *Nyob saum lub pov roob.*
***[English]** (n) The top or peak of a mountain; the ridge of a mountain.*

pov thawj (y) Tus neeg uas pom thiab paub qhov tseeb: *Nws ob tus pov thawj.*
***[English]** (n) Witness, testimony.*

pov toj (y) Lub losyog tej thooj av uas kheej thiab siab txij li neeg tej.
***[English]** (n) Mound, esp. made of natural dirt or soil.*

© 2003 Jay Xiong. All rights reserved.

pov tseg (u) Muab cuam mus xws li tsis yuav lawm; muab tso rau ntawm tej xws li tsis yuav lawm: *Muab cov qub mov pov tseg.*
[English] (v) Discard, throw away; trash.

pov yawm (u) Saib xyuas; xyuas kom tsis muaj kev cov nyom. Lo lus no feem ntau yog siv tuaj tom qab ntawm lo "pov hwm" xwb: *Thov kom Huabtais Ntuj pov hwm thiab pov yawm peb txhua leej.*
[English] (v) Protect, safeguard, guard.

pr* (y) Ib tus ntawv uas siv rau cov lus xws li prwg, prwg thueb ltn...
[English] (n) A consonant used for words such as "prwg thueb!"

prwg* (nth) Ib lo lus uas tus txiv Neeb siv rau lub caij ua Neeb. Feem ntau yog siv ua ntej thaum nws yuav dhia uas xws li "prwg thueb!" (y,pu) Ib lub suab uas xws li thaum tus noog ya es nrov.
[English] (interj) A word used by a shaman during a rite. (n,adv) A sound of a bird flying.

prwg thueb (nth) Ib lo lus tus txiv Neeb siv rau lub caij ua Neeb. Feem ntau yog siv ua ntej thaum nws yuav dhia tej.
[English] (interj) A word used by a shaman during a rite.

pua[1] (u) Muab xws li daim pam nthuav rau hauv av losyog rau saum xws li lub txaj xws li kom zoo pw: *Muab daim pam pua ces mam li pw.* (y) Tus ntawv suav 100 uas nyob nruab nrab ntawm tus 99 thiab tus 101; puas. (p) Yam uas muaj ntau li: *Nws muaj pua xyoo; nws muaj ntau pua txhiab.*
[English] (v) To spread, such as a tablecloth or bedspread. (n,adj) Hundred.

pua[2] (u) Muab xws li av losyog xuabzeb los tso ntxiv rau; muab meem: *Lawv pua txoj kev zoo heev.*
[English] (v) Pave, such as to cover with a pavement.

pua toj (y) Ib hom tshuaj ntsuab uas ib txhia neeg siv los haus xws li thaum txiv neej kem lossis yog mob plab khov tej.
[English] (n) Certain kind of herb.

pua toj nyeg (y) Ib hom tshuaj ntsuab uas ib txhia neeg siv los haus xws li thaum txiv neej kem lossis yog mob plab khov tej.
[English] (n) Certain kind of herb.

pua toj qus (y) Ib hom tshuaj ntsuab uas ib txhia neeg siv los haus xws li thaum

© 2003 Jay Xiong. All rights reserved.

txiv neej kem lossis yog mob plab khov tej.
[English] (n) Certain kind of herb.

puab (u) Muab xws li av losyog tej yam uas nplaum los ua kom tau tej daim losyog tej tus: *Peb puab ncuav.* (t) <Lees> Lawv: *Puab moog tsev.*
[English] (v) Mold or shape, esp. wet dirt or clay, with the hands. (pron) <Leng> They, their, theirs, them. See also "lawv."

puab dib puab daub (p) Muaj ntau xws li sibpuab thiab sibdai: *Nws pab menyuam los khawm nws ua puab dib puab daub.*
[English] (adj) Having many, such as hanging on to something all over.

puab tais (y) Qhov chaw uas nyob nruab nrab ntawm ob txhais ncejpuab: *Mob nws sab puab tais.*
[English] (n) The inner part, next to the penis or vagina, of the thigh.

puab tsaig (y) Lub losyog sab hauv qab ntawm neeg losyog tsiaj lub qhov ncauj. Sab pobtxha uas tuav cov hniav thiab nyob rau hauv qab: *Nws ntog tsoo nws sab puab tsaig.*
[English] (n) Chin; the lower jaw.

Puabyib (y) Ib hom neeg uas muaj nyob rau Nyablaj thiab Lostsuas tebchaws.
[English] (n) A member of a people inhabiting in Laos, Vietnam and Thailand.

puag[1] (u) 1. Muab ob txhais caj npab mus khawm xws li kom nyob rau hauv yus lub xubntiag: *Nws puag tus menyuam.* 2. Muab ob sab tis vov: *Tus pojqaib puag nws cov qe.*
[English] (v) 1. To hold, esp. with the arms. 2. To incubate (eggs), esp. to cover (the eggs) with the hen's wings or body.

puag[2] (pu) Nyob rau ntawm qhov chaw, feem ntau, yog deb heev:
Lub tsev nyob puag saum roob. (p) Lub sijhawm uas dhau ntev los lawm: *Puag xyoo 1500.*
[English] (adv) Way, esp. by great distance or degree. (adj) The year prior to last or previous year.

puag[3] (y) Luaj li neeg ob sab tes los khawm ua ke: *Tus ntoo muaj ib puag.*
[English] (n) A method of measurement having a diameter equal to extending two arms as making a circle, and by having the finger tips touching each other.

puag ncig[1] (y) Loj luaj li muab ob sab npab los sibkhawm; puag: *Tus ntoo loj luaj*

© 2003 Jay Xiong. All rights reserved.

li ib puag ncig.

***[English]** (n) A method of measurement having a diameter equal to extending two arms as making a circle, and by having the finger tips touching each other.*

puag ncig[2] (pu) Nyob ncig xws li lub vaj; ib cheebtsam: *Cov neeg nyob puag ncig puavleej hnov txhua.*

***[English]** (adv) Around, nearby; within the vicinity.*

puag ta (y) Lub sijhawm tsis ntev dhau los; ib lub sijhawm luv dhau los: *Peb tuaj txog puagta.* (r) Thaum, lub sijhawm ntaw: *Peb tuaj txog puagta tavsu.*

***[English]** (n) A while ago; a moment ago; a short time ago. (prep) At.*

puag thaum (y) Yav thaum ub; lub caij uas ntev los lawm; puag thauv: *Puag thaum peb tseem nyob uake.* (r) *Peb tuaj txog puag thaum tavsu.*

***[English]** (y) A long time from the past; a long time ago. (prep) At.*

puag thaum i (y)Yav thaum ub; lub caij uas ntev los lawm: *Puag thaum i Hmoob tseem tsis muaj ntaub ntawv li.*

***[English]** (y) A long time from the past; a long time ago. (prep) At.*

puag thaum ub (y)Yav thaum ub; lub caij uas ntev los lawm: *Puag thaum ub Hmoob tseem nyob rau Suav Teb.*

***[English]** (y) A long time from the past; a long time ago. (prep) At.*

puam (y) Tej tus ntoo losyog ncej uas siv los tav cov qhab tse: *Nws muaj puam txaus los ua nws lub tsev.*

***[English]** (n) Rafter, raft, stud, beam.*

puam chawj (u) Kavchawj; ciali; tsis quavntsej txog; tso tseg: *Peb puam chawj nws. Peb puam chawj nws qhov teeb meem.*

***[English]** (v) Forget, as to disregard or ignore.*

puam khab (y) Cov nyom, nroj uas tuaj txij li neeg tej: *Ib hav puam khab.*

***[English]** (n) Certain kind of wild plant similar to hay or rice.*

puam sem (y) Ib hom tsiaj uas tsw phem heev: *Ib tus puam sem.*

***[English]** (n) Certain kind of animal having a very bad odor and inhabiting in Laos, Vietnam and southern part of Asia.*

puam tob (y) Rab riam uas tws~ losyog tsis muaj lub hau ntse: *Muab rab puam tob los tsuav cov zaub npuas.*

***[English]** (n) Certain kind of knife made for chopping vegetables, esp. banana*

© 2003 Jay Xiong. All rights reserved.

stalks and the like.

puas[1] (u) Tsis zoo; phem: *Lub tsheb puas vim nws tsav mus tsoo ntoo.* (p) Yam uas puas lawm.
[English] (v,adj) Ruined, destroyed, damaged, corrupted.

puas[2] (nu) Siv los nug txog lub sijhawm pem suab losyog tom hauv ntej: *Puas mus tsev? Wb puas pw?*
[English] (aux. v) Should, will, esp. used in an interrogative way.

puas[3] (y) Tus ntawv suav 100 uas nyob nruab nrab ntawm tus 99 thiab tus 101. (p) Yam uas muaj ntau li: *Nws muaj puas lub tsev. (t).*
[English] (n,adj) Hundred.

puas ntsoog (u.p) Puas thiab ntsoog, xws li ua tej daim me~ lawm.
[English] (v,adj) Damaged, destroyed, esp. into small pieces.

puas tsav yam (t) Ib puas tsav; tag nrho; txhua yam: *Puas tsav yam zoo heev. Ib txhia neeg kuj siv los "ib puas tsav yam" no thiab.*
[English] (pron) Everything.

puas tsuaj (u) Puas xws li tsis zoo; phem: *Lub tsheb puas tsuaj lawm.* (p) Piav txog yam uas puas lawm: *Nws lub neej puas tsuaj lawm.*
[English] (v,adj) Damaged, ruined, destroyed, corrupted.

puav[1] (y) Ib hom tsiaj uas muaj tis xws li noog tabsis ho muaj lub pobntseg zoo xws li nas: *Nws pom ib tus puav.*
[English] (n) Bat, such as any of various nocturnal flying mammals.

puav[2] (u) Muab lawv xws li kom mus rau ib qho chaw: *Peb puav cov nyuj mus rau hauv lub nkuaj.*
[English] (v) 1. To gather, esp. by making or forcing (animals, for example) to go certain way or place. 2. To drive or control (animals) in a herd.

puav[3] (p) Tsis muaj ntau; tsis coob: *Tau tus puav thiab. Leej puav, hnub puav.*
[English] (adj) Some, few.

puav leej (pu) Txhua tus; tas nrho; sawvdaws: *Peb puav leej mus tsev.*
[English] (adv) All, together, everyone.

puav npua (y) Ib hom puav uas loj thiab muaj lub suab quaj xws li lub suab npua.
[English] (n) Certain kind of bats (mammals) that make sound similar to a pig's sound.

© 2003 Jay Xiong. All rights reserved.

puav pheej (y) Tej yam uas muaj losyog tau; tej khoom uas yog cia tau saib thiab khaws tseg: *Tau choj nyiaj los ua puav pheej.*
[English] (n) Keepsake; something given or kept to honor the memory of. 2. Evidence of things; proof.

puav tam (pu) Zoo xws li; zoo nkaus li: *Nws zoo puav tam lub ntuj.*
[English] (adv) Such as; similar to, like.

pub[1] (u) Muab rau lwm tus neeg yuav, tabsis tsis sau nyiaj: *Nws pub nyiaj rau kuv.*
[English] (v) Donate, give (free) to; contribute.

pub[2] (u) Muab qhauv losyog mov rau noj: *Nws pub cov qaib.* (y) Ib lub raj ntoo uas yog siv los ua lub raj pa tshuab lub qhovcub nyob ntawm lub lwjhlaus.
[English] (v) Feed, nourish. (n) A wooden tube between the fire place and the Hmong windbox used by the blacksmith to blow or send air to the fire.

Pubthawj (y) Ib co neeg uas nyob rau tebchaws Lostsuas; neeg Mabdaum.
[English] (n) Khmu; a member of a people inhabiting in Laos, Vietnam and Thailand.

puj (y) <Lees> Tus pog. Lus rov: *Yawm, yawg.*
[English] (n) <Leng> Grandmother, esp. the mother of one's dad's mother.

puj daum (y) Ib hom noog uas muaj cov plaub ntsuab thiab muaj tus kaus ncauj ntev: *Ib pab puj daum.*
[English] (n) Certain kind of tropical bird having green feathers.

puj laug (y) <Lees> Tus niam hlob; yus tus txiv hlob tus poj niam. Hos txiv ntxawm cov pojniam los yeej hu ua "nam ntxawm lossis ntxawm" no thiab.
[English] (n) <Leng> Aunt, esp. the wife of one's uncle, and only used for the uncles that are older than one's father.

puj ntaws (y) Lub qhov losyog qhov chaw uas nyob ntawm txoj hlab ntaws: *Mob nws lub puj ntaws.*
[English] (n) Navel; the location or hole where the umbilical cord connected.

puj ntxws (y) Lub pob me, muaj roj thiab tuaj cov plaub ko tw uas muaj nyob nram noog, qaib thiab os lub pobtw tej: *Tus qaib lub puj ntxws.*
[English] (n) Oil gland, uropygial gland. Also called "ntxws."

puj nyaaj (y) <Lees> Tus phauj; tus yawglaus tus pojniam: *Tug puj nyaaj hab tug txiv kwj.* Lus rov: *Txiv kwj, yawg laus.*

© 2003 Jay Xiong. All rights reserved.

***[English]** (n) <Leng> Aunt, esp. the sister of one's father. Ant: Uncle.*

puj pauv (pu) Siv los piav txog xws li thaum tus neeg muskev, deeg xwb: *Nws deeg puj pauv txog ntawv.*

***[English]** (adv) To walk lamely or limply.*

puj txwm (y) Cov qaib uas muab tua, hau thiab siv los saib xws li thaum noj rooj tshoob seb ob tus neeg sibyuav tshiab puas sibhaum thiab sibraug zoo: *Lawv saib plaub tus qaib puj txwm.*

***[English]** (n) The two (whole) boiled chickens used for reading or foretelling the compatibility of the newly wed couple.*

pum (u) <Lees> Pom: *Nwg pum mej hab.*

***[English]** (v) <Leng> See.*

pum hub (y) Ib hom khoom noj uas neeg siv los xyaw nqaij tej: *Nws cog tau ib thaj pum hub.*

***[English]** (n) 1. Aloe. 2. Mint, such as plants of the genus mentha.*

pum hub qhuav (y) Cov tej daim tshuaj me, dawb, hob thiab nyob hauv lub hwj: *Ib hwj tshuaj pum hub qhuav.*

***[English]** (n) 1. Menthol. 2. Certain kind of mint.*

pus[1] (u) Coj mus; qhia thiab nrog mus; pha: *Nws pus peb khiav.*

***[English]** (v) To lead; to direct or guide as leading the way.*

pus[2] (u) Coj nrog lub cev; muab kwv losyog coj nrog mus: *Tus npua pus txoj hlua. Tus nas pus tus xub ltn...*

***[English]** (v) To take along; to haul, drag or pull with or along with the body.*

puv[1] (u) Muaj txaus losyog txwm: *Puv peb tagkis.* (p) Tsis muaj chaw rau ntxiv lawm: *Nws ntim lub thoob puv.*

***[English]** (v,adj) Full, filled.*

puv[2] (u) Piav txog xws li tus tsiaj losyog tus neeg uas pham lossis npag heev: *Tus npua puv heev.* (p) Yam uas rog thiab puv.

***[English]** (v) Plump. (adj) Plump, as become rounded and full in form.*

puv luj (y) Ib hom txiv uas neeg cog los noj thiab luaj li plab hlaub thiab cov nplooj muaj ib co pos: *Ib lub txiv puvluj. Ib thaj puv luj.*

***[English]** (n) Pineapple.*

puv ntia (pu) Puv nkaus rau; puv heev; phwj yaws: *Cov khoom nyob puv ntia.*

© 2003 Jay Xiong. All rights reserved.

[English] (adv) Fully; completely filled; everywhere.

pw (u) 1. Mus tsaug zog; muab lub cev tso rau saum lub txaj thiab qi muag: *Nws pw ib hmos. Tus dev pw nraum zoov.* 2. Muab lub cev vau rau xws li hauv av losyog saum txaj tej: *Koj pw ntawm no.*

[English] (v) 1. Sleep. 2. Rest, to lie down (on a bed, for example).

pwg (y) Lwm, zaus: *Neeg tuaj saib ntau pwg lawm.*

[English] (n) Time, occurence. Ex: People came to look at it many times.

pwm (y) Cov uas muaj thiab tuaj nyob rau ntawm xws li tej mov uas muab cia tau ntau hnub los lawm: *Tais mov tuaj pwm ntau heev.*

[English] (n) Mold, such as any various fungi.

pwm las (y,pu) Ib lub suab tshuab ua ntej thaum cov raj nplaim.

[English] (n) A starting sound, music note, of the Hmong musical instruments called "raj nplaim."

pwm tshis (y) Ib hom nroj uas tuaj nyob rau hauv tej tiaj losyog hauv tej av: *Peb lub zos muaj nroj pwm tshis ntau heev.*

[English] (n) Certain kind of plant or weed.

q (y) Ib tus ntawv uas siv rau cov lus xws li qaib, qua, qog, qees ltn...

[English] (n) A consonant used for words such as "qaib, qua" etc...

qa (y) Tus me~ uas zoo li tus nplaig thiab nyob tom lub hauvpaus nplaig.

[English] (n) Tonsil.

qab[1] (u) 1. Ua rau nyiam noj; ua rau noj tsis paub dhuav: *Tais fawm qab heev.* 2. Hnov qab losyog muaj nyob rau hauv, xws li qab zib, qab ntsev ltn...

[English] (v) 1. Delicious, flavorful. 2. Having a taste (sweet, for example).

qab[2] (pu) Nyob rau sab hauv losyog sab uas nqis: *Qab txees, qab rooj ltn...*

[English] (adv) Below, underneath, under.

qab[3] (pu) Qhov chaw tomqab; sab uas nyob ze sab nrobqaum: *Peb ua qab.*

[English] (adv) Behind, after.

qab[4] (y) Qhov chaw uas nyob rau tom kawg losyog tomqab: *Nws nyob tom qab.*

[English] (n) The place or location behind or lower. If used with other nouns, it becomes a compound noun or as modifying the second noun. For examples: Qab zeb means below the rock; qab ca means underneath the log etc...

qab cub (y) Qhov chaw nyob ntawm qab ntawm lub qhov cub: *Ntawm qab cub.*

© 2003 Jay Xiong. All rights reserved.

[English] (n) The, lower or southern, area of a fireplace.

qab deg (y) Qhov chaw losyog ntu uas qis tshaj ntawm tus dej losyog lub pas dej. Ib txhia neeg kuj hais tias qabdej: *Peb mus nuv ntses nram qab deg.*
[English] (n) The southern part of a river or lake; the downstream part.

qab hau (y) Muaj nqis, tseemceeb, tsimnyog: *Nws tham tsis muaj qab hau.*
[English] (n) Meaning, purpose, important.

qab ke (y) Qhov chaw uas nram qab ntawm txoj kev. Lus rov: Qaum kev.
[English] (n) The southern place or area below a street, way and/or path.

qab khav (y) Qhov chaw nram qab tsib taug.
[English] (n) The place behind the house, esp. the lower or southern area.

qab los (u,p) Nyiam noj heev; muaj zog noj; noj ntau: *Nws qab los heev.*
[English] (v,adj) Having great appetite.

qab mib (u,p) Qab zib, xws li cov kua kab tsib lossis kua suab thaj tej.
[English] (v,adj) Sweet.

qab ntug (y) Qhov chaw uas lub qhov muag pom mus kawg nkaus ntawm lub ntuj; qab ntuj: *Peb ntsia lub hnub mus ploj kiag puag tim lub qab ntug.*
[English] (n) The horizon, such as the apparent intersection of the earth and the sky which can be seen by an observer.

qab ntxhias (pu) Qab heev: *Nws noj mov qab ntxhias.*
[English] (adv) Tastefully, deliciously.

qab ntxiag (pu) Tsw qab heev thiab tsw thoob plaws: *Nws pleev tshuaj tsw qab ntxiag. Cov paj tsw qab ntxiag.*
[English] (adv) Having great and pleasant odor; great smell.

qab plab (y) Qhov chaw uas hauv qab ntawm lub plab lossis lub cev: *Tus nas nkaum hauv lub qab plab tsheb; nws chaws hauv nees lub qab plab.*
[English] (y) The location underneath or below the belly or body.

qab qwj[1] (y) Hmoob cov paj ntaub uas xaws kom zoo li qwj lub qab: *Nws xaws paj ntaub qab qwj.*
[English] (n) The tuft-like needle work of the Hmong "paj ntaub" craft.

qab qwj[2] (y) Lub qab uas nyob ntawm lub plhaub qwj: *Lub qab qwj yog qhov uas zoo li Hmoob cov paj ntaub.*
[English] (n) The tuft-like at the bottom of the shell of a snail.

© 2003 Jay Xiong. All rights reserved.

qab teb (y) 1. Qhov chaw uas nyob rau nram qab lossis nyob rau qhov chaw qis tshaj: *Dej tsuas muaj ntws mus rau qab teb xwb. 2. Qhov chaw qis ntawm thaj teb.* Lus rov: *Qaum teb.*
[English] (n) 1. South, southern. 2. The southern part or area of a farm. Ant: North, northern.
qab thu (y) Daim av uas nyob hauv lub pas dej: *Cov ntses nyob hauv lub qab thu.*
[English] (n) The bottom or floor of a lake, pond, ocean or river.
qab tsag (y) Qhov chaw uas qis nyob nram qab ntawm lub tsev; qab khav; tsag.
[English] (n) The southern location, mostly the lowest part, near the house.
qab tsib taug (y) Qhov chaw uas nyob nram qab tsev losyog sab uas qis ntawm lub tsev: *Cov npua nyob nram lub qab tsib taug.*
[English] (n) The southern location, mostly the lowest part, near the house.
qab tsuas (y) Qhov chaw uas nyob hauv qab ntawm lub tsua: *Tim lub qab tsuas.*
[English] (n) The place right beneath or below the boulder.
qab tu (y) Thaum tus yawmyij hu tus dab laug tuaj tua tus nyuj rau nws tus muam lub ntees tuag.
[English] (n) A time when the brother-in-law called the brother of one's wife to come and kill/butcher a cow for one's sister's funeral.
qab txag (y) Qhov chaw hauv qab ntawm lub txaj: *Sab khau nyob hauv qab txag.*
[English] (n) Beneath the bed; underneath the bed; below the bed.
qab txees (y) Qhov chaw hauv qab ntawm lub txee: *Lub lauj kaub nyob hauv qab txees losyog hauv qab txee.*
[English] (n) Beneath the kitchen cabinet; underneath the kitchen cabinet.
qab vag tsib taug (y) Ib ncig ze ntawm lub tsev; ib thajtsam uas nyob ncig lub tsev: *Nej ua si nyob ncig tej qab vag tsib taug xwb.*
[English] (n) An area around or nearby the house.
qab zib[1] (u,p) Qab xws li cov kua kab tsib thiab zib ntab tej: *Cov kua kab tsib qab zib heev.*
[English] (v,adj) Sweet, such as having the taste of sugar.
qab zib[2] (u,p) Hais lus zoo thiab mos: *Nws cov lus qab zib heev.*
[English] (v,adj) Sweet, such as using friendly, polite and pleasing words.
qab zog (y) Qhov chaw uas qis tshaj ntawm lub zos: *Nws lub tsev nyob nram*

© 2003 Jay Xiong. All rights reserved.

qab zog. Ib txhiab neeg kuj hais tias "qab zos" no thiab. Lus rov: *Qaum zos.*
***[English]** (n) The south or southern part of a city, village or town.*

qag (y) Tus nqaj hlau loj nyob hauv lub qabplab tsheb: *Tus qag tsheb.*
***[English]** (n) The axle; the main supporting shaft.*

qai (y) <Lees> Qe, xws li pojqaib cov qe.
***[English]** (n) <Leng> Egg.*

qaib (y) Ib hom tsiaj uas muaj tis, tw thiab luaj li os: *Nws muaj ib tus qaib.*
***[English]** (n) Chicken.*

qaib cog (y) Tus lau qaib uas loj thiab cia nyob tsuam cov poj xwb: *Peb muaj ib tus qaib cog.*
***[English]** (n) Cock; a big rooster.*

qaib dib (y) Tus lau qaib uas cia siv mus dib cov qaibqus xwb: *Nws muaj ib tus qaib dib. Tus qaib dib qua zoo heev.*
***[English]** (n) The cock, rooster, that mainly used for calling the wild chickens during a hunting season.*

qaib dub tawv (y) Cov qaib uas nws cov tawv dub thoob plaws, thiab feem ntau muaj cov plaub dub: *Nws nyiam noj qaib dub tawv haus xyaw tshuaj.*
***[English]** (n) Black chicken, esp. having the skin and the feathers all black.*

qaib nras (y) Ib hom tsiaj uas zoo xws li qaib, tabsis me thiab muaj nyob tom hav nras: *Ib tus qaib nras.*
***[English]** (n) Certain kind of chicken like fowls that mostly live in the wild.*

qaib ntxhw (y) Ib hom qaib uas loj thiab muaj tus kausnqaij zoo xws li ntxhw tus kaus: *Nws muaj ib pab qaib ntxhw.*
***[English]** (n) Turkey.*

qaib pham* (y) Ib hom qaib uas loj thiab pham heev. Cov qaib no feem ntau yog yug los kom tau noj qe xwb. Tib yam qaib li qaib phas.
***[English]** (n) Chicken, esp. the fat and big kind of chickens.*

qaib phas (y) Ib hom qaib uas loj thiab pham heev. Cov qaib no feem ntau yog yug los kom tau noj qe xwb. Lo lus "pha" yog lus Lostsuas.
***[English]** (n) Chicken, esp. the fat and big kind.*

qaib qus (y) Cov qaib uas ibtxwm nyob tom hav zoov: *Ib pab qaib qus.*
***[English]** (n) Wild chicken.*

© 2003 Jay Xiong. All rights reserved.

qaib sam (y) Cov lau qaib uas neeg muab ob lub noob qis hlais tawm lawm: *Nej muaj qaib sam coob heev.*
[English] (n) A castrated rooster.

qaib soob* (y) Cov qaib uas me uas xws li loj zog tus nquab: *Ob tus qaib soob.*
[English] (n) Rock cornish.

qaib thaib (y) Cov qaib uas neeg nyiam tu los sibncaws: *Ob tus qaib thaib.*
[English] (n) Thai chicken, esp. the fighting kind.

qaij (u) Tig, zig xws li tsis ntseg: *Lub rooj qaij ua rau cov dej nchuav.* (p) Piav txog yam uas qaij ntawv.
[English] (v) Tilt, slant. (adj) Tilted, slanted.

qaij de (p) Nyob xws li qaij; qaij lawm: *Nws ua tau ib lub tsev qaij de.*
[English] (adj) Tilted, slanted.

qaij nrus (p) Qaij losyog tig rau ib sab: *Lub hnub poob qaij nrus lawm.*
[English] (adj) Tilted, slanted.

qaim[1] (u) Muab tso rau hauv lub qhovtsos: *Nws qaim tus menyuam.*
[English] (v) To grab, i.e., a baby, with the arm. To tug, things, inside the arms.

qaim[2] (u) Kaj losyog pomkev. Feem ntau yog siv nrog lo lus "hli" xwb.
[English] (v) Bright, shiny, such as having light.

qaim hli (u) Kaj losyog pomkev los ntawm lub hli: *Hmo no qaim hli heev.* (y) Txoj kev pom losyog kaj los ntawm hlub hli.
[English] (v) Shine, esp. emitting light from the moon. (n,adj) Moonshine; having bright moonlight.

qaim lias (u) Muab qaim kiag los, xws li rau hauv lub xubntiag.
[English] (v) To hug or grab (something) using one's arms.

qaim qho (u) Muab qaim kiag los: *Nws qaim qho tus menyuam.*
[English] (v) To grab or hug (something) by using one's arms.

qais[1] (y) Cov kua dawb~ uas thaum tus menyuam haus mis tas es nws muab ntuav tawm los: *Tus menyuam cov qais.*
[English] (n) White liquid (milk) comes from a baby's mouth, esp. when the baby just finished drinking milk without burping.

qais[2] (y) Ob tus txha uas nyob ntawm neeg ob sab xubpwg: *Neeg ob tus qais.*

© 2003 Jay Xiong. All rights reserved.

[English] (n) Clavicle, collarbone.

qaj (y) Lub suab uas xws li thaum neeg pw thiab tsaug zog es nws ua lub suab nrov tawm hauv lub cajpas losyog lub qhov ncauj tuaj: *Nws ua qaj heev.*
[English] (n) Snore.

qas[1] (p) Tus, niag losyog yam uas. Feem ntau neeg tsis tshua siv lo lus no: *Niag qas vuab tsuab; niag qas pluag li ntawv; niag qas ruam ltn...* (pu) Ua kiag; muaj kiag li: *Qas txawb mus, qas tsoo rau ltn...*
[English] (adj) That. (adv) Suddenly.

qas[2] (u) <Lees> Qias, xws li tsis huv; qias neeg tej.
[English] (v) <Leng> Having an unpleasant feeling or view due to dirtiness.

qas lawg (u) Ua kom tsoo; ua kom raug uas feem ntau yog txhob txwm tsoo: *Nws qas lawg rau tus ntoo. Nws qas lawg rau ub, qas lawg rau no.*
[English] (v) To hit or bang into (something, for example).

qas niab (p) Muaj ntau; muaj cuag li cas: *Nws lub tsev ntxhov qas niab.*
[English] (adj) Messy, very messy.

qas nrees (pu) Siv los pab cov lus xws li ruaj, khov, tawv ltn... *Nws tuav kuv tes ruaj qas nrees tsis kam tso li.*
[English] (adv) Firmly, sturdily, steadfast.

qas ntsoov (pu) Muaj nyob hauv lub siab tas mus li; nco txog txhua lub caij: *Kuv nco qas ntsoov txog nej sawvdaws. Nws vam qas ntsoov txog peb.*
[English] (adv) Always, constantly.

qas ntsuav (pu) Ua rau nyuaj; ua rau ntxhov siab: *Nws nyuaj siab qas ntsuav.*
[English] (adv) Much, more.

qas to (pu) Siv pab cov lus ua xws li ntsiag: *Nws nyob ntsiag qas to.*
[English] (adv) Quietly, calmly.

qas yeev (pu) Siv rau lub caij hais kwv txhiaj ntau xwb; sawv ntseg ntsees: *Nws sawv qas yeev ntawm koj xubntiag.*
[English] (adv) In a standing or upright manner.

qau (y) Tus leeg uas nyob ntawm cov txivneej losyog tsiaj obceg thiab siv los tso zis tej; noov: *Txhua tus txivneej yeej muaj ib tus qau.* Lus rov: *Paum, pim.*
[English] (n) Penis. Ant: Vagina.

qaub[1] (u) Qab xws li thaum cov txiv tsis tau siav: *Cov txiv lws suav qaub heev.*

© 2003 Jay Xiong. All rights reserved.

(p) Yam uas qaub tej: *Nws tsis nyiam noj cov txiv qaub.*

***[English]** (v,adj) 1. Sour, such as a taste of lemon. 2. Tart.*

qaub[2] (u) Muab rub los; muab ua kom rawv los rau hauv av: *Nws qaub tus ceg ntoo los rau hauv av.*

***[English]** (v) To pull (a tree branch, for example) down, esp. so one can reach.*

qaub[3] (u) Ib hom khoom noj uas yog chais losyog kaus los ntawm cov txiv taub ntoos uas tseem ntsuab, thiab neeg muab tuav xyaw kua txob, lws suav, thiab ntsev ltn...*Lub caij sov, neeg nyiam noj qaub heev.*

***[English]** (n) Sour papaya, esp. when mixed with lemon, salt and peppers.*

qaub ncaug (y) Cov kua uas nyob hauv lub qhov ncauj; aubncaug: *Nws nti cov qaubncaug tawm. Lo no thiab lo "aubncaug" neeg siv muslos tibyam.*

***[English]** (n) Saliva.*

qaug[1] (u) 1. Vau, ntog xws li thaum nkees thiab tsis muaj zog: *Nws qaug rau hauv av.* 2. Mloog losyog raug lwm tus ntxias: *Koj qaug nws lus.*

***[English]** (v) 1. To fall; to collapse; to tumble. 2. To be coaxed or coerced by.*

qaug[2] (u) Tsis meejpem losyog tsis ncoqab zoo vim noj losyog haus ntau dhau: *Nws qaug cawv lawm; nws qaug cov tshuaj.*

***[English]** (v) Drunk, such as intoxicated with alcoholic liquor.*

qaug[3] (u) Ua rau kiv thiab xeev siab: *Nws qaug menyuam, nws qaug qav ltn...*

***[English]** (v) Dizzy, esp. having a whirling feeling or sensation.*

qaug dabpeg (y) Ib yam mob uas ua rau tus neeg kiv thiab ntog losyog vau: *Nws mob qaugdabpeg.*

***[English]** (n) Epilepsy.*

qaug doj qaug de (p) Yuav vau uas zoo xws li thaum tus neeg qaug cawv es nws yuav vau tej: *Tus neeg qaug cawv mus kev qaug doj qaug de.*

***[English]** (adj) Walking or moving similar to a drunken person or when one is very weak.*

qaug nyos (pu) Siv los piav txog xws li thaum tus neeg pw thiab ua qaj tej: *Lawv pw ua qaj qaug nyos.*

***[English]** (adv) Snoring with a deep sleep.*

qaug poj qaug poog (p) Ua xws li yuav vau; mus xws li tus neeg uas qaug cawv: *Nws mus kev qaug poj qaug poog vim nws qaug cawv.*

© 2003 Jay Xiong. All rights reserved.

[English] (adj) Walking or moving similar to a drunken person or when one is very weak.

qaug quav (u) Ntseeg, mloog hais: *Tsis txhob qaug quav vim nws dag xwb.*

[English] (v) Believe, esp. to someone's persuasion.

qaug zog[1] (u) Nkees thiab tsis muaj zog. Feem ntau yog siv rau xws li thaum muaj mob xwb: *Nws qaug zog vim nws muaj mob.* (p) Piav txog tus neeg uas nkees losyog tsis muaj zog.

[English] (v) Fatigue, tire, exhaust. (adj) Lethargic, tiresome, fatigue.

qaug zog[2] (u) Tsis muaj siab ua: *Thaum nws khiav lawm ua rau peb qaug zog heev.* (p) Piav txog tus neeg uas tsis xav ua ntxiv lawm.

[English] (v) Depress, discourage. (adj) Become depressed, hopeless.

qauj[1] (u) Ua rau xws li lub mostxwv tawg tsis taus: *Nws tua rab phom tsis nrov vim lub mostxwv qauj lawm.* (p) Yam uas tua es tsis nrov ntawv.

[English] (v,adj) Failed to fire or explode, such as bullet.

qauj[2] (u) Daug losyog muaj tsis taus menyuam xws li lub qe: *Lub qe qaib qauj.*

[English] (v) Egg that can not conceive baby (chicken egg, for example).

qauj[3] (u) Tsis pomkev zoo uas xws li lub qhov muag puas lawm: *Nws ib sab qhov muag qauj lawm.* (p) Piav txog yam uas qauj ntawv.

[English] (v,adj) Become blind or blinded.

qauj le (p) Piav txog yam uas zoo li qauj losyog ua rau tsis pom kev zoo: *Nws taws ib lub teeb qauj les.*

[English] (adj) Dim, such as a dim lightbulb.

qauj muag (u) Ua rau lub qhov muag qauj losyog tsis pomkev zoo: *Neeg qauj muag ces tsis pom kev zoo.* (p) Yam uas qauj muag ntawv.

[English] (v,adj) Become blind or blinded.

qauj muag les (p) Muab lub qhov muag tig losyog lem mus saib, tabsis tsis tig lub ntsej muaj mus: *Nws ua tug qauj muag les rau kuv.*

[English] (adj) To look or stare at bu using just the corner of the eyes.

qaum (p) Sab losyog qhov chaw uas nyob siab sauv: *Qaum kev, qaum teb, qaum ntuj, qaum zos, qaum roob ltn...* Lus rov: *Qab.*

[English] (adj) On top of; above of; northern of.

qaum ke (y) Qhov chaw uas siab zog ntawm txoj kev. Lus rov: *Qab kev.*

© 2003 Jay Xiong. All rights reserved.

[English] (n) The northern place or area above a street, way and/or path.

qaum ntuj (y) Qhov chaw saum lub ntuj: *Huabtais nyob saum qaum ntuj.*
[English] (n) Above the earth; northern part of the earth; heaven.

qaum teb (y) 1. Qhov chaw uas nyob pemtoj lossis nyob rau qhov chaw siab tshaj: *Dej ntws pem qaum teb mus rau qab teb. 2. Qhov chaw siab ntawm thaj teb.* Lus rov: *Qab teb.*
[English] (n) 1. North, northern. 2. The northern part or area of a farm. Ant: South, southern.

qaum zos (y) Qhov chaw uas siab tshaj ntawm lub zos: *Nws nyob pem qaum zos.*
[English] (n) The northern part of a city, village or town.

qaus (u,p) Puas xws li tsis pomkev; qauj: *Nws ib sab qhov muag qaus lawm.*
[English] (v,adj) Become blind or blinded.

qaus liv (y) Ib hom kab uas muaj ob sab tis thiab muaj lub duav ntev~ tabsis tsis muaj txha. Cov kab no feem ntau ya tsaws tej togpas uas nyob ze ntawm tej ntug dej xwb: *Ib tus qaus liv.*
[English] (n) Dragonfly.

qauv[1] (y) Yam uas ua los qhia, saib losyog kom paub tias zoo li cas: *Nws yuav tau ib daim paj ntaub los ua qauv.*
[English] (n) Sample, example, model.

qauv[2] (y) Tus neeg uas tuag: *Tus qauv lwj thiab qauv tsw.*
[English] (n) A dead body; a deceased person.

qauv[3] (y) Ib hom ntoo uas zoo tshuaj ntau yam: *Ib tsob ntoo qauv.*
[English] (n) Certain kind of tree that some people used as herbal medicine.

qauv nris (pu) Vau losyog rawv rau hauv av. Feem ntau yog piav txog xws li tej ceg ntoo txi txiv ncw heev: *Tus ceg ntoo nyob qauv nris vim txi txiv ntau.*
[English] (adv) Droopy. To bend or hand downward similar to the tail (feather) of a rooster.

qav[1] (y) Ib hom tsiaj uas nyob tau hauv dej thiab saum nqhuab: *Ob tus qav.*
[English] (n) Frog.

qav[2] (y) Zaub, mov noj tej: *Nej muab dabtsi ua tej qav no? Neeg xaiv qav dhau.*
[English] (n) Meal, food.

qav kaws (y) Ib hom qav uas muaj ib co pob ntau~ nyob ntawm nws daim tawv:

© 2003 Jay Xiong. All rights reserved.

Ib tus qav kaws. Qav kaws txawj txuas ib cov kua mis.
***[English]** (n) Toad.*

qav ntos (y) Ib hom qav uas luaj li lub nrig, thiab neeg nyiam noj: *Ib tus qav ntos.*
***[English]** (n) Frog, esp. the kind that is similar to bullfrog.*

qav ntos ntsuab (y) Ib hom qav uas luaj li lub nrig, thiab neeg nyiam noj.
***[English]** (n) Green frog, esp. the kind that people eat; bullfrog.*

qav ntsuab (y) Ib hom qav uas lub cev ntsuab~ zoo xws li daim nplooj ntoo.
***[English]** (n) Green frog, esp. the very small kind.*

qav quav yeeb (y) Ib hom qav uas muaj testaw ntev thiab tsw quav yeeb heev.
***[English]** (n) Certain kind of frog.*

qav taub (y) Ib hom menyuam kab uas yog muaj los ntawm cov qe qav: *Nws ntes taub ob tus qab taub.*
***[English]** (n) Tadpole.*

qawj (u) Saus ua ib tus kwj; zawj ua lub hav losyog ua tej kab: *Txoj kev qawj vim muaj neeg mus heev.* (p) Piav txog yam uas qawj.
***[English]** (v,adj) Depressed, esp. such as sunk below the surrounding region.*

qawm (u) Muab ob txhais tes mus khawm; mus puag: *Nws qawm tus menyuam.*
***[English]** (v) 1. To grab or hold, esp. with both arms. 2. To hug. 3. To clasp.*

qawm qho (u) Qawm kiag; tuav losyog khawm kiag: *Tus menyuam qawm qho nws niam tsis pub nws niam mus.*
***[English]** (v) To clasp, hug or hold closely, esp. in the arms, quickly.*

qaws[1] (u) Muab rub losyog quav kom siab: *Nws qaws nws lub ris.*
***[English]** (v) To pull, i.e., the sleeves of a shirt or trousers, up.*

qaws[2] (u) Los uake; sibtau, sibyuav: *Pub deev tsis pub qaws.* (pu) Siv los pab cov lus xws li: *Nws quaj qaws; nws hu ntuj qaws ltn...*
***[English]** (v) To marry; to take as a spouse. (adv) Loudly, esp. such as when one cries or utters.*

qaws qoom (y,pu) Lub suab uas xws li thaum neeg haus dej es nrov: *Nws haus dej qaws qoom vim nws nqhis dej heev.*
***[English]** (n,adv) A sound when someone drinks water, for example.*

qe[1] (y) Lub dawb~ uas tawm ntawm xws li pojqaib los: *Pojqaib cov qe.*
***[English]** (n) Egg.*

© 2003 Jay Xiong. All rights reserved.

qe[2] (u) Muab kaw; muab ob sab xws li neeg lub qhov muag kaw: *Nws qe nws ob lub qhov muag.* Lus rov: *Rua, qhib.*
[English] (n) To close or shut, (he closes his eyes, for example).

qe nqaij (y) Tej lub kheej~ luaj li ntivtaw xoo, thiab yog muab nqaij ua. Feem ntau neeg siv los xyaw fawm tej xwb: *Nws nyiam noj fawm xyaw qe nqaij.*
[English] (n) Meatball.

qe qaum (y) Tej lub kheej~ thiab me; cov tej lub zoo li cov suab uas nyob rau hauv lub mostxwv: *Cov suab phom yog ib co qe qaum hlau.*
[English] (n) Any egg like or round objects.

qee[1] (u) Muab ib co tseg; faib ib co cia; tseg rau: *Nws qee tau ib tais mov.*
[English] (v) To save or preserve (some food for someone, for example).

qee[2] (u) Muab tshem tawm tseg; tsis txhob siv kom tas: *Nws qee nws lub siab phem.* (p) Tej cov, tej tus, tus puav, ib txhia: *Qee leej neeg, qee zaus ltn...*
[English] (v) To reduce or decrease, such as anger or temper. (adj) Some.

qeeb (u) Tsis nrawm; tsis ceev; majmam uas xws li mus kev tej: *Nws qeeb dhau.* (p) Yam uas qeeb: *Nws hais lus qeeb heev.* Lus rov: *Ceev, nrawm.*
[English] (v,adj) Slow. Ant: Fast, speedy.

qeeb siab (u) Tsis maj; tsis tsuag~: *Koj qeeb siab dhau.*
[English] (v) Being slow, such as not in a hurry.

qeeg (u) Ua rau tshee; ua rau xws li lub ntiajteb txav losyog tshee: *Daim av qeeg.* (y) Rab qeej: *Tus neeg txawj qeeg.*
[English] (v) Quake, shaken. (n) A Hmong musical instrument made with many small bamboos.

qeej (y) Rab uas muab ntau tus xyoob qeeg los ua, thiab siv los tshuab xws li thaum muaj neeg tuag losyog muaj Tsiab Pebcaug tej: *Ib rab qeej.*
[English] (n) A Hmong musical instrument made with many small bamboos.

qeej cob tsiaj (y) Zaj qeej uas tshuab thiab muab tus tsiaj cob rau tus neeg tuag.
[English] (n) A "qeej" song or melody perform at a funeral rite, esp. when giving or devoting an animal to the dead person.

qeej su (y) Zaj qeej tshuab rau tus neeg tuag uas piav txog lub caij noj su.
[English] (n) A "qeej" song or melody perform at a funeral rite, esp. before eating or serving lunch.

© 2003 Jay Xiong. All rights reserved.

qeej tsa nees (y) Zaj qeej uas tshuab rau tus neeg tuag lub caij uas yuav muab tus tuag tso rau saum tus nees--lub chaw tso tus tuag.
[English] *(n) A "qeej" song or melody perform at a funeral rite, esp. when ready to put the dead person on the coffin stand or in the coffin.*

qeej tshais (y) Zaj qeej tshuab rau tus neeg tuag uas piav txog lub caij noj tshais.
[English] *(n) A "qeej" song or melody perform at a funeral rite, esp. before eating or serving breakfast.*

qeej tsiab nqaig (y) Ib zaj qeej uas tshuab tomqab thaum muab tus neeg tuag faus tag, thiab yuav tso cai rau cov xyom cuab noj nqaij. Feem ntau yog muaj thiab siv nyob rau hauv cov Hmoob Vaj Txawb Tsiab Nqaig xwb.
[English] *(n) A "qeej" song or melody performed after the burial of the deceased so that his/her family can eat meat.*

qeej tu siav (y) Zaj qeej tshuab rau tus neeg tuag thaum tus neeg siav tu lawm.
[English] *(n) A "qeej" song or melody perform at a funeral rite, esp. right after a person pronounced dead.*

qees (pu) Ib lo lus siv los pab cov lus xws li noj, mus, hais ltn... Lo lus no yog piav txog xws li hais tsis tsum li: *Nws hais qees tias kom peb mus.*
[English] *(adv) To insist or request in a non-stop manner; persistently.*

qeev (y) Cov kua nplaum, feem ntau yog daj, uas xws li tawm hauv lub ntsws los rau saum lub qhov ncauj. Feem ntau yog muaj los ntawm cov neeg mob ntsws losyog thaum tau khaubthuas txuam nrog kev hnoos. Ib txhia neeg kuj hu ua "hnoosqeev" no thiab.
[English] *(n) Phlegm, mucus.*

qeg (u) Tas, siv, noj ntau heev; qig: *Nws lub tsheb qeg roj heev.*
[English] *(v) Waste, consume, use (his car uses too much gas, for example).*

qej (y) Ib yam khoom noj zoo li lub dos, tabsis nws muaj ntau txauj nyob uake, me thiab tsw heev: *Nws nyiam noj qej heev.* Qee leej kuj hais tias "qij" no thiab.
[English] *(n) Garlic.*

qes[1] (u) Thaj chaw uas tsis siab; qis: *Daim liaj qes dua lub roob.*
(p) Yam uas tsis siab ntawv: *Nws pom ib tus neeg qes.* Lus rov: *Siab.*
[English] *(v) Low, as not high or tall. (adj) 1. Low. 2. Short.*

qes[2] (u) Ntxee leeg losyog ua rau lub pob qijtxha txav; qis: *Nws txhais taw qes*

© 2003 Jay Xiong. All rights reserved.

vim nws ntog. (p) Yam uas ua rau qes losyog mob vim yog ntxee leeg.
[English] (v) Sprain. (adj) Become sprained.

qev (u) Txais lwm tus cov khoom los siv es mam muab rovqab rau; qiv: *Nws qev kuv rab taus.* (y,pu) Lub suab uas xws li thaum qhcb lub qhovrooj es nrov tej.
[English] (v) Borrow. (n,adv) A sound of a door opening.

qev kauv txhais (z) Khiav mus xws li tsis qhia; khiav: *Nws qev kauv txhais lawm.*
[English] (idiom) To quietly leave, esp. in a secretive way, escape.

qh (y) Ib tus ntawv siv rau cov lus xws li qha, qhuav, qhawv ltn...
[English] (n) A consonant used for words such as "qha, qhuav" etc...

qha[1] (u) Muab ziab losyog tso rau saum cov pa taws kom qhuav; ziab kom txhob ntub: *Nws qha cov nqaij.*
[English] (v) 1. To dry, esp. by putting near the fire or heat. 2. To Smoke (meat) as to preserve it.

qha[2] (u) Muab ncua losyog khuam tseg uas xws li txhobtxwm tsis pab: *Nws qha lawv tau ntau hli.*
[English] (v) To postpone or put off purposely; to delay intentionally.

qha[3] (u) <Lees> Qhia, xws li hais rau paub.
[English] (v) <Leng> Tell, inform, teach.

Qhab[1] (y) Cov neeg uas nyob tom hav zoov thiab nyob tsis muaj zos. Feem ntau yog tsis hnav khaub ncaws li. Neeg Khab; Mabqus: *Nws yog neeg Qhab.*
[English] (n) Indian, esp. those that live in the wilderness; bushmen.

qhab[2] (y) Cov nqaj uas siv los tuav lub rutsev kom zoo muab vuas losyog nplooj los tsuam rau sab sauv: *Ib lub tsev yuavtsum muaj ntau tus qhab.*
[English] (n) Rafter, such as one of the sloping beams that supports a roof.

qhaib[1] (u) Muab tam, hom, cuam tseg xws li kom txhob muaj lwm tus yuav lawm. Feem ntau yog siv los piav txog xws li thaum tus tub leej niam thiab txiv muab nyiaj mus qhaib tus ntxhais rau tus tub xwb: *Nws qhaib lawv tus ntxhais.*
[English] (v) To reserved, esp. as being engaged or pledged to marry.

qhaib[2] (u) Ua kom los sibkhuam; ua sibchab, sibchaws xws li ob tsob ntoo tej: *Ob tus ntoo los qhaib ua ib tsob loj heev. Nws qhaib khaubruab.*
[English] (v) 1. To interlock. 2. To construct by interlacing or interweaving strips or strands of materials.

© 2003 Jay Xiong. All rights reserved.

qhaib xyab (y) Ib hom tshuaj ntsuab.
[English] (y) Certain kind of herb.
qhaib xyab liab (y) Ib hom tshuaj ntsuab uas ib txhia neeg siv los kho xws li thaum kem txiv neej. Ib txhia neeg kuj hais tias zoo rau mob kascees no thiab.
[English] (y) Certain kind of herb.
qhau (u) Muab rub losyog nias kom vau rau hauv av: *Nws qhau kuv rau hauv av.*
[English] (v) To down, esp. such as to take or wrestle (person) to the ground.
qhaub (y) Tus pas uas muab hlua khi thiab siv los cuab tsiaj tej: *Peb txiav ntoo los ua qhaub.*
[English] (n) A rod or tree branch used for pulling the rope or hook of a snare.
qhaub noom (y) <Lostsuas> Tej lub losyog tej daim uas, feem ntau qabzib heev, yog muab txiv hmab, txiv ntoo losyog lwm yam txiv los nyoj xyaw xws li suabthaj tej: *Nws nyiam noj qhaub noom heev.*
[English] (n) <Laotian> Candy.
qhaus (y) Ib hom nroj uas zoo li cov qhiav tabsis muaj nyob tom hav zoov xwb: *Ib tsob qhaus.*
[English] (n) Lotus.
qhauv (y) Tej khoom noj uas xws li pobkws thiab nplej, thiab feem ntau yog siv los pub tsiaj xwb: *Muab qhauv pub qaib thiab pub npua.*
[English] (n) Animal food.
qhav (y) <Lees> Qhiav.
[English] (n) <Leng> Ginger.
qhaws (u) Ua kom kaw losyog ua kom los uake: *Nws qhaws nws ob sab ceg.*
[English] (v) Close (legs), such as to shut or cover the gap between two legs.
qhaws ceg (p) Qhaws, muaj los nyob sibze lossis uake: *Nws mus kev qhaws ceg.*
[English] (adj) To walk, esp. by making the legs closely together.
qhaws qhoom (pu) Piav txog thaum tus pojqaib cuab nws cov menyuam: *Tus pojqaib cuab nws cov menyuam qhaws qhoom.*
[English] (adv) The calling sound of a hen, esp. when leading her chicks.
qhawv (pu) Tawv uas xws li tsis kam mus; tsis kam ua. Feem ntau yog siv tomqab ntawm lo "tawv" xws li: *Nws tawv qhawv tsis kam noj. Daim av qhuav qhawv vim tsis los nag tau ntau hli.*

© 2003 Jay Xiong. All rights reserved.

[English] (adv) Used to describe words such as "tawv, qhuav" etc... When used with "qhuav" it means very, and when used with "tawv" it means "firmly."

qhe (u) Muab noj; noj, thiab yog siv los cem xwb: *Nws qhe mov tag lawm.*
[English] (v) Eat, consume (slang and offensive use only).

qheb[1] (y) Ib hom ntoo uas tawv heev: *Tsob qheb loj thiab siab heev.*
[English] (n) Certain kind of tree, such as oak tree.

qheb[2] (u,p) Muab ua kom rua; qhib: *Nws qheb lub qhovrooj.*
[English] (v,adj) Open.

qhev (y) Tus neeg uas ua haujlwm rau lwm tus. Feem ntau yog ua dawb losyog ua es tus tswv them nyiaj me~ xwb: *Lawv yog tus nom cov qhev.*
[English] (n) Slave, worker.

qhia (u) Hais rau kom paub; ua thiab pab kom lwm tus txawj thiab paub: *Nws qhia qeej rau peb. Nws qhia ntawv rau cov menyuam.*
[English] (v) Teach, tell, inform.

qhiav (y) Ib hom khoom noj uas neeg cog thiab siv los xyaw nqaij: *Ib tsob qhiav.*
[English] (n) Ginger.

qhiav dub (y) Ib hom tshuaj (nroj) uas zoo li qhiav tabsis dub.
[English] (n) Black ginger.

qhiav qus (y) Ib hom nroj uas zoo xws li qhiav, tabsis tawv dua. Feem ntau neeg siv cov cag los xyaw nqaij tej: *Ib tsob qhiav qus.*
[English] (n) Wild ginger.

qhib (u,p) Muab ua kom rua; qheb: *Nws qhib lub qhov rooj.* Lus rov: *Kaw.*
[English] (v,adj) Open. Ant: Close, shut.

qho (y) Lub qhov; tej lub uas xws li lub qhov dej losyog lub qhov taub: *Nws mus poob qho.* (p) Tej cov; ib txhia: *Qho tus neeg; qho lub zos; qho leej ltn...*
[English] (n) Hole, an opening. (adj) Some.

qhoo (y) Muaj ntau tus, txoj, pob nyob uake: *Obpeb qhoo.* (h) Yam uas yog qhoo losyog muaj li qhoo: *Ib qhoo zaub.*
[English] (n) Bundle, bunch, cluster, clump. (cl) Resembling a bundle.

qhoob (u) 1. Hu cov menyuam; ua suab hu xws li thaum tus pojqaib coj cov menyuam mus nrhiav kab: *Tus pojqaib qhoob nws cov menyuam.* 2. Sibhu; ua suab sibhu uas xws li os tej: *Thaum sawvntxov cov os sibqhoob.*

© 2003 Jay Xiong. All rights reserved.

[English] (v) 1. To call (chicks) by their mother (hen). 2. To call each other, such as when ducks calling or uttering sounds to each other.

qhov[1] (y) Lub qho; muaj to, ntuag ua tej lub losyog tej kab; yam uas saus lossis to: *Nws khawb tau ib lub qhov. Lub ris to ntau lub qhov.*

[English] (n) Hole, an opening, gap.

qhov[2] (y) Yam, hom ltn... *Qhov zoo, qhov phem, qhov dub, qhov ntau...*

[English] (n) Thing, article, method, way.

qhov[3] (t) Yam khoom uas: *Qhov tsis yog ces yog ua tsis ncaj.*

[English] (pron) The one; the thing.

qhov av (y) Tej qhov uas muaj nyob hauv daim av: *Ib lub qhov av.*

[English] (n) A hole in the ground.

qhov chaw (y) Thaj, chaw: *Peb mus sibtham ntawm qhov chaw dav heev.*

[English] (n) Location, place.

qhov cub (y) Lub losyog qhov chaw uas muaj hluav taws: *Peb los nte taws ntawm lub qhov cub.* Lub qhovcub thiab lub cubtawg yog txhais tias lub uas muaj hluav taws. Qhovcub yog lo siv heev tshaj. Cubtawg yog siv rau xws li thaum muab taws los rauv uake xwb.

[English] (n) Fireplace, stove.

qhov cub xob* (y) Cov qhovcub uas siv hluav taws xob: *Nyob rau tebchaws Miskas, neeg siv qhovcub xob ntau xwb.*

[English] (n) Stove, esp. the electric kind.

qhov dej (y) Lub qhov uas muaj dej nyob hauv: *Nyob ntawm lub qhov dej. Lawv khawb tau ib lub qhov dej.*

[English] (n) Well, esp. water well.

qhov kiav txhab (y) Lub qhov uas xws li muaj dabtsi hlais losyog ua rau daim tawv nqaij to: *Nws lub qhov kiav txhab tsis paub zoo li.*

[English] (n) A wound or a cut, esp. when it has been partially healed.

qhov muag (y) Ob lub uas ua rau neeg thiab tsiaj pomkev thiab nyob ntawm lub ntsej muag: *Ib tus neeg muaj ob lub qhov muag.* Neeg kuj siv lo "muag" thiab: *Ntsej tsis hnov thiab muag tsis pom.*

[English] (n) Eye, vision.

qhov ncauj[1] (y) Lub uas neeg siv los noj mov thiab hais lus: *Nws lub qhov ncauj.*

© 2003 Jay Xiong. All rights reserved.

Neeg kuj siv lo "ncauj", xws li: *Noj ntawm ncauj ces tsw ntawm ntswg.*
***[English]** (n) Mouth.*

qhov ncauj[2] (y) Qhov chaw losyog ntu uas yuavtsum xub pib mus hla, nkag lossis mus txog rau ua ntej tshaj yuav mus tau rau lwm qhov chaw.
***[English]** (n) A place or location where all things must first go through there.*

qhov ntsej (y) Lub qhov uas muaj nyob ntawm lub pobntseg: *Lub qhov ntsej.*
***[English]** (n) 1. Ear canal. 2. (Slang) Ear.*

qhov ntswg (y) Ob lub qhov uas nyob ntawm lub taub ntswg: *Lub qhov ntswg.*
***[English]** (n) 1. Nostril. 2. Nose.*

qhov ntuj (y) Lub qhov uas to loj mus rau hauv av thiab tob. Feem ntau qhov ntuj tsis yog neeg khawb tabsis yog ibtxwm muaj los: *Lub qhov ntuj.*
***[English]** (n) A natural hole or opening on the ground, esp. big and deep formed in certain part of the world.*

qhov paum (y) Lub qhov uas nyob ntawm lub paum losyog lub pim: *Cov poj niam tso zis tawm ntawm lub qhov paum los.* Lus rov: *Qhov qau.*
***[English]** (n) 1. A vagina hole. 2. An opening of the vagina.*

qhov pim (y) Lub qhov paum. Feem ntau yog siv los sibceg xwb.
***[English]** (n) 1. A vagina hole. 2. An opening of the vagina (a swear word).*

qhov qau (y) Lub qhov uas muaj nyob ntawm tus qau: *Cov txiv neej tso zis tawm ntawm lub qhov qau los.* Lus rov: *Qhov pim, qhov paum.*
***[English]** (n) 1. A penis hole. 2. An opening of the penis (a swear word).*

qhov quav[1] (y) 1. Lub qhov uas nyob nram pobtw thiab siv los tso quav: *Txhua tus neeg yeej muaj ib lub qhov quav.* 2. Lub pobtw: *Mob nws qhov quav.*
***[English]** (n) 1. Anus. 2. Buttock.*

qhov quav[2] (y) Ntses losyog tsiaj lub qhov quav.
***[English]** (n) Vent, such as the excretory opening of the digestive tract in animals, birds and snakes etc...*

qhov quav[3] (y) Lub qhov khawb nyob rau hauv av, thiab yog siv los rau neeg tau tso quav rau hauv: *Nws khawb tau ib hlub qhov quav.*
***[English]** (n) A hole dug into the ground for storing human waste; a holding tank which is used to store human waste.*

qhov qwb (y) Thaj losyog qhov chaw uas zawj thiab nyob nraum lub xub qwb.

© 2003 Jay Xiong. All rights reserved.

***[English]** (n) The depressed part on the back of the human neck.*

qhov rai (y) Lub qhov uas tho nyob rau ntawm tej phabntsa tsev es kom pomkev tej: *Nej lub tsev muaj ntau lub qhov rai.*

***[English]** (n) Window.*

qhov raws (y) Thaj uas nyob tomqab ntawm lub hauvcaug: *Mob nws lub qhov raws es nws thiaj mus tsis taus kev.*

***[English]** (n) The area or part behind the knee.*

qhov rooj (y) Lub qhov uas neeg tho losyog ua kom tau mus rau hauv lub tsev: *Nej lub qhov rooj dav heev.*

***[English]** (n) Door, gate.*

qhov rooj tag (y) Lub qhov rooj uas nyob rau sab qab tsag losyog sab uas tig rau nram lub qab zos: *Nws zaum nram lub qhov rooj tag.*

***[English]** (n) The door located on the southern part of the house. This door is rarely being used. Qhovrooj txuas is the main door or entrance.*

qhov rooj txuas (y) Lub qhovrooj uas tig rau sab hnub tuaj: *Lub qhov rooj txuas yog lub uas neeg siv tawm mus los tshaj.*

***[English]** (n) Main door; main entrance. This door is mostly facing the east.*

qhov taub (y) 1. Lub qhov uas neeg khawb nyob rau hauv av, thiab feem ntau yog khawb los kaw cov neeg muaj txim xwb: *Kaw tus tubsab hauv lub qhov taub.* 2. Lub qhov uas khawb los nkaum: *Nws nkaum hauv lub qhov taub.*

***[English]** (n) 1. An underground shelter or place used as a prison. 2. Foxhole.*

qhov tsos (y) Qhov chaw uas nyob hauv qab ntawm neeg lub xubpwg thiab feem ntau nws muaj plaub: *Nws muab nws txhais tes tso hauv nws lub qhov tsos.*

***[English]** (n) Armpit.*

qhov tsua (y) Tej lub qhov uas muaj nyob rau ntawm lub tsua: *Thaum ub neeg nkaum hauv tej qhov tsua xwb.*

***[English]** (n) Cave, esp. within a boulder.*

qhov twg (pu) Tsis paub xyov yog nyob rau thaj chaw twg: *Koj muab kuv lub ris tso rau qhov twg?* (y) Chaw, thaj av: *Koj txawm mus txog qhov twg los neeg yeej nyob txhua lawm.*

***[English]** (adv,n) Where.*

qhov txhia chaw (pu) Txhua qhov chaw; muaj nyob txhua qhov chaw: *Neeg*

© 2003 Jay Xiong. All rights reserved.

Suav muaj nyob qhov txhia chaw.
***[English]** (adv) Everywhere.*

qhov txos (y) Lub qhovcub uas yog muab av puab thiab ua los kom tau muab lub yias txawb rau sauv: *Koj muab lub yias tso rau saum lub qhov txos.*
***[English]** (n) A Hmong fireplace made with clay and mostly used for boiling pig food in a big wok.*

qhov xyuam (y) <Lees> Qhov muag.
***[English]** (n) <Leng> Eye, vision.*

qhov zis (y) Lub qhov uas tso zis tawm hauv los: *Nws lub qhov zis.*
***[English]** (n) Urethra.*

qhua[1] (y) Cov neeg uas tuaj sab nrauv tuaj xyuas losyog saib yus: *Hmo no nws muaj qhua coob heev.*
***[English]** (n) Guest, such as a visitor; company.*

qhua[2] (y) Lwm xeem Hmoob; cov neeg sab nrauv: *Peb yog cov qhua.* Ib lub npe uas siv rau neeg.
***[English]** (n) Outsider, visitor, guest. Also a proper name.*

qhua maj (y) Ib hom mob uas ua rau neeg muaj mob thiab tuag taus. Feem ntau yog ua pob thiab ua hlwv rau ntawm daim tawv nqaij: *Nws mob qhua maj.*
***[English]** (n) Chickenpox. Also called varicella.*

qhua pias (y) Ib hom mob uas ua rau neeg muaj mob thiab tuag taus. Feem ntau yog ua pob thiab ua hlwv rau ntawm daim tawv nqaij: *Nws mob qhua pias.*
***[English]** (n) Smallpox.*

qhua taum (y) Ib hom mob uas yog leej twg tau lawm nws yuav tawm ib cov pob liab~ nyob rau ntawm nws cov tawv nqaij: *Nws mob cov qhua taum.* Cov qhua taum no neeg kuj hu tias "qhua taumdawb" no thiab.
***[English]** (n) Measles. Also called rubeola.*

qhua taum dawb (y) Ib hom mob uas yog leej twg tau lawm nws yuav tawm ib cov pob liab~ nyob rau ntawm nws cov tawv nqaij: *Nws mob qhua taumdawb.* Cov qhua taumdawb no neeg kuj hu tias "qhua taum" no thiab.
***[English]** (n) Measles. Also called rubeola.*

qhua taum dub (y) Ib hom mob uas yog leej twg tau lawm nws yuav tawm ib co pob dub~ nyob rau ntawm nws cov tawv nqaij: *Nws mob cov qhua taumdub.*

© 2003 Jay Xiong. All rights reserved.

[English] (n) Black measles.

qhua txws (y) Hnub uas hauvqhua tuaj; hnub uas cov neeg txheebze tuaj quaj, nyiav, thiab tuaj pab nyiaj, pab txiaj rau tsev neeg uas muaj tus neeg tuag: *Tagkis yog hnub ua qhua txws.*

[English] (n) The day when relatives bring money, Chinese silver papers, and kill cows for the deceased. It is normally Saturday if it is in the United States.

qhuab (u) 1. Qhia kom paub; piav lossis hais kom paub: *Nws qhuab kom peb tsimtxiaj.* 2. Neeg kuj siv los piav txog xws li thaum muab ntaus losyog cem thiab: *Nws mag qhuab vim nws tsis mloog hais.*

[English] (v) 1. Preach, counsel, teach. 2. Reprimand, scold.

qhuab ke (u) Qhia kev rau tus neeg tuag xws li kom nws mus txog rau saum ntuj losyog mus cuag nws pog thiab yawg. Lo no yog siv rau thaum muaj ib tus neeg tuag xwb: *Nws qhuab ke rau tus tuag.* (y) Zaj lus uas hais qhia txoj hauv kev rau tus neeg tuag: *Nws paub hais zaj qhuab ke.*

[English] (v) To show the way, esp. to a deceased's spirit, with specific sayings or instructions regarding where to go in order to be with his grandparent. (n) Instructions or sayings relating to such.

qhuab qhia (u) Qhia rau kom paub; hais rau kom txawj: *Nws qhuab qhia nws cov menyuam.*

[English] (v) Teach, counsel, tell, preach.

qhuas (u) 1. Hais lus zoo los txhawb lwm tus neeg; hais lus txhawb nqa: *Neeg qhuas tus nom vim nws hlub cov pejxeem.* 2. Khav theeb; zoo siab tias: *Nws qhuas tias nws yog tus neeg muaj nyiaj ntau tshaj.*

[English] (v) 1. Admire, praise, compliment. 2. Boast, brag.

qhuas ntxhias (pu) Tsis muaj kev nyuaj siab losyog txhawj tej: *Nws nyob qhuas ntxhias. Nws noj qhuas ntxhias. Nws tsav qhuas ntxhias.*

[English] (adv) Contentedly, satisfactorily.

qhuav[1] (u) Tsis muaj kua lawm; tsis ntub: *Lub pas dej qhuav lawm.* (p) 1. Piav txog yam uas qhuav: *Muab lub ris qhuav rau kuv.* Lus rov: *Ntub.*

[English] (v,adj) Dry. Ant: Wet.

qhuav[2] (u) Tsis muaj losyog tsis tau dabtsi li: *Nws los tsev qhuav xwb.*

[English] (v,adj) Empty, having nothing.

© 2003 Jay Xiong. All rights reserved.

qhuav qhawv (p) 1. Qhuav heev; qhuav los lawm ntev: *Daim teb nyob qhuav qhawv vim tsis los nag ntau hli.* 2. Tsis tau dabtsi: *Nws mus tsev qhuav qhawv xwb.*
[English] (adj) 1. Very dry. 2. Empty, having nothing at all.

qhuav si* (p) Tsis muaj lossis tsis tau dabtsi: *Nws xawb ib hnub tabsis tau qhuavsi.*
[English] (adj) Nothing, empty.

qhuav siab (u) Ua rau xav noj khoom losyog haus, tabsis ho noj tsis taus losyog noj tsis qab: *Nws qhuav siab heev.*
[English] (v) Experiencing a desire for food or drink.

qhuj qhem (y, pu) Piav txog xws li thaum tus neeg hnoos~ vim yog mob ntsws tej: *Nws hnoos qhuj qhem tas hmo.*
[English] (n,adv) A sound of cough, esp. on a regular basis.

qhws[1] (y) Ua tej tus thiab nkhaus zoo li tus kais.
[English] (n) Any various of earring-like objects having the S-shape stem.

qhws[2] (y) Lub lauj kaub uas muaj ib tus kais es neeg siv los rhaub dej haus tej: *Nws muaj ib lub qhws.*
[English] (n) Kettle, esp. a metal pot used for boiling water.

qhws ntsej (y) Cov tej lub uas yog muab nyiaj losyog tooj los ua, thiab zoo li lub paj es cov pojniam muab dai rau ntawm lawv ob lub pobntseg: *Nws muaj tau tus qhws ntsej.*
[English] (n) Earring, esp. the kind with the S-shape stem.

qhwv[1] (u) Muab kauv losyog vov rau hauv: *Muab daim pam qhwv tus menyuam. Qhwv ib pob mov los ua peb su.*
[English] (v) Wrap, cover or fold (something) about as to cover or protect.

qhwv[2] (u) Muab nyiaj them rau tus niam laus, uas xws li yog thaum yuav tus niam hluas, tabsis tus niam laus tseem ua hluankauj nyob: *Peb muab nyiaj qhwv tus niam laus hauvcaug--kho losyog them rau vim yog xub yuav tus yau.*
[English] (v) To pay (money) to the older sister, esp. when one marries the younger sister and the older sister is still single.

qia (y) Yav losyog tus uas tuav lub txiv thiab txuas rau tus ntoo: *Koj tshum kom tus qia tu ces lub txiv thiaj li poob los.*

© 2003 Jay Xiong. All rights reserved.

***[English]** (n) Stem, esp. such as the slender stalk supporting or connecting to another plant part, such as a leaf, flower or fruit.*

qia dub (u) Cuajkhaum; tus neeg uas tsis kam txais lossis qev nyiaj rau leej twg li: *Nws qia dub heev tos nws muaj nyiaj.* (p) Piav txog tus neeg uas cuaj khaum losyog qia dub ntawv.

***[English]** (v,adj) Stingy.*

qia ntsej (y) Qhov qia ntawm lub pobntseg: *Mob nws lub qia ntsej.*

***[English]** (n) The place where the ear connected to the head.*

qias (u) Tsis huv uas xws li lwj losyog tsw phem; ua rau dub, tsis huv vim tsw phem: *Nws qias tus menyuam cov quav.* (p) Piav txog yam uas qias.

***[English]** (v) 1. Disgust, esp. such as to offend the taste or moral sense of. 2. Having a dirty or filthy appearance. (adj) Disgustful, dirty, filthy.*

qias neeg (u) Tsis huv, qias, tsis tu kom du dais: *Lub tsev qias neeg dhau.* (p) *Nws nyob qias neeg ntsuav.*

***[English]** (v) 1. Disgust, esp. such as to offend the taste or moral sense of. 2. Having a dirty or filthy appearance. (adj) Disgustful, dirty, filthy.*

qib (y) 1. Tej theem losyog tej tshooj: *Nws kawm ntawv nyob rau qib kaum.* 2. Tus nkhaus~ thiab me uas nyob ntawm rab phom uas xws li thaum nyem ces ua rau rab phom nrov: *Yuav tsum nyem tus qib ces rab phom thiaj nrov.*

***[English]** (n) 1. Step, level. 2. Trigger, such as a trigger of a firearm or gun.*

qib hneev (y) Tus qib uas nyob ntawm rab hneev.

***[English]** (n) The trigger of a bow, such as a weapon for shooting arrows.*

qib phom (y) Tus menyuam hlau uas nyob ntawm rab phom thiab siv tus ntiv tes los rub kom rab phom nrov.

***[English]** (n) A gun or firearm trigger.*

qig qug (y,pu) Lub suab nrov xws li thaum tus neeg muab txhais tes tsij mus, tsij los rau hauv lub qhov uas muaj dej tej.

***[English]** (n,adv) A sound of pulling (fish or objects) from a watery hole.*

qig taub (u,p) Tsis siab; qis: *Nws qigtaub tshaj cov. Ib tus neeg qig taub.*

***[English]** (v,adj) Short, such as not all. Ex: He is a short person.*

qij[1] (y) Qhov chaw uas tig mus, tig los tau: *Lub qij tes thiab qij taw.*

***[English]** (n) The joint, esp. the ball-like bone part.*

© 2003 Jay Xiong. All rights reserved.

qij[2] (y) Ib hom koom noj uas neeg cog thiab siv los xyaw xws li nqaij tej; qej: *Nws cog tau ib thaj qij. Tuav qaub yuavtsum xyaw qij thiaj li qab.*
***[English]** (n) Garlic.*

qim qoom (y,pu) Lub suab uas thaum tus neeg haus dej es nrov hauv nws lub cajpas tuaj: *Nws haus dej nrov qim qoom.*
***[English]** (n,adv) A sound when someone is swallowing water.*

qiv qev (y,pu) Lub suab uas xws li thaum cua tshuab lub qhovrooj muslos es nrov, thiab feem ntau yog siv rau tomqab ntawm lo nrov xwb.
***[English]** (n,adv) Any squeaky sound.*

qog (u) Hais lus lawv lwm tus lub suab; hais lawv qab: *Nws qog peb cov lus.* (y) Cov tej lub uas muaj nyob ntawm cov nqaij: *Tus npua mob ib lub qog.*
***[English]** (v) Repeat, such as to say after someone. (n) Lump, such as a swelling or small palpable mass or gland.*

qog qees (pu) Ua losyog muaj ntau lub suab nrov cuag li cas: *Qav quaj qog qees.*
***[English]** (adv) Noisily, boisterously.*

qoj[1] (u) Muab tig lossis ntswj muslos: *Nws qoj lub hau hwj kom ceev.*
***[English]** (v) To twist, turn or rotate, such as to move around a center.*

qoj[2] (u) Ua kom txav mus, txav los: *Nws qoj nws lub pobtw.*
***[English]** (v) Wiggle.*

qoj ce* (u) Muab lub cev qoj mus, qoj los; ua lasvoos: *Nws nyiam qoj ce heev.*
***[English]** (v) Dance.*

qoo (u) Siv xws li rauj los tsoo losyog ntaus lwm daim hlau saum lub thaiv tej. *Nws qoo kom daim tooj nyias heev ces nws mam li sai los ua nplaim raj.*
***[English]** (v) To hammer or forge, such as by forming or making another metal so it is very solid (condense), thin and strong.*

qoob[1] (y) Neeg tej khoom noj, khoom haus; yam uas cog rau tom liaj thiab teb; qoobloo: *Xyoo no qoob tsis zoo li xyoo tag los.*
***[English]** (n) Crops, such as the cultivated plants or agricultural produce.*

qoob[2] (y) Ib hom mob uas yog leej twg tau ces ua rau muaj pob, tawm hlwv, thiab khaus ib ce heev: *Nws mob cov qoob.*
***[English]** (n) Pox, pox like diseases.*

qoob hlwv dej (y) Ib hom mob uas yog leej twg tau ces ua rau muaj pob, tawm

© 2003 Jay Xiong. All rights reserved.

hlwv dej, thiab khaus ib ce heev: *Nws mob cov qoob hlwv dej.*
***[English]** (n) Pox; pox like diseases*

qoob loo (y) Tej khoom noj uas cog rau tom liaj thiab teb: *Tej qoob loo zoo heev.*
***[English]** (n) Crops, such as the cultivated plants or agricultural produce.*

qoom (y) Lub suab uas thaum tus neeg haus dej es nrov hauv nws lub cajpas tuaj. (pu) Yam uas nrov xws li haus dej ntawv.
***[English]** (n,adv) A sound of when someone is swallowing water.*

qoos[1] (u) Puv thiab siav xws li yog laus txaus lawm: *Cov txiv qoos heev.* (p) Yam uas laus txaus, siav lossis puv txaus.
***[English]** (v) Fully developed or grown, esp. plant seeds etc...*

qoos[2] (u) Zoo thiab khov uas xws li tsis yuamkev: *Xav kom zoo mam li ua es thiaj li qoos.* (p) Ruaj, khov, yog losyog zoo: *Nws ua tau qoos lawm.*
***[English]** (v,adj) Positive, certain, sure, definite.*

qoos noob (u) Puv losyog loj txaus; qoos: *Lub taub qoos noob lawm.* (p) Yam uas qoos noob ntawv.
***[English]** (v,adj) Fully developed or grown, esp. plant seeds etc...*

qos (y) Ib hom khoom noj uas neeg cog thiab ua tej lub nyob rau hauv av. Muaj ntau yam qos, xws li qos liab, qos ntoo, thiab qos tsov: *Nws cog tau ib thaj qos.* (u) Muab kom kaw losyog ua kom xauv; muab ua kom ntom: *Nws qos lub qhovrooj.*
***[English]** (n) Any of the various tubers, such as potato. (v) Shut, close.*

qos hmab soo (y) Ib hom qos uas muaj cov hmab thiab nws lub qos ntug rau hauv av. Cov qos no neeg noj nyoos xwb vim nws qabzib thiab muaj kua: *Ib tsob qos hmab soo.* Neeg kuj hu tias "sablaujpwm" no thiab.
***[English]** (n) Jicama.*

qos do (y) Ib hom qos uas tuaj cov nplooj zoo li kavywm, tabsis nws ntug cov qos nyob rau hauv av: *Nws cog tau ib tsob qos do.* Ib txhia neeg kuv siv lo "qos tswha" no thiab.
***[English]** (n) Yuca. Also known as yucca.*

qos do dawb (y) Ib hom qos uas tuaj cov nplooj zoo li kavywm, tabsis nws ntug cov qos nyob rau hauv av: *Nws cog tau ib tsob qos do dawb.*
***[English]** (n) White yuca.*

© 2003 Jay Xiong. All rights reserved.

qos do liab (y) Ib hom qos uas tuaj cov nplooj zoo li kavywm, tabsis nws ntug cov qos nyob rau hauv av: *Nws cog tau ib tsob qos do liab.*
***[English]** (n) Pink or purple yuca.*

qos liab (y) Ib hom qos uas tuaj zoo xws li hmab, tabsis lub qos ntug rau hauv av thiab muaj tsuas liab: *Nws cog tau ib thaj qos liab.*
***[English]** (n) Sweet potato, yam.*

qos liab dawb (y) Ib hom qos uas tuaj zoo xws li hmab, tabsis lub qos ntug rau hauv av thiab ntug lub qos dawb: *Nws cog tau ib thaj qos liab dawb.*
***[English]** (n) White-sweet potato. White-sweet yam.*

qos liab liab (y) Ib hom qos uas tuaj zoo xws li hmab, tabsis lub qos ntug rau hauv av thiab ntug lub qos liab: *Nws cog tau ib thaj qos liab liab.*
***[English]** (n) Red-sweet potato; red-sweet yam.*

qos ntoo ntug (y) Ib hom qos uas ntug nyob rau hauv av, tabsis nws tuaj ua tsob thiab muaj ceg zoo xws li menyuam ntoo: *Ib tsob qos ntoo ntug.*
***[English]** (n) Certain kind of Asian plant widely cultivated for its starchy, edible tubers, and the tubers can be as long as one meter.*

qos taw dais (y) Ib hom qos uas zoo li ob txhais taw dais: *Ib lub qos taw dais.*
***[English]** (n) Yellow yam.*

qos tsawb (y) Ib hom qos uas ntug zoo xws li lub hauvpaus tsawb. Feem ntau yog cog los pub npua xwb: *Ib tsob qos tsawb.*
***[English]** (n) Certain kind of tubers that mostly used for feeding pigs.*

qos tsawb maum (y) Ib hom qos uas loj thiab ntug cov qos zoo xws li cov cag tsawb tej: *Ib tsob qos tsawb maum.*
***[English]** (n) Taro root, esp. the big kind.*

qos tsov (y) Ib hom qos uas tuaj cov nplooj loj thiab dav es nws ntug lub qos loj~ nyob rau hauv av. Cov qos no yog qus xwb: *Ib tsob qos tsov.*
***[English]** (n) Certain kind of wild tubers.*

qos tswha (y) Ib hom qos uas ntug tej lub luaj li qe qaib thiab qe os, thiab muaj tsos tsw ha heev: *Nws nyiam noj qos tswha heev.*
***[English]** (n) Yuca.*

qos xwm leej (y) Ib hom qos uas nws txoj hmab ua peb lub kaum losyog peb fab thiab nce tej nreeg zoo xws li lub xauv tej: *Ib tsob qos xwm leej.*

© 2003 Jay Xiong. All rights reserved.

[English] (n) Ghana yam.

qos yajywm (y) Ib hom qos uas neeg cog los noj: *Ib hnab qos yajywm.*
[English] (n) Potato.

qos yajywm liab (y) Ib hom qos yajywm uas daim tawv liab: *Nws nyiam noj cov qos yajywm liab xwb.*
[English] (n) Red potato.

qua (u) Ua kom muaj lub suab tawm mus xws li thaum tus lau qaib qua tej: *Tus lau qaib qua zoo heev. Qaib nyiam qua thaum sawvntxov.*
[English] (v) To crow by a cock or rooster.

qua ntxa (y) Thaj av losyog qhov chaw uas faus tus neeg tuag: *Nws mus xaiv lub qua ntxa kom zoo ntxim nws siab.*
[English] (n) Grave, cemetery lot.

qua ntxi (y) Tej khoom losyog yam uas tsis tseemceeb, thiab feem ntau yog ib lo lus siv rau lub caij chim, sibceg, xwb: *Muab koj tej qua ntxi no povtseg!*
[English] (n) Junk; articles that considered unimportant.

qua tsev (y) 1. Thaj av uas neeg ua lub tsev rau: *Nws lub qua tsev.* 2. Qee leej kuj siv los piav txog daim av uas faus tus neeg tuag; lub ntxa: *Lawv nrhiav tau lub qua tsev rau lawv yawg.*
[English] (n) 1. The land or location of a house. 2. Cemetery lot.

quab (u) Yuam kom ua; yuam: *Lawv quab kuv tuaj pab nej.* (y) Tus menyuam taw npua: *Nws nyiam tus quab.*
[English] (v) Force, command. (n) A young male pig.

quab yuam (u) Muab yuam; kom ua xwb: *Tus nom quab yuam cov pej xeem.*
[English] (v) Force, command.

quaj[1] (u) Muaj kua muag tawm los; ua rau kua muag poob uas xws li yog vim tu siab losyog chim tej: *Nws quaj vim nws tu siab heev.*
[English] (v) Cry.

quaj[2] (u) Ua tej lub suab nrov tawm hauv lub qhov ncauj tuaj: *Nas quaj, noog quaj, miv quaj ltn...*
[English] (v) To utter or emit sounds, such as sounds made by animals.

quaj ntsuag (u) Quaj vim txomnyem losyog vim ua neeg xws li tus ntsuag: *Nws quaj ntsuag vim nws txom nyem heev.*

© 2003 Jay Xiong. All rights reserved.

***[English]** (v) Cry, esp. like an orphan.*

quaj taug (u) Quaj tas mus li; quaj yoojyim: *Tus menyuam quaj taug heev.* (p) Piav txog tus neeg uas nyiam quaj yoojyim: *Peb tsis nyiam tus neeg quaj taug.*
***[English]** (v) To cry like a crybaby. (adj) Resembling a crybaby.*

quas[1] (u) Muab dabtsi los kem; muab dabtsi los cais xws li tsis pub nyob uake: *Tus dej quas ob lub zos.*
***[English]** (v) Separate, divide.*

quas[2] (u) Muab tus ntxhais muag lossis cia mus yuav txiv: *Quas nws tus ntxhais.*
***[English]** (v) To give away a daughter, esp. such as when granting one's daughter to be married.*

quas lus* (y) Tus ntawv uas ',' thiab siv los quas tej lo lus: *Nws muaj qaib, npua, nyuj, thiab twm.*
***[English]** (n) Comma, esp. used to separate words.*

quas neeg (y) <Lees> Nagkis; hnub ob tomqab ntawm hnub no.
***[English]** (n) <Leng> The second day after today; the day after tomorrow.*

quas nraus (y) <Lees> Nrauskis; hnub peb tomqab ntawm hnub no.
***[English]** (n) <Leng> The third day after today.*

quas puj[1] (y) <Lees> Ib tus txivneej tus pojniam: *Nwg yog kuv tug quas puj.* Lus rov: *Quas yawg, txiv.*
***[English]** (n) <Leng> Wife. Ant: Husband.*

quas puj[2] (y) <Lees> Tus neeg uas yog pojniam: *Nws yog ib tug quas puj.* Lus rov: *Quas yawg, txiv neej.*
***[English]** (n) Woman, girl, female. Ant: Man, men, boy, male.*

quas yawg[1] (y) <Lees> Txivneej; tus neeg uas yog tus txiv: *Nwg yog tug quas yawg.* Lus rov: *Quas puj, poj niam.*
***[English]** (n) <Leng> Man, men, guy, male.*

quas yawg[2] (y) <Lees> Txivneej uas yog ib tus pojniam tus txiv: *Nwg yog kuv tug muam tug quas yawg.* Lus rov: *Quas puj; poj niam.*
***[English]** (n) <Leng> Husband.*

quas yeev (pu) Siv los piav txog xws li tus neeg ncig mus, ncig los: *Nws hais kwv txhiaj ncig quas yeev.*
***[English]** (adv) Moving back and forth.*

© 2003 Jay Xiong. All rights reserved.

quas zajlus* (y) Tus ntawv ';' thiab siv los quas ib zaj lus: *Nws tuaj txog ntawv; kuv tsis pom nws li.*
[English] (n) Semicolon; used to separate sentences.
quav[1] (y) Yam uas tawm ntawm lub qhovquav los; cov uas nyob hauv lub plab.
[English] (n) Excrement, stool, such as a bowel movement.
quav[2] (u) Muab lem; muab ua kom tig rovqab: *Nws quav nws txhais ceg.*
[English] (v) Bend or tug in (one's leg, for example).
quav[3] (u) Muab tais losyog quav kom me: *Quav daim pam ua ob tsem.*
[English] (v) Fold, such as folding a blanket, for example.
quav[4] (u) Nyiam ua losyog nyiam haus heev: *Nws quav cawv; quav yeeb.*
[English] (v) To become addicted.
quav cawv (u) Nyiam haus cawv ntau: *Nws quav cawv heev.* (p) *Peb tsis nyiam cov neeg quav cawv.*
[English] (v,adj) Addicted to alcohol.
quav chiv (y) Cov av uas muaj ntau yam quav losyog hmoov ntoo nyob rau hauv: *Ib hnab quav chiv.* Qee leej kuj siv lo tias chiv no thiab: *Nws yawm tau ib hnab chiv. Neeg siv quav chiv los tso rau hauv teb kom cov qoobloo zoo.*
[English] (n) Fertilizer.
quav dev (y) 1. Lus piav txog tej yam tsis zoo thiab tsis tseemceeb: *Koj tej haujlwm ces yog quav dev xwb.* 2. Dev cov quav: *Ib thooj quav dev.*
[English] (n) 1. Meaningless, senseless, nonsense. 2. Excrement, stool of dog.
quav hma (y) 1. Ua ntau lub pob thiab sibcov heev xws li neeg cov plaub hau tej: *Nws cov plaub hau ua quav hma tas.* 2. Hma cov quav.
[English] (n) Become tangled; become entangled. 2. Excrement, stool of fox.
quav hnav (y) Cov tej tee dub~ uas muaj nyob ntawm neeg lub plhu losyog daim tawv nqaij: *Nws lub plhu muaj quavhnav heev.*
[English] (n) Freckle.
quav hniav (y) Cov tej thooj daj~ uas muaj nyob ntawm cov hniav: *Nws cov hniav muaj quavhniav heev.*
[English] (n) 1. Tartar, such as the yellowish particles deposited on the teeth. 2. Plaque, such as a film of mucus on the tooth surface.
quav hnyo (pu) Siv los piav txog lo lus "ntxhov." Muaj ntau yam nyob uake:

© 2003 Jay Xiong. All rights reserved.

Daim teb fab thiab ntxhov quavhnyo. Lub tsev ntxhov quavhnyo.
[English] *(adv) Messy, esp. as being disorderly.*

quav kws (y) Cov kav pobkws uas xws li thaum muab cov pobkws ntais tas lawm: *Nws siv cov quav kws los pub nyuj.*
[English] *(n) Corn stalks.*

quav muag (y) Tej yam uas ua thooj thiab muaj nyob hauv lub qhov muag. Feem ntau yog muaj rau thaum sawvntxov: *Tus menyuam muaj quav muag heev.*
[English] *(n) Eye pus.*

quav niab (pu) Siv los piav txog lo lus "ntxhov." Muaj ntau yam nyob uake: *Daim teb fab thiab ntxhov quav niab. Lub tsev ntxhov quav niab.*
[English] *(adv) Messy; being disorderly.*

quav ntsej[1] (y) Cov quav losyog cov tej thooj daj~ uas nyob hauv lub qhov ntsej: *Nws muaj quav ntsej ntau heev.*
[English] *(n) Ear wax.*

quav ntsej[2] (u) Tig mus mloog; tig mus saib losyog xyuas; pab: *Tsis muaj neeg quav ntsej tus neeg phem.*
[English] *(v) Pay attention to; listen to; to care for.*

quav ntsuas (y) Ib hom khoom uas tuaj ua tej tsob xws li kabtsib tabsis tus kav luaj li ntiv tes: *Nws muaj ib thaj quav ntsuas. Ib tsob quav ntsuas.*
[English] *(n) Certain kind of plant resembling a sugar cane, but having much smaller stalks.*

quav ntswg (y) Tej thooj muaj nyob hauv lub qhov ntswg: *Ib thooj quav ntswg.*
[English] *(n) Booger, esp. the dried mucus.*

quav nyab (y) Cov kav nplej uas xws li thaum muab cov nplej ntaus poob tas lawm: *Ib pawg quav nyab.*
[English] *(n) 1. The dried rice stalks. 2. Hay.*

quav poj (y,p) Tej av uas muaj hav txwvyeem losyog muaj nyom xwb. Feem ntau yog muaj nrojtsuag ntau xwb: *Daim qub teb ciaj quav poj tas lawm.*
[English] *(n,adj) A weedy field, esp. used to describe an old farm or rice field that had not been farmed for many years that has many shrubs and weeds.*

quav txias (y) Lub sijhawm uas tsis npaj tos: *Nws nyas lawv quav txias xwb.*
[English] *(n) A moment when a person is unaware or unprepared.*

© 2003 Jay Xiong. All rights reserved.

quav yeeb (u,p) Nyiam haus yeeb, xws li yog tseg tsis taus lawm: *Nws quav yeeb tau ntau xyoo los lawm.*
[English] (v) To crave or smoke opium excessively; being addicted to opium.

qub (u) Tsis tshiab; yam uas nyob ntev los heev losyog siv los tau ntev lawm: *Lub tsev qub heev.* (p) Yam uas twb ua losyog noj dhau los lawm: *Cov qub zaub.* Lus rov: *Tshiab.*
[English] (v) Old, as not new. (adj) Old, not fresh, leftover (food) portion. Ant: New, fresh.

qubqab (y) 1. Yav tag los lawm; ntu uas dhau los lawm: *Tshuav tus hlub nyob rau tom qubqab.* 2. Txoj kev losyog qhov uas xws li neeg mus: *Peb tsis pom nws qubqab.*
[English] (n) 1. Past. 2. Someone's path, esp. when walking or traveling.

qug (y,pu) Lub suab uas xws li thaum yus muab tes mus rub dabtsi hauv lub qhov uas muaj kua es nrov.
[English] (n,adv) A sound of pulling (something, i.e., fish) from a watery hole.

quj (u) 1. Muab tswm kom mus tob losyog rau hauv: *Quj tus pas kom ploj rau hauv av.* 2. Muab tuav losyog tsoo kom tawg: *Nws quj cov kua txob.*
[English] (v) 1. To pound, esp. such as striking or driving a stake into the ground or hole. 2. To crush, such as to break or grind into small fragments.

quj qaim (pu) Siv los pab lo xws li yiag thiab feem ntau siv rau lub caij hais kwv txhiaj xwb: *Nej lub cev yiag quj qaim.*
[English] (adv) Used to describe a word straight, and mostly when chanting or singing the Hmong "kwv txhiaj" only.

quj qaws (pu) Tsis tsum; muaj losyog ua ntxiv: *Nws quaj quj qaws.*
[English] (adv) Continually, unyieldingly, esp. such as when crying.

quj qees (pu) Tsis tsum; muaj losyog ua ntxiv: *Noj qujqees. Nws mus quj qees.*
[English] (adv) Continually, unyieldingly.

qus (u) Tsis seej; kov tsis tau xws li yog tus tsiaj nyob tom hav zoov: *Tus nees qus heev vim tsis muaj neeg kov tau li.* (p) Cov tsiaj uas qus. Lus rov: *Seej.*
[English] (v,adj) Being untamed or wild. Ant: Tame, not wild.

qw (u) Ua lub suab nrov hauv lub qhov ncauj tuaj: *Nws qw kom peb pab.* (y) Tus ntawv '!' uas siv los piav txog cov lus hais nrov losyog nthe: *Nab, koj cov mov!*

© 2003 Jay Xiong. All rights reserved.

[English] (v) Scream, yell. (n) An exclamation point.

qwb (y) Thaj losyog qhov chaw uas nyob rau sab uas tsis ntse ntawm rab riam: *Tus qwb riam; tus qwb txuas ltn...*
[English] (n) 1. The dull side of a knife. 2. The back part of the neck.

qwj (y) Ib hom kab uas muaj lub plhaub kheej qhwv: *Ib tus qwj.*
[English] (n) Snail.

qwj deg (y) Cov qwj uas nyob tau hauv dej xwb.
[English] (n) Water snail.

qwj nplais* (y) Cov qwj uas nyob tau saum nqhuab xwb.
[English] (n) Mussels.

qwj nqhuab (y) Cov qwj uas nyob tau saum nqhuab xwb.
[English] (n) Land snail, esp. snails that do not live in water.

qwj yeeg (y) Cov qwj uas tuaj ob tus kub thiab tsis nyob hauv dej: *Ib tus qwjyeeg nyob saum daim nplooj.*
[English] (n) Certain land snails.

qws (y) Tej tus pas; tej yav ntoo losyog hlau uas feem ntau luaj li caj npab tej: *Nws muab rab qws ntaus tus npua.*
[English] (n) Rod, club, stick, bar.

qws npuj tawg (y) Tus qws, yav ntoo luaj li caj npab, uas siv los npuj tus tsuas losyog tus ntsia. Ib txhia kuj hu ua tus "pam thawj" no thiab.
[English] (n) A wooden mallet with a large head.

qws nruas (y) Tus pas uas Hmoob siv los ntau lub nruas: *Ib tus qws nruas.*
[English] (n) Drumstick, esp. a stick used for beating or hitting a drum only.

qwv (u) Muab daim nplooj los tshuab kom muaj lub suab nrov: *Nws qwv zoo heev. Feem ntau, neeg siv lo tias "qwv nplooj" no xwb.*
[English] (v) To make a loud musical sound, with a strong blow, by having a leaf by the lips. Some people used this leaf blowing as a communication method similar to whistling.

qwv lwg ntxiaj (p) Nrov zoo, xws li lub raj nplaim, uas thaum muab tshuab: *Nws tshuab lub raj nrov qwv lwg ntxiaj.*
[English] (adj) Having great musical sound, such as when blowing/playing a flute or musical instrument.

© 2003 Jay Xiong. All rights reserved.

r (y) Ib tus ntawv uas siv rau cov lus xws li rov, rau, roob, ris ltn...
[English] (n) A consonant used for words such as "roob, ris" etc...

rab (h) Yam uas xws li phom, riam, thiab hmuv tej: *Rab riam, rab phom, rab hmuv ltn...* (y) Yam losyog hom khoom uas zoo li rab ntawv: *Koj muaj pestsawg rab?*
[English] (cl) A, the and mostly used for object such as a knife, stick, spoon, gun, needle etc... (n) Any objects having such a shape or appearance.

rag (y) Raj, yam uas khoob xws li yav xyoob: *Ib rag dej.*
[English] (n) 1. Jar, tube. 2. A bamboo jar.

rag rhis (pu) Khiav losyog mus xws li coob leej uake: *Lawv khiav rag rhis tuaj.*
[English] (adv) Quickly, immediately.

rais (nu) Tig, rov, lem: *Nws rais los ntawm peb.*
[English] (aux. v) Return, turn around, come back.

raj (y) 1. Yav xyoob uas Hmoob muab txiav los ntim dej tej: *Ib lub raj.* 2. Tej yav losyog tej lub uas kheej thiab khoob hauv plawv: *Lub raj hlaus.*
[English] (n) 1. A bamboo jar or tube. 2. Jar, tube.

raj mis (y) Lub raj, feem ntau yog siv roj hmab ua, siv los rau menyuam haus mis.
[English] (n) Bottle, esp. the kind that used to feed milk to babies.
Hmong musical instrument called "ncas."

raj ncas (y) Lub raj uas ua los ntim rab ncas: *Lub raj ncas.*
[English] (n) The case, mostly made with a small piece of bamboo, of the Hmong musical instrument called "ncas."

raj nplaim (y) Ib hom raj uas yog muab xyoob ua, thiab nyob ntawm qhov chaw tshuab muaj ib tus nplaim tooj: *Nws txawj tshuab raj nplaim.*
[English] (n) A Hmong flute, esp. made with bamboo and having a very thin metal blade cut like a V shape.

raj pum liv (y) Ib hom raj uas yog muab xyoob ua; raj nploog: *Nws txawj tshuab raj pum liv.*
[English] (n) A Hmong flute, esp. made with bamboo.

ras[1] (u) Ua rau ceeb xws li ntshai: *Tus tsov ua rau cov nyuj ras.*
[English] (v) To startle, such as frightening.

ras[2] (u) Ua rau hnov losyog ncoqab txog: *Kuv ras tias tshuav kuv pob khoom.*

© 2003 Jay Xiong. All rights reserved.

[English] (v) Remember, to be aware of; to recall.

ras[3] (y) Ib hom noog uas luaj li cov noog diab, tabsis nws nyiam noj lossis tom lwm hom noog: *Nws tua tau ib tus ras.*

[English] (v) Certain kind of bird that likes to prey on other birds.

raspaus (u) Ras losyog ceeb yoojyim heev: *Nws raspaus heev.* (p) Piav txog tus neeg uas raspaus: *Nws yog tus neeg raspaus.*

[English] (v) To be alerted or scared easily.

rau[1] (y,t) Tus ntawv suav 6 uas nyob nruab nrab ntawm tus 5 thiab tus 7: *Nws suav txog rau.* (p) Muaj losyog ntau npaum li: *Nws muaj rau xyoo.*

[English] (n,adj,pron) Six, such as a number 6.

rau[2] (u) 1. Muab txhais taw tsij losyog ntxig mus hauv txhais khau: *Nws rau khau.* 2. Muab tso rau hauv xws li lub qhov tej: *Nws rau nplej.*

[English] (v) 1. To put (shoes) on; to insert (foot) into a shoe. 2. To throw or cast (rice grains) into holes made in the ground when planting new rice.

rau[3] (u) Muab zaub thiab mov tso saum lub rooj, xws li thaum yuav noj mov: *Nws rau tau ib rooj mov.* (r) Nyob ntawm qhov chaw: *Kuv muab diav rau nws.*

[English] (v) To set or put food on the table. (prep) To, for, at.

rau[4] (y) Tej daim uas tuaj ntawm neeg cov ntsis ntiv tes thiab ntivtaw: *Txhua tus ntivtaw yeej muaj ib tus rau.*

[English] (n) Nail, such as fingernail and toenail.

rau caum (y,t) Tus ntawv suav 60 uas nyob nruab nrab ntawm tus 59 thiab tus 61: *Nws suav txog raucaum.* (p) Ntau npaum li: *Nws muaj rau caum xyoo.*

[English] (n,adj,pron) Sixty, such as a number 60.

rau nqi (p) Saib kom tseemceeb; saib kom xws li muaj nqis; hwm: *Yuavtsum saib nws cov lus kom rau nqi.*

[English] (adj) Being valuable; respectful, meaningful.

rau qhov (tx) Vimtias, vim yog: *Kuv yuav rau qhov kuv nyiam.*

[English] (conj) Because.

rau siab (nu) Siv zog ua; muaj siab ua: *Nws rau-siab kawm ntawv heev.*

[English] (aux. v) Aspire, strive; to work hard at something.

rau taw (y) Cov rau uas tuaj nyob ntawm ntivtaw: *Nws txiav cov rau taw.*

[English] (n) Toenail.

© 2003 Jay Xiong. All rights reserved.

rau tes (y) Cov rau uas tuaj nyob ntawm ntiv tes: *Nws txiav cov rau tes.*
[English] (n) Fingernail.

raub (u) Muab xws li cov rau mus hus lossis khawb los: *Tus qaib raub av.*
[English] (v) To rake or scrape, such as when a chicken rakes or scrapes the leaves from the ground looking for food.

raug[1] (u) 1. Mloog lwm tus ntxias losyog hais; mag, tau txais: *Nws raug lawv dag.* 2. Mus chob; mus tsoo: *Nws tua raug tus noog.* (p)Yog, ncaj rau qhov: *Koj hais raug lawm; nws xav raug lawm.*
[English] (v) 1. To become a victim of someone's lie or trick. 2. To hit (a target, for example). (adj) Correct, right.

raug[2] (u) Tau losyog mag: *Koj raug tus neeg laus hos kuv raug tus hluas.*
[English] (v) Get, got, have (I got an old person, for example).

rauj (y) Rab uas yog hlau thiab neeg siv los npuj, ntaus, thiab tsoo lwm yam: *Neeg siv rauj los npuj cov ntsiahlau.*
[English] (n) Hammer.

raum (y) Ob lub uas nyob hauv neeg losyog tsiaj lub cev thiab nyob puab ntawm tus txha nrobqaum. Lub raum qhov haujlwm yog los lim dej thiab lim ntshav, thiab lim cov kua yus haus kom tawm mus ua tau zis: *Neeg muaj ob lub raum.*
[English] (n) Kidney.

raus[1] (u) Muab tso rau hauv xws li dej losyog qhov muaj kua, xws li kom ntub. *Nws muab txhais taw raus rau hauv tais dej.* (y) Cov kab me~ thiab tsw phem heev. Feem ntau yog siv lo "kab raus" xwb.
[English] (v) To dip or plunge briefly into liquid. (n) Certain kind of insect.

raus[2] (u) Mus txuam; mus thab losyog ua tej: *Txhob raus tes rau tej teebmeem uas tsis yog yus lis.*
[English] (v) Involve; to be a part of.

rauv (u) Muab xws li taws los tso rau hauv lub qhovcub: *Nws rauv cov taws.*
[English] (v) To burn, dried woods, in a fireplace.

raw (y) Tej tus menyuam hlau uas, feem ntau yog muab hlau kab los ua, thiab pem hau me, nyias thiab ntse heev. Neeg siv raw los sai xws li nplaim qeej, raj thiab ncas ltn...
[English] (n) A very small chisel-like metal tool used to cut or carve blades

© 2003 Jay Xiong. All rights reserved.

of the Hmong musical instruments, such as "qeej, ncas and raj" etc...

rawg (y) Cov tej tus pas me luaj li ntiv tes uas neeg siv los tais mov thiab tais zaub los noj: *Neeg Suav nyiam siv rawg los tais zaub noj.*
***[English]** (n) Chopsticks.*

rawm (u) Maj xws li xav kom ua sai lossis ceev: *Nws rawm noj mov.*
***[English]** (v) Hurry, rush.*

raws[1] (u) Taug qab mus; lawv qab: *Peb raws tus kauv.*
***[English]** (v) Follow; to go after.*

raws[2] (u) Mus nrog nyob uake: *Nws raws nws cov kwvtij.*
***[English]** (v) To go stay or live with.*

raws[3] (u) Nrog mus uake: *Peb raws lawv mus ua si.*
***[English]** (v) Go or travel along with.*

raws[4] (pu) Zoo nkaus li; xws li: *Nws piav raws nws txoj kev txomnyem.*
***[English]** (adv) According to, like, such as.*

raws[5] (u) Mob plab xws li ua rau tso quav ua kua: *Nws raws plab ib hmos.*
***[English]** (v) To excrete or discharge, esp. such as having a diarrhea.*

raws nraim (pu) Zoo nkaus li; tsis txawv li: *Nws ua raws nraim li peb qhia.*
***[English]** (adv) Exactly, precisely, accordingly.*

rawv (u) Muab ua kom nkhaus xws li los rau hauv av: *Tus qhaub rawv vim mag ib tus ntses.* (p) Nkhaus losyog rawv ntev los lawm. (pu) Muaj nyob ntawv tas mus li; tsis tso cia li: *Nws tuav rawv; nyob rawv; zaum rawv ltn...*
***[English]** (v) To bend downwardly, esp. such as a stick or pole bending toward the ground. (adj) Become bent. (adv) Always, constantly.*

rawv nris (p) Ua rau rawv heev: *Tus liab rub tus ceg ntoo rawv nris.*
***[English]** (adj) Become bent; to bend downwardly.*

re (h) Tej yam losyog tej tus uas xws li paj tej; res: *Ib re paj.* (y) Yam uas ua res.
***[English]** (cl) A, the, and only used for flowers or the like. (n) Resembling a bunch (of grapes, for example).*

res (h) Tej yam losyog tej tus uas xws li paj tej; re, rev: *Ib res paj.* (y) Yam uas ua res: *Nws muab ntau res pub kuv.*
***[English]** (cl) A, the, and only used for flowers or the like. (n) Resembling a bunch (of grapes, for example).*

© 2003 Jay Xiong. All rights reserved.

rev[1] (h) Tej yam losyog tej tus uas xws li paj tej; res: *Ib rev paj.* (y) Yam uas ua rev: *Muab ob rev pub rau kuv.*

***[English]** (cl) A, the, and only used for flowers or the like. (n) Resembling a bunch (of grapes, for example).*

rev[2] (y,pu) Lub suab uas xws li thaum tso paus es nrov.

***[English]** (n,adv) A sound of someone passing gas.*

rh (y) Ib tus ntawv siv rau cov lus xws li rhais, rhawv, rhaub ltn...

***[English]** (n) A consonant used for words such as "rhais, rhawv" etc...*

rhais[1] (u) 1. Muab tshem losyog txav mus rau lwm qhov chaw: *Nws rhais ib ruam.* 2. Txav mus rau lwm thaj chaw: *Nws rhais nws lub tsev.*

***[English]** (v) 1. To move, such as by stepping forward or backward. 2. Move, such as relocate something.*

rhais[2] (u) Muab tso, khuam rau: *Nws rhais daim ntawv rau ntawm qhovrooj.*

***[English]** (v) To place, mostly flat and/or thin objects, at a particular location.*

rhais ruam (u) Muab txhais taw mus kev; txav txhais taw mus li ib ruam: *Tus menyuam paub rhais ruam lawm.*

***[English]** (v) Walk, such as by taking steps with the feet.*

rhaub (u) Muab ua kom kub losyog sov: *Nws rhaub yias dej kom sov.*

***[English]** (v) Heat, boil, esp. to make (cold soup, for example) warm or hot.*

rhawv[1] (u) Tsim tau; ua tau; tho tau uas xws li kev: *Nws rhawv tau ib txoj kev.*

***[English]** (v) Create, invent, make.*

rhawv[2] (y) Lub dab; yam uas zoo li lub dab: *Lawv puab tau ib lub rhawv.*

***[English]** (n) Tub, such as a bathtub.*

rhawv[3] (y) Cov qaib uas tabtom yuav tiav nkauj thiab tiav lau.

***[English]** (n) A chicken that nearly reach its full development stage.*

rhawv rhe (pu) Muaj suab nrov tuaj, xws li thaum qaib qua tej: *Ib tus qaib qus qua rhawv rhe tim roob tuaj.*

***[English]** (adv) A noise or sound made by a rooster or cock when crowing.*

rhawv zeb (y) Lub dab, hub, rhawv uas yog muab zeb puab: *Ib lub rhawv zeb.*

***[English]** (n) A large pot (pottery) made with stones or cement.*

rhe[1] (pu) Ntuag kiag losyog ntais kiag: *Nws dua rhe ib sab rau kuv.*

***[English]** (adv) Used to describe verbs such as tear, separate, divide and it*

© 2003 Jay Xiong. All rights reserved.

means quickly or immediately.

rhe[2] (y,pu) 1. Cov suab uas nrov lossis muaj los ntawm xob; nthe; rhev: *Xob nthe tej rhe nrov hee.* 2. Tej lub suab uas nrov loj xws li thaum xob nthe ntawv.
[English] *(n,adv) 1. Thunder. 2. Any sound resembles such loud noise.*

rheeb (u) Muab xws li txhais taw mus kos, raub losyog khawb kab: *Tus qaib niaj hnub rheeb peb pawg nplej.*
[English] *(v) To rake, esp. resembling a chicken using its feet during searching for foods or insects.*

rhees (pu) Muab pov mus; cuam mus; muab tso rau: *Nws pov rhees rau saum rooj. Tus qaib dhia rhees rau saum tus nqaj.*
[English] *(adv) Used to describe verbs such as jump or hop, and it means quickly, immediately.*

rhev (y,pu) 1. Cov suab uas nrov lossis muaj los ntawm xob; nthe; rhev: *Xob nthe tej rhev nrov hee.* 2. Tej lub suab uas nrov loj xws li thaum xob nthe ntawv.
[English] *(n,adv) 1. Thunder. 2. Any sound resembles such loud noise.*

rhevlev (y) Ib hom noog uas nyiam txaug losyog tho ntoo heev.
[English] *(n) Woodpecker.*

rhiab[1] (u) Tsis kam pom losyog kov vim ntshai: *Nws rhiab tus nab heev.*
[English] *(v) Fear, esp. such as not willing to touch or handle; to be afraid of touching (a snake, for example).*

rhiab[2] (u) Ua rau thev tsis taus losyog nyob tsis taus xws li thaum neeg muab tes kov losyog khawb yus lub qhovtsos: *Nws rhiab vim peb laum nws sab tav.*
[English] *(v) Ticklish; sensitive to tickling.*

rho[1] (u) 1. Muab rub kom tawm los: *Nws rho tus nroj.* 2. Muab thau los: *Nws rho ib puas nyiaj los siv.*
[English] *(v) 1. To pluck; to pull (weed) from the ground. 2. To withdraw (money) from a bank; to pull out (cash or objects) from (a pocket, for example).*

rho[2*] (u) Muab thau tawm: *4 - 1 = 3. 10 - 4 = 6.* (y) Tus ntawv '-' uas siv los rho. Lus rov: *Ntxiv.*
[English] *(v) Subtract, minus. (n) The minus '-' sign or character; subtraction. Ant: Addition.*

© 2003 Jay Xiong. All rights reserved.

rhom* (y) Tus ntawv suav uas 1,000,000,000,000. Tus ntawv 10^{12} . (p) Siv piav txog yam uas muaj ntau npaum li: *Nws muaj rhom nyiaj.*
[English] (n,adj) Trillion.

rhu (u) <Lees> Rho.
[English] (v) <Leng> 1. Pluck. 2. To pull (weed) from the ground.

rhuav[1] (u) 1. Muab tshem tawm; muab ua kom tsis txhob nyob uake: *Lawv rhuav lub tsev vim nws qub heev.* 2. Ua kom puas losyog kom tsis txhob zoo: *Nws rhuav peb txoj kev hlub.*
[English] (v) 1. Demolish. 2. Destroy, to sabotage; to put an end to, esp. such as relationship or friendship.

rhuav[2] (u) 1. Ua kom txajmuag: *Nws rhuav peb plhu.* 2. Tsis ua raws li hais tseg: *Nws rhuav peb cov lus.*
[English] (v) 1. To mortify; to humiliate. 2. To breach, such as to break or violate (an agreement or contract, for example).

rhuav[3] (pu) Muaj uas xws li: *Nws ua yuamkev rhuav.*
[English] (adv) Used to describe, mostly, the word "yuamkev", and it means obviously.

rhwb rhees (pu) Muaj zog dhia; nyiam dhia rau ub, rau no: *Nws cov menyuam nyob zoo thiab dhia rhwb rhees.*
[English] (adv) Used to describe word such as "dhia" only, and it means lively, vigorously, energetically.

ri (nu) Nthuav, huam, txav xws li mus rau txhua qhov chaw: *Tee roj ri mus thoob lub khob dej; ntawv Askiv ri mus thoob ntuj.*
[English] (aux. v) Spread, expand.

riag[1] (u) Muab rab riam tsuav losyog txiav: *Nws riag ub, riag no.* (y) Tej riam losyog suam uas yog muab riam los hlais: *Ob riag.*
[English] (v) Cut, chop, esp. with a knife. (n) The act or result of cutting.

riag[2] (y) Ib ntshuas ntawv (cov nyiaj ntawv Suav uas siv los ua yajkhaum thiab ceebkhaum nyob rau lub caij ua Neeb). Ib riag muaj 12 daig ntawv nyob uake.
[English] (n) A stack, esp. used to refer to the Chinese papers which have silver and golden marks or colors printed on.

riam (y) Rab uas yog muab hlau ua, muaj tus ko, thiab muaj ib sab ntse. Feem

© 2003 Jay Xiong. All rights reserved.

ntau yog siv riam los hlais nqaij, txiav, thiab suam khoom tej: *Ib rab riam.* Ib lub npe uas siv rau tub.

***[English]** (n) Knife. Also a proper name for boys.*

riam phom (y) Riam thiab phom, thiab feem ntau yog siv los piav txog cov phom siv los sibtua xws li lub caij ua tsovrog xwb: *Lawv muaj riam phom ntau heev.*

***[English]** (n) Weapon, esp. consists of guns and knives.*

rig (u) Muab xws li txoj hlua los khaubzig; muab hlua los pav ncig: *Muab txoj hlua rig tus npua ob txhais taw.*

***[English]** (v) To wrap, esp. by coiling or tying around something.*

ris[1] (u) 1. Muab xws li khoom tso nraum saum lub nrobqaum: *Nws ris hnab nplej.* 2. Lees losyog kam txais; yeem: *Nws ris lawv cov lus.* 3. Kam los nres.

***[English]** (v) 1. To carry (things) on one's back. 2. To accept or take (words). 3. To take complete responsibility for.*

ris[2] (y) Lub uas yog muab ntaub xaws thiab neeg siv los hnav: *Nws hnav lub ris thiab lub tsho.*

***[English]** (n) Pants, trousers.*

ris luv (y) Lub ris uas ob txhais taw ntev mus txog rau ntawm lub hauvcaug xwb: *Nws hnav lub ris luv.* Lus rov: *Ris ntev.*

***[English]** (n) Shorts, such as short pants or trousers.*

ris ntev (y) Lub ris uas ob txhais taw ntev mus txog nram ob txhais kotaw: *Nws hnav lub ris ntev.* Lus rov: *Ris luv.*

***[English]** (n) Long pants or trousers.*

ris tsho (y) Khaub ncaws; yam uas neeg hnav: *Nws tsis muaj ris tsho ntau.*

***[English]** (n) Clothing, clothes.*

rog[1] (u) Muaj roj ntau; ua tej daim dawb~ thiab nplua uas muaj nyob ntawm tsiaj losyog neeg lub cev: *Tus npua rog heev.* (p) *Tus neeg rog noj mov ntau.*

***[English]** (v) 1. Fat, such as fatty tissue. (adj) Being fat, plump or obese.*

rog[2] (y) Thaum neeg siv riam thiab phom los sibtua xws li yog muaj los ntawm ob lub tebchaws; tsovrog: *Ob lub tebchaws ua rog.*

***[English]** (n) War, warfare.*

rognthaws (p) Pham thiab rog xws li muaj roj ntau: *Ib tus npua rognthaws.*

***[English]** (adj) Being fat, plump or obese.*

© 2003 Jay Xiong. All rights reserved.

roj[1] (y) Cov roj, cov tej daim dawb~ thiab nplua uas muaj nyob ntawm tsiaj losyog neeg lub cev: *Ib tais roj.*
***[English]** (n) Fat, such as fatty tissue.*

roj[2] (y) Ib hom kua uas xws li dej tabsis yog siv los taws kom pomkev: *Neeg siv roj los ua kom tsheb khiav tau muslos.*
***[English]** (n) Fuel, oil, gasoline, esp. used by automobiles and machineries.*

roj[3] (y) Cov kua ua muab nyoj los ntawm xws li txiv tej. *Neeg siv roj pobkws los kib nqaij thiab kib zaub.*
***[English]** (n) Oil, esp. cooking oils from vegetable and animal fat.*

roj[4] (y) Lub caij ua tshoob kos Hmoob kuj siv tias tus roj, tus hneev.
***[English]** (n) A step, procedure or process and only used at a wedding negotiation or ceremony.*

roj a (y) Cov roj uas muab hauv av los. Neeg siv roj a los tso rau hauv tsheb thiab tso rau hauv nyuj hoom tej: *Neeg siv roj a los tso rau hauv tsheb.*
***[English]** (n) Kerosene, fuel, gasoline.*

roj hmab (y) 1. Cov roj uas nplaum thiab feem ntau yog muaj tsuas dawb xws li tawm ntawm cov hmab thiab ntoo los. 2. Tej yam uas yog muab roj hmab ua thiab zooj: *Ib thooj roj hmab.*
***[English]** (n) 1. Rubber. 2. Plastic.*

roj teeb (y) Tej lub uas muaj roj nyob hauv thiab siv los taws xws li teeb tsom los yog lub teebkhoo tej: *Nws yuav tau ob lub rojteeb.*
***[English]** (n) Battery, esp. the kind used in a flashlight.*

roob (y) Tej thooj av uas siab, loj thiab siab; povroob: *Hmoob nyiam nyob saum roob. Nws lub tsev nyob saum lub roob.*
***[English]** (n) Mountain.*

roob hlaub (y) Thaj uas nyob nruab nrab ntawm lub hauvcaug thiab txhais taw, thiab yog sab uas muaj tus txha; roob qhib: *Ua tsoo nws roob hlaub.*
***[English]** (n) Shin, shank, tibia.*

roob hluav taws (y) Lub roob uas muaj ib co kua liab thiab kub heev. Feem ntau yog muaj nyob rau qees lub tebchaws uas muaj cov roob siab~ thiab nyob ze dej hiav txwv xwb: *Nyijpoom yog ib lub tebchaws muaj ib lub roob hluav taws loj heev.*

© 2003 Jay Xiong. All rights reserved.

[English] (n) Volcano.

roob qhib (y) Thaj uas nyob ntawm lub hauvcaug mus txog rau nram txhais taw, thiab yog sab uas muaj tus txha; roob hlaub: *Ua tsoo nws lub roob qhib.*
[English] (n) Shin, shank, tibia.

roob ris (y) Ib hom tsiaj uas muaj ntau cov testaw thiab nyiam tho qhov nyob ze ntawm ntug dej: *Nws pom ib tus roob ris.*
[English] (n) Crab.

roob ris maum* (y) Ib hom roobris uas loj tshaj lwm yam roobris.
[English] (n) Dungeness crab.

roob ris teb (y) Cov kab uas zoo li roobris, tabsis nws muaj tus tw ntev thiab yog plev neeg mas mob heev: *Peb tsis nyiam cov roob ris teb.*
[English] (n) Scorpion.

roob ris xiav* (y) Ib hom roob ris uas loj thiab nws lub khauj khaum xiav.
[English] (n) Blue crab.

rooj[1] (y) Lub losyog daim uas xws li yog ntoo thiab muaj ob losyog ntau tus ceg los txheem: *Muab tais mov tso saum lub rooj.*
[English] (n) Table, esp. such as an article of furniture.

rooj[2] (y) Kev sibtham uas nyob rau saum lub rooj: *Lub rooj sablaj.*
[English] (n) Meeting.

rooj[3] (h) Tej yam losyog hom xws li rooj ntxiab, rooj mov, rooj plaub ltn...
[English] (cl) A, the.

rooj log*(y) Cov rooj zaum uas txaus ib leeg thiab muaj ob lub log loj nyob rau ob sab: *Neeg siv rooj log los thawb cov neeg mus tsis taus kev.*
[English] (n) Wheelchair.

rooj paim (y) Lub qhovrooj uas mus rau hauv lub txaj: *Ntawm lub rooj paim.*
[English] (n) Bedroom; doorway of the bedroom.

rooj tog (y) Tej rooj thiab tej tog uas siv los zaum: *Nws muaj rooj tog ntau heev.*
[English] (n) Furniture, such as chairs and tables.

rooj vag (y) Lub qhov uas mus rau hauv lub vaj: *Nws nyob ntawm rooj vag.*
[English] (n) Gateway, esp. leading into an enclosed or fenced area.

roos (u) Los thaiv, nris, npog uas xws li kom tsis pom: *Cov huab roos lub hnub.*
[English] (v) Block, obstruct.

© 2003 Jay Xiong. All rights reserved.

rov[1] (nu) Mus losyog los uas xws li rau qhov chaw qub: *Nws rov mus tsev.* (u) Muab mus rau tus uas muab tuaj: *Koj rov lub khob rau kuv.*
[English] (aux. v) Return; to go or come back. (v) To return or give back (changes, for example) to the giver.

rov[2] (u) Muab tig losyog tshoj: *Koj rov tog loj los rau kuv.*
[English] (v) Turn, rotate.

rov[3] (pu) Ib zaug ntxiv; ua dua: *Nws rov hais kwv txhiaj.*
[English] (adv) Again, repeat.

rov neem (u) Muab txhais taw tuam rov tomqab losyog rau tom lub pobtw: *Nws rov neem zoo heev.* (p) Ncaws rov rau tomqab: *Nws txawj ncaws rov neem.*
[English] (v) To kick by lifting a leg high and rotating the heel around one's back or body. (adj) Of or relating to such a kick.

rov ntsuj (u) Rov los rau qhov qub chaw; rov mus rau tom qab: *Nws rov ntsuj los txog tsev.* Feem ntau, yog siv rau lub caij hais kwv txhiaj xwb.
[English] (v) To turn back; to return. Mostly used when sing "kwv txhiaj" only.

rov qab (pu) 1. Mus rau tom qubqab losyog qhov chaw uas tuaj: *Nws rov qab mus tsev.* 2. Ua ntxiv; ua dua: *Nws rov qab pw; nws rov qab noj.* (u) Rov mus rau qhov chaw uas uas tuaj; rov: *Nws rovqab nag hmo lawm.*
[English] (adv) 1. Return, such as to go or come back. 2. Again; to repeat a previous action. (v) To return, such as to go or come back.

rov quav (p) Ua rau tsis paub losyog tsis meej: *Nws hais lus rov quav dhau.*
[English] (adj) Confused, backward.

rov quav niab (p) Ua rau tsis paub losyog tsis meej: *Nws ua rov quav niab.*
[English] (adj) Confused, backward.

ru (y) Thaj uas nyob rau sab nrauv thiab yog ua los vov lub tsev; lub ruv: *Txhua lub tsev yuavtsum muaj lub ru.*
[English] (n) Roof, esp. of a house or building.

rua (u) Ua kom qhib xws li kom tsis kaw: *Nws rua nws lub qhov ncauj.*
[English] (v) Open, such as to release from a closed position.

ruaj[1] (u) Khov, tsis phem yoojyim: *Lub tsev pobzeb ruaj heev.* (p) Yam uas ruaj thiab khov: *Nws siv cov ntoo ruaj los ua nws lub tsev.*
[English] (v,adj) Sturdy, strong, such as solidly built or constructed.

© 2003 Jay Xiong. All rights reserved.

ruaj[2] (u) Khov uas xws li tsis muaj kev puas losyog kev txhawj xeeb tias tsam ploj tej: *Nws ua nws lub neej ruaj heev.* (p) Yam uas ruaj thiab khov: *Nws tau lub neej ruaj.*

***[English]** (v,adj) Secured, safe, esp. free from risk of harms or problems.*

ruaj nrees (p) Ruaj thiab khov heev: *Lub tsev pobzeb nyob ruaj nrees.*

***[English]** (adj) Sturdy, strong, such as solidly built or constructed.*

ruaj nreg (p) Ruaj, tsis muaj puas losyog ploj: *Nws tau txoj num ruaj nreg.*

***[English]** (adj) Secure, such as free from risk of loss; safe.*

ruaj ntseg (p) Ruaj thiab khov; tsis vau losyog tsis puas tsuaj: *Nyob ruaj ntseg.*

***[English]** (adj) Successful, esp. relating to family or life in general.*

rualo (u) Muab lub qhov ncauj rua xws li sibzog nqus pa. Feem ntau yog vim nkees losyog yuav tsaug zog tej: *Nws rualo vim nws yuav tsaug zog.*

***[English]** (v) Yawn, such as to open the mouth.*

ruam[1] (u) Tsis paub hais lus; hais lus tsis tau thiab tsis hnov lus: *Nws ruam heev.* (p) Piav txog tus neeg ruam: *Nws yog ib tus neeg ruam.* (y) Tus neeg uas hais tsis tau lus: *Lawv muab nyiaj pab tus ruam.*

***[English]** (v,adj) Retarded, mentally retarded. (n) Mute, esp. a person who is incapable of speech.*

ruam[2] (u,p) Kawm losyog tsis paub yoojyim; kawm tsis tau sai: *Nws ruam es nws thiaj li ua yuamkev.*

***[English]** (v,adj) Dumb, stupid.*

ruam[3] (y) Muab txhais taw nqa thiab ua kom mus kev; rhais ruam: *Tus menyuam mus tau ib ruam; rhais ib ruam.*

***[English]** (n) Walk, step, esp. when moving a foot forward; a walking space.*

ruam kev (y) Thaum tus neeg mus thiab tus neeg los muskev yuav sibtsoo tej.

***[English]** (n) Misstep.*

ruas (y,adj) Ib hom mob uas ua rau neeg nqws ntiv tes thiab ntivtaw: *Ruas yog ib yam mob uas neeg ntshai.*

***[English]** (n) Leprosy. (adj) Leprous.*

rub (u) Muab tes tuav thiab ua kom los ntawm yus: *Nws rub kuv plaubhau. Nws rub txoj hlua.* Lus rov: *Thawb.*

***[English]** (v) Pull, such as a rope or string toward oneself. Ant: Push.*

© 2003 Jay Xiong. All rights reserved.

ruj rev (y,pu) Lub suab uas xws li thaum tso paus es nrov tej.
[English] (n,adv) A sound of someone passing gas.

ruj rwg (pu) Muaj nyob rau hauv siab thiab feem ntau yog siv tuaj tom qab ntawm lo ntshai: *Nws ntshai ruj rwg.*
[English] (adv) Constantly, always.

ruv (y) Thaj uas nyob rau sab nrauv thiab yog uas los vov xws li lub tsev tej; lub ru: *Txhua lub tsev yuavtsum muaj lub ruv.*
[English] (n) 1. Roof. 2. Ridge, esp. of a roof.

rwb (y) Cov tej thooj dawb thiab zooj uas nyob hauv daim pam pw losyog hauv lub hauvncoo tej: *Ib thooj rwb.*
[English] (n) Cotton.

rwg (y) Lub suab uas piav txog thaum tus noog ya es nrov. (pu) Nrov zoo xws li.
[English] (n,adv) The sound of a bird flying.

rwglias (pu) Yuj losyog ya los xws li thaum yuav tsaws: *Pab noog ya rwglias los tsaws saum tsob ntoo.*
[English] (adv) 1. Diving or plunging quickly or suddenly. 2. Descending or traveling from a higher elevation to a lower elevation or place.

rwgqab (y) Tus ntiv tes losyog ntivtaw uas me tshaj: *Tus ntiv tes rwgqab.*
[English] (n) The baby finger; the smallest and shortest finger or toe.

rwj (y) Tej lub uas su thiab muaj ib co kua paug nyob hauv. Feem ntau yog muaj nyob rau ntawm neeg daim tawv nqaij: *Nws mob ib lub rwj.*
[English] (n) Abscess, boil. Also called

rwris (pu) Mus ua tsheej pab; ua cuag cas uake: *Pab noog ya rwris lawm.*
[English] (adv) Flying or traveling as a flock.

s[1] (y) Ib tus ntawv siv rau cov lus xws li sib, sau, siab, seev ltn...
[English] (n) A consonant used for words such as "sib, sau, siab" etc...

s[2] (y) Ib tus cim siv rau cov lus xws li *"nws, los, mus, tos" ltn...*
[English] (n) A tone marker used for words such as "nws, los, mus" etc...

sab[1] (y) 1. Thaj, daim, phab: *Nws phua lub txiv ua ob sab.* 2. Yam losyog thaj uas muaj tej txoj kab losyog tej yam los kem hauv nruab nrab: *Kuv tuaj sab tiaj.*
[English] (n) 1. Piece, esp. considered as an object or unit of a large thing. 2. Side, such as a surface bounding a solid figure or boundary.

© 2003 Jay Xiong. All rights reserved.

sab[2] (u) Nkees xws li tsis muaj zog: *Nws sab heev vim nws ua teb ib hnub.*
[English] (v) Fatigue, exhaust, tire, esp. relating to physical weariness.

sab[3] (u) Tsis nyeem losyog tsis nkos heev vim muaj kua tsawg lawm: *Cov kua suabthaj sab dhau.* (p) Piav txog yam uas sab.
[English] (v,adj) Thin, esp. such as not viscous.

sab[4] (y) Tej txoj kab; tej txoj xov uas tuaj ntawm lub hnub losyog tej yam uas ci tuaj: *Txoj sab hnub.*
[English] (n) Ray, esp. such as from the sunlight.

sab[5] (y) Tej txoj uas zoo xws li cov hlua thiab dawb~ nyob ntawm poj kablaugsab lub zes: *Tus yoov los mag poj kablaugsab cov sab.*
[English] (n) Spider web; the threadlike filaments spun or made by spiders.

sab[6] (y) Lub suab uas nrov zoo thiab ntev thaum muab rab ncas tshuab tej: *Rab ncas muaj sab zoo heev.*
[English] (n) A tone of distinct pitch, quality and duration of sound.

sabcib (y) <Suav> Lub tais uas yog muab xyoob los fiab thiab siv los npo mov tej: *Muab cov mov hais rau hauv lub sabcib.*
[English] (n) <Chinese> Strainer, esp. made with bamboo, and used for straining rice from the rice broth.

sablaj (u) Los sibtham txog; los tawm tswvyim; xav seb yuav ua licas: *Peb sablaj txog nws rooj tshoob.*
[English] (v) 1. Brainstorm, plan or think about a solution. 2. To confer, such as to seek advice or opinion from others.

sablauj pwm (y) Ib hom khoom noj uas yog ntug nyob rau hauv av, thiab tuaj ua tej tsob hmab. Cov txiv no yog noj nyoos xwb: *Ib tsob sab lauj pwm.*
[English] (n) Jicama.

sabsi (pu) Muaj hlauv losyog dauv cuag licas. Feem ntau, neeg siv txuam rau lo "hlauv" xwb: *Nws txoj hlab hlauv sabsi losyog hlauv sab, hlauv si.*
[English] (adv) Loosening and hanging downward and mostly used to describe ropes or straps that are loosening.

sai[1] (y) Ib hom tsiaj uas zoo li tshis tabsis muaj nyob rau xws li tim tej tsua xwb: *Nws pom tus sai nyob saum lub tsua.*
[English] (n) Mountain goat.

© 2003 Jay Xiong. All rights reserved.

sai[2] (u) Ua ceev; siv sijhawm tsis ntev; maj: *Koj sai mentsis.* (p) Maj losyog sai: *Koj ua sai dhau.*

[English] (v) To hurry up; to be quick. (adj) Fast, soon, hurry.

saib[1] (u) Muab ob lub qhov muag mus xyuas; ntsia: *Nws saib kuv noj mov.*

[English] (v) Watch, observe, look.

saib[2] (u) Zov uas xws li tsis pub mus qhov twg: *Koj saib kuv tus menyuam.*

[English] (v) Watch, oversee, taking care of (such as watching a baby).

saib[3*] (y) Lub uas muaj 12 teev uas qhia txog sijhawm; moos <Lostsuas>. Lo lus no yog txhais los ntawm lus Askiv "watch": *Koj puas muaj lub saib?*

[English] (n) Watch, such as a portable timepiece, worn on the wrist.

saib taus (u) Saib lwm tus neeg kom muaj nqis losyog kom xws li yog ib tus neeg tseemceeb: *Nws saib taus cov neeg pluag.*

[English] (v) Respect, value. Ex: He respects the poor people.

sais (u) Muab xws li rab raw losyog tej yam muaj hniav ntse los suam, kos losyog hlais xws li lwm yam hlau tej: *Nws sais tau ib tus nplaim raj.*

[English] (v) To pierce, cut or carve metal.

saj[1] (u) Noj me~ seb qab li cas: *Nws saj cov zaub seb puas qab ntsev.*

[English] (v) To sample, esp. with a small taste or bite.

saj[2] (u) Ua kom xws li tus pas yuav lov losyog nkhaus mus rau hauv av: *Tus pas saj vim pob khoom hnyav heev.* (p) Yam uas saj ntawv.

[English] (v) Sag, sink, droop, esp. due to heavy load or pressure.

sam[1] (u) Muab ob lub noobqes txiav losyog hlais tawm: *Nws sam tus taw npua.* (p) Tus uas mag sam lawm: *Ib tus lauqaib sam.*

[English] (v) Castrate, esp. by removing the testicles. (adj) Become castrated.

sam[2] (u) Muab ntxiv rau losyog tso rau kom tsis tag: *Sam roj rau lub tsheb. Sam ntawv noj thiab ntawv haus rau cov neeg laus.*

[English] (v) To add, (fuel to a car, for example). To add or extend the living time span to a person spiritually.

sam leej (u) Piav txog cov ntsuag uas thaum tuaj siab li tibneeg tej: *Cov ntsuag tabtom sam leej.* (y) Cov ntsuag uas tuaj txij li neeg tej.

[English] (v,n) A time when young bamboos grow to the height of a human.

sam sab (u) Muab povtseg; muab faus. Feem ntau yog siv rau tus neeg tuag:

© 2003 Jay Xiong. All rights reserved.

Tagkis lawv muab nws sam sab.

***[English]** (v) To bury (esp. a corps) in a grave or ground.*

sam sim (pu) Tabtom, tseem ua losyog muaj: *Peb sam sim noj mov.*

***[English]** (adv) Still, such as up to or continuing at the present time.*

sam thiaj (y) Ib qhov chaw nyob sab nraum zoov thiab ua txuas rau lub tsev: *Nws nyiam nyob nraum lub sam thiaj.*

***[English]** (n) 1. Balcony. 2. Stage.*

sas[1] (u) Khiav uas xws li mus losyog los: *Nws sas rau ub thiab sas rau no.*

***[English]** (v) Run, such as to move swiftly on foot.*

sas[2] (y) Ob daim txiag ntoo uas nyob tom phab tav ntawm lub hleb.

***[English]** (n) The two long pieces of wood on the side of a coffin.*

sas[3] (y) Thaum khiav xws li yog muab ob txhais kotaw mus kom nrawm tej: *Nws khiav ib sas; nws khiav ob peb sas thiaj tuaj txog peb.*

***[English]** (n) The act or instance of running.*

sau[1] (u) Muab mem los kos ua tej tus ntawv: *Nws sau tau ib daim ntawv.*

***[English]** (v) Write, such as writing a letter.*

sau[2] (u) 1. Muab, khaws los cia xws li qoobloo tej: *Txog lub caij peb sau qoobloo.* 2. Mus muab losyog khaws los: *Nws sau lawv nyiaj.*

***[English]** (v) 1. Harvest, reap. 2. To collect, such as to obtain or receive from.*

Saub (y) Ib tus neeg uas Hmoob ntseeg tias yog tus paub txhua txhia yam losyog tsim tas txhua yam. Tus tswv ntuj: *Saub thiaj paub txhua yam.*

***[English]** (n) 1. God. 2. The creator, or lord, of the universe.*

saum (r) Nyob rau qhov chaw uas siab; sauv: *Nyob saum roob.* Lus rov: *Hauv.*

***[English]** (prep) Above, on top of.*

saus[1] (u) Qawj zoo li lub hav iav: *Thaj av saus.* (p) Yam uas saus. Lus rov: *Su.*

***[English]** (v) 1. Sink, such as to descend to the bottom. 2. To drop or fall to a lower level or to the bottom. (adj) Being sunk or descended.*

saus[2] (y) 1. Pos xws li yam uas chob kotaw tej: *Ua dais coj saus.* 2. Tej yam mob uas nyob rau hauv lub nrog: *Nws tuaj pab rho saus.*

***[English]** (n) 1. Sliver, splinter. 2. Any various of such a severe pain.*

sauv[1] (y) Nyob rau qhov chaw uas siab: *Nws nyob sauv.*

***[English]** (n) The place above; the place resembling above or overhead.*

© 2003 Jay Xiong. All rights reserved.

sauv[2] (t) Qhov chaw uas siab ntawv: *Sauv siab heev.* (p) *Tus neeg sauv yog kuv tijlaug.* Lus rov: *Hauv.*

[English] *(pron) Up there, above. (adj) Appearing or being above. Ant: Below.*

sav (u) Ua rau mob xws li yog vim nqa, ev, rub losyog tsoo; mob: *Sav nws lub duav.* (nth) Siv tuaj tomqab ntawm zaj lus: *Nws noj tas lawm sav!*

[English] *(v) Sprain, pull, dislocate (a body part, for example). (interj) Used at the end of a sentence to mean right, yes, already.*

saw (y) Tej txoj xws li hlua tabsis muaj ntau lub voj los sibkhawm ua ib txoj: *Txoj saw kub thiab txoj saw hlau.*

[English] *(n) Chain, such as necklace or bracelet.*

sawb (y) Ua tej daim losyog tej tus xws li yog nqaij tej: *Muab ib sawb rau kuv.* (h) Yam uas zoo li sawb: *Nws yuav tau ob sawb nqaij npuas.*

[English] *(n) Strip (a strip of beef, for example). (cl) Resembling a strip.*

sawb lawj (u) Muab losyog nqa tas nrho: *Nws sawb lawj lawv cov khoom.*

[English] *(v) To take everything; to take all.*

sawm (u) Nyiam, tsimnyog, ntxim tau losyog zoo li: *Nws sawm zoo.* Ib lub npe uas siv rau cov tub.

[English] *(v) 1. Like, prefer. 2. Deserve. Also a proper name for boys.*

saws[1] (u) Muab tej txoj losyog yam xws li cov tawv ntuag los xaws losyog chob ua tej ntshuas tej: *Nws saws ntuag.*

[English] *(v) To spin, such as to draw out or twist (fibers) into threads.*

saws[2] (u) Yuav los ua yus li; muab los ua yus tug: *Saws nws ua kuv pojniam.*

[English] *(v) 1. To take (things) into one's possession. 2. To take (a person) as a spouse (husband or wife, for example).*

saws soom (pu) Muaj sia uas xws li thaum ua pa es ua rau lub hauvsiab su siab, su qis: *Nws ua pa saws soom.*

[English] *(adv) Up-and-down, such as when breathing.*

sawv[1] (u) 1. Nyob kom ntseg xws li yog muab ob txhais taw tsuj rau hauv av: *Koj sawv es cia kuv zaum.* 2. Tsis pw losyog tsis nyob rau saum lub txaj: *Peb sawv tabsis nws tseem pw.*

[English] *(v) 1. Stand, such as in an upright position. 2. Uprise, up.*

sawv[2] (u) Los ua ib pab losyog ib pawg: *Lawv sawv los tivthaiv cov neeg phem.*

© 2003 Jay Xiong. All rights reserved.

[English] (v) To rise, or rebel, against a constituted government or its system.

sawv[3] (u) Muaj losyog tawm tej lub pob nyob rau ntawm daim tawv nqaij: *Txhais tes sawv ib lub hlwv.*

[English] (v) To raise, such as to arise, appear or exists on the surface.

sawv cev (u,y) Hais xws li yog los ntawm lwm tus neeg; ua tam li: *Nws sawv cev ntawm nws cov kwvtij.* (y) Tus neeg uas ua lossis hais lus rau lwm tus losyog ib pab neeg twg: *Nws yog tus sawv cev ntawm peb pawg neeg.*

[English] (v) Represent, on behalf of. (n) Representative, delegate.

sawv daws (t) Txhua leej; txhua tus: *Sawv daws mus pw.* Qee leej kuj hais tias "suav daws" no thiab.

[English] (pron) Everyone, all.

sawv kev (u) Pib mus; pib tuaj losyog los: *Nws sawv kev tam sim no lawm.*

[English] (v) Starting or beginning; in the process of.

sawv ntsug (u) Sawv xws li muab ob txhais taw tso rau hauv av, thiab muab lub cev ua kom ntseg: *Nws sawvntsug noj mov.* (p) *Nws tsaug zog sawvntsug.*

[English] (v) To stand up; to stand upright. (adj) Upright.

sawv ntxov[1] (y) Lub sijhawm uas xws li thaum nyuam qhuav pomkev, tabsis lub hnub tsis tau ci losyog kub heev: *Lawv tuaj txog thaum sawv ntxov.*

[English] (n) Morning.

sawv ntxov[2] (y) Muaj losyog tshwm sim ua ntej thaum tavsu. Lo lus no muab sau luv ua "S.N. losyog SN" no: *Peb tuaj txog thaum 9SN.*

[English] (n) AM, A.M. or a.m. Ant: PM or p.m.

se[1] (y) Cov nyiaj uas txhua leej yuavtsum them thiab siv los pab xws li kom nomtswv khiav tau dejnum rau lub tebchaws: *Peb them se rau cov nomtswv.*

[English] (n) Tax, esp. money pay to support a government.

se[2] (y) Sev uas xws li tus pojniam: *Pojniam-tubse; nrhiav poj, nrhiav se.*

[English] (n) Wife.

seb[1] (tx) Nyob ntawm uas; tabsis mas: *Koj hais li seb nws puas nyiam.* (nth) Siv los qhia txog tej yam uas ua ntawv: *Seb, cas tseem ua li thiab! Nej sim saib seb!*

[English] (conj) But, however. (interj) Oh, why.

seb[2] (y) Ib hom ntoo: *Nws mus ntov tsob seb.*

[English] (conj) Certain kind of tree.

© 2003 Jay Xiong. All rights reserved.

seej (u,p) Tsis ntshai lossis tsis qus: *Tus nees seej heev.* Lus rov: *Qus.*
[English] (v) Tame, tamed.

seem[1] (u) Tseem muaj; tshuav: *Seem ob tais mov* . (p) Yam uas seem: *Peb noj cov mov seem xwb.* (y) Vau mus tibyam: *Cua tshuab cov ntoo vau mus ib seem.*
[English] (v) Still have or available. (adj) Leftover, unused portion. (n) Direction, angle.

seem[2] (u) Tig, ntxeev mus tibyam: *Ob tus kuam seem tsis zoo.*
[English] (v) Turn, flip.

seem kuam (y) Thaum ntaus lossis khov kuam es ob tus kuam tsis ntxeev ua ib seem, xws li ib sab ntxeev tiaj hos ib sab khwb. Thaum zoo li no, yog tias nrog dab tham xws li ntawg dab, ces txhais tau tias dab txuas lossis teb neej lus lawm.
[English] (n) When half of the horn turned face down and the other face up.

seev (u) Ua lub suab hais txog kev nco losyog kev kho siab ltn... *Nws seev tias, "Ab, ua cas yuav kho siab ualuaj."*
[English] (v) To hum, esp. to speak or utter in a lonely or depressed manner.

seev yees (pu) Thaum hais lus xws li txuam rau kev seev: *Nws hais lus seev yees.*
[English] (adv) To hum, esp. to speak or utter in a lonely or depressed manner.

sej (u) Ua kom laug sijhawm; majmam ua kom tsis tas sai: *Nws sej tau ob hlis no.*
[English] (v) Procrastinate, delay, postpone.

sem (u) Muaj tsawg zog qhov qub lawm; tsis ntau li qub: *Choj nyiaj uas muab ntaus los ua lub xauv ces yuavtsum sem mentsis.* (p) Yam uas sem.
[English] (v,adj) Short, such as not having the same amount, weight or mass.

sem so (pu) Siv los piav txog lo lus sov: *Lauj kaub dej sov sem so.*
[English] (adv) Somewhat, esp. used to describe something lukewarm.

ses (tx) Tabsis, uas xws li: *Koj ua li ses kuv yuav qhia rau lawv.*
[English] (conj) Then, therefore.

sev[1] (y) Tus pojniam; se: *Nws yog luag poj thiab luag sev.*
[English] (n) Wife, spouse.

sev[2] (y) Ib daim ntaub uas Hmoob xaws los sia npog ntawm pojniam lub xubntiag.
[English] (n) A garment, apron like, worn in front (between the waist and the knees) by Hmong women.

sev npua (y) Daim sev uas pojniam sia los npog lub pob tw.

© 2003 Jay Xiong. All rights reserved.

[English] (n) A garment, apron like, worn on the back (between the waist and the ankles) by Hmong women.

si[1] (u) Ua kom cov kua tawm mus; tso cov kua tawm: *Muab daim pam si.*
[English] (v) Drain, such as to draw off liquid.

si[2] (y) Cov phuas taum uas xws li thaum muab ziab kom qhuav; kua si: *Ib thooj si.*
[English] (n) Soybean curd.

si[3] (u,p) Sis uas xws li hais tus cim losyog lub suab tsis meej: *Nws hais lus si heev.*
[English] (v,adj) To speak with an accent.

si laim (p) Si xws li dej ntws lossis txeej tej: *Nws quaj ua kua muag si laim.*
[English] (adj) Running, such as when tear is running from one's eye.

si laws (p) Si xws li dej ntws lossis txeej tej: *Nws quaj ua kua muag si laws.*
[English] (adj) Running, such as when tear is running from one's eye.

sia[1] (y) Txoj losyog lub siab uas ua rau xws li neeg thiab tsiaj ciaj: *Ib leeg muaj ib txoj sia. Tus ntxhw txoj sia loj dua tus ntsaum li.*
[English] (n) Life; the state or condition of living.

sia[2] (u) Muab pav; khi rau ntawm lub duav: *Nws sia txoj siv.*
[English] (n) To wear or put (a belt or garment, for example) on the waist.

siab[1] (y) 1. Lub losyog daim uas nyob hauv lub cev, thiab nws liabdoog uas nyob ntawm lub hauvsiab: *Neeg lub siab thiab lub ntsws.* 2. Qhov losyog yam uas ua rau neeg xav thiab paub.
[English] (n) 1. Liver. 2. Heart (he is a soft-hearted person, for example).

siab[2] (u) Tsis qis; nyob rau xws li deb saum npoo av: *Tauv huab siab tshaj lub tsev.* (p) Yam uas siab: *Tauv huab nyob siab heev.* Lus rov: *Qis, qes.*
[English] (v,adj) High. Ant: Low.

siab[3] (u,p) Tsis qis; nyob rau xws li deb saum npoo av: *Tsob ntoo siab heev.* Lus rov: *Qis, qes.*
[English] (v,adj) Tall. Ant: Short.

siab ntshuas (p) Siab tsawv uas xws li siab dua cov; tus neeg uas siab: *Nws yog ib tus neeg siab ntshuas thiab hais lus zoo heev.* (pu) *Nws sawv siab ntshuas.*
[English] (adj) Tall, tallish. (adv) Tall (he stands tall, for example).

siab phem (u) Ua lub siab tsis ncaj; ua tej yam tsis ncaj losyog tsis zoo: *Nws siab phem heev yog nws nyiag koj cov nyiaj.* (p) Piav txog tus neeg uas ua tsis ncaj

© 2003 Jay Xiong. All rights reserved.

losyog ua tej yam phem.

[English] (v,adj) Evil, wicked, crooked.

siab zoo (u,p) Muaj lub siab ncaj losyog zoo: *Nws siab zoo heev.*

[English] (v,adj) Kind, generous, kind-hearted.

siav[1] (u) Loj, puv, laus txaus xws li tej txiv hmab thiab txiv ntoo: *Cov txiv tsawb siav heev.* (p) Yam uas siav losyog laus txaus ntawv.

[English] (v) Ripen. (adj) Ripe.

siav[2] (u,p) Tsis nyoos uas yog muab ci losyog hau ntev lawm: *Nws ci daim nqaij siav lawm. Nws hau cov zaub kom siav.*

[English] (v,adj) Cooked, such as being heated or fried thoroughly.

siav[3] (y) Txoj sia: *Nws siav ntev heev.*

[English] (n) Life; a state or condition of living.

siav[4] (u) Ua tej kab, sawv ua tej txoj. Feem ntau yog muaj tej yam tsoo losyog nplawm raug tej: *Nws txhais ncej muab siav ib kab vim tus khaub nplawm.*

[English] (v) Bruise, such as to injure the underlying tissue (of the body) without breaking the skin.

sib[1] (u) Tsis muaj ceebthawj; tsis hnyav: *Daim ntawv sibdua lub pobzeb.* (p) Yam uas sib: *Nws ev lub nra sib.* Lus rov: *Hnyav.*

[English] (v,adj) Light, such as not heavy. Ant: Heavy.

sib[2] (u) Tsis muaj nyob tuab ntws; tsis muaj nyob sibze: *Nws cov nplej sib heev.* (adj) Zoo xws li sib ntawv: *Cov nplej tuaj sib heev.*

[English] (v,adj) Sparse.

sib[3] (r) Siv ua ntej ntawm lwm lo lus ua xws li ntaus, ntsib, ceg, hais ltn... *Sibpab, sibceg, sibhaum, sibntaus, sibcav ltn...* Neeg kuj siv lo "sis" uas xws li *sispab, sisceg thiab.* Lo lus "sib" txhais tau tias muaj los ntawm ob tus losyog ob tog: *Nkawv sibpab; nkawv sibceg ltn...*

[English] (pref) To, esp. used before (mostly action verbs). To fight, to argue, to talk and to discuss etc...

sibcav (u) Hais lus cem lwm tus neeg. Ob leeg rov sauv xwb thiaj li siv lo no: *Nkawv sibcav nrov kawg.*

[English] (v) Argue, disagree, esp. between two or more people.

sibceg (u) Hais lus cem lwm tus neeg. Ob leeg rov sauv xwb thiaj li siv lo no:

© 2003 Jay Xiong. All rights reserved.

Nkawv sibceg nrov kawg.

***[English]** (v) Argue, disagree, esp. between two or more people.*

sibchab sibchaws (p) Muaj ntau yam los uake thiab los sibkhi uas xws li tsis paub tias tog twg yog paus thiab ntsis: *Pob hlua los sibchab-sibchaws tas.*

***[English]** (adj) Become intertwined.*

sibkhuav (pu) Tsis muaj losyog tuaj nyob sibze: *Cov nplej tuaj sibkhuav.*

***[English]** (adv) Lightly, such as not heavy.*

sibluag (pu) Tsis me thiab tsis loj tshaj; luaj li: *Ob tus npua loj sibluag.*

***[English]** (adv) Same, alike, esp. having the same physical size.*

sibluag zos (pu) Loj sis xws; sib luag: *Ob tus npua loj sibluag zos.*

***[English]** (adv) Same, alike, esp. having the same physical size or appearance.*

sibnpaug (pu) Muaj ntau tib yam; npaum li: *Nkawv muaj nyiaj sibnpaug.*

***[English]** (adv) Same, esp. having the same or equal amount or volume.*

sibnpaug zos (p) Ntau tib yam; sib npaug: *Nkawv muaj nyiaj sibnpaug zos.*

***[English]** (adj) Same, esp. having the same or equal amount or volume.*

sibnrawg (pu) Ib yam, sib txig, sib xws, sib npaug: *Nkawv zoo sibnrawg.*

***[English]** (adv) Same, esp. having the same or equal speed or quality.*

sibnrawg nroos (pu) Siv los piv txog kev ua xws li khiav, hais, noj ltn... *Nkawv hais lus ceev sibnrawg nroos. Nkawv phem sibnrawg nroos.*

***[English]** (adv) Same, esp. having the same or equal speed or quality.*

sibntua (pu) Siv rau lub caij hais kwv txhiaj xwb; kiag, sai ntawv: *Leej tub tuaj txog sibntua... Ib txhia neeg kuj hais tias "sisntua" no thiab.*

***[English]** (adv) Immediately, such as he arrives immediately.*

sibphim (u,pu) Zoo ibyam, zoo sibxws, sibnpaug: *Nkawv sibphim lawm.*

***[English]** (v) Fit, match. (adv) Fitly, esp. to be appropriate for.*

sibraug (u) Muaj kev sibhaum xeeb; muaj kev sibpaub zoo: *Peb sibraug zoo.*

***[English]** (v) Get along; know each other; having a good friendship.*

sibroj siblaw (u) Nyob uake uas xws li ib pab; sib raws: *Peb sibroj siblaw tau ntau xyoo los lawm.*

***[English]** (v) To accompany; to live or stay nearby with each other.*

sibtxoog (p) Nyob deb thiab nyob tsis sibze: *Wb nyob ntuj sibtxoog txoj kev ntev es wb thiajli tsis sibtau. Feem ntau, yog siv rau thaum hais kwv txhiaj xwb.*

© 2003 Jay Xiong. All rights reserved.

[English] (adj) Far, apart.

sibxws (pu) Zoo tibyam; tsis txawv: *Neb zoo sibxws.*

[English] (adv) Alike, similarly, same.

sibxyaws (pu) Muab ntau yam los uakc; muab xyaw, txuam rau: *Ntau hom neeg nyob sibxyaws rau lub tebchaws Miskas.*

[English] (adv) Intermixed, mix, together.

sibxyaws daws (pu) Muab ntau yam los uake; muab sib tov; sib xyaws: *Neeg nyob sibxyaws daws.*

[English] (adv) In a mixed environment; together.

sibzog (u) Siv lub zog ua; ua kom muaj zog heev: *Nws sibzog heev.* (pu) *Nws sibzog thawb lub tsheb; nws sibzog mus kev ltn...*

[English] (v) To exert forcefully. (adv) Forcefully, powerfully.

sij (pu) Muaj tsis tu; muaj tas mus li: *Nws sij mus, sij pom, sij hais, sij pw ltn...*

[English] (adv) Continually, continuously.

sijhawm (y) Lub caij nyoog: *Lub sijhawm neeg pw ces yog thaum tsaus ntuj.*

[English] (n) Time, times.

sijhuam (y) Xws li tib pliag xwb; sai~ uas xws li tsis nco txog: *Ib sijhuam peb twb sibncaim lawm.*

[English] (n) A quick and sudden moment or time.

silaim (pu) Ntws xws li tus dej tsis paub tu; sislaim: *Cov kua muag ntws silaim.*

[English] (adv) To flow or run, such as a river, continuously.

silaws (pu) Ntws xws li tus dej tsis paub tu; silaim: *Cov kua muag ntws silaws.*

[English] (adv) To flow or run, such as a river, continuously.

sim[1] (u) Ua dag; tsis tiag: *Nws sim kuv.*

[English] (v) To tease; to test; to fake; to pretend.

sim[2] (u) Hnav seb puas haum: *Nws sim lub tsho seb puas haum.*

[English] (v) 1. To try (clothes, for example) on. 2. Test.

sim[3] (nu) Siv los qhia tias yuav ua licas xws li nyob rau pem suab: *Koj sim ntsia, sim noj, sim mus, sim mloog ltn...*

[English] (aux. v) Should, ought to.

sim[4] (y) Lub caij uas ua neeg nyob; ib tiam: *Kuv yuav nco koj mus tag ib sim.*

[English] (n) Lifetime, forever. Ex: I will remember you forever.

© 2003 Jay Xiong. All rights reserved.

sim neej (y) Lub sijhawm uas tseem ua neeg nyob; tiam neej: *Kuv nco koj mus tag kuv sim neej.*
[English] (n) Lifetime.

sis (p) Hais lus tsis meej xws li hais tus cim tsis yog: *Cov neeg txawv tebchaws hais lus Hmoob sis heev.* (tx) Txawm li ntawv; txawm yog tias: *Sis nws ho hais tau li los peb yuavtsum zam thiab.*
[English] (adj) Having an accent, esp. not speaking a language fluently. (conj) Even though; even that; nonetheless.

sischab sischaws (p) Muaj xws li ntau txoj hlua los sibchaws: *Pob hlua los sischab sischaws. Ib txhia neeg kuj hais tias "sibchab sibchaws" no thiab.*
[English] (adj) To become entangled, entwined, intertwined.

sisdug (pu) Muaj coob losyog ntau heev: *Neeg khiav sisdug lawm.*
[English] (adv) Having many; much, esp. such as in a group or flock.

sislaub sislug (pu) Muaj ntau lossis coob heev heev: *Neeg khiav sislaub sislug.*
[English] (adv) Having many; much, esp. such as in a group or flock.

sisniab (pu) Muaj ntws uas xws li ntev losyog tsis tu tej: *Nws quaj heev thiab ua rau nws cov kua muag ntws sisniab.*
[English] (adv) Having great amount (of tears running, for example).

sistsub sisnias (p) Los sibtsuam losyog sibnias ua tej pawg: *Cua tshuab cov ntoo vau sistsub sisnias.*
[English] (adj) Having many (logs, items) stack on top of each others.

siv[1] (y) Txoj phuam; txoj hlab uas muab los khi lub duav xws li kom lub ris tsis txhob poob: *Nws sia txoj siv.*
[English] (n) 1. Belt. 2. A piece of garment worn around the waist to fasten the pants or clothing.

siv[2] (u) Muab nyiaj yuav xws li khoom tej: *Nws siv nyiaj ntau heev.*
[English] (v) Spend, use, expend.

siv[3] (u) Muab mus ua: *Nws siv kuv rab riam.*
[English] (v) Use, utilize.

siv[4] (u) Noj losyog ua rau kom khiav taus: *Tsheb siv roj a xwb.*
[English] (v) Use , take or consume (a car uses gasoline, for example).

siv ceeb (y) Hmoob txoj siv uas ua los pav cov phuam nyob rau saum poj niam

© 2003 Jay Xiong. All rights reserved.

lub tobhau: *Nws muaj ib txoj siv ceeb.*
[English] *(n) A piece of garment, having Hmong needle works on both ends, and worn around the waist to fasten the pants.*

siv rooj* (y) Txoj hlua uas tawv thiab ruaj uas yog siv los pav yus thaum yus mus zaum hauv lub tsheb es kom thaum yog muaj sibtsoo yus thiaj tsis raug mob.
[English] *(n) Seat belt (from in cars, planes or boats etc...)*

siv tawv (y) Txoj siv uas yog muab xws li tawv tsiaj los ua thiab neeg siv los sia ntawm lub duav kom los tuav lub ris kom khov: *Ib txoj siv tawv.*
[English] *(n) Belt, esp. worn around the waist to fasten the pants.*

siv zog (u) Sibzog; siv lub zog los ua: *Nws sivzog heev.* (nu) *Siv zog ntov ntoo.*
[English] *(v) To strive; to exert, strength or power, forcefully. (aux.v) To strive or work hard (doing something, for example).*

so[1] (u) Nyob, tsum, tos uas xws li kom muaj zog: *Wb so ib hlis wb mam li ua num.*
[English] *(v) Rest, relax; being off such as when on vacation.*

so[2] (u) Muab xws li txoj phuam losyog tej daim ntaub mus ua kom lwm yam txhob dub losyog txhob ntub: *Muab txoj phuam los so nws txhais tes.*
[English] *(v) Wipe; to dry, esp. with a piece of cloth or towel.*

so[3] (u) Siv los piav txog thaum tus pojniam los nyob thiab tu tus menyuam mos tomqab thaum nws yug tau tus menyuam lawm: *Nws tus pojniam so lawm.*
[English] *(v) To rest, esp. the first month after a woman just had her baby.*

sob (y) Ua tej pab uas xws li noog losyog tsiaj los nyob uake; pab: *Muaj ntau sob.* (h) Yam uas muaj zoo xws li sob: *Obpeb sob ntses.*
[English] *(n) School, esp. a large group of animals (fish, for example) swimming or moving together. (cl) Resembling such a school or flock.*

soj (u) Saib xyuas; lawv qab xws li tsis pub kom paub: *Lawv soj tus tubsab.* (nth) Ib yam li; uas xws li thiab: *Peb mus soj!*
[English] *(v) To observe secretly; to spy. (interj) Also, too.*

soj qab taug lw (z) Saib xyuas thiab nug moo: *Koj yuavtsum soj qab taug lw.*
[English] *(idiom) To look after (someone) or keep in touch.*

soo (u) Muab xws li lub voj hlua mus ua kom khuam losyog kom khi tau los: *Nws soo tus nees. Nws soo tus nyuj.*
[English] *(v) To hook (animals, for example) using the hook of a rope.*

© 2003 Jay Xiong. All rights reserved.

soob[1] (u) Me dua cov; yau uas xws li tsis loj li cov: *Nws soob dua nws tus kwv.* (p) Yam uas me dua losyog soob dua ntawv.
[English] (v,adj) Being smaller than the normal size.

soob[2] (p) Ua kom lub suab yau, me thiab nrov: *Lub suab soob heev.*
[English] (adj) A high pitch of sound.

soov (y) Ib hom mov uas neeg noj: *Nws tsis nyiam noj mov soov.*
[English] (n) Certain kind of rice.

sov (u) Kub zog qhov txias: *Thaum tavsu sov dua thaum sawvntxov.* (p) Yam uas sov: *Ib hwj dej sov.* Lus rov: *Laj.*
[English] (v,adj) Warm.

sov siab (u) Txaus siab rau; ntseeg siab rau; nyiam: *Nws sov siab rau nws lub neej.*
[English] (v) Satisfy, content.

sov so (p) Tsis kub heev; sov uas xws li tsis txias: *Ib tais dej sov so.*
[English] (adj) Warm, lukewarm.

su[1] (u) O losyog ua rau loj tuaj: *Lub ncuav su luaj li lub taub.* Lus rov: *Saus, hmlos, qawj, zawj.*
[English] (v) 1. Swell. 2. Expand, such as increasing in size.

su[2] (u) <Lees> So, xws li nyob dawb thiabt tsis ua num tej: *Nwg tseem su.*
[English] (v) <Leng> Rest, such as to relax.

su[3] (y) Pluas mov noj rau thaum 12 teev tavsu: *Peb noj su ua ntej peb noj hmo.*
[English] (n) Lunch, such as meals served during noon.

su[4] (y) Cov mov losyog khoom noj uas npaj rau lub caij tavsu: *Nws tsis ntim su li.*
[English] (n) Lunch, such as foods packed for or served during lunchtime.

sua (u) Mus muab; khaws los xws li coj los ua ib pawg tej: *Peb sua cov khaub; peb sua cov nplooj qhua.* Ib lub npe siv rau cov ntxhais.
[English] (v) Collect, gather (things) into a pile or mass. (n) Foreigner, stranger, esp. of different nationality. Also a proper name for girls.

suab[1] (y) 1. Yam uas nrov tawm hauv lub qhov ncauj tuaj: *Nws lub suab laus heev. Nws lub suab nrov heev.* 2. Yam uas nrov: *Suab tsiaj, suab phom.*
[English] (n) 1. Voice. 2. Sound, noise.

suab[2] (y) Ib hom nroj uas tuaj ua tej tsob txij li duav tabsis tsis muaj paj losyog tsis paub txi txiv. Feem ntau yog muaj nyob raws ntuj dej losyog hauv tej hav

© 2003 Jay Xiong. All rights reserved.

iav xwb: *Nws cog tau ib tsob suab.*

***[English]** (n) Fern. Ex: Fern is a flowerless plant.*

suab[3] (y) Tej lub hlau me~ thiab kheej~ uas xws li muaj nyob hauv lub mostxwv: *Lub mostxwv loj muaj cov suab ntau heev.*

***[English]** (n) Shrapnel, small metal balls inside of an explosive shell (weapon).*

suab[4] (u) Muaj nyob rau hauv lub cev, xws li xeeb tus menyuam tej: *Nws tus pojniam tabtom suab ib plab menyuam.*

***[English]** (v) Pregnant.*

suab puam (y) Thaj chaw uas muaj cov xuabzeb losyog hmoov zeb uas xws li nyob ze ntawm ntug dej hiav txwv tej: *Peb mus ua si tom hav suab puam.*

***[English]** (n) Desert, such as a dry and sandy (open) area near lakes or ocean.*

suab sab (y) 1. Lub moo, xov: *Peb tsis hnov nws suabsab.* 2. Ua suab nrov: *Tsis hnov suab sab nrov li.*

***[English]** (n) 1. The state of being heard or know of a person is where about. 2. Sound, voice, noise.*

suab thaj (y) Cov kua qabzib uas xws li yog muab nyoj los ntawm cov kab tsib losyog tej yam uas qabzib: *Ib thoj suab thaj.*

***[English]** (n) Sugar. Ex: Kids like to eat sugar. Sugar is very sweet.*

suaj kaum (u) Tas, kawg, xaus: *Peb cov num suaj kaum rau hnub no.* (p) Tas nrho; tsis tshuav: *Lawv noj suaj kaum; lawv mus suaj kaum.*

***[English]** (v,adj) Finish, done, complete.*

suam[1] (y) Tej kab, tej phab uas xws li ib ntsug: *Peb dob tas ib suam teb.*

***[English]** (n) Section, row, column.*

suam[2] (u) Muab riam los hlais lossis ua kom to, tu tej: *Nws suam thooj nqaij.*

***[English]** (v) Slice, cut, esp. with a knife or a cutting device.*

suav[1] (u) Muab saib seb muaj pestsawg losyog muaj npaum licas: *Koj suav cov ntses; nws suav cov nyiaj seb muaj pestsawg.*

***[English]** (v) Count. Ex: He counts his money. He can count to 100.*

suav[2*] (y) Cov ntawv uas muaj xws li 0 txog rau 9; tus lej <Lostsuas>: *Tus suav 1 me tshaj tus suav 9.*

***[English]** (n) Number, numeral. Ex: Number 1 is less than number 9.*

Suav[3] (y) 1. Ib cov neeg nyob rau tebchaws Suav: *Neeg Suav yog ib haiv neeg uas*

© 2003 Jay Xiong. All rights reserved.

coob heev. 2. Lub tebchaws uas cov neeg Suav nyob.
[English] (n) 1. Chinese. 2. China. 3. Of or relating to the language of Chinese.

suav[4] (u) Mus xyuas losyog mus saib seb xws li rooj ntxiab losyog rooj hlua puas mag tsiaj tej: *Nws mus suav ntxiab.*
[English] (v) To go and check up on traps or snares.

suav daws (t) Sawvdaws, txhua leej; suav dlawg. Saib lo sawvdaws thiab.
[English] (pron) Everyone, everybody.

suav dlawg (t) <Lees> Sawvdaws, txhua leej. Mus saib lo sawvdaws.
[English] (pron) <Leng> Everyone, everybody.

suav feem* (y) Cov ntawv suav uas xws li ½, 3/4, 5/8 ltn...
[English] (n) Fraction numbers.

Suav hnov Suav hlais nplaig (z) Ib zaj lus uas siv los piav txog tias yog lwm tus neeg hnov cov lus uas yus hais, ces tej zaum lawv yuav tsis zoo siab rau yus.
[English] (idiom) An expression which means that if the other person knows or hears what one is saying he or she might be upset or even take legal action.

suav kheej* (y) Cov ntawv suav uas xws li 1, 2, 10, 5 ltn...
[English] (n) Whole numbers.

Suav Liab (y) Cov neeg Suav uas coj kevcai koompheej uas xws li cov Xoesviaj thiab cov Nyablaj Liab.
[English] (n) Communist Chinese.

suav quas dlawg (t) <Lees> Sawvdaws, suavdlawg, txhua leej; txhua tus neeg.
[English] (pron) <Leng> Everybody, everyone.

suav rog (y) Cov neeg tubrog uas xws li yog nyob rau tog tom ub; cov neeg uas tua yus tog, yus tebchaws losyog yus cov tubrog: *Peb khiav suavrog los tau ntau xyoo lawm.*
[English] (n) Soldiers or army of the enemy.

suav tab* (y) Cov ntawv suav uas xws li 1, 3, 5, 11, 77 ltn...
[English] (n) Odd numbers.

suav tawg (y) <Lees> Hluav taws.
[English] (n) <Leng> Fire, such as used for cooking.

suav txooj* (y) Cov ntawv suav uas xws li 2, 4, 10, 76 ltn...

© 2003 Jay Xiong. All rights reserved.

[English] (n) Even numbers.

suayeev (pu) Sua uas xws li (daim tiab) cheb losyog pualua hauv av: *Nws hnav ib daim tiab suayeev.*

[English] (adv) Used to describe a long, loose, flowing dress or gown worn by someone, such as at a wedding.

sub[1] (u) Muab tso kom ze ntawm hluav taws xws li kom sov: *Muab txhais tes sub kom sov.* (pu) Xws li; zoo li twb muaj: *Tau lawm sub; tuaj lawm sub ltn...*

[English] (v) To heat or put near a fireplace or heat. (adv) Perhaps, maybe.

sub[2] (y) Tej kev mob, kev nkeeg thiab kev phem: *Nws tuaj sau sub.*

[English] (n) Sickness, illness; problem, misfortune relating to illness.

sub nis (pu) Piav txog xws li lub caij uas xav tias yog li ntawv: *Nws txawj noj mov subnis. Lawv tuaj txog lawm sub nis.*

[English] (adv) Somewhat, perhaps, maybe.

suj soom (pu) Piav txog xws li thaum tus neeg pw, thiab nws ua pa es pom nws lub hauvsiab mus siab thiab mus qis: *Tus dev pw thiab ua pa suj soom.*

[English] (adv) To move the chest up and down, such as when breathing.

suv (u) <Lees> Sov: *Nub nua suv heev.*

[English] (v) <Leng> Warm; hot, such as a hot weather.

sw (u) Muaj ntau yam khoom nyob uake xws li tsis du: *Nws lub tsev sw heev.* (p) *Peb tsis nyiam lub tsev sw.*

[English] (v,adj) Messy, such as having (many objects) in a disorderly environment.

swb[1] (u) Muab ua kom txav; ua kom mus rau lwm qhov chaw: *Koj swb pemtoj kom txaus peb zaum. Nws swb lub hnab rau nramhav.*

[English] (v) To move or push, such as an object, to a different location.

swb[2] (u) Tsis yeej; tais lawm; tsis tau raws li xav: *Tus dev tom swb tus dais; tus neeg phem swb tus neeg zoo.* Lus rov: *Yeej.*

[English] (v) Lose, such as fail to win. Ant: Win.

swm (u) Ua rau nyiam losyog tsis paub tias phem lawm; xis: *Peb swm lub zos tshiab. Nws swm nws lub tsheb.* Ib lub npe siv rau cov tub.

[English] (v) Accustom, acquaint, familiarize. Also used as a name for boys.

t (y) Ib tus ntawv siv rau cov lus xws li tus, twm, tuaj, tim, tiaj ltn...

© 2003 Jay Xiong. All rights reserved.

[English] (n) A consonant used for words such as "twm, tuaj" etc...

taab kib (y) <Lees> Ib hom tshuaj ntsuab uas ib txhia neeg siv los xyaw nqaij qaib noj. Hmoob Dawb hu ua koj no. Feem ntau, neeg siv nrog lo lus "txhaam laaj" no xwb, xws li taab kib hab txhaam laaj. Neeg nyiam siv los xyaw nqaij qaib rau cov pojniam uas tau menyuam thiab nyob rau nruab hlis.
[English] (y) Certain kind of herb.

tab[1] (u) Tsim kho lub neej; ua kom lub neej zoo: *Nws tab lub cuab, lub yig heev.*
[English] (v) Support, improve (a family, for example).

tab[2] (y) Khib, xws li tsis muaj khub; seem ib yog muab faib rau ob: *Lub Pebhlis yog lub hli tab. Hnub 5 yog hnub tab.* Lus rov: *Txooj.*
[English] (n) Odd, such as 1, 3, 5, 7 etc... Ant: Even.

tab[3] (y) Cov nqaj losyog daim ntoo uas siv los tav losyog tuam rau kom zoo muab lwm yam los vov losyog tsuam rau sab sauv: *Plaub tus tab txaj.*
[English] (n) The beam or main rafts used to support the floor of a house.

tab[4] (pu) Ua xws li tsis paub tsum: *Nws tab noj, tab tham, tab mob, tab pw ltn...*
[English] (adv) Always, constantly.

tabkaum (u) Ua rau nyuaj; ua rau qeeb; ua rau siv sijhawm xws li tsis npaj txog; nkim sijhawm: *Nws tabkaum kuv ib hnub lawm.*
[English] (v) To hinder; to interfere or delay.

tabmas (tx) Tabsismas, tsis tas li ntawv; tiamsis: *Koj hais li tabmas nws tsis kam.*
[English] (conj) But, however.

tabmeeg (pu) Txhobtxwm, xwbtim: *Nws tabmeeg cem peb.*
[English] (adv) Intentionally, purposely.

tabmeej (y) Ob tus hniav uas loj thiab nyob tom hauv ntej: *Tus hniav tabmeej.*
[English] (n) Incisor.

tabseeb (p) Piav txog tus pojniam uas muaj losyog xeeb tsis taus menyuam.
[English] (adj) A woman who can not become pregnant or unable to conceive.

tabsis (tx) Tsis tas li ntawv; txawv uas xws li: *Nws hlob tabsis nws me dua kuv.*
[English] (conj) But, however.

tabsismas (tx) Tsis tas li ntawv; txawv uas xws li: *Nws hlob tabsismas nws qis dua kuv.*
[English] (conj) But, however.

© 2003 Jay Xiong. All rights reserved.

tabtom[1] (pu) Zoo rau; tsimnyog uas; phim: *Nws tabtom phim rau lawv cem.*
[English] (adv) Deservedly, appropriately, adequately.

tabtom[2] (pu) Tseem muaj, tseem ua: *Peb tabtom noj mov.*
[English] (adv) Still, such as up to or at the present time.

tabtxawm (tx) Txawm muaj li; txawm zoo li los: *Tabtxawm koj mus los kuv nyob.*
[English] (conj) However, even though, nonetheless.

tabyaj (u,p) Nyob thiab tig ncaj rau sab hnub tuaj heev: *Daim teb tabyaj heev.*
[English] (v,adj) Directly facing the sun, esp. when one can easily see far.

tag[1] (y) Qhov chaw uas nyob rau hauv lub tsev thiab ze rau ntawm lub qhovrooj tag: *Nws nyob tom tag.*
[English] (n) The door located mostly in the southern part of a house.

tag[2] (u) Tsis tshuav; tas lawm: *Cov mov tag lawm.* (p) Txhua leej; tas nrho: *Tag cov txivneej mus tsev.*
[English] (v) Finish, done, gone, such as having nothing left. (adj) All, every.

taghmo (y) Lub caij nruab nrab ntawm hmo ntuj; lub sijhawm 12 tsaus ntuj; Ib taghmo: *Peb tuaj txog thaum taghmo.*
[English] (n) Midnight.

tagkis[1] (y) Hnub uas tuaj tomqab ntawm hnub no: *Tagkis peb mus tsev.* (pu) *Kuv mam hu koj tagkis.*
[English] (n,adv) Tomorrow.

tagkis[2] (y) Lub caij sawv ntxov; thaum sawv ntxov: *Nws tuaj nov peb tagkis.*
[English] (n) Morning.

tagnrho (p) 1. Tas kiag li; tsis tshuav: *Nws noj mov tagnrho.* 2. Txhua leej; sawvdaws: *Peb mus tagnrho.*
[English] (adj) 1. Done, finish, complete. 2. All.

taig (y) Lub tais; puv ib tais; tais: *Ib taig mov.*
[English] (n) Variant of "tais", such as bowl, plate used to hold food.

taij (u) Kom ua li hais; thov kom lwm tus ua, muab, pab: *Nws taij nws niam nyiaj.*
[English] (v) Ask, request.

tais[1] (u) Muaj kev ntshai; tsis tauluag rau: *Tus dev tais tus tsov.*
[English] (v) Fear; become afraid of.

tais[2] (u) Muab xws li ob tus pas lossis ob tus ciaj mus muab: *Siv ciaj los tais ntses.*

© 2003 Jay Xiong. All rights reserved.

[English] (v) To seize or hold with tongs or pliers.

tais[3] (u) Muab tsuam uas xws li kom nyob rau sab sauv; muab nias rau sab hauv: *Tsob ntoo vau los tais nws lub tsev. Lub rooj tais nws tes.*

[English] (v) To fall or be on top of something; to press or push from the top.

tais[4] (y) Lub phaj, lub uas neeg siv los rau zaub thiab mov tej: *Ib tais mov.*

[English] (n) Bowl, plate, esp. used to hold food.

tais[5] (y) Niamtais: *Peb mus saib tais lawv.* Lus rov: *Yawm.*

[English] (n) Mother-in-law.

tais[6] (u) Muab, xws li daim ntawv losyog daim pam, quav ua tej pob: *Nws tais cov khaub ncaws. Nws tais daim pam ua ib pob.*

[English] (v) To fold, such as a blanket.

taiscaus (u) Tsis tauluag; ntshai: *Thaum tsaus ntuj nws taiscaus heev.* (p) Piav txog tus uas ntshai: *Tus neeg taiscaus.*

[English] (v) Scare; being fearful or afraid. (adj) Fearful, afraid.

taisquav (u) Tsis tauluag; ntshai: *Thaum tsaus ntuj nws taisquav heev.* (p) Piav txog tus uas taisquav: *Tus neeg taisquav.*

[English] (v) Scare; being fearful or afraid. (adj) Fearful, afraid.

taj[1] (u) Paub losyog nkag siab qeeb: *Koj taj dhau vim peb hais ntau lwm los koj tsis paub li.*

[English] (v) Slow, such as in learning or understanding.

taj[2] (p) Qeeb, tsis nrawm: *Nws hais lus taj heev.* Lus rov: *Nrawm.*

[English] (adj) Slow. Example: He talks slow.

taj[3] (p) Tuaj losyog siav lig dua li lwm cov: *Ib daim pobkws taj.* Lus rov: *Cauj.*

[English] (adj) Slow, esp. such as crops that take longer than normal to ripe.

taj[4] (u,p) <Lees> Tiaj: *Dlaim laj taj heev.*

[English] (v,adj) <Leng> Flat, even.

taj qas lag (pu) <Lees> Tiaj lias; ncaj qha: *Nwg moog taj qas lag lawm.*

[English] (adv) <Leng> Directly, straight, such as not deviating from the normal path or direction.

tajlaj (y) <Lostsuas> Qhov chaw lossis lub tsev uas muag khoom noj, xws li mov, zaub, nqaij thiab dej haus ltn... *Nws mus tom tajlaj lawm.*

[English] (v,adj) <Laotian> Grocery, store, supermarket.

© 2003 Jay Xiong. All rights reserved.

tam[1] (u) Muab xws li riam losyog tej yam uas muaj hniav mus hov kom ntse: *Nws tam rab riam.* (pu) Raws li, xws li, zoo li: *Nws hais tam li nws hnov.*
***[English]** (v) Sharpen (a knife, for example). (adv) Such, according to, like.*

tam[2] (u) Muab hom lossis cim tseg tias yog muaj tswv lawm: *Nws tam tau ib daim teb rau tim roob.*
***[English]** (v) To reserve (a land, for example); to mark (things) as being taken.*

tam ntua (pu) Zoo xws li; uas zoo li: *Nws hais lus zoo tam ntua tus nom.*
***[English]** (adv) Such as; similarly, resembling, like.*

tamsim (pu) Lub sijhawm nimno: *Nws mus tamsim .* (y) *Nws tuaj txog tamsim.*
***[English]** (adv,n) Immediately, now.*

tamtseeb (nth) Siv rau lub caij uas xws li tsis zoo siab losyog chim: *Tamtseeb, cas nws yuav ua phem ua luaj li!*
***[English]** (interj) Used to express when one is angry or mad.*

tas[1] (u) Tag lawm; tsis tshuav lawm: *Tsu mov tas lawm.* (p) *Peb noj tas lawm.*
***[English]** (v,adj) Finished, done, gone, such as having nothing left.*

tas[2] (u) Kawg; tsis tshuav ntxiv: *Kuv hlub nws tas siab.* (p) Dhau los; tag los; muaj ua ntej los: *Xyoo tas peb tsis mus qhov twg.*
***[English]** (v) To the end or completely. (adj) Past, last, previous.*

tas li (pu) Txhua lub sijhawm; tagli, tas mus li: *Nws pw tasli. Nws mus tas li.*
***[English]** (adv) Always, constantly, all the time.*

tas mus li (pu) Txhua lub sijhawm; tasli: *Nws pw tas mus li.*
***[English]** (adv) Always, constantly, all the time.*

tas npluaj (y) <Lostsuas> Tus neeg ceev xwm; tus neeg uas nws txoj haujlwm yog los saib kev ncajncees nyob rau hauv zejzog tej: *Nws yog ib tus tas npluaj.*
***[English]** (n) <Laotian> Police, police officer.*

tas nrho (p) Txhua leej losyog yam; sawvdaws: *Peb mus tas nrho.*
***[English]** (adj) All, everyone, whole.*

tau[1] (u) Muaj uas xws li yog yus li losyog nyob ntawm yus: *Nws tau ib tus nyuj.*
***[English]** (v) 1. Have, has. 2. Get.*

tau[2] (nu) Ua losyog muaj los: *Nws tau cem lawv.*
***[English]** (v) Have or has done; did do.*

tau luag (u) Tsis ntshai; muaj lub siab loj thiab tawv: *Nws tauluag nyob ib leeg.*

© 2003 Jay Xiong. All rights reserved.

[English] (v) Being brave, courageous, fearless.

tau zoo (u) Muaj losyog tau txais kev zoo xws li tsis khwv losyog tsis txom nyem: *Tus nom tau zoo heev.*

[English] (v) Being well-off; comfortable, esp. when one does not have to do any work at all.

taub (y) 1. Ib hom txiv uas loj luaj li neeg lub tobhau, thiab txi nyob rau ntawm ib co hmab. Muaj ntau hom taub xws li taub twg, taub dag ltn... 2. Tej yam uas kheej thiab nyob rau ntawm ntsis losyog qhov kawg: *Taub ntswg, taub tes, taub taws ltn...*

[English] (n) 1. Cucurbit. 2. The tip of (a toe, nose, finger, for examples).

taub dag (y) Ib hom taub uas thaum laus txaus nws daim tawv daj.

[English] (n) Pumpkin.

taub dag soob* (y) Ib hom taubdag uas me lossis soob: *Lub taub dag soob.*

[English] (n) Yellow zucchini.

taub ntoos (y) 1. Ib hom ntoo uas tuaj txij li ob tawm neeg, thiab txi cov txiv luaj li plab hlaub tej: *Nws cog tau ob thaj taubntoos.* 2. Cov txiv uas txi ntawm cov taubntoos no: *Neeg nyiam siv taub ntoos los ua qaub.*

[English] (n) 1. Papaya tree. 2. The fruit (papaya) of this tree.

taub ntseej* (y) Ib hom taub uas txi cov txiv me thiab zoo xws li lub txiv ntseej.

[English] (n) Acorn squash.

taub ntsej (y) Ntu lossis daim nqaij uas dai ntawm lub pob ntseg, xws li feem ntau neeg siv los tho qhov thiab coj qhws ntsej tej; Ib txhia siv "taub ntseg" no thiab.

[English] (n) Earlobe.

taub ntswg (y) Thaj lossis qhov chaw siab ntawm lub qhovntswg: *Cov neeg muaj cag yog vim nws lub taub ntswg siab.*

[English] (n) Nose, esp. the tip of a nose right above the mouth.

taub qab (y) Lub pobtw; ob thooj nqaij uas nyob nram lub pobtw.

[English] (n) Butt, buttocks.

taub tes (y) Pem kawv ntawm tus ntxiv ntes xoo: *Tsoo nws tus taub tes.*

[English] (n) The tip of a thumb.

taub twg (y) Ib hom taub uas txi los ntawm cov hmab thiab daim tawv muaj tsuas txho: *Nws cog tau ib tsob taub twg.*

© 2003 Jay Xiong. All rights reserved.

[English] *(n) Winter melon.*

taub txiaj (y) Ib hom taub uas txaij xws li dibpag. Feem ntau neeg siv los ua tshuaj thiab siv coj los pleev rau tej yam mob uas o kom zoo.

[English] *(n) Certain kind of cucumber-like plant.*

taug[1] (u) Lawv qab mus; raws tus hneev uas xws li seb tus tsiaj mus qhov twg lawm: *Peb taug tus hneev kauv.*

[English] *(v) Follow; to go after (a footprint of an animal, for example).*

taug[2] (u) Mus raw li: *Peb taug tus cav. Peb taug txoj kev.*

[English] *(v) To walk or go on (a log or path, for example).*

taug[3] (u) Tsis nruj heev: *Txoj hlua taug heev.* (p) Yam uas tsis nruj. Lus rov: *Nruj.*

[English] *(v) Slack, such as not tense or taut; loose.*

taug[4] (y) Cov kua uas muaj nyob hauv xws li nab lub qhov ncauj: *Nab cov taug.*

[English] *(n) Poison, esp. poison from snakes and other animals.*

taug[5] (u) Muaj suab nrov uas xws li ua rau tsis xav mloog losyog tsis xav hnov: *Nws hais lus taug peb pobntseg dhau.*

[English] *(v) To be annoyed or disturbed, esp. by loud noise.*

taug[6] (y) Nram lub qab tsib taug; ntawm qhov chaw qes: *Muab tso rau nram taug.* Lo lus no feem ntau yog siv rau thaum hais kwv txhiaj xwb.

[English] *(n) The southern part or area behind a house.*

taug xaiv (u,y) Mus hais qhia lwm tus neeg txog tej lus lossis tej teebmeem uas yus hnov losyog yus paub: *Nws taugxaiv rau lawv tias nws paub tus tubsab.*

[English] *(v) Gossip, tattle. (n) Gossipmonger.*

tauj[1] (y) Ib hom nroj uas tuaj nyob rau tom hav zoov. Feem ntau yog muaj nyob rau hauv tej qub teb. Muaj ntau yam tauj uas xws li tauj dub, tauj iab, thiab tauj khaubruab ltn... *Ib tsob tauj.*

[English] *(n) Certain kind of tropical grasslike plant.*

tauj[2] (y,pu) Lub suab xws li thaum ua dej losyog tej yam khoom me poob rau hauv av es nrov.

[English] *(n,adv) A sound when something drops or falls on the ground.*

tauj dub (y) Ib hom tauj uas tuaj ua tej tsob txij li duav thiab neeg siv los xyaw nqaij noj tej; taujqaib: *Nws cog tau ib tsob tauj dub.*

[English] *(n) Lemon grass.*

© 2003 Jay Xiong. All rights reserved.

tauj iab (y) Ib hom tauj uas iab: *Nws cog tau ib tsob tauj iab.*
[English] (n) Certain kind of tropical grass; bitter grass.

tauj khaub rhuab (y) Ib hom tauj uas feem ntau neeg siv los ua khaub rhuab.
[English] (n) Certain kind of tropical grass having coarse leaves, and mostly, people used its blossoms or twigs to make brooms.

tauj ntab (y) Ib hom nroj uas tuaj nyob rau tomtej hav nras tej. Ib txhia neeg kuj siv los ua tshuaj kho cov pob kabntxau nyob rau ntawm plhu thiab.
[English] (n) Certain kind of herb that some people used to cure pimples.

tauj ntxhw (y) Ib hom tauj uas muaj nyob rau tomtej qub teb, thiab feem ntau yog hom tauj uas loj tshaj lwm hom tauj: *Ib tsob tauj ntxhw.*
[English] (n) Certain kind of tropical grass similar to the lemon grass, but it is much bigger and taller; elephant grass.

tauj qaib (y) Ib hom nroj uas zoo li tauj thiab neeg siv los xyaw khoom noj; taujdub. Feem ntau yog siv los xyaw nqaij qaib es thiaj li muab hu ua tauj qaib.
[English] (n) Lemon grass.

taum[1] (y) Ib hom nroj uas tuaj ua tej tsob zoo li hmab, thiab txi cov txiv ua tej tus me thiab ntev. Muaj ntau yam taum, xws li taum mog, taum lag, taum pauv ltn... *Nws muaj ib thaj taum.*
[English] (n) Bean.

taum[2] (u) Muab xws li tus pas mus tshum; muab pas mus ua kom chwv: *Nws muab tus pas taum kuv. Tus nab taum nws tus nplaig tuaj rau peb.*
[English] (v) Poke, such as to push or jab with a stick or finger.

taum hlab soo (y) Ib hom taum uas txi cov txiv ntev thiab ntsuab: *Ib tsob taum hlab soo. Ib hnab taum hlab soo.*
[English] (n) Long bean.

taum hlab tshos (y) Ib hom taum uas txi cov txiv ntev zoo xws txoj hlab ntshos: *Ib tsob taum hlab tshos.*
[English] (n) Long bean.

taum hwv (y) Cov taum uas muab tsob tag ces siv cov kua txab los teev xwb.
[English] (n) Soybean.

taum kab ntsig (y) Ib hom taum uas txi cov txiv muaj ib co plaub zoo xws li cov plaub kab ntsig: *Ib tsob taum kab ntsig.*

© 2003 Jay Xiong. All rights reserved.

[English] (n) Certain kind of wild bean.

taum lag (y) Ib hom taum uas lub txiv ntsuab thiab luv li tej tus ntiv tes: *Nws nyiam noj taum lag. Nws cog tau ib thaj taum lag.*

[English] (n) Long bean.

taum mog (y) Ib hom taum uas lub txiv ua tej nplais luaj li tus ntiv tes xoo, tabsis nws pluav: *Nws cog tau ib thaj taum mog.*

[English] (n) Pea.

taum ntswj (y) Ib hom tshuaj (nroj) uas nws cov txiv (lub taum) ntswj xws li tus kub tshis. Muaj tej tus ntswj mus phab xis; muaj tej tus ntswj mus phab laug. Ib txhia neeg siv cov taum no los kho cov neeg mob plab ntswj.

[English] (n) Certain kind of herb.

taum paj (y) Cov taum uas muab cov npuas yim tseg ces tsob cov kua hauv lub qab thoob xwb.

[English] (n) Tofu, bean curd.

taum pauv (y) Ib hom taum uas tuaj ua tej tsob xws li menyuam ntoo, tabsis tsuas siab txij li hauvcaug tej xwb: *Nws cog tau ib thaj taum pauv.*

[English] (n) Soybean.

taum tsuab (y) Cov taum uas zom tas ces muab hau thiab muab cov kua qaub los teev kom cov kua taum khov ua tej thooj.

[English] (n) Tofu.

taus[1] (y) Rab uas muaj tus hniav thiab yog muab hlau los ua. Feem ntau neeg siv taus los txiav losyog ntov ntoo tej: *Neeg siv taus los ntov ntoo.*

[English] (n) 1. Ax or axe. 2. Hatchet.

taus[2] (y) Loj luaj li ib cheej; ntev losyog siab li ib lub nrig: *Tus npua muaj tsib taus thiab peb nti. Ib taus ces siab li ib lub nrig.*

[English] (n) A method of measurement equivalent to the height of a fist.

taus[3] (y) Tej yam uas zoo li lub tais tej; tauv: *Ib taus dej.*

[English] (n) A handful or leaf full of (liquid, for example).

taus[4] (u) Muaj peev xwm ua: *Nws taus lawm.* (p) Hais uas xws li tsis paub tsum: *Nws yws taus heev; nws cem taus dhau ltn...*

[English] (v) Able, can. (adj) To talk, mourn and/or yell excessively.

taus ris (y) Qhov nyob nruab nrab ntawm ob txhais ceg ris: *Cov ris Hmoob Lees*

© 2003 Jay Xiong. All rights reserved.

lub taus ris ntev tshaj li cov ris Hmoob Dawb.
[English] (n) Crotch (of a pants).

taus tsa xoo (y) Siab losyog luaj li ib taus thiab muab tus tes xoo tsa kom ntseg: *Ntev li ib taus tsa xoo.*
[English] (n) A method of measurement roughly equals to half of a foot.

taus xob (y) Rab taus uas yog xob li: *Nws khaws tau ib rab taus xob.*
[English] (n) Lightning ax.

taus zeb (y) Cov taus uas yog muab zeb losyog pobzeb los ua.
[English] (n) Axes made with rocks and stones.

Taus Yaus Tas (y) <Askiv> Lub suab Askiv yog "Toyota." Ib hom tsheb uas yog ua los ntawm cov neeg Nyijpooj--lus Lostsuas.
[English] (n) Toyota, esp. the brand name of an automobile made by Japanese.

tauv[1] (u) Muab ua kom xws li cov dej los teev rau hauv; muab thaiv kom xws li cov dej los ua ib lub pas: *Nws tauv tau ib lub pas ntses.*
[English] (v) Dam; to block or obstruct water from flowing.

tauv[2] (u) Los mus nyob uake; nyob ua ib pawg: *Cov ntses tauv ua ib pawg.*
[English] (v) To gather; to unite into one area.

tauv[3] (y) Yam losyog qhov uas muaj ntau yam los ua ib thooj; tau: *Nws muaj ib tauv.* (h) Siv los piav txog yam zoo li tauv: *Ib tauv txiv tsawb.*
[English] (v) To stop or rest at a location. (n,cl) Cluster, bunch, bundle.

tauv pem (u) Mus nyob ua si xws li tsis mus qhov twg losyog tsis ua dabtsi: *Nws tauv pem ib hnub tim lawv zos.*
[English] (v) To spend time or stop by at a place or location.

tav[1] (y) Tej tus txha uas tuaj ntawm tus txha nrobqaum thiab los xaus rau lub hauvsiab: *Txhua tus neeg yeej muaj li 12 tus tav.*
[English] (n) Rib.

tav[2] (y) Qhov chaw uas nyob rau ntawm cov tav: *Mob nws sab tav.*
[English] (n) The side or area of the body by the ribs.

tav[3] (u) Muab thaiv losyog ua kom mus rau lwm qhov chaw: *Nws tav cov os rau hauv lub nkuaj.*
[English] (v) To guide or control (animals, for example) to certain area.

tav[4] (u) Thaiv, txiav xws li pem hauv kev: *Nws tav kuv kev.*

© 2003 Jay Xiong. All rights reserved.

[English] (v) Block, bar, stop, such as to stop someone from going somewhere.

tav[5] (u) Mus txiav; mus txais xws li rau pem hauv ntej: *Peb mus tav lawv kev.*

[English] (v) To cross or intersect someone's path or way, esp. when trying to meet or catch the other person at a specific location.

tav[6] (u) Txog lub caij; nyob rau lub sijhawm: *Tav lub caij pw; tav caij noj hmo.*

[English] (v) It is the usual time. Ex: It is time for dinner.

tav[7] (u) Zaws, zuaj losyog nias lub plab xws li kom lub plab txhob mob: *Koj tav kuv lub plab.*

[English] (v) To massage a stomach, esp. so that the pain goes away.

tav nqav (p) 1. Nyob lossis los tav txoj kev tej: *Nws pw tav nqav ntawm kev.* 2. Xyab ntev thiab nyob tav uas xws li ob tog siab tib yam.

[English] (p) 1. Being or situated vertically, such as on a path or road. 2. 2. Being or situated horizontally.

tav su (y) Lub sijhawm thaum lub hnub nyob ntseg; lub sijhawm uas xws li thaum lub saib (moos) txog 12 teev nruab hnub: *Peb tuaj txog thaum tav su.*

[English] (n) Noon, noontime.

tav toj (p) 1. Muab sab tav mus ua ntej; mus ua ntsais: *Nws mus kev tav toj.* 2. Mus ncig xws li ntawm ib nta roob: *Taug txoj kev tavtoj tim roob.*

[English] (adj) 1. To go sideways. 2. To go along the side of a hill.

tav twg (pu) Lub sijhawm twg; thaum twg: *Peb mus tav twg los nws tsis nyob.* (tx) Lub sijhawm tawv: *Tav twg koj tuaj txog ces peb mus xwb.*

[English] (adv,conj) Whenever.

tavxij (y) <Askiv> Cov tsheb uas neeg tsav thiab siv los thauj lwm tus neeg, thiab feem ntau, yog tau them nyiaj rau tus tswv tsheb: *Nyob rau ntawm tshav dav hlau mas muaj tavxij ntau heev.*

[English] (n) <English> Taxi, cab, taxicab.

taw[1] (y) Tus tsiaj uas muaj tus qau, thiab feem ntau yog siv rau cov tsiaj npua xwb: *Tus npua yog tus taw.* Yog dev ces hais tias txiv dev; Qaib ces hais tias lau qaib.

[English] (n) Male pig.

taw[2] (y) Txhais taw, txhais kotaw: *Neeg ob txhais taw; mob nws taw.*

[English] (n) Foot, feet.

taw[3] (y) Ntu uas nyob ze nram txhais taw: *Tus taw tiab; tus taw rooj; taw ris ltn...*

© 2003 Jay Xiong. All rights reserved.

[English] (n) The bottom hem of a pant or dress.

taw[4] (u) Muab xws li pas lossis ntiv tes tsa thiab tig rau: *Nws taw tes tuaj rau peb.*
[English] (v) To point (a finger or stick, for example) at a place or location.

taw kev (u) Qhia txoj hauv kev rau tus neeg tuag: *Nws taw kev rau tus neeg tuag.*
[English] (v) To tell or inform a person that just died, regarding how to go meet his grandparents, with specific instructions.

taw ntaiv (y) Ntu losyog tog ntaiv uas nyob ntawm daim av: *Tus taw ntaiv.*
[English] (n) The bottom part of the step or ladder.

taw ntsa (y) Ntu losyog tog phabntsa uas txhos rau hauv av: *Muab thawb kom ti tim tus taw ntsa.*
[English] (n) The bottom part of a wall.

taw ntsees (p) Nyob uas xws li tus pa taw tuaj rau: *Nws txhos tus pas taw ntsees rau ntawm kev.*
[English] (adj) Standing, esp. such as remaining upright.

taw rooj (y) Daim ntoo losyog daim uas nyob ntawm lub qhovrooj, thiab nyob rau hauv av: *Nws dawm tus taw rooj.*
[English] (n) The bottom part of a door.

tawb[1] (y) Tej lub uas xws li neeg siv los rau lwm yam khoom; lub pobtawb: *Lub tawb noog; lub tawb ntses ltn...* (u) Kov thiab hais lus xws li dag rau; zes: *Nws tawb tus menyuam.*
[English] (n) Bucket, basket. (v) Tease, joke, play with (a baby, for example).

tawb[2] (y) Ua tej thooj; ua ib pob; nyob ib pawg xws li thooj quav: *Ib tawb quav nyuj nyob ntawm kev. Ib tawb quav dev.*
[English] (n) Pile, mass.

tawb qhov muag (y) Ib hom tawb uas muaj ntau lub qhov, thiab feem ntau yog fiab los ntim nqaij tej: *Nws fiab tau ib lub tawb qhov muag.*
[English] (n) A bucket or basket made with bamboos, having many big holes.

tawg[1] (u) 1. Ntais, pluam xws li ib daim ntais ua ntau daim: *Lub fwj tawg ua ntau daim.* 2. Sib cais; tsis nyob uake: *Pab nyuj tawg tag lawm.*
[English] (v) 1. Break, shatter. 2. Diverge, disperse.

tawg[2] (u) Muaj tawm tuaj losyog nthuav tuaj: *Tsob ntoo tawg paj ntau heev.*
[English] (v) Bloom, such as to bear flowers.

© 2003 Jay Xiong. All rights reserved.

tawg[3] (u) Noj, nqos rau hauv plab: *Nws tawg mov.* Lo no feem ntau yog siv rau lub caij uas chim losyog sibceg xwb.

***[English]** (v) Eat (used in an offensive way only).*

tawg[4] (y) Zaus, lwm: *Nws mob ib tawg loj heev.*

***[English]** (n) Time, instance, occurrence.*

tawg ncuav (u) Muab txhais xibtes los npuaj lossis ntaus: *Nws tawg ncuav rau kuv sab plhu.* (y) Kev ntaus uas yog siv txhais xibteg: *Nws mag ib tawg ncuav.*

***[English]** (v) To hit or smack using the palm of a hand. (n) Such a hit.*

tawg ntho (pu) Siv pab cov lus ua, nthe, cem ltn... *Nws nthe tawg ntho peb.*

***[English]** (adv) Wholly, completely, entirely.*

tawg pleb (u) Tawg ua tej txoj kab; ua tej txoj kab uas xws li ua ntej thaum yuav pluam: *Daim av tawg pleb vim tsis los nag tau ntau hli.*

***[English]** (v) Crack or break, esp. without complete separation of parts.*

tawg qeej[1] (u) Tshuab rab qeej thiab dhia mus dhia los tej: *Nws tawg qeej rau peb saib.*

***[English]** (v) To dance and play the Hmong musical instrument "qeej."*

tawg qeej[2] (u) Kiv mus, kiv los uas xws li nyob ib qhov chaw xwb; tig muslos: *Lub tsheb tawg qeej hauv kev.*

***[English]** (v) To turn; to spin; to turn around 360 degrees.*

tawg rog (u) Khiav tsovrog; tsiv mus nyob lwm qhov chaw vim txoj kev ua rog losyog kev sibntau, sibtua: *Hmoob tawg rog mus nyob rau ntau lub tebchaws.*

***[English]** (v) To refuge or run away due to war or warfare.*

tawg tsog (pu) Siv pab lo ua "phwb" xwb: *Nws phwb tawg tsog txog ntawv.*

***[English]** (adv) Appearing; used mostly after the word "phwb" only.*

tawm[1] (u) 1. Mus rau sab nrauv: *Nws tawm hauv lub tsev.* 2. Mus rau lwm qhov chaw; tsis nyob hauv: *Nws tawm peb lub zos lawm.*

***[English]** (v) 1. To get out or come out (from a box or house, for example). 2. To leave or depart from (a city or location, for example).*

tawm[2] (u) Muaj losyog tshwm rau sab nrauv (daim tawv nqaij, pivtxwv): *Nws tawm ib co pob.*

***[English]** (v) To have (a rash or pimples on the skin, for example).*

tawm[3] (u) Xav, tsim losyog nrhiav tswvyim tshiab tej: *Peb tawm tswvyim.*

© 2003 Jay Xiong. All rights reserved.

[English] (v) To brainstorm; to make a plan or decision; to create new ideas.

tawm[4] (pu) Hauv qhov chaw uas tsis yog nyob rau hauv; nyob rau nrauv: *Nws muab tawm los rau peb saib; nws hais tawm rau neeg paub.*

[English] (adv) Out, such as out from the inside; disclose or make known.

tawm[5] (p) Tshaj losyog ntau zog: *Nws muaj 50 tus nyuj tawm.*

[English] (adj) More than; plus.

tawm[6] (u) Muaj ntws losyog tawm los: *Nws cov kua muag tawm.*

[English] (v) Shed, such as shed tears.

tawm[7] (u) Tawm hauv lub cev losyog daim tawv nqaij tuaj: *Nws tawm ib ce hws.*

[English] (v) To sweat; to perspire.

tawm rooj (u) 1. Tawm mus rau sab nrauv: *Nws tawm rooj plaws mas nws hnav zoo heev.* 2. Mus tso quav: *Nws mus tawmrooj lawm.*

[English] (v) 1. To go out. 2. To defecate; to poop.

tawm tog (pu) Muaj plua av tawm losyog ya ntau heev: *Cov plua av ya tawm tog.*

[English] (adv) Dustily, full of dust everywhere.

tawm tsam (u) Sawv los thaiv, txheem lossis tua uas xws li yog tsis pomzoo lossis tsis nyiam, xws li kev sibtua thiab kev ua tsovrog: *Lawv tawm tsam los tua cov yeeb ncuab.*

[English] (v) To revolt; to rebel; to rise in opposition.

taws[1] (y) Cov ceg khaub losyog ceg ntoo uas qhuav uas neeg siv los rauv hauv qhovcub: *Nws mus txiav taws. Ib pawg taws.*

[English] (n) Firewood, firelog.

taws[2] (u) Muab nta kom pomkev; muab ua kom cig: *Nws taws lub teeb.*

[English] (v) To turn on (a light, for example); to light (a lamp, for example).

taws ntsos (pu) Ntaus thiab dhia heev, thiab siv los pab lo xws li npuaj tes: *Nws chim thiab hais lus npuaj tes taws ntsos rau peb.*

[English] (adv) Used to describe the verb slap, such as slapping both hands together when one is angry or mad.

tawv[1] (u) Tsis mloog hais; tsis ua li qhia: *Nws tawv heev vim tsis muaj neeg hais tau nws li.*

[English] (v) Being tough to change, such as stubborn; disobey.

tawv[2] (u) Tsis ntshai: *Nws tawv heev vim nws ntes tau tus tsov.* (p) Piav txog tus

© 2003 Jay Xiong. All rights reserved.

neeg tawv losyog tsis ntshai dabtsi: *Nws yog ib tus neeg tawv heev.*

***[English]** (v,adj) Tough, courageous, strong, brave.*

tawv³ (u,p) Tsis muag; tsis phom; tsis zooj: *Lub pobzeb tawv heev.*

***[English]** (v,adj) Strong, tough (like a rock, for example).*

tawv⁴ (p) Ruaj losyog khov: *Nws hais tawv heev.*

***[English]** (adj) Tough, strong , esp. in an influential manner or demanding.*

tawv⁵ (p) Yam uas tawv: *Koj ua cov mov tawv dhau. Cov nqaij tawv heev.*

***[English]** (adj) Tough, such as not easily chew or cut; not soft or tender.*

tawv⁶ (y) Daim uas nyob sab nrauv: *Daim tawv ntoo; daim tawv nab ltn...*

***[English]** (n) 1. Skin. 2. Bark (of trees, for example). 3. Cover. 4. Shell.*

tawv ncauj (u) Tsis mloog hais; hais tsis tau kom ua: *Nws tawv ncauj heev.* (p) *Tus neeg tawv ncauj yog tus neeg tsis mloog lus.*

***[English]** (v) To disobey, such as to resist to command or request. (adj) Disobedient, disobeyed.*

tawv to (pu) Piav txog xws li thaum tej yam kua poob losyog txeej xws li tsis paub tu: *Thoob dej nrog tawv to tas hnub. Nws hais tawv to tag ib zaj lus.*

***[English]** (adv) To occur in a non-continuous manner but yet steadily; happening or occurring in such a consistent or steady manner.*

te (y) Tej daim uas yog dej khov vim yog cov huabcua no lossis txias heev: *Nyob rau tebchaws Xoesviaj muaj te ntau heev.*

***[English]** (n) Frost.*

teb¹ (u) Hais lus rovqab rau tus neeg uas hais lus rau yus: *Nws teb kuv cov lus.*

***[English]** (v) Answer, response, reply, esp. by uttering or speaking back to.*

teb² (u) Sau rovqab rau: *Nws teb kuv tsab ntawv lawm.*

***[English]** (v) Response, reply, such as when writing emails or letters.*

teb³ (y) Daim av uas neeg siv los cog qoobloo: *Nws muaj ib daim teb dav heev.*

***[English]** (n) Farm, farmland.*

teb⁴ (y) Lub tebchaws losyog daim av uas muaj neeg nyob ua zos: *Peb nyob lawv teb lawv chaw. Suav teb ltn...* Feem ntau neeg siv lo tebchaws xwb.

***[English]** (n) Country, esp. a nation with its own territory and government.*

teb⁵ (y) Pob losyog thooj uas muaj ntau lub nyob uake: *Ib teb qe muaj 12 lub.*

***[English]** (n) A dozen (of eggs, for example); carton.*

© 2003 Jay Xiong. All rights reserved.

teb laug (y) Daim teb uas cog qoobloo tau ntau cim losyog ntau zaus los lawm: *Ib daim teb laug.* Lus rov: *Teb tshiab.*
***[English]** (n) An old or used farm or farmland.*

teb npleg (y) Daim teb uas siv los cog nplej xwb: *Ib daim teb npleg.*
***[English]** (n) Rice field; rice farm.*

teb pob kws (y) Daim teb uas siv los cog pobkws xwb: *Ib daim teb pob kws.*
***[English]** (n) Corn field; corn farm.*

teb quav poj (y) Piav txog tej qub teb losyog daim teb uas neeg twb ua ntau cim dhau los lawm: *Nws mus xawb tej teb quav poj ua xwb.*
***[English]** (n) A used farming field, esp. where there are many weeds, shrubs.*

teb yeeb (y) Daim teb uas siv los cog yeeb xwb: *Ib daim teb yeeb.*
***[English]** (n) Opium farm or farmland.*

tebchaws (y) 1. Daim av muaj ciam thiab muaj tej haiv neeg nyob: *Teb chaws Nplog, teb chaws Suav, thiab teb chaws Nyablaj.* 2. Lub zos: *Nej lub teb chaws muaj liaj ntau heev.*
***[English]** (n) 1. Country. 2. City, village, town.*

tebleb (y) Tus qau, noov. Feem ntau yog siv los cem xwb (ib lo lus phem).
***[English]** (n) Penis (offensive use only).*

tee (y) Ib lub dej; ib teev dej uas xws li me: *Ib tee kua muag; ib tee dej.*
***[English]** (n) Drop, such as a drop of water.*

teeb[1] (u) Muab tso, ua, txawb rau: *Nws teeb cov rooj ua ib leej.*
***[English]** (v) To set up (chairs and tables, for example).*

teeb[2] (y) Lub uas ci thiab ntsa uas xws li ua rau pomkev: *Neeg siv teeb los taws kom pomkev.* Ib lub npe uas siv rau cov tub.
***[English]** (n) Light, lamp. Also a proper name for boys.*

teeb khoo (y) Ib hom teeb uas muab pav rau saum tobhau, thiab feem ntau yog siv los tsom kom pomkev rau thaum tsaus ntuj: *Nws muaj ib lub teeb khoo.*
***[English]** (n) Flashlight.*

teeb kub lub (y) Lub teeb uas neeg taws kom pomkev haus yeeb: *Nws muaj ib lub teeb kub lub.*
***[English]** (n) A little lamp, esp. used when smoking opium at night.*

teeb tsav (y) Lub teeb uas siv xws li cov roj npuas losyog roj ntoo los taws:

© 2003 Jay Xiong. All rights reserved.

Thaum ub Hmoob siv teeb tsav xwb.

***[English]** (n) A lamp which used lard or certain kind of tree oils.*

teeb tsom (y) Lub teeb uas tuav rau ntawm tes, thiab siv ob lub rojteeb: *Nws muaj ib lub teeb tsom.*

***[English]** (n) Flashlight.*

teeb xais (y) Lub teebtsom; lub teeb uas luaj li caj npab thiab muaj ob lossis ntau lub roj teeb nyob hauv: *Nws muaj ib lub teeb xais.*

***[English]** (n) Flashlight.*

teebmeem (y) Kev, yam losyog qhov uas ua rau nyuaj siab: *Nws qhov teebmeem yog nws mus tubsab. Nws qhov teeb meem yog nws tsis muaj tsev nyob.*

***[English]** (n) Problem, crisis.*

teebnyug (y) Ib hom tshuaj ntsuab uas tuaj ua tej caj zoo xws li qos. Feem ntau, neeg siv los ua tshuaj thiab. Ib txhia kuj hu ua "xeeb leej ceem" no thiab.

***[English]** (n) Certain kind of herb.*

teebxeeb* (y) Txoj kev lossis lub caij uas xws li yuav muaj yam zoo lossis yam tshiab tshwm sim tuaj: *Txhua yam teebmeem yeej muaj ib yam teebxeeb.*

***[English]** (n) Opportunity.*

teeg (y) Kev muaj tshwm sim losyog zaus: *Nws mob ib teeg loj heev.*

***[English]** (n) Occurrence, instance, time.*

teem[1] (u) Hais tseg rau lub sijhawm ntawv; cia losyog tos rau lub caij ntawv: *Peb teem rooj tshoob rau lwm lub hlis.*

***[English]** (v) Schedule, arrange (a time or appointment, for example).*

teem[2] (y) Zaus, pluas uas xws li pluas mov: *Peb noj ib teem mov; quaj ib teem.*

***[English]** (n) Time (how many times, for example), occurrence, instance.*

teem[3] (u) 1. Muab lwm yam los xiab; muab lwm yam tso rau sab hauv: *Muab daim ntoo teem lub thoob.* 2. Muab nias losyog los tsuam rau: *Lub thoob teem nws txhais tes.*

***[English]** (v) 1. To insert (something) underneath or at the bottom as to give a solid base or foundation. 2. To lie or rest on top of (a tank rests on his finger, for example).*

teem[4] (u) Qis, tsis siab; teemtaub: *Nws teem tshaj kuv.*

***[English]** (v) Short, such as not tall. Also a proper name.*

© 2003 Jay Xiong. All rights reserved.

teem[5] (u) Muab xws li khoom losyog tej yam uas ntau los tso ua ib pawg; muab tso uake: *Nws muab cov hnab nplej teem ua ib pawg txij li neeg.*
***[English]** (v) To pile; to gather (by piling into a pile, for example).*

teemkiam (y) Daim ntaub uas xws li cov menyuam muab los vov losyog pua lawv niam thiab lawv txiv thaum lawv niam thiab txiv tuag: *Ib daim teemkiam losyog daim ntaub teemkiam.*
***[English]** (n) A cloth or blanket provided by the children that used to cover one's parent (when he/she died) at a funeral.*

teemtaub (u) Qis, tsis siab; qigtaub: *Nws teemtaub heev.* Lus rov: *Siab.*
***[English]** (v) Short, such as not all. Ex: He is a short person.*

teev[1] (y) Rab uas neeg siv los luj khoom: *Ib rab teev.*
***[English]** (n) A small balancing scale used to weight small items. This scale has the weight units marked on the horizontal bar where the (metal) weight can be adjusted and/or moved around until it balances horizontally.*

teev[2] (y) Yam uas hnyav muaj li raucaum fiab: *Raucaum fiab ces muaj ib teev.*
***[English]** (n) A unit of weight measurement of the "teev" balancing scale. Teev is the largest unit of the "teev" scale. One "teev" equals to 60 "fiab."*

teev[3] (y) Cov tej tee uas nyob hauv lub suav losyog lub sijhawm. Lo lus no, Hmoob nyuam qhuav tsim nyob rau Lostsuas teb los xwb: *Ib hnub muaj 24 teev; ib teev ces muaj 60 fiab; ib fiab ces muaj 60 feeb.*
***[English]** (n) Hour. This word was recently created in Laos after the balance scale "teev."*

teev[4] (y) Yam uas ua tej lub kheej~ losyog ua tej thaj; tee: *Muaj ob teev dub~ nyob ntawm lub tsho.*
***[English]** (n) Dot, mark.*

teev[5] (u) Hawm txog; cav txog nws lub npe: *Lawv teev Huabtais Ntuj.*
***[English]** (v) Worship, honor, pray.*

teev[6] (u) Muab hliv xws li dej rau hauv lub khob: *Teev khob cawv kom puv.*
***[English]** (v) Pour, fill (water into cups, for example).*

teev[7] (u) Ua kom xws li tus dej tauv losyog nyob ua ib lub pas; ua kom xws li cov dej ntws los ua ib lub pas tej: *Lawv teev tus dej ua ib lub pas loj heev.*
***[English]** (v) To dam; to block or hold up (a river from flowing, for example).*

© 2003 Jay Xiong. All rights reserved.

teevkeem (y) 1. Rab hmuv uas Hmoob siv los cog nplej: *Neeg siv teevkeem los cog nplej.* 2. Lub hlau uas nyob rau pem tus hau hmuv teevkeem.
[English] (n) 1. A Hmong made pole having a dibble (arrow like) at one end and used to make holes in the ground, esp. for seeding rice. 2. Dibble.

teevtiam (u) Teev txog; hawm txog uas xws li tej dabqhua, tej laus, tswv ntuj tej: *Nws tseem teevtiam nws pog thiab yawg.*
[English] (v) Worship, honor, pray.

teg[1] (y) Zaus, zaug: *Hnov nrov ib teg; nws ntaus kuv ib teg.*
[English] (n) Time, occurrence, instance. Ex: I heard two times.

teg[2] (y) Muaj npaum li ib txhais tes tuav; tes: *Nws muab tau ob teg zaub rau kuv.*
[English] (n) A method of measurement equivalent to a handful.

teg[3] (u) Mus lossis ua: *Nws teg rau ub, teg rau no.*
[English] (v) Go, travel; move to. Ex: He goes here and goes there.

tej[1] (h) Hom, cov, tus: *Tej neeg phem hais lus phem.*
[English] (cl) Kind, sort, type of (people, for example).

tej[2] (y) Qhov chaw uas tsis paub losyog tsis muaj npe: *Nyob ntawm tej, tim tej, thiab tom tej ltn...*
[English] (n) Somewhere, an unknown place; elsewhere.

tej[3] (p) Qee tus; ib txhia; tsis tas nrho: *Tej hnub, tej xyoo, tej zaus ltn...*
[English] (adj) Some. Ex: Some people are good.

tej tsam (pu) Tej lub sijhawm uas tsis paub tias thaum twg: *Tej tsam yus tsis nco txog. Tej tsam kuv mam tuaj saib nej.*
[English] (adv) Sometime. Ex: I will visit you sometime next week.

tej tus (t,p) Tej tus neeg losyog tsiaj uas tsis tuav npe: *Tej tus kuj coj zoo.*
[English] (pron,adj) Someone. Ex: Someone is coming to see you.

tej txhia (t,p) Qee leej; tsis yog sawvdaws; ib txhia: *Tej txhia tsev; tej txhia neeg.*
[English] (pron,adj) Some, someone. Ex: He gave food to some people.

tej yam (t,y) Yam uas tsis paub tias npaum li cas; yam uas tsis paub: *Tej yam zoo tabsis tej yam phem.*
[English] (pron,n) Something, certain thing.

tej zaum (pu) Tsis paub tias yuav zoo li cas; xyov yuav zoo li cas: *Tej zaum nws tsis paub.* Ib txhia neeg kuj siv tias "tej zaug thiab tej zaus" no thiab.

© 2003 Jay Xiong. All rights reserved.

[English] (adv) Maybe, perhaps; sometimes.

tem toob (u) Tsis paub tomntej thiab tomqab zoo; tsis nco qab zoo uas xws li thaum tus neeg laus heev lawm: *Ntu no nws tem toob lawm xwb.* (p) Tus neeg losyog tsiaj uas tem toob lawm: *Nws laus thiab hais lus tem toob lawm.*
[English] (v) Not fully conscious, such as not knowing right from wrong.

tes[1] (y) Txhais uas nyob tom kawg ntawm txhais caj npab; txhais tes: *Ib tus neeg muaj ob txhais tes. Mob nws tes thiab nws taw.*
[English] (n) Hand. Ex: Hurt his hand and foot.

tes[2] (pu) <Lees> Ces, xws li koj mus ces kuv nyob: *Nwg has le tes kuv haj moog.*
[English] (adv) <Leng> Then, therefore.

tes dawb tes npliag (p) Tsis muaj dabtsi li; tsis nqa dabtsi li; qhuav qhawv: *Nws mus tsev tes dawb tes npliag xwb. Nws tuaj tes dawb tes npliag xwb.*
[English] (adj) Empty hands; having nothing.

tes taw (y) Tes thiab taw: *Nab yog hom tsiaj uas tsis muaj tes taw.*
[English] (n) Arm and leg; hand and foot.

tes thawj (y) Tus ntiv tes uas nyob puab tus ntiv tes xoo.
[English] (n) Index finger.

tes tsho (y) Yav tsho uas ua los qhwv txhais caj npab thiab nyob ze ntawm txhais tes: *Ob lub tes tsho. Nws lub tes tsho ntev dhau.*
[English] (n) The sleeve of a shirt.

tes xoo (y) Tus ntiv tes uas loj tshaj thiab luv nyob ntawm txhais tes: *Tus tes xoo.*
[English] (n) Thumb.

tev (u) Muab daim tawv losyog yam uas vov laws tawm: *Nws tev daim tawv txiv.*
[English] (v) Peel. Ex: Please peel the skin off before eating oranges.

th (y) Ib tus ntawv siv rau cov lus xws li thiab, tham, them ltn...
[English] (n) A consonant used for words such as "thiab, tham" etc...

tha (u) <Lostsuas> Ua kevcai rau thiab feem ntau yog siv los piav txog xws li ua kevcai rau thaum tus neeg tuag xwb; muab pam: *Lawv tha nws tagkis.*
[English] (v) <Lostsuas> To provide a funeral ritual for (a deceased person, for example).

thab[1] (u) 1. Mus kov; mus tawb: *Tus dev thab tus miv.* 2. Mus txob losyog tsim tau: *Nws thab tau ib rooj plaub; nws thab tau ib txoj haujlwm.*

© 2003 Jay Xiong. All rights reserved.

[English] (v) 1. Bother, pester. 2. To ask for or create (a problem, for example); to volunteer oneself for certain task or duty.

thab[2] (pu) Tsis, xws li tsis nyiam; tsis kam ltn... *Nws thab tuaj; nws thab nyiam.*

[English] (adv) Not, esp. used in a context, such as did not, is not etc...

thab ham (y) <Lostsuas> Tubrog; cov neeg uas muaj riam thiab phom, thiab lawv cov haujlwm yog los thaiv kom txhob muaj lwm haiv neeg tuaj tua thiab txeeb lub tebchaws uas lawv nyob.

[English] (n) <Laotian> Soldier.

Thaib (y) 1. Cov neeg yug thiab nyob hauv lub tebchaws Thaib. 2. Lub tebchaws uas cov neeg Thaib nyob. 3. Cov lus uas cov neeg Thaib siv. Lub suab Lostsuas losyog lus Thaib yog hais tias "Thais."

[English] (n) 1. Thai people. 2. Thailand. 3. Thai language.

thaij (u) <Lostsuas> Muab xws li lub yees duab los yees, thau, kaw xws li kom tau los ua duab tseg: *Thaij ib daim duab cia tau saib.*

[English] (v) <Laotian> To take a picture; to take a photograph of.

thais (u) Muab riam los txiav lossis ua kom to xws li tej lub qhov: *Nws thais tus ntaiv ua ntau theem.*

[English] (v) To cut by making a groove, such as when making the steps on a log or wood so it can be used as a ladder.

thais liab (y) Tus txiv liab uas yog tus thawj losyog tus uas loj tshaj: *Nws pom ib tus txiv thais liab nyob saum tsob ntoo.*

[English] (n) A fully grown male monkey.

thaiv[1] (u) Muab vov; muab roos: *Nws siv daim pam los thaiv lub qhov rooj.*

[English] (v) To cover; to block. Ex: He uses the blanket to cover the door.

thaiv[2] (u) Muab quas, kem; ua kom muslos tsis tau: *Tus lajkab thaiv cov npua.*

[English] (v) To block; to hold or stop, such as a fence.

thaiv[3] (y) Lub hlau uas neeg ua los teem losyog tiag kom zoo ntaus lwm cov hlau: *Nws muaj ib lub thaiv.* Ib lub npe siv rau cov tub.

[English] (n) Anvil, esp. the heavy block of iron or steel used by a blacksmith as a base for hammering. Also a proper name for boys.

thaj[1] (y) Qhov chaw, daim, koog: *Muaj ntau thaj.* (h) *Nws muaj ib thaj nplej.*

[English] (n) An area of (land, for example). (cl) Any area-like lands.

© 2003 Jay Xiong. All rights reserved.

thaj[2] (y) Lub rooj uas ua los txawb khoom thiab hawm txog xws li Ntuj, Neeb, Mlom ltn... *Tus txiv Neeb muaj ib lub thaj. Muab cov xyab tso saum thaj.*
[English] *(n) A table or place nailed or hung by the wall, and mostly used as a place to worship or honor spirits.*

thaj[3] (y) Ib thaj Neeb ltn... Feem ntau, neeg siv tias thaj neeb no xwb: *Lawv tau ua ob thaj es nws thiaj li zoo. Rov thov koj ua ib thaj ntxiv.*
[English] *(n) An instance, occurrence or time when a shaman practices or provides his spiritual care or ceremony.*

thaj neeb (y) 1. Qhov chaw uas tus txiv Neeb hawm nws cov dab: *Hlawv xyab rau saum lub thaj neeb.* 2. Kev ua neeb: *Nws ua ib thaj neeb saib nws niam.*
[English] *(n) 1. A place or shelf fixed on the wall of a house where people worship or honor the shaman. 2. Each time a shaman perform his ritual care.*

thaj tsam (y) Nyob ze ib ncig ntawv; qhov chaw ze: *Thajtsam no tsis muaj tsov.* (pu) Ze rau; yuav txog rau: *Nws muaj li thajtsam nees nkaum xyoo.*
[English] *(n) Nearby area, vicinity or region. (adv) Somewhat, roughly.*

thaj yeeb (u) Tsis muaj kev sibtua; tsis muaj tsovrog. Nyob xws li tsis muaj kev nyuaj siab: *Lub tebchaws thajyeeb lawm.* (y) *Peb nyiam kev thajyeeb.* (p) Txoj kev uas thajyeeb: *Tsis muaj ib hnub thajyeeb li.*
[English] *(v) Being peaceful. (n) Peacefulness. (adj) Peaceful.*

thajkhu (y) <Lostsuas> Tus xibfwb losyog tus leej qhia uas saib xyuas lwm cov leej qhia losyog nai khu: *Nws yog lawv tus thajkhu.*
[English] *(n) <Laotian> A school principal, superintendent.*

thajmom (y) <Lostsuas> Tus kws kho mob losyog tus uas txawj pab ua kom neeg tsis txhob muaj mob tej: *Nws yog ib tus thajmom.*
[English] *(n) <Laotian> Physician, a medical doctor.*

tham (u) 1. Hais lus; piav txog: *Nws tham rau peb mloog.* 2. Ua lossis cog kev phoojywg rau lwm tus neeg: *Nws tham tus hluas nkauj.*
[English] *(v) 1. Discuss, chat; to speak or talk to others. 2. To chat or converse, such as dating or courting; to date.*

thampem (u) Sibtham ua si; hais txog kev sibtham; tsham: *Peb mus thampem lawm tim kuv tsev.*
[English] *(v) To chat or talk to each others, such as during a visitation.*

© 2003 Jay Xiong. All rights reserved.

thau (u) Muab rub rovqab; muab ua kom thim los; muab lauj: *Nws thau ib puas los siv; nws thau nws pob su los noj.* Lus rov: *Ntsaws, ntxig, tsij.*
***[English]** (v) 1. Pull, withdraw, yank. 2. To take (items, for example) out.*

thaub (u) Ua kom thim los; txav losyog mus rau tom qub qab: *Nws thaub los tsoo kuv. Nws thaub lub tsheb los theem ntawm kev.*
***[English]** (v) To backup; to reverse.*

thaub qab (u) Muab lub pobtw mus rau tomqab; thaub: *Nws thaub qab los zaum.*
***[English]** (v) To backup; to reverse.*

thauj (u) Muab xws li khoom tso rau nraum lub nrobqaum: *Tus nees thauj ib pob nra. Lub tsheb thauj ib cov neeg.*
***[English]** (v) To carry, esp. (things, for example) on the back.*

thaum (tx) Lub sijhawm ntawv: *Kuv tuaj txog thaum koj tseem pw.* (pu) Lub caij losyog lub sijhawm: *Thaum koj mus; thaum nws pw; thaum peb hnov ltn...*
***[English]** (conj,adv) When, at the time that.*

thaum i (pu) Lub sijhawm dhau los lawm ntev: *Thaum i peb nyob uake.*
***[English]** (adv) At the time; at an unspecified time in the past.*

thaum ntawv (tx,pu) Lub sijhawm ntawv: *Thaum ntawv peb tseem nyob uake.*
***[English]** (conj,adv) At the time that; when.*

thaum tias (pu) Lub sijhawm ntawv: *Thaum tias koj paub ces lig lawm.*
***[English]** (adv) When, then.*

thaum twg (pu) Lub sijhawm uas tsis paub: *Thaum twg koj mam tuaj?* (tx,t) *Koj tuaj txog thaum twg peb mam li noj.*
***[English]** (adv, conj, pron) When, whenever.*

thaum uas (tx,t) Lub sijhawm ntawv: *Nws tuaj txog thaum uas kuv pw.*
***[English]** (conj) When; at the time that.*

thaum ub (pu) Lub sijhawm dhau los lawm ntev: *Thaum ub peb nyob uake.*
***[English]** (adv) At the time; at an unspecified time in the past.*

thauv (tx) Lub caij uas dhau los ntev: *Thauv peb tseem hluas thiab nyob uake.*
***[English]** (conj) An unspecified time in the past; sometime in the past.*

thav (y) Loj txaus thiab tiav txiv lawm: *Tus thav nyuj; tus thav kauv.* (u) Tsoo, raug, txhuam: *Nws ua rab hneev thav tus ntoo.*
***[English]** (n) A fully grown, esp. used to describe a bull or male deer. (v) To*

© 2003 Jay Xiong. All rights reserved.

hit; to bump; to come into contact with (other things, for example).

thawb (u) Muab txhais tes nias thiab ua kom txav mus rau tom hauv ntej: *Nws thawb lub tsheb.*
[English] (v) Push.

thawj[1] (u) 1. Mus nrog nyob uake; tsiv mus nyob nrog xws li mus koom lwm tus lub tsev: *Nws mus thawj nws cov kwvtij.* 2. Mus cuag rau: *Nws mus thawj tus nom loj.*
[English] (v) 1. To go and stay or live permanently with others. 2. To go to other people's place or location, esp. when one is seeking for assistance.

thawj[2] (y) 1. Tus uas coj sawvdaws; tus saib xyuas sawvdaws: *Nws yog peb tus thawj.* 2. Tus ua ntej: *Leej twg yog tus thawj?*
[English] (n) 1. Leader. 2. First, such as at the first position or place.

thawj coj (y) Tus uas sawvdaws xaiv los ua tus coj: *Nws yog peb tus thawj coj.*
[English] (n) Leader, president, captain.

thawj thiab (u) Mus nrog lwm tus nyob; mus thawj lwm tus: *Nws mus thawj thiab lawm.* (p) Yam losyog tus uas thawj thiab: *Tus neeg thawj thiab.*
[English] (v,adj) To go and live with someone permanently.

thawm (r) Tshwm rau ob sab; tshab txog rau xws li sav tov: *Dej ntub thawm daim pam.* (pu) *Cov dej ntub thawm.*
[English] (prep,adv) Through.

thaws[1] (u) Dhia mus, dhia los; thim rovqab: *Lub pob thaws mus thiab thaws los.*
[English] (v) Bounce, rebound, to spring up and down.

thaws[2] (u) Thim rovqab losyog dhia rov tomqab uas xws li yog mus tsoo tej yam tawv heev. Rab rauj thaws vim nws muab tsoo thooj hlau.
[English] (v) Rebound; bounce back.

thaws[3] (u,p) Thim, khiav tawm, tso tseg losyog tsum: *Cov yeeb ncuab tsis thaws.*
[English] (v,adj) Give up; to withdraw; to quit.

thaws thawv (pu) Thaws rovqab; thaws: *Nws tsoo lub pobzeb thaws thawv.*
[English] (adv) In a rebound or bounce back manner.

thaws tho (pu) Thim losyog tig rovqab: *Lawv khiav thaws tho vim lawv ntshai.*
[English] (adv) In a rebounding and/or giving up manner.

thawv[1] (u) Dhia siab, dhia qis xws li thaum lub tsheb mus saum txoj kev tsis du:

© 2003 Jay Xiong. All rights reserved.

Lub tsheb thawv heev vim txoj kev phem. (p) Yam uas thawv.

***[English]** (v) Bump, such as to hit or knock against something. (adj) Bumpy.*

thawv[2] (u) Muab dabtsi tsoo, ncho xws li hauv qab tuaj.

***[English]** (v) To make or cause a movement similar to a bump.*

thawv[3] (y) Tej lub pobtawb; tej lub uas muaj plaub fab thiab muaj daim hauv qab xws li yog neeg siv los rau khoom: *Siv lub thawv los ntim cov nplej.* (pu) Tig rovqab; khiav rov tom qubqab: *Peb thim thawv vim peb hais tsis tau nws li.*

***[English]** (n) Container, receptacle, bucket. (adv) To bounce or rebound, and used mostly after the verb "thim, thaws" only.*

thawv tho (pu) Thim, thaws rovqab: *Nws tsoo thaws thawv tho.*

***[English]** (adv) In a rebounding and/or bouncing manner.*

thee (y) Cov hluav ncaig uas yog los ntawm cov taws lossis ntoo tomqab thaum kubhnyiab tabsis tsis tau ua hluav lossis ua hmoov: *Nws muaj ob hnab thee.*

***[English]** (n) Charcoal.*

theeb (u) Noj, haus, hnia me~ kom nyob tau: *Nws theeb yeeb.*

***[English]** (v) To eat, take or use by taking very little amount only.*

theej (u) Muab lwm yam los hloov: *Muab lub tais theej cov dej hauv lub thoob.*

***[English]** (v) Replace, exchange.*

theem[1] (u) Nres, ua kom tus; tsis txav: *Lub tsheb theem ntawm lub teeb liab.*

***[English]** (v) Stop, pause, yield (a walk or travel, for example).*

theem[2] (y) Tej ntus losyog tej daim uas ua los tau tsuj nyob rau ntawm tus ntaiv; qib: *Ib tus ntaiv muaj ntau theem.*

***[English]** (n) Step, such as the steps on a ladder or stairs.*

theev (u) Muab ua kom thaws; ua kom dhia losyog txav; muab tsoo losyog ua kom co: *Nws theev tus ncej.*

***[English]** (v) To strike or hit something softly, such as to cause the fixed parts loosening or less tight.*

them (u) Muab nyiaj rau tus tswv uas tau muag tej yam rau yus: *Nws them nyiaj rau tus tswv. Nws them nyiaj vim nws yuav lawv tus npua.*

***[English]** (v) Pay, reimburse, compensate.*

thev (u) Muaj peev xwm ua tau losyog ua dhau yam uas nyuaj: *Kuv thev dhau ntu nyuaj. Nws thev dhau ntu txomnyem.*

© 2003 Jay Xiong. All rights reserved.

[English] (v) Persevere, endure.

thi (y) Tej lub voj uas nyob ntawm lub hnab riam thiab ua tuav lub hnab riam losyog lub thoob kom ruaj: *Lub hnab riam muaj ntau lub thi.*

[English] (n) The plastic or metal rings used for holding or securing other things (a bucket, for example).

thiab[1] (y) 1. Nyob rau hauv lub cev losyog hauv lub nrog: *Thaum tus menyuam nyob hauv nruab thiab.* 2. Txoj sia: *Nws tuaj faib thiab.*

[English] (n) 1. Internal, inside of (a body, for example). 2. Life, living.

thiab[2] (y) Ib tus ntawv '&' uas siv los qhia tias tshuav losyog muaj ntxiv: *Nws nyiam 2 & 3 xwb.*

[English] (n) A character '&' representing the word "and."

thiab[3] (tx) Siv los txuas rau losyog ntxiv rau: *Koj thiab kuv.* (pu) Muab ntxiv rau; ib yam li: *Kuv noj thiab; peb mus thiab.*

[English] (conj) And. (adv) Too, also.

thiab[4] (u) Muab txhawb losyog nqa kom siab; pab: *Peb thiab nws lub zog.*

[English] (v) Support, encourage.

thiaj (u) Muab tes nqa tej yam khoom uas hnyav lossis loj: *Lawv thiaj yav cavtaws.* (pu) Vim yog tias: *Nws tsis nyiam nws thiaj tsis noj.*

[English] (v) To carry or move (things to a location, for example). (adv) For that reason; therefore, so, then.

thiaj li (pu) Ua li ntawv; vim li ntawv: *Koj ua zoo es kuv thiaj li hlub.*

[English] (adv) Then, therefore.

thib[1] (u) Muab xws li hniav riam los kuam cov dau lossis daim tawv pov tseg: *Muab riam thib cov dau pov tsev.*

[English] (v) To scrape, esp. the outer layer from a surface.

thib[2] (y) <Lostsuas> Qhov chaw losyog theem uas muaj kev suav: *Nws yog tus xub tuaj ces nws yog tus thib ib.*

[English] (n) <Laotian> Turn. Ex: It is his turn.

thij (y) Muaj ntau lub nyob uake xws li cov txiv tsawb tej; kuam: *Nws muab tau ib thij txiv tsawb rau peb.*

[English] (n) Cluster, bunch.

thim[1] (u) Muab ua kom rovqab; ua kom xoob: *Cov tubrog thim tas lawm.*

© 2003 Jay Xiong. All rights reserved.

[English] (v) Withdraw, to move or step back.

thim[2] (u) Muab rovqab rau: *Nws thim nyiaj.*

[English] (v) Return, refund (refunding her money, for example).

thim[3] (u) Zoo losyog ntaug: *Tus mob thim lawm.*

[English] (v) Lessen, esp. relates to pain; assuage.

thim[4] (u) Thaws losyog tsoo uas xws li rau rov tomqab: *Rab phom thim heev.*

[English] (v) To make a sudden jerk or movement backward, such as pressures caused by a gunshot.

this (u) Raug, mag lwm tus ntxias losyog dag: *Koj this nws txoj kev dag.*

[English] (v) To become victimized by someone's trick or hoax.

thisvis (y) <Askiv> Lub uas pom duab thiab neeg siv los saib nyob rau hauv tsev. Feem ntau, yog saib xws li xovxwm thiab kev ua si muaj nyob hauv tebchaws.

[English] (n) <English> T.V., television.

tho[1] (u) Xuas riam luaj tej xyoob thiab ntoo uas xws li kom tau kev mus: *Peb tho ib txog kev tshiab.* Ib txhia neeg kuj siv lo tias "luaj" kev no thiab.

[English] (v) To make a path, esp. when one has to cut down small trees.

tho[2] (u) Muab ua kom toqhov: *Tus noog tho tau ib lub qhov.*

[English] (v) To make or drill holes.

thob (u) Muab kaus, yawm lossis kuam kom txav rau lwm qhov chaw: *Nws niaj hnub tuaj thob cov quav nyuj pov tseg.*

[English] (v) Shovel, plow, scoop.

Thoj <Suav> Ib lub xeem Hmoob; Dub yog lus Hmoob: *Nws yog xeem Thoj.*

[English] One of the Hmong's clan names, such as Thao or Thor.

thojnam (y) Neeg tawg rog; cov neeg uas tsiv mus nyob lwm lub tebchaws vim yog kev tsovrog: *Ib pab neeg thojnam.*

[English] (n) Refugee.

thom (u) Muab xws li ntoo los ua ib lub nkuaj lossis lub chaw kaw tsiaj tej; muab xov: *Nws thom tau ib lub nkuaj los kaw nws cov npua.*

[English] (v) To make or create (a pen, for example), such as an enclosed area surrounded by fence or other structures.

thom khwm (y) Tej lub hnab uas yog ntaub thiab neeg siv los looj ob txhais taw; thoom thaub xws li yog lus Lostsuas: *Nws muaj ob txhais thom khwm.*

© 2003 Jay Xiong. All rights reserved.

[English] (n) Sock, stocking.

thoob[1] (y) Lub thawv uas neeg siv los ntim khoom lossis rau dej tej: *Ib lub thoob.*
[English] (n) Bucket, container.

thoob[2] (pu) Muaj nyob txhua txhia qhov chaw: *Peb mus thoob lub zos.*
[English] (adv) Through, throughout.

thoob plaws[1] (r) Mus thoob uas xws li rau ob sab losyog ob tog: *Peb mus thoob plaws lub zos. Peb taug thoob plaws txoj kev.*
[English] (prep) Through.

thoob plaws[2] (pu) Txhua nrho; txhua txhia qhov chaw: *Peb mus thoob plaws lub zos. Peb ncig thoob plaws daim teb.*
[English] (adv) Everywhere, throughout; all around.

thoob puab (y) Lub hnab uas muaj ib txoj hlua thiab neeg siv los khuam ntawm lub xubpwg: *Nws muaj ib lub hnab thoob puab.*
[English] (n) Bag, esp. the kind with a looped rope hanging on the shoulders.

thoob tshaj (y) Ib hom mob uas ua rau xws li ib ya hnyuv mos hlauv lossis poob mus rau hauv lub hnab noob qis. Cov txiv neej uas mob lossis zoo li no, feem ntau muaj tsis taus menyuam. Tsiaj los kuj muaj cov mob li no thiab.
[English] (n) An abnormal health condition where a part or portion of the small intestine drops near or into the scrotum, sac, of the testicle. This term might be very close and/or related to the English term called hernia.

thoob tsib to nrog (u) Paub txog xws li qhov txhaum thiab tsis txhaum: *Tus neeg thoob tsib to nrog ces yuav tsis ua phem li ntawv.*
[English] (v) Know, understand, comprehend, esp. knowing right from wrong.

thoob xo (u) Tshab xo; mus qhia rau kom paub. Feem ntau yog siv rau lub caij tus tub yuav lwm tus neeg tus ntxhais xwb: *Nws yog tus mus thoob xo.*
[English] (v) Inform, notify.

thooj (y) Pob, lub: *Nws hlais daim nqaij ua ob thooj.* (h) Yam uas zoo li thooj; pob: *Ib thooj qaij; ntau thooj av.* (r) Zoo li; xws li; raws nraim: *Ua thooj nws.*
[English] (n) Chunk, piece. (cl) Used to classify any chunk like objects. (prep) Similar to; like.

thooj txhij (pu) Ua tib lub sijhawm; muaj nyob rau tib lub caij: *Wb thooj txhij khiav. Peb thooj txhij dhia ltn...*

© 2003 Jay Xiong. All rights reserved.

[English] (adv) Simultaneously; happening at the same time.

thoom thaub (y) <Lostsuas> Thom khwm. Tej lub hnab ntaub uas siv los looj ob txhais taw: *Ib nkawm thoom thaub.*

[English] (n) <Laotian> Sock, stocking.

thoov[1] (u) Muab thaiv, teev uas xws li lub pas dej kom cov dej txhob tawm mus.

[English] (v) To dam; to block or obstruct a passage of water or liquid.

thoov[2] (u) Khawb xws li kom ua kwj tej: *Koj thoov tus kwj kom lub pas dej qhuav.*

[English] (v) To dig or excavate (an outlet, for example).

thos (u) Muab xws li tus kaus ncauj mus noj losyog tom: *Tus qaib thos kab.*

[English] (v) Peck, esp. with the beak.

thov[1] (u) Hais kom pub rau; hais kom zam rau: *Peb thov nws mov noj.*

[English] (v) Beg; to ask or request for as charity.

thov[2] (u) Hais kom pab; hawm txog kom teb losyog pab: *Nws thov Tswv Ntuj.*

[English] (v) Pray, request or ask for assistance or help.

thov khawv (u) Mus thov kom muab xws li khoom pub losyog pab rau: *Nws mus thov khawv tim lawv zos.* (p) Tus neeg uas thov khawv: *Tsis muaj neeg nyiam cov neeg thov khawv.*

[English] (v) Beg, ask, such as for charity. (adj) Begging people.

thuam (u) Hais tias tsis zoo; hais tias phem: *Nws thuam tias peb ruam.*

[English] (v) Degrade, belittle.

thuav (u) Muab ua kom tsis txhob ua ib thooj: *Nws thuav kauj hlua.*

[English] (v) To open, esp. such as to unwind; to uncoil.

thub (u) Muab ua xws li kom do losyog du: *Nws thub lub ntug cub kom dav.*

[English] (v) To clean an area by ridding obstacles so that it is clear or clean.

thub laj (pu) Tsis quavntsej txog; puam chawj; tsis: *Peb thub laj hu nws.*

[English] (adv) Not, forget about; ignore, disregard.

thueb* (nth) 1. Lub suab uas tus txiv Neeb qw tomqab ntawm lo "prwg", xws li prwg thueb. 2. Siv los qw kom lwm tus ceeb; ntshai: *Thueb, koj ua dabtsi?*

[English] (interj) 1. A sound made by a shaman when performing ritual. 2. A sound used to scare or surprise someone.

thuv (u) Mus saib; mus xyuas uas xws li yog sib txheeb: *Nws thuv nws cov neejtsa.* (y) Cov ntoo uas loj, siab, thiab muaj cov nplooj zoo xws li rab koob: *Ib tsob*

© 2003 Jay Xiong. All rights reserved.

thuv. Ib roob thuv. Thuv yog ib hom ntoo uas muaj roj.

[English] *(v) To visit people as to establish a relationship. (n) Pine trees.*

thwj (y) Lub kheej~, me, thiab muaj ib co ntawv sau nyob rau hauv qab. Feem ntau yog cov neeg tseemceeb thiab cov nomtswv siv los nias losyog ntaus rau daim ntawv cog lus losyog ntawv tseemceeb xwb: *Muab lub thwj nias rau daim ntawv cog lus. Tus nom muaj ib lub thwj.*

[English] *(n) Stamp, such as an official device which used for notarizing.*

thwjtim (y) Tus neeg losyog cov neeg uas khiav dejnum thiab pab lwm tus: *Huabtais Yesxus muaj ntau cov thwjtim.*

[English] *(n) Disciple, follower.*

thws (u) 1. Muab xws li ris, tsho losyog tiab rub kom siab; muab txav kom saib pom yam ntawv: *Nws thws lub ceg ris kom peb pom nws lub hauvcaug.* 2. Muab hais tawm losyog qhia rau neeg paub: *Nws thws nws tej kev phem.*

[English] *(v) 1. To pull up (the sleeves of a shirt, for example). 2. To unveil; to disclose; to reveal; to divulge. Ant: Conceal, hide.*

ti[1] (u) Nyob sib ze heev: *Nws lub tsev ti kuv lub heev.* (p) *Nws sawv ti kuv.*

[English] *(v,adj) Tight, close, such as having little or no space between; being closed to or very nearby.*

ti[2] (u) Nqaim, me, tsis dav: *Qhov chaw pw ti heev.* Lus rov: *Dav.*

[English] *(v) Narrow, having little space or room.*

ti nkaus (p) Nyob kawg kiag rau; los chwv kiag rau; sib npuab: *Nws daim teb nyob ti nkaus kuv daim. Nws txav ti nkaus kuv.*

[English] *(adj) Become joined, such as next to each other; adjoining; next to.*

tiab (y) Daim ntaub uas pojniam hnav, thiab tsis muaj ob tus ceg ris: *Cov pojniam Lostsuas nyiam hnav tiab heev.*

[English] *(n) Dress (a woman dress, for example).*

tiag[1] (u) Muab los tso rau sab hauv qab: *Nws muab lub rooj tiag nws txhais taw.*

[English] *(v) To use or place something to boost or support the base so that it is even or more firm.*

tiag[2] (u) Muaj tseeb; tsis dag: *Koj tiag los koj dag?.* (p) Yam uas tsis dag: *Koj hais tiag lawm.* Lus rov: *Dag, cuav.*

[English] *(v,adj) 1. Real, genuine, actual, factual, true.*

© 2003 Jay Xiong. All rights reserved.

tiaj[1] (y) Qhov chaw tus xws li tsis muaj roob thiab tsis muaj hav; xwm xyeem: *Nws lub tsev nyob nram tiaj.*

***[English]** (n) Valley, any large and often open land; a flat field.*

tiaj[2] (h) Thaj, hav, plas: *Ib tiaj zaub, tiaj nplej.*

***[English]** (cl) Area, section, esp. used to describe a flat area or plane.*

tiaj[3] (u) Tiaj thiab tus: *Daim liaj tiaj heev.* (p) Yam uas tiaj thiab tus: *Koj kho tau tiaj lawm. Thaum rab teev tiaj ces yog ob tog hnyav tib yam.*

***[English]** (v,adj) Flat, even.*

tiaj lias (pu) Mus ncaj qha; mus tsis theem losyog tsis rov los: *Nws khiav tiaj lias lawm. Nws mus tiaj lias.*

***[English]** (adv) Straight, such as he ran straight home; directly to.*

tiaj nras (y) Lub tiaj nrag; qhov chaw uas yog nras tabsis tiaj: *Pab nyuj noj zaub nram lub tiaj nras.* Ib txhia neeg kuj siv lo "nras tiaj" no thiab.

***[English]** (n) Valley, esp. a flat and open field having weed or grass.*

tiaj ntees (pu) Tiaj thiab dav heev uas xws li lub pas dej: *Lub pas dej loj tiaj ntees npaum li tsis paub kawg.* (p) *Nws muaj ib daim teb tiaj ntees.*

***[English]** (adv, adj) Flat, evenly or horizontally (like a lake, for example).*

Tiaj Rhawv Zeb Ib thaj chaw uas nyob rau tebchaws Lostsuas uas muaj cov rhawv zeb (zoo li lub hub tabsis loj heev). Ib txhia Hmoob ntseeg tias puam thaum ntuj nyuam qhuav tsim tau lub ntiajteb los, Nkauj Ntsuab thiab Nraug Nab nkawv yog ob tug los puab thiab tsim cov rhawv zeb no.

***[English]** A name of a place in the Northern part of Laos where there are many huge stone jars; plain of jars.*

tiaj tus[1] (u) Tiaj thiab tus; tiaj xwm yeem uas xws li lub pas dej: *Daim liaj tiaj tus thiab dav heev.*

***[English]** (v) It is flat, horizontal or being even (like a lake, for example).*

tiaj tus[2] (u) Tsis muaj kev cov nyom losyog kev ua tsov ua rog: *Peb lub tebchaws tiaj tus lawm.*

***[English]** (v) Peaceful, calm, esp. when there is no turmoil or war.*

tiam[1] (y) Lub caij uas xws li thaum yug los mus txog rau thaum tuag; txheej neeg: *Ib tus neeg tsuas nyob ib tiam xwb. Ib puas xyoo ces yog ib tiam.*

***[English]** (n) Generation. Ex: One generation is about 100 years.*

© 2003 Jay Xiong. All rights reserved.

tiam[2] (y) Ib sim neej losyog mus txog hnub tuag ntawv: *Nco koj mus tag ib tiam.*
[English] (n) Lifetime.

tiam[3] (u) Ua pub rau lwm tus; hlub thiab ua rau xws li kev noj haus: *Tus pojniam tiam nws tus txiv zoo heev.*
[English] (v) To take care; to care for (one's spouse, for example).

tiam[4] (u) Ua ib rooj mov los rau lwm tus neeg noj lossis ua lwm tus neeg tsaug: *Peb tiam ob tus mejkoob.*
[English] (v) To prepare a meal, esp. to thank someone.

tiamsis (tx) Tabsis, uas txawv li: *Nws paub tiamsis nws tsis qhia.*
[English] (conj) However, but.

tias (pu) Raws li; xws li; zoo li ntawv: *Nws hais tias, dag tias, hnov tias ltn...* (y) Tej lub dub~ uas muaj nyob ntawm neeg daim tawv nqaij: *Ib lub tias nyob ntawm nws sab plhu.*
[English] (adv) That. (n) Mold, esp. the black mark or spot on a human skin.

tiav[1] (u) Loj txaus; hlob txaus: *Xyoo no nws tiav hluas lawm.*
[English] (v) Mature, such as to bring to full development; fully grown.
[English] (v) Become ready; completely prepared; all ready.

tiav[2] (p) Ua tau tas lawm; npaj tau txhua: *Ua tau zaub mov tiav lawm.*
[English] (adj) Complete, ready (the food is ready, for example).

tiav[3] (p) Tas losyog txhua: *Lawv tham tiav lawm.*
[English] (adj) Complete, finished, done (the meeting is done, for example).

tiav log (p) Tas losyog tiav uas xws li tsis tshuav lwm yam: *Nws ua txhua yam tiav log.* (pu) *Nws ua tiav log.*
[English] (adj) Complete, finish. (adv) Completely.

tib[1] (u) Hais tias muaj; tshuav tej yam uas xws li tsis zoo losyog tsis nyiam: *Nws tib tias peb pluag hwv. Nws tib tias kuv dab tuag.*
[English] (v) Refuse, object, oppose, reject.

tib[2] (u) Muab teeb uake; tso ua ib pawg tej; muab los tso sib tshooj; muab tum ua ib pawg: *Nws muab cov nplej tib tau ib pawg.* (p) Ib tus, ib leeg losyog ib yam: *Nws tib leeg tuaj xwb.*
[English] (v) To stack or arrange (things as a pile or heap). (adj) One.

tib[3] (pu) Ua kiag losyog muaj sai~ ntawv, thiab siv ua ntej ntawm cov lus cuam,

© 2003 Jay Xiong. All rights reserved.

thawb, de, kov ltn... *Nws tib thawb kuv. Nws tib cuam tuaj rau kuv.*
[English] (adv) Quickly. Ex: He quickly threw it at me.

tib ntxiag (pu) Txhua yam; tag nrho: *Nws noj mov, nqaij, thiab zaub tib ntxiag.*
[English] (adv) Everything, all together.

tibneeg (y) Tus neeg, leej neeg, neeg: *Peb yog tibneeg.*
[English] (n) Human.

tibsi (pu) Tas nrho, sawvdaws, txhua nrho: *Peb mus tibsi.* Lo no feem ntau yog siv tuaj tomqab ntawm lo "huv",xws li cov laus mus huv tibsi.
[English] (adv) All, wholly, entirely.

tibtsaug (pu) Ua losyog pib nyob rau ib lub sijhawm, tibtxhij: *Peb tibtsaug khiav vim peb ntshai.*
[English] (adv) Simultaneously (we simultaneously ran, for example).

tibtxhij (pu) Ua losyog pib nyob rau ib lub sijhawm, tibtsaug: *Peb tibtxhij mus tsev. Lawv tibtxhij hu nkauj.*
[English] (adv) Simultaneously (we walk simultaneously, for example).

tibyam (p) Zoo sibxws; tsis txawv: *Ob lub tsev loj tibyam.*
[English] (adj) Same; alike. Ex: The two houses are the same.

tibzoo (pu) Majmam ua kom zoo losyog kom yog: *Nws ua twbzoo kho nws lub tsheb. Nws ua twbzoo qhia nws tus menyuam.* Ib txhia kuj hais tias tibzoo.
[English] (adv) Carefully, adroitly, cautiously.

tid (pu) Qhov chaw tiv: *Nws nyob tid.* (t) Tid muaj ntoo ntau heev. (p) Tus uas tid: *Niag neeg tid yog ib tus nom.* Feem ntau, neeg siv lo "tiv" xwb.
[English] (adv, pron,adj) There. Mostly, people used the word "tiv" instead.

tig (u) Muab ua kom kiv losyog ua kom ncig raws hauv nruab nrab: *Nws tig nws lub nrobqaum tuaj rau peb. Nws tig tuaj saib peb.*
[English] (v) Turn, rotate, flip.

tij (y) 1. Tus txivneej uas yog yus niam yug, thiab nws hlob yus; tijlaug: *Nws yog tij vim kuv yau nws.* 2. Cov txivneej uas hlob yus: *Nej yog kuv cov tij.* Lus rov: *Kwv.*
[English] (n) 1. Brother, esp. the older ones. 2. Cousins that are older, esp. the ones that having the same last name.

tijlaug (y) 1. Tus txivneej uas yog yus niam yug, thiab nws hlob yus; tij: *Nws*

© 2003 Jay Xiong. All rights reserved.

yog kuv tijlaug vim kuv yau nws. 2. Cov txivneej uas hlob yus: *Nej yog tijlaug vim nej hlob kuv.* Lus rov: *Kwv.*

***[English]** (n) 1. Brother, esp. the older ones. 2. Cousins that are older, esp. the ones that having the same last name.*

tijlim (p) Ua haujlwm zoo uas xws li tsis txav mus qhov twg li; khov: *Nws yog ib tus neeg tijlim heev.*

***[English]** (adj) Persistent, persevere, tenacious.*

tijtauj (y,pu) Lub suab uas xws li thaum cov nag lossis dej poob rau hauv av losyog rau saum daim nplooj es nrov.

***[English]** (n,adv) A sound of dropping small items on the ground.*

tim[1] (tx) Vim yog; rau qhov tias: *Tim yus txoj hmoo.* (r) Nyob rau qhov chaw tiv.

***[English]** (conj) Because. (prep) At, there.*

tim[2] (u) Los mus fim losyog ua kom pom: *Peb mus tim ntsej muag.* (p) Ua kom yog; ua kom haum: *Nws cuab tsis tim es nws thiaj ua yuamkev.*

***[English]** (v) To face; to meet, such as face-to-face with others. (adj) Become proficient or good at; to know how (things work, for example).*

tim khawv (y) 1. Cov tseeb lus; cov lus pov thawj: *Cov lus tim khawv.* 2. Tus neeg uas pom losyog paub qhov tseeb: *Peb tos tus tim khawv tuaj xwb.*

***[English]** (n) 1. Fact, evidence. 2. Witness.*

tim pheej tim nyam (u,p) Tim ntsej tim muag; ntsia ncaj qha rau: *Yog yus yuav tsaug zog, yus txhob mus zaum tim pheej tim nyam rau tus neeg hais lus.*

***[English]** (v,adj) Face-to-face; looking or facing directly at.*

timtswv (y) <Suav> 1. Cov dab tebchaws: *Dab timtswv.* 2. Cov neeg nplua nuj losyog muaj hwj huam loj: *Lawv cov timtswv yuam lawv ua qhev.*

***[English]** (n) <Chinese> 1. The local ghosts or ghosts that oversee the area. 2. The rich or affluent people in the area.*

tis[1] (y) Ob sab uas nyob ntawm xws li noog thiab qaib ob sab phab tav, thiab ua rau nws ya muslos tau: *Ib tus noog muaj ob sab tis.*

***[English]** (n) Wing (the wings of a chicken, for example).*

tis[2] (y) Yam uas muaj nyob ntawm tav thiab ua rau ya muslos: *Nyuj hoom sab tis.*

***[English]** (n) Wing (the wings of an airplane, for example).*

tis[3] (y) Deb li obpeb ruam: *Cua tshuab lub kawm ya ib tis.*

© 2003 Jay Xiong. All rights reserved.

[English] (n) A distance having a length roughly equals to two yards.

tis[4] (u) Muab hu mus ua lwm lub npe; muab lub npe tshiab rau; muab lub npe hloov hu ua li: *Lawv tis ib lub npe rau nws. Lawv tis nws lub npe laus.*

[English] (v) To name; to give a name or label to (a person, for example).

tis[5] (u) Muab los sib lo losyog xaws rau: *Nws tis nws cov paj ntaub.*

[English] (v) To sew or stitch, esp. when making the Hmong "paj ntaub."

tiv[1] (u) Los mus thaiv; nyob thaiv uas xws li tsis khiav: *Tus npua teb tiv cov dev.*

[English] (v) To fight against; to combat; to defend.

tiv[2] (y) Nyob rau qhov chaw siab ntawv; tid, tim: *Nws tso rau tiv.* (p) *Tus neeg tiv.* (pu) *Nws mus tiv.* (t) Yam losyog tus uas tiv: *Tiv muaj ntau hom neeg.*

[English] (n, adj, adv, pron) There; that place or location.

tivthaiv (u) Tiv thiab thaiv xws li tsis kam khiav tawm: *Peb tivthaiv tus tsov.*

[English] (v) To fight against; to combat; to defend.

to (u) Muaj losyog ua tej lub qhov: *Daim ntawv to ntau lub qhov.* (p) Yam uas to ntawv: *Nws muab daim ntawv to rau peb.*

[English] (v) To make or create a hole. (adj) A holing object or thing.

to qhov (u) Muaj qhov tshwm xws li rau ob sab; to: *Daim ntawv to qhov lawm.* (p) Yam uas muaj losyog to qhov: *Muab daim ntaub to qhov pov tseg.*

[English] (v) Having a hole. (adj) A holing object or thing.

to taub (u) Paub zoo; paub tias yog li cas; nkagsiab: *Kuv to taub koj cov lus zoo.* (p) Tus neeg uas to taub losyog paub txog qhov yog thiab qhov txhaum.

[English] (v) Understand, know, comprehend. (adj) Understanding.

tob (u) Mus dhau ntawm daim tawv losyog ntawm npoo rau hauv: *Lub pas dej tob heev. Lub qhov dej tob heev.* (p) Yam uas tob. Lus rov: *Ntiav.*

[English] (v,adj) Deep. Ant: Shallow.

tobhau (y) Ntu losyog qhov chaw uas nyob siab tshaj losyog tom hauv ntej tshaj ntawm tus neeg losyog tus tsiaj, uas muaj hlwb, qhov muag, pobntseg, thiab qhov ncauj li tej ntawv: *Twm lub tobhau muaj ob tus kub.* Ib txhia neeg kuj siv lo tias "taub hau" no thiab.

[English] (n) Head (a human head, for example).

tod[1] (y) Ib tus cim siv rau cov lus lossis cov suab uas pib tus cim Niam 'm', tabsis xaus rau tus cim Kuv 'v', xws li tom + v, pem + v ltn...

© 2003 Jay Xiong. All rights reserved.

[English] (n) A tone marker used for word such as "toM plus a tone kuV."

tod[2] (y) Qhov chaw nyob rau ntawm: *Nws tso rau tod.* (pu) *Nws mus tod.* (p) *Tus neeg tod.* (t) Qhov chaw tov: *Tod muaj ntau lub tsev.*

[English] (n, adv, adj, pron) There.

tog[1] (u) Mus rau hauv qabthu uas xws li hauv lub pas dej: *Lub nkoj tog rau hauv qabthu.*

[English] (v) Sink; descend, esp. into the bottom.

tog[2] (u) Muab xws li lub qhov ncauj mus tom: *Ob tus tsov sibtog.* Lo lus no yog siv tomqab ntawm lo lus "sib" xwb. Saib lo lus "tom" thiab.

[English] (v) Bite and mostly used after the word "sib."

tog[3] (y) 1. Lub uas neeg siv los zaum: *Zaum saum lub tog.* 2. Yav, ntu, toom, sab: *Tog me thiab tog loj.*

[English] (n) 1. Seat, chair. 2. Section, part.

tog[4] (y) Sab losyog pawg neeg ntawv: *Tog neeg zoo thiab tog neeg phem.*

[English] (n) Party, side, esp. as a group of people or established political party. Ex: There are two political parties: The Democratic and Republican.

tog[5] (y) Ib nrab kev: *Nws tuaj txog tog ces nws rovqab lawm.*

[English] (n) Halfway, midway, middle of.

tog khaub (y) Tej tus menyuam ceg ntoo; tus pas uas yog los ntawm ntoo; pas: *Nws khaws tus tog khaub los caum peb.*

[English] (n) Stick, rod made of wood or from tree branches.

tog pas (y) Tej tus menyuam ceg ntoo; tus pas uas yog los ntawm ntoo; pas: *Nws khaws tus tog pas los caum peb.*

[English] (n) Stick, rod made of wood or from tree branches.

tog tws (u,p) Tsab tws, xws li yog lub pob tw losyog tog tw luv.

[English] (v,adj) Short, such as having little length (a short tail, for example).

tog zaum (y) Tej lub tog uas yog ua los rau neeg zaum xwb.

[English] (n) Stool, esp. the small and low kind that made with three pieces of wood that just wide enough to hold buttock; chair, seat.

toj (y) Thaj, thooj av uas siab thiab loj: *Tim lub toj.*

[English] (n) Hill, mound.

tojntxas (y) Lub toj losyog thaj av uas muaj ntxa: *Nws nyob ze tim lub toj ntxas.*

© 2003 Jay Xiong. All rights reserved.

[English] (n) Cemetery, graveyard.

tojroob (y) Tej roob; tej toj thiab tej roob: *Nej lub tebchaws muaj tojroob ntau.*
[English] (n) Mountain, hill.

tojroob hauvpes (y) Tej roob tej hav: *Nej lub zos muaj tojroob hauvpes ntau.*
[English] (n) Mountain; mountain and hill.

tojsiab (y) Ua roob siab; qhov chaw siab: *Hmoob nyiam nyob saum tojsiab.*
[English] (n) High mountain.

tom[1] (u) Muab cov hniav txiav, ntxo, dua: *Nas tom nws txhais tes.*
[English] (v) Bite.

tom[2] (u) Liam losyog hais tias yog; ntxo: *Tus ntxhais tom tus tub.*
[English] (v) Accuse, allege, assert, claim.

tom[3] (r) Nyob rau qhov chaw ntawv: *Nws nyob tom tsev.*
[English] (prep) At, there.

tom[4] (y) Zaus, phaum, cov: *Nws hlais thawj tom nplej.*
[English] (n) Crops grown in the same season or time frame.

tom[5] (y) Zaus, phaum, lwm: *Nws haus yeeb ob tom. Nws ua luam ib tom dhau.*
[English] (n) Time, round, trip (he smokes one round, for example).

tom ntej (y) Ntu losyog lub sijhawm uas yuav muaj tuaj; pem suab: *Tsis muaj leeg twg paub txog yav tom ntej.* (pu) Qhov chaw deb zog ntawm: *Koj txav tom ntej.* Lus rov: *Tom qab.*
[English] (n) Future. (adv) A little away from.

tom qab (y) Ntu losyog lub sijhawm uas dhau los lawm: *Nws nyob rau tom qab.* (pu) *Nws tuaj txog tom qab peb.* (p) *Kuv nyiam tus tomqab.* (tx) *Kuv pom nws tom qab nws pom kuv.*
[English] (n) 1. Back, such as behind of. 2. Past. (adv) Afterward, after. (adj, conj) After.

tom tej (y) Qhov chaw uas txawv qhov no; qhov chaw uas xws li tsis paub: *Nws mus txog tom tej.* (pu) *Peb nrhiav tom tej los tsis pom.* (t) *Tom tej muaj ntoo.*
[English] (n,adv,pron) Somewhere, elsewhere.

tom thawj (pu) Muaj nyob rau hauv lub sijhawm; lub sijhawm uas ncaj rau; nyob rau: *Peb tuaj tom thawj thaum nej noj mov.* (p) Kav ntev losyog muaj, ua mus kom kawg: *Nws ua haujlwm tsis tom thawj li.*

© 2003 Jay Xiong. All rights reserved.

[English] (adv) Being at the right time. (adj) Permanent, lasting.

tomxib (y) 1. Cov tej txoj ua los thaiv losyog ua los kom khuam: *Lub tawb cuab ntses muaj ib lub tomxib.* 2. Cov tej txoj uas muaj nyob ntawm ntses lub qhov ncauj: *Tus ntses cov tomxib.* 3. Yam ua los thaiv losyog los kaw.

[English] (n) 1. A gill-like device used for trapping fish and animals inside. 2. Gill or gills of a fish. 3. Any of various gill-like devices.

too (u) Lub sijhawm uas thaum cov hnab nplej pib dauv rau hauv av: *Peb thaj nplej tabtom too--nyuam qhuav pib muaj kua mis xwb.*

[English] (v) The time when the rice (young seeds) starting to have milk.

toob (u) Luv uas xws li tsis ntev; pob taub: *Cov menyuam npua toob thiab pham heev.* (p) *Muab tus toob muag rau kuv.*

[English] (v,adj) Plump, such as well-rounded; chubby.

toog[1] (pu) Siv pab cov lus ua xws li npau suav: *Nws ua npau suav toog pom koj.*

[English] (adv) Frequently, often, and mostly used after the verb dream.

toog[2] (y,pu) Ib lub suab uas xws li muaj tej yam khoom loj poob rau hauv av. Ib lub npe siv rau cov tub.

[English] (n,adv) A sound of something heavy drops into the ground. Also a proper name for boys.

tooj (y) Cov uas zoo xws li hlau tabsis tsis tawv npaum li hlau: *Nws muaj ib lub nplhaib tooj.* (u) Muab rub los; muab quav los uake; muab kauv los: *Nws tooj txoj hlua los ua ib pob. Ib lub npe neeg.*

[English] (n) Copper, brass, bronze. (v) To pull in, such as a rope, using just one hand at a time. Also a proper name.

toom (y) Ntu, yav, tog, thooj: *Muab tus ntoo txiav ua peb toom.*

[English] (n) Section, chunk, segment.

toov (u) Txiav, twv losyog hais seb puas yog li xav: *Koj puas toov tau yam kuv hais no maj? Nws toov yog lawm.*

[English] (v) Predict, guess.

toovlaj (y) Ib hom ntoo uas nyob rau tom hav zoov, thiab feem ntau neeg nyiam tho lub plawv los noj: *Nws nyiam noj plawv toovlaj. Ib tsob toovlaj.*

[English] (n) Certain kind of palm-like tree.

tos[1] (u) Nyob twjywm uas xws li tsis mus qhov twg, thiab vim yog muaj lwm

© 2003 Jay Xiong. All rights reserved.

tus losyog lwm yam yuav tuaj: *Peb tos koj tuaj txog peb mam li pw.*
[English] (v) Wait; to wait for.

tos[2] (u) Mus coj los: *Nws tos lawv los saib nws lub tsev.*
[English] (v) To go pick up or get (someone, for example).

tos[3] (tx) Uas yog; qhov ua rau; vim tias: *Tos nws pluag vim nws tub nkeeg.*
[English] (conj) The reason that.

tos nrhw (u) Nyob tos xws li tsis mus qhov twg: *Nws tos nrhw koj xwb.*
[English] (v) To wait for; await.

tosnco (pu) Thaum uas nco txog; thaum paub tias: *Tosnco, nws nyob ntawv.*
[English] (adv) Suddenly; all the sudden.

tospaub (pu) Thaum uas paub; thaum paub tias: *Tospaub, nws nyob ntawv.*
[English] (adv) Suddenly; by the time it was known.

tospom (pu) Thaum uas pom; thaum paub tias: *Tospom, nws nyob ntawv.*
[English] (adv) Suddenly; by the time it was seen.

tosrawm (u) Theem, tos uas xws li txhob ua tej: *Tosrawm, kuv mam muab.*
[English] (v) Wait; wait a minute; hold on.

tov[1] (u) Muab ob yam losyog ntau yam los uake; muab los sibxyaws; sibtov: *Nws muab ob hwj cawv tov ua ib hwj.*
[English] (v) Mix; to mix two or more things together.

tov[2] (y) Qhov chaw nyob rau ntawm; tod: *Nws tso rau tov.* (pu) *Nws mus tov.* (p) *Tus neeg tov.* (t) *Tov muaj ntau lub tsev.*
[English] (n, adv, adj, pron) There.

ts (y) Ib tus ntawv siv rau cov lus xws li tsov, tsis, tsau ltn...
[English] (n) A consonant used for words such as "tsov, tsis, tsau" etc...

tsa[1] (u) 1. Muab rub losyog hais kom sawv: *Nws tsa kuv los noj mov.* 2. Xaiv losyog pomzoo kom los ua yam ntawv: *Lawv tsa nws los ua tus nom.* 3. Tsim, txhawb losyog pab kom muaj: *Nws tsa nws tus tub lub cuab lub yig.*
[English] (v) 1. To wake (someone up, for example). 2. Elect, appoint.

tsa[2] (u) Ua kom ntseg; ua kom sawv xws li sawvntsug: *Nws tsa tus ncej.*
[English] (v) To set (something) upright.

tsa xoo (y) Luaj losyog siab li ib taus thiab tsa tus ntiv tes xoo: *Nws tus npua loj li tsib taus thiab tsa xoo.*

© 2003 Jay Xiong. All rights reserved.

***[English]** (n) A unit of measurement equals to the length of a thumb.*

tsab[1] (u) Ua txuj ua li yog tiag; ua xws li muaj tseeb; dag: *Nws tubnkeeg mus ua num es nws tsab mob lawm.* (h) Daim ntawv: *Kuv txais tau ib tsab ntawv.* (y) *Nws tau txais ntau tsab lawm.*

***[English]** (v) Pretend, fake. (cl) Used to classify things such as letters. (n) Anything resembles a letter or envelope.*

tsab[2] (u) Muab cev rau uas xws li muab luam yeeb rau lwm tus neeg: *Hmoob mus tshab xo Hmoob yuavtsum xub~ tsab cov luam yeeb ua ntej.*

***[English]** (v) To pass or give (a cigarette to other person, for example).*

Tsab[3] Ib lub xeem Hmoob: *Kuv cov dablaug yog xeem Tsab. Ib lub npe siv rau cov tub.*

***[English]** One of the Hmong's last name or clan name -- Chang. Also used as a proper name for boys.*

tsab tws (u,p) Tog tws, xws li yog lub pob tw losyog tog tw luv.

***[English]** (v,adj) Short, such as having little length (a short tail, for example).*

tsag (y) Tej phab losyog daim uas xws li ntseg thiab siab: *Nws tsav lub tsheb mus tsoo daim tsag av. Tsag zeb thiab tsag tsua.*

***[English]** (n) Bank, such as the slope of land adjoining a river or lake.*

tsaib[1] (y) Xyoo uas dhau los lawm. Feem ntau yog siv ua ntej lo no, ub, i ltn...

***[English]** (n) Year and mostly used before the word "no, ub, i" only, and no means last, ub means before last, and i means that past year.*

tsaib[2] (p) Nyuam qhuav dhau losyog muaj los. Lo lus no siv rau xyoo xwb.

***[English]** (adj) Last, such as last year, and used for year only.*

tsaib i (y) Xyoo uas dhau los i: *Tsaib i peb tuaj saib nej.*

***[English]** (n) The unspecified prior year; the prior year.*

tsaib no (y) Xyoo uas ua ntej ntawm xyoo no: *Tsaib no peb tseem nyob uake.*

***[English]** (n) Last year.*

tsaib ub (y) Xyoo uas ua ntej tsaib no; ob xyoos uas dhau los: *Tsaib ub peb tuaj saib nej tabsis tsaib no nej tuaj saib peb.*

***[English]** (n) The year before last year.*

tsaj (y) Ib hom ntoo me uas feem ntau neeg siv cov tawv los xaws hnab, xws ris thiab xaws tsho tej: *Nws cog tau ib tsob tsaj.* (u) Dhia mus, dhia los uas xws li

© 2003 Jay Xiong. All rights reserved.

ua kom mus siab thiab mus qis: *Nws tsaj tus ceg ntoo kom lov.*

***[English]** (n) Cannabis, hemp. (v) To jump, such as up and down (on something, for example).*

tsam[1] (u) Su uas xws li muaj cua losyog muaj pa nyob rau hauv: *Tsam nws lub plab.* (pu) Tej zaum, xyov, puas, nyobtsam: *Tsam nws tsis nyiam.* (y) Zaus, lwm: *Muaj tej tsam yus tsis paub xyov yuav ua li cas thiaj li yog.*

***[English]** (v) Flatulent, bloat, esp. filled with gas or liquid. (adv) Maybe, perhaps. (n) Occasion, time, moment.*

tsam[2] (u) Muaj losyog ua tau ntau: *Nws cov yeeb tsam heev–sau tau yeeb ntau.* (p) Yam uas tsam losyog ua rau muaj ntau tuaj.

***[English]** (v) To gain, increase or expand, esp. in size, volume or quantity. (adj) Lucrative, profitable.*

tsam no (y) Lub sijhawm nim no; lub caij nov: *Nws ua tsis txog tsam no. (tx) Tsam no peb mus tsev lawm xwb.*

***[English]** (n,conj) The present time or moment; now.*

tsam pob (u) Lub sijhawm uas thaum cov nplej tseem tabtom yuav pib txhawv: *Peb daim nplej tabtom tsam pob xwb--tseem tabtom ua tej plab nplej xwb.*

***[English]** (v) A time or period when the rice just about to blossom or bloom.*

tsau[1] (u) Muab tso rau hauv cov dej losyog yam uas ua kua: *Muab cov txhuv tsau ua ntej thaum yuav cub es thiaj li muag zoo.*

***[English]** (v) Soak, esp. in liquid. Ex: Soak the rice before steaming.*

tsau[2] (u) Noj txaus losyog noj puv: *Nws tsau heev vim nws noj ntau.* (p) Thaum uas tsis tshaib lawm: *Nws noj mov tsau heev.*

***[English]** (v, adj) Full, satiate. Ex: He can't eat much because he is full.*

tsau[3] (y) Cov xyoob qhuav uas xws li muab txiav los tau taws kom pomkev tej: *Nws taws ib tus tsau tuaj xwb. Nws taws tsau tuaj saib peb.*

***[English]** (n) Fire bamboo; the dried bamboo (stalk) used as burning fuel.*

tsau[4] (y) Ib hom tsiaj uas zoo xws li nas, tabsis nws txawj ya tej tis.

***[English]** (n) Certain kind of animal resembling a squirrel but can fly.*

tsaub (y) Tus menyuam uas muaj tabsis tsis paub tias leej twg yog tus txiv: *Nws muaj ib tus menyuam tsaub.* (p) Tus menyuam tsaub.

***[English]** (n) Bastard; a child born without knowing who is the father. A child*

© 2003 Jay Xiong. All rights reserved.

born of unwedded woman. (adj) Of, or relating to, such a child.

tsaug[1] (y) Ib hom tsiaj uas muaj cov koob nyob ntawm nws lub cev, thiab nyiam nyob hauv qhov av: *Nws pom ib tus tsaug.*
[English] (n) Certain kind of long-quilled porcupine.

tsaug[2] (u) Tsis hnov xws li ua rau tej tes thiab tej taw tsis muaj zog: *Tsaug nws sab ceg heev. Tsaug nws txhais tes.*
[English] (v) Numb, benumb.

tsaug[3] (u) Ua rau tsis muaj zog uas xws li yog nkees heev: *Tsaug nws ib cev heev.*
[English] (v) Fatigue, tire, exhaust, esp. when lacking physical strength.

tsaug[4] (u) Muab los yaug dej; muab ntxuav hauv dej xws li kom huv: *Nws tsaug cov zaub tag nws mam li hau.*
[English] (v) To rinse, wash (vegetable, for example), esp. by dipping in water.

tsaug[5] (y) Nco txog lwm tus txoj kev ua zoo losyog txoj kev pab: *Nws ua peb tsaug vim peb pab nws.* Feem ntau, neeg siv lo tias "ua tsaug" no xwb: *Nws ua tsaug rau koj txoj kev pab.*
[English] (n) Thanks, and mostly used after the word "ua" only.

tsaug leeg (u) Ua rau cov leeg tsis muaj zog; tsaug: *Nws tsaug leeg heev.*
[English] (v) Fatigue, weary.

tsaug taw (u) Muab taw mus tuam losyog thawb mus: *Nws tsaug taw rau kuv.*
[English] (v) To push or kick, esp. using the bottom or base of a foot.

tsaug zog (u) Thaum uas so lossis pw uas yog ua rau ob lub qhov muag qi losyog kaw lawm: *Nws tsaug zog saum lub txaj. Nws tsaug zog ib hnub.*
[English] (v) Sleep. Ex: He sleeps all day.

tsaug zog kus (p) Tsaug zog tabsis tsis pw: *Nws zaum tsaug zog kus ib hmo.*
[English] (adj) Sleepy, asleep. Ex: He is very sleepy.

tsaug zug (u,p) <Lees> Tsaug zog: *Nwg tsaug zug heev.*
[English] (v) <Leng> Sleep. (adj) Sleepy.

tsauj (u) Thaum cov noog losyog cov qaib quaj xws li yog muaj plis losyog muaj miv los ze: *Cov qaib tsauj vim lawv pom tus plis.*
[English] (v) Cackle; to utter in cackles, esp. sounds made by a hen after laying an egg or when chickens see (a cat, for example).

tsaus (u) Ua rau dub uas xws li tsis pomkev zoo: *Lub qhov tsua tsaus heev.* (p)

© 2003 Jay Xiong. All rights reserved.

Thaum uas tsaus ntuj losyog dub uas xws li tsis muaj hnub ci txaus.

[English] (v) Dark, such as not having enough light; dusk. (adj) Dusky, dark.

tsaus ntais (u) Tsaus kiag xws li tsis pomkev lawm: *Thaum lub ntuj tsaus ntais.*

[English] (v) To blackout, being without light, immediately.

tsaus nti (p) Tsaus uas xws li dub thiab ua rau tsis pomkev li: *Lub tsev tsaus nti.*

[English] (adj) Dark, pitch black.

tsaus ntuj[1] (u) Tsis pomkev uas xws li lub hnub poob qho lawm; tsaus: *Tos kom tsaus ntuj peb mam li pw.* (y) 1. Lub sijhawm uas tsis pomkev losyog thaum tsaus heev lawm. 2.Lub sijhawm uas nyuav qhuav tsaus lossis yuav luag tsaus ntuj heev ntawv: *Peb tuaj txog thaum tsaus ntuj.*

[English] (v) Darken, such as at nighttime. (n) 1. Night, nighttime. 2. Evening.

tsaus ntuj[2] (y) Muaj losyog tshwm sim thaum dhau lub caij tavsu. Lo lus no muab sau luv ua "T.N. losyog TN" no: *Peb tuaj txog thaum 3TN.* Lus rov: *SN.*

[English] (n) P.M., PM or p.m. Ant: AM, A.M. or a.m.

tsaus ntuj nti[1] (p) Piav txog thaum tsaus heev losyog tsis pom qab ua li cas: *Nws nyob ib leeg tsaus ntuj nti.*

[English] (adj) Dark, esp. without light.

tsaus ntuj nti[2] (pu) Piav txog thaum tsis paub yuav ua li cas, xws li yog vim muaj teebmeem lossis kev nyuaj siab tej.

[English] (adj) Being defenseless, such as not knowing what to do to solve a difficult problem or matter.

tsaus tsi (u) Los tsaus losyog ntsaub ua ib pawg. Feem ntau yog xws li los sib txeeb noj losyog sibkoom tom ib yam tej: *Cov dev tsaus tsi rau tus npua.*

[English] (v) To take on or tackle something as a group or team.

tsav (u) Ua kom mus; tuav losyog hwj kom mus: *Nws tsav lub tsheb.* (y) Yam, hom uas xws li khoom tej: *Nws cog tau txhua tsav txhua yam.*

[English] (v) Drive, navigate. (n) Different thing or kind (rice, corn, apple, banana, tomato, for example).

tsav lawj (y) Lub chaw uas neeg ua los nyob losyog ziab khoom tej; lub samthiaj: *Muab cov nplej ziab saum lub tsav lawj.*

[English] (n) Balcony; any platform that projects from the house and mostly without a roof or cover.

© 2003 Jay Xiong. All rights reserved.

tsav thawj (y) Tus coj; tus ua ntej tshaj plaws cov: *Nws yog peb tus tsav thawj.*
[English] (n) Leader, supervisor, chief, president.

tsawb[1] (y) Ib hom txiv uas txi tej kuam txiv ntev thiab tuaj ua tej tsob siab txij li lub qab nthab, thiab muaj cov nplooj loj thiab dav: *Ib tsob tsawb.* Ib lub npe siv rau cov tub.
[English] (n) Banana, esp. the stalk. Txiv tsawb is the actual banana fruit. Also a proper name for boys.

tsawb[2] (u) Xaus, kawg, tiav xws li tsis muaj ntxiv lawm. Feem ntau, lo lus no yog siv rau lub caij haus cawv nyob saum rooj mov xwb. Yog tias tseem muaj ntau lwm ntxiv, ces siv lo tias "cob" no. Lo cob txhais tau tias kom haus khob cawv tag ces rov khob mus rau ob tug uas pib lossis hliv cawv tuaj mus ntawv.
[English] (u) End, finish. This term is mostly used when serving drinks at the table of an important meal to indicate that the drink is the final one.

tsawb liab (y) Ib hom tsawb uas muaj tus kav ntshav thiab txi cov txiv liab~.
[English] (n) Red banana.

tsawb ntaj (y) Ib hom tsawb uas txi cov txiv loj thiab ntev zoo xws li rab ntaj.
[English] (n) Certain kind of banana having the banana resembling a sword.

tsawb qaub (y) Ib hom tsawb uas txi cov txiv loj luaj li npab thiab lub txiv qaub.
[English] (n) Certain kind of big and sour banana.

tsawb qe (y) Ib hom tsawb uas nws cov nplooj txho~ thiab txi cov txiv luv~. Cov txiv tsawb no tsis qabzib npaum li cov tsawb teem: *Ib tsob tsawb qe.*
[English] (n) Baby nino banana.

tsawb teem (y) Ib hom tsawb uas txi cov txiv me thiab qabzib heev.
[English] (n) Certain kind of baby nino banana that is very sweet.

tsawg[1] (u) Muaj tsis ntau; muaj me: *Koj tais mov tsawg heev.* (p) *Lub zos muaj neeg tsawg heev.*
[English] (v,adj) Having small or little in size, volume, quantity; few.

tsawg[2] (p) Tus lossis yam twg ntawm ntau yam: *Tsawg teev koj hu nws?*
[English] (adj) What. Ex: What time did you call him?

tsawg[3] (pu) Npaum li cas; ntau li cas: *Koj muaj tsawg xyoo?*
[English] (adv) How many. Ex: How old are you?

tsawm (u) Cem xws li thaum chim losyog tsis zoo siab: *Nws tsawm peb vim peb*

© 2003 Jay Xiong. All rights reserved.

ua tsis zoo li nws nyiam.

***[English]** (v) Yell, rebuke, scold.*

tsaws[1] (u) 1. Ya mus theem, nres: *Lub nyuj hoom tsaws lawm.* 2. Muab xws li ob txhais taw mus tuav tus ceg ntoo losyog tus pas: *Tus noog tsaws saum tus ceg ntoo. Tus nquab tsaws saum lub tsev.*

***[English]** (v) 1. Land (an airplane just landed, for example). 2. Perch (a bird perches on a branch, for example).*

tsaws[2] (u) Muab nqa losyog tshem mus rau lwm qhov chaw: *Nws tsaws tsu mov rau saum lub rooj.*

***[English]** (v) To move, such as by lifting things to another location or place.*

tsaws[3] (u) Muab xws li nqaij hau ntev~ kom muag heev: *Nws tsaws ib lauj kaub nqaij.* (p) *Ib lauj kaub nqaij tsaws.*

***[English]** (v) To boil (meat, vegetable very long time), esp. until it is very soft.*

tsaws[4] (u) Dhia, paj paws mus: *Nws tsaws tsua yog txhais tias nws dhia saum lub tsua mus rau hauv av losyog rau hauv qab tsuas tej.*

***[English]** (v) To jump off (a cliff, for example).*

tsaws ntxhee (u) Cov dej uas los ntawm cov dej tsaws tsag ntawv: *Tus dej tsaws tsag tag ces nws mam li tsaws ntxhee.*

***[English]** (v) The smooth flow of a river, esp. right after the waterfall.*

tsaws tsag (u) Poob saum tej tsag losyog tej npoo siab los: *Tus dej tsaws tsag siab heev.* (y) Qhov chaw uas dej tsaws tsag.

***[English]** (v,n) Waterfall.*

tsawv[1] (u) Xaiv tau; ntuas tau yog; fiv tau uas xws li tus neeg ntawv: *Nws tsawv tau ib tus Txiv Neeb.*

***[English]** (v) Select, choose, esp. by a spiritual selection process.*

tsawv[2] (u) Saib tau haum; zoo chaw: *Nws tsawv tau ib lub qua tsev.*

***[English]** (v) Select, choose, esp. a location of a house or dwelling.*

tsawv[3] (u) Muab txhais tes mus ntsiab losyog tuav: *Nws tsawv tau ib tus pas.*

***[English]** (v) Grab, esp. by grasping with the hands.*

tsawv[4] (pu) Muaj nyob nraim; tsis txav mus lawm qhov: *Nws zaum tsawv tiv.*

***[English]** (adv) Always, constantly.*

tse (y) Lub tsev, vajtse: *Nws nyob tsis muaj tse.*

© 2003 Jay Xiong. All rights reserved.

[English] (n) House, home.

tseb (u) Muab xws li noob qoob losyog tej hmoov mus w rau: *Nws tseb noob zaub rau nws daim teb.*

[English] (v) To scatter, spread or strew (seeds as a way of planting or sowing, for example). To distribute or strew (fliers, for example).

tseeb (u) Muaj raws li; tiag, tsis dag: *Nws cov lus tseeb heev.* (p) *Nws hais cov lus tseeb xwb.* (y) Ib lub tsho uas neeg hnav. Feem ntau yog txheej thaum ub xwb, thiab feem ntau yog siv xws li tsho tseeb, tsho npuag ltn... Ib lub npe siv rau cov tub.

[English] (v) True, accurate, real. (adj) Truthful, accurate, realistic, factual. (n) Certain kind of Hmong shirt, esp. made in the past or long time ago. Also a proper name for boys.

tseem[1] (y) Ib hom noog uas luaj li noog daj tabsis feem ntau yog nyob hauv tej qub teb xwb: *Nws pom ob tus tseem.*

[English] (n) Certain kind of small tropical bird.

tseem[2] (u) Tiag, tseeb, yog; tsis yog cuav: *Daim no seem nyiaj.*

[English] (v) Real, genuine, authentic.

tseem[3] (pu) Tabtom; tsis tau dhau: *Nws tseem pw; nws tseem noj mov.*

[English] (adv) Still, such as up to or at the time indicated.

tseem[4] (u) Yog; muaj tseeb li: *Tseem kev thiab tseem cai.*

[English] (v) Be, esp. such as is.

tseem[5] (p) Txwm, puv, tas nrho: *Peb mus ib hnub tseem.*

[English] (adj) Full, entire, all. Ex: We went all day.

tseem ceeb (u) Muaj nqis; pab thiab ua rau zoo: *Dej tseem ceeb heev rau neeg lub cev.* (p) Yam uas tseem ceeb: *Nws yog ib tus neeg tseem ceeb.*

[English] (v,adj) Important, critical, crucial.

tsees (pu) Ciali sawv kiag; tamsim : *Nws sawv tsees los noj mov.* Lo lus no, feem ntau, siv pab lo “sawv” xwb.

[English] (adv) Immediately and mostly used after the word "sawv" only.

tseev[1] (u) Muab cov plaub rho tawm; muab kuam kom xws li tus tsiaj daim tawv huv; ua kom huv losyog du xws li ua ntej thaum muab los ua noj tej: *Nws tseev tus qaib; nws tseev tus npua; nws tseev tus ntses ltn...*

© 2003 Jay Xiong. All rights reserved.

[English] (v) To prepare (a chicken by way of butchering and unplugging the feathers from a chicken, for example) for food or market.

tseev[2] (u) Thov, hais: *Nws tseev kom peb mus; nws tseev kom peb pw.*
[English] (v) Ask, request, demand.

tseev[3] (u) Kho uas xws li thaum hnav ristsho; muab khaub ncaws rau hnav; kho zam rau lub cev: *Nws tseev nws lub zam ib tagkis.*
[English] (v) Dress, such as to put clothes on.

tseev[4] (y) Tsuas uas muaj txho txuam rau tsuas dub. (p) Yam uas tseev: *Ib tus qaib tseev.*
[English] (n,adj) Having or being grayish-white to black colors.

tseev[5] (u) Kam, yeem, pomzoo: *Koj hais li tabsis nws tsis tseev.* Lo lus no, feem ntau, yog siv tuaj tomqab ntawm lo "tsis" xwb. Hos yog tsis li ntawv, siv lo "pomzoo" yog lo neeg siv dua. Tsis tseev li txhais tias tsis kam losyog tsis pomzoo li.
[English] (v) Allow, permit, okay, agree.

tseev[6] (pu) Txaus, tsis txhawj txog: *Peb tseev noj nws rooj mov.*
[English] (adv) Abundantly, plentifully.

tseg[1] (u) Tsum; tsis ua ntxiv; tso cia: *Peb tseg peb txoj kev ua si.*
[English] (v) Stop, abandon, quit, end.

tseg[2] (u) Tsis txhob muab kom tas; cia mentsis nyob: *Nws tseg ib tais mov.*
[English] (v) Save; to set aside for future use; to leave some behind.

tsem[1] (u) Ua tej lub suab uas xws li thaum tus dev tom losyog quaj raws tus kauv tej: *Tus dev tsem vim nws pom tus kauv.*
[English] (v) Bark, such as sounds uttered by a dog.

tsem[2] (y) Ua tej toom; ua tej kem xws li muab quav losyog muab lem ua tej daim: *Nws quav daim pam ua ob tsem.*
[English] (n) Fold. Ex: Blankets stacked in neat folds; how many folds?

tsev (y) Lub uas muaj phab ntsa, muaj lub ruv, thiab feem ntau yog ua rau neeg losyog tsiaj tau nyob; vajtse: *Neeg ua tsev los nyob; nws muaj ib lub tsev.*
[English] (n) House, home, shelter.

Tsev Dawb (y) 1. Ib lub tsev nyob rau tebchaws Miskas thiab yog ua los rau cov nomtswv uas kav thiab saib xyuas tebchaws Miskas tau tuaj sibtham. 2. Lub

© 2003 Jay Xiong. All rights reserved.

tsev losyog qhov chaw uas tus Thawj Coj tebchaws nyob.
[English] (n) The White House of the United States of America.

tsev kawm ntawv (y) Lub tsev uas ua los qhia ntawv xws li rau cov menyuam losyog cov leej kawm: *Lawv ua tau ib lub tsev kawm ntawv tshiab.*
[English] (n) School, educational institution.

tsev khaws neeg tuag* (y) Lub tsev uas khaws cov neeg tuag thiab muab cov neeg tuag tso rau hauv lub dab, uas xws li tsis muab tus tuag mus faus.
[English] (n) Mausoleum.

tsev kho mob (y) Lub tuam tsev ua los tau pab kho neeg xws li yog muaj mob tej: *Nws mus pw tim tsev kho mob lawm.* Hoo mom <Lostsuas>.
[English] (n) Hospital.

tsev lwj hlaus (y) Lub tsev uas neeg siv los ntaus riam thiab hlau nyob rau hauv.
[English] (n) A shop or shed used by the blacksmith.

tsev menyuam (y) Lub losyog qhov chaw uas xeeb losyog pib muaj tus menyuam ua ntej thaum yug los: *Ua ntej thaum tsis tau yug, tus menyuam nyob hauv nws niam lub tsev menyuam xwb.*
[English] (n) Womb, uterus.

tsev neeg (y) Ib co neeg uas nyob uake hauv ib lub tsev, muaj tus pojniam, tus txivneej thiab cov menyuam: *Nws tsev neeg muaj rau leej.*
[English] (n) Family. Ex: There are six people in his family.

tsev nkauj fa* (y) Lub tsev uas ua los rau cov pojniam uas khiav tawm ntawm nws lub tsev vim yog muaj kev tsis sibhaum nrog tus txiv tej.
[English] (n) A shelter for housing the endangered married women.

tsev noog* (y) Lub tsev uas ua los rau noog tau nyob thiab pw: *Ib lub tsev noog.*
[English] (n) Birdhouse.

tsev ntsuas mob* (y) Lub tuam tsev ua los xws li kom cov kws kho mob tau ntsuam xyuas, kuaj, cov neeg uas muaj mob losyog seb puas muaj mob tej. Saib lo lus "tsev kho mob" thiab.
[English] (n) Clinic. See also hospital.

tsev paj* (y) Lub tuam tsev uas neeg siv los cog paj thiab menyuam ntoo; feem ntau yog coj los muag: *Peb mus yuav paj tom tsev paj.*
[English] (n) Flower shop; greenhouse.

© 2003 Jay Xiong. All rights reserved.

tsev pam tuag (y) Lub tsev ua los rau cov neeg tuag uas tseem yuav coj los pam thiab yuav coj mus faus. Ib txhia neeg kuj hu tias "tsev txias" no thiab. ***[English]** (n) Funeral home.*

tsev teev ntuj (y) Lub tsev uas yog ua los rau cov neeg ntseeg Huabtais Ntuj, xws li Yesxus Khestos. Neeg kuj siv lo lus Askiv "chawj" no thiab. ***[English]** (n) Church, temple.*

tsev txias (y) Lub tsev uas ua los rau cov neeg tuag uas tseem yuav coj los pam thiab yuav coj mus faus. Ib txhia neeg kuj hu tias "tsev pam tuag" no thiab. ***[English]** (n) Funeral home.*

tsh (y) Ib tus ntawv siv rau cov lus xws li tshuav, tsho, tshiab, tshaj ltn... ***[English]** (n) A consonant used for words such as "tshuav, tsho, tshiab" etc...*

tshab[1] (u) 1. Hais losyog qhia rau kom paub; tshaj: *Nws mus tshab xo lawm.* 2. Mus tshwm rau lwm sab; mus txog rau lwm qhov chaw: *Lub qhov tshab rau ob sab.* (r) Pib sab no thiab tshwm rau sab tov: *Txoj kev mus tshab lub zos.* (pu) *Nws mus tshab; nws ua tshab.*
***[English]** (v) 1. Notify, inform. 2. Through, such as in one side and out the opposite side. (prep) Through (a road went through the city, for example).*

tshab[2] (u) Muab xyeeb kom txav; muab hus xws li kom pom losyog muaj kab: *Nws tshab cov nplooj qhua ua ntej thaum nws yuav ce cov dej.*
***[English]** (v) To move or clear (things from a spot, for example).*

tshab plaws (pu) Dhau losyog tshwm rau sab nrauv; tshab: *Nws tho lub qhov tshab plaws daim ntoo.*
***[English]** (adv) Through completely; thoroughly.*

tshaib (u) Ua rau xav noj xws li mov tej; tshaib plab: *Nws tshaib heev.* (p) Piav txog tus uas tshaib: *Cia cov neeg tshaib noj ua ntej.* Lus rov: *Tsau.*
***[English]** (v,adj) Hungry.*

tshaib nqhis (y) Tshaib thiab nqhis xws li yog tsis tau noj thiab tsis tau haus: *Txoj kev tshaib nqhis tsis muaj neeg xav tau.*
***[English]** (n) Hunger.*

tshaib plab (u) Ua rau xav noj xws li mov tej; tshaib: *Peb tshaib plab heev.* (p) Piav txog tus tshaib plab: *Cia tus neeg tshaib plab noj ua ntej.* Lus rov: *Tsau plab.*

© 2003 Jay Xiong. All rights reserved.

[English] (v,adj) Hungry.

tshais[1] (y) Muab losyog muaj ntau yam los ua ib kab losyog ib leej: *Nws ci tau ib tshais ntses.*

[English] (n) A row of (fish, for example, esp. when putting on a stick).

tshais[2] (y) 1. Pluas mov uas noj rau thaum sawvntxov: *Peb noj tshais.* 2. Lub sij hawm uas thaum lub hnub tawm mus txog rau thaum xws li 9 T.S. ltn...

[English] (n) 1. Breakfast. 2. Morning, A.M.

tshais[3] (u) Muab txav mus rau lwm qhov chaw; tshem: *Nws tshais nws lub tsev.*

[English] (v) To move to a different location; relocate.

tshaj[1] (u) Ua mus losyog yuav mus xws li rau yav tomntej: *Kuv tshaj koj khob caww lawm.*

[English] (v) Pass, move, advance (something forward, example).

tshaj[2] (p) Siv los qhia tias yam ob losyog yam tomqab tsis sibluag losyog tsis sib npaug; dua: *Nws hais lus zoo tshaj kuv. Zoo tshaj; me tshaj; phem tshaj ltn...*

[English] (adj) 1. Greater in size, amount, degree or extent. 2. Most.

tshaj[3] (u) Qhia, hais uas xws li kom paub: *Koj tshaj rau lawv paub.*

[English] (v) Inform, tell, notify.

tshaj[4] (u) Ntev uas xws li dhau ntawm qhov xav tau: *Daim txiag tshaj ntau heev.*

[English] (v) Surpass; having a longer length than.

tshaj cum (y) Ib hom yoov uas muaj tus kaus ntev thiab txawj tom uas xws li muab tus kaus ncauj los nqus neeg cov ntshav: *Tshajcum nyiam tom neeg heev.*

[English] (n) Mosquito, esp. the two-winged insects that like to suck blood.

tshaj plaws (p) Ntau dua; kawg kiag li; tshaj cov thiab siv rau tomqab ntawm zaj lus: *Kuv nco nws tshaj plaws; nws phem tshaj plaws ltn...*

[English] (adj) Most, least. Its definition depends on the preceding word.

tsham[1] (u) Tuaj saib, xyuas thiab sibtham ua si: *Peb tuaj tsham nej.*

[English] (v) To visit and chat.

tsham[2] (y) Nyob ua tej leej losyog tej kab xws li yog muab tais rau hauv tus pas tej: *Nws ci tau ib tsham ntses.*

[English] (n) A row of (fish, for example, esp. when putting on a stick).

tsham[3] (u) Mus yos hav zoov; mus yos tua tsiaj qus tej: *Peb mus tsham hav zoov.*

[English] (v) To go hunting; to hunt (wild animals, for example).

© 2003 Jay Xiong. All rights reserved.

tshau[1] (u) Muab tej tus menyuam ntsia uas xws li muaj lub hau ntse tig mus, tig los kom lwm yam toqhov: *Nws tshau daim ntoo.*
[English] (v) Drill; to make a hole with a drill.

tshau[2] (u) Muab ua kom xws li yam me poob, tabsis yam loj nyob: *Siv lub vab tshaus tshau cov txhuv.*
[English] (v) Screening (esp. through the use of a screen or filter). To filter.

tshauv[1] (y) Cov hmoov uas muaj xws li los ntawm cov taws tomqab thaum muab hlawv tas lawm: *Txhua lub qhovcub yuavtsum muaj tshauv.*
[English] (n) Ash, esp. the residue left when something is burned.

tshauv[2] (y) Yam uas muaj tsuas zoo li tshauv. (p) *Tus qaib tshauv.*
[English] (n,adj) Any various of grayish-white to black colors or textures.

tshav[1] (u) Ua rau ci thiab pomkev xws li thaum lub hnub tuaj; tshav ntuj: *Hnub no tshav heev.* (y) Yam uas ci thiab tshav: *Nws tiv tshav ib hnub.*
[English] (v) Sunny. (n) Sunshine.

tshav[2] (y) Thaj av losyog qhov chaw uas tiaj thiab loj: *Lub tshav nyuj.*
[English] (n) An open field or land.

tshav[3] (y) Thaj chaw: *Neeg tej tshav noj tshav haus.*
[English] (n) A public area, place, location.

tshav[4] (u) Ua txhuam; tsoo mentsis: *Lub tsheb tshav nws lub tsev.*
[English] (v) Scratch; to rub or scrape on the surface.

tshav ntuj[1] (u) Ci, pomkev uas yog los ntawm lub hnub ci; tshav: *Hnub no tshav ntuj heev.* (p) Hnub uas tshav ntuj. (y) Qhov ci los ntawm lub hnub: *Tshav ntuj kub thiab sov heev.*
[English] (v,adj) Sunny. (n) Sunshine, esp. the light from the sun.

tshav ntuj[2] (y) Txoj kev uas lwm tus tau pab thiab ua zoo rau yus dhau los: *Peb nco ntsoov nws txoj kev tshav ntuj--txoj kev pab.*
[English] (n) The past kindness or support from other people.

tshav puam (y) Qhov chaw uas nyob rau nraum zoov; qhov chaw uas dav thiab tsis muaj ru tsev los vov tej: *Peb mus tham nraum tshav puam.*
[English] (n) An expanse of open area; a wide and open area outside of the house.

tshawb (u) 1. Muab fawb kom pom; nrhiav, xawb: *Nws tshawb lub hnab.* 2. Mus

© 2003 Jay Xiong. All rights reserved.

uas xws li dua toj lawm: *Nws tshawb lawm.* (nu) Mus losyog tuaj: *Nws tshawb tuaj txog ntawv.*

***[English]** (v) 1. Search, seek, find. 2. Go; to move or travel. (aux. v) Come, go.*

tshawb fawb (u) Tshawb thiab fawb xyuas uas xws li kom paub losyog kom pom: *Nws tshawb fawb txog Hmoob lub neej tag los.*

***[English]** (v) Search, seek, research, examine.*

tshawb xyuas (u) Tshawb thiab xyuas uas xws li kom paub losyog kom pom: *Nws tshawb xyuas txog Hmoob lub neej tag los.*

***[English]** (v) Research, evaluate, study, examine.*

tshawj (y) <Askiv> Lo lus tiag yog "church." Lub tsev uas neeg mus hawm txog Huabtais Ntuj: *Peb mus teev Ntuj tim lub tshawj.*

***[English]** (n) <English> Church.*

tshawv[1] (u) Muaj lub suab nrov tshaj li qhov zoo mloog; hais lus nrov: *Nws cov lus tshawv heev.* (p) Yam, lo lus uas tshawv: *Nws hais lus tshawv heev.*

***[English]** (v) Loud, harsh, esp. having unpleasantly tone or voice.*

tshawv[2] (y) Ib lub thawv losyog thoob uas yog muab ntoo los ua, thiab siv los rau kua nkaj tej. Feem ntau, Hmoob siv lub tshawv lo ntim kua nkaj thiab tsuas ntaub thiab tiab tej.

***[English]** (n) A wooden container or bucket, esp. used for dying fabric.*

tshe[1] (u) 1. Tus kauv quaj losyog ua lub suab nrov hauv nws lub cajpas tuaj: *Peb hnov tus kauv tshe.* 2. Ua kom muaj lub suab nrov xws li tawm los ntawm lub tsheb: *Nws tshe nws lub tsheb rau peb.*

***[English]** (v) 1. To emit a loud and bellowing sound, esp. made by deer. 2. To horn, honk or emit such a loud sound (to honk a car, for example).*

tshe[2] (u) <Lees> Tshev, cem.

***[English]** (v) <Leng> To yell at; to scold; to reprimand.*

tsheb (y) Lub uas, feem ntau, muaj plaub lub log thiab neeg siv caij muslos nyob rau hauv kev: *Peb caij lub tsheb.*

***[English]** (n) Automobile, car.*

tsheb nees* (y) Ib hom tsheb uas muaj ob losyog plaub lub log thiab yog siv ib losyog ob tus nees cab xwb.

***[English]** (n) Buggy, esp. the kind with two or four wheels and pulled by either*

© 2003 Jay Xiong. All rights reserved.

one or two horses.

tsheb nqaj hlau* (y) Ib hom tsheb uas muaj ntau lub sibtxuas thiab khiav saum ob tus nqaj hlau: *Peb caij lub tsheb nqaj hlau.*

***[English]** (n) Train.*

tsheb nyuj* (y) Ib hom tsheb uas muaj ob losyog plaub lub log thiab yog siv ib losyog ob tus nyuj cab xwb.

***[English]** (n) Buggy, esp. the kind with two or four wheels and pulled by either one or two cows.*

tsheb tuam* (y) Ib hom tsheb uas muaj ob lub log, ob tus kub thiab neeg siv ob txhais kotaw tuam kom mus xwb. Ib txhia neeg kuj hu ua tsheb kauj vab.

***[English]** (n) Bike, bicycle.*

tshee (u) Ua rau co losyog txav muslos: *Nws tshee vim no nws heev.*

***[English]** (v) Shiver as if with cold; tremble.*

tshee na (pu) Nyob tsis tswm uas xws li thaum ntshai losyog no heev; tshee heev: *Nws quaj tshee na.*

***[English]** (adv) Tremble as if with being cold or having a big fear.*

tsheej[1] (u) Ciaj, ua tau: *Nws tsheej ib yig neeg.* (p) Tas, thoob, thawm: *Tsis hnov nws moo tsheej xyoo. Nws haus tsheej khob cawv. Nws nyob tsheej hmo.* Ib lub npe neeg uas siv rau cov tub.

***[English]** (v) Become; come to be; to grow or develop into. (adj) All, entire. Also a proper name for boys.*

Tsheej[2] Ib lub xeem Hmoob: *Nws tus pojniam yog xeem Tsheej.*

***[English]** (n) A name of a Hmong clan--Cheng.*

tsheej haj (u) Tsim txiaj; ua tau neeg zoo; tsheej: *Nws tsheej haj lawm.* (p) Piav txog tus neeg tsheej haj: *Tus neeg tsheej haj tsis mus tubsab.*

***[English]** (v,adj) Become successful; become normal or okay individual.*

tshem (u) Muab txav mus rau lwm qhov chaw: *Nws tshem lub rooj.*

***[English]** (v) Move, such as to move (things) from a place or location.*

tshev (u) <Lees> Cem losyog yws; tshe: *Nwg tshev puab.*

***[English]** (v) <Leng> To scold; to yell at; to reprimand.*

tshia (u) Cua tshuab nag los ntub: *Nag tshia los ntub nws lub txaj.*

***[English]** (v) To blow rain into, such as by a strong win or storm.*

© 2003 Jay Xiong. All rights reserved.

tshiab[1] (u) Nyuam qhuav ua tau losyog muaj los tsis tau ntev: *Lub zos tshiab heev; lub tsho tshiab heev.* (p) Yam uas tshiab: *Nws nyiam lub tsho tshiab xwb.* Lus rov: *Qub.*
***[English]** (v,adj) New, such as not old. Ex: He likes a new shirt only.*

tshiab[2] (u) Muaj tsuas liab thiab dawb uas xws li tsis muaj mob li: *Nws lub ntsej muag tshiab thiab zoo nkauj heev.* (p) Lub ntsej muag uas tshiab. Lus rov: *Ntshaus, daj ntseg.*
***[English]** (v,adj) Having a healthy and energetic complexion.*

tshiab khiv (pu) Tshiab heev; muaj tsis tau ntev los: *Tus npua teb noj pobkws tshiab khiv tim teb.*
***[English]** (adv) Newly, freshly, recently.*

tshiab khwb khiv (pu) Tshiab heev; muaj tsis tau ntev los: *Tus npua teb noj pobkws tshiab khwb khiv tim teb.*
***[English]** (adv) Very new, as not old; newly, freshly, recently.*

tshiab ntshis (p) Tshiab: *Nws yuav tau ib daim tiab tshiab ntshis.*
***[English]** (adj) New, such as brand new.*

tshiav (u) Muab ua kom txhuam losyog chwv xws li mus~ los~: *Tus dais muab nws lub nrob qaum tshiav tus ntoo.*
***[English]** (v) To rub (against something, for example); to polish.*

tshib (u) Muab txiav losyog rho ib co tawm xws li kom tsis txhob muaj tuab losyog muaj ntau nyob uake; ua kom tsawg: *Nws tshib nws cov plaubhau.*
***[English]** (v) Trim, esp. by cutting or removing some.*

tshim (y) Ntev li ntawm cov ntsis ntiv tes mus txog rau ntawm lub luj tshib: *Tus ntses ntev li ib tshim.*
***[English]** (n) A method of measurement equals to the length of, starting from the tip of the fingers to the elbow.*

tshis (y) Ib hom tsiaj uas muaj ob tus kub thiab luaj li tus kauv, thiab feem ntau yog nyiam nyob saum pobzeb thiab tej qhov chaw siab xwb; cov tsiaj mes es.
***[English]** (n) Goat, esp. the hollow-horned and bearded animals.*

tsho[1] (y) Cov khaub ncaws uas hnav los npog txij li lub cajdab mus txog rau lub duav: *Nws muaj ib lub tsho liab.*
***[English]** (n) Shirt. Ex: He has a red shirt.*

© 2003 Jay Xiong. All rights reserved.

tsho[2] (y) Lub hnab uas qhwv tus menyuam uas tseem nyob hauv leej niam lub cev.
[English] (n) Placenta.

tsho khuam (y) Cov tsho uas muaj ob txoj hluas khuam ob lub xubpwg: *Nws nyiam hnav cov tsho khuam xwb.*
[English] (n) Vest; vest like shirts.

tsho menyuam (y) Lub hnab uas qhwv tus menyuam uas tseem nyob hauv leej niam lub cev; tsho.
[English] (n) Placenta. Also known as afterbirth.

tsho tab[1] (y) Cov tsho uas tsis yog muab cov ntaub tuab los xaws: *Lub tsho tab yog lub uas hnav rau lub caij ntujso xwb.* Lus rov: *Tsho txooj.*
[English] (n) Shirt, esp. the kind with a single layer of fabric.

tsho tab[2] (y) Ib lo lus siv rau lub caij hais tshoob kos, thiab feem ntau yog hais txog cov nyiaj muab them rau tus ntxhais leej niam thiab leej txiv. Lo lus tab yog txhais tias 1, xws li ib puas losyog ib kis ltn... Lus rov: *Txooj.*
[English] (n) Odd, one. This term is only used during a wedding negotiation.

tsho txooj[1] (y) Lub tsho uas yog muab cov ntaub tuab los xaws. Lus rov: *Tab.*
[English] (n) Shirt, esp. the kind having two or more layers of fabric.

tsho txooj[2] (y) Ib lo lus uas siv rau lub caij tshoob kos, thiab feem ntau yog hais txog cov nyiaj uas muab pub rau tus ntxhais leej niam thiab leej txiv. Lo lus txooj yog txhais tias 2, xws li ob puas losyog ob kis ltn... Lus rov: *Tab.*
[English] (n) Even, two. This term is only used during a wedding negotiation.

tshob (y) Lub losyog yam uas neeg siv los ce xws li dej: *Nws muaj ib lub tshob.* (u) Cem, yws uas yog vim tsis zoo siab: *Nws tshob peb.*
[English] (n) Dipper; dipper like device. (v) Scold, yell, reprimand.

tshoj[1] (u) Muab tig xws li kom rovqab lossis kom lem: *Nws tshoj lub nkoj.*
[English] (v) Turn, rotate, such as to turn a boat around, for example.

tshoj[2] (u) Los tshoov; los xib lossis los ua kom nyuaj rau: *Cov Dab Neeb los tshoj nws. Leej Ntsuj Plig los tshoj nws lub siab.*
[English] (v) To rouse, esp. to the thought or spirit of; to impel or stimulate, esp. by a spiritual mean.

tshom[1] (u) Muab ua kom tawg losyog kom cov av tawm mus; muab khawb kom daim av mos losyog tawg ua tej thooj me: *Tus npua tshom daim teb.*

© 2003 Jay Xiong. All rights reserved.

[English] (v) Dig, plow.

tshom[2] (u) Ua kom nyuaj rau; ua kom xws li lwm tus muaj kev nyuaj; ntsw: *Tus menyuam tshom nws niam.*

[English] (v) To bother; to annoy.

tshoob[1] (u) Ua kom ntws losyog ntab nrog dej mus: *Dej tshoob yav cav.*

[English] (v) To wash or flush, esp. with the flow or current of water.

tshoob[2] (u) Lam taus lam tua phom mus rau: *Peb tshoob phom caum tus noog.* (y) Lub ntees losyog lub sijhawm uas muaj neeg sib yuav; tshoob kos: *Nws lub tshoob loj heev. Lawv tuaj noj tshoob.*

[English] (v) To shoot a gun above the head or into the sky.

tshoob[3] (y) Lub ntees losyog lub sijhawm uas muaj neeg sib yuav; tshoob kos: *Nws lub tshoob loj heev. Lawv tuaj noj tshoob coob kawg.*

[English] (n) Wedding.

tshoob kos (y) Kev ua tshoob thiab kev sibyuav ntawm neeg; tshoob: *Hmoob tej tshoob kos tsis yog ib yam yoojyim.*

[English] (n) Wedding.

tshoob muab (y) Cov tshoob uas tog tub mus hais tus ntxhais hauv tsev. Cov tshoob no, feem ntau, yog tus ntxhais tsis kam raws tus tub. Yog li, tus tub thiab nws ob tus mejkoob yuavtsum tau mus hais tus ntxhais niam thiab txiv seb lawv puas kam cia tus ntxhais yuav tus tub.

[English] (n) A kind of Hmong wedding that the groom and his "mejkoob" have to go to the girl's (bride) parents to propose a formal marriage.

tshoob tog qws (y) Cov tshoob uas hais yoojyim xwb, thiab feem ntau tsis muaj hais ntau zaj tshoob li: *Peb nyiam ua tshoob tog qws xwb.*

[English] (n) A kind of Hmong wedding that is simple and straight forward.

tshoob zawj (y) Cov tshoob uas xws li tus ntxhais tsis nyiam tus tub, tabsis tus tub xav yuav tus ntxhais. Feem ntau, tus tub thiab tus ntxhais yeej tsis tau sibtham losyog muaj kev nkauj, kev nraug dua los li.

[English] (n) A kind of Hmong wedding that the guy (groom) and his "mejkoob" have to go to the girl's (bride) parents to make a special request that the guy wants to marry their daughter.

tshooj[1] (u) Muab tso rau sab sauv: *Muab lub ntim tshooj cov tais.*

© 2003 Jay Xiong. All rights reserved.

[English] (v) Stack, pile, put (thing), esp. on top of other things.

tshooj[2] (y) Txheej, ntu, qhov chaw uas muaj ntau txheej: *Lub tsev muaj ob tshooj.*

[English] (n) Level, channel, floor.

tshooj[3] (y) Ib ntu uas xws li yog piav txog tib yam nyob hauv phau ntawv: *Ib phau ntawv muaj ntau tshooj.*

[English] (n) Chapter, section.

tshooj[4] (y) Ob nkawg lus; ob fab lus; txwm: *Ob nqes lus ces muaj ib tshooj.*

[English] (n) A pair of verses that make up a rhyme.

tshoom (u) Ua kom mus rau qhov siab xws li rau saum ntuj: *Tus ntses tshoom tuaj rau saum nplaim dej. Tus noog tshoom rau saum ntuj.*

[English] (v) Ascend, rise, such as into the sky or to the top.

tshoov (u) Los tshoj; los xib lossis los ua kom nyuaj rau: *Cov Dab Neeb los tshoov nws. Leej Ntsuj Plig los tshoov nws lub siab.*

[English] (v) To rouse, esp. the thought or spirit of; to be possessed by.

tshov[1] (u) Deev uas xws li tus txiv tsuam tus maum. Lo lus no siv rau tsiaj xwb: *Dev sib tshov; nas sib tshov; tus taw npua mus tshov maum thoob zos.*

[English] (v) Animal mating, and this term is used for animals only.

tshov[2] (u) Tshuab uas xws li qeej losyog raj ltn... *Nws tshov qeej zoo heev.* Feem ntau neeg siv lo tshuab xwb: *Nws tshuab qeej zoo heev.*

[English] (v) To play and dance with the Hmong musical "qeej."

tshov[3] (u) Cig mus rau; kub losyog txais mus rau: *Hluav taws xob tshov nws.*

[English] (v) To shock or contact by way of electricity or lightning.

tshua (u) Nco txog, xav txog uas xws li yog los ntawm kev hlub losyog kev sibnco: *Peb tshua txog nej sawvdaws.*

[English] (v) To miss or think of (a loved one, for example).

tshuab[1] (u) Ua kom muaj pa losyog cua tawm mus: *Nws tshuab khob dej kub kom txias; cua tshuab tsob ntoo vau lawn.*

[English] (v) Blow, such as to expel or create a current of air or wind.

tshuab[2] (y) Tej yam uas muaj peev xwm ua tau cua losyog muaj zog khiav tau: *Neeg siv tshuab los zom nplej.*

[English] (n) Machine.

tshuab xaws* (y) Cov tshuab uas neeg siv los xaws ris thiab tsho tej. Feem ntau,

© 2003 Jay Xiong. All rights reserved.

neeg siv lo tias "tshuab xaws khaub ncaws" no xwb.
[English] (n) Sewing machine.

tshuaj (y) Tej yam uas siv los kho neeg losyog tua tej kab uas ua rau neeg mob tej; muaj ntau yam tshuaj uas xws li tshuaj noj, tshuaj haus, thiab tshuaj txhaj ltn... *Nws muaj ib pob tshuaj.*
[English] (n) Medicine, medication.

tshuaj daj (y) Ib hom tshuaj uas daj thiab hob losyog ntsim. Feem ntau yog siv los pleev rau xws li thaum muaj dabtsi tsoo losyog muaj mob tobhau tej.
[English] (n) The tiger balm-like medicine; yellow menthol ointment.

tshuaj daj tsov* (y) Ib hom tshuaj uas hob losyog ntsim thiab neeg siv los pleev xws li rau tej thaj nqaij uas muaj mob losyog ntxhia tej. Lub hau hwj daj tabsis cov tshuaj liab tsim tseb. Cov tshuaj no, nws kuj zoo rau thaum muaj kub hnyiab losyog ua kub xws li rau neeg daim tawv nqaij tej thiab.
[English] (n) Red tiger balm. Some people used it for curing burn as well.

tshuaj dawb tsov* (y) Ib hom tshuaj uas hob losyog ntsim thiab neeg siv los pleev xws li rau tej thaj nqaij uas muaj mob losyog ntxhia tej.
[English] (n) White tiger balm.

tshuaj khib (y) Lub tais uas yog muab hmoov zeb los puab thiab feem ntau yog siv los tuav kua txob thiab tuav qaub tej: *Nws muaj ib lub tshuaj khib.*
[English] (n) Mortar, esp. a device used to crush things with a pestle.

tshuaj lom (y) Cov tshuaj uas siv los tua losyog ua rau kom tuag tej.
[English] (n) Poison (medicine or chemical).

tshuaj loog (y) Cov tshuaj uas pleev, noj losyog txhaj rau kom loog losyog txhob hnov mob tej: *Tus kws kho mob txhaj tshuaj loog tag ces nws mam li phais.*
[English] (n) Anesthesia, analgesic.

tshuaj ntsuab (y) Cov tshuaj uas yog muab los ntawm nroj tsuag tej.
[English] (n) Herb, herbal medicine.

tshuaj ntsuam (y) Mus xyuas; mus saib kom paub losyog pom: *Peb mus tshuaj ntsuam txog nws cov teebmeem.*
[English] (n) Investigate, research.

tshuaj ntxhia (y) Ib hom tshuaj uas hob losyog ntsim thiab neeg siv los pleev xws li rau tej thaj nqaij uas muaj mob losyog ntxhia tej.

© 2003 Jay Xiong. All rights reserved.

[English] (n) Therapeutic mineral; any pain relieving gel or ointment.

tshuaj phom (y) Cov hmoov, feem ntau dub~, uas neeg ua los tua phom tej: *Nws tuav tau ib tais tshuaj phom.* Ib txhia kuj hu ua "tshuaj tua phom" no thiab.

[English] (n) Gunpowder.

tshuaj quas dab (y) Ib hom tshuaj (txiv ntoo) uas neeg siv los quas, kem, dab. Ib txhia neeg kuj hu uas "txiv toojywg nyeg" no thiab.

[English] (n) Certain kind of herb, seed, which used to keep ghost away.

tshuaj quav mes es (y) Ib hom tshuaj ntsuab. Nws txi cov txiv zoo nkaus li cov quav mes es. Zoo rau mob kem cev tej. Hom tshuaj no nws tsuas tuaj ua ib tus cag zoo xws li lub qos xwb.

[English] (n) Certain kind of herb (plant), having one root similar to a carrot.

tshuaj txhuam hniav (y) Cov tej lub tshuaj uas neeg ua los tso rau ntawm xws li tus pas txhuam hniav ua ntej thaum yuav txhuam cov kaus hniav.

[English] (n) Toothpaste.

tshuaj xwm (u) Mus xyuas; mus saib kom paub losyog pom: *Peb mus tshuaj xwm txog nws cov neeg.*

[English] (v) Investigate, research.

tshuaj xya hnub (y) Ib hom tshuaj, ntoo me thiab tawg paj, uas ib txhia neeg siv los ua tshuaj. Feem ntau yog siv los qhwv xws li thaum muaj lov txha thiab tuag tes, tuag taw tej. Cov paj tawg ces nws tsuas nyob li xya hnub xwb.

[English] (n) Certain kind of herb.

tshuaj xyuas (u) Mus xyuas; mus saib kom paub losyog pom: *Peb mus tshuaj xyuas txog nws cov neeg.*

[English] (v) Investigate, research.

tshuam[1] (u) Muaj ob losyog ntau yam los mus uake: *Tus dej me tshuam tus dej loj. Ob txoj kev los sibtshuam.* (p) Yam los sibtshuam ntawv.

[English] (v,adj) Intersect, cross.

tshuam[2] (u) Los mus txiav losyog tav rau: *Nws tshuam lawv cov lus.*

[English] (v) Interfere, interrupt.

tshuam[3] (u) Muab rhais losyog khuam rau: *Muab lub ntxais tshuam rau ntawm lub qhov rooj.*

[English] (v) To hang or put (a piece of paper on a hook or gap, for example).

© 2003 Jay Xiong. All rights reserved.

tshuas ntxaij (y) Daim ntxais uas yog muab xyoob fiab thiab muaj ntau lub qhov. Feem ntau yog siv los ziab thiab qha nqaij tej: *Ib daim tshuas ntxaij.* ***[English]*** *(n) A screen like device made with bamboos and used for drying meat on top of a fireplace.*

tshuav (u) Tsis tau tas; tseem muaj: *Nws tshuav ob tus ntxhais.* ***[English]*** *(v) Have, available; still have some left.*

tshum[1] (u) Muab xws li tus pas thawb mus kom tsoo; muab taum: *Nws tshum txiv rau peb noj. Nws muab pas tshum tus nab.* ***[English]*** *(v) Poke, esp. with a stick or sharp object; to prod.*

tshum[2] (u) Ua losyog hais kom plam, poob losyog tsis muaj: *Nws tshum kom nej tsis tau nom ua; nws tshum kom lawv poob nom.* ***[English]*** *(v) To bring up an issue, such as an allegation or accusation against someone.*

tshuv (u) Lug mus lwm txoj kev uas xws li txoj yus yuav mus ntawv nws muaj ib yam dabtsi thaiv lawm: *Nws tshuv raws lub roob.* ***[English]*** *(v) To go around (a big mountain, for example) in a zigzag pattern.*

tshwb tshuav (p) Muaj qhov ntau heev losyog muaj cuag cas: *Nws lub tsev qub thiab to qhov tshwb tshuav.* ***[English]*** *(adj) All over; having many holes. Ex: The house has holes all over.*

tshwj[1] (u) Ua li lwm tus nyiam losyog hais; yoog lwm tus: *Koj tshwj nws hais xwb es nws thiaj tsis mloog koj qhia.* ***[English]*** *(v) Let, allow, permit.*

tshwj[2] (u) Muab khaws cia; tseg rau: *Muab koj li tshwj tseg.* ***[English]*** *(v) Save, keep, esp. as a saving or for future use.*

tshwj[3] (u) Tseg, seem, tsuas tshuav: *Peb hais txhua leej tsuas yog tshwj nws xwb.* ***[English]*** *(v) To except; to exclude; to leave out.*

tshwjkab (y) Tus neeg uas los tua cov tsiaj thiab saib xyuas cov nqaij ntawm lub ntees tuag: *Nws yog lawv tus tshwjkab.* ***[English]*** *(n) A person, usually a man, in charge of preparing, butchering animals at the funeral.*

tshwjxeeb (u) Yog yam uas tseemceeb; muaj nqis; zoo: *Hnub no yog ib hnub tshwjxeeb vim peb sawvdaws tuaj sibpom.* (p) Yam uas tshwjxeeb.

© 2003 Jay Xiong. All rights reserved.

[English] (v,adj) Special. Ex: Today is special because it is my birthday.

tshwm[1] (u) Muaj tawm tuaj: *Lub hnub tshwm tim lub npoo ntuj.*
[English] (v) Appear, emerge, surface.

tshwm[2] (u) Pom tuaj txog losyog los txog ntawv thiab: *Nws tshwm ntawv thiab.*
[English] (v) Is or being there also. Ex: He is there too.

tshwm sim (u) Muaj tshwm tuaj; tshwm: *Ntau yam tshwm sim nyob rau hauv lub ntiajteb no.*
[English] (v) Appear, surface, occur, happen.

tshwm tshav (u) Coj tus neeg tuag mus tso rau nraum zoov xws li ziab tshav: *Lawv muab nws tshwm tshav tagkis.* (y) *Lawv tsis muaj tshwm tshav.*
[English] (v) To place the deceased (dead person) out in the open area or field, esp. before the burial. (n) The day of such.

tshws (y) <Lees> Tus miv: *Nwg muaj ob tug tshws.* Neeg kuj siv lo tias "tshws miv" no thiab. Ib txhia neeg kuj siv lo "tshws mlob" thiab.
[English] (n) <Leng> Cat, kitten.

tsi[1] (u) Hliv cov kua tawm mus; cais cov kua tawm xws li kom tshuav cov phuas: *Nws tsi cov kua zaub pov tseg.*
[English] (v) Drain.

tsi[2] (u) Tsom, xaiv ib tus ntawm ib co: *Nws tsi koj qhov phem hais xwb.*
[English] (v) Pick, select, aim; target (his weak spot, for example).

tsi[3] (y) Ib cov hlua uas neeg muab ntau~ lub voj los txuas ua ib txoj sab thiab siv los cuab noog thiab yij tej: *Hmoob siv tsi los cuab yij.*
[English] (n) A running noose, noose, snare.

tsi sub (pu) Tej zaum yog; xws li ntawv; zoo xws li: *Nws muaj ob xyoos tsi sub.*
[English] (adv) Perhaps, maybe, likely, roughly.

tsiab (y) Lub caij uas neeg los noj Pebcaug ntawv: *Lawv npaj noj tsiab rau lub 12 Hlis.* Qee leej kuj siv lo tias "Tsiab Pebcaug" no thiab.
[English] (n) Hmong New Year.

Tsiab Pebcaug (y) Lub caij uas Hmoob los noj Pebcaug ntawv: *Lawv npaj noj Tsiab Pebcaug rau lub 12 Hlis.* Qee leej kuj siv lo tias "Tsiab " no thiab.
[English] (n) Hmong New Year.

tsiaj (y) Cov uas muaj sia, mus tau kev, thiab tsis yog neeg xws li dev, npua,

© 2003 Jay Xiong. All rights reserved.

nas, noog, tsov ltn... *Muaj ntau hom tsiaj xws li tsov, dais, dev ltn...*
[English] (n) Animal.

tsiaj cwb qhua (y) Tus tsiaj uas yog tua los faib rau cov tshwj kab thiab kav xwm uas tuaj pab lis lub ntees thaum muaj ib tus neeg tuag.
[English] (n) An animal used for butchering and to distribute or give the meat to the people, tshwj kab thiab kav xwm, for helping at the funeral.

tsiaj ntiag hnub (y) Tus tsiaj uas yog tua los rau neeg tau noj thaum lawv tuaj zov thiab pab nyob rau hauv lub ntees thaum muaj ib tus neeg tuag.
[English] (n) An animal butchered for food served at the funeral.

tsiaj nyeg (y) Cov tsiaj uas yog neeg tu thiab muaj nyob rau hauv zos: *Nyuj, dev, thiab miv yog tsiaj nyeg.* Lus rov: *Tsiaj qus.*
[English] (n) Domestic animals.

tsiaj qus (y) Cov tsiaj uas yog muaj nyob rau tom hav zoov xwb: *Noog, tsov, thiab dais yog tsiaj qus.* Lus rov: *Tsiaj nyeg.*
[English] (n) Wild animals.

tsiaj txhu (y) Tej tsiaj uas yog neeg tu nyob rau hauv zos: *Nws tej tsiaj txhu.*
[English] (n) Animals, esp. used to refer to one's domestic animals.

tsib[1] (y) Lub hnab me~ uas muaj ib cov kua iab~ nyob rau hauv, thiab nws nyob nrog daim siab: *Lub tsib muaj ib co kua iab heev.*
[English] (n) Gall bladder; also gallbladder.

tsib[2] (u) Hais kom them losyog kom muab rovqab rau: *Nws tsib nws cov nyiaj.*
[English] (v) To demand (someone) for a payment or reimbursement.

tsib[3] (y) Tus ntawv suav 5 uas nyob nruab nrab ntawm 4 thiab 6: *Nws suav txog tsib.* (p) Yam uas muaj ntau li: *Nws muaj tsib xyoos.*
[English] (pron,n,adj) Five, 5.

tsibcaug (y) Tus ntawv suav 50 uas nyob nruab nrab ntawm 49 thiab 51: *Nws suav txog tsibcaug.* (p) Muaj npaum li: *Nws muaj tsibcaug xyoo.* (t).
[English] (n,adj,pron) Fifty, 50.

tsibcaug-tsibcaug (p) Faib losyog cais ua ob sab sibluag: *Nkawv muab daim teb faib tsibcaug-tsibcaug.* (pu) Zoo xws li tsibcaug-tsibcaug tej.
[English] (adj,adv) Fifty-fifty, such as a fifty-fifty chance of winning.

tsig[1] (y) Ua tej lub me~ xws li noob zaub tej: *Tsig zeb, tsig av ltn...*

© 2003 Jay Xiong. All rights reserved.

[English] (n) Any small and round objects, such as sandlike particles.

tsig[2] (y) Zaug, lwm uas xws li: *Ib tsig dab ntub; qaib qua thawj tsig xwb.*
[English] (n) Instance, occurrence, time. Ex: He slept one time.

tsig txhuv (y) Ib hom noog me~ thiab nyiam noj nplej heev; noog piv: *Ib pab tsig txhuv. Nws cuab cov noog tsig txhuv.*
[English] (n) Finch, esp. the black kind.

tsij[1] (u) Muab thawb losyog ua kom mus rau hauv; tshum kom nkag rau hauv lub qhov: *Nws tsij thooj mov rau hauv tus menyuam lub qhov ncauj. Lus rov: Lauj.*
[English] (v) Shove, push (a stick into a hole, for example). Ant: Pull.

tsij[2] (u) Txhawb, pab kom zoo: *Tsij tub tsij ntxhais kom mus ua lub neej zoo.* Lus rov: *Thau, lauj.*
[English] (v) Urge, inspire, encourage someone to go on or to continue.

tsim[1] (u) Ua kom muaj; ua kom tshwm sim: *Nws tsim tau ib txoj kev. Huabtais Ntuj yog tus tsim txhua yam.* (y) Lub hwj huam; lub npe uas lwm tus neeg saib muaj nqis xws li tus nom loj tej: *Tus nom muaj tsim heev.*
[English] (v) Create, invent, make. (n) Prestige, renown, fame.

tsim[2] (u) Muab rau txim; muab ua kom txom nyem: *Lawv tsim tus tubsab.*
[English] (v) Punish, crucify, torture.

tsim[3] (u) Xeev, hnov, sawv los: *Nws tsim vim nws hnov peb hais lus.*
[English] (v) To wake up (from a sleep, for example).

tsim[4] (u) Xeev uas xws li muaj sia thiab zoo rov los: *Nws tsim rov los lawm.*
[English] (v) Become conscious.

tsim nyog (nu) Muaj nqis; tseemceeb: *Tus nom tsim nyog noj mov ua ntej nws cov qhev.* (p) *Peb ua yam tsim nyog xwb.*
[English] (aux. v) Deserve, ought (adj) Worthy.

tsim tsawv (pu) Me, tsawg, tsis ntau, tsis heev: *Kuv nyiam nws tsim tsawv.*
[English] (adv) Somewhat, little.

tsim txiaj (u) Ua losyog coj zoo; mloog lus thiab tsis ua yam phem: *Nws tsim txiaj heev.* (p) Tus neeg tsim txiaj: *Peb nyiam tus neeg tsim txiaj xwb.*
[English] (v,adj) Behaving well; having a good behavior or character.

tsim txom (u) Muab rau txim; ua kom txom nyem: *Lawv tsim txom tus tubsab.* (p) *Peb tsis nyiam kev tsim txom tibneeg.*

© 2003 Jay Xiong. All rights reserved.

[English] (v) Punish, crucify, torture.

tsis (pu) Siv los hais ntxeev losyog tig ntawm lo lus tomqab ntawv: *Tsis zoo yog txhais tias phem; tsis loj yog txhais tias me ltn...* Lo lus no neeg kuj siv xws li zoo tsis zoo; loj tsis loj thiab nws txhais tau tias zoo heev thiab loj heev ltn...
[English] (adv) Not, however, it is equivalent to "is not, does not, will not" etc.

tsis dua (tx) Nyob ntawm xav: *Koj ua li tsis dua ntawm koj xav.*
[English] (conj) It is up to (one's decision, for example); whatever.

tsis niam (pu) Tsis yog li; tsis zoo li: *Nws tsis niam nco; tsis niam muaj ltn...*
[English] (adv) Not at all; not. Ex: She does not think of you.

tsis saib lub paj los saib lub lwg (z) Txhais tias tsis xav txog tus tub los kom xav txog ntawm tus ntxhais. Feem ntau yog siv rau lub caij hais tshoob kos xwb.
[English] (idiom) Even if one does not see, respect, the flower (son-in-law); however, one should not ignore or forget the dew (one's own daughter). This phrase is normally used during a wedding negotiation only.

tsis tas (pu) Tsis ua los tau; tsis txhob: *Koj tsis tas mus tsev; koj tsis tas hu kuv.*
[English] (adv) Unnecessarily, do not have to.

tsis tshua (pu) Muaj tsawg; tsis heev: *Nws tsis tshua nyiam; nws tsis tshua nco.*
[English] (adv) Rarely, seldom, not much.

tsis txhob (pu) Txhob ua li: *Koj tsis txhob mus. Nws tsis txhob kam.* Feem ntau, neeg siv lo "txhob" xwb: *Wb txhob mus; peb txhob ua li.*
[English] (adv) Don't; not. Mostly, people used the word "txhob" only.

tsiv[1] (u) Khiav mus nyob lwm lub zos losyog lwm qhov chaw: *Nws tsiv lawm.*
[English] (v) Move, relocate, esp. to a different city or town.

tsiv[2] (u) <Lees> Txav uas xws li mus zaum rau lwm qhov chaw; khiav: *Koj tsiv moog yog txhais tias koj khiav mus rau lwm qhov chaw.*
[English] (v) <Leng> Move, such as to change position; move away from.

tsiv[3] (u) Nyaum, phem thiab tom losyog cem neeg heev: *Tus dev tsiv heev.*
[English] (v) To be fierce; to be ferocious.

tsiv[4] (u) Ua rau nyuaj losyog chim: *Cov lus phem ua rau neeg tsiv siab.*
[English] (v) To anger; to anguish; to antagonize.

tsiv nraim (u) Mus nkaum, nraim xws li kom neeg txhob pom yus: *Peb mus tsiv nraim kom lawv tsis pom peb.*

© 2003 Jay Xiong. All rights reserved.

[English] (v) Hide, such as oneself when playing a hide-and-seek game.

tsiv tsaim (u) Nyaum uas xws li cem; tom neeg heev: *Nws tsiv tsaim heev.* (p) Piav txog tus uas tsiv tsaim: *Peb tsis nyiam cov neeg tsiv tsaim.*
[English] (v,adj) Like to scold or yell often; mean.

tso[1] (u) Muab cia rau; tseg rau: *Nws tso rab taus rau peb siv.*
[English] (v) Leave, such as to go without taking or removing.

tso[2] (u) Ua kom poob losyog ua kom tawm mus: *Tso cov quav; tso rab diav.* (pu) Ua ntej tshaj cov; xub ua losyog muaj ua ntej: *Peb noj su tso.*
[English] (v) To let go; to release (stool, urine, for example) from the body. (adv) First. Ex: We eat lunch first.

tso[3] (pu) Ua ntej tshaj cov; xub ua losyog muaj ua ntej: *Noj mov tso.*
[English] (adv) First, before all.

tso[4] (y) Tus tsiaj tsov: *Niam hma thiab miv tso ltn...*
[English] (n) Tiger, lion and the like.

tso[5] (u) Hais lus; siv: *Nws tso pam thawj; nws tso dag xwb.*
[English] (v) To utter; to say; to talk (to joke, for example).

tso[6] (u) Cia mus; cia dim uas xws li tsis khi losyog muab kaw: *Tso tus tubsab.*
[English] (v) To release; to let go; to free (from restraint, for example).

tso cia (u) Muab tseg cia; tsis nqa mus; tso: *Nws tso cia rau peb tau siv.*
[English] (v) Leave, such as to go without taking or removing.

tso dag (u) Hais lus dag; tsis hais tiag: *Nws tso dag tias nws tsis tuaj.*
[English] (v) Joke, tease.

tso luag (u) Hais lus thiab tham ua si; hais lus dag tej: *Nws nyiam tso luag heev.*
[English] (v) Joke, tease; general chat, esp. for fun.

tso quav (u) Ua kom cov quav tawm nram lub qhov quav mus: *Nws tso quav tas.*
[English] (v) To defecate; to excrete; to poop; to shit (obscene).

tso sas (u) Sib zog mus kev; khiav: *Nws tso sas dua tim roob lawm.*
[English] (v) Run. Ex: He runs to the mountain.

tso siab (u) 1. Tsis txhawj txog: *Nws tso siab plhuav.* 2. Vam txog; cia siab rau: *Sawvdaws tso siab rau koj xwb.*
[English] (v) 1. Trust, confident. 2. Hope for; rely on; depend on.

tso tseg (u) Tso cia; tsum uas xws li tsis ua ntxiv: *Nws tso tseg kev ua si lawm.*

© 2003 Jay Xiong. All rights reserved.

[English] (v) Abandon, quit; to forget about; to let go of.

tso tshav (u) Qhib rau; kam rau; cia rau: *Nws tso tshav rau sawvdaws mus ris nws cov nplej.* (p) Cia rau txhua leej: *Tus nkauj tso tshav.*

[English] (v,adj) Of public; open to public; available to everyone.

tso ya (u) Hais lus dag; hais lus tsis tseemceeb: *Nws tso ya heev.* (p) *Nws hais lus tso ya xwb.*

[English] (v) Joke, tease. Not serious.

tso zis (u) Ua kom cov zis tawm nram lub qhov zis mus: *Nws tso zis tas lawm.*

[English] (v) Urinate; to excrete urine, pee.

tsob (y) Tus, yam xws li ntoo, zaub thiab dib ltn... *Nws cog tau ntau tsob.* (h) Yam uas zoo li tsob: *Nws muaj ib tsob ntoo; ntau tsob pobkws.*

[English] (n,cl) Entity or object resembling a plant (tree, for example).

tsog (y) 1. Tus dab uas, qee leej ntseeg tias, nws nyiam los tsuam neeg thaum lub caij neeg pw: *Tus tsog los tsuam nws.* 2. Tus ntxhiab uas qee leej muaj thiab tsw: *Nws tsw tsog heev.*

[English] (n) 1. A ghost, some people believe, that it can make a person very weak or unable to move physically. 2. An odor that some people have.

tsom (u) Saib, ntsia kom pom zoo; ua kom mus ncaj rau: *Nws tsom rab phom mus rau tus noog.* (y) Lub uas muaj ob daim iav kheej thiab neeg siv los tso rau ntawm ob lub qhov muag kom pomkev zoo; tsom iav: *Nws muaj ib lub tsom.*

[English] (v) Aim, focus. (n) Eyeglasses.

tsom deb* (y) Lub tsom uas muaj ob lub qhov thiab muaj ob daim iav uas ua rau pom mus deb heev: *Lub tsom deb yog siv los tsom tej yam uas nyob deb xwb.*

[English] (n) Binocular.

tsom iav (y) Lub tsom; lub uas muaj ob daim iav es neeg siv los tso ntawm neeg ob lub qhov muag kom pomkev zoo: *Nws muaj ib lub tsom iav.*

[English] (n) Eyeglasses.

tsom iav raj* (y) Lub tsom uas muaj ib lub qhov thiab muaj ib daim iav uas ua rau pom mus deb heev: *Lub tsom iav raj yog siv los tsom tej yam nyob deb xws li puag saum ntuj, hli thiab yam nyob deb heev xwb.*

[English] (n) Telescope.

tsomkwm (u) Saib xyuas; nyob ze thiab saib kom tsis muaj teebmeem: *Nws yog*

© 2003 Jay Xiong. All rights reserved.

tus tsomkwm peb sawvdaws. Huabtais Ntuj tsomkwm peb txhua leej.
***[English]** (v) Oversee, supervise, protect.*

tsomplooj* (y) Cov tsom uas nyias heev, me, thiab yog muab roj hmab ua. Cov tsom no yog siv los plooj neeg lub qhov muag, tabsis yog ua rau kom pomkev zoo: *Nws yuav tau ob daim tsomplooj.*
***[English]** (n) Contact lens.*

tsoo[1] (u) Ua kom mus raug; ua kom mus txhuam lossis nrau: *Nws tsav tsheb mus tsoo tus ntoo.*
***[English]** (v) Collide, crash, hit.*

tsoo[2] (u) Muab ntaus losyog ua kom tawg: *Nws tsoo lub qe.*
***[English]** (v) Break, crush, crack. Ex: She cracks the egg.*

tsoo[3] (u) Ua losyog siv zog rau: *Nws tsoo npaum li cas los tsis tau li.*
***[English]** (v) Work, do (something, for example).*

tsoo[4] (nu) Maub mus lossis los tej: *Nws tsoo tuaj txog thaum ib tag hmo.*
***[English]** (aux. v) To travel; to proceed, such as go or come.*

tsoob (u) Muab tus qau ntxig rau hauv lub pim; txiag, deev, aim: *Tus txiv dev tsoob tus maum dev.* Lo lus no yog ib lo lus siv los cem xwb. Lo zoo thiab neeg siv dua yog deev.
***[English]** (v) 1. To have sexual intercourse with; to make love to. 2. Fuck (this word is considered obscene or swear word).*

tsoom (y,h) Haiv, pab, pawg neeg: *Ib tsoom kwvtij; ib tsoom Hmoob.*
***[English]** (n,cl) Group (of people, for example); certain kind of people.*

tsoom fwv (y) Cov neeg uas ua num los pab pejxeem thiab saib xyuas cov neeg pejxeem; zos: *Tsoom fwv tsis pub neeg ntov ntoo lawm.* Ib txhia neeg kuj siv lo "tsoom hwv" no thiab.
***[English]** (n) Government, authority.*

tsoos (y) Khaub ncaws, ris tsho: *Nws muaj tsoos ntau heev.*
***[English]** (n) Clothing, clothes.*

tsoov (u) Muab lub vab ua kom cov npluag nplej poob mus es kom tshuav cov txhuv xwb; ua kom cov npluag poob lossis ya mus: *Nws tsoov txhuv.*
***[English]** (v) Winnow; to separate grain from chaff.*

tsos[1] (y) Tus yam ntxwv losyog lub ntsej muag uas nyob ntawm tus neeg: *Koj*

© 2003 Jay Xiong. All rights reserved.

muaj ib tsos zoo li koj txiv.
***[English]** (n) Appearance, look.*

tsos[2] (y) Kev xaws paj ntaub: *Cov tsos paj ntaub.*
***[English]** (n) A node or short pattern of the Hmong needle artwork.*

tsov (y) Ib hom tsiaj uas zoo li miv tabsis loj thiab nyob tom hav zoov xwb: *Tsov nyiam tom lwm yam tsiaj.* <Lees> Rov xws li tig rovqab: *Nwg "tsov lug" ces txhais tias nws rov los.* Hmoob Lees hu tus tsov ua tug tsuv.
***[English]** (n) Tiger. Hmong Leng also use this word to mean "return or to turn around."*

tsov dub (y) Ib hom tsov uas muaj tsos zoo xws li miv, tabsis loj luaj li dev thiab nws cov plaub dub.
***[English]** (n) Panther; black tiger.*

tsov liab (y) Cov tsov uas muaj cov plaub liab thiab loj zog tus miv xwb: *Nws pom ib tus tsov liab.*
***[English]** (n) Mountain lion, cougar; red tiger.*

tsov ntxhuav (y) Cov tsov uas loj tshaj lwm yam tsov, thiab cov txiv lub tobhau muaj plaub ntau thiab ntxhov heev: *Nws pom ib tus tsov ntxhuav.*
***[English]** (n) Lion.*

tsov pom txwv (y) Cov tsov uas zoo xws li tus miv tabsis yog loj zog miv xwb.
***[English]** (n) Tiger cat; mountain cat.*

tsov txaij (y) Ib hom tsov uas muaj tsos zoo xws li miv, tabsis loj luaj li dev thiab nws lub cev (cov plaub) txaij tej tee.
***[English]** (n) Leopard.*

Tsov Tooj Tuam Ib tus tsov uas yog tus neeg Hmoob muaj lub npe hu ua Tooj Tuam mus ua. Tooj Tuam mus ua tsov thaum nws tsis tau tuag li.
***[English]** A name of a Hmong man who literally transformed to be a tiger.*

tsovrog (y) Neeg tej kev sibtua thiab sibntaus uas xws li yog siv riam thiab phom: *Lawv lub tebchaws muaj tsovrog loj heev.*
***[English]** (n) Warfare, war.*

tsovtom (y,p) Ib lo lus phem thiab siv los cem lwm tus neeg. Thaum ub, yog siv lo lus no ces tsov los tom tus neeg uas yus cem ntawv.
***[English]** (n,adj) Tiger bite or a tiger bitten person. This is a swear or curse*

© 2003 Jay Xiong. All rights reserved.

word which was used during the time when there were many tigers in Laos. This is a curse word to imply that a tiger will bite if such word is used.

tsu (y) Lub uas yog muab ntoo losyog hlau ua thiab neeg siv los cub mov, zaub thiab khoom noj tej: *Nws muaj ib lub tsu.* Ib lu npe siv rau cov tub.

***[English]** (n) Steamer; a rice steamer. Also a proper name for boys.*

tsu thee* (y) Cov tsu uas siv thee los rauv rau hauv: *Neeg siv lub tsu thee los cub mov thiab hau zaub tej.*

***[English]** (n) Any various of the steamers that used charcoals.*

tsu xob* (y) Cov tsu uas zoo li lub lauj kaub, tabsis yog siv taws xob los cub, hau thiab ua kom mov siav tej. Feem ntau, cov tsu xob no yus tsuas rau dej, txhuv kom haum ces txoj hlua taws xob mus ntxig rau hauv lub qhov taws xob xwb ces cov mov yeej txawj siav nws lawm.

***[English]** (n) Any various of the electric steamers.*

tsua (y) Lub, thooj uas loj thiab siab xws li lub roob tabsis yog pobzeb xwb: *Lub tsua yog ib thooj pobzeb loj heev.*

***[English]** (n) Boulder; a large mass of rock.*

tsuab (u) Mus muab; tuav losyog ntsiab uas xws li kom tau: *Tus menyuam tsuab cov mov; tus liaj tsuab cov noog.*

***[English]** (v) Grasp, catch, grip, snatch, grab.*

tsuab luab (u,p) Txhoj, xws li nyiam qw lossis hais lus nrov thiab ntau heev.

***[English]** (v,adj) Being talkative, playful and/or naughty.*

tsuag[1] (y) Ib hom nas uas tawm los nrhiav noj nyob rau hmoo ntuj: *Nas tsuag nyiam noj nplej heev.*

***[English]** (n) Rat, mouse.*

tsuag[2] (u) Qab xws li dej xwb; tsis qab ntsev: *Lauj kaub nqaij tsuag heev.* Lus rov: *Daw.*

***[English]** (v) Having little or no taste of salt, such as soups without salt.*

tsuag[3] (u) Maj, sai, ua kom nrawm: *Koj tsuag mentsis.*

***[English]** (v) Hurry, haste.*

tsuag[4] (y,h) Muaj ntau txaus li ib sab tes puag: *Nws pav tau ntau tsuag.*

***[English]** (n) Bunch, cluster (of things, for example).*

tsuag[5] (u) Muab xws li dej txau losyog ywg rau: *Nws tsuag dej rau peb.*

© 2003 Jay Xiong. All rights reserved.

***[English]** (v) To spray or sprinkle (water, for example).*

tsuag[6] (u) Tsis nrov, yau, xws li thaum tus neeg hais lus yau tej: *Nws hais lus tsuag heev vim nws ntshais peb hnov.*

***[English]** (v) Soft and low in tone or pitch.*

tsuag[7] (u) 1. Tsis muaj zog; tsis muaj ceem; tsawg losyog tsis muaj coob lawm: *Cov neeg phem tsuag tas lawm.* 2. Tsis zoo li thaum tshiab: *Daim teb tsuag vim lawv cog nplej ntau xyoo dhau.*

***[English]** (v) 1. Not as powerful; lessen in power or quality. 2. Lacking nourishment or fertilizer, such as land or farm that has been farmed for many years without fertilizing.*

tsuam[1] (u) Muab nias losyog ua kom nyob rau sab sauv: *Tus ntoo vau los tsuam nws lub tsheb; nws tsuam kuv txhais tes.*

***[English]** (v) To rest or be on top of something; to fall on top of (something, for example). Ex: A tree fell on top of the house.*

tsuam[2] (u) Thaum tus lau mus nyob saum tus poj losyog tus maum lub nrob qaum, xws li yog ua kom muaj menyuam tej. Thiab lo lus no yog siv rau cov tsiaj xws li qaib, os, thiab noog tej xwb: *Tus lau qaib tsuam tus poj qaib.*

***[English]** (v) To go on top of another, esp. used to describe when a rooster is on top of a hen when mating, for example. Poultry mating.*

tsuam[3] (u) Tshaj cov lus tawm kom tus neeg tubsab nqa yam uas nws nyiag rovqab tuaj rau tus tswv khoom. Feem ntau, yog tsis paub tias leej twg yog tus tubsab: *Lawv tsuam tsis tau tubsab li–txhais tias tsis muaj leej twg lees losyog xa qhov khoom rov tuaj rau tus tswv li.*

***[English]** (v) To set a time frame for a thief, mostly when don't know who took or stole the item, to return the stolen item to the owner without penalty.*

tsuamtob (y) 1. Rab uas thaum ub neeg ua los tais losyog txiav cov neeg phem lub cajdab tej: *Thaum ub neeg ntshai rab tsuamtob xwb.* 2. Rab losyog tus ntoo uas ua los thaiv kev es tsis pub neeg losyog tseb mus dhau: *Peb mus tsis tau vim lawv tsis kam tshem tus tsuamtob.*

***[English]** (n) 1. Stockade. 2. A horizontal post used to block at certain gate.*

tsuas[1] (u) Muaj lwm yam los txuam: *Lub tsho liab cov kua tsuas lub tsho dawb.*

***[English]** (v) Stain, discolor.*

© 2003 Jay Xiong. All rights reserved.

tsuas[2] (y) Cov kua uas tsuas: *Tsuas liab, tsuas dub, tsuas daj ltn...* Ib txhia neeg kuj siv lo "zas" no thiab: *Muaj peb yam zas, xws li liab, dub thiab dawb.*
[English] (n) Color.

tsuas[3] (pu) Ua losyog muaj tas mus li, xws li tsuas noj, tsuas pw, tsuas raug, tsuas khwv, tsuas pom ltn...
[English] (adv) 1. Only. 2. Always, constantly.

tsuas[4] (y) Tej tus ntsia, yog muab ntoo ua, uas siv los npuj tej kis me ntawm daim ntoo loj es kom xws li daim ntoo loj tawg.
[English] (n) A chisel-like device, made from wood or metal, and used for cracking and/or opening a gap by way of pounding on the chisel with a wooden mallet or hammer.

tsuas nros (tx) Vim yog; rau qhov tias; twb yog tias: *Tsuas nros yus tsis ua zoo.*
[English] (conj) Because of (one's own fault or decision, for example).

tsuas tab (pu) Tsuas, ua losyog muaj tas mus li: *Nws tsuas tab pw.*
[English] (adv) Always, constantly.

tsuas thwj (u) Xav tias; paub tias; ua raws li: *Nws tsuas thwj nws muaj nyiaj ces nws txawm saib tsis taus cov neeg pluag.*
[English] (v) To act or treat others in certain way based on one's superior power or position.

tsuav (u) Muab riam los txhoov; muab txiav kom xws li daim nqaij mos lossis kom ua tej daim me: *Nws tsuav cov nqaij.* (tx) Yog tias: *Tsuav koj xav hais.*
[English] (v) Chop (vegetables with a knife, for example). (conj) As long as; if.

tsuav ho (tx) Uas yog muaj li; uas yog zoo li: *Tsuav ho paub li ntawv.*
[English] (conj) As long as. Ex: As long as he know that.

tsuav yog (tx) Yog tias; uas yog li: *Tsuav yog nws nyiam.*
[English] (conj) As long as. Ex: As long as he likes.

tsub (u) Muab tso ntxiv rau; muab tso tsuam rau sauv: *Nws tsub kom puv.*
[English] (v) Pile, add (things), esp. on top of another pile or other thing.

tsug (y) Lub caij nyoog uas muaj kaum peb hnub lawm: *Twb puv tsug lawm.* Txhais tau tias twb muaj 13 hnub lawm. Feem ntau, yog siv los rau lub sijhawm uas muab tus neeg tuag faus tau kaum peb hnub lawm.
[English] (n) A period which has 13 days, esp. used to refer to the 13th day

© 2003 Jay Xiong. All rights reserved.

after the burial of a deceased or dead person.

tsuj[1] (u) Muab txhais taw mus nias losyog tso rau sauv: *Nws tsuj kuv txhais tes.*
[English] (v) To step on, such as to put or press a foot on top of something.

tsuj[2] (u) Yuam, hais kom ua: *Tus nom tsuj cov pejxeem.*
[English] (v) To control; to manipulate, such as by using power or authority.

tsuj tsawg (pu) Tsis muaj ntau zaus; zaum puav xwb: *Tsuj tsawg li muaj ib zaug.*
[English] (adv) Seldom, rarely, not often.

tsujkug (nth) Ib lo lus uas siv los piav txog thaum ev losyog nqa tej yam hnyav, thiab muab tso lossis txawb tej: *Tsujkug, hnyav ua luaj no!*
[English] (interj) A sound made during lifting heavy items.

tsum[1] (u) Tsis ua ntxiv; tso tseg, theem: *Peb tsum peb txoj kev ua si.*
[English] (v) Stop, quit, end.

tsum[2] (y) Ib lub rooj uas neeg fiab los kom zoo muab zaub thiab mov tso rau sauv; lub phaj tsum: *Peb noj mov saum lub tsum.*
[English] (n) A small and round woven table, esp. made with bamboos.

tsum[3] (u) Raug losyog tau thiab siv tuaj tomqab ntawm lo ua xwb: *Noj tsum, tua tsum, kov tsum, nphav tsum ltn...*
[English] (v) Get, have, esp. used in a past participle form, i.e., gotten, had.

tsuv (y) <Lees> Tus tsov: *Nwg pum tug tsuv.*
[English] (n) <Leng> Tiger.

tsw (u) Hnov los ntawm lub qhov ntswg: *Tus dev tsw phem; tus tuag tsw lwj.*
[English] (v) Smelly, smell; having a smell or odor.

tsw ha (u) Tsw qab xws li cov mov tshiab siav tej: *Cov mov tshiab tsw ha heev.*
[English] (v) Having an aroma and fresh olfactory sense or smell.

tsw qab (y) Tsw xws li ua rau nyiam losyog xav hnia: *Tais mov tsw qab heev.*
[English] (v) Having a pleasant and desirable sense or fragrance.

tswb[1] (y) Tej lub menyuam hlau uas khoob thiab muaj ib losyog ntau lub qe hlau nyob rau hauv: *Lub tswb neeb; lub tswb nyuj.*
[English] (n) Bell, esp. the hollow metal instrument that can produce sounds.

Tswb[2] Ib lub xeem Hmoob: *Nws lub xeem yog Tswb.* Ib lub npe siv rau cov tub.
[English] One of the Hmong's last name--Chue (Chew). Also a proper name for boys.

© 2003 Jay Xiong. All rights reserved.

tswb hluav taws* (y) Cov tswb uas neeg tsim thiab muab tso rau hauv tsev, xws li kom thaum muaj hluav taws kub lossis muaj kub hnyiab es nrov tej: *Nws muaj peb lub tswv hluav taws.*
[English] (n) Fire alarm.

tswb tsaig (y) Ob daim nqaij uas nyob hauv qab ntawm tus qaib lub tobhau. Feem ntau, yog cov lau thiaj li muaj daim loj xwb: *Tus lau qaib ob daim tswb tsaig.*
[English] (n) Wattle (of a rooster or chicken, for example).

Tswb Tshoj Ib tus neeg Hmoob uas nws niam yog neeg tabsis nws txiv yog tus npua. Qhov no tsuas yog qee leej Hmoob ntseeg xwb. Tsis tas li no, Tswb Tshoj yog ib tus Hmoob ua nom loj thiab yog Hmoob ib tus Vaj thaum ub.
[English] A name of a Hmong man, some people believe, his father was a pig.

Tswb Xyas Ib tus tsov uas muaj hwjchim thiab yog ib tus dab: *Tswb Xyas.*
[English] A tiger that, some Hmong people believe, was powerful in a ghostly or spiritually way that existed at one point in Laos.

tswg (y) Tus ncej losyog tus pas uas siv los txhos rau hauv av: *Muab nyuj khi rau ntawm ob tus tswg.*
[English] (n) Anchor or lock device used to secure things into the ground.

tswj[1] (u) Saib xyuas; hais thiab qhuab qhia; tuav losyog ua kom nyob: *Nws tswj nws cov menyuam.*
[English] (v) Control, govern.

tswj[2] (u) Tuav losyog khaws cia: *Nws tswj sia nyob tos peb.*
[English] (v) To hang on to (one's life, for example); to hold on to.

tswjhwm (u) Tswj, saibxyuas thiab kav: *Tus nom tswj hwm nws lub tebchaws.*
[English] (v) Control, supervise, govern.

tswjtsiag (y) Tus menyuam pas uas nyob nruab nrab ntawm tus niam ntxiab thiab tus txiv ntxiab, thiab yog siv los caws rooj ntxiab: *Siv tus tswj tsiag los caws rooj ntxiab. Thaum tus nas nias tus tswjtsiag ces rooj ntxiab thiaj txhais.*
[English] (n) A trigger made from a small wooden stick, and used for the ground traps, esp. for catching mice and birds.

tswm[1] (u) Muab nias losyog npuj kom ruaj thiab khov. Feem ntau yog piav txog xws li yam uas muab nias rau hauv lub qhov xwb: *Nws tswm cov tshuaj rau hauv rab phom. Nws tswm tus ncej kom mus tob rau hauv av.*

© 2003 Jay Xiong. All rights reserved.

[English] (v) To pound (something into the ground, for example); to press by pounding or striking, an object, into a hole or the ground, for example.

tswm[2] (u) Zoo uas xws li tsis raws plab thiab tso quav lawm: *Nws lub plab tswm lawm.* (p) Nyob twjywm; nyob tus: *Tus menyuam nyob tswm lawm.*

[English] (v) Settled, suppressed, subdued, such as a diarrhea stopped or ended. (adj) Settled down; calmed down.

tswm[3] (y) Peb xws li tus ntawv suav nyob nruab nrab ntawm tus 2 thiab tus 4: *Peb ib tswm (3 tus) xyab txhos rau saum lub thaj neeb.*

[English] (n) A term used to mean three, such as a number 3.

tswmciab (y) Tej tus uas yog muab roj ua thiab muaj ib txoj xov paj nyob rau hauv plawv: *Neeg taws tswmciab ua ntej thaum yuav teev Ntuj.*

[English] (n) Candle.

tswmseeb (u) Tsis txhob hais lus; mloog twjywm; nyob twjywm: *Thov nej tswmseeb vim peb muaj lus yuav hais.*

[English] (v) Quiet, silent; to be quiet.

tswmthawj (y) Rab losyog tus ntoo uas muaj ob tog loj, tabsis hauv nruab nrab me. Feem ntau neeg siv los tswm xws li av tej xwb: *Ib rab tswmthawj.*

[English] (n) A wooden hand tool where both ends are big and held by both hands in the middle. Mostly used this tool to pound on dirt or by making the ground more firm.

tswv (y) Tus uas kav; yog nws li: *Nws yog tus tswv ntawm tus nyuj.*

[English] (n) Owner.

tswvyim (y) Lub losyog yam uas tsim txoj kev xav nyob ntawm neeg losyog tsiaj tej: *Nws lub tswvyim zoo nws thiaj kawm tau ntawv zoo.*

[English] (n) Idea, thought, brain.

tu[1] (u) Muab ua kom xws li ib txoj hlua mus ua ob txoj: *Txoj hlua tu ua ob txog.*

[English] (v) Break, such as separate into two or more pieces.

tu[2] (u) Tsis muaj ntws uas xws li yam yog kua; tsum: *Nag tus lawm; dej tu lawm.*

[English] (v) Stop (the rain stopped, for example); diminish, end.

tu[3] (u) Tuag uas xws li tsis muaj sia lawm; theem: *Nws siav tu lawm.*

[English] (v) Stop, such as not functioning or living anymore.

tu[4] (u) Saib xyuas thiab ua rau noj losyog rau hnav: *Nws tu cov menyuam.*

© 2003 Jay Xiong. All rights reserved.

***[English]** (v) Care, nurture.*

tu[5] (u) Ua kom tsis txhob muaj kev qias; ntxuav: *Nws tu nws lub tsev zoo heev.*
***[English]** (v) To maintain; to take care (a house, for example).*

tu[6] (u) Muab xws li daim av losyog thaj teb los faib kom muaj ciam: *Nws mus tu lawv cov liaj.*
***[English]** (v) Divide, partition, such as lands or lots.*

tu[7] (u) Hais kom haum; pab txiav txim rau; kho: *Nws tu rooj plaub tiav lawm.*
***[English]** (v) Resolve, such as to solve matters or issues.*

tu[8] (u) Tsis muaj txaus, txwm losyog puv li: *Cov nyiaj tu ob puas lawm.*
***[English]** (v) Short, such as not add up; missing small amount or quantity.*

tu ncua (pu) Tu uas xws li tsis nyob uake; tsis sibcuag lawm: *Nej khiav mus deb~ lawm ces yuav tu ncua peb txoj kev sibpab.*
***[English]** (adv) End, diminish, cease (a relationship or bond, for example).*

tu noob (u) Tsis muaj ntxiv li lawm; tag nrho lawm; tsis tshuav noob lawm: *Cov nas tu noob lawm.* (p) *Nws muab cov twm tua tu noob lawm.*
***[English]** (v,adj) To become extinct; having none left.*

tu qab (p) Tsis muaj ntxiv li lawm; tsis tshuav lawm: *Lawv mus tu qab lawm.*
***[English]** (adj) All left; all gone. Ex: They are all gone or left.*

tu siab (u) Ua rau chim thiab tsis muaj kev nyiam losyog kev hlub lawm: *Nws tu siab rau nej vim nej tsis hlub nws.*
***[English]** (v) Disappoint, despair and mostly used to describe when someone is upset due to certain unfair treatment or situation.*

tu siab-tu saus (u) Tu siab thiab feem ntau yog siv rau lub caij ntuas neeg xwb.
***[English]** (v) Disappoint, despair and mostly used to describe when someone is upset due to certain unfair treatment or situation.*

tua[1] (u) Muab ua kom tuag: *Nws tua tus qaib.*
***[English]** (v) Kill, murder, assassinate, slay, slaughter.*

tua[2] (u) Nyem tus qib phom uas xws li kom rab phom nrov: *Nws tua phom ua si.*
***[English]** (v) Shoot (a gun, for example).*

tua qha (pu) Mus ncajqha: *Nws tua qha mus tsev.*
***[English]** (adv) Straight, directly. Ex: He went directly home.*

tuab[1] (u) Dav thiab loj uas xws li pib sab no mus txog rau sab tov; tsis nyias:

© 2003 Jay Xiong. All rights reserved.

Daim ntoo tuab heev. (p) Piav txog yam uas tuab. Lus rov: *Nyias.*
***[English]** (v,adj) Thick (The table is thick and heavy, for example).*
tuab[2] (u) Nyob sib ze heev: *Nws cov pobkws tuab dhau.* (p) Yam uas tuaj tuab: *Nws cog cov pobkws tuab dhau.*
***[English]** (v,adj) Thick, such as planting many trees in a crowded area.*
tuab[3] (p) <Lees> Tib, xws li tib hnub; tib zaug ltn... *Peb moog tuab hnub hov.*
***[English]** (adj) <Leng> Same, exact. Ex: We went the same day.*
tuablu (p) <Lees> Luv zog; luv mentsis: *Koj txaav tau tuab lu lawm.*
***[English]** (adj) <Leng> Shorter (the length is shorter, for example).*
tuabneeg (n) <Lees> Tibneeg, leej tibneeg; neeg: *Peb yog tuabneeg hab.*
***[English]** (n,adj) <Leng> Human, human being, humankind.*
tuabntws (pu) 1. Muaj ntau nyob sibze; tuab: *Cov pobkws tuaj tuabntws.* 2. Tuaj losyog muaj sai heev: *Nws yug menyuam tuabntws.*
***[English]** (adv) 1. Thick, such as planting many trees closely together. 2. Having or bearing many (children, for example) closely to each other.*
tuabsi (p) <Lees> Tibsi, tas nrho: *Nwg muab tuabsi rua kuv.* (pu) Thiab, tibyam.
***[English]** (adj) All, whole. (adv) Too, same.*
tuag[1] (u) Tsis muaj sia lawm; tsis ciaj: *Tus nas tuag ntawm kev.*
***[English]** (v) Die, such as cease to exist or live.*
tuag[2] (u) Tsis muaj zog; tsis paub loj li: *Nws ib sab tes tuag lawm.*
***[English]** (v) Paralyze, disfunction or dysfunction.*
tuag aws (p) 1. Phem; tsis zoo meej; tsis zoo li siab nyiam: *Nws ua num tuag aws dhau es lawv thiaj li tsis yuav nws.* 2. Ruam: *Nws hais lus tuag aws dhau.*
***[English]** (adj) (slang) 1. Poor, as not adequate in quality. 2. Stupid, dumb.*
tuag nthi (pu) Tiag, tseeb, kawg nkaus, heev: *Kuv nyiam nws tuag nthi.*
***[English]** (adv) Completely, wholly, entirely. Ex: I like it completely.*
tuaj[1] (u) Txav mus rau ntawm tus neeg hais lus losyog ib qhov chaw uas teem tseg: *Nws tuaj ntawm peb; nws tuaj nov.*
***[English]** (v) Come, travel. Ex: He comes to us; he comes here.*
tuaj[2] (u) Muaj tawm los xws li tej kaus nplej losyog kaus ntsuag; hlav: *Tsob xyoob tuaj ib co ntsuag; tus menyuam tuaj ib tus hniav.*
***[English]** (v) To branch; to shoot, such as to produce new bamboo shoots.*

© 2003 Jay Xiong. All rights reserved.

tuaj[3] (u) Txais, tuav, nqa: *Koj tuaj tog me es kuv tuaj tog loj.*
[English] (v) Take, grasp, grip. Ex: You take the small part.

tuaj[4] (u) Muab, pab: *Nws tuaj tsib puas hos peb tuaj ib txhiab.*
[English] (v) Willing to pay; responsible for. Ex: He pays the $500 and we pay the $1,000.

tuam[1] (u) Muab txhais taw ntiab losyog thawb mus: *Tus nees tuam tus nyuj.*
[English] (v) To push or shove using the foot; to kick with the base of a foot.

tuam[2] (u) Muab tej yam los ua kom neeg mus, taug lossis hla: *Nws tuam tus choj.*
[English] (v) To construct or make (a bridge, for example); to bridge.

tuam[3] (u) Muab pub rau xws li thaum niamtais thiab yawmtxiv pub nyiaj losyog khoom rau tus ntxhais thiab tus vauv; phij cuam: *Lawv muab txoj saw kub tuam rau tus ntxhais thiab tus vauv.*
[English] (v) To give as a gift, esp. during a wedding; to donate.

tuam meej tuam pem (pu) Txhob txwm, tabmeeg, xwbtim: *Nws tuam meej tuam pem ua xwb.*
[English] (adv) Purposely, intentionally.

tuam mejkoob (y) Tus thawj mej koob: *Nws yog tus tuam mejkoob.* Hmoob siv ob tus mejkoob: *Tus tuam mejkoob thiab tus lwm mejkoob.*
[English] (n) The Hmong "mekong" who is in charge of the wedding negotiation and ceremony. His role is similar to a mediator.

tuam phom (y) Cov phom loj uas xws li muaj log thiab tua mus tau deb heev: *Ib rab tuam phom.*
[English] (n) Cannon, esp. a large, mounted weapon.

tuam phov (u) Khiav losyog mus; dhia: *Nws tuam phov lawm.*
[English] (v) Run. Ex: He ran away.

tuam tsev (y) Tsev, lub tsev: *Nws muaj ib lub tuam tsev loj heev.*
[English] (n) House, home, building.

tuam tshij (y) Rab uas yog muab hlau ua thiab zoo li rab taus. Feem ntau yog neeg siv los tsoo pobzeb lossis ntoo tej: *Siv rab tuam tshij los tsoo lub pobzeb.*
[English] (n) A device resembling a hammer, but the attached head is much bigger and heavier.

Tuam Tshoj (y) Nyob rau pem tebchaws Suav: *Lawv nyob pem Tuam Tshoj.*

© 2003 Jay Xiong. All rights reserved.

[English] (n) China; a place or location in China.

tuam txhob (y) Rab hlau uas siv los khawb qhov av: *Ib rab tuam txhob.*

[English] (n) Hoe; a hoe like tool which used mostly for digging holes.

tuav[1] (u) Muab txhais tes mus nyem uas xws li kom tsis txhob plam: *Nws tuav kuv txhais tes; nws tuav tus pas.*

[English] (v) Hold, grasp or grip, esp. by using the hand.

tuav[2] (u) Muab quj, tsoo losyog ua kom mos: *Nws tuav cov kua txob.*

[English] (v) Crush, grind. Ex: She crushes the peppers.

tuav[3] (u) Hais tus neeg lub npe; tham txog tus neeg lub npe: *Nws tuav kuv npe.*

[English] (v) Mention, say or call (someone's name, for example).

tuav cos (u) Muab txhais taw mus tsuj tus ceg cos xws li thaum tuav txhuv tej: *Nws tabtom tuav cos; nws tuav co ib hnub.*

[English] (v) To operate a Hmong "cos" or rice mortar.

tuav npe txog kwj tse (z) Ib zaj lus hais thiab txhais tau tias yog yus tuav losyog hais txog tus neeg ntawv lub npe, ces feem ntau, nws tuaj txog ntawm yus kwj tse lawm.

[English] (idiom) If we mention someone's name, he/she might be at the door or nearby the house already.

tuayuag (y) Ib hom noog uas luaj li tus nyuam qaib thiab muaj tw ntev: *Ib tus noog tuayuag tsaws saum tsob ntoo.*

[English] (n) Certain kind of tropical bird.

tub[1] (y) Yus cov menyuam uas tsis yog ntxhais: *Kuv niam muaj peb tus tub.* Lus rov: *Ntxhais.*

[English] (n) Son. Ant: Daughter.

tub[2] (u) Muab raus rau hauv dej losyog tej yam kua kom ntub me~: *Muab txoj phuam tub dej.*

[English] (v) Dip (a cloth into water, for example).

tub[3] (u,p) <Lees> Tob uas xws li tsis ntiav: *Tug dlej tub heev.*

[English] (v,adj) <Leng> Deep, such as not shallow. Ex: The river is deep.

tub plus zos (y) Cov tub hluas uas mus ncig zos thiab tham hluas nkauj tej: *Lawv yog cov tub plus zos.*

[English] (n) Guys that go around the city mainly just to chat with girls.

© 2003 Jay Xiong. All rights reserved.

tubki (y) Menyuam, xws li yus tej tub thiab ntxhais: *Nws muaj kubki coob heev.*
[English] (n) Kid, child, children.

tubncig (y) Cov neeg uas tuaj pab khiav haujlwm lossis dejnum nyob rau hauv lub ntees ntuag: *Peb yog cov tubncig.*
[English] (n) The people who, normally men, help and take care of responsibilities or handle duties at a funeral.

tubnkeeg (u) Tsis xav ua haujlwm; xav nyob xws li tsis ua dabtsi; nkees: *Nws tubnkeeg heev vim nws pw tas hnub xwb.* Lus rov: *Nquag.* (p) Tus neeg uas tubnkeeg losyog nkees: *Nws yog ib tus neeg tubnkeeg.*
[English] (v,adj) Lazy. Ant: Ambitious, energetic.

tubnyiag (y) Kev nyiag losyog muab lwm tus neeg cov khoom, nyiaj losyog yam. Feem ntau, neeg siv lo tias "tubsab-tubnyiag" no xwb.
[English] (n) Thief, theft.

tubnyuag (y) Tsev neeg; poj niaj thiab tub se. Feem ntau, neeg siv tomqab ntawm lo "niamtxiv" xwb: *Peb tej niamtxiv tubnyuag sibhlub heev.*
[English] (n) Family, such as a husband, wife and children.

tubqaug (u,p) Ua rau tsis zoo siab; txhaum, chim: *Nws ua tubqaug peb heev.*
[English] (v) Piss off; to make (a person mad or unhappy, for example).

tubrog (y) Cov neeg uas muaj riam thiab muaj phom xws li los saib xyuas lub tebchaws kom txhob muaj tsovrog: *Nws yog ib tus tubrog.*
[English] (n) Soldier.

tubrog nkoj* (y) Cov tubrog uas ua haujlwm nyob rau hauv nkoj: *Nws yog ib tus tubrog nkoj.*
[English] (n) Marine, such as soldiers who serve on a ship or in the navy.

tubrog nyuj hoom* (y) Cov tubrog uas tsav nyuj hoom mus sibtua xwb: *Nws yog ib tus tubrog nyuj hoom.*
[English] (n) Air force; soldiers who served in the air force.

tubsab (y) Tus neeg uas nyiag losyog muab lwm tus li khoom xws li tsis them nyiaj losyog tsis qhia tus tswv paub: *Tus tubsab nyiag lawv tus twm.* (u) Muab nyiag: *Nws tubsab lawv tus twm.*
[English] (n) 1. Thief. 2. Theft. (v) Steal, thieve.

tubse (y) Tus pojniam thiab cov menyuam. Feem ntau, yog siv nrog rau lo

© 2003 Jay Xiong. All rights reserved.

"pojniam", xws li pojniam tubse ltn...

[English] (n) Family, esp. such as a wife and the children.

tug (p) Yog nws li: *Koj muab nws tug.* (h) Tus: *Tsis muaj ib tug neeg tuaj li.*

[English] (adj) Belonging to (a person). Used to indicate the owner of. (cl) Used to classify nouns, such as a person, an animal, a river etc...

tujlub (y) Lub uas yog muab ntoo txua thiab muaj ib tog tus hos ib tog ntse. Neeg muab ib txoj hlua los khi thiab muab rub kom lub tujlub kiv rau hauv av: *Lub caij Pebcaug neeg nyiam ntaus tujlub heev.*

[English] (n) Top, such as used for spinning at the Hmong New Year.

tujtaws (pu) Muaj (tham) tsis tu; muaj nrov luj loos: *Nws tham tujtaws tas hnub.*

[English] (adv) Continuously, esp. when talking for very long period of time.

tujtiag (pu) Muaj tiag losyog tseeb; tsis dag: *Nws tuaj tujtiag.*

[English] (adv) Really, actually, factually.

tujtoog (pu) Ua npau suav pom ntau zaus: *Nws ua npau suav tujtoog pom koj.*

[English] (adv) Frequently, off and on, esp. such as when dreaming of.

tujtoov (pu) Majmam mus kev xws li yog muaj mob losyog mob ob txhais taw: *Nws mus tujtoov vim nws muaj 100 xyoo lawm.*

[English] (adv) To walk slowly, esp. such as a very old and sick person.

tum[1] (u) Muab tso uake; muab teeb ua ib pawg: *Nws tum cov vuas ua ib pawg.*

[English] (v) Stack, pile, heap. Ex: He stacks the logs into a big pile.

tum[2] (u) <Lees> Tom, xws li muab hniav xo: *Tug dlev tum nwg txhais taw.*

[English] (v) <Leng> Bite. Ex: The dog bites his foot.

tus[1] (y) Yam, qho, tej tug: *Muaj ntau tus.*

[English] (n) Noun, such as trees, birds, fish etc...

tus[2] (h) Hom uas zoo xws li tus tej: *Ib tus neeg; tus ntoo; tus pas; tus ntses ltn...*

[English] (cl) Used to classify nouns such as a tree, stick, fish, man etc...

tus[3] (u) Tiaj xwm yeem uas xws li tsis muaj siab, tsis muaj qis: *Daim liaj tus heev.* (p) Yam uas tus losyog tiaj: *Nws muaj ib daim liaj tus heev.*

[English] (v,adj) Even, flat. Ex: His farm is very flat.

tus[4] (p) Muaj lub siab ncaj thiab zoo: *Nws coj tus heev.*

[English] (adj) Honest, fair, sincere. Ex: He is an honest person.

tus[5] (p) Tsis muaj kev sib ntaus thiab sibtua: *Lub tebchaws tus lawm.* Feem ntau

© 2003 Jay Xiong. All rights reserved.

neeg siv tias lub tebchaws tiaj tus lawm xwb.
[English] (adj) Peaceful, such as without turmoil or war.

tusyees (pu) Ncaj qha; tsis muaj siab thiab tsis muaj qis: *Nws khiav tusyees lawm.*
[English] (adv) Evenly, straightforward. Ex: She ran straightforward.

tuv (y) Ib hom kab me~ uas zoo li cov mub thiab muaj nyob ntawm tej tsiaj, xws li dev thiab nas cov plaub: *Tus dev muaj tuv ntau heev.*
[English] (n) Louse, lice.

tw[1] (y) Tus uas tuaj nyob rau nram tus tsiaj lub pobtw: *Dev tus tw; nyuj tus tw.* Ib txhia neej kuj siv los "ko tw" no thiab.
[English] (n) Tail. Ex: Tiger has a long tail.

tw[2] (y) Ntu losyog yav uas kawg; yam uas seem: *Nws tuaj lig ces nws tau tw.*
[English] (n) The leftover part or portion.

tw[3] (y) Ntu tomqab losyog ntu uas xaus xws li thaum muaj kev ua si tej.
[English] (n) The ending part (of a program, for example).

tw[4] (y) Tus taw losyog qhov kawg nyob ntawm lub ris lossis lub tsho tej.
[English] (n) The hem of a shirt, pants, dress etc...

tw[5] (y) Qhov kawg ntawm xws li ntses lub cev; ko tw ntses: *Ntses tus tw.*
[English] (n) Fin (the tail or fin of a fish, for example).

tw tiab (y) Zaj taw uas kawg ntawm daim tiab: *Xaws tus tw tiab.*
[English] (n) The hem of a dress.

tw tsho (y) Zaj taw ntawm lub tsho, thiab feem ntau yog piav txog sab nyob rau nraum lub nrobqaum xwb.
[English] (n) The hem of a shirt.

twb[1] (u) Ua kom chwv; ua kom ti rau: *Muab diav mov twb nws lub qhov ncauj.*
[English] (v) Touch, esp. by joining or connecting to the surface.

twb[2] (pu) Ua tag losyog dhau los: *Nws twb noj mov tas.*
[English] (adv) Already.

twbyog (tx) Vim tias; uas yog; rau qhov tias: *Nws chim twbyog kuv cem nws.*
[English] (conj) Because.

twbzoo (pu) Majmam ua kom zoo losyog kom yog: *Nws ua twbzoo kho nws lub tsheb. Nws ua twbzoo qhia nws tus menyuam.* Ib txhia kuj hais siv tib zoo.
[English] (adv) Carefully, adroitly. Ex: He carefully fixes his car.

© 2003 Jay Xiong. All rights reserved.

twg[1] (t) Yam losyog tus neeg uas tsis paub; leej losyog tus twg: *Twg mus tsev lawm?* (p) Txhua lub caij ntawv: *Ib hlis twg peb tuaj sibtham ib zaug.*
[English] (pron) Who, which. (adj) Each, every.

twg[2] (pu) Ntawm qhov chaw uas tsis paub; qhov twg: *Nws nyob twg?* (y) Qhov chaw ntawv: *Mus txog twg los neeg nyob txhua.*
[English] (adv,n) Where, wherever.

twgtwg (t) Yam losyog tus neeg uas tsis paub; leej twg: *Twgtwg mus tsev?*
[English] (pron) Who, which person.

twj (y) Neeg tej khoom, xws li koom siv tej: *Nws tej twj ntau heev.*
[English] (n) Items or things, that of a household.

twjcuab (p) Nyob ib leeg losyog ib yig uas xws li tsis muaj ntau yim nyob ua ke: *Nws nyiam nyob twjcuab. Thaum ntawv lawv tseem nyob twjcuab xwb.*
[English] (adj) Alone, solitary, isolated, esp. when there are a few houses only.

twjkum[1] (y) Ib hom tsiaj uas zoo li tus twm tabsis muaj ib tus kub loj thiab ib tus kub me nyob ntawm nws lub hauvpliaj: *Nws pom ib tus twjkum.*
[English] (n) Rhino, rhinoceros.

twjkum[2] (y) Ib hom ntoo. Ib txhia neeg kuj siv los ua tshuaj, uas xws li zoo rau mob plab thiab kem plab tej. Qee leej kuj hu ua "ntoo twjkum" no thiab.
[English] (n) Certain kind of tropical tree.

twjneeb (y) Cov khoom uas siv los ua Neeb, xws li lub nruas, ob tus kuam, lub hnab, tus qws nruas, thiab lub tswb ltn...
[English] (n) The drum, bag, drumstick and the bell of a shaman.

twjtaig (y) Tais, diav losyog lauj kaub tej: *Nws muaj twjtaig ntau heev.*
[English] (n) Silverware, cookware; cooking utensils.

twjywm (p) Tsis ua suab nrov; nyob uas xws li tsis nti: *Nws nkaum twjywm.*
[English] (adj) Quiet, silent.

twm[1] (u) Hais lus raws cov ntawv; nyeem ntawv: *Nws twm kuv tsab ntawv.*
[English] (v) Read. Ex: She reads my letter.

twm[2] (y) Ib hom tsiaj uas luaj li nyuj tabsis nws nyiam nyob hauv pas dej thiab muaj ob tus kub: *Nws muaj ib tus twm.*
[English] (n) Buffalo, ox like animals.

twm[3] (p) Ib leeg; ib tug uas xws li twm npua, twm nyuj, twm neeg, twm siab ltn...

© 2003 Jay Xiong. All rights reserved.

[English] (adj) Alone, solitary.

twm tswb (y) Tus taw npua teb uas nyob ib tug xwb: *Nws pom ib tus twm tswb.*
[English] (n) A solitary, wild male pig.

twm xeeb (u) Yuav nws siab xwb; ua li nws ib leeg nyiam xwb: *Nws twm xeeb heev vim tsis muaj neeg hais tau nws li.* (p) Tus neeg zoo li: *Neeg twm xeeb.*
[English] (v,adj) Being selfish or self-centered, esp. when one does not listen to and/or not willing to take advice from others at all.

twm zeej (p) Ib leeg, tsis xyaw lwm tus: *Nws yog tus neeg twm zeej.*
[English] (adj) Alone, solitary. Ex: He is solitary person.

tws[1] (u) Muab xws li riam los txiav tej daim me~ tawm: *Nws tws tus ncej.*
[English] (v) To peel, strip, such as to chop or cut away the bark from a tree; to strip certain unwanted part or portion.

tws[2] (u) 1. Tsis muaj lwm txoj kev mus; xaus, kawg: *Txoj kev tws rau ntawm tus ntug dej.* 2. Tsis muaj ntxiv; tas: *Nws tws lus lawm.*
[English] (v) 1. Dead-end; end. 2. Stuck or run out of thought, idea or words.

twv[1] (u) Hais ua ntej thaum yuav tshwm sim losyog thaum tsis tau muaj tshwm: *Nws twv tias peb yuav tsiv peb lub tebchaws.*
[English] (v) Guess, predict.

twv[2] (u) Khav kom ua; hais kom ua: *Neeg ruam nyiam twv plaub ntug.*
[English] (v) To dare; to defy by daring (someone to do something).

twv txiaj (u) Muab nyiaj mus twv uas xws li kom tau ntau los: *Nws twv txiaj loj heev es nws thiaj li pluag.*
[English] (v) Gamble, esp. when betting with money.

twv txiaj-yuam pov (u) Mus twv txiaj losyog ua yam uas muab nyiaj twv ntawv: *Ua neeg nyob txhob mus twv txiaj-yuam pov.*
[English] (v) Gamble, esp. when betting with money.

twvyaj (y) Lub ntsis nyob ntawm tsob pobkws: *Txhua tsob pobkws yuavtsum muaj ib tus twvyaj.*
[English] (n) The tip (flower) of a corn stalk.

tx (y) Ib tus ntawv siv rau cov lo lus xws li txoob, txi, txiv, txaus ltn...
[English] (n) A consonant used for words such as "txi, txiv, txaus" etc...

txa (u) <Lees> Txia, xws li nws txias mus ua lwm haiv neeg. Saib los "txia."

© 2003 Jay Xiong. All rights reserved.

[English] *(v) <Leng> Transform; to change one's identity. See also "txia."*

txab (y) Cov kua uas tawm ntawm lub txiv los: *Yeeb muaj txab ntau heev.*
[English] *(n) The liquid or juice coming off the opium (unripe) pods of the opium poppies.*

txag (y) Lub txaj uas neeg pw. Lo lus no thiab lo txaj yog txhais tib yam xwb. Xws li hauv qab txag thiab saum txaj.
[English] *(n) Bed, esp. a place used for sleeping.*

txaij (u) Muaj ntau txoj kab nyob uake: *Nws txaij zoo li tus tsov.* (p) Piav txog yam uas txaij ntawv: *Daim ntaub txaij; daim pam txaij ltn...*
[English] *(v,adj) Having stripes; being striped.*

txaij nim txaij nob (p) Muaj ntau kab txaij: *Nws txiav cov plaub hau txaij nim txaij nob; tus tsov lub cev txaij nim txaij nob.*
[English] *(adj) Having many stripes; very striped.*

txaij vog (p) Muaj xws li txaij tsis ntev; txaij tsis heev: *Tus tsov khiav txaij vog.*
[English] *(adj) Sort of striped; displaying stripes in a quick manner.*

txaij zees (p) Txaij xws li muaj ntau txoj kab: *Pom ib tus tsov txaij zees.*
[English] *(adj) Having many stripes, such as a tiger.*

txais[1] (u) Cev txhais tes mus tuav; siv txhais tes mus cug: *Koj txais kuv tais mov; koj txais nws rab diav.*
[English] *(v) Receive; to take (by receiving) things from others.*

txais[2] (u) Qiv mus es mam them rovqab rau: *Nws txais kuv ib puas nyiaj.*
[English] *(v) To borrow (money from someone, for example).*

txais[3] (u) Mus txiav, tshuam losyog teb lwm tus zaj lus: *Kuv txais koj lus.*
[English] *(v) To interrupt, esp. during someone's conversation.*

txais[4] (u) Mus teb xws li hais lus rau: *Kuv hu nws tsis txais li.*
[English] *(v) Answer, such as to receive a phone call.*

txais[5] (u) Ua kom xws li mus txiav rau pem hauv ntej: *Cov yeeb ncuab txais lub nyuj hoom poob lawm.*
[English] *(v) Intercept.*

txaj (y) 1. Lub chaw uas neeg pw; txag: *Nws pw saum txaj.* 2. Chav losyog qhov chaw uas neeg pw: *Nws nkaum hauv txaj.*
[English] *(n) 1. Bed. 2. Bedroom.*

© 2003 Jay Xiong. All rights reserved.

txaj dej* (y) Cov txaj pw uas hauv plawv muaj dej: *Nws nyiam pw txaj dej xwb.* ***[English]*** *(n) Waterbed.*

txaj zeb (y) Tej lub zoo li txaj, tabsis yog ua los rau pobzeb xwb. Feem ntau, neeg ua txaj zeb nyob rau saum tej roob siab, thiab siv rau lub caij ua tubrog xwb. ***[English]*** *(n) A bed where people stack or put big rocks on, and mostly make these beds on top of a high mountain. Long time ago, the Hmong people would use these beds of rocks as a way to stop their enemies from climbing after the Hmong people.*

txajmuag (u) Tsis muaj peev xwm pom losyog ntsib: *Tus nyab tshiab txajmuag heev.* (p) *Tus neeg txajmuag tsis kam hais lus.* ***[English]*** *(v,adj) Shy, timid. Ex: The new daughter-in-law is so shy.*

txam (u) Muab rab txam ntxwv los txaug xws li pobzeb tej: *Siv rab txam ntxwv txam daim pobzeb.* ***[English]*** *(v) To Chisel with a "txam ntxwv."*

txam ntxwv (y) Rab uas yog muab hlau ua thiab zoo li rab txaug, tabsis loj thiab siv los txam (txaug) pobzeb xwb: *Nws muaj ib rab txam ntxwv.* ***[English]*** *(n) A steel chisel which used for chiseling rocks or big stones.*

txau (u) Ua kom cov dej txaws lossis dhia mus: *Nws txau dej rau peb.* ***[English]*** *(v) Spray, disperse (water, for example).*

txaug (y) Rab losyog daim hlau uas luaj li tus ntiv tes, thiab nws muaj ib tog ntse, thiab neeg siv los tho qhov ntoo tej: *Nws muaj ib rab txaug.* (u) Muab rab txaug los tho qhov: *Nws txaug tau ib lub qhov.* ***[English]*** *(n) Chisel. (v) To chisel.*

txauj (y) Tej daim me~ xws li tej daim dib; txaug: *Nws phua lub dib ua plaub txauj.* (u) Muab txhais tes lossis taw mus quj losyog khawb: *Tus nees txauj av.* ***[English]*** *(n) Piece (he cuts the cucumber into four pieces, for example). (v) To dig, tap the ground with the tip of a foot; to stamp.*

txaum (y) Muaj li ib menyuam diav tej. Feem ntau yog siv piav txog xws li tej yam tsis ua kua xwb: *Nws muab tau ib txaum noob zaub rau kuv.* ***[English]*** *(n) A unit of mass or weight equals to a teaspoonful.*

txaus (u) Muaj txhua rau; muaj ntau, seem: *Tsu mov txaus peb noj.* (p) Loj lossis puv xws li tsis muaj loj ntxiv lawm: *Lub txiv loj txaus; nws laus txaus.*

© 2003 Jay Xiong. All rights reserved.

[English] *(v) Enough, suffice. (adj) Fully mature grown.*

txaus siab (u) Nyiam, pomzoo, yeem: *Nws txaus siab rau koj cov lus.*

[English] *(v) Satisfy, content, happy with.*

txauv (u) Muab lwm yam los hloov; nyob lwm tus qhov chaw: *Nws txauv kuv qhov chaw.*

[English] *(v) Exchange, swap, change; to replace or take the place of.*

txav[1] (u) Mus nyob lwm qhov chaw: *Nws txav rau nram hav.* Hmoob Lees ces yog hais tias "txaav" no.

[English] *(v) Move, relocate.*

txav[2] (u) <Lees> Muab txiav: *Nwg txav txuj hlua.*

[English] *(v) <Leng> Cut, chop.*

txawb[1] (u) Muab cuam losyog ua kom dhia ntawm txhais tes mus: *Nws txawb lub pobzeb–txhais tias nws cuam lub pobzeb mus.*

[English] *(v) Throw, cast, pitch.*

txawb[2] (u) Muab tso losyog cia rau, thiab feem ntau yog siv rau yam khoom uas xws li txawj vau xwb: *Nws txawb fwj cawv rau saum rooj.*

[English] *(v) To set or lay (something) down or put (something) on top of something else. (he laid his bottle on top of the table, for example).*

txawj (nu) Paub, muaj peev xwm ua tau zoo: *Nws txawj hais kwv txhiaj.*

[English] *(aux. v) Know, know how to. Ex: She knows how to sing.*

txawm[1] (u) Tuaj losyog muaj nyob rau ntawv: *Tsob nroj txawm rau ntawm ntug dej; tej nroj txawm rau tom hav zoov.*

[English] *(v) Live, exist, such as plants and trees.*

txawm[2] (pu) Yuavtsum: *Yog koj nyiam ces txawm qhia.*

[English] *(adv) Then, therefore.*

txawm[3] (pu) Tab yog tias; muaj li lawm los: *Koj txawm muab los kuv tsis yuav.*

[English] *(adv) Even, nonetheless; even though.*

txawm[4] (tx) Feem ntau yog siv los pib zaj lus: *Txawm nej mus los peb nyob.*

[English] *(conj) Although; even though.*

txawm ho (pu) Uas xws li; zoo li: *Nws txawm ho mus lawm los koj txhob chim.*

[English] *(adv) Even though; although.*

txawm sis (tx) Xws li, lossis thiab yog siv rau lub caij hais cov lus los khi tes lossis

© 2003 Jay Xiong. All rights reserved.

thaum hu plig xwb.
[English] (conj) And/or, or.

txawm siv (pu) Sai heev; tsis tau ntev los: *Peb nyuam qhuav noj mov tas nws txawm siv tshaib plab lawm.*
[English] (adv) Already, again. Ex: We just ate but he is already hungry.

txawm tias (pu) Tabtxawm yog li los: *Txawm tias koj pomzoo los peb tsis kam.*
[English] (adv) Even though, esp. used as an intensive; nonetheless.

txawm yog tias (pu) Tabtxawm zoo li; txawmtias xws li ntawv: *Txawm yog tias nws pluag los nws tsis tubsab.*
[English] (adv) Even though, nonetheless; in spite of.

txaws (u) Ua rau dej losyog tej yam kua dhia tuaj: *Cov dej txaws tuaj ntub peb.*
[English] (v) Splash; to cause something to splash or scatter in flying masses.

txawv (u) Tsis zoo li ib yam; tsis sisthooj: *Tus nees txawv tus nyuj.* (p) *Nws muab yam uas txawv tshaj rau kuv.*
[English] (v) Differ. (adj) Different.

txee (y) Qhov chaw uas ua los rau tais thiab diav: *Cov tais nyob saum lub txee.*
[English] (n) Cabinet, shelves.

txeeb (u) Mus txhav; muab lwm tus lis los ua yus li. Feem ntau yog muab xws li lwm tus tsis kam losyog tsis yeem: *Nws txeeb lawv tais mov los noj.*
[English] (v) Snatch; to seize hastily; to take or seize (things) from other's possession.

txeebzig (y) Yam mob uas ua rau tso zis nyuaj, mob thiab ua rau cov zis daj~heev: *Nws mob txeebzig.*
[English] (n) Urinary bladder infection. Also known as U.T.I.

txeej (u) Ua poob tawm mus; phwj losyog ntws rau sab nrauv: *Thoob dej txeej.* (p) Yam uas txeej: *Tus menyuam noj mov txeej dhau.*
[English] (v) Spill. (adj) Being spilled.

txeem[1] (u) Ua lub suab tawm hauv lub qhov ncauj tuaj; quaj. Feem ntau yog ib lo lus siv los cem cov menyuam uas quaj taug xwb: *Tus menyuam txeem taus ua luaj li; ua ntsuas txeem hwv!*
[English] (v) Cry (obscene). The proper term is "quaj."

txeem[2] (u) Txiv losyog txav mus rau qhov chaw ti losyog qhov uas tsis haum:

© 2003 Jay Xiong. All rights reserved.

Tus npua txeem mus hauv lub vaj.

***[English]** (v) Cram; to squeeze, such as to make room or space for oneself.*

txh (y) Ib tus ntawv siv rau cov lus xws li txhua, txhia, txheej, txhaum ltn...

***[English]** A consonant used for words such as "txhua, txhia, txheej" etc...*

txha (y) Cov tej tus uas dawb, tawv thiab muaj nyob hauv xws li neeg thiab tsiaj lub cev: *Ib tus neeg muaj 12 yas txha. Txha tes thiab txha taw ltn...*

***[English]** (n) Bone.*

txha nqaj qaum (y) 1. Tus txha uas nyob raws neeg losyog tsiaj lub rob qaum: *Txhua tus neeg muaj ib tus txha nqaj qaum.* 2. Tus neeg uas yog lub hauvpaus losyog tus uas txhawb kom muaj zog: *Leej twg yog nej tus txha nqaj qaum?*

***[English]** (n) 1. Backbone, spinal column. 2. The main support or major sustaining source.*

txha pobkws (y) Tus uas tuav cov noob pobkws: *Nws hlawv cov txha pobkws.*

***[English]** (n) Corncob.*

txhaam laaj (y) <Lees> Ib hom tshuaj ntsuab uas ib txhia neeg siv los xyaw nqaij qaib noj. Hmoob Dawb hu ua ntiv no. Feem ntau, neeg siv nrog lo lus "taabkib" no xwb, xws li taabkib hab txhaam laaj. Neeg nyiam siv los xyaw nqaij qaib rau cov pojniam uas tau menyuam thiab tseem nyob rau nruab hlis.

***[English]** (y) Certain kind of herb.*

txhab[1] (y) Lub tsev uas neeg ua los rau qoobloo: *Nws ua tau ib lub txhab.*

***[English]** (n) Silo, crib (esp. used for storing crops); granary.*

txhab[2] (u) Muab ntxiv lossis xyaw rau xws li kom txhob tas: *Nws txhab dej rau nws lauj kaub zaub.*

***[English]** (v) Add, esp. to pour or fill more of the same thing. Ex: Please add more water to your soup.*

txhab khaum phom (y) Daim losyog lub uas ua los tuav tus kav hlau ntawm rab phom: *Nws txua tau ib lub txhab khaum phom zoo nkauj heev.*

***[English]** (n) The base or frame of a gun, and mostly made from wood to hold the metal tube of a gun.*

txhab nyiaj (y) Lub tuam tsev uas muaj nyiaj txais rau neeg ua luam losyog yuav vajtse tej: *Nws muaj ib lub txhab nyiaj.*

***[English]** (n) Bank, such as a building where money is kept; savings bank.*

© 2003 Jay Xiong. All rights reserved.

txhab pobkws (y) Lub txhab uas ua los ntim--rau cov pobkws: *Nws ua tau ib lub txhab pobkws.*
[English] (n) Corncrib.

txhais[1] (u) Plam, poob uas xws li rooj ntxiab tej: *Rooj ntxiab txhais lawm.*
[English] (v) Trigger. Ex: The trap triggered already.

txhais[2] (u) 1. Qhia tias lo losyog zaj lus hais li cas: *Nws txhais Suav cov lus.* 2. Piav txog, siv tau tias: *Lo lus "ncaj" txhais tau ntau yam uas xws li 1) yog tsis nkhaus; 2) yog tsis siab phem.*
[English] (v) 1. To define the meaning of. 2. To translate, explain, expatiate.

txhais[3] (y) Daim, nplais, sab uas xws li tes thiab taw tej: *Nws muaj ntau txhais.* (h) Yam uas yog txhais: *Ib txhais khau; ob txhais tes ltn...*
[English] (n) Thing, object. (cl) Nouns such as a shoe, hand, foot etc...

txhaj[1] (u) Muab xws li rab koob uas muaj tshuaj los hno: *Nws txhaj tshuaj rau tus neeg mob; nws txhaj ib koob tshuaj rau kuv.*
[English] (v) Shot, such as pushing a needle into the skin when providing medicine through a syringe.

txhaj[2] (pu) <Lees> Thiaj, txhiaj: *Koj has le nwg txhaj moog tsev lawm.*
[English] (adv) <Leng> Then, thus, therefore.

txham (u) Hnoos xws li thaum haus dej losyog noj yuam kev mus rau saum txoj hlab qhov ntswg: *Nws txham vim dej nkag nws qhov ntswg.*
[English] (v) Choke or sneeze, such as caused by having liquid interfere with the respiration or windpipe, trachea.

txhaub (u) Hais kom ua li losyog ua ntxiv: *Nws txhaub ob tus dev sibtog.*
[English] (v) Instigate, incite; to urge on.

txhauj (u) Ua rau xws li txhais tes losyog txhais taw mob thiab mus tsis taus kev zoo; qis: *Nws txhais taw txhauj vim nws ntog.* (p) Yam uas txhauj.
[English] (v) Sprain. (adj) Become sprained.

txhaum (u) Ua yuamkev; tsis ua raws kevcai; tsis yog: *Nws txhaum vim nws nyiag lawv nyiaj.* (p) *Nws yog tus neeg txhaum.*
[English] (v) Mistake, wrong. (adj) Mistaken, wrongful.

txhaus (u) Yuam kom haus losyog kom noj: *Lawv muab cawv txhaus peb.*
[English] (v) To force (a person to drink or eat, for example).

© 2003 Jay Xiong. All rights reserved.

txhav[1] (u) Txeeb lwm tus li los yuav: *Nws txhav lawv daim teb.*
[English] (v) To yank or grab (things) from someone, esp. without permission.

txhav[2] (u) Ua kom khov uas zoo li tsis muag losyog tsis zooj: *Nws txhav vim no heev.* (y) Cov txha: *Nkauj txhav qaib nraug txhav noog.*
[English] (v) Freeze, frozen. (n) Bone. See also the word "txha."

txhav khem (u) Txeeb lwm tus li los ua yus li: *Nws txhav khem dhau.*
[English] (v) To take, grab (things) from someone, esp. without permission.

txhawb (u) Muab ua kom siab; pab kom zoo thiab vammeej: *Nws txhawb kuv lub neej; nws txhawb peb heev.*
[English] (v) Support, assist, aid, help.

txhawb nqa (u) Txhawb thiab nqa; pab: *Nws txhawb nqa peb heev.*
[English] (v) Support, assist, aid, help.

txhawj (u) Nyuaj siab txog; ntshai tsam zoo li: *Nws txhawj txog nws tus mob.*
[English] (v) Worry, concern.

txhawj xeeb (u) Ua rau txhawj txog; txhawj; nyuaj siab rau: *Nws ua rau peb txhawj xeeb heev.* (p) *Nws tsis muaj kev txhaj xeeb li.*
[English] (v) Worry, concern. (adj) Causing worry or concern.

txhawm (u) Muab tseg; cia uas xws li kom muaj ntau: *Peb txhawm kom txaus noj.*
[English] (v) Save; to accumulate (money, for example) on the side.

txhaws (u) Muab thaiv losyog npog lub qhov xws li kom dej losyog tej yam ua kua mus tsis tau: *Tus kais dej txhaws lawm.*
[English] (v) Clog, stop (the flow of, for example).

txhawv (u) Muaj tawm hauv tuaj: *Tsob tsawb txhawv ib co plooj; dej txhawv hauv daim av los; lub qhov txhawv ib co dej.*
[English] (v) Spatter, disperse (water from a hole or ground, for example).

txheeb[1] (u) Muab tshawb xyuas losyog suav seb muaj pestsawg: *Txheeb seb peb muaj pestsawg leej; nws txheeb nws cov tubrog.*
[English] (v) Count; to check (items) by counting and/or verifying the total.

txheeb[2] (u) Sibze thiab sibpaub zoo: *Peb txheeb nej heev.*
[English] (v) Relate to, close to. Ex: He relates to my family.

txheeb[3] (u) Tsuas uas muaj ib cov dawb txuam nrog cov txho ltn... *Tus dev txheeb heev.* (p) Yam uas txheeb ntawv: *Nws muaj ib tus dev txheeb.*

© 2003 Jay Xiong. All rights reserved.

[English] (v,adj) Having a grayish color of (hair or fur, for example).

txheeb[4] (y,p,t) <Lees> Txhiab, xws li 10 x 100: *Nwg suav txug ib txheeb.*

[English] (n,adj,pron) <Leng> Thousand, as a number 1,000.

txheeb[5] (y) Cov menyuam tawv uas xws li yog muab rab riam kuam tawm ntawm daim xyoob los. Hmoob siv cov txheeb xyoob los tswm nyob rau hauv rab phom ua ntej thaum yuav tua rab phom. Cov txheeb no yog siv los nias cov tshuaj phom thiab cov mostxwv kom ceev es kom rab phom thiaj li muaj zog.

[English] (n) The soft and small particles of bamboos or other materials created by forcefully applying the blade of a knife by way of scraping along the surface (of the bamboos, for example).

txheeb ze (u,p) Txheeb thiab sibze: *Peb txheeb ze nej heev.*

[English] (v,adj) Close to; relate to, as in a relationship.

txheej (y) 1. Ntu, yav, theem, tshooj: *Nws lub tsev muaj ob txheej.* 2. Tiam losyog cov neeg uas nyob rau lub sijhawm ntawv: *Txheej thaum ub txawv txheej no.*

[English] (n) 1. Level, floor. 2. Generation.

txheej txam (y) <Suav> Tus hlau uas muaj ib tus hniav ntse thiab koov, thiab Hmoob siv los txaug ntawv tej: *Muab tus txheej txam los txaug ntawv.*

[English] (n) <Chinese> A metal tool resembling a chisel having a curved and arc like blade, and mostly used for punching holes on papers.

txheej txheem (y) Tej kevcai uas yuav tsum pib ua mus txog rau thaum xaus: *Nws paub cov txheej txheem ntawm kab tshoob kev kos zoo heev.*

[English] (n) Step, procedure, process.

txheej xeeb (y) <Suav> Ib tus hlau uas pem hau muaj ib qhov ntse thiab Hmoob siv los txaug ntawv tej: *Nws muaj ib tus txheej xeeb.*

[English] (n) <Chinese> A metal tool having a sharp end (blade), and mostly used for punching holes on papers.

txheem[1] (u) Muab tej yam los xiab losyog ib rau kom tsis txhob vau lossis tsis txhob poob tej: *Nws muab tus ncej txheem lub tsev kom txhob vau.*

[English] (v) Support, reinforce, as by adding extra strength or material.

txheem[2] (u) Tsis pomzoo; ua los thaiv: *Lawv txheem nws rooj plaub.*

[English] (v) Oppose, reject, resist.

txheev (u) Hu kom tuaj; hais kom tshwm; hais kom pab: *Nws txheev cov dab neeb.*

© 2003 Jay Xiong. All rights reserved.

[English] (v) To call or invite, esp. when calling a spirit or ghost.

txhej (y,pu) Ib lub suab uas xws li thaum muaj pa tawm los ntawm lub qhov me~.
[English] (n,adv) A sound of a (liquid) sudden dispersion.

txhem (u) Txiav losyog de yav laus tawm mus: *Nws txhem cov zaub.*
[English] (v) Remove, esp. old leaves or the undesired portion from vegetables.

txhev (y,pu) Ib lub suab uas xws li thaum muab zaub losyog nqaij tso rau hauv yias roj kub heev es nrov ntawv.
[English] (n,adv) A sound of sizzling; a hissing sound.

txhia (p) Tas nrho; sawvdaws: *Txhia leej tuaj lawm.* Feem ntau neeg siv lo "txhua txhia" leej xwb: *Nws muaj txhia yam. Txhia xyoo peb noj Pebcaug.*
[English] (adj) Every.

txhiab[1] (u) Muab los tso ze ntawm hluav taws xws li kom siav, sov lossis kom qhuav: *Nws txhiab txhais tes kom sov.*
[English] (v) To heat or place (something) near a fireplace or heater.

txhiab[2] (y) Tus ntawv suav 1,000 uas nyob nruab nrab ntawm tus 999 thiab 1,001. (p) *Nws muaj ib txhiab xyoo.*
[English] (v) Thousand, as a number 1,000.

txhiaj (pu) Thiaj; yog li ntawv: *Koj hais li nws txhiaj chim.*
[English] (adv) Then, thus, therefore.

txhiaj li (pu) Tom qab ntawv; thiaj li; txhaj le: *Nws tuaj peb txhiaj li tuaj.*
[English] (adv) Then, therefore.

txhiaj txhais (y) Kev hais zaj lus thiab txhais zaj lus; twv kom tau zaj lus lub ntsiab. Feem ntau yog piav txog cov lus xws li: *Rauv taws nram tiaj es ncho pa pem looj hiaj.* Zaj lus no txhais tau tias yog lub yeeb thooj.
[English] (n) To guess the meaning of (an idiom, for example).

txhiam laj-txhiam xwm (y) Neeg tej qoobloo; neeg tej khoom noj: *Nws yuav tau txhiam laj-txhiam xwm ntau heev; neeg tej txhiam laj-txhiam xwm.*
[English] (n) Human's fruits, vegetables, corn, rice and the like.

txhiam xwm (y) Neeg tej qoobloo xws li cog los noj tej: *Tej txhiam xwm tuag tas.*
[English] (n) Human's fruits, vegetables, corn, rice and the like.

txhib[1] (u) Muab xws li rab taus los phua losyog txiav tus ntoo kom ua tej daim me. Feem ntau yog ua kom tau tej daim me: *Nws txhib tau ob pawg taws.*

© 2003 Jay Xiong. All rights reserved.

[English] (v) To ax, cut or chop dried wood with an ax, as to create firewood.

txhib[2] (u) Sib txiv nyob; ua kom txaus sawvdaws nyob; txav kom sibti: *Nej txhib ntawm nej kom txaus ib tus neeg ntxiv.*

[English] (v) Cram; to squeeze, such as to make room or space for more.

txhib[3] (u) Hais kom maj; hais kom ua nrawm: *Nws txhib kom peb mus nimno.*

[English] (v) To rush someone; to tell someone to hurry up.

txhib niam (y) Daim txiag uas pua tus neeg tuag uas nyob ntawm lub hleb. Lus rov: *Txhib txiv.*

[English] (n) A board (piece of wood) placed under the corpse or dead person.

txhib ntawg (y) Tus txhib, feem ntau yog muab xyoob los ua, thiab siv los ntawg xws li rau dab lossis ntsuj plig tej.

[English] (n) A device, mostly made from bamboo, that some Hmong people used to comunicate with a spirit, ghost or a deceased person.

txhib txiv (y) Daim txiag uas vov tus neeg tuag uas nyob ntawm lub hleb. Lus rov: *Txhib niam.*

[English] (n) A board (piece of wood) placed on top the corpse or dead person.

txhij (u) Mus hais kom ua; mus coj tuaj; mus npaj tuaj: *Nws txhij tau 100 leej tubrog.* (p) Npaj tau tiav tag lawm; muaj txhua: *Nws npaj txhij lawm.*

[English] (v) To recruit; to call up; to enlist. (adj) Ready.

txhij toob puaj yam (t) Txhua tsav yam: *Nws muaj txhij toob puaj yam.*

[English] (pron) Everything, all kinds.

txhij txhua (p) Txhua txhia yam; txhua nrho: *Nws xav txhij txhua lawm.*

[English] (adj) Thorough, complete.

txhim (u) Muab kho kom zoo; txhawb losyog kho ntxiv: *Nws txhim nws txiv lub ntxa.* Hmoob txhim tus tuag lub ntxa peb hnub tomqab thaum muab faus lawm. Ib lub npe siv rau cov tub.

[English] (v) To put rocks or cement blocks around the tomb, esp. after the third day of the burial of the deceased. Also a proper name for boys.

txhim kho (u) Txhim thiab kho xws li kom zoo: *Nws txhim kho nws tej vajtse.*

[English] (v) To fix; to remodel.

txhis (y) Sim neej; tiam neej; txheej neeg: *Ob peb txhis.*

[English] (n) Generation.

© 2003 Jay Xiong. All rights reserved.

txhiv (u) Muab xws li nyiaj mus them tus neeg uas tau yus yam khoom es kom nws muab yus yam khoom rov rau yus: *Nws mus txhiv nws lub tsheb.*
***[English]** (v) To ransom; to redeem.*

txho (y,p) Tsuas uas muaj dub thiab dawb sib txuam: *Txho yog ib yam tsuas.*
***[English]** (n,adj) Gray, grayish. Ex: She has a grayish dog.*

txho tshauv (y) Tsuas uas txho thiab zoo li cov tshauv: *Tsuas txho tshauv.* (p) *Nws muaj ib tus dev txho tshauv.*
***[English]** (n) Gray. (adj) Gray, grayish, esp. having an ash like color.*

txhob[1] (pu) Siv los hais ntxeev losyog tig ntawm lo ua; tsis: *Txhob noj txhais tias tsis noj; txhob mus ces txhais tias tsis mus.*
***[English]** (adv) Not, do not.*

txhob[2] (u) Hais kom ua ntxiv: *Nws txhob kom peb noj mov ntxiv.*
***[English]** (v) Urge, cajole.*

txhob txwm (u) Tabmeeg, xwbtim: *Koj txhob txwm xwb.* (pu) *Nws txhob txwm nyiag lawv cov nyiaj. Nws txhob txwm hais rau peb hnov.*
***[English]** (v) To do by purpose or intent. (adv) Purposely, intentionally.*

txhoj (u) Nyiam kov ntau yam thiab nyob tsis tswm ib qhov chaw: *Tus menyuam txhoj thiab tsis mloog hais li.* (y) Qhov chaw; teebmeem: *Theej lawv lub txhoj.*
***[English]** (v) Naughty, mischievous. (n) Replacement; the place of.*

txhoj pob (u) Txhoj uas xws li tsis mloog hais; txhoj: *Tus menyuam txhoj pob heev.* (p) Piav txog tus uas txhoj pob: *Tsis nyiam tus menyuam txhoj pob.*
***[English]** (v,adj) Naughty, mischievous.*

txhom[1] (u) Muab ntes los; muab tes mus tuav xws li kom tsis txhob dim losyog kom khiav tsis dhau: *Peb txhom tus npua.*
***[English]** (v) To wrestle, esp. by way of capturing or grabbing.*

txhom[2] (u) Muab ntes los; muab khi xws li kom tsis txhob dim losyog kom khiav tsis tau: *Lawv txhom tus tubsab.*
***[English]** (v) Arrest, capture.*

txhoov (u) Muab riam txiav; tsuav kom ua tej daim me: *Nws txhoov daim nqaij.*
***[English]** (v) Chop, cut, slice. Ex: She chops her vegetable.*

txhos (u) Muab xws li tus pas losyog tus ncej ua kom ib tog mus rau hauv av, xws li kom tus pas txhob vau: *Nws txhos tus ncej; nws txhos tus pas.*

© 2003 Jay Xiong. All rights reserved.

[English] (v) To stick or place (a pole into the ground, for example).

txhos caug (u) Muab ob lub hauvcaug mus txawb losyog tso rau hauv av: *Peb txhos caug thov Huabtais Ntuj.*

[English] (v) Kneel. Ex: Most people kneel when they worship.

txhua[1] (u) Muaj txaus: *Cov tais txhua peb lawm.* (p) *Nws muaj txhua peb.*

[English] (v,adj) To have (something) enough or sufficient for everyone.

txhua[2] (p) Tas nrho xws li tsis seem ib yam lossis ib zaug li: *Kuv pw txhua hmo.*

[English] (adj) Every. Ex: We sleep every night.

txhua nrho (p) Tas nrho; sawvdaws, txhua: *Nws hu peb txhua nrho.*

[English] (adj) All, entire, every. Ex: He calls every person.

txhua txhia (p) Tas nrho sawvdaws; txhua: *Peb paub txhua txhia lub zos.*

[English] (adj) Every. Ex: We know every city.

txhua txhia leej (t) Tas nrho sawvdaws; txhua tus: *Muab rau txhua txhia leej.*

[English] (pron) Everyone, everybody, every person.

txhua txhia yam (t) Tas nrho sawvdaws; txhua: *Txhua txhiaj yam zoo heev.*

[English] (pron) Everything, all thing.

txhuam[1] (u) Muab tshiav mentsis tawm: *Nws txhuam tus hlau kom zuag.* (y) Ib rab uas yog muab hlau ua thiab siv los tshiav lwm yam hlau.

[English] (v) File, sand, such as using a file (tool). (n) File, esp. a steel tool with cutting ridges and mostly used for smoothing other surface.

txhuam[2] (u) Mus tshav lossis tshiav mentsis *Nws tsav tsheb mus txhuam lub tsev.*

[English] (v) Scratch, such as having a small cut or mark on the surface.

txhuam[3] (u) Muab tshiav lossis so, xws li ua kom du losyog huv tej.

[English] (v) Scrape, scrub.

txhuam[4] (u) Muab tshiav, xws li ua kom cov kaus hniav du losyog huv tej.

[English] (v) Brush, clean, polish. Ex: She brushes her teeth everyday.

txhuam hniav (y) Tus pas uas ib tog muaj cov menyuam ntshiv thiab neeg siv los txhuam neeg cov hniav: *Nws muaj ib tus txhuam hniav.*

[English] (n) Toothbrush.

txhuas (y) Ib hom hlau dawb uas tsis tawv: *Ib thooj txhuas.*

[English] (n) Lead, esp. the bluish-white metallic element.

txhuav (u) Nqus tawm; ua kom cov kua tawm mus: *Nws txhuav tau ob thoob dej.*

© 2003 Jay Xiong. All rights reserved.

[English] (v) Draw (liquid from a tank, for example); to pump, liquid, out.

txhub[1] (u) Muab xws li av los npog rau lub qhov losyog qhov chaw uas qis: *Nws txhub lub qhov dej; av pob los txhub lub pas dej.* (y) Ib yam ntoo me uas neeg siv nws cov kav thiab nplooj los rhaub haus. Lus Askiv ccs yog "tea."

[English] (v) To fill, pave or cover up (a hole) with something, i.e., dirt. (n) Tea, esp. the small tree or shrub that people used to make hot beverage.

txhub[2] (u) Ua lub suab zoo xws li thaum tus neeg txham, tabsis yog tawm pa saum lub qhov ntswg tuaj thiab hauv lub qhov ncauj los. Feem ntau yog muaj tej yam ua rau lub qhovntswg khaus.

[English] (v) Sneeze.

txhub[3] (y) Ib hom ntoo. Ib txhia neeg kuj siv los ua tshuaj pab txog kev raws plab thiab mob kub cev tej.

[English] (n) Certain kind of tropical tree.

txhum (u,p) <Lees> Txhaum, xws li ua txhaum losyog yuam kev.

[English] (v,adj) <Leng> Mistake, wrong. Ant: Correct, right.

txhum phem (y) <Lees> Laug xws li sab tes laug: *Mob nwg saab txhum phem.*

[English] (n) <Leng> Left, such as the left hand. Ant: Right, right hand.

txhuv (y) 1. Cov tej lub nyob hauv lub nplej: *Nws muaj ib hnab txhuv.* 2. Ib hom nroj uas muaj cov txiv me~ thiab kheej~: *Nws muaj ib tsob txhuv.*

[English] (n) 1. The rice grains, after removing the rice chaffs. 2. Certain kind of plant having very small and round seeds similar to birdseed.

txhwj ntxim (y) Cov nastsuag uas tseem me; menyuam nas uas luaj li ntivtaw tej xwb: *Nws cuab mag cov txhwj ntxim xwb.*

[English] (n) A tiny or small mouse or rat.

txi[1] (u) Ua tej lub txiv tawm ntawm xws li tsob ntoo losyog tsob hmab tuaj: *Tsob ntoo txi txiv ntau heev.* (y) Leej txiv: *Nws muaj niam thiab muaj txi.*

[English] (v) To produce or bear (fruits, for example). (n) Father, dad.

txi[2] (u) Muab xws li tsiaj tua rau tus dab: *Nws txi nws thaj neeb.*

[English] (v) To sacrifice, esp. animal, to a spirit.

txia[1] (u) Hloov mus ua lwm yam losyog lwm hom: *Tus ntses txia ua tus nas.*

[English] (v) To transform; to become other entity through transformation.

txia[2] (u) Muaj kua tawm tuaj: *Daim av txia dej; lub txiv txia cov kua mis.*

© 2003 Jay Xiong. All rights reserved.

[English] (v) To seep, emit, leak, esp. liquid.

txia[3] (y) Lub pob uas su thiab muaj nyob ntawm qee tus neeg lub cajdab: *Nws muaj ib lub txia.* Cov neeg muaj txia vim yog lawv noj ntsev tsis muaj cov tshuaj Askiv hu ua "iodine" no.

[English] (n) Goiter. Also called struma.

txia[4] (y) Lub hnab nyob ntawm xws li qaib thiab noog lub hauvsiab, thiab yog siv los ntim cov qhauv: *Tus qaib lub txia loj heev.*

[English] (n) Craw; crop, such as the pouch like enlargement of a chicken's gullet in which food is stored.

txia ntshav (p) Siab phem; siab tsis ncaj; lim xyiam: *Tus neeg txia ntshav yog tus neeg coj tsis ncaj.*

[English] (adj) Cruel, wicked, inhuman, heartless.

txiab (y) Rab uas muaj ob daim hniav hlau thiab neeg siv los txiav plaubhau losyog ntaub tej: *Neeg siv txiab los txiav paj ntaub.* Ib lub npe neeg.

[English] (n) Scissors. Also a proper name.

txiab neeb (y) Rab txiab uas tus txiv Neeb siv nyob rau thaum lub caij ua neeb: *Nws muaj ib rab txiab neeb.* Ib lub npe neeg.

[English] (n) A scissors of a shaman. Also a proper name.

txiag[1] (u) Tsoob, deev, aim: *Tus txiv dev txiag tus maum dev.* Txiag thiab tsoob yog lus ntxhib, xws li siv los cem xwb. Deev yog ib lo lus neeg siv heev dua. Ib txhia kuj siv los tias "ua" thiab.

[English] (v) To have coitus; to have sexual intercourse (obscene word).

txiag[2] (y) Tej daim ntoo: *Nws zaum saum daim txiag.*

[English] (n) A piece of wood, lumber.

txiag[3] (y) Hnyav losyog muaj npaum li; txiaj: *Ob txiag yeeb.*

[English] (n) A unit of mass approximately equals to a milligram.

txiaj[1] (y) Ib yam kev ntsuas txog kev hnyav: *Nws muaj ob txiaj yeeb.*

[English] (n) A unit of mass approximately equals to a milligram.

txiaj[2] (y) Txiaj ntsim; kev sis pab losyog ua pub rau: *Nws tsis ris yus txiaj li.*

[English] (n) Work, help, that provided to others, which deserves recognition.

txiaj hob (y) Ib hom nyiaj txiaj me thiab kheej: *Nws muaj txiaj hob ntau heev.*

[English] (n) A currency coin mostly used in Laos.

© 2003 Jay Xiong. All rights reserved.

txiaj laus (y) Ib hom txiaj me thiab kheej uas loj dua cov txiaj hob: *Nws muaj txiaj laus ntau heev.* Qee leej kuj hais tias "txiaj mam laus" thiab. Txiaj laus yog hom loj tshaj plaws ntawm cov nyiaj txiaj. Lub me tshaj plaws yog hu ua nyiaj npib lossis txiaj npib no.
***[English]** (n) A currency coin, esp. the largest kind, mostly used in Laos.*

txiaj mam laus (y) Txiaj laus.
***[English]** (n) A currency (silver) coin resembling a dollar coin, but its size is twice the size of the American quarter.*

txiaj npib (y) Ib hom nyiaj txiaj me thiab kheej: *Nws muaj txiaj npib ntau heev.*
***[English]** (n) A currency (silver) coin, the smallest kind, resembling a dime.*

txiaj ntsha (y) Tej kev tau ua pab, pub, thiab tau ua zoo rau: *Peb nco ntsoov nws tej txiaj ntsha thiab txiaj ntsim.* Feem ntau, yog siv nrog lo "txiaj ntsim" xwb.
***[English]** (n) Work, help (provided to others) that deserves respect.*

txiaj ntsim (y) Tej kev tau ua pab, pub, thiab ua zoo rau: *Peb nco ntsoov nws tej txiaj ntsim uas nws tau pab peb los lawm.*
***[English]** (n) Work, help (provided to others) that deserves respect.*

txiaj tsib (y) Ib hom nyiaj txiaj me thiab kheej: *Ib hnab txiaj tsib.* Txiaj tsib yog hom uas yau zog ntawm lub txiaj laus.
***[English]** (n) A currency coin which is smaller than the "txiaj laus" kind.*

txiajzam (p) Siv rau lub caij hais kwv txhiaj xwb: *Lub cev txiajzam tuag tag...*
***[English]** (adj) Dressing in elaborate garments.*

txias[1] (u) Ua rau xu siab; ua rau tsis nyiam: *Nws cov lus txias kuv siab heev.*
***[English]** (v) To have a cold feeling for; dislike, discontent.*

txias[2] (u) Ua rau no xws li te; tsis sov: *Tus dej txias heev.* (p) Piav txog yam uas txias: *Nws nyiam haus dej txias xwb.* Lus rov: *Sov.*
***[English]** (v, adj) Cold, cool. Ex: The river is cold. Ant: Warm.*

txias to (p) Txias thiab tsis muaj suab nrov: *Nws nyob ib leeg txias to.*
***[English]** (adj) Living or being in a cold environment with no noise.*

txias zias (p) Txias uas xws li thaum cua tshuab tuaj: *Cua tuaj txias zias.*
***[English]** (adj) Cool, esp. like a fresh cool freeze of wind.*

txias zim (p) Txias uas xws li thaum cua tshuab tuaj: *Cua tuaj txias zim.*
***[English]** (adj) Cool, esp. like a fresh cool freeze of wind.*

© 2003 Jay Xiong. All rights reserved.

txiav[1] (u) Muab xws li riam losyog tej yam ntse los hlais: *Nws txiav txoj hlua.*
[English] (v) Cut, chop, hack, such as to separate (things) into parts.

txiav[2] (u) Tu losyog phua txoj kevcai rau: *Lawv txiav lub txim rau tus tubsab.*
[English] (v) To come to a decision; to reach a conclusion.

txiav[3] (u) Tsis pub kom sib cuag tau, txwv: *Nws txiav wb txoj kev hlub.*
[English] (v) Stop, ban (a relationship, for example).

txiav[4] (y) Ib daim nqaij nyob hauv neeg lub cev, thiab txawj loj yog noj qabzib ntau; tus po: *Nws tus txiav loj vim nws noj qabzib ntau.*
[English] (n) Pancreas.

txiav npluav (u) Tsis pub kom muaj, txwv: *Cov nom tswv txiav npluav tsis pub neeg sibtua thiab tub sab li.*
[English] (v) Ban, prohibit, forbid

txiav txim (u) Paub tias ua li cas; xav tias ua li cas: *Nws txiav txim nyob. Nws txiav txim los ua neeg zoo.* (y) Tus neeg txiav txim rau lwm tus.
[English] (v) Decide, choose. (n) Judge.

txib (u) Hais kom ua; thov kom ua losyog pab: *Nws txib peb mus hlais nplej.*
[English] (v) To ask or command (someone) to do something.

txij (u) Siab li: *Nws txij kuv.*
[English] (v) As high as.

txij li (tx,r) Lub sijhawm ntawv: *Peb tsis sibpom txij li xyoo peb khiav lawm.*
[English] (conj,prep) Since.

txij nkawm (y) Niamtxiv, xws li yog tus pojniam thiab tus txivneej sibyuav: *Wb yog txij nkawm.*
[English] (n) Couple, such as a husband and wife; spouse.

txij qaib txij de (z) Ib zaj lus siv los piav txog tias txawm txij li tus qaib thiab siab li tus dev; txawm tias me npaum li cas: *Txawm txij qaib txij de los yog yus txiv.*
[English] (idiom) As tall as a chicken or as a dog.

txij tog-txij peg (p) Muaj ntau; ua heev lis heev tau: *Nws hais txij tog-txij peg.* Ib txhia neeg kuj siv lo "txij toj-txij pes" no thiab.
[English] (adj) Much, a lot. Ex: He mentions a lot (issues, for example).

txim[1] (y) Txoj kev them rau losyog ua rau los ntawm txoj kev ua txhaum: *Tus tubsab lub txim yog muab kaw tsib xyoos.*

© 2003 Jay Xiong. All rights reserved.

[English] (n) Penalty, punishment.

txim[2] (y) Cov tej lub liab~ uas tawm ntawm xws li lub cubtawg tuaj: *Lub cub tawg muaj txim ntau heev.*

[English] (n) Spark, as thrown off from a fireplace.

txim[3] (u) Muab hlua pav, khi lossis zawm kom ruaj: *Koj txim txoj hlua kom ceev.*

[English] (v) Tighten. Ant: Loosen.

txim[4] (u) Zawm losyog ceev xws li yog tsis haum zoo: *Lub ris txim dhau.* (p) Yam uas me thiab txim ntawv: *Nws hnav lub ris txim dhau.*

[English] (v,adj) Tight. Ant: Loose.

txim[5] (y) Tais xws li tej menyuam tais nqaij; txig. Lo lus no feem ntau yog siv rau lub caij teev dab losyog piav txog kevcai dab qhuas xwb: *Peb tus dab nyug ces yog kaum txim (10 tais nqaij) hos 3 ntsau -- pawg.*

[English] (n) Bowl, plate, esp. when filled with meat etc...

txis (u) Muab los uake xws li kom yog niamtxiv; muab sibyuav: *Lawv muab tus niamtij txis rau tus kwv vim tus tijlaug tuag lawm.*

[English] (v) To declare, esp. by making a person to be the spouse of another.

txiv[1] (y) Tus txivneej ; tus muaj qau: *Tus txiv yog tus muaj qau.* (p) Khav theeb; ua tau heev xws li tus txivneej: *Nws ua txiv heev.*

[English] (n) Male. (adj) Pompous, cocky.

txiv[2] (u) Mus sib txeeb nyob ib qho chaw xws li me: *Peb txiv kom txaus sawvdaws.*

[English] (v) Cram, squeeze, such as to obtain room or space. To advance into a limited space or place; to move oneself to a very crowed or congested area.

txiv[3] (y) Tus txivneej uas yuav yus niam: *Kuv txiv hu ua Txoov Neeb xeem Xyooj.*

[English] (n) Father, dad.

txiv[4] (y) Tej lub uas txi los ntawm ntoo thiab hmab tej: *Txiv hmab thiab txiv ntoo.*

[English] (n) Fruit. Ex: Mango and orange are consider fruit.

txiv cajntswm (y) Lub taub ntswg; qhov uas kawg ntawm tus caj ntswm: *Nws tus txiv cajntswm siab heev.*

[English] (n) Nose, esp. the ridge of a nose.

txiv cojxai (y) Tus txivneej uas thov tuaj hais xim losyog tuaj foom kom thaum muaj ib lub ntees tuag.

[English] (n) A man whose function (at a funeral) is to preach and say

© 2003 Jay Xiong. All rights reserved.

good words to the family members of the deceased.

txiv cuabthoj (y) Cov txiv ntoo uas neeg cog los noj thiab nyob rau hauv lub txiv muaj ib co noob me~ ntau heev: *Ib tsob txiv cuabthoj.*
[English] *(n) Guava.*

txiv dauj txuab (y) Ib hom txiv ntoo uas neeg siv ua tshuaj los pleev xws li thaum muaj mob rwj thiab o noob qes tej. Ib txhia neeg kuj hu ua "txiv txuab" no.
[English] *(n) Certain kind of tropical pod (nut).*

txiv duaj (y) Ib hom txiv ntoo uas neeg cog los noj: *Ib tsob txiv duaj.*
[English] *(n) Peach, nectarine.*

txiv hlob (y) Tus txivneej uas hlob yus txiv thiab yog yus tib xeem: *Nws yog kuv tus txiv hlob.* Hmoob Lees hais tias "yawm laug" no. Lus rov: *Txiv ntxawm.*
[English] *(n) Uncle, esp. the older brother of ones' dad.*

txiv hluas (y) Tus txivneej uas yuav yus tus pojniam cov niam hluas: *Nws yog kuv tus txiv hluas.* Lus rov: *Txiv laus.*
[English] *(n) A man who married the younger sister of one's wife.*

txiv hmab (y) Cov txiv uas yog txi nyob ntawm hmab xwb.
[English] *(n) Vine fruit (grapes, for example).*

txiv kab ntxwv (y) Ib hom txiv ntoo uas neeg cog los noj: *Ib tsob txiv kab ntxwv.*
[English] *(n) Orange.*

txiv kab ntxwv soob (y) Ib hom txiv zoo xws li txiv kab ntxwv, tabsis me zog: *Ib tsob txiv kab ntxwv soob.*
[English] *(n) Tangerine.*

txiv kwj (y) <Lees> Yawglaus: *Nwg yog peb tug txivkwj.* Lus rov: *Puj nyaaj.*
[English] *(n) <Leng> Uncle, esp a man who married the sister of one's dad.*

txiv laum huab xeeb (y) 1. Ib hom txhiam xwm (khoom noj) uas neeg cog los noj cov noob xwb: *Nws cog tau ib thaj txiv laum huab xeeb.* 2. Cov txiv uas txi los ntawm cov nroj no. Cov txiv no nws tuaj thiab ntug nyob rau hauv av xwb.
[English] *(n) 1. Peanut. 2. The edible, nut like, oily seeds of this plant.*

txiv laus (y) Tus txivneej uas yuav yus tus pojniam cov niam laus: *Nws yog kuv tus txiv laus.* Lus rov: *Txiv hluas.*
[English] *(n) A man who married the older sister of one's wife.*

txiv leej tub (y) Tus txivneej; tus tub. Feem ntau yog siv rau lub caij hais kwv

© 2003 Jay Xiong. All rights reserved.

txhiaj xwb: *Txiv leej tub tus zoo lus.* Lus rov: *Niam leej ntxhais.*
***[English]** (n) Guy, boy, man, and only used when chanting the "kwv txhiaj."*

txiv lwm tsib (y) 1. Ib hom ntoo uas txi cov txiv luaj li ntiv taw thiab qabzib. *Ib tsob txiv lwm tsib.* 2. Cov txiv uas txi los ntawm cov ntoo no.
***[English]** (n) 1. Lychee, litchi. 2. The fruit of this tree.*

txiv lwm tsib pos (y) 1. Ib hom ntoo, txiv lwm tsib, uas lub txiv muaj tej co kaus zoo xws li cov pos: *Nws cog tau ib tsob txiv lwm tsib pos.* 2. Cov txiv uas txi los ntawm cov ntoo no.
***[English]** (n) 1. Rambutan. 2. The fruit of this tree.*

txiv lws zoov (y) Ib hom txiv uas zoo li lub txiv lws suav, tabsis loj thiab txi nyob rau tom hav zoov. Cov txiv no neeg kuj coj los cog rau hauv zos thiab siv los noj lossis haus cov kua: *Nws cog tau ib tsob txiv lws zoov.*
***[English]** (n) Pumelo; shaddock. Also called pomelo.*

txiv mis (y) 1. Lub pob uas muaj qhov thiab nyob ntawm lub mis: *Nws lub txiv mis loj heev.* 2. Lub uas zoo li lub txiv mis uas neeg siv los rau menyuam haus mis hauv lub raj mis tej: *Tsis pom lub txiv mis lawm.*
***[English]** (n) 1. Nipple (of the breast). 2. A nipple (of the baby bottle).*

txiv mov mes (y) Ib hom txiv uas tuaj ntawm tej tsob hmab thiab luaj li plab hlaub tej: *Nws cog tau ib tsob txiv mov mes.*
***[English]** (n) Certain tropical fruit grows on vine.*

txiv muas txhaj ntxwv (y) Ib hom txiv uas iab thiab txi los ntawm ib hom hmab.
***[English]** (n) Certain kind of pod (tropical fruit), esp. very bitter.*

Txiv neeb (y) Tus neeg uas paub thiab txawj ua Neeb: *Nws yog ib tus Txiv neeb.*
***[English]** (n) Shaman.*

txiv neej (y) Tus neeg uas muaj qau, txiv, thiab feem ntau yog siv rau tus neej muaj hnub nyoog li 18 xyoo rov sauv xwb; quas yawg: *Kuv txiv yog ib tus txiv neej* . Lus rov: *Pojniam, quas puj.*
***[English]** (n) Man, guy. Ant: Woman, girl.*

txiv neej yawg (y) Tus txiv neej uas hlob thiab laus txaus lawm: *Nws yog ib tus txiv neej yawg vim nws muaj 40 xyoo lawm.*
***[English]** (n) Man, esp. an older person or mature man.*

txiv nkhaus taw (y) Ib hom txiv ntoo uas nyob nram kawg nws nkhaus; txiv

© 2003 Jay Xiong. All rights reserved.

txhais: *Ib tsob txiv nkhaus taw.*

***[English]** (n) Mango, mangoes.*

txiv nruas (y) Tus txivneej uas ntaus lub nruas. Feem ntau yog siv rau tus neeg uas ntaus lub nruas tuag xwb.

***[English]** (n) A man who plays the funeral drum during a funeral.*

txiv ntawg (y) Tus txivneej uas ntawg mov thiab nqaij rau tus neeg tuag.

***[English]** (n) A man who serves (dedicated spiritually) food to the dead person at the funeral.)*

txiv ntoo (y) Cov txiv uas tuaj nyob rau ntawm tsob ntoo.

***[English]** (n) Fruit, esp. those that grown on trees.*

txiv ntxawm (y) Tus txivneej uas yau yus txiv thiab yog yus tib xeem: *Nws yog kuv tus txiv ntxawm.* Lus rov: *Txiv hlob, yawm laug.*

***[English]** (n) Uncle, esp. a younger brother of one's dad.*

txiv nyuj kub (y) Ib hom txiv uas muaj lub txiv dub thiab zoo xws li ob tus kub nyuj. Ib txhia neeg kuj hu ua "txiv kub nyuj" thiab.

***[English]** (n) Certain kind of pod (nut) resembling the cow horn; cow horn nut.*

txiv plab nyug (y) 1. Ib hom txiv ntoo uas luaj li ncej puab thiab nws cov tawv tuaj ib co pos zoo li lub plab nyug: *Ib tsob txiv plab nyug.* 2. Cov txiv uas txi los ntawm cov ntoo no.

***[English]** (n) 1. Jackfruit. 2. Fruit from this tree.*

txiv puaj kaum (y) 1. Ib hom ntoo uas txi cov txiv uas muaj ntau ceg zoo xws li lub paj hnub hli. 2. Cov txiv uas txi los ntawm cov ntoo no. Ib txhia neeg kuj siv cov txiv no los ua tshuaj kho mob plab chaub thiab.

***[English]** (n) 1. Certain kind of tropical tree. 2. Fruit from this tree.*

txiv qaum (y) Tej txiv xws li txiv hmab thiab txiv ntoo tej: *Tsob ntoo txiv tau ib co txiv qaum ntau heev.*

***[English]** (n) Fruit, such as apple, pear, grapes etc...*

txiv qeej (y) Tus neeg uas txawj tshuab qeej: *Nws yog ib tus Txiv Qeej.*

***[English]** (n) A person who know how to plays the Hmong musical instrument called "qeej."*

txiv qhuav (y) Lwm tus txivneej uas muab los ua yus tus menyuam txiv. Feem ntau yog thaum yus tus menyuam muaj mob losyog tsis kheev hlob. Yog li,

© 2003 Jay Xiong. All rights reserved.

Hmoob thiaj tau muab tus menyuam ntawv coj mus kom lwm tus txivneej ua tus menyuam leej txiv. *Nws yog kuv tus txiv qhuav.* Lus rov: *Niam qhuav.*
[English] (n) Godparent.

txiv quav miv (y) 1. Ib hom ntoo uas muaj cov nplooj me~ thiab txi cov txiv luaj li tus ntiv tes, thiab lub txiv zoo xws li yav quav miv: *Ib tsob txiv quav miv.* 2. Cov txiv uas txi los ntawm cov ntoo no.
[English] (n) 1. Tamarind. 2. The fruit of this tree.

txiv quav nees (y) Ib hom ntoo uas txi cov txiv dub, luaj li ntiv tes thiab ntev li ib tshim tej. 2. Cov txiv uas txi los ntawm cov ntoo no.
[English] (n) Certain kind of tropical plant. 2. The fruit of this tree.

txiv roj (y) 1. Cov ntoo uas txi cov txiv muaj roj losyog qab rog heev. 2. Cov txiv uas txi los ntawm cov ntoo no.
[English] (n) 1. Olive. 2. The fruit of this tree.

txiv rua lo (y) 1. Ib hom ntoo uas txi cov txiv luaj li ntiv taw xoo, thiab thaum lub txiv qhuav lawm, nws rua ua ob sab: *Ib hnab txiv rua lo.* 2. Cov txiv uas txi los ntawm cov ntoo no.
[English] (n) 1. Certain kind of pod (fruit) when dried the seed opens into two pieces similar to an open mouth. 2. The fruit from such tree.

txiv taub txiaj (y) 1. Ib hom hmab uas txi cov txiv loj luaj li tej lub dib pag. Ib txhia neeg kuj hais tias zoo tshuaj rau noob qes o, mob plab huam thiab khov sawv plab tej thiab.
[English] (n) 1. Certain kind of tropical pod. 2. The fruit of this vine.

txiv taug nab (y) Ib hom hmab uas txi cov txiv hmab luaj li taub teg thiab txaij~. Ib txhia neeg kuj siv los ua tshuaj kho rau cov pojniam khub cev, thiab muaj ntshav khov hauv nws lub cev tomqab thaum yug menyuam. Zoo xws li tej lub dib, tabsis qaub~.
[English] (n) 1. Certain kind of tropical pod (fruit). 2. The fruit of this vine.

txiv taum ntaj (y) 1. Ib hom ntoo uas txi cov txiv zoo li taum thiab nkhaus zoo li rab ntaj. Ib txhia neeg kuj siv cov txiv los kho cov mob xws li o thiab qis tej.
[English] (n) 1. Certain kind of tropical pod (nut). 2. The fruit of this tree.

txiv taum txaij (y) Ib hom ntoo uas txi cov txiv thiab nws cov noob txaij~. Lub noob luaj li ntiv tes xoo, dub thiab txaij~. Ib txhia neeg kuj siv los ua tshuaj kho

© 2003 Jay Xiong. All rights reserved.

lossis pleev rau thaum muaj nab tom thiab mob rwj losyog o tej.
[English] (n) 1. Certain kind of tropical pod (nut). 2. The fruit of this tree.

txiv thooj ywg (y) Ib hom txiv uas neeg siv los ua tshuaj. Ib txhia neeg kuj hais tias zoo tshuaj rau kev mob tsam plab tej.
[English] (n) Certain kind of tropical pod (nut).

txiv toob (y) 1. Ib hom hmab uas txi co txiv uas luaj li lub nrig thiab ntsuab. Feem ntau neeg nyiam muab hau ua zaub tsuag xwb: *Ib tsob txiv toob.* 2. Cov txiv uas txi los ntawm cov hmab no.
[English] (n) 1. Chayote. 2. The fruit of this vine.

txiv tsawb (y) Ib hom txiv uas txi los ntawm tsob tsawb: *Ib lub txiv tsawb.*
[English] (n) Banana, esp. the fruit of the banana tree.

txiv tsuag taub (y) Ib hom txiv uas yog zoo tshuaj rau mob khaus.
[English] (n) Certain kind of tropical pod (fruit).

txiv txhais (y) 1. Ib hom ntoo uas txi cov txiv luaj li lub nrig; ib txhia neeg kuj hu ua "txiv nkhaus taw" no thiab. 2. Cov txiv uas txi los ntawm cov ntoo no.
[English] (n) 1. Mango, mangoes. 2. The fruit of this tree.

txiv txhib ntawg (y) Tus txiv neeg uas ntawg mov rau tus neeg tuag thiab rau dab, xws li nyob rau hauv lub ntees tuag.
[English] (n) A man whose function is to give or offer (food) to the deceased or the deceased's spirit at the funeral.

txiv txiag (y) Tus neej uas txua cov txiag los ua lub hleb: *Nws yog tus txiv txiag.* Lo lus no yog siv rau thaum Hmoob tseem mus ntov ntoo los ua hleb thiab tseem nyob rau saum tej roob siab xwb.
[English] (n) A man who is in charge of making or creating the coffin.

txiv txuab (y) Ib hom txiv ntoo.
[English] (n) Certain kind of fruit.

txiv txuas txha (y) 1. Ib hom ntoo uas txi txiv thiab neeg siv cov txiv los ua tshuaj los pleev rau thaum muaj txha lov losyog dam tej. 2. Cov txiv uas txi los ntawm cov ntoo no.
[English] (n) 1. Certain kind of pod (fruit), and some people also use the seeds as medicine to heal broken bones or fractured bones. 2. The fruit of this tree.

txiv xaiv (y) 1. Cov zaj lus uas Hmoob siv los hais rau thaum tus neeg tuag: *Nws*

© 2003 Jay Xiong. All rights reserved.

txawj hais txiv xaiv. 2. Tus neeg uas paub hais cov zaj txiv xaiv ntawv.
[English] (n) 1. The Hmong funeral preaching or singing songs. 2. A man who is specialized with such funeral songs.

txivtub (y) Tus txiv thiab tus tub: *Wb yog txivtub.*
[English] (n) Father and son.

txo[1] (u) Muab tshem tawm; muab daws mus; muab txiav kom poob los: *Koj txo nws lub nra; Muab raim txo txoj hlua.*
[English] (v) To unload (a bundle, for example); to discharge (cargo).

txo[2] (y) Cov hmoov av uas muaj nyob hauv dej: *Tus dej muaj txo heev.*
[English] (n) Particles or matters that float within water.

txob[1] (u) Hais kom ua; thov kom ua losyog pab: *Nws txob kom peb mus ua si.*
[English] (v) Ask, request. Ex: She asks us to go play.

txob[2] (u) Pib losyog thab; ua: *Nws txob tau ib txoj haujlwm.*
[English] (v) To bother, as to do or work on, a duty or task.

txog (r) 1. Mus cuag rau qhov chaw losyog mus kawg rau: *Nws mus txog tsev.* 2. Txog lub caij losyog sijhawm: *Txog peb lub sijhawm mus tsev lawm.* (pu) Mus cuag rau qhov chaw: *Nws mus txog.*
[English] (prep, adv) To.

txog ntua (pu) Txog kiag tsis ntev; txog kiag rau: *Peb tuaj txog ntua ntawm koj.*
[English] (adv) Just arrived; recently arrived.

txog siav (u) Ua pa nrov thiab ceev xws li thaum khiav~ tej: *Nws txog siav vim nws khiav tuaj xwb.*
[English] (v) Gasp, such as to breathe after running.

txom ncauj (u) Zom ua si; noj ua si; xob yem: *Nws txom ncauj xwb.*
[English] (v) To eat (food, esp. for fun or entertainment only).

txom nyem (u) Tsis muaj nyiaj, tsis muaj noj thiab tsis muaj haus: *Nws txom nyem vim nws tsis muaj mov noj li.* (p) *Nws nyob txom nyem heev.*
[English] (v,adj) Suffer, poor, esp. due to poverty or sickness.

txoob[1] (y) Ib hom ntoo uas muaj ib cov txoob losyog cov zoo li neeg cov plaub hau: *Ib tsob txoob loj thiab siab.*
[English] (n) Certain kind of palm tree; neodypsis.

txoob[2] (y) Cov plaub uas tuaj nyob saum nees lub caj dab: *Tus nees cov txoob.*

© 2003 Jay Xiong. All rights reserved.

[English] (n) Mane, esp. the long hair on top of a horse's neck.

txoog (pu) Pomkev tsim tsawv uas xws li thaum tsis tau tsaus heev losyog tsis tau kaj heev: *Thaum kaj ntug ntxoog peb mam li mus teb.*

[English] (adv) Dusky-like atmosphere, and used after the word "kaj ntug."

txooj (p) Muaj khub; muaj ob qho: *Lub ob hlis ntuj yog lub hli txooj.* (h) Muaj ntau tus los uake; ib qhoo: *Dam ib txooj pas tsis yoojyim.*

[English] (adj) Even, such as not an odd number. (cl) Used to describe bunch like objects; a cluster of thing.

txooj nyes (p) Fabhnyo; muaj ntau tsob nyob uake: *Cov tsawb nyob txooj nyes.*

[English] (adj) Everywhere, such as having many big trees all over.

txoom (u,p) Caws los uake; txav los ua ib pawg: *Nws cov tawv muag txoom tas.*

[English] (v) Wrinkle, shrink. (adj) Become wrinkled or shrunk.

txoos (y) Rooj sablaj; kev sibtham uas nyob ua ib pawg: *Ib lub txoos teev Ntuj.* (u) Tuaj koom; tuaj nyob rau ib qhov chaw: *Peb tuaj txoos ua ib pab.*

[English] (n) Conference, meeting. (v) To gather at a place.

txov (u) Muab ua kom puas; muab ua kom tsis zoo: *Nas txov peb cov nplej.*

[English] (v) Destroy, harm.

txua[1] (u) Muab xws li riam tws ntoo losyog txiav ntoo kom ua tau lwm yam: *Nws txua tau ib lub tujlub; nws txua tau ib lub cos.*

[English] (v) Make, create, invent (things) by way of using tools.

txua[2] (p) Tsis nplaum; tsis siblo: *Hmoob nyiam noj cov mov txua xwb.*

[English] (adj) Nonstick, unsticky.

txua[3] (pu) Tawg kiag; pluam kiag. Feem ntau yog siv tom qab ntawm lo tawg xwb thiab txaws: *Nws luam lub lam fwj tawg txua ntawm kev.*

[English] (adv) Shatteringly.

txuag (u) Siv me~ xws li kom txhob tas losyog tsis qub: *Nws txuag nws cov nyiaj heev; nws txuag nws cev ristsho heev.*

[English] (v) Save, such as to spend or use as little as possible.

txuam (u) Muab xyaw; muab xws li ntau yam los uake: *Muab mov nplaum txuam mov txua.*

[English] (v) Mix, blend, combine.

txuam tsoov (y) Yam uas yog muaj los ntawm muab ob losyog ntau yam los sib

© 2003 Jay Xiong. All rights reserved.

xyaws lossis sibtov: *Nws yog tus menyuam txuam tsoov.* (p) Piav txog yam uas txuam tsoov ntawv: *Nws yog ib tus neeg txuam tsoov.*
***[English]** (n) Mix. (adj) Mixed (a mixed child, for example).*

txuas[1] (y) Ib hom riam uas ntev thiab pem hau muaj ib tus kaus nkhaus uas xws li tus nqi lauj: *Hmoob siv txuas los luaj teb.*
***[English]** (n) Certain kind of Hmong knife, esp. having a long handle, and at the tip of the knife has an "L" shape or hook.*

txuas[2] (u) Muab xws li ob ya los ua ib ya: *Muab ob txoj hlua txuas ua ib txoj.*
***[English]** (v) Connect, join.*

txuas[3] (u) Muab ua kom cov kua tawm losyog txaws mus: *Nws txuas dej rau peb.*
***[English]** (v) Spray. Ex: She sprays water at us.*

txuas ntxiv (pu) Yam uas txuas thiab ntxiv rau: *Nws hais ib zaj txuas ntxiv. Txuas ntxiv peb tseem yuav noj mov thiab.*
***[English]** (adv) Additionally, next.*

txug (r,pu) <Lees> Txog.
***[English]** (prep,adv) <Leng> To.*

txuj (y) Kev txawj ntse; kev txuj ci; kev kawm ntawv: *Nws nyiam kawm txuj.*
***[English]** (n) Education, knowledge, wisdom.*

txuj ci (y) Kev txawj ntse; txuj: *Nws muaj txuj ci ntau heev.*
***[English]** (n) Knowledge, wisdom, esp. relating to trick and magic.*

txujkum (pu) Heev losyog zoo xws li: *Nws txujkum phem npaum li.*
***[English]** (adv) So; to such degree or extent.*

txujlom (y) Ib hom nroj uas neeg cog los noj thiab siv los xyaw nqaij tej: *Nws cog tau ib tsob txujlom.*
***[English]** (n) Certain kind of herb used for seasoning; spice.*

txujtxem (y,pu) Lub suav uas siv los piav txog xws li thaum tus menyuam quaj tas mus li: *Tus menyuam quaj txujtxem xwb.*
***[English]** (n,adv) A continuous crying.*

txujtxev (pu) Muaj kua xws li tsis tu; muaj kua los tas mus li: *Daim av txia dej txujtxev tas hnub.*
***[English]** (adv) To leak, discharge, seep (in a small amount but nonstop).*

txujtxias (pu) Muaj cuag li cas; muaj ntau thiab yog siv tuaj tom qab ntawm lo

© 2003 Jay Xiong. All rights reserved.

laim xwb. Lo lus no yog siv rau thaum hais kwv txhiaj xwb.
[English] (adv) Used to describe something flashing or lightning.

txujtxig (p) Piav txog lo lus ua, xws li dub tej: *Nws ua siab dub txujtxig.*
[English] (adj) Of, or relating to, the color black or dark.

txum loom (u) Ua, tsim tej yam phem losyog tsis zoo rau lwm tus neeg: *Muaj neeg txum loom lawv pog lub ntxa.*
[English] (v) To harm; to do evil, esp. to a deceased, so bad fortune will happen to the living ones.

txumpaj* (y) Ib hom pam siv los pua pw thiab muaj rwb nyob hauv: *Ib daim pam txumpaj.*
[English] (n) Mattress, esp. the kind that stuffed with cotton.

txumtim (y,p) Tus neeg losyog yam uas yug thiab loj hlob nyob rau ntawm qhov chaw ntawv; ibtxwm yug thiab loj hlob ntawm qhov chaw los: *Lawv yog cov txumtim hauv lub zos no.*
[English] (n,adj) Native.

txumyim (u) Muab ob txhais tes los uake, thiab muab mus cug, uas xws li yuav mus txais khoom tej, thiab nqa mus siab, mus qes uas xws li thaum pe tag. *Nws pe tag ces nws mam li txumyim.*
[English] (v) To extend both hands (together) forward, as to receive something, and move up and down. This is normally done after kneeling.

txumzooj (y) Ib hom pam siv los pua pw thiab muaj rwb nyob hauv; cov pam pua pw uas tuab thiab zooj: *Ib daim pam txumzooj.*
[English] (n) Mattress.

txus (pu) Yim ua; yim huab; lo lus no siv los piav txog xws li txus noj txus xav noj; txus nyob txus tub nkeeg ltn...
[English] (adv) More.

txw (u) Qhia kom ua li; ntxias kom lwm tus ua. Feem ntau yog qhia kom lwm tus ua tej yam tsis zoo: *Nws txw kom wb mus tub sab.*
[English] (v) Persuade, induce.

txwjlaus (y) Cov neeg laus losyog cov neeg uas paub kevcai: *Peb lub tsev Teev Ntuj muaj kaum leej neeg txwjlaus.* Ib txhia neeg kuj hais tias "txwjlaug" thiab.
[English] (n) Elder, elderly.

© 2003 Jay Xiong. All rights reserved.

txwm[1] (u) Muaj txaus; puv: *Cov nyiaj txwm lawm.*
[English] (v) Full or being equal to a specific amount; adds up to.

txwm[2] (y) Muaj ob sab losyog ob yam lus nyob uake xws li txwm kwv txhiaj: *Nws zaj kwv txhiaj muaj plaub txwm.*
[English] (n) Couplet.

txwmkav (pu) Tabmeeg, txhob txwm, xwbtim, yeej meem: *Peb txwmkav noj.*
[English] (adv) Purposely, intentionally, deliberately.

txws (y) Lub tawb me~ uas neeg siv los ntim tej yam xws li qhws ntsej thiab nplhaib tej: *Nws pub tau ib lub txws rau kuv.*
[English] (n) Jar or container, esp. the small cylindrical kind with a tight cover, and mostly used for storing tobaccos, rings or small items.

txwv[1] (u) Txiav tsis pub ua; tsis tso cai rau ua; tsis kam ua: *Cov nom txwv tsis pub neeg tubsab; lawv txwv tsis pub tua ntxhw.*
[English] (v) Forbid, prohibit, esp. by authority; to bar; to ban.

txwv[2] (y) Cov kaus nqaij uas tawm ntawm xws li qaib ntxhw lub tob hau tuaj.
[English] (n) 1. Trunk, esp. the trunk of an elephant. 2. Wattle of a turkey.

txwv yeem (y) Tej hav nyom txuam rau hav khaub tej: *Ib thaj txwv yeem.*
[English] (n) A field full of small trees and shrubs.

txwv zeej txwv koob (y) Tus pog thiab yawg uas xws li yog yus poj koob yawm txwv leej niam thiab leej txiv tej.
[English] (n) Ancestor.

u (y) Ib tus ntawv uas siv rau cov lus xws li tub, cub, lus ltn...
[English] (n) A vowel used for words such as "tub, cub, lus." The English equivalent sound is "00", such as zoo, too etc...

ua[1] (y) Ib lub suab siv rau cov lus xws li phua, ncua, nthua, dua ltn...
[English] (n) A vowel, and the equivalent English sound is "oua."

ua[2] (u) Tsim kom muaj; tsim kom tshwm sim: *Nws ua mov, ua liaj, ua teb ltn...*
[English] (v) To work; to perform, such as a task or duty.

ua[3] (u) Hloov mus yog; coj zoo li: *Nws ua tus neeg tubsab; nws ua neeg zoo.*
[English] (v) To be; to become.

ua cas (pu) Vim losyog tim li cas; yog li cas: *Ua cas koj tsis qhia?* (tx) *Nej tuaj txog ua cas peb tsis paub li.* (nth) *Ua cas!*

© 2003 Jay Xiong. All rights reserved.

[English] (adv, conj, interj) Why, how come.

ua ciab (y) Ib lub suab uas xub pib hais zaj lus taum, xws li "Ua ciab, nkaum See hvos nkaum See..."

[English] (n) A word used to start the Hmong "hais lus taum."

ua ciav (pu) Vim li cas; yog li cas xws li ua rau tsis paub: *Ua ciav koj ho noj thiab?* (tx) *Ua ciav nws ho zoo lawm.*

[English] (adv) Why, how come.

ua dog ua dig (pu) Lam taus-lam ua, ua tsis zoo: *Nws hlais nplej ua dog ua dig.*

[English] (adv) Somewhat, so so, such as not too good of a quality.

ua haus (u) Npaj dej thiab cawv los haus. Lo lus no feem ntau yog siv tuaj tom qab ntawm lo "ua noj, xws li ua noj ua haus" xwb.

[English] (v) To prepare drink. However, mostly used with and only after the word "ua noj, as ua noj ua haus."

ua ke (pu) Nyob rau ib qhov chaw losyog pawg: *Peb mus ua ke; peb nyob ua ke.*

[English] (adv) Together.

ua lias (u) Tso rau; tso cia rau ntawm: *Nws ua lias lub hnab rau hauv av.*

[English] (v) To cast objects; to throw (things) down.

ua lwj ua liam (pu) Lam taus lam ua xws li tsis zoo: *Nws hlais nplej ua lwj ua liam; nws txiav plaub hau ua lwj ua liam.*

[English] (adv) Carelessly, such as not having good quality of work.

ua noj (u) Npaj zaub thiab mov los noj: *Cov ntxhais paub ua noj dua cov tub.*

[English] (v) Cook. Ex: Girls know how to cook better than boys.

ua ntej[1] (p) Ntxov dua lub sijhawm; xub thawj: *Koj yog tus ua ntej.* (pu) *Koj mus ua ntej; koj hais ua ntej ltn...*

[English] (adj,adv) First, ahead.

ua ntej[2] (tx) Ua ntej lub sijhawm; pem hauv ntej: *Qhia kuv ua ntej nej mus tsev.* (r) Xub txog losyog muaj dhau los: *Kuv tuaj txog ua ntej koj.*

[English] (conj, adv) Before.

ua ntia (u) Muab yuj rau; cuam xws li khoom rau hauv av tej: *Nws ua ntia nws lub hnab rau hauv av; nws ua ntia nws cov menyuam rau peb.*

[English] (v) Throw away; cast down; to leave or drop something quickly.

ua ntsais (u) Muab sab tav tig mus ua ntej: *Nws ua ntsais ntau xwb.* (p) *Nws*

© 2003 Jay Xiong. All rights reserved.

nyiam pw ua ntsais xwb.

***[English]** (v,adj) Using the side (sideways of a person, for example).*

ua ntsuas (pu) Tsis txhob: *Ua ntsuas noj ntau; ua ntsuas mus ceev.*

***[English]** (adv) Don't, do not.*

ua nyuj (u) Txob kom ua ntau yam; ua nyuaj rau: *Tus menyuam ua nyuj heev.*

***[English]** (v) Pester, nag.*

ua pa (u) Nqus thiab tshuab pa tawm xws li hauv lub qhov ncauj: *Tus neeg tseem ua pa ces yog nws tseem ciaj.*

***[English]** (v) Breathe; to inhale and exhale air.*

ua qab (p) <Lees> Lawv qab; mus losyog los xws li nyob rau tom qab: *Kuv yog tus ua ntej hos nws yog tus ua qab.* Lus rov: *Ua ntej.*

***[English]** (adj) <Leng> After, behind.*

ua si (u) Tsis ua tiag; lam ua kom lom zem: *Nws ua si xwb.*

***[English]** (v) Play. Ex: The children play outside.*

ua tau (u) Muaj peev xwm ua; heev: *Nws ua tau tshaj peb.* (p) Piav txog tus uas heev losyog tawv: *Nws yog ib tus neeg ua tau heev.*

***[English]** (v) Can, able. (adj) Capable of; being tough.*

ua tiag (pu) Thev ua; majmam ua kom xws li dhau ntu uas nyuaj: *Ua tiag noj mov; ua tiag mus kom txog.*

***[English]** (adv) Perseveringly, endure, to carry on despite hardship; persist.*

ua tsaug (u) Hais kev zoo siab thiab qhuas rau lwm tus txoj kev pab lossis kev ua zoo rau yus losyog lwm tus neeg: *Peb ua tsaug rau nej txoj kev hlub.* (y) Txoj kev ua tsaug: *Lawv tsis muaj ua tsaug, tsis muaj mov noj dabts li.*

***[English]** (v) Thank, to give thanks to; thank-you. (n) Thanks, thank you.*

ua txoj (u) Ua zoo li yog tiag, tabsis tsis yog tiag: *Nws ua txoj tsis pom peb*

***[English]** (v) Pretend, fake, make believe.*

ua txuj (u) Ua yam tias muaj losyog, tabsis tsis tseeb; uatxoj: *Nws ua txuj tsis pom peb; nws ua txuj mob.*

***[English]** (v) Pretend, fake, make believe.*

ua zaug (pu) Ua ib zaug kom tas losyog kom tiav; tsis cia rau lwm zaus: *Peb ua zaug noj; peb ua zaug mus.*

***[English]** (adv) All, whole, at once.*

© 2003 Jay Xiong. All rights reserved.

ua zog[1] (u) Ua rau txav mus txav los uas xws li yuav vau tej: *Lub tsev ua zog vim cua hlob heev; tsob ntoo ua zog vim cua tshuab.*
***[English]** (v) Move, such as having a movement or motion.*

ua zog[2] (u) Mus ua num rau lwm tus neeg es kom tau nyiaj: *Peb ua zog ib hnub.*
***[English]** (v) Labor, work (for someone, esp. for money or wage).*

uab lag (y) Ib hom noog uas loj li tus menyuam qaib thiab muaj plaub dub. Uablag quaj lub suab nrov "aj, aj, aj" no: *Tus noog uab lag.*
***[English]** (n) Crow (large black bird).*

uaj (nth) Ib lub suab siv rau thaum muaj tej yam tsoo losyog ua rau mob: *Uaj, koj tsuj kuv txhais taw!*
***[English]** (interj) Ouch.*

uas (pu) Yog, xws li: *Yam uas zoo yog yam kim tshaj; tus neeg uas muaj nyiaj.*
***[English]** (adv) That.*

uav (y) Ib hom mob uas yog kis los ntawm kev sib deev.
***[English]** (n) Certain kind of venereal disease.*

ub (p) Deb, tsis ze uas xws li tim ub losyog tom ub: *Nws mus ub.* (y) Qhov chaw uas deb ntawv: *Nws nyob tim ub.*
***[English]** (adj) Far. (n) There, esp. a far away place.*

ub no (y) Txhua txhia yam uas xws li khoom tej: *Nws muab ub no cuam pov tseg tag.* Lo lus no, yog muab cais ces nws txhais tau tias "ntau yam " uas xws li: *Nws hais ub hais no–hais ntau yam; nws noj ub noj no–noj ntau yam.*
***[English]** (n) Thing, object.*

ui* (y) Ib lub suab uas siv rau cov lus xws li uib.
***[English]** (n) A vowel used for words such as "uib."*

uib* (nth) Ib lub suab qw: *Uib, nej tuaj txog nov thiab?*
***[English]** (interj) Oh, hey.*

uj eb (y,pu) Siv tuaj tom qab ntawm lo lus seev: *Nws seev uj eb tas hnub.*
***[English]** (n,adv) A sound made by someone who is homesick.*

uj iam (p) Siv los piav txog cov lus xws li ntuav, nti ltn... *Nws ntuav uaj iam.*
***[English]** (adj) Used to describe vomiting sound; vomitive.*

uj iv (y,pu) Siv los piav txog cov suab uas thaum npua quaj: *Npua quaj uj iv.*
***[English]** (n,adv) A sound made by a pig, esp. when searching for food.*

© 2003 Jay Xiong. All rights reserved.

us (y) <Lees> Os, xws li cov tsiaj os uas nyob hauv dej tej.
[English] (n) <Leng> 1. Duck. 2. Goose or geese.

uv[1] (u) <Lostsuas> Ua siab ntev; thev kom dhau: *Uv kom dhau ntu txom nyem.*
[English] (v) <Laotian> Endure, persevere, tolerate.

uv[2] (t) Kuv, xws li thawj tus neeg. Feem ntau yog hais los ntawm cov menyuam uas tseem hais lus tsis meej xwb: *Koj muab rau uv.*
[English] (pron) I, my, mine, me. Mostly used my babies only.

v[1] (y) Ib tus ntawv siv rau cov lus xws li vauv, vaj, vov, vuas ltn...
[English] (n) A consonant used for words such as "vauv, vaj" etc...

v[2] (y) Tus cim kuv uas siv rau cov lus xws li kuv, thov, mov, sov ltn...
[English] (n) A tone marker used words such as "kuv, thov, mov" etc...

vab (y) Lub kheej~ uas yog muab xyoob los fiab thiab siv los tsoov txhuv tej: *Neeg siv vab los tsoov txhuv.* Ib lub npe siv rau cov ntxhais.
[English] (n) A bamboo tray or receptacle, esp. having a circular shape, and mostly used to winnow. Also a proper name for girls.

vab tshaus (y) Lub kheej~ uas zoo li lub vab, tabsis me dua thiab muaj ntau lub menyuam qhov. Feem ntau yog siv los tshau khoom: *Ib lub vab tshaus.*
[English] (n) A small circular tray, esp. having small holes, and used for filtering or screening things.

vaim (y) Ib hom menyuam kab nyob hauv pas dej thiab thaum loj los nws txia ua cov yoov tshaj cum: *Lub pas dej muaj vaim coob heev.*
[English] (n) Larva.

vaj[1] (y) Thaj av losyog chaw uas muaj lajkab xov ncig: *Nws muaj ib lub vaj.*
[English] (n) An enclosed area, esp. with fence or walls around.

Vaj[2] (y) Tus tswv uas coj thiab kav lub tebchaws; tus nom uas kav lub teb chaws: *Nws yog peb tus Vaj.* Ib lub npe siv rau cov tub.
[English] (n) King, Lord. Also a proper name for boys.

Vaj[3] <Suav> Ib lub xeem Hmoob: *Nws lub xeem yog Vaj.*
[English] One of the Hmong's clan names, Vang.

Vaj Ncuab Ntxhoo Ib hom Hmoob xeem Vaj uas yog yug los ntawm tus niam Hmoob. Cov Hmoob Vaj no lawv ua ntxa Hmoob xwb. Hmoob Vaj muaj peb hom, xws li Vaj Ncuab Ntxhoo, Vaj Txawb thiab Vaj Tshuav Mab.

© 2003 Jay Xiong. All rights reserved.

[English] Certain kind of Hmong Vang whose origin came from a mother who was Hmong.

Vaj Ntxwv (y) Tus Vaj; tus nom loj uas saib xyuas thiab kav cov pejxeem; tus Huabtais kav tebchaws: *Peb mus hawm tus Vaj Ntxwv.*
[English] (n) King, Lord.

Vaj Pov Hmoob ib tus nom tubrog loj nyob rau tebchaws Lostsuas xyoo 1958 mus txog rau 1975. Lus Lostsuas hu ua Nai Phoo. Vaj yog nws lub xeem hos Pov yog nws lub npe. Nws hnub yug yog Yim Hli 12, 1929. Nws txiv hu ua Neej Tswb xeem Vaj thiab nws niam hu ua See xeem Thoj.
[English] A name of the Hmong's first General (commissioned rank in the Army in Laos during 1958-1975. Vang or "Vaj" is his last name. He is one of the most highly respected Hmong leaders, and also an influential Army General in Laos. His date of birth is August 12, 1929. His dad's name is Neng Chue Vang and his mom's name is Sheng Thao.

vaj tsab xeem lis (y) Txhua~ xeem; lwm xeem Hmoob: *Tsuav yog vaj tsab xeem lis yuav taus ces peb yuav taus xwb.*
[English] (n) Other clans; other people.

Vaj Tshuav Mab Ib hom Hmoob xeem Vaj uas yog yug los ntawm tus niam Mab (Lostsuas). Cov Hmoob Vaj no thaum tuag, lawv ua ib lub tshuav los pam tus neeg tuag xws li yog muab tso rau nraum tshav puam.
[English] Certain kind of Hmong Vang whose origin came from a mother who was Laotian, but the father was Hmong.

vaj tsiaj* (y) Lub vaj uas loj thiab dav heev, thiab neeg yug ntau yam tsiaj nyob rau hauv: *Peb mus saib ntxhw thiab tsov nram lub vaj tsiaj.*
[English] (n) Zoo, such as a park where living animals are kept.

Vaj Txawb Ib hom Hmoob xeem Vaj uas yog yug los ntawm tus niam Suav. Cov Hmoob Vaj no lawv ua ntxa Suav. Hmoob Vaj muaj peb hom, xws li Vaj Ncuab Ntxhoo, Vaj Txawb thiab Vaj Tshuav Mab.
[English] Certain kind of Hmong Vang whose origin came from a mother who was Chinese, but the father was Hmong.

vaj txiv* (y) Lub vaj uas xov thiab siv los cog txiv, xws li txiv ntoo tej.
[English] (n) Orchard, esp. the enclosed orchard.

© 2003 Jay Xiong. All rights reserved.

vajhuam (y) Hwjchim, cai, vajhuam: *Xav kom neeg muaj vajhuam sibluag.*
[English] (n) Right, such as something (legal rights) that is due to a person.

vajkhaum (y) Ib hom ntoo uas loj, siab, thiab cov tawv muaj ib co kua mis dawb thiab nplaum: *Ib tsob vajkhaum.*
[English] (n) Rubber tree.

vajloog (y) Lub zoo li lub vaj tabsis loj thiab dav: *Nws muaj ib lub vaj loog.*
[English] (n) A fenced in area; an enclosed area, such as by walls or fence.

vajtse (y) Neeg tej tsev; lub uas ua los nyob thiab pw: *Nej tej vajtse zoo heev.*
[English] (n) House, home, building.

Vajtswv (y) Tus Huabtais Ntuj; tus tswv uas kav thiab tsim lub ntuj thiab lub ntiajteb: *Vajtswv yog tus tsim tag ib puas tsav yam.*
[English] (n) God, Lord; the Father of all creations.

vajvoog (y) Yam uas zoo li lub vaj: *Nej sawv zoo li lub vajvoog.*
[English] (n) Circle, circular shape.

vam[1] (u) Xav thiab cia siab rau; muaj siab tos txog: *Nws vam tias peb yuav pab nws; nws vam txog peb sawvdaws.* Ib lub npe siv rau cov tub.
[English] (v) Hope, wish for. Also a name for boys.

vam[2] (u) Zoo thiab huam loj tuaj; muaj coob thiab hlob tuaj: *Nws tsev neeg vam sai kawg li; nws cov qaib vam zoo heev.*
[English] (v) Expanding or increasing in numbers or quantities; prosperous.

vam[3] (y,p) Tus ntawv suav uas muaj 10,000: *Ib vam leej neeg.*
[English] (n,adj) Ten thousand.

vam khom (u) Vam txog, cia siab rau: *Nws vam khom txog Huabtais Ntuj.*
[English] (v) Depend on; rely on.

vam leeb (y) Kav theej; tej tsob zoo li hmab thiab loj luaj li ntiv tes uas tuaj nyob rau tom hav zoov, thiab nyob ncig ntoo tej: *Neeg siv vam leeb los fiab kawm.*
[English] (n) Rattan.

vam meej (u) Muaj kev zoo thiab kev nplua nuj: *Nws lub tebchaws vam meej heev.* (p) *Lub tebchaws vam meej yog lub uas muaj txuj ci.*
[English] (v,adj) Prosperous, affluent.

vas[1] (y) Lub uas yog muab hlua fiab thiab siv los ntes thiab khwb ntses: *Muab lub vas mus ntaus ntses.* Ib lub npe siv rau cov tub.

© 2003 Jay Xiong. All rights reserved.

[English] (n) A circular fishing net, esp. the kind that have metal rings sew at the bottom of the net. Also a proper name for boys.

vas[2] (u) Mus puav ncig zoo xws li lub vaj losyog lub vas: *Peb mus vas tus kauv.*
[English] (v) Encircle; to box in; to surround something.

vas[3] (u) Muab ntau txoj, feem ntau yog yim txoj, hlua los khi seb puas zoo li ib lub voj losyog lub vaj: *Nws muab hlua vas seb lub qua tsev puas zoo.*
[English] (v) To test a place or an opportunity by taking eight short strings and try to tie both ends of all of the strings to see if it will form a circle.

vas hlua (u) Muab hlua mus vas. Feem ntau Hmoob siv lo lus no los piav txog xws li thaum muab 8 losyog 12 txoj hlua los sib khi seb cov hlua puas los sib khi tau zoo li lub vaj losyog lub voj: *Nws vas hlua seb qhov chaw puas zoo.*
[English] (v) To test a place or an opportunity by taking eight short strings and try to tie both ends of all of the strings to see if it will form a circle.

vasthib (y) <Lostsuas> Hnub tim, hnub suav uas xws li hnub tim 1, 2, 3 ltn... *Peb tuaj txog hnub vasthib 10, lub Peb Hlis ntuj.*
[English] (n) <Laotian> Date, such as a specified day of the month.

vasthiv (y) <Lostsuas> Hnub Xya losyog hnub uas neeg mus hawv Vajtswv.
[English] (n) <Laotian> Sunday.

Vasvias Ib lub npe zos uas nyob rau Lostsuas teb.
[English] A name of a city called "Vung Vieng" in Laos.

vau (u) Qaug uas xws li yog tog ntsis mus nyob rau hauv av: *Tsob ntoo vau.*
[English] (v) Fall, collapse. Ex: The tree falls to the ground.

vau koj vau kus (p) Mus losyog ua zoo li yuav vau tabsis ho tsis vau thiab: *Tus neeg qaug cawv mus kev vau koj vau kus.*
[English] (adj) The act of near falling, esp. resembling a drunken person.

vaubkib (y) Ib hom tsiaj uas muaj lub khauj khaum, ob txhais tes thiab ob txhais taw: *Nws ntes tau ib tus vaubkib.*
[English] (n) Turtle.

vaubkib dej (y) Ib hom vaub kib uas nyob hauv dej xwb.
[English] (n) Turtle that lives mostly in water; water turtle.

vaubkib nqhuab (y) Ib hom vaub kib uas nyob saum nqhuab, av, xwb.
[English] (n) Turtle that lives mostly on land; land turtle.

© 2003 Jay Xiong. All rights reserved.

vaum (u) Sov, kub, thiab ua rau tawm hws: *Hnub no sov thiab vaum heev.* (p) Yam uas ua rau sov thiab vaum.
***[English]** (v,adj) Hot and humid.*

vauv (y) 1. Tus txivneej uas yuav yus tus ntxhais: *Nws muaj ntau tus vauv.* 2. Cov txivneej nrog yus tus vauv tib phaj thiab yog tib lub xeem.
***[English]** (n) 1. Son-in-law. 2. Son-in-law's relatives who were born in the same generation "tib phaj" and having the same last name.*

vawb (y,pu) Ib lub suab xws li thaum tus dev tsem losyog tom es nrov.
***[English]** (n,adv) Bark, such as the sound uttered by a dog.*

vawv vo (pu) Noj ntau diav uas xws li ceev: *Nws noj vawv vo tas ib tais mov.*
***[English]** (adv) Hastily, quickly, esp. when eating.*

Veescas Ib lub npe zos tebchaws uas nyob rau Lostsuas teb.
***[English]** Vientiane--the capital city of Laos.*

veg (u) Muab pov tseg; tsis yuav lawm: *Nws veg nws lub tsheb qub.*
***[English]** (v) To throw away; to discard; to trash or junk.*

vias (u) Muab rub rau lwm qhov chaw uas xws li tsis pub mus losyog tsis pub kom plam: *Nws vias peb rau ub rau no.*
***[English]** (v) Pull, esp. in a swing like motion.*

viav vias (y) Txoj hlua uas ua kom neeg zaum hauv thiab muab fiav mus fiav los.
***[English]** (n) Swing.*

Vibnais Ib lub npe zos nyob rau Thaib teb uas yog cov Hmoob nyob rau tebchaws Lostsuas khiav (tawg rog) tuaj mus nyob thaum xyoo 1975 txog rau 1986.
***[English]** A name of refugee camp located in Thailand where most of the Hmong people stayed between 1975-1986.*

vigvoog (y,pu) Lub suab uas piav txog thaum muaj xws li cua hlob tshuab es nrov ntawv. (pu) *Cua tshuab nrov vigvoog; neeg khiav vigvoog tuaj saib.*
***[English]** (n,adv) A sound of loud movement, such as created by a strong wind or when many people are dispersing.*

vij (u) Muab puav ncig; nyob ncig uas xws li lub vaj: *Lawv vij tus tubsab.*
***[English]** (v) Enclose, surround.*

vijtsam (y) Tej lub uas yog muab xws li ntaub losyog xov los ua, thiab siv los thaiv xws li kom yoov nkag thiab ya tsis tau mus rau hauv: *Neeg siv vijtsam*

© 2003 Jay Xiong. All rights reserved.

los thaiv tshaj cum.

***[English]** (n) Screen, esp. the kind that used as a tent.*

vim (tx) Tim yog; rau qhov tias: *Kuv tuaj vim nws thov.*

***[English]** (conj) Because.*

vim li cas (pu) Yog li cas; tim li cas: *Vim li cas koj tsis noj?* (tx) *Kuv paub vim li cas koj khiav.*

***[English]** (adv, conj) Why, how come, for what reason?*

vimtias (tx) Tim yog; rau qhov tias: *Kuv tuaj vimtias nws thov.*

***[English]** (conj) Because.*

vimyog (tx) Tim yog; rau qhov tias: *Kuv tuaj vimyog nws thov.*

***[English]** (conj) Because.*

vis (u) Muab puav ncig; nyob ncig uas xws li lub vaj; vij: *Lawv tuaj vis tus tubsab.*

***[English]** (v) Enclose, surround.*

vivncaus (y) Cov pojniam losyog ntxhais uas yog tib lub xeem: *Nws muaj tsib tus vivncaus.*

***[English]** (n) Sisters, cousins, esp. the women cousins.*

voj[1] (y) Yam uas ua tej lub kheej thiab hauv plawv khoob: *Muab txoj hlua khi ua ib lub voj.*

***[English]** (n) Circle.*

voj[2*] (y) Ib tus ntawv suav uas tsis muaj dabtsi thiab yau tshaj tus 1. Tus ib thiab tus voj ces muaj kaum 10.

***[English]** (n) Zero, such as a 0.*

vom[1] (u) Muab xws li tej thooj nqaij loj losyog tej tus qaib mus hau kom siav: *Nws vom tus qaib.* (p) Yam uas vom ntawv: *Nws nyiam noj qaib vom xwb.*

***[English]** (v) Boil, such as to cook (a whole chicken) in boiling water.*

vom[2] (u) Ua rau nkees uas yog vim noj mov tsau: *Cov mov vom nws plab.* (p) Piav txog yam plab mob uas yog vom losyog mob vim noj mov tag es nkees ntawv.

***[English]** (v,adj) To have a tiresome feeling due to eating too much or too fast.*

voob (u) Muab tej yam (xws li av) los npoog, meem, lossis leem lub qhov; foob.

***[English]** (v) To cover, seal (a hole on the ground, for example).*

voog (y,pu) Lub suab uas xws li cua tuaj es nrov; vigvoog.

***[English]** (n) A sound of some strong wind blowing; a sound of many (people,*

© 2003 Jay Xiong. All rights reserved.

running or rushing, for example).

voos[1] (u) O losyog su xws li yog muaj mob nyob hauv: *Nws lub qhov txhab voos thiab mob heev.*

***[English]** (v) Swell, esp. due to infection.*

voos[2] (y) Ua tej lub voj kheej; ua tej lub xws li lub vaj voog: *Nws kos ib lub voos.* Ib lub npe siv rau cov tub.

***[English]** (n) Circle. Also a proper name for boys.*

vos (u) Muab xws li txhais tes, tus pas losyog rab diav mus muab tej yam hauv lub qab lauj kaub losyog hauv lub pas dej los: *Nws vos cov nqaij noj xwb.* (y) Lub ntse thiab loj nyob rau pem hau xws li ntawm tej hmuv thiab xub.

***[English]** (v) To search for (meat, for example) by way of using a spoon, utensil or tool from the bottom of a big pot, esp. when the pot is full of juice or broth. (n) Arrowhead; a metal arrowhead placed at the tip of a bow arrow.*

vos hav (y) Tej lub hav uas nyob nruab nrab ntawm ob lub roob tej.

***[English]** (n) A narrow valley, esp. an elongated lowland between mountains.*

vov[1] (u) Muab lwm yam los npog rau; muab tso rau sab sauv: *Nws muab daim pam vov tus menyuam.*

***[English]** (v) Cover, esp. on the top of something.*

vov[2] (u) Tsis qhia rau neeg paub; tsis hais tawm: *Nws vov tus tubsab.*

***[English]** (v) Cover, hide, conceal; to cover up (a secret, for example).*

vuab tsuab (u) Qias, tsis huv: *Tus menyuam vuab tsuab heev.* Feem ntau yog piav txog kev noj haus xwb. (p) Yam uas vuab tsuab: *Cov neeg vuab tsuab.*

***[English]** (v,adj) Dirty, filthy, as with dirt.*

vuag (u) Mus muab los; mus tsuab; muab tes tuav kom tau: *Nws vuag ntau yam.*

***[English]** (v) To grasp; to grab for (a pole, for example).*

vuas (y) Tej daim xyoob uas neeg muab phua ua ob sab thiab siv los vov tsev tej: *Nws siv vuas los vov nws lub tsev; nws txiav xyoob los ua vuas.*

***[English]** (n) A piece of bamboo, esp. cut in half and mostly used by Hmong people as roofing materials.*

vuv (y) Tej rab uas yog muab hlau ua, muaj hniav, thiab neeg siv los hlais xws li nplej tej: *Neeg siv vuv los hlais losyog muab nplej.*

***[English]** (n) A small, handheld harvesting device or tool that Hmong people*

© 2003 Jay Xiong. All rights reserved.

used to snip or cut the rice stalks.

Vwj Ib lub xeem Hmoob: *Nws lub xeem yog Vwj.* Ib lub npe siv rau cov tub.
[English] *A Hmong last name--Vue. Also a proper name for boys.*

vwm (u) Ua rau tsis meejpem; ua rau lub hlwb tsis zoo: *Nws vwm es nws thiaj tsis paub nws lub npe.* (p) Piav txog tus neeg vwm: *Nws hais lus vwm dhau.*
[English] *(v,adj) Crazy, mental.*

vwm loj-vwm leg (p) Vwm thiab tsis meejpem xws li tsis paub tom ntej thiab tom qab zoo: *Nws haus cawv ntau thiaj ua rau nws vwm loj-vwm leg.* (pu) *Nws hais lus vwm loj-vwm leg.*
[English] *(adj) Crazy, mental. (adv) Crazily, mentally.*

vwm ntsuav (pu) Zoo li, coj tus cwjpwm xws li vwm: *Nws ua tus vwm ntsuav.*
[English] *(adv) Crazily, mentally.*

w[1] (y) Ib lub suab siv rau cov lus xws li pw, qw, ncw ltn...
[English] *(n) A vowel used for words such as "pw, qw" etc...*

w[2] (y) Lub losyog qhov chaw uas yog muab nplej losyog pobkws mus tso rau es kom muaj tsiaj qus los noj: *Nws ua tau ib lub w; tus nas los noj w.*
[English] *(n) A baiting place or location, esp. in the wood where people put food, apples, rice or corns, as to entice wild animals.*

w[3] (y) Ib cov noog uas zoo xws li cov menyuam qaib thiab muaj nyob rau tom teb npleg tej: *Nws pom ob tus noog w.*
[English] *(n) Certain kind of tropical bird resembling a quail but much smaller and only live in the rice field.*

w[4] (u) Muab xws li noob losyog tej yam me~ mus tseb rau; muab cov noob pov rau xws li hauv av: *Nws muab cov txhuv w thoob lub tsev.*
[English] *(v) Sprinkle, esp. by scattering (seeds, for example) with the hand.*

wa* (y) Ib luab suab uas siv rau lo lus Lostsuas, xws li khib nywab.
[English] *(n) A vowel similar to the English sound "eua."*

wb[1] (t) Siv los ntawm ob leeg losyog ob tus neeg uas hais lus: *Wb tuaj hais nej.*
[English] *(pron) We (and used referring to two persons only).*

wb[2] (pu) Siv los teb lwm tus neeg tias tsis, xws li tsim kam ltn... *Wb, kuv tsis kam!*
[English] *(adv) No, not.*

ws (pu) Yog li; pomzoo li; aws: *Ws, kuv mam li mus. Ws, kuv mam nyob.*

© 2003 Jay Xiong. All rights reserved.

[English] (adv) Yes, okay, alright.

ws hwv (pu) Yog li; zoo xws li koj nug. Siv los teb lwm tus cov lus nug losyog lus hais tias yus hnov losyog pom zoo: *Ws hwv, kuv nyiam los mav.*
[English] (adv) Yes, okay, alright.

x (y) Ib tus ntawv siv rau cov lus xws li xob, xa, xov, xwm ltn...
[English] (n) A consonant used for words such as "xa, xov, xwm" etc...

xa[1] (u) 1. Muab xws li khoom nqa mus rau lwm tus: *Nws xa hnab txhuv tuaj rau peb.* 2. Nrog mus; coj mus xws li kom txog chaw: *Nws xa lawv mus tsev.* 3. Hais lus mus rau; qhia rau tias: *Nws xa xov rau nej paub.*
[English] (v) 1. Send, deliver (items or things, for example). 2. Send, take, drive (a person to a location, for example). 3. Send, i.e., a message.

xa[2] (u) Noj (ib lo lus nchav xwb): *Nws xa tas ib tsu mov.*
[English] (v) Eat (offensive use only).

xa[3] (u) Ua rau; hais: *Nws xa peb yoob tas.*
[English] (v) Perform, execute.

xaabcum (y) <Lees> Lub kos; lub uas muaj peb tus ceg thiab yog muab hlau ua.
[English] (n) <Leng> Trivet.

xaaj (u) <Lostsuas> Hais kom ua; yuam kom ua li: *Tus nom xaaj kom peb tuaj.*
[English] (v) <Laotian> Order, command, instruct.

xab (y) Cov hmoov losyog poov uas neeg siv los ua cawv tej: *Cov poov xab.* Ib lub npe siv rau cov tub.
[English] (n) Yeast. Also a proper name for boys.

xab nag kis (y) Tagkis; hnub nyob rau yav tomntej; lwm hnub: *Yog xab nag kis peb ho rov sib ntsib, thov nej ho zam rau peb.* Feem ntau neeg nyiam siv tuaj tom qab ntawm lo "kaj ntug" xws li "kaj ntug xab nag kis" ltn...
[English] (n) Tomorrow; the days ahead; in the future.

xab txhim suav (y) Ib hom tshuaj uas zoo xws li qos do, thiab daim tawv dub. Ib txhia neeg kuj siv los kho cov mob xws li mob qog tej.
[English] (n) Certain kind of herb.

xais (u) Muab xws li cov ntsis ntiv tes mus nias lossis de: *Nws xais kuv lub tobhau.*
[English] (v) To squeeze or press down on (a body part, for example) by using the thumb or a finger; to massage (a body part) by squeezing.

© 2003 Jay Xiong. All rights reserved.

xaiv[1] (u) 1. Muab losyog yuav ib yam ntawm ntau yam: *Nws xaiv tus zoo tshaj.* 2. Xaiv losyog tsis nyiam neeg yoojyim: *Tus menyuam xaiv neeg heev.*
***[English]** (v) 1. Select, choose. 2. Being picky, choosy.*

xaiv[2] (u) Txiav txim seb yuav tus neeg twg, xws li los ua tus nom losyog txoj haujlwm; tsim tsa losyog tso npe rau tus neeg uas yus xav tias zoo thiab yuav ua tau txoj haujlwm: *Peb xaiv tus nom los kav lub tebchaws.*
***[English]** (v) Elect; to nominate or select by vote.*

xam[1] (u) Muab ob lub qhov muag saib uas xws li kom pom; siv ob lub qhov muag mus nrhiav: *Nws xam seb peb nyob qhov twg.*
***[English]** (v) Search, seek, find; to look for.*

xam[2] (u) Tseem suav txog losyog xav tias muaj thiab: *Nws txawm nyob deb los peb tseem xam tias muaj nws thiab.*
***[English]** (v) Count, such as to include (a person) in.*

xam[3] (u) Paub tias muaj tseeb losyog tau tiag lawm: *Noj tas ces thiaj li xam.*
***[English]** (v) Count, such as to ensure it is true or happening.*

xam[4] (u) Dua lawm; tsuag xws li tsis muaj ceem heev: *Cov tshuaj xam lawm.*
***[English]** (v) To end its strength or potency (medicine, for example).*

xam le (pu) <Lees> Thiaj li; uas xws li: *Nwg moog lawm peb xam le nyob.*
***[English]** <Leng> Therefore, hence, thus.*

xas npus (y) <Lostsuas> Tej yam uas neeg ua los tau ntxuav cev thiab txhua khaub ncaws kom tshiab losyog dawb: *Siv xasnpus los ntxhua khaub ncaws.*
***[English]** (n) Soap, detergent*

xau (u) Txeej los; muaj tawm los xws li dej losyog yam ua kua tej: *Nag xau los ntub peb lub txaj.* Xau dej, xau nag yog txhais tias muaj dej los rau hauv.
***[English]** (v) Leak.*

xaub (u) Txav losyog swb xws li mus rau qhov qis: *Lub nra xaub lawm.*
***[English]** (v) Slide, slip.*

xauj (u) Muab ob lub qhov muag saib; ntsia: *Nws xauj seb peb nkaum qhov twg.*
***[English]** (v) Peek, look; to stare or look at.*

xaus (u) Los kawg rau; tws losyog tas rau; tsum: *Nws xaus zaj kwv txhiaj lawm.*
***[English]** (v) Conclude, finish, end.*

xaus lus* (y) Tus ntawv '.' uas siv los xaus zaj lus: *Nws muaj ib xyoo xwb.*

© 2003 Jay Xiong. All rights reserved.

***[English]** (n) A period '.' character.*

xaus xi (pu) Xaus kiag rau; kawg losyog poob rau. Lo lus no feem ntau yog siv rau lub caij hais kwv txhiaj xwb: *Xaus xi rau tim toj.*

***[English]** (adv) Ending with; concluding with.*

xauv[1] (y) Lub tooj losyog lub nyiaj uas Hmoob muab coj rau ntawm lub cajdab: *Nws muaj ib lub xauv.* Ib lub npe siv rau cov tub.

***[English]** (n) A cluster of neck ring made with silver. A proper name for boys.*

xauv[2] (u) 1. Muab kaw kom ruaj: *Nws xauv lub qhov rooj.* 2. Muab kaw rau hauv; muab khi losyog pav kom mus tsis tau qhov twg.

***[English]** (v) 1. Lock, as to lock a door. 2. Lock, as to handcuff someone.*

xauv npo (p) Muaj ntau losyog muaj cuag li cas: *Lawv noj xauv npo.*

***[English]** (adj) Plentiful, abundant.*

xauv tes (y) Ob lub xauv hlau uas siv los xauv losyog khi ob txhais tes.

***[English]** (n) Handcuff.*

xav[1] (u) Nrhiav tswvyim; muaj nyob hauv lub hlwb losyog hauv siab; nco txog: *Nws xav tag nws mam hais lus; nws xav txog yav tas los.*

***[English]** (v) Think, ponder, consider.*

xav[2] (u) Nyiam, ntshaw: *Nws xav pom peb; nws xav muaj nyiaj.*

***[English]** (v) Would like to; want to; wish to; long for.*

xawb (u) Nrhiav; fawb kom pom; tshawb xyuas: *Nws xawb cov khaub ncaws.*

***[English]** (v) Search, seek, find (for items, for example).*

xaws[1] (u) Muab xws li koob thiab xov los ua kom yog ris, tsho, thiab paj ntaub tej: *Nws xaws ris thiab tsho; nws xaws paj ntaub.*

***[English]** (v) Sew, stitch, knit.*

xaws[2] (u) Ua kom tsis muaj qhov; nqawm: *Lub qhov txhab xaws lawm.*

***[English]** (v) To cover up or seal (an opening or a wound, for example) when the wound is completely healed.*

xaws[3] (y) Tus pas xyoob uas siv los nqus cawv losyog dej xws li hauv lub hub tej: *Nws siv tus xaws mus nqus cov cawv.*

***[English]** (n) A small bamboo stalk used as a straw for sucking or sipping alcohol from a big jar.*

xeb (u) Ua rau xws li hlau muaj ib co hmoov losyog muaj cov kua liab nyob rau

© 2003 Jay Xiong. All rights reserved.

ntawm daim hlau: *Rab riam xeb heev.* (p) Yam uas xeb. (y) Yam uas ua rau xeb: *Nws txhuam cov xeb tawm.*

***[English]** (v) Rust. (adj) Rusty. (n) Rust.*

xee (u) <Lostsuas> Sau yus lub npe nyob; kos yus lub npe rau daim ntawv: *Xee koj lub npe rau ntawm txoj kab no.*

***[English]** (v) <Laotian> Sign, such as to write one's signature.*

xeeb (u) Tsim muaj tuaj; pib muaj tuaj: *Tus pojniam xeeb tub lawm.* Ib lub npe siv rau cov tub.

***[English]** (v) Originate, form. Also a proper name for boys.*

xeeb ceem (y) Tus cwjpwm; txoj kev coj ntawm tus neeg: *Nws tus xeeb ceem.*

***[English]** (n) Attitude, behavior, character.*

xeeb keeb (y) Muaj puag thaum pib los; ibtxwm muaj losyog zoo li: *Nws yeej zoo li ntawv puag thaum xeeb keeb los lawm.*

***[English]** (n) Naturally was that way; originally made or created that way.*

xeeb leej ceem (y) Ib hom tshuaj ntsuab uas tuaj ua tej caj zoo xws li qos. Feem ntau, neeg siv los ua tshuaj thiab. Ib txhia kuj hu ua "teeb nyug" no.

***[English]** (n) Certain kind of herb similar to ginger.*

xeeb leej xeeb ntxwv (y) Tej menyuam uas yog yus cov menyuam mus yug xws li peb tiam neej tomqab ntawm yus: *Nws cov xeeb leej xeeb ntxwv.*

***[English]** (n) Grandchild, grandchildren.*

xeeb muj mum (y) Cov menyuam uas yog yus cov xeeb ntxwv muaj losyog yug los: *Kuv cov xeeb muj mum losyog cov muj mum.*

***[English]** (n) The child or children of one's grandchild. Great grandchild.*

xeeb ntxwv (y) Tej menyuam uas yog yus cov menyuam mus yug: *Nws cov xeeb ntxwv coob heev.*

***[English]** (n) Grandchild, grandchildren.*

xeeb txob (u) Ua rau nyuaj siab; ua rau txhawj txog: *Nws qhov teebmeem xeeb txob kuv tag npaum li.*

***[English]** (v) Bother, disturb, irritate, annoy.*

xeem[1] (y) Lub npe uas los ntawm pawg neeg: *Muaj ntau xeem Hmoob uas xws li xeem Xyooj, Thoj, Vaj, Tsab, Lauj, Muas, Lis, Vwj, Hawj ltn...*

***[English]** (n) Last name, name of a clan. Ex: What is your last name?*

© 2003 Jay Xiong. All rights reserved.

xeem[2] (u) <Lostsuas> Sib tw; ua seb leej twg yog tus zoo tshaj: *Peb xeem khiav.* 2. Ua seb paub losyog txawj npaum li cas: *Peb xeem ntawv.*
[English] (v) 1. Compete. 2. To test, esp. such as to take an exam.

xeem pheev-xeem tawm (u) Pib tsim lossis ua tshiab tuaj mus: *Nws xeem pheev-xeem tawm nws tej khoom vaj thiab khoom tsev.*
[English] (v) Invent, make, create, esp. from the beginning.

Xees Khuam Ib lub npe xeev nyob rau tebchaws Lostsuas.
[English] A name of a province or state, Xiang Khouang, in Laos.

xeev[1] (y) Ib lub nroog losyog ib thaj av uas nyob hauv lub tebchaws: *Tebchaws Miskas muaj 52 lub xeev.*
[English] (n) State, such as a specific region or area of government.

xeev[2] (u) Hnov rov los; tsim los lawm: *Nws xeev lawm.*
[English] (v) Being conscious; awake.

Xeev hluas (y) Tus nom loj hluas losyog tus neeg kav ib pab neeg uas tseem hluas.
[English] (n) A young King or Lord (mostly used in a story or fiction only).

Xeev laus (y) Tus nom loj losyog tus neeg kav ib pab neeg: *Xeevlaus qaum teb.*
[English] (n) An old King or Lord (mostly used in a story or fiction only).

xeev siab (u) Ua rau yuav ntuav; ua rau xws li lub siab tsis huv: *Nws xeev siab es nws thiaj li ntuav.* (y) Kev ua rau xeev siab.
[English] (v) Being nauseous or queasy. (n) Nausea.

xeev xwm (u) Nco tau zoo thiab paub los: *Txij thaum kuv xeev xwm los, kuv paub tias Hmoob yeej tsis muaj tebchaws.*
[English] (v) Aware, know, remember.

xem (u) Tsis nplua. Feem ntau yog piav txog xws li txiv qaub losyog khoom noj tej: *Cov txiv txhais ntsuab xem heev.* (p) Yam uas xem ntawv.
[English] (v,adj) Having a tart or pungent taste.

xem tshwj (u) Ua tsaug tabsis yog siv rau thaum tso plig xwb: *Txog caij xem tshwj lawm nawb.*
[English] (v) Thank you, thanks. This term is only used at a ritual that releases or let go of the spirit of a deceased.

xes (u) Vau rau ub vau rau no xws li thaum tus neeg tsis meejpem: *Nws xes vim tus ceg ntoo poob raug nws.*

© 2003 Jay Xiong. All rights reserved.

[English] (v) Unconscious; temporarily lacking consciousness.

xev (u) 1. Tsim tshiab los hais: *Nws xev ib cov kwv txhiaj.* 2. Dag, tsis muaj tseeb: *Nws xev tias nws yog ib tus nom.*

[English] (v) 1. Create, invent (new songs, for example). 2. Lie (false).

xi[1] (u) Thaum cov dej yuav npau es ua lub suab nrov tej; xiv: *Hwj dej xi.*

[English] (v) Fizzle, hiss.

xi[2] (u) Muab ua kevcai rau xws li tomqab thaum tus menyuam me (muaj ob losyog peb hlis xwb) tuag lawm (thaum puv ib tsug 13 hnub). Yog muab xi tas ces tsis laig li lawm: *Lawv xi lawv tus menyuam uas tuag lawm.*

[English] (v) A Hmong rite, esp. the 13 days after a burial of a young, a few months old, child only.

xia (y) Tsuas uas xiav: *Ib pob ntaub xia.* Ib lub npe siv rau cov txhais.

[English] (n) Blue. Also a proper name for girls.

xiab[1] (u) Muab tej yam los tso rau hauv qab; muab lwm yam los tiag: *Muab daim ntoo xiab tus ceg rooj.*

[English] (v) To slide or put something underneath (a leg of a table, for example) something else as to provide more support.

xiab[2] (u) Muab nyiaj mus ntiav kom lwm tus pab: *Nws xiab tus nom ob txhiab.*

[English] (v) To bribe, esp. by giving money to (a judge, for example) or other person so that that person will do one, the giver, a favor.

xiab[3] (u) Loj tuaj; puv tuaj uas xws li lub hli: *Thaum lub hli xiab.* Lus rov: *Qig.*

[English] (v) To wax; to increase in size; to expand (from a crescent moon to a full moon, for example).

xiab cuaj (y) Hnub thiab hmo cuaj tom qab thaum lub hli rov loj losyog puv tuaj.

[English] (n) The ninth day of the month.

xiab ib (y) Hnub thiab hmo ib tom qab thaum lub hli rov loj losyog puv tuaj.

[English] (n) The first day of the month.

xiab kaum ib (y) Hnub kaum ib tom qab thaum lub hli rov loj losyog puv tuaj.

[English] (n) The eleventh day of the month.

xiab kaum ob (y) Hnub kaum ob tom qab thaum lub hli rov loj losyog puv tuaj.

[English] (n) The twelfth day of the month.

xiab kaum peb (y) Hnub kaum peb tom qab thaum lub hli rov loj losyog puv tuaj.

© 2003 Jay Xiong. All rights reserved.

[English] (n) The thirteenth day of the month.

xiab kaum plaub (y) Hnub kaum plaub tom qab thaum lub hli rov loj losyog puv tuaj: *Tag kis yog xiab kaum plaub lawm.*

[English] (n) The fourteenth day of the month.

xiab kaum tsib (y) Hmo losyog hnub uas thaum lub hli puv thiab kheej heev, xws li yog hnub15 thaum lub hli pib rov puv tuaj.

[English] (n) The fifteenth day of the month.

xiab ob (y) Hnub thiab hmo ob tom qab thaum lub hli rov loj losyog puv tuaj.

[English] (n) The second day of the month.

xiab peb (y) Hnub thiab hmo peb tom qab thaum lub hli rov loj losyog puv tuaj.

[English] (n) The third day of the month.

xiab plaub (y) Hnub thiab hmo plaub tom qab thaum lub hli rov loj tuaj.

[English] (n) The fourth day of the month.

xiab rau (y) Hnub thiab hmo rau tom qab thaum lub hli rov loj losyog puv tuaj.

[English] (n) The sixth day of the month.

xiab tsib (y) Hnub thiab hmo tsib tom qab thaum lub hli rov loj losyog puv tuaj.

[English] (n) The fifth day of the month.

xiab xya (y) Hnub thiab hmo xya tom qab thaum lub hli rov loj losyog puv tuaj.

[English] (n) The seventh day of the month.

xiab yim (y) Hnub thiab hmo yim tom qab thaum lub hli rov loj losyog puv tuaj.

[English] (n) The eighth day of the month.

xiam[1] (u) <Lostsuas> Poob, pawv, ploj lawm: *Nws pob nyiaj xiam lawm.*

[English] (v) <Laotian> Lose, such as unable to find or locate something.

xiam[2] (u) <Lostsuas> Puas tsuaj, tuag: *Nws xiam tau ntau xyoo los lawm.*

[English] (v) <Laotian> Die, such as to cease living.

xiav (y) Yam tsuas uas zoo li yam uas doog: *Xiav yog ib hom tsuas losyog zas.* (p) Yam uas xiav: *Daim ntaub xiav.*

[English] (n,adj) Blue.

xiavlus (p) Yam uas xiav ntawv: *Ib lub pas dej xiavlus.*

[English] (adj) Bluish or blueish.

xib (u) Nyiam li ntawv; xav kom zoo losyog muaj li ntawv: *Tus neeg xib yam phem thiaj ua yam phem.*

© 2003 Jay Xiong. All rights reserved.

[English] (v) Like, prefer, desire.

xibdub (y) Ib hom noog uas muaj ntsis zoo li uab lag, tabsis nws nyob rau tom hav zoov xwb: *Nws pom ib tus xibdub.*

[English] (n) Certain kind of large black bird.

xibfwb (y) <Suav> Tus neeg uas qhia lwm tus; tus neeg uas txawj thiab qhia lwm tus; xibhwb: *Tus xibfwb tuaj qhia ntawv rau peb.* Qee leej kuj hais tias xibhwb. Tus leej qhia losyog tus neeg uas qhia cov leej kawm.

[English] (n) <Chinese> Teacher.

xibhwb (y) <Suav> Tus xibfwb; tus leej qhia. Tus neeg uas qhia lwm tus neeg, xws li ntawv, qeej thiab lwm yam.

[English] (n) <Chinese> Teacher. See also "leej qhia."

xibnywj (y) Ib hom tsiaj uas zoo li tus npua tabsis nyob hauv dej ntau: *Nws pom ib tus xibnywj.*

[English] (n) Certain kind of tropical animal (resembling a hippo) and live in water, esp. lake or big pond.

xibplaws (pu) Tawm losyog tshwm tuaj kiag. Feem ntau yog siv rau lub caij hais kwv txhiaj xwb: *Txiv leej tub tawm rooj xibplaws tuaj txog...*

[English] (adv) Suddenly, quickly.

xibtaw (y) Qhov chaw uas pib ntawm lub qij taws mus txog rau ntawm cov hauv paus ntivtaw, thiab yog sab uas nyob rau hauv av: *Neeg siv lub xibtaw mus kev.*

[English] (n) The inner surface (base) of a foot.

xibtes (y) Qhov chaw uas pib ntawm lub qij tes mus txog rau ntawm cov hauv paus ntiv tes, thiab yog sab uas nyob rau hauv lub xubntiag: *Muab lub qe tso hauv nws xibtes.* Ib txhia neeg kuj hais tias "xib teg" thiab.

[English] (n) Palm, as the inner surface of a hand.

xibxub[1] (y) Tej tus pas uas muaj ib tog ntse hos ib tog muaj ib daim ntxaij, thiab siv los tua rau ntawm rab hneev xwb: *Nws zob tau ob tus xibxub.*

[English] (n) Bow arrow.

xibxub[2] (y) Ib hom noog uas dub thiab muaj ob tus tw ntev zoo li tus xibxub.

[English] (n) Certain kind of black bird having an arrow like tail.

xij[1] (u) Kavliam; puam chawj; cia li: *Peb xij koj ua vim koj tsis mloog hais.*

[English] (v) Let, allow.

© 2003 Jay Xiong. All rights reserved.

xij[2] (pu) Muaj losyog ua ntxiv; ua xws li tsis paub tsum: *Nws xij noj; nws xij cem.*
[English] (adv) Keep on doing or occurring; continuously, constantly.

xijpeem (pu) Puam chawj, kavliam, tsis ua li cas: *Koj ua tau li cas los xijpeem.*
[English] (adv) Whatever; however it turns out to be.

xijpheej (pu) Muaj, ua tas mus li: *Nws xijpheej pw xwb. Nws xijpheej noj mov.*
[English] (adv) Keep on doing or occurring; continuously, constantly.

xilaws (pu) Muaj lub suab nrov zoo heev: *Tshuab lub raj nrov xilaws.*
[English] (adv) Having a great musical sound (as a flute, for example).

xim[1] (u) Me heev; yau losyog nka heev: *Ob tus npua xim dhau hwv.*
[English] (v) Tiny, small, little.

xim[2] (u) Xaiv thiab tsis nyiam noj ntau yam: *Nws ncauj xim heev.*
[English] (v) Being picky or selective, esp. regarding to eating.

xim[3] (y) <Lostsuas> Cov tsuas; yam uas liab, ntsuab, thiab daj ltn...
[English] (n) <Laotian> Color. Also colour.

ximxoo (y) Tus cwjpwm; tus yam ntxwv: *Nws tus ximxoo tsis zoo.*
[English] (n) Character, appearance.

ximxos (y) <Lostsuas> Lub uas muaj ib lub taub thiab ob txoj hlua, thiab neeg siv ib tus pas uas muaj cov hlua los qoj: *Nws txawj qoj ximxos heev.*
[English] (n) <Laotian> Certain kind of Laotian musical instrument.

xinesmas (y) <Askiv> Lub suab Askiv yog "cinema", thiab txhais tias zaj duab losyog qhov chaw uas tso zaj duab rau neeg saib: *Peb mus saib xinesmas.*
[English] (n) <English> Cinema, theater or theatre.

xinim (p) Muaj coob heev; muaj ntau heev: *Cov laum khiav xinim.*
[English] (adj) Having many (maggots moving all over, for example).

xis[1] (u) Nyiam noj losyog haus: *Nws xis nqaij qaib ci.* Ib lub npe neeg.
[English] (v) Like, prefer. Also a proper name.

xis[2] (y) Sab tes uas neeg feem coob siv: *Nws sab tes xis thiab sab tes laug.* Lus rov: *Laug, txhum phem.*
[English] (n) Right, as the right hand of a human. Ant: Left.

xiv (u) Thaum cov dej kub~ thiab yuav npau es muaj lub suab xws li hauv cov dej tuaj; xi: *Hwj dej xiv lawm.*
[English] (v) Fizzle, hiss.

© 2003 Jay Xiong. All rights reserved.

xivxi (pu) Siv los piav txog tej yam suab uas xiv losyog xi ltn...
[English] (adv) A hissing sound.

xo (u) Muab hniav tom losyog zom uas xws li kom tawg: *Tus dev xo tus pob txha.*
[English] (v) Chew, gnaw.

xob[1] (y) Cov tej lub suab uas nrov thiab muaj tej kab xws li hluav taws, thiab tawm hauv cov huab dub~ los. Feem ntau yog muaj cov huab dub ntau, thiab muaj xob nroo ces mam li los nag: *Xob laim vim yuav los nag.*
[English] (n) Lightning.

xob[2] (u) Ua rau tsa, su, losyog sawv siab tuaj: *Nws ntshai~ es ua rau nws cov plaubhau xob tas li.* Ib lub npe siv rau cov tub.
[English] (v) To expand or increase in size. Also a proper name for boys.

xob[3] (pu) <Lees> Txhob, tsis: *Peb xob moog.*
[English] (adv) <Leng> Not; do not; should not. Example: We should not go.

xobpus (p) Nyob uas xws li tsis muaj dabtsi ua: *Nws nyob ib leeg xobpus.*
[English] (adj) To sit and doing nothing or not knowing what to do; idle.

xobyem (u) Noj khoom txom ncauj ua si; noj me~ ua si tej: *Peb xobyem.*
[English] (v) To eat (food, esp. for fun or entertainment).

xoo (p) Tus txiv npua uas tsis tau sam: *Tus taw npua xoo.* (y) Tus ntxhiab uas tsw los ntawm tus taw losyog tus txiv: *Tus taw npua tsw xoo heev.*
[English] (adj) Masculine, esp. referring to male (hog) animals. (n) The smell or odor of such male pig.

xoob[1] (u) Tsis ceev; tsis ruaj uas xws li thaum txoj hlua yuav plam tej: *Txoj hlua xoob heev.* (p) Yam uas xoob lawm: *Koj khi xoob dhau.*
[English] (v) Loosen. (adj) To become loosened.

xoob[2] (u) Tsis tawv losyog tsis khov uas xws li neeg cov nqaij tej: *Tus neeg laus cov nqaij xoob tshaj tus neeg hluas li.* (p) Yam uas xoob.
[English] (v,adj) To sag, such as the flesh or body of an aged person.

xoom (u) Muab lub pobtw txav mus tomntej thiab tomqab, tabsis txhais taw tsis txav; muab lub pobtw deeg mus deeg los: *Tus txiv dev xoom ua si.*
[English] (v) To move the butt back and forth, such as when dancing.

xov[1] (u) Muab xws li xyoob losyog ntoo los thaiv ncig: *Nws muab ntoo xov ncig nws lub tsev; nws xov tau ib lub vaj loj heev.*

© 2003 Jay Xiong. All rights reserved.

[English] (v) Fence; to put up a fence or wall around.

xov[2] (y) Tej txoj menyuam hlua ntaub uas neeg siv los xaws paj ntaub thiab ristsho tej: *Nws muaj ib pob xov.*

[English] (n) Thread, yarn.

xov[3] (y) Siab losyog tus cwjpwm: *Qaibqus xov ceev tshaj qaib nyeg.*

[English] (n) Temper, mood.

xov hlau (y) Cov hlua losyog xov uas yog muab hlau ua: *Ib txoj xov hlau.*

[English] (n) Metal cord or wire.

xov paj (y) Cov hlua losyog xov uas yog muab paj rwb ua: *Ib pob xov paj.*

[English] (n) Yarn, esp. the kind made with cotton.

xov pos (y) Cov hlua losyog xov uas yog muab hlau ua thiab muaj pos losyog muaj tej tus zoo li pos: *Ib thooj xov pos.*

[English] (n) Barbed wire.

xov pos hlau (y) Cov hlua losyog xov uas yog muab hlau ua thiab muaj pos losyog muaj tej tus zoo li pos: *Ib thooj xov pos hlau.*

[English] (n) Barbed wire.

xov tooj (y) 1. Cov xov uas yog muab tooj ua: *Ib pob xov tooj.* 2. Tej lub uas neeg siv los tham thiab hu rau lwm tus neeg: *Nws muaj ib lub xov tooj.* Lo lus no, neeg nyuam qhuav tsim tsis ntev los xwb.

[English] (n) 1. Copper coil or wire. 2. Phone, telephone.

xov toojcua (y) Qhov chaw uas neeg hais lus es tawm thiab hnov raws cua: *Peb mloog lawv hais lus hauv lub xov toojcua.*

[English] (n) Radio, such as the transmission of programs for the public by radio broadcast. Ex: We listen to music on the radio.

Xov Tshoj (y) Ntu losyog cov tebchaws uas nyob rau xws li Lostsuas, Nyablaj thiab Thaib teb tej: *Thaum ub Hmoob khiav puag pem Tuam Tshoj (Suav tebchaws) los rau Xov Tshoj.*

[English] (n) Any southern countries of China.

xovxwm (y) Tej lus tshiab; tej teebmeem losyog yam uas muaj tawm tshiab: *Xovxwm tebchaws hnub no yog piav txog kev sau se.*

[English] (n) News, information.

xu (u) Tsis raug qhov chaw uas tsom losyog lub hom phiaj; zij mus rau sab

© 2003 Jay Xiong. All rights reserved.

xis losyog sab laug lawm: *Lub mos txwv xu lawm.* (p) *Nws tua xu lawm.*

***[English]** (v, adj) Divert; to hit such as on the left or right side of the target.*

xu das (p) Tig mus rau lwm qhov chaw; nyob rau qhov chaw uas tsis pom yooj yim: *Nws lub tsev nyob xu das tom qabke.*

***[English]** (adj) In a hidden area or location; not located in an obvious place.*

xu siab (u) Ua rau tsis nyiam; ua rau tsis xav yuav: *Nws ua rau kuv xu siab.* Xu siab, xu plawv yog txhais tias tsis nyiam. (p) Yam uas tsis txaus nyiam: *Niag neeg xu siab! Nws hais ntau yam xu siab heev.*

***[English]** (v) Turn off, such as dislike or not interested. (adj) Undesirable.*

xua[1] (y) Lub plhaub uas qhwv lub txhuv: *Zom ib hnab nplej ces tau ib hnab xua.*

***[English]** (n) Bran, such as the outer cover or layer of the grain (of rice, for example).*

xua[2] (y) Cov mob uas muaj ib co pob me thiab liab uas muaj nyob rau ntawm neeg cov tawv nqaij tej: *Nws mob ib co xua.*

***[English]** (n) Certain kind of body rash.*

xuab (u) Muab ob txoj hlua tso rau hauv plawv ntawm ob txhais xibtes, thiab muab ob txhais tes sib txhuam kom ob txoj hlua los ua ke: *Nws xuab tau ib txoj hlua.*

***[English]** (v) To twine (threads into one, for example), esp. by rubbing the the inner palm of both hands back and forth.*

xuab a (y) Cov hmoov uas yog av thiab me heev: *Cov xuab a.*

***[English]** (n) Dirt, esp. the sandlike or very fine dirt.*

xuab zeb (y) Cov hmoov yog zeb thiab me heev: *Cov xuab zeb.*

***[English]** (n) Sand.*

xuaj (u) <Lostsuas> Tsis tsim txiaj; phem thiab tsis mloog hais: *Nws xuaj heev.* (p) Tus neeg uas tsis tsim txiaj ntawv: *Nws yog tus neeg xuaj.*

***[English]** (v,adj) <Laotian> Bad person.*

xuajmoo (y) <Lostsuas> Tej teev uas nyob ntawm lub moos; teev: *Ib hnub muaj 24 xuajmoo.* Xuajmoo thiab xuaj moos siv muslos tib yam.

***[English]** (n) <Laotian> Hour. Ex: 24 hours in a day.*

xuas[1] (u) Muab tes mus kov; muab tes mus yos losyog kov xws li thaum ob lub qhov muag tsis pom: *Nws xuas tau ib tus nab; nws xuas tau txhais taw.*

© 2003 Jay Xiong. All rights reserved.

[English] (v) To locate (something) by using a hand, as when it is dark.

xuas[2] (u) Siv, muab: *Kuv xuas rab taus ntov tus ntoo.* 2. Mus, khiav tawm ntawm qhov chaw: *Nws xuas kev lawm.*

[English] (v) 1. Use, utilize. 2. Leave, take off.

xuas kev (u) Mus, khiav tawm ntawm qhov chaw: *Nws xuas kev lawm.*

[English] (v) Leave, depart, take off.

xuav (u) Muab lub qhov ncauj ua ib lub voj me~ ces tshuab kom muaj suab tawm tuaj mus; xuav kauv: *Nws xuav kom peb mus tsev.*

[English] (v) Whistle, esp. by using just the mouth.

xuav kauv (u) Xuav; muab lub qhov ncauj ua ib lub voj me~ es tshuab kom muaj suab tawm tuaj mus: *Nws xuav kauv kom peb mus tsev.*

[English] (v) Whistle, esp. by using just the mouth.

xub[1] (y) Ua tej pawg; yam uas muaj ntau tus nyob ua ke: *Muaj ntau xub.*

[English] (n) A place or shelter where many of the same animals or insects live; a colony of insects or animals.

xub[2] (h) Siv los piav txog tej tsiaj uas nyob uake ntawv: *Ib xub ntsaum; xub nas.*

[English] (cl) Used to classify insects or animals that live as a colony.

xub[3] (pu) Ua ntej tshaj lwm tus; pib ua ntej: *Peb xub noj mov.*

[English] (adv) First, firstly.

xub[4] (y) Tej tus xib xub uas ua los tua nas thiab tua noog: *Nws muaj ib tus xub.*

[English] (n) Bow arrow.

xub[5] (y) <Lees> Xob, uas xws li xob laim thiab xob nroo.

[English] (n) <Leng> Lightning.

xubke (y) Ntawm ncauj ke; qhov chaw uas pib mus nyob ntawm txoj kev: *Nws ntsia ntsoov tom xubke; kuv yog yim uas nyob ntawm xubke.*

[English] (n) The place or location of way, road, path, where people first to; the main entrance of a road.

xubndlag (y) <Lees> Xub ntiag.

[English] (n) <Leng> Chest; the front (of a person, for example).

xubntiag (y) Thaj chaw uas nyob ntawm neeg ob lub mis: *Tus menyuam pw hauv nws lub xubntiag; Hmoob Lees hais tias "xubndlag" no.*

[English] (n) Chest; the front (of a person, for example).

© 2003 Jay Xiong. All rights reserved.

xubntsa (y) Tej taw phab ntsa; ntu ntsa ze av: *Nyob ze ntawm tej xubntsa.*
[English] (n) The bottom part of a wall.

xubpwg (y) Thaj chaw uas nyob kawg ntawm neeg ob txhais caj npab thiab puab lub tobhau: *Nws khuam lub hnab rau ntawm nws lub xubpwg.*
[English] (n) Shoulder, esp. the part of the human body between the neck and upper arm.

xubqwb (y) Qhov chaw nyob tom qab ntawm neeg lub tobhau: *Yus tsis pom yus lub xubqwb.*
[English] (n) The part between the back of the neck and the head.

xubthawj (pu) Ua ntej tshaj; xub ua losyog pib; thawj: *Nws xubthawj hais koj.* (y) *Nws nyiam tus xubthawj.* (p) *Nws nyiam lub tsev xubthawj.*
[English] (adv) First, firstly. (n,adj) First.

xujxuav (pu) Piav txog xws li thaum los nag tsis hlob tabsis los tas hnub: *Nag los xujxuav tas hnub.*
[English] (adv) Used to describe when it rains lightly but continuously.

xum (nu) <Lostsuas> Yeem, cia rau; kam rau: *Kuv xum ua tus neeg zoo.*
[English] (aux. v) <Laotian> Prefer, like.

xwb (p) Ib yam losyog ib qho uas xws li tsis muaj lwm yam: *Kuv nyiam koj xwb.* (pu) Tsis nrog losyog muaj lwm yam: *Nws hais phem xwb.*
[English] (adj, adv) Only, alone. Ex: I like you only.

xwb cob (y) Ib hom kab me~, dub thiab liab tsim tseb uas ua tej daim nyob rau ntawm tej tawv ntoo. Feem ntau, Hmoob muab cov kab no hlawv kom kub thiab siv coj los cob ko riam, ko hlau thiab ko taus kom nplaum thiab ruaj.
[English] (n) Certain kind of organism that grows and live on the surface of certain kind of trees. The Hmong people normally used these organism to solder or bond things.

xwb kuab (y) <Suav> Ib hom txiv uas txi ntawm cov hmab: *Ib tsob xwbkuab.* Ib txhia neeg kuj hu tias "taub ntxuav yias" no thiab.
[English] (n) Loofa or loofah. Also called luffa.

xwb tim (pu) Txhob txwm; tabmeeg ua: *Nws xwbtim dag peb.*
[English] (adv) Purposely, intentionally.

xwj (u) <Lostsuas> Mus ntsuam xyuas, xws li mus nug kom paub qhov tseeb: *Nws*

© 2003 Jay Xiong. All rights reserved.

mus xwj seb leej twg yog tus tubsab.
***[English]** (v) <Laotian> Investigate, probe.*

xwm (y) 1. Txoj kev coj ntawm tus neeg: *Tus neeg dag tus xwm yeej tsis zoo.* 2. Haujlwm losyog tej yam tseemceeb: *Nej muaj tus xwm dabtsi?* Ib lub npe siv rau cov tub.
***[English]** (n) 1. Attitude, character. 2. Subject matter, issue. Also a proper name for boys.*

xwm fab-xwm yeem (p) Sibluag losyog zoo tibyam: *Lub tsev loj xwm fab-xwm yeem; tus dej loj xwm fab-xwm yeem.*
***[English]** (adj) Symmetrical, proportional, even.*

xwm kab (y) Tus dab hauv tsev. Tus dab uas teev kom pov hwm tsev neeg: *Cov neeg ntseeg Neeb yeej muaj ib tus dab Xwm kab.*
***[English]** (n) A domestic ghost or spirit that protects, supposedly, the family from the bad (outside) ghosts.*

xwm txheej (y) Xwm, teebmeem: *Nws qhov xwm txheej yog kev tubsab.*
***[English]** (n) Problem, issue, matter.*

xwm yeem[1] (p) Tiaj uas xws li tsis muaj qhov ntxhab: *Daim liaj dav thiab tiaj xwm yeem heev.*
***[English]** (adj) Even, level.*

xwm yeem[2] (p) Zoo sib xws; tsis muaj qhov txawv: *Nws muaj ob thaj liaj zoo xwm yeem.*
***[English]** (adj) Alike, similar, same.*

xwm yeem[3] (pu) Muaj lossis tshwm sim tsis tu: *Nws tuaj nov xwm yeem.*
***[English]** (adv) Regularly, consistently, frequently.*

xws (tx) Zoo ibyam li; zoo nkaus li; xws li: *Koj tau xws kuv tau.*
***[English]** (conj) Same as; similar to.*

xws li[1] (pu) Zoo ibyam li: *Koj hais lus xws li dag.* (r) *Tham cov lus tsis xws li koj.*
***[English]** (adv) Like, similar; such as. (prep) Like.*

xws li[2] (y) Tus ntawv ':' uas siv los qhia tias zoo, yog losyog muaj npaum li.
***[English]** (n) A colon ':' character.*

xwv[1] (u) Muab xws li nplooj tsawb los qhwv thooj nqaij thiab rau dej me ntsis rau hauv thiab muab tso rau saum hluav taws kom siav: *Muab cov nqaij xwv.*

© 2003 Jay Xiong. All rights reserved.

***[English]** (v) To cook (meat, for example) by using banana leaves or aluminum foil to wrap around the (meat) and then place it on top of a fire until it is cooked.*

xwv[2] (u) Muab tej yam los vov (tauv txiv tsawb, pivtxwv) xws li kom siav: *Nws xwv tauv txiv tsawb kom siav (daj).*

***[English]** (v) To heat (green banana, for example) so it will ripe.*

xwv[3] (u) Nrog menyuam pw kom menyuam tsaug zog: *Nws xwv tus menyuam.*

***[English]** (v) To put a child to sleep as to cuddle with the child.*

xwv[4] (tx) Es thiaj li; es nws thiaj: *Cia kuv pab koj nqa ib tog xwv thiaj tsis hnyav.*

***[English]** (conj) So that.*

xy (y) Ib tus ntawv siv rau cov lus xws li xyoob, xyaum, xyab, xyo ltn...

***[English]** (n) A consonant used for words such as "xyoob, xyaum, xyab" etc...*

xya[1] (u) Yug tus menyuam; ua kom menyuam tawm hauv lub cev los: *Tus maum miv xya tau tsib tus menyuam.*

***[English]** (v) 1. Bear (give birth to; to bear a child, for example). 2. To litter.*

xya[2] (y) Tus ntawv suav 7 uas nyob nruab nrab ntawm tus 6 thiab tus 8: *Nws suav txog xya.* (p) Muaj ntau li: *Nws muaj xya xyoo.*

***[English]** (n,adj) Seven. Ex: She is seven years old.*

xyab[1] (u) Muab ua kom tsis caws; ua kom ncaj; cev tuaj: *Nws xyab nws txhais tes.* Lus rov: *Quav, caws.*

***[English]** (v) Stretch (stretch out your arms, for example). Ant: Taut, contract.*

xyab[2] (y) Tej tus uas neeg muab hlawv thiab tso rau pem lub thajneeb xws li ua ntej thaum yuav ua Neeb: *Nws yuav tau ib pob xyab.*

***[English]** (n) Incense.*

xyab nqas (p) Xyab thiab ncaj; tsis nkhaus: *Tus nab pw xyab nqas hauv kev.*

***[English]** (adj) Straight, flat.*

xyacaum (y) Tus ntawv suav 70 uas nyob nruab nrab ntawm tus 69 thiab tus 71: *Nws suav txog xyacaum.* (p) Muaj npaum li: *Nws muaj xyacaum xyoo.* (t).

***[English]** (n,adj,pron) Seventy.*

xyaum (nu) Kawm ua uas xws li kom txawj; ua kom paub: *Tus menyuam xyaum mus kev; nws xyaum hais lus.* (u) *Nws xyaum xwb.*

***[English]** (aux. v) Practice, learn. (v) Practice, learn.*

© 2003 Jay Xiong. All rights reserved.

xyav (u) Hais tawm rau lwm tus paub losyog hnov. Feem ntau yog hais txog tej yam tsis zoo: *Lawv xyav tus neeg tubsab lub npe.*
[English] (v) Divulge; to make known or disclose to others.

xyaw (u) Muab tso ua ke; muab tov nrog lwm yam; sibtov: *Nws muab cov dawb xyaw cov dub.*
[English] (v) Mix, combine, blend into.

xyaws[1] (u) Xyaw, uake. Lo lus no feem ntau yog siv tuaj tomqab ntawm lo "sib" uas xws li "sib xyaws" xwb: *Nws muab sib xyaws tas lawm.*
[English] (v) Variant of "xyaw" -- mix, combine.

xyaws[2] (y) Tus txivneej uas xws li yog npawg; tus txivneej phoojywg.
[English] (n) Pal, friend, esp. used by older men to call other older men.

xyeeb (u) 1. Muab dig tawm; muab ua kom tawm mus: *Nws xyeeb daim nqaij hauv lub qhovcub.* 2. Tso rau losyog povtseg rau; xaiv tawm: *Xyeeb cov neeg phem rau lwm lub zos.*
[English] (v) 1. To dig (things) out using a stick. 2. Cast or throw out.

xyeej[1] (u) Tib, tsis nyiam: *Nws xyeej tus neeg phem.*
[English] (v) Reject, object, deny.

xyeej[2] (u) Khoom uas xws li tsis ua dabtsi; nyob xwb: *Yog koj xyeej, thov koj pab.* (p) Lub caij uas xyeej: *Kuv tsis muaj ib hnub xyeej li.*
[English] (v,adj) Available, free, such as having time for.

xyeem (tx) Lub caij uas nyob rau; tseem zoo li ntawv: *Xyeem thaum nws pw peb kavtsij mus; xyeem thaum yus ua neeg nyob.*
[English] (conj) While; as long as.

xyem xyav (p) Tsis paub meej; tsis paub tias yuav ua li cas: *Nws ua xyem xyav.*
[English] (adj) Undecided; not sure.

xyob (u) Muab xyeeb mus; muab cais; tshem tawm: *Lawv xyob tus neeg phem.*
[English] (v) Cast or throw out.

xyob txhiaj (y) Hmoob cov ntseeg Neeb losyog coj Dab, lawv ntseeg tias muaj ib tus dab hu ua Xyob Txhiaj. Tus dab no yog ib tus dab uas muab tsev neeg ua kom phem losyog kom tsis zoo mus yog leej twg ua txhaum tus dab no.
[English] (n) A very bad, in-house, ghost that will harm the family if or once the family violated certain rules of the shamanism of that family.

© 2003 Jay Xiong. All rights reserved.

xyom[1] (u) Mloog hais thiab saib kom muaj nqis uas xws li cov neeg laus mus rau yus niam thiab yus txiv tej: *Menyuam xyom niam thiab txiv thiaj tsim txiaj.*
[English] (v) Listen, obey. Ex: Kids should obey their parents.

xyom[2] (u) Mus pe losyog tsa tes thov; hawm uas xws li thaum muaj ib tus neeg laus tuag losyog tas sim neej lawm: *Lawv xyom lawv txiv.*
[English] (v) To kneel and bow, esp. at a funeral.

xyom cuab (y) Cov neeg uas yog tus neeg tuag tsev neeg, thiab tuaj ua num rau hauv lub ntees tuag: *Nws yog ib tus xyom cuab.*
[English] (n) The people, clan members, who are in charge of the funeral.

xyoo (y) Lub sijhawm uas muaj 12 lub hlis nyob rau hauv, thiab pib thaum lub Ib Hlis mus txog rau lub Kaum Ob Hlis; lub sijhawm uas xws li lub ntiajteb tig ncig lub hnub ib lwm losyog muaj 365 hnub, 5 teev, 49 fiab, thiab 12 feeb; xyoos: *Kuv muaj 20 xyoo; peb sib ncaim tau 30 xyoo lawm.*
[English] (n) Year. Ex: There are 12 months in a year.

xyoo caum* (y) Lub caij losyog lub sijhawm uas muaj 10 xyoo.
[English] (n) Decade.

xyoo pua* (y) Lub caij losyog lub sijhawm uas muaj 100 xyoo.
[English] (n) Century.

Xyoo Tshiab (y) Thawj hnub losyog obpeb hnub tshiab ntawm lub xyoo.
[English] (n) New Year.

xyoo txhiab* (y) Lub caij losyog lub sijhawm uas muaj 1,000 xyoo.
[English] (n) Millennium.

xyoob (y) Cov uas tuaj ua tsob thiab muaj nyob rau tom hav zoov. Muaj ntau yam xyoob uas xws li xyoob qeeg, xyoob maj laib thiab xyoob dag ltn... Ntsuag yog los ntawm cov hauv paus xyoob. Ib lub npe siv rau cov tub.
[English] (n) Bamboo. Also a proper name for boys.

xyoob dag (y) Ib hom xyoob uas daj, loj, thiab siab heev: *Ib tsob xyoob dag.*
[English] (n) Certain kind of bamboo that is yellow; yellow bamboo.

xyoob hmab (y) Ib hom xyoob uas me thiab zoo li hmab, tuaj ua tej tsob thiab tuaj ua tej plas: *Neeg siv xyoob hmab los ua ncau.*
[English] (n) Vine bamboo.

xyoob iab (y) Ib hom xyoob uas me thiab muaj tsos zoo xws li xyoob teeb, tabsis

© 2003 Jay Xiong. All rights reserved.

yas luv dua, thiab iab qhi. Feem ntau neeg tsis tshua nyiam noj xyoob iab.
[English] (n) Certain kind of bamboo that the sprout is bitter; bitter bamboo.

xyoob ntxhw (y) Ib hom xyoob loj li ncej puab, thiab loj tshaj txhua yam xyoob.
[English] (n) Elephant bamboo; a kind of bamboo that the stem is very large.

xyoob pos (y) Ib hom xyoob uas muaj pos nyob ntawm lub hauv paus. Hom xyoob no muaj nyob rau tebchaws tiaj xwb: *Ib tsob xyoob pos.*
[English] (n) Thorn bamboo; a kind of bamboo that is very thorny at the base.

xyoob puj tswm (y) Ib hom xyoob luaj li caj npab, thiab feem ntau neeg siv los ua nruab vov tsev tej: *Ib thaj xyoob puj tswm.*
[English] (n) Certain kind of bamboo.

xyoob qeeg (y) Ib hom xyoob uas feem ntau Hmoob txiav los ua qeej: *Ib tsob xyoob qeeg. Ib thaj xyoob qeeg. Ib txhia kuj hu ua xyoob teeb.*
[English] (n) Certain kind of bamboo.

xyoob teeb (y) Ib hom xyoob uas loj luaj li ntiv tes xoo thiab ko riam. Feem ntau, neeg siv los ua raj pum liv thiab qeej. Ib txhia kuj hu ua xyoob qeeg.
[English] (n) Certain kind of bamboo and chiefly used to make Hmong flute.

xyoob tshauv (y) Ib hom xyoob uas nws daim tawv muaj tsuas zoo li tshauv.
[English] (n) Certain kind of bamboo.

xyoob tuam tswm (y) Ib hom xyoob uas muaj nyob rau toj siab thiab loj luaj plab hlaub tej. Feem ntau neeg siv cov xyoob no los ua vuas vov tsev tej.
[English] (n) Certain kind of bamboo.

xyoob txaig (y) Ib hom xyoob: *Ib tsob xyoob txaig.*
[English] (n) Certain kind of bamboo.

Xyooj <Suav> 1. Tus dais. 2. Ib lub xeem Hmoob. Hmoob Xyooj lub xeem tiag~ yog hu ua Hmob: *Kuv lub npe hluas hu ua Zeb xeem Xyooj.* Hmoob Xyooj muaj peb pawg hais txog kev dab qhuas, xws li 1) Yog cov ua ntxa Suav lossis txhim zeb yog thaum muaj ib tus neeg tuag. 2) Yog cov tsuam khaub rau saum lub ntxa, thiab 3) Cov xov vaj lig ncig lub ntxa.
[English] <Chinese> 1. A bear. 2. A Hmong last name--Xiong, Song. The real Hmong clan name for Xiong is called "Hmob."

xyoos (y) Xyoo, lub sijhawm uas muaj 12 hlis uas xws li pib thaum lub Ib Hlis mus txog rau lub Kaum Ob Hlis: *Nws muaj ob xyoos.*

© 2003 Jay Xiong. All rights reserved.

***[English]** (n) Year.*

xyov (p) Tsis paub qhov tseeb; tsis paub tias yog li cas: *Xyov nws mus twg.* (tx) Tsis paub tias: *Nws tuaj txog xyov nws puas nyob.*
***[English]** (adj, conj) Unsure, uncertain; don't know.*

xyu (u) Ua pa tawm thiab muaj lub suab nrov xws li yog nkees thiab sab tej: *Nws xyu vim nws ev kawm nplej hnyav heev.*
***[English]** (v) Sigh.*

xyuab (u,p) Tawm cua losyog dim pa loj; dim pa tawm ntau: *Lub raj xyuab dhau es neeg thiaj tsis nyiam tshuab; lub raj xyuab vim nws tho qhov loj dhau.*
***[English]** (v,adj) Leak, such as (a flute) escape too much air.*

xyuam xim (u) Ceevfaj; ua zoo saib kom txhob muaj teebmeem: *Koj xyuam xim mentsis.* (p) *Nws yog ib tus neeg xyuam xim heev.*
***[English]** (v,adj) Careful, cautious.*

xyuas[1] (u) Ua kom qhov muag pom; saib: *Peb xyuas nws cov nyuj.*
***[English]** (v) See, observe, watch.*

xyuas[2] (u) Ua phem rau; muab ntaus losyog muab cem: *Peb muab nws xyuas.*
***[English]** (v) (slang) To harm; to do bad to.*

xyuas nyuj (y) Tus nyuj (maum) uas loj tabsis tsis tau tiav niam.
***[English]** (n) A young female cow.*

xyum (u) <Lees> Xyaum. Ib lub npe siv rau cov tub.
***[English]** (v) <Leng> Practice, learn. Also a proper name for boys.*

xyuv (y) Koog, pawg uas xws li muaj ntau yam nyob ua ke: *Muaj ntau xyuv.*
***[English]** (n,cl) A clump of trees or plants; a cluster of shrubs or trees.*

xyw (y) Ib lub suab losyog ib hom suab uas muaj ua ntej thaum yuav muaj ib yam teebmeem tshwm sim tuaj mus: *Lawv hnov tus xyw los ua ntej lawm.*
***[English]** (n) A strange sound of an event that continues to occur even long after the real event happened. Also this "xyw" can occur before something will actually be happening also. For example, some people will hear a few drum beats just a day or two prior to the actual funeral of someone.*

y (y) Ib tus ntawv uas siv rau cov lus xws li yaj, yeeb, yog, yam ltn...
***[English]** (n) A consonant used for words "yaj, yeeb, yog" etc...*

ya[1] (u) Mus rau saum ntuj losyog nyob rau saum huab cua: *Noog ya siab heev.*

© 2003 Jay Xiong. All rights reserved.

[English] (v) Fly.

ya[2] (u) Tuag uas xws li tsis ua neeg nyob lawm: *Nws muaj kaum tus menyuam, tabsis ob tus ya lawm.* Lo lus no zoo mloog dua lo tias tuag.

[English] (v) Die, such as to cease living.

ya[3] (y) Toom, ntus, yav, yas: *Txiav ua ntau ya.*

[English] (n) Segment, section, portion.

yag (u) <Lees> Maj mam yoog lossis ee lwm tus neeg; ua siab ntev ntxias: *Nwg yag nwg tug quas puj xwb.*

[English] (v) <Leng> To be patient as to appease someone.

yaig[1] (u) Ua rau me zuj zus xws li muaj tej yam los txhuam losyog tshiav: *Nws lub zeb ho yaig zuj zus.* (p) Yam uas yaig ntawv.

[English] (n,adj) To wear away or down, such as by long use or attrition.

yaig[2] (y) Txoj kev ua Neeb: *Ua Neeb ua yaig, thiab kev saib neeb saib yaig ltn...*

[English] (n) Relating to Hmong shaman--"Neeb."

yaim (u) Muab tus nplaig ua kom chwv lwm yam; muab nplaig mus haus: *Tus menyuam yaim nws txhais tes; tus dev yaim cov dej.*

[English] (v) Lick, such as to pass the tongue over or along something.

yais (u) <Lostsuas> Muab (khoom, pivtxwv) faib rau neeg: *Lawv yais khoom rau cov neeg txom nyem; yais khaub noom rau menyuam yaus.*

[English] (v) <Laotian> Distribute, give (items to people, for example).

yaiv (nth) Siv los piav txog thaum uas yus tsis nco tias yuav zoo li ntawv: *Yaiv, ua cas tsis pom nws lawm ni! Yaiv, lawv tuaj lawm sub!*

[English] (interj) Oh, Ah.

yaj[1] (y) Ib hom tsiaj zoo xws li tshis tabsis tsis muaj ob tus kub, thiab nws lub cev muaj cov plaub dawb thiab tuab heev: *Nws muaj ib pab yaj.*

[English] (n) Sheep.

Yaj[2] <Suav> Hmoob ib lub xeem: *Tus yawm yij Vaj Txoo Yaj.* The real Hmong clan name is called "Yawg."

[English] <Chinese> A Hmong clan name--Yang, Ya.

yaj[3] (u) Txia ua kua xws li vim yog kub losyog sov heev: *Thooj roj yaj vim kub thiab sov heev.*

[English] (v) Melt, dissolve.

© 2003 Jay Xiong. All rights reserved.

yaj[4] (u) Muab xws li cov nplej uas muaj ib kuag npluag mus ua kom cov npluag ya tawm ntawm cov nplej. Feem ntau yog muab cov nplej ev mus rau saum tus ntaiv ces mam li nchuav cov nplej rov los rau hauv av. Thaum nchuav los, cua mam li tshuab cov npluag txav deb ntawm cov nplej: *Peb yaj nplej.*
[English] *(v) Winnow, as to separate the empty seeds from the good seeds.*

yaj[5] (u) Ploj losyog pawv ntawm lub qhov muag xws li tsis paub thiab tsis pom tias ua twg lawm: *Tus dab yaj lawm.*
[English] *(v) Vanish, disappear.*

Yaj Daus Thawj tus Hmoob nyob qab ntuj kawm ntawv tiav Dov Tawj (Ph.D.) hauv cov tsev kawm loj qib siab (University) yog Yaj Daus (Yang Dao). Nws yug hnub tim 7 lub 9 hlis xyoo 1943 nyob teb chaws Xov Tshoj (Indochina). Nws txiv hu ua Yaj Txoov Yeej, tiam sis feem coob paub nws txiv lub npe hu ua Yaj Mi Nus. Nws niam hu ua Hawj Kawm. Thaum Yaj Daus yug los nws niam thiab nws txiv tau tis lub npe Hmoob hu ua Tsab rau nws. Xyoo 1950 nws txiv yuav xa nws mus kawm ntawv nram nroog loj, nws txiv thiaj muab lub npe Nplog hu ua Dao uas yog lub hnub qub tis rau nws. Xyoo 1962, Yaj Daus thiaj mus kawm ntawv nyob Fab Kis teb. Nws kawm tiav Dov Tawj (Ph.D.) lub 5 hlis ntuj xyoo 1972 nyob lub Tsev Kawm Ntawv Loj University nyob Paris, Fab Kis. Xyoo 1974, Huab Tais Vaj Ntxwv Los Tsuas Sisavang Vatthana tau tsa Dov Tawj Yaj Dao los ua ib tug nom nyob hauv Pawg Tswj Fwm Tseev Tsim Los Tsuas Teb (National Political Council of Coalition) los nrhiav kev sib haum xeeb thiab kev thaj yeeb rau lub teb chaws Los Tsuas. Niaj hnub no, nws ua ib tug xib fwb qhia ntawv nyob lub Tsev Kawm Ntawv Loj University nyob Minnesota, Amelikas teb. Nws tau sau thiab tau koom sau 8 phau ntawv luam tawm hais txog Hmoob liv xwm thiab Hmoob txuj ci ua lus Fab Kis thiab lus Akiv. Nws txawj hais thiab txawj sau lus Hmoob, lus Nplog, lus Nyab Laj, lus Fab Kis thiab lus Akiv zoo heev. Nws tseem txawj hais lus thiab txawj nyeem ntawv Thaib thiab.
[English] *Dao Yang, generally known as Yang Dao, is the first Hmong ever in Indochina (Cambodia, Laos and Vietnam) to earn a Doctorate degree. He was born on September 7, 1943 in a Hmong family. His father's name is Yang Mino and his mother's name is Her Ker. In 1950, his parents sent him to a regional elementary school where he started at first grade. In 1962, after his*

© 2003 Jay Xiong. All rights reserved.

high school education at the Lao-French Lycee of Vientiane, Laos, he went to pursue his education goal in France. In May 1972, he received his Ph.D. in social science at the Sorbonne, University of Paris, France. In 1974, Dr. Yang Dao was appointed by the King of Laos, His Majesty Savang Vatthana, to the National Political Consultative Council (Laotian National Congress) where he was instrumental in the NPCC's creation of the "18 Point Political Program", the Provisional Government of National Union's national and international political strategy. Dr. Yang Dao is currently on the faculty of the University of Minnesota. He authored and co-authored 8 books on Hmong history and culture and traditions in the French and English languages. He speaks, reads and writes fluently Hmong, Lao, Vietnamese, French and English and has a good command in the Thai language.

yaj kuam (y) Thaum ntaus lossis khov kuam es ob tus kuam ntxeev tiaj lossis qhib tibsi. Thaum zoo li no ces txhais tau tias zoo siab lossis pom zoo lawm. Lus rov: *Yeeb kuam.* Saib lo "seem kuam" thiab.

***[English]** (n) When both borns turned face up. Ant: Yeeb kuam.*

Yaj Nyiaj Pov Ib lub npe neeg uas tis rau ib tus Txiv Plig Fabkis. Nws lub npe Fabkis hu ua "Yves Pertrais" no. Txiv Plig Nyiajpov yog tus pab tsim cov ntawv Hmoob, thiab tau siv zog pab qhia txog kev Ntseeg Ntuj rau neeg Hmoob uas nyob rau tebchaws Lostsuas. Vim yog muaj nws, Hmoob kuj muaj kev txawj ntse, kev paub Ntuj, thiab kev sib hlub los lawm ntau heev. Txiv Plig Nyiajpov yug rau lub Xya Hli 30, 1930.

***[English]** A name of a French priest who helped and invented the Hmong romanized language. He has helped many Hmong people not only in the Christianity but also in education as well. Yves Pertrais is his French name and he was born in July 30, 1930.*

Yaj Nyoov Ib cov Hmoob xeem Yaj uas thaum tuag lawv ua lub ntxa tso tav lub roob. Cov Hmoob Yaj no yog cov uas tseem~ Hmoob Yaj tiag--raws li qhia los ntawm Txhiaj Foom Yaj. Ib txhia kuj siv lo tias "Yaj Nyoo" no thiab. Lo lus "nyoov" no yog txhais tias "muab hmoov qab lauj kaub pleev losyog foob" xws li lub ntsej muag tej.

***[English]** Certain kind of the Hmong Yang that when someone died or deceased, the living people, family members, have to color or mask their faces.*

© 2003 Jay Xiong. All rights reserved.

Yaj Sooblwj Ib tus txivneej Hmoob lub npe, thiab nws tau tsim ib co ntawv hu ua "Phajhauj" nyob rau tebchaws Lostsuas, xyoo 1959. Sooblwj Yaj tuag rau xyoo 1972 nyob rau tebchaws Lostsuas. Ib txhia neeg kuj paub thiab hu Sooblwj Yaj ua Hmoob tus "Niam Ntawv" no thiab.
[English] *A name of a Hmong man called "Shong Lue Yang" who invented a written script called "Phahau" for the Hmong Language back in the 1950's. He is also known as the "Mother of Writing."*

Yaj Sua Ib cov Hmoob xeem Yaj uas thaum tuag lawv ua lub ntxa Suav losyog muab lub ntxa tig raws lub roob.
[English] *The Hmong Yang people whose origin came from a Chinese mother.*

yaj yaum li yeev (pu) Ib zaj lus uas, feem ntau, yog siv hais nyob rau lub caij hais kwv txhiaj: *Nws seev yaj yaum li yeev.*
[English] *(adv) A phrase used mostly when singing the Hmong "kwv txhiaj."*

yajceeb (y) Nyob saum ntiajteb no: *Yajceeb yog qhov chaw uas neeg nyob.* Lus rov: *Yeebceeb.*
[English] *(n) On earth; in this world.*

yajphom (y) Cov phom uas me thiab ntev li ib dos. Feem ntau, neeg siv yajphom los rhais rau ntawm duav thiab tso rau hauv hnab ris xwb.
[English] *(n) Handgun.*

yajsab (y) <Lees> Toj siab; nyob rau toj siab; pem tej roob siab tej: *Nyob peg yajsab.* (p) Cov neeg nyob rau pem toj roob tej: *Nwg yog tuab neeg yajsab.*
[English] *(n) <Leng> A place on a high mountain. (adj) Mountainous.*

yajthem (y) Ib hom hlau uas zoo xws li txhuas, tabsis tawv dua, thiab neeg siv los plooj lwm yam hlau kom tsis txhob xeb: *Ib lub thoob yajthem.*
[English] *(n) Tin. Ex: He has a tin can.*

yajyeeb (y) Tej yeeb uas neeg siv thiab haus; yeeb: *Neeg siv yajyeeb los ua tshuaj.*
[English] *(n) Opium.*

yajyuam (y) Ib hom noog uas muaj ib tus tw zoo nkauj thiab thaum nws nthuav tus tw loj thiab dav, thiab tus tw zoo li rab ntxuam: *Ib pab noog yajyuam.*
[English] *(n) Peacock.*

yam (y) Hom, cov, tej co ntawv: *Tsiaj muaj ntau yam.*
[English] *(n) Kind, type, sort.*

yam li (pu) Zoo xws li: *Nws noj yam li tus neeg pluag; nws hais lus yam li ruam.*

© 2003 Jay Xiong. All rights reserved.

[English] (adv) Like, similar to, such as.

yam nkaus (r) Xws li, zoo li, yam li: *Tsis zoo yam nkaus koj.*
[English] (prep) Like.

yam ntxwv (y) <Suav> Txoj kev ua losyog kev coj ntawm tus neeg: *Nws tus yam ntxwv zoo heev; nws coj tus yam ntxwv zoo.*
[English] (n) <Chinese> Character.

yas[1] (h,y) Yav, ntu: *Nws mus txog tej yas kev; yas npab, yas xyoob ltn...*
[English] (cl,n) Segment, section. See also "yav, ya."

yas[2] (y) <Lostsuas> Tej yam uas yog muab roj hmab los ua: *Menyuam roj hmab yog muab yas ua xwb.*
[English] (n) <Laotian> Plastic.

yas kev yas ncua (y) Ntawm nruab nrab kev; ib nrab ke; tom tej kev: *Peb pheej sis ntsib rau yas kev yas ncua xwb.*
[English] (n) On the road or highway; somewhere other than at home.

yau[1] (u) Me uas xws li tsis loj losyog tsis tau hlob: *Nws tus ntxhais yau heev.* (p) *Tus ntxhais yau zoo nkauj dua tus ntxhais hlob.*
[English] (v) Small, little, tiny. (adj) Younger.

yau[2] (u) Me uas xws li tus dej lau losyog nqig: *Tus dej yau heev.*
[English] (v) Decrease, low, shrink in size or volume. Ex: The river is low.

yaug (u) Muab xws li dej los ntxuav; tso dej los ntxuav xws li kom huv: *Nws yaug nws txhais tes; nws yaug cov zaub.*
[English] (v) Rinse, cleanse, wash.

yaum (u) Hais kom nrog mus losyog mus ua ke: *Nws yaum peb mus nuv ntses.*
[English] (v) To ask or invite (someone to join or go along, for example).

yaus (y) Tus uas tseem yau; tus hluas dua. Feem ntau lo lus no yog siv xws li me yaus, nyuag yaus, nyuam yaus xwb.
[English] (n) Baby, child, kid, youngster.

yav[1] (h,y) 1. Ntu, toom, tus, txoj, ya, yas: *Txiav tus ntoo ua peb yav.* 2. Lub caij: *Yav tag los; yav pem suab.*
[English] (cl,n) 1. Segment, section. 2. A period of time.

yav[2] (nth) Siv ua ntej ntawm zaj lus: *Yav, kuv kuj yog neeg thiab!*
[English] (interj) Used in the beginning of a sentence to express strong emotion, such as when angry or dislike.

© 2003 Jay Xiong. All rights reserved.

yawg[1] (y) Tus losyog cov txivneej uas yog yus txiv leej txiv: *Kuv yawg ces yog kuv txiv leej txiv. Kuv txiv hu ua Txoov Neeb Xyooj, hos kuv yawg hu ua Vam Lis Xyooj.* Lus rov: *Pog.*

***[English]** (n) Grandpa, grandfather. Ant: Grandma, grandmother.*

yawg[2] (t) Tus neeg ntawv; nws: *Yawg tuaj txog ntawv.* Lus rov: *Pog.*

***[English]** (pron) He, the guy; mister.*

Yawg[3] Lub xeem Hmoob Yaj. Yaj yog lus Suav hos Yawg yog lus Hmoob.

***[English]** A Hmong last name--Yer, Yang. Yang is a Chinese word.*

yawg koob (y) Tus txivneej uas yog yus yawg leej txiv: *Peb tus yawg koob hu ua yawg Ntawv.* Lus rov: *Pog koob.*

***[English]** (n) Great grandpa; great grandfather.*

yawg laus (y) Tus txivneej uas yuav yus tus phauj; txiv kwj: *Kuv muaj ib tus yawg laus.* Lus rov: *Phauj, puj nyaaj.*

***[English]** (n) The husband of one's dad's sister.*

yawg nrauj (y) Tus txivneej uas nrauj nws tus pojniam losyog nws tus pojniam rauj nws lawm: *Nws yog ib tus yawg nrauj.* Lus rov: *Poj nrauj.*

***[English]** (n) A divorced man. Ant: A divorced woman.*

yawg ntsuag (y) Tus txivneej uas nws tus pojniam tuag lawm: *Nws yog ib tus yawg ntsuag.* Lus rov: *Poj ntsuam.*

***[English]** (n) Widower. Ant: Widow.*

yawm[1] (u) Muab xws li lub tais mus hais losyog ua kom tau los; muab ua kom khuam losyog daig los rau hauv: *Peb yawm ntses; muab lub tais yawm nplej.*

***[English]** (v) Scoop up (rice, for example).*

yawm[2] (t) Yawg uas xws li tus txiv neej: *Yawm ntawv tsis nyiam peb.*

***[English]** (pron) He, mister; the man that.*

yawm[3] (y) Yawm txiv: *Koj muab rau yawm.* Lus rov: *Tais, niam tais.*

***[English]** (n) Grandpa, esp. the father of one's mom.*

yawm dab (y) Yus tus pojniam cov nus; cov txivneej uas yog yus cov dab ntxawg: *Nkawv yog yawm yij thiab yawm dab.*

***[English]** (n) The brother of one's wife.*

yawm laug (y) <Lees> Hlob, xws li yus txiv cov tij laug: *Nwg yog kuv yawm laug.* Ib txhia neeg kuj siv los tias "laug, xws li laug Pov" xwb.

***[English]** (n) <Leng> Uncle, esp. the older brothers of one's father.*

© 2003 Jay Xiong. All rights reserved.

Yawm Saub (y) Tus Huabtais losyog tus Tswv Ntuj uas paub txhua yam; Saub: *Nws mus cuag Yawm Saub; Yawm Saub yog tus paub txhua yam.*
[English] (n) God.

yawm txiv (y) Tus txivneej uas yog yus niam leej txiv: *Peb hu kuv niam leej txiv ua yawm txiv.* Lus rov: *Niam tais.*
[English] (n) The father of one's mom; grandfather-in-law.

yawm yij (y) Tus txivneej uas yuav yus tus muam: *Kuv muaj peb tus yawm yij.*
[English] (n) Brother-in-law, esp. the husband of one's sister.

yaws[1] (u) Muab tshem tawm: *Nws yaws peb daim pam.*
[English] (v) Remove or uncover (a blanket from a person, for example).

yaws[2] (u) Muab sau los cia: *Nws yaws nws cov hlua kais.*
[English] (v) To remove traps or snares, such as to put them away.

yaws[3] (u) Mus rau saum toj lawm; raug siab zog ntawm qhov yus tsom: *Lub mos txwv yaws lawm.* (p) Yam uas raug siab ntawv: *Rab phom tua yaws ntau.* Lus rov: *Ntsaus.*
[English] (v, adj) Hitting above the target.

yaws[4] (pu) Puv nkaus; phwj heev: *Ib lauj kaub zaub phwj yaws.*
[English] (adv) Fully and used after the word "phwj" only.

yeb[1] (u) Muab pheeb rau; muab ib rau lawm yam uas xws li kom txhob vau, tabsis feem ntau yog tsis khov: *Nws muab daim txiag yeb rau ntawm tsob nroj.*
[English] (v) To lean against something, esp. when it is not secure or sturdy.

yeb[2] (u) Cia ua li lwm tus neeg nyiam: *Peb yeb nws xwb.*
[English] (v) To let, allow, a person do as he or she wants.

yeeb[1] (y) Ib hom nroj uas tawg paj thiab txi tej lub txiv kheej~. Feem ntau neeg siv yeeb los ua tshuaj vim nws cov kua iab heev: *Ib tsob yeeb.*
[English] (n) Opium poppy, opium plant; opium.

yeeb[2] (y) Cov kua uas los ntawm cov txiv yeeb: *Nws muaj ib thooj yeeb.* Ib lub npe siv rau neeg.
[English] (n) Opium. Also a proper name.

yeeb ceeb (y) Hauv dab teb: *Nws ua neeb mus hauv yeeb ceeb.* Lus rov: *Yaj ceeb.*
[English] (n) In ghost's world; not on earth.

yeeb kuam (y) Thaum ntaus lossis khov kuam es ob tus kuam khwb tibsi. Thaum zoo li no ces txhais tau tias thaiv, koos lossis pov hwm tau lawm.

© 2003 Jay Xiong. All rights reserved.

Lus rov: *Yaj kuam.* Saib lo "seem kuam" thiab.

[English] (n) When both borns turned face down. Ant: Yaj kuam.

yeeb ncuab (y) Tus neeg uas ntxub yus losyog tsis nyiam yus: *Nws yog peb tus yeeb ncuab vim nws tuaj tua peb lub tebchaws.* Lus rov: *Phoojywg.*

[English] (n) Enemy. Ant: Friend, ally.

yeeb thooj (y) Lub raj uas luaj li caj npab thiab, feem ntau, yog muab xws li yav xyoob los ua. Neeg siv lub yeeb thooj los haus luam yeeb: *Ib lub yeeb thooj.*

[English] (n) Bong, such as a water pipe made from bamboo having a small vertical pipe connected near the bottom of the main pipe where the water filled. Some Hmong people used these pipes, bong, to smoke (suck) cigars.

yeeb vim (tx) Vim tias; rau qhov tias: *Peb tuaj nov yeeb vim peb xav pom koj.*

[English] (conj) Because.

yeeb yam (y) Txoj kev coj losyog kev ua los ntawm tus neeg: *Nws tus yeeb yam tsis zoo es neeg thiaj tsis nyiam nws.*

[English] (n) Character.

yeej[1] (u) Ua tau zoo tshaj xws li kev sibtw; tus thawj losyog tus xub~ ua tiav ntawm kev sibtw: *Nws yeej peb sawvdaws.* Lus rov: *Swb.* Ib lub npe siv rau cov tub.

[English] (v) Win, conquer. Also a proper name for boys.

yeej[2] (pu) Tseeb, tiag, raws li kev muaj: *Nws yeej hais li.*

[English] (adv) Really, actually.

yeej[3] (nu) Tej zaum muaj xws li; yuav tsum muaj xws li: *Nws yeej paub xwb.*

[English] (aux. v) Should have; ought to; must have.

yeej cum (y) Qub hneev taw; qub qab; qub kev: *Lawv rov yeej cum.*

[English] (n) The original path; the path or road where one came from.

yeej meem (pu) Ua mus; ua ntxiv; ua uas xws li txhob txwm: *Koj yeej meem noj kom tsau; nej yeej meem ua kom tiav.*

[English] (adv) To continue on; to keep on doing or going.

yeej vub (y) Lub tais uas yog muab av daj los puab thiab siv los nchuav xws li nyiaj thiab hlau tej: *Neeg siv lub yeej vub los nchuav nyiaj.*

[English] (n) A bowl made with sticky clay used for refining silver.

yeej yuav (u) Siv los qhia tias yuav muaj losyog ua nyob rau tom hauv ntej: *Nws yeej yuav mus; nws yeej yuav nyob xwb.*

© 2003 Jay Xiong. All rights reserved.

[English] (v) Will, shall (will do, for example).

yeem[1] (u) Pom zoo, kam, cia rau: *Nws yeem lawm.* (y) Tej lus uas xws li thaum muaj ib tus neeg twg mob heev~ ntawv zoo rov los es yus yuav muab ib tus nyuj losyog ib tus tsiaj los ua Ntuj tsaug tej; pauj losyog ua raws li yus cov lus uas tau thov losyog cog tseg: *Nws fiv ib lub yeem; nws pauj lub yeem tas lawm.*
[English] (v) Agree, consent. (n) A spiritual sacrifice where one agrees to do or provide certain thing if he or she receives or achieves the proposed request.

yeem[2] (u) Muab luj; muab ntsuas uas xws li kom muaj: *Nws yeem tais mov.*
[English] (v) Measure, weight.

yees[1] (nu) Txia mus ua lwm yam; ploj, yaj, hloov mus uas lwm yam: *Nws yees ua ib tus dab.*
[English] (aux. v) Transform; to change or become other entity.

yees[2] (nu) Ua rau txav mus txav los xws li yuav vau tej: *Tsob ntoo yees mus yees los.* (pu) Du, ntaug lees: *Cov plaub hau ntxhee yees.*
[English] (v) Sway, swing. (adv) Smoothly, evenly.

yees[3] (y) Yam uas ua rau kom xav noj losyog xav ua ntxiv: *Nws haus cawv ntau vim nws yees loj; nws muaj yees rau cov yeeb lawm.*
[English] (n) Addiction.

yees[4] (u) Muab ua kom muaj nyob rau xws li hauv daim duab tej: *Nws yees tau ib co duab zoo heev.*
[English] (v) To take picture; to capture image or picture.

yees nthab (y) Tus ntoo losyog tus nqaj uas nyob hauv qab ntawm lub nthab.
[English] (n) The horizontal column or beam on top of the living room.

yees siv (y) Ua kom ploj losyog pawv xws li qhov muag tsis pom thiab tsis paub tias yog vim li cas; yees: *Nws txawj ua yees siv; nws kawm yees siv.*
[English] (n) Magic.

yej (y) Tej daim pob zeb uas neeg muab los cuab es kom mag nas thiab noog tej.
[English] (n) A trapping device used to trap rats and birds.

Yesxus (y) Ib tus neeg uas yog txiv neej thiab ib txhia neeg ntseeg tias nws nqis saum ntuj los, thiab nws yog Huabtais Ntuj tus tub. Yog li ntawv, neeg kuj hu nws ua Huabtais Yesxus. Yesxus tau los yug rau hauv ib tus pojniam hu ua Mab Liab (lus Askiv yog Mary). Ib txhia kuj sau ua "Yexus" no thiab.
[English] (n) Jesus, Jesus Christ.

© 2003 Jay Xiong. All rights reserved.

Yesxus Khestos (y) Tus Huabtais Yesxus. Lus Askiv yog "Jesus Christ." Ib txhia kuj sau ua "Yexus Khetos" no thiab.
[English] (n) Jesus Christ.

yi (y) Txoj kev ua si thiab kev tham hluas nkauj tej. Feem ntau lo lus no yog siv hais xws li tias "tsis txhob mus ua plees ua yi." Zaj lus no txhais tau tias kom txhob mus sibtham losyog sibdeev.
[English] (n) Affair, esp. relating to sexual intercourse.

yiag (u) Ncaj uas xws li mus rau saum ntuj; ntseg xws li tus ntoo uas tsis nkhaus: *Cov ntoo thuv yiag tshaj lwm yam ntoo.* (p) Yam uas yiag.
[English] (v,adj) Straight.

yias (y) Ib hom lauj kaub uas lub qab kheej thiab dav. Feem ntau, neeg siv los hau qhauv rau npua noj tej; tej lub lauj kaub zoo li lub yias, tabsis me thiab neeg siv los kib zaub thiab nqaij tej: *Siv yias kib cov zaub.* Ib lub npe neeg.
[English] (n) Frying pan or fry pan.

yib (u) Yeem, kam, pom zoo: *Peb hais kom nws nyob, tabsis nws tsis yib li.*
[English] (v) Allow, let, permit, consent, agree.

yig[1] (y) Tsev neeg, yim neeg: *Ib yig ces yog ib tsev neeg.*
[English] (n) Family.

yig[2] (u) Xyeej, tsis kam, tsis yeem, ua cai heev, yib: *Peb hu nws tuaj noj mov, tabsis nws yig heev.*
[English] (v) Hesitate, reluct.

yij (y) 1. Ib hom noog uas loj luaj li lub nrig thiab nyob hauv av xwb: *Nws pom ib pab yij.* 2. Neeg kuj siv los hais txog xws li tus yawm yij: *Yij Vaj Txoo Yaj.*
[English] (n) 1. Quail. 2. Short for word "yawm yij -- brother-in-law."

yim[1] (y) Tsev neeg, yig neeg: *Hauv peb zos muaj 500 yim.*
[English] (n) Family. Ex: There are 500 families in our village.

yim[2] (u) Txiav me ntsis tawm; tshib kom luv: *Nws yim cov ntsis ntoo.*
[English] (v) Trim.

yim[3] (u) Hais, ce losyog daus me~ tawm mus: *Koj yim cov roj pov tseg.*
[English] (v) Skim, such as to remove floating matter from the top.

yim[4] (pu) Ua ntxiv; tsis tsum; yim huab: *Koj yim hais nws yim ua phem.* Ib lub npe siv rau cov tub.
[English] (adv) More. Also a proper name for boys.

© 2003 Jay Xiong. All rights reserved.

yim[5] (y,p,t) Tus ntawv suav 8 uas nyob nruab nrab ntawm tus 7 thiab tus 9: *4 ntxiv 4 ces muaj yim.* (p) Muaj ntau li: *Nws muaj yim xyoo.*
***[English]** (n,adj,pron) Eight.*

yimcaum (y) Tus ntawv suav 80 uas nyob nruab nrab ntawm tus 79 thiab tus 81: *Nws nyob txog yimcaum.* (p) Muaj ntau li: *Nws muaj yimcaum xyoo.* (t).
***[English]** (n,adj,pron) Eighty.*

yimhuab (pu) Muaj losyog ua ntau tshaj qhov qub losyog yav dhau los: *Koj noj ntau ces koj yimhuab rog; koj yimhuab hais ces nws yimhuab phem.*
***[English]** (adv) More.*

yis[1] (y) Tej lub xws li qhov uas muaj los ntawm dej kiv losyog muaj cua kiv nyob rau hauv plawv: *Thaum tus dej loj ntws ceev, nws muaj ntau lub yis.*
***[English]** (n) Swirl, whorl.*

yis[2] (y) Lub losyog thaj uas tsis muaj plaub thiab nyob saum neeg lub tobhau: *Tus menyuam muaj ob lub yis.* Ib lub npe siv rau cov tub.
***[English]** (n) Cowlick. Also a proper name for boys.*

yis cua* (y) Tej lub yis uas yog muaj los ntawm cov cua kiv tej losyog khaublig.
***[English]** (n) A swirl of wind; a swirling wind; whirlwind.*

yis dej (y) Tej lub menyuam qhov uas muaj nyob rau saum nplaim dej thiab ua rau dej kiv xws li lub yis: *Ib lub yis dej.*
***[English]** (n) A swirl or whorl of water.*

yis hauv (y) Lub yis uas nyob saum lub tobhau; yis: *Nws lub yis hauv.*
***[English]** (n) Cowlick.*

yivtws (y) Lub pob uas yog muab cov plaubhau kauv losyog khi ua ib thooj: *Nws muab cov plaubhau kauv ua ib lub yivtws.*
***[English]** (n) Hair bun. A tight roll of hair worn on the back of the head.*

yod (pu) Siv mus ibyam li lo yom: *Wb mus tsev yod? Peb noj mov yod?*
***[English]** (adv) Okay, but used at the end of a sentence to ask for approval.*

yog[1] (u) Ua raws li kev cai; ncaj xws li tsis yuam kev; ua xws li tsis txhaum: *Koj yog ces nws txhaum.* (p) Tseeb, muaj tiag; raug: *Koj hais yog lawm.*
***[English]** (v,adj) Correct, right.*

yog[2] (u) Yeej yug los ua tus ntawv; muaj li; ntuj tsim los zoo li lawm: *Kuv yog nws txiv; nyuj yog tsiaj; kuv yog Hmoob; nws yog pojniam.*
***[English]** (v) Be, is, am, are etc...*

© 2003 Jay Xiong. All rights reserved.

yog[3] (tx) Muaj xws li; uas zoo raws li: *Yog nej tuaj, thov nej hu kuv thiab.*
[English] (conj) If.

yog li (pu) Uas yog li ntawv; vim li lawm; uas xws li hais: *Yog li, kuv tsis mus.*
[English] (adv) Therefore, hence.

yog li no (pu) Uas yog li ntawv; vim li lawm; uas xws li hais: *Yog li no, kuv tsis mus; koj pab nws ntau zaus lawm; yog li no, peb ho pab koj.*
[English] (adv) Therefore, hence.

yog li ntawv (pu) Uas yog li ntawv; vim li lawm; uas xws li hais: *Yog li ntawv, kuv tsis mus; koj hais tsis yog; yog li ntawv, peb tsis pom zoo.*
[English] (adv) Therefore, hence.

yog tias (tx) Uas yog li ntawv; vim li lawm; uas xws li hais: *Yog tias kuv tsis mus.*
[English] (conj) If.

yoj[1] (u) Muab co mus co los; ua kom txav mus txav los: *Nws yoj nws txhais tes.*
[English] (v) Wave. Ex: He waves his hand.

yoj[2] (u) Haum, txaus mus rau hauv xws li lub qhov: *Sab khau yoj nws txhais taw.*
[English] (v) Fit. Ex: The shoe fits his foot.

yom (pu) Siv los nug losyog piav txog kev pom zoo tej, thiab feem ntau yog siv tuaj rau tom kawg xwb: *Wb mus yom?*
[English] (adv) Okay. Use to express approval or agreement.

yoo (u) Txhob txwm tsis noj losyog tsis haus: *Nws yoo tau peb hnub.*
[English] (v) To abstain, such as from eating, drinking, smoking etc...

yoo nqhis (u) Txhob txwm tsis noj losyog tsis haus; yoo. Lo lus no feem ntau yog siv tuaj tomqab ntawm lo "yoo tshaib" xwb: *Nws yoo tshaib, yoo nqhis.*
[English] (v) To abstain, such as from eating, drinking, smoking etc...

yoo tshaib (u) Txhob txwm tsis noj mov; yoo: *Nws yoo tshaib kom nws yuag.*
[English] (v) To abstain, such as from eating, drinking, smoking etc...

yoob (u) Ua rau tsis paub xav thiab tsis paub hais lus: *Koj hais tias koj nyiam nws heev ces nws yoob lawm; nws yoob vim nws pom koj.*
[English] (v) Stun, daze, stupefy.

yoog[1] (u) Majmam ua raws; xyaum ua kom zoo lossis yog: *Peb yoog nws ces peb thiaj txawj; peb yoog cov kev cai tshiab.*
[English] (v) To work, do, such as to follow along someone.

yoog[2] (u) Noj, xws li noj mov tej, tabsis yog siv rau lub caij laig dab xwb.

© 2003 Jay Xiong. All rights reserved.

[English] (v) Eat, but chiefly used for spirit only.

yoojyim (u) Tsis nyuaj; tsis cov; ua tsis nyuaj; ua tau sai: *Txoj haujlwm yoojyim heev.* (p) *Peb ua txoj haujlwm yoojyim xwb.* Lus rov: *Nyuaj.*

[English] (v,adj) Easy, simple.

yoov (y) Cov kab uas txawj ya thiab nyob rau nraum zoov: *Tus yoov tsaws ntawm lub tais; muaj ntau yam yoov.*

[English] (n) Fly, flies (two-winged insects, for example).

yoov qaib (y) Ib hom yoov me~ thiab tom neeg mob: *Nyob rau tebchaws Lostsuas muaj yoov qaib coob heev.*

[English] (n) Gnat, punkie; any of various tiny two-winged flies.

yos[1] (u) Mus nrhiav; mus xawb; mus laij kom pom: *Nws yos ib hnub tsis pom li.*

[English] (v) Search, seek, find.

yos[2] (u) Mus tham losyog nrhiav hluas nkauj: *Peb mus yos hluas nkauj.*

[English] (v) To go and chat with girls; to visit girl or girlfriend.

yos[3] (u) Mus nrhiav uas xws li kom pom tsiaj: *Peb mus yos hav zoov.*

[English] (v) Hunt; to go hunting (for wild animals, for example).

yuag (u) Tsis rog; me thiab siab; nka tawv: *Nws yuag heev.* (p) *Nws nyiam tus neeg yuag.* Lus rov: *Rog, npag, pham.*

[English] (v,adj) Skinny, thin, bony. Ex: He likes skinny people. Ant: Fat.

yuam[1] (u) Hais kom ua li; yuav tsum ua li hais: *Tus nom yuam peb khawb kev.*

[English] (v) Force, command.

yuam[2] (u) Muab xws li nyiaj mus qhaib tseg es lwm hnub mam mus coj losyog yuav los: *Nws muab ob choj nyiaj tuaj yuam lawv tus ntxhais.*

[English] (v) To reserve by depositing money or valuable items.

yuam[3] (pu) Siv mus ibyam li lo yom, yod: *Peb haus ib khob cawv seb yuam.*

[English] (adv) Okay, but used at the end of a sentence to ask for approval.

yuam kev[1] (u,pu) Mus txoj kev tsis yog; ua yam uas tsis yog: *Nws yuam kev es nws thiaj tuaj txog lig.*

[English] (v) Taking a wrong road or path.

yuam kev[2] (u) Ua tsis yog; ua txhaum: *Nws yuam kev lawm.* (p) Yam uas yuam kev: *Nws hais lus yuam kev.*

[English] (v) Mistaken, wrong, incorrect. (adj) Mistaken, wrong, incorrect.

yuam roj sua hneev (nu) Mus losyog los thiab feem ntau yog siv rau lub caij hais

© 2003 Jay Xiong. All rights reserved.

kwv txhiaj xwb: *Txiv leej tub yuam roj sua hneev tuaj txog...*
***[English]** (aux. v) Go, depart, leave. Used when sing the "kwv txhiaj only."*

yuam sij (y) Tej tus hlau uas ua los qhib thiab xauv lub nruas phoo losyog lub qhov rooj: *Neeg siv yuam sij los xauv tsheb thiab qhov rooj tej.*
***[English]** (n) Key, such as used to open locks.*

yuas (tx) Siv los hais txog xws li; hvos: *Hmoob yuas Hmoob; neeg yuas neeg.*
***[English]** (conj) And.*

yuav[1] (nu) Muaj losyog ua nyob rau yav tom ntej; ua losyog muaj raws li hais rau yav pem suab: *Tagkis kuv yuav mus tsev.*
***[English]** (aux. v) Will, shall. Ex: I will go home tomorrow.*

yuav[2] (u) Muab nyiaj mus them es coj los ua yus li: *Nws yuav tus nyuj.* (y) Tus neeg uas yuav losyog them nyiaj rau lwm tus: *Nws yog tus yuav.*
***[English]** (v) Buy, purchase. (n) Buyer, purchaser.*

yuav[3] (u) Coj los ua pojniam losyog ua txiv: *Nws yuav pojniam lawm.*
***[English]** (v) Marry; to get marry; to wed.*

yuav[4] (u) Xav tau npaum li: *Nws xav yuav tsib txhiab.* (pu) Yog, zoo li: *Koj yuav nkees ua luaj li.*
***[English]** (v) Like to have or get. (adv) So, much, such.*

yuav[5] (u) Pom zoo; kam ua xws li yog yeem thiab zoo siab: *Nws yuav nej cov lus.*
***[English]** (v)* Accept, agree to; take.

yuav luag (pu) Tshuav me ntsis uas yog losyog zoo li; ze heev: *Tus menyuam yuav luag ntog; peb yuav luag tuaj.*
***[English]** (adv) Almost, nearly.*

yuav mus (pu) Muaj ntau losyog npaum li: *Koj yuav mus nkees ua luaj li.*
***[English]** (adv) So, much.*

yuav tsum (nu) Tsim nyog; txaus ua; tsis muaj lwm txoj kev: *Peb yuav tsum pab nws; neeg yuav tsum haus dej es thiaj li ciaj.*
***[English]** (aux. v) Must, have to; should have; ought to.*

yub (n) Cov menyuam nroj uas nyuam qhuav tawm hauv lub noob tuaj: *Cov yub zaub; cov yub nplej; cov yub kua txob ltn...*
***[English]** (n) Shoots, such as a young growth arising from the seed.*

yug[1] (u) Muaj menyuam tawm hauv tus pojniam lub plab los; muaj menyuam tawm los: *Tus maum npua yug tau kaum tus menyuam; nws yug tau ib tus tub.*

© 2003 Jay Xiong. All rights reserved.

[English] *(v) To give birth to; to bear (a child, for example); to litter.*

yug[2] (u) Tu thiab pub rau noj xws li kom hlob: *Tus nom yug cov neeg pluag.*
[English] *(v) Nurture, feed, to maintain and support the growth of.*

yuj[1] (u) Ya ncig uas zoo xws li lub vaj: *Tus nquab yuj ncig peb lub tsev.*
[English] *(v) Circle, orbit; to fly by forming a circle around.*

yuj[2] (u) Muab txawb mus; muab cuam losyog pov mus: *Nws yuj kuv txhais khau rau nram qabke; nws yuj kuv lub tsho rau hauv lub pas dej.*
[English] *(v) Throw, cast (things away, for example).*

yuj yees (pu) Siv los piav txog cov lus xws li teev, piav: *Teev yuj yees rau saum...*
[English] *(adv) To move back and forth; to sway.*

yus (t) Tus neeg ib uas hais lus; nyias: *Yus tsis hlub yus leej twg thiaj yuav hlub yus; yus nyob yus ib leeg; lwm tus neeg muab rau yus.*
[English] *(pron) One, as oneself, individual person.*

ywb* (u) Muab ua kom chwv, twb, tso losyog txawb rau: *Nws muab nws lub pobtw los ywb rau saum kuv txhais ncej puab--muab tso rau sauv, tabsis yuav tsum yog yam uas txuas losyog nyob ntawm yus thiab.*
[English] *(v) To put or lay, esp. a part of the rest on something. Ex: He puts his butt on top of my leg.*

ywg (u) Muab dej ntub rau; muab dej nchuav rau xws li kom ntub: *Muab dej ywg cov zaub; muab dej ywg nws ob txhais taw.*
[English] *(v) To water (a garden, for example); to sprinkle or spray (water on something, for example).*

ywj (u) Ua li lwm tus nyiam; yoog lwm tus: *Leej niam ywj leej txiv xwb.*
[English] *(v) To allow (someone to do whatever he or she wants, for example).*

ywj fab-ywj fw (p) Ua ntau lub siab uas xws li tsis pom qab xaiv ib yam ntawm ntau yam: *Ntau yam zoo ces ua rau nws ywj fab-ywj fw.*
[English] *(adj) Unsure, undecided.*

ywj pheej (p) <Suav> Ua raws li siab nyiam: *Kevcai ywj pheej yog ib txoj kevcai uas tso neeg ua raws li siab nyiam.* (y) Kev coj ywj pheej: *Muaj kev ywj pheej.* Ib lub npe siv rau cov tub. Lus rov: *Koom pheej.*
[English] *(adj) <Chinese> Democratic. (n) Democracy. Also a proper name for boys. Ant: Republic, republican.*

yws (u) Hais lus yau cem. Feem ntau yog hais txog kev chim losyog kev tsis zoo

© 2003 Jay Xiong. All rights reserved.

siab txog lwm tus neeg: *Nws yws tias peb tsis pab nws.*

***[English]** (v) Complain, whine, grumble.*

z (y) Ib tus ntawv siv rau cov lus xws li zab, ziab, zej, zos, zoo ltn...

***[English]** (n) A consonant used for words such as "zab, ziab, zej" etc...*

zab[1] (y) Tus neeg dag; tus neeg uas hais lus dag losyog tsis tseem ceeb: *Zab dag tau nws ob txhiab nyiaj.* Ib lub npe siv rau cov tub.

***[English]** (n) Liar; a person who is knowledgeable in tricking others.*

zab[2] (u) <Lees> Ziab, xws li ziab khaub ncaws tej.

***[English]** (v) <Leng> Dry. Ex: She washes and dries her own clothes.*

zag[1] (y) 1. Ntau lo lus uas hais ua ke losyog ib zaug hais: *Nws hais ib zag lus.* 2. Tej zaj lus hais ua ke xws li kwv txhiaj: *Nws hais ib zag kwv txhiaj plees.*

***[English]** (n) 1. A sentence; a phrase; a continuous saying. 2. Song.*

zag[2] (y) Cov suab uas muaj ua ke: *Nws tua ib zag phom.*

***[English]** (n) A continuous of similar sound (from a gunshot, for example).*

zag[3] (y) Muaj losyog yug coob tus menyuam ua ke; pab: *Tus npua yug tau ib zag menyuam.*

***[English]** (n) Litter or offspring, esp. when producing at one birth.*

zag[4] (y) Luav; tus tsiaj uas zoo li nees tabsis me dua: *Nws muaj ib tus zag.*

***[English]** (n) Donkey.*

zaig[1] (u) Muab riam losyog tej yam muaj hniav los nias losyog tom thiab muab tig xws li kom yam yus txiav ntawv tu. Feem ntau yog muab tus hniav riam mus tom thiab muab tig muslos kom lwm yam tu: *Nws zaig tus xyoob.*

***[English]** (v) To cut (object) by pressing down the blade gradually, esp. in a circular motion or by moving back and forth.*

zaig[2*] (y) Rab uas muaj tus hniav hlau thiab neeg siv los zaig losyog txiav xws li tej kav hlau, yas losyog tej yam kheej tej.

***[English]** (n) A metal tool chiefly used for cutting pipes or pipe like objects.*

zais[1] (u) Su tuaj; loj tuaj xws li thaum tus pojniam lub plab muaj menyuam: *Tus qav lub plab zais heev; tus pojniam lub plab zais vim nws muaj menyuam.*

***[English]** (v) To increase in size, such as when a woman is pregnant.*

zais[2] (u) Muab xws li khoom mus tso rau qhov chaw uas tsis pub neeg pom thiab paub: *Nws zais nws cov nyiaj.*

***[English]** (v) Hide. Ex: She hides her money.*

© 2003 Jay Xiong. All rights reserved.

zais[3] (y) Tej lub kheej thiab nyob rau hauv plawv muaj dej losyog muaj pa.
[English] (n) Balloon; any balloon like objects.

zais[4] (u) Muab tus neeg tuag coj mus faus; muab faus. Feem ntau, neeg siv lo tias zais no xwb: *Tagkis yog hnub yuav coj tus tuag mus zais.*
[English] (v) Bury, such as to place a corpse in the ground.

zais pa* (y) Tej lub loj luaj lis tobhau thiab muaj pa nyob rau hauv xwb. Feem ntau, neeg tshuab pa rau hauv cov zais pa no.
[English] (n) Balloon.

zais siab (u) Tsis qhia qhov ncaj losyog raw lis muaj tiag: *Nws zais siab heev.* (p) *Peb tsis nyiam cov neeg zais siab.*
[English] (v,adj) Being secretive; not being truthful; dishonest, deceitful.

zais zis (y) Lub zais losyog lub hnab uas ntim cov zis thiab nyob rau hauv xws li neeg thiab tsiaj lub cev: *Neeg muaj ib lub zais zis.*
[English] (n) Urinary bladder.

zaj[1] (y,h) 1. Ntau lo lus uas muab los hais ua ib zaug; zag: *Nws hais ib zaj lus.* 2. Tej cov lus uas hais xws li kwv txhiaj: *Ib zaj kwv txhiaj plees.* Ib lub npe siv rau cov tub.
[English] (n,cl) 1. A sentence, phrase. 2. A song. Also a proper name for boys.

zaj[2] (y) Ib hom tsiaj uas zoo li nab tabsis loj, muaj kub, thiab muaj cuaj losyog ntau lub qhov ntswg, thiab nyob hauv dej xwb: *Neeg tsis nyiam zaj.*
[English] (n) Dragon.

zaj dawb (y) Ib hom zaj uas muaj tsuas dawb: *Nws pom ib tus zaj dawb.*
[English] (n) White dragon.

zaj dub (y) Ib hom zaj uas muaj tsuas dub: *Nws pom ib tus zaj dub.*
[English] (n) Black dragon.

zaj laug (y) Tus zaj uas laus thiab muaj hwjchim. Feem ntau yog Hmoob siv los piav txog thaum hais dab neeg xwb.
[English] (n) Elder dragon.

zaj npuas (y) Ib hom tsiaj uas zoo li npua tabsis me dua: *Ib tus zaj npuas.*
[English] (n) Certain kind of tropical animal.

zaj xaws liab (y) Ib hom nroj uas neeg siv los ua tshuaj.
[English] (n) Certain kind of tropical plant or herb.

zam[1] (u) Ua kom tsis txhob raug; mus xws li lwm txoj kev: *Nws zam tus ntoo.*

© 2003 Jay Xiong. All rights reserved.

[English] (v) Avoid; to step out of the way.

zam[2] (u) Tsis txhob ua rov rau; txhob muab rau txim: *Nws ua txhaum rau koj, tabsis koj zam rau nws.* (y) Cev khaub ncaws: *Nws lub zam zoo heev.*

[English] (v) Forgive, pardon. (n) Attire, clothing.

zas[1] (u) Muab tsuas los pleev rau losyog ua kom txawv tsuas: *Nws muab tsuas liab los zas nws lub tsho dawb.* (y) Tsuas losyog yam uas zas tau lwm yam ntawv.

[English] (v,n) Color, paint.

zas[2] (u) Majmam mus ncig kom ze uas xws li tsis kam ncaws losyog tom: *Tus lau qaib me zas rau tus qaib loj.*

[English] (v) To move around in a circle, such as when a cock is getting ready for a fight.

zas[3] (u,p) Tsis tawv; zooj, muag: *Daim tooj zas heev.*

[English] (v,adj) Ductile, malleable.

zaub (y) 1. Cov zoo li nroj tabsis yog neeg cog los noj: *Nws nyiam noj zaub.* 2. Nyom losyog nrog tsuag tej: *Tus twm noj zaub nram tiaj.*

[English] (n) 1. Vegetable. 2. Grass, weed etc...

zaub dawb ntug* (y) Ib hom zaub uas ntug zoo xws li qos ntoo ntug, tabsis nws lub qos yog siv los kib xyaw nqaij losyog lwm yam zaub xwb.

[English] (n) Daikon, white radish.

zaub dej (y) Ib hom zaub uas tuaj nyob rau ntawm tej ntug dej. Feem ntau yog nyiam tuaj xws li hauv tej hav iav losyog tej kwj ha ntau xwb: *Ib tsob zaub dej.*

[English] (n) Watercress.

zaub iab (y) Ib hom zaub losyog nroj uas neeg cog los noj, thiab muaj ib tsos iab.

[English] (n) Certain kind of vegetable that is bitter.

zaub paj (y) Ib hom zaub uas tuaj zoo li tsob paj thiab dawb.

[English] (n) Cauliflower.

zaub paj dawb* (y) Ib hom zaub uas nws tuaj zoo li tsob paj thiab dawb.

[English] (n) White cauliflower; white broccoli.

zaub paj ntsuab* (y) Ib hom zaub uas nws tuaj zoo li tsob paj thiab ntsuab.

[English] (n) Green cauliflower; green broccoli.

zaub pob (y) Ib hom zaub uas thaum loj txaus nws cov nplooj los sib kauv ua lub pob losyog ua ib thooj: *Nws nyiam noj zaub pob.*

[English] (n) Cabbage.

© 2003 Jay Xiong. All rights reserved.

zaub pob ntshav* (y) Ib hom zaub pob uas nws tuaj cov nplooj ntshav heev.
[English] (n) Purple cabbage.

zaub pob qe* (y) Ib hom zaub uas qhwv tej lub zoo li zaub pob, tabsis nws loj luaj li lub qe xwb, thiab muaj ntau lub tuaj ua ke: *Nws nyiam noj zaub pob qe.*
[English] (n) Brussels sprouts.

zaub pos (y) Cov zaub uas muab hau tas es mam li muab los pos xws li rau hauv lub hub losyog lub hwj kom qaub~ es mam li muab los noj: *Nws ua tau ib hub zaub pos.*
[English] (n) Canned vegetables, esp. the sour kind.

zaub qaub (y) Cov zaub uas tsis hau li es cia li muab xws li ntsev, kua txob, thiab kua qaub tso rau hauv cov zaub, thiab muab cia kom cov zaub qaub heev ces mam li muab los noj: *Nws yuav tau ib hwj zaub qaub.*
[English] (n) Canned vegetables, esp. the sour kind that used just salt and vinegar and without cooking or boiling the vegetables.

zaub tsib (y) Cov zaub uas muab hau tas es muab cia hauv tej lauj kaub kom qaub~ ces mam li muab los noj: *Nws nyiam noj zaub tsib heev.*
[English] (n) Certain kind of sour, canned vegetables.

zaub tsuag (y) Cov zaub uas muab hau xyaw dej nkaus xwb: *Cov neeg laus nyiam noj thiab haus kua zaub tsuag xwb.*
[English] (n) Vegetable soup that cook with just plain water--no salt.

zaub txhwb (y) Ib hom zaub uas neeg siv los xyaw nqaij kom tsw qab: *Nws nyiam muab zaub txhwb tuav xyaw kua txob.*
[English] (n) Parsley.

zaub txhwb nyug (y) Ib hom zaub txhwb uas neeg siv los xyaw nqaij nyuj.
[English] (n) The bigger kind of parsley.

zaub txhwb qaib (y) Ib hom zaub txhwb uas neeg siv los xyaw nqaij kom tsw qab: *Nws nyiam muab zaub txhwb qaib tuav xyaw kua txob.*
[English] (n) Parsley; certain kind of seasoning herb.

zaub txig theem (y) Ib hom zaub uas neeg siv los xyaw nqaij: *Nws nyiam muab zaub txig theem los xyaw nqaij.*
[English] (n) Basil.

zaug[1] (y) Zaum uas xws li muaj dhau los; zaus: *Nws tuaj ob zaug ntawm peb.*
[English] (n) Time, instance, occurrence. Ex: She came here two times.

© 2003 Jay Xiong. All rights reserved.

zaug[2] (y) Ib hom tsiaj uas nyob rau tom hav zoov, thiab nws daim tawv muaj ib co nplai zoo li rau taw. Lub npe tiag~ yog hu ua kum zaug: *Nws pom ib tus zaug.*
[English] (n) Armadillo.

zaum (u) Muab lub pob tw mus nyob losyog txawb rau: *Nws zaum saum lub rooj.* (y) Tau ua losyog muaj dhau los; zaug: *Nws tuaj zaum no xwb.*
[English] (v) Sit. (n) Instance, occurrence, time.

zaus[1] (y) Lub sijhawm uas tau ua losyog muaj dhau los; zaug: *Nws tuaj ntau zaus.*
[English] (n) Time, instance, occurrence. Ex: He came here many times.

zaus[2] (y) Ua tej thooj losyog muaj ntau lub nyob ua ke: *Ib zaus qe qaib.*
[English] (n) Cluster.

zauv (y) Cov ntawv suav uas xws li 1, 2, 3 li tej ntawv; suav: *500 yog ntawv zauv hos "tsib puas" yog ntawv lus.*
[English] (n) Number, such as 1,2,3.

zawj[1] (u) Qawj uas zoo xws li lub yias; qis dua lawm qhov chaw: *Thaj av zawj ua ib lub pas dej.* (p) Yam uas zawj: *Ntawm thaj av zawj.*
[English] (v,adj) Depressed, such as sunk below the normal surface or region.

zawj[2] (u) Mus hais hauv tsev uas xws li thaum qis tsev hais poj niam tej; mus zov: *Lawv mus zawj tshoob.* (p) Mus hais hauv tsev: *Tsis nyiam tshoob zawj.*
[English] (v,adj) To go and negotiate inside at someone house or place.

zawj[3] (u) Nyob zov, ntsia losyog saib: *Tus tsov zawj tus npua teb.*
[English] (v) To watch or observe attentively.

zawm[1] (u,p) Muab xws li txoj hlua khi kom ceev losyog khi kom ruaj: *Txoj hlua zawm nws txhais tes.*
[English] (v) To tightening; to strap tightly (with a rope, for example).

zawm[2] (u) Muab xws li txhais tes nyem: *Nws zawm qaib lub caj pas.*
[English] (v) Squeeze, compress.

zaws[1] (u) Muab tes mus tuav, nyem thiab rub xws li kom tau cov noob losyog cov txiv los: *Nws zaws cov nplej.*
[English] (v) To grasp or grip as to strip off something.

zaws[2] (u) Muab rub losyog lauj mus, xws li thaum zaws nplej tej: *Lub tshuab zaws (muab rub) nws cov plaub hau.*
[English] (v) Pull. Ex: The machine pulls his hair.

zaws[3] (u) Muab tes mus nias; muab tes zuaj lub cev: *Nws zaws kuv lub plab.*

© 2003 Jay Xiong. All rights reserved.

[English] (v) Massage.

zawv[1] (u) Muab xws li dej los ntxuav kom dawb thiab huv: *Nws zawv cov txhuv.*
[English] (v) To wash or cleanse (rice before cooking, for example).

zawv[2] (u) Mob plab xws li thaum tso quav ua kua xwb: *Nws zawv plab ib hmos.*
[English] (v) To have diarrhea.

zawv plab (u) Mob plab uas xws li ua rau tso quav ua kua xwb: *Nws zawv plab.*
[English] (v) To have diarrhea.

zawv zawg (y) 1. Yam uas muab lub pobtw txawb rau es maj mam swb mus losyog txav mus xws li rau qhov chaw qis: *Txoj kev ntxhab~ es nws ua zawv zawg xwb.* 2. Tus losyog yam uas neeg siv los ua zawv zawg ntawv.
[English] (n) The act of sliding. 2. Slide.

ze[1] (u) Txheeb uas xws li thaum ub yog tawm hauv ib tsev neeg los: *Nej ze peb vim thaum ub peb koom pog thiab koom yawg.*
[English] (v) Close to; relate to, such as a relationship.

ze[2] (u) Nyob tsis deb ntawm; nyob ua ke: *Daim teb ze tus dej.* (pu) *Nws nyob ze ntawm lub pas daj.*
[English] (v) Being close to or nearby. (adv) Nearby, close to.

zeb[1] (y) Lub pob zeb uas neeg muab txua losyog txhim thiab siv los zom xws li nplej thiab pobkws tej: *Hmoob siv zeb los zom pob kws thiab nplej.*
[English] (n) A grinding machine (mill) made with two big pieces of stone.

zeb[2] (y) Cov pob zeb uas muaj nyob rau tom hav dej, roob tej: *Lub zos muaj zeb muaj tsua ntau heev.* Ib lub npe siv rau neeg.
[English] (n) Rock, stone. Also a proper name.

zeb cub (y) Cov pob zeb uas feem ntau yog muaj peb lub nyob ntawm lub qhov cub, thiab siv los txheem lub lauj kaub tej: *Peb lub zeb cub.*
[English] (n) The three rocks set in a triangular shape where there is no trivet and used chiefly for setting a pot on top when cooking.

zeb ho (y) Lub pob zeb uas neeg siv los hov riam tej: *Nws muaj ib lub zeb ho.*
[English] (n) Whetstone, snake stone; stone used for sharpening tools.

zeb ntais (y) Lub ntais uas yog siv ib daim pob zeb los mus txhuam rau ib daim hlau xws li kom tawm cov txim. Ces cov txim mam li los kub rau cov hau txhob--cov plaub mos~ thiab dawb~ uas muaj nyob ntawm cov kav.
[English] (n) A match (used in the very old age) which consists of a piece of

© 2003 Jay Xiong. All rights reserved.

stone and a piece of metal.

zeb qaub (y) Tej thooj dawb thiab zoo li zeb, tabsis nws qaub heev. Feem ntau neeg siv los tso rau hauv dej kom dej ntshiab: *Nws muaj ib thooj zeb qaub.*
***[English]** (n) A kind of crystal clear rocklike stones and it is very sour, and mostly used to clear muddy water or as a water softener.*

zeb raum* (y) Cov pob zeb losyog yam uas tawv xws li pob zeb muaj nyob rau hauv neeg lub raum: *Qee leej neeg muaj zeb raum.*
***[English]** (n) Kidney stone.*

zeb taub txuab (y) Cov pob zeb losyog kua pob zeb uas daj~: *Tus dej tsis zoo haus vim muaj zeb taub txuab ntau heev.*
***[English]** (n) Certain kind of rock having yellowish and soft grains.*

zeeg (u) Poob los rau xws li hauv av. Feem ntau yog siv los piav txog thaum cov nplooj ntoo poob ntawm tsob ntoo los rau hauv av: *Cov nplooj ntoo zeeg tas.*
***[English]** (v) Shed; to fall off naturally, such as old leaves.*

zeeg tshaws (pu) Zeeg thiab poob ntau heev: *Cua tshuab cov paj poob zeeg tshaws rau hauv av.*
***[English]** (adv) As if falling or shedding everywhere.*

zeem[1] (u) Tsis kam ua ntxiv lawm; tsum, txaus lawm: *Nws zeem lawm.*
***[English]** (v) Surrender, quit; to give up; enough.*

zeem[2] (u) Mus nug kom paub zoo seb txheeb thiab ze li cas: *Nws zeem kuv ua nws tus dab laug; lawv tuaj zeem nej ua kwvtij.*
***[English]** (v) To inquire; to introduce oneself to others as being related to.*

zees (pu) Ntau thiab ntev dhawv: *Nws muaj sia zees nyob.*
***[English]** (adv) Plentifully, abundantly.*

zej tsoom (y) Tej neeg pej xeem; neeg sawvdaws: *Zej tsoom tsis pom zoo.*
***[English]** (n) People, citizen, constituent.*

zej zog (y) Lub zos; thaj chaw uas neeg nyob ua ib zos: *Nej tej zejzog loj heev.*
***[English]** (n) City, town, village.*

zes[1] (u) 1. Muab tawb, thab losyog dag rau: *Nws zes tus menyuam.* 2. Thab losyog ua xws li kom tus menyuam quaj.
***[English]** (v) 1. Tease, joke with. 2. Pester, bother.*

zes[2] (u) Muab xws li hluav taws ua kom lwm yam chig losyog kub hnyiab: *Nws zes taws rau daim teb.*

© 2003 Jay Xiong. All rights reserved.

[English] (v) Ignite, light (to light a stove, for example).

zes[3] (y) 1. Lub chaw uas noog ua los pw losyog rau nws cov qe: *Ib lub zes noog.* 2. Lub losyog qhov chaw pw uas zoo xws li lub zes noog: *Lub zes npua.*
[English] (n) 1. Nest (bird nest, for example). 2. Any nest like place, such as the nest of a pig.

zes[4] (y) Tej thaj chaw uas nyob hauv liaj thiab muaj ntswg liaj los thaiv ncig xws li kom dej txhob qhuav lossis ntws tawm mus: *Nws muaj ntau zes liaj.*
[English] (n) Lot, plot, such as a piece of land having specific boundaries.

zia (y) Tej thooj uas nplaum thiab yog muab xws li cov kua faj khaum los tov rau lwm yam kua kom nplaum: *Ib thooj zia; neeg siv zia los cuab noog.*
[English] (n) Sticky or adhesive gum, mostly extracted from certain kind of tree (rubber tree or pine tree, for example).

ziab[1] (u) Muab tso rau qhov chaw sov losyog qhov chaw hnub ci tuaj rau xws li kom qhuav; zab: *Nws ziab cov khaub ncaws.*
[English] (v) Dry (he dries his clothes, for example).

ziab[2] (u) Cia cov sab hnub ci rau: *Nws ziab tshav ntuj ib hnub.*
[English] (v) To tan; to expose to the sun directly.

ziab[3] (u) Muab khuab cia; tsis tso mus losyog tsis pub kom plam; muab laug: *Nws ziab nws tus poj niam tas niaj tas xyoo.*
[English] (v) To hold (someone) back purposely from being successful; to purposely hinder (a person) by not letting him or her go.

ziab pag (u) Lub caij uas cov nplej tabtom tawg paj: *Daim teb nplej tabtom ziab pag.*
[English] (v) The time when the rice is blooming.

ziag (y,pu) Lub suab uas xws li thaum cov txiaj npib los sib tsoo es nrov.
[English] (n,adv) A sound of silver coins ringing or hitting each others.

zias[1] (pu) Muaj tsis tu; txhua lub caij: *Nws sau ntawv zias tseg; nws tswj sia zias.*
[English] (adv) Always, constantly.

zias[2] (u) Muab tes mus tuav; mus tuav xws li tus tw tej: *Nws zias nyuj tus tw.*
[English] (v) To hang (grab) on to something, esp. the tail or the end part of a rope, string, rod etc...

zib[1] (y) Cov kua uas nplaum thiab qab zib muaj nyob hauv tej txhia paj.
[English] (n) Any sweet viscid fluid produced by some flowers.

© 2003 Jay Xiong. All rights reserved.

zib[2] (y) Cov kua uas muaj nyob hauv xws li ntab thiab xub muv lub nas: *Zib ntab thiab zib muv qab zib heev.* Zib ntseeb, zib muv, zib ntab ltn...
[English] (n) Honey, such as produced by various bees.

zib muv (y) Cov zib uas muv ua nyob rau hauv nws lub nas: *Ib daim zib muv.*
[English] (n) Honey of certain bee.

zib ntab (y) Cov zib uas ntab ua nyob rau hauv nws lub nas: *Ib daim zib ntab.*
[English] (n) Honey of certain bee.

zig (pu) Muaj kua nrog xws li tsis tu: *Hnab dej nrog kua zig.*
[English] (adv) Used to describe a dripping or leaking situation.

zig qees (y,pu) Muaj suab nrov cuag li cas: *Cov menyuam quaj zig qees.*
[English] (n,adv) Noisily, boisterously.

zig zuag (y,pu) Lub suab uas mus chwv nplooj ntoos losyog nplooj nqeeb es nrov: *Kuv hnov tus dais maub zig zuag nram qabke.*
[English] (n,adv) A sound of someone's walking through a tall grassy field.

zij[1] (u) Muab tes rub lwm tus neeg kom mus losyog los: *Nws zij lawv tus ntxhais.*
[English] (v) Pull, yank, tug, as tp grab by the arm or hand.

zij[2] (u) Mus tsis ncaj rau lub hom phiaj: *Nws tua phom zij lawm.* (p) Yam uas zij.
[English] (v) Deviate (from a target, for example).

zij[3] (u) Qaij rau ib sab: *Tus pas zij lawm.* (p) Yam uas zij: *Koj txhos tau zij lawm.*
[English] (v) Slant, tilt, skew. (adj) Slanted, tilted.

zij de (p) 1. Zij mus rau ib sab; qaij, nkhaus: *Nws txhos tus pas zij de ntawm kev.* 2. Tsis ncaj; nkhaus. *Nws tho tau ib txoj kev zij de.*
[English] (adj) 1. Slanted, tilted, skewed. 2. Crooked, curvy.

zij doj-zij de (p) Zij mus, zij los xws li hla ib txoj kab; Nkhaus mus, nkhaus los.
[English] (adj) Zigzag.

zij nkab-zij nki (p) Zij mus, zij los uas xws li hla ib txoj kab; Nkhaus mus, los.
[English] (adj) Being or having a zigzag.

zij nkas (p) 1. Zij mus rau ib sab; qaij, nkhaus: *Nws txhos tus pas zij nkas ntawm kev.* 2. Tsis ncaj; nkhaus. *Nws tho tau ib txoj kev zij nkas.*
[English] (adj) 1. Slanted, tilted, skewed. 2. Crooked, curvy.

zim (pu) Uas xws li; zoo li ntawv. Feem ntau yog siv pab lo lus xws li kho siab xwb: *Noog quaj ua rau peb kho siab zim.*
[English] (adv) Much, such as to great extent or degree.

© 2003 Jay Xiong. All rights reserved.

zim txwv (y) Lub sijhawm; lub caij nyoog: *Txog lub zim txwv nws los tsev lawm.*
[English] (n) Time, such as the time to eat lunch.

zim zuag (p) Pom tsis zoo xws li muaj dabtsi thaiv; pom tsis tseeb: *Peb pom nws lub tsev zim zuag vim pos huab heev.*
[English] (adj) Blurry, dusky, such as can be see clearly.

zis (y) Cov dej losyog kua uas nyob hauv lub zais zis: *Nws cov zis daj heev.*
[English] (n) Urine.

zob (u) Muab rab riam majmam chais losyog hliav kom xws li tus xib xub kheej thiab du: *Nws zob xib xub.*
[English] (v) To create or make arrows by way of using knife to shave the unwanted part or portion (off the original bamboo pieces) so that the arrow is smooth and round.

zog[1] (y) Qhov uas ua rau neeg thiab tsiaj muaj peev xwm ua tau; yam uas ua rau neeg mus taus kev thiab kwv taus tej yam hnyav: *Neeg loj ces lub zog loj.*
[English] (n) Power, strength (physical strength, for example).

zog[2] (p) Siv los sib piv; ntau losyog tsawg dua: *Nws loj zog kuv; koj siab zog nws.*
[English] (adj) More (greater or lesser, for example).

zog[3] (y) Mus ua haujlwm losyog num rau lwm tus neeg: *Peb ua Suav zog.*
[English] (n) Work, employment; to work for someone.

zog[4*] (y) Tus ntawv suav uas siv nyob rau saum lwm tus ntawv suav: $2^2 = 4$, $2^4 = 16$, $2^8 = 256$, $5^3 = 125$ ltn...
[English] (n) To the power of; power. Ex: 2 to the power of 4 = 16.

zog[5] (pu) Ua kiag thiab siv pab cov lus xws li sau, sua ltn... *Nws sau zog.*
[English] (adv) Immediately, quickly.

zog[6] (pu) Muaj ntau losyog tshawg me ntsis tuaj: *Ntau zog, loj zog, me zog ltn...*
[English] (adv) More, less, such as different in size, extent, amount, volume.

zoj (u) Muab hlua los pav; muab hlua los khi ncig: *Muab hlua zoj nees lub nra.*
[English] (v) Strap, to wrap (things, for example) with ropes or strings.

zoj zeeg (pu) Pib ua losyog muaj tawm tuaj: *Nws thau pob su zoj zeeg.*
[English] (adv) To do or perform something, such as to begin the process.

zoj zis (pu) Ua kiag li; tis, xws li npe rau kiag: *Nws tis zoj zis lub npe tshiab.*
[English] (adv) Happening, such as labeling or calling someone.

zom[1] (u) Muab xws li lub qhov ncauj noj; muab ob sab hniav los tom: *Tshis*

© 2003 Jay Xiong. All rights reserved.

nyiam zom zaub thaum nws zaum xwb; nees zom zaub.
***[English]** (v) Digest, chew, gnaw.*

zom² (u) Muab lub zeb tig kom cov nplej losyog cov pobkws tawg ua tej daim me~: *Peb zom cov pobkws.*
***[English]** (v) Grind, esp. with a machine or a mill.*

zom³ (u) Nplaum, nyam: *Lub pas av zom heev.* (p) Yam uas zom ntawv.
***[English]** (v,adj) Sticky, such as mud.*

zom⁴* (y) Tus ntawv suav 1,000,000,000,000,000. Tus ntawv 10^{15}. (p) Siv los piav txog yam uas muaj npaum li: *Nws muaj zom nyiaj.*
***[English]** (n,adj) A cardinal number equal to 10^{15}.*

zom hniav (u) Muab cov hniav zom losyog sib tshiav: *Nws zom hniav thaum nws tsaug zog; nws zom hniav thaum nws chim.*
***[English]** (v) To grind or bite ones' teeth together.*

zom zaws (pu) Muaj cuag li cas; muaj ntau: *Lawv tuaj zom zaws.*
***[English]** (adv) Occurring or happening everywhere.*

zom zeb (u) Thawb lub zeb uas neeg ua los zom nplej thiab pobkws tej: *Peb zom zeb; nws mus zom zeb ib hnub.*
***[English]** (v) To grind (rice, corn, for example) by pushing and pulling on the Hmong crop grinder--made from two big pieces of stone.*

zoo¹ (u) Ntxim nyiam; tsis dab tuag; tsis phem: *Koj zoo heev.* (p) Tus neeg uas zoo. Lus rov: *Phem, dab tuag.*
***[English]** (v,adj) Pretty, handsome. Ant: Bad, ugly.*

zoo² (nu) Muaj tsos uas nyiam: *Lub txiv zoo noj; lub txaj zoo pw.*
***[English]** (aux. v) Good, okay, as being fit for or appropriate for.*

zoo³ (p) Tus neeg ncaj; muaj lub siab dawb; tsis siab phem: *Tus neeg zoo.*
***[English]** (adj) Righteous, honest, good.*

zoo⁴ (y) Hav zoov: *Tej tiaj zoo.*
***[English]** (n) Forest, jungle, in the wood.*

zoo⁵ (u) Tsis mob lawm: *Nws zoo vim nws noj tshuaj.* (p) Piav txog yam uas zoo: *Tsis muaj hnub zoo li.*
***[English]** (v,adj) Fine, well, such as not being sick or not having pain.*

zoo⁶ (u) Uas xws li; sib xws; muaj tsos zoo li: *Nees zoo li luav.*
***[English]** (v) Similar, like, resembling.*

© 2003 Jay Xiong. All rights reserved.

zoo meej* (u,p) Zoo, xws li tsis muaj ib yam phem losyog puas li.
[English] (adj) Perfect.

zoo nkauj (u) Ua rau ntxim nyiam losyog txaus nyiam; zoo xws li tsis muaj ib yam phem li: *Tus ntxhais zoon kauj heev; lub paj zoo nkauj heev.* (p) *Nws nyiam tus ntxhais zoo nkauj xwb.* Lus rov: *Dab tuag; phem.*
[English] (v,adj) Pretty, beautiful, attractive.

zoo nraug (u) Zoo xws li yog muaj lub cev thiab lub plhu zoo losyog ntxim nyiam: *Nws tus tub zoo nraug heev.* (p) *Nws nyiam tus neeg zoo nraug xwb.*
[English] (v) Handsome, good-looking, attractive. Used for men only.

zoo nyob (u) Ua rau zoo mloog xws li thaum tus poj niam thiab tus txivneej sibdeev tej.
[English] (v) Joyful, such as when having sexual intercourse; having ecstasy.

zoo siab (u) Ua rau tsis muaj kev nyuaj siab; ua rau siab kaj losyog zoo: *Nws zoo siab vim peb tuaj txog lawm; nws zoo siab vim nws tau nyiaj.* (p) Muaj kev luag xws li vim yog nyiam lossis ntxim siab: *Nws nyiam tus neeg zoo siab xwb.*
[English] (v,adj) Happy, joyful. Ant: Sad.

zooj[1] (u) Phom, tsis tawv, muag: *Daim tawv nyuj zooj heev.* (p) Yam uas zooj.
[English] (v,adj) Soft, tender.

zooj[2] (u) Nyob zov xws li tsis mus qhov twg; nyob ntsia ntsoov uas xws li tsis nti li; nyob saib thiab nyas: *Tus tsov zooj tus npua teb.*
[English] (v) To observe or watch, esp. in a stealthy way.

zooj nyoos (p) Muag thiab zooj heev: *Daim tawv nyuj zooj nyoos.*
[English] (adj) Soft, tender, such as can be easily chewed or cut.

zoov (y) Thaj av uas muaj ntoo ntau; daim av losyog qhov chaw uas muaj ntau tsob ntoo nyob ua ke; hav zoov.
[English] (n) Forest, jungle, woods.

zoov nuj txeeg (y) Muaj hav zoov loj thiab dav: *Tej hav zoov nuj txeeg.* Lo lus no feem ntau yog siv tomqab ntawm lo "hav" xwb.
[English] (n) Jungle; a big forest.

zos (y) Qhov chaw uas neeg nyob thiab muaj vajtse ntau: *Lub zos loj thiab dav.*
[English] (n) City, town, village.

zov (u) Nyob saib; saib uas tsis txav mus qhov twg; zuv: *Nws zov cov menyuam.*
[English] (v) To watch (a baby or house, for example); to baby-sit.

© 2003 Jay Xiong. All rights reserved.

zov qauv (y) Tus losyog cov neeg uas mus zov tus neeg tuag es kom tsis txhob muaj xws li yoov los tsaws: *Tus ntxhais thiab tus vauv yog ob tus zov qauv.*
***[English]** (n) The people who watch and oversee the deceased at the funeral.*

zuag[1] (u) Me thiab ntse heev uas xws li pem lub ntsis hmuv: *Rab hmuv zuag heev.* (p) Yam uas zuag. Ib lub npe siv rau cov ntxhais.
***[English]** (v) Sharp and pointy, esp. such as the tip of a knife, sword or arrow. (adj) Having such sharp or fine points. Also a proper name for girls.*

zuag[2] (y) Lub uas muaj cov hniav me~ nyob ua ib kab thiab neeg siv los ntsis plaubhau: *Nws muab lub zuag ntsis nws cov plaubhau.*
***[English]** (n) Comb, esp. a thin toothed strip used to comb hair.*

zuag[3] (y,pu) Lub suab uas xws li thaum tus nas losyog tsiaj dhia saum cov ntoo es nrov tej, xws li yog thaum nyuam qhuav los nag tu nrho ntawv.
***[English]** (n,adv) A sound of when an animal jumping on the tree (tree branches), esp. when the leaves are still wet.*

zuag[4] (u) Siv tes mus muab, sau, lob, tsuab los: *Nws zuag pes zog txhua yam.*
***[English]** (v) Grab, grasp. Ex: She grabs everything.*

zuag[5] (pu) Tsaus ntuj tsim tsawv lawm; tabtom yuav tsaus ntuj kiag uas xws li tsis tshua pomkev zoo lawm: *Nws tuaj txog thaum tsaus ntuj zuag.*
***[English]** (adv) Become dusked; in a dusked or dusky environment.*

zuag plias (p) Zuag uas xws li me~ thiab ntse~ heev: *Ib rab ntaj zuag plias.*
***[English]** (adj) Very sharp or pointy, esp. like the tip of a knife or sword.*

zuaj (u) 1. Muab tes majmam nias mus nias los: *Kuv zuaj nws lub plab.* 2. Muab tso rau hauv txhais xibtes ces muab txhais tes nyem.
***[English]** (v) 1. Massage. 2. Squeeze.*

zuam (y) Ib hom kab me~ thiab txawj tom , nqus ntshav, neeg thiab tsiaj: *Tus dev muaj zuam coob heev.*
***[English]** (n) Tick, esp. the bloodsucking insect.*

zuas (u) Xuas tes mus muab los; zuag lossis cev tes mus muab los; lob: *Nws zuas zog tau ib rab pas.*
***[English]** (v) Variant of "zuag"; to grab, grasp.*

zuav (u) Pluav mus rau hauv; zawj mus rau hauv; hmlos: *Lub thoob zuav lawm.* (p) *Muab lub thoob zuav pov tseg.*
***[English]** (v) To become dented, esp. inward. (adj) Dented, depressed.*

© 2003 Jay Xiong. All rights reserved.

zuj zog (pu) Muaj, txav, nce zuj zus tej: *Tus nas laum zuj zog tus ntoo.*
[English] (adv) Slowly (climbing slowly, for example).

zuj zuav (pu) Majmam txav mus txav los: *Nws txav zuj zuav los ntawm peb.*
[English] (adv) Slowly. Ex: He moves slowly toward us.

zuj zus (pu) Majmam txawv: *Nws mus zuj zus; nws loj zuj zus; nws phem zuj zus.*
[English] (adv) Greater or lesser in size, situation or condition.

zus (pu) Zuj zus: *Nws txav ze zus kuv. Nws phem zus; nws loj zus.*
[English] (adv) Greater or lesser in size, situation or condition.

zuv (u) <Lees> Zov, xws li zov tsev ltn... *Nwg tuab leeg zuv tsev.*
[English] (v) <Leng> To watch (a baby or a house, for example).

zwm[1] (u) Poob rau hauv; nyob rau hauv; xaus rau hauv: *Lawv lub tebchaws zwm rau lwm haiv neeg lawm.*
[English] (v) To fall into (someone else's possession, for example).

zwm[2] (u) Sau losyog los nyob rau ib qhov chaw: *Tus mob zwm rau hauv lub cev.*
[English] (v) To settle; to solidify (into one area, for example).

zwm keeb* (u) Zwm thiab khov uas zoo xws li xeeb keeb lawm.
[English] (v) Become permanently joined; become affixed permanently.

© 2003 Jay Xiong. All rights reserved.

QAUV SAU NTAWV

Kev sau ntawv kuj muaj ntau yam uas xws li kev hlub, kev nug moo, kev lag luam, thiab kev cog lus ltn...

Kuv yuav sau txog peb yam qauv uas xws li kev sis hlub, kev nug moo, thiab kev tshaj xo xwb.

QAUV SAU NTAWV SIB HLUB

Nraug Hnub Xyooj -------> Tus sau lub npe
1234 Kev Sib Nco -------> Qhov chaw tsev thiab txoj kev
Sib Tshua, Xeev Nco 76890 -------> Lub zos, xeev thiab thaj chaw xa ntawv
Peb Hlis 6, 2002 -------> Lub hli, hnub thiab xyoo

Nyob zoo Nkauj Hli:

Ua ntej tshaj kuv vam thiab cia siab tias koj tseem muaj kev noj qab thiab nyob zoo li yav tag los. Ntawm kuv los kuj tseem nyob zoo li qub, tsuas yog tias niaj hnub kuv xav hnov koj lub suab thiab xav pom koj lub ntsej muag luag ntxhi xwb.

Ntu no koj ua dab tsi lawm xwb, Nkauj Hli? Tsis hnov koj lub suab luag tau ntev los lawm es koj puas tseem nco txog kuv lawm thiab nab? Hos kuv mas yeej nco ntsoov koj txhua lub sij hawm. Yog lam txawj yaj losyog txia tau es cia kuv txia ntshis ua koj lub tsho kom txhua hnub kuv tau nyob nrog koj ua ib ke.

Yog yuav piav txog wb txoj kev hlub thiab kev nco, txawm sau kaum hnub thiab piav kaum hmo los ntshe yuav tsis tag, Nkauj Hli. Tabsis txawm li cas los, kuv vam thiab cia siab tias muaj ib hnub wb yeej yuav tau nyob ua ke mus ib sim.

Kawg no, thov kom koj tsuas muaj ntsib kev noj qab thiab pw sov. Sis tham dua lwm zaus.

Tus hlub koj,

Nraug Hnub Xyooj

QAUV SAU NTAWV NUG MOO

Nas Xyooj ---> Tus sau lub npe
1234 Kev Nug Moo ---> Qhov chaw tsev thiab txoj kev
Sib Tshua, Xeev Nco 76890 ---> Lub zos, xeev thiab thaj chaw xa ntawv
Peb Hlis 6, 2002 ----> Lub hli, hnub thiab xyoo

Nyob zoo niam thiab txiv:

Ua ntej tshaj kuv vam thiab cia siab tias neb tseem muaj kev noj qab thiab nyob zoo li yav tag los. Ntawm kuv los kuj tseem nyob zoo li qub thiab, tsuas yog tshuav qhov niaj hnub nco txog nej sawv daws xwb.

Ntu no neb ua dab tsi lawm xwb niam thiab txiv? Yuav txog caij noj Peb Caug es kuv vam thiab maj los pom nej heev. Vam tias nej sawvdaws puav leej tseem noj qab thiab nyob zoo.

Kawg no, thov kom nej tsuas ntsib kev noj qab thiab pw sov, thiab thov kom Huab Tais Tswv Ntuj nrog nraim nej txhua leej.

Tshua txog,

Tub Nas Xyooj

QAUV SAU NTAWV TSHAJ XO

Plaub Hlis 30, 2003

TXOG: Txhua leej

LOS NTAWM: Vam Lis Xyooj

Kuv zoo siab qhia thiab tshaj tawm rau nej sawvdaws paub tias hnub tim Ob, lub Peb Hlis, 2003, peb tau txais Tswv Nyiaj Thoj los ua tus saib xyuas peb cov nyiaj. Tswv Nyiaj ua hauj lwm txog kev saib nyiaj txiag tau 10 xyoo, thiab nws kawm tiav 5 xyoos ntawv txog kev ceev nyiaj txiag thiab kev ua lag luam.

Yog li no, thov nej sawvdaws pab kuv zoo siab thiab txais tos Tswv Nyiaj uas nws tau los koom peb lub tuam tsev hauj lwm.

Sample of Letter of Application to Employer

	Example
Return address	----> 456 Employee Street
City, State or Province Zip Code	----> Searchville, Newstate 67890
Date	----> January 14, 2010
Employer's Name	----> John Doe
Employer’s Title	----> Human Resource Manager
Company's name	----> WebTech, Inc
Address and street name	----> 1234 Employees Road
City, Sate or Province Postal Code	----> Hitech, Newstate 67890

Dear Mr. or Ms. Employer's last name:

Tell how you heard about the job opportunity. Explain why you are applying for the position. Point out any key experience that qualifies you for the position. Keep it short but descriptive.

Tell the employer why you are interested in the position, and also inform the employer that you have done some research about his company and mention at least one thing that you really like about his company.

State that a resume is enclosed for more information. Also offer to provide additional information, such as references and any other questions he may have, by providing a contact address, email or phone number.

Thank him for his time and also inform him that you will be calling within 5 days to ensure that he receives your letter.

Sincerely,

Your Name
Encl.

In life there is nothing more persuasive than hearing an actual voice and talking to a real person. Prepare what you want to say and say what have prepared. Practice until you talk in your sleep. Be positive and confident in your conversation. Believe that you are going to get the position. Here is a sample of the follow-up phone call:

"Hi Mr. Smith. Thanks for taking my call. My name is Jay Song and I am calling to see if you have received my letter of application I sent you on, mention the exact date and month you sent."

Pause and let the other person, Mr. Smith, talks.

Answer any questions he might have. Otherwise, just thank him for his valuable time and ensure him that you are not only looking to work for any company, but willing to work with a good company like his. As you have demonstrated with ABC Corp, you are reliable, initiative, creative and solution-oriented individual. Mention any promotions and rewards you have had here.

In a case where you call and he told you that the position is already filled, just be polite and ask him to consider you if there is any similar position arises in the near future. Last but not least is to ask him for a referral.

Sample of Resume

Your name
Address and street
City, State Zip code
Phone number
E-Mail and website

OBJECTIVE State what kind of position you are looking for
Example:
A position in computer programming

EDUCATION Type of degree, date you graduated
Example:
B.S. in Computer Science, June 30, 2003

WORK EXPERIENCE Company name, from date - current
Your title
Your job description, and key functions.

Example:
ABC Corp, January 20, 2000 - Current
Database Administrator

Provided daily database maintenance, performance tuning, and daily database backup. Developed and maintained programs written in ASP, VB, and PHP.

COMPUTER SOFTWARE VB, ASP, C, C++, and PHP

DATABASE Access, Informix, Oracle, and MySQL

OPERATING SYSTEM Windows 2000, Unix, and Linux

REFERENCE Available upon request

KAB TSHOOB KEV KOS

Tshab xo yuav tsum yog ob tus txiv neej thiab muab cov nyiaj raws li nram no:

1. $100 rau leej niam thiab $100 rau leej txiv
2. $40 Ntaus txhuv tsis paub faib
3. $20 Tsawb tshoob
4. $20 Tshab xo

Thaum mus txog ces xub mus tsab luam yeeb rau leej txiv thiab niam. Tag ntawv ces nug leej txiv seb lawv tus coj tshoob coj kos yog leej twg. Thaum nug tau tus ntawv lawd, ces piav qhia nws tias tus tub npe hu li no, txiv thiab niam hu li no, nyob lub zos hu li no tau tuaj coj tus ntxhais lub npe hu li no mus yuav lawm. Yog li, wb thiaj tuaj hais qhia rau neb ua niam thiab txiv kom tsis txhob txhawj thiab nrhiav txog tus ntxhais.

Hais txog kab tshoob kev kos mas nws muaj ob yam. Yam ib yog yus tus tub mus yuav lawv tus ntxhais; hos yam ob yog lawv tus tub tuaj yuav yus tus ntxhais.

A. Yog yus tus tub mus yuav lawv tus ntxhais.

1. Lwm Qaib
   Ua ntej thaum tus tub yuav coj tus nyab los nkag hauv lub tsev, yuav tsum tau muab ib tus qaib ciaj los lwm nkawv ob leeg. Qhov no yog cov neeg uas tseem ntseeg Dab lossis tseem coj kev cai ua Neeb xwb.

2. Thoob Xo. Xyuas "Tshab xo" uas sau dhau los sauv.
   Thaum muab lwm qaib tag lawm, yuav tau mus thov ob tus txiv neej mus hais, thoob xo, qhia tus ntxhais niam thiab txiv paub tias tus tub hu li no tau tuaj coj nkawv tus ntxhais hu li no mus yuav ua txij ua nkawm lawm.

3. Thaum Puv Peb Tag Kis
   Thaum coj tus ntxhais los nyob puv peb tag kis losyog peb hnub lawd, rov tau muab tus tub thiab tus nyab los hu plig thiab tis nkawv ua niam txiv.

4. Mej Koob thiab Cov Neeg Uas Mus Ua Tshoob
   Cov neeg uas yuav los mus lis rooj tshoob mas muaj raws li nram no:
   a. Tus tuam mej koob.
   b. Tus lwm mej koob.

c. Tus phij laj.
d. Tus niam tais ntsuab.
e. Tus niam txiv uas los lav lossis lees tshoob kos thiab lus.
f. Tus tub ev mov.

5. Tsa Mej Koob losyog Tsa Mej Zeej

6. Piam Sam
   Muab lus rau ob tus mej koob thiab hais lus thov nkawv mus laj tus ntxhais niam thiab txiv. Muaj nyiaj npaum li cas los yuav tau muab coj los suav thiab qhia rau ob tus mej koob paub thiab pom. Thaum kawg, yuav tau muab li tsib puas nyiaj rau ob tus mej koob tau coj mus siv.

7. Cov khoom ua tshoob
   a. Ib lub kaus dub.
   b. Ib txoj siv ceeb.
   c. Obpeb pob luam yeeb.
   d. Ob tus qaib ntim su.
   e. Ib tus qaib npws poj.
   f. Ob tus qaib qhia tsiaj.
   g. Ib qho roj thiab ib pob ntsev.
   h. Ib rab riam dab.

B. Yog lawv tus tub tuaj yuav yus tus ntxhais.

1. Mus hu tus txiv hlob losyog tus txiv ntxawm lossis tus paub txog kev tshoob kos tuaj txais lub xov ntawm ob tus neeg tuaj tshab xo.

2. Teem Tshoob.
   Ob tog los mus sib tham tias hnub twg thiab thaum twg mam li noj rooj tshoob. Yog yus tsis paub meej, yus mam li rov hu rau lawv los tau thiab.

3. Ob Tus Mej Koob*
   Yuav tau mus thov ob tus mej koob uas xws li tus tuam mej koob thiab tus lwm mej koob. Yus tog ntxhais yuav tsum muaj ob tug tib yam li tog tub.

* Hmoob Lees siv ib tug mej koob xwb.

COV CAWV HAUS NYOB RAU HAUV ROOJ TSHOOB

(Los ntawm Vaj Txoo Yaj)

Cov cawv haus muaj nyob rau hauv rooj tshoob muaj raws li nram no:

1. Niam tais thiab yawm txiv tus **cawv tos qhua.**
   Yog haus txais tos tus ntxhais, tus vauv thiab cov qhua.

2. Niam tais thiab yawm txiv tus **cawv mov dej txiag.**
   Yog ua rooj mov dej txiag rau cov qhua noj. Tus cawv no cov nraug vauv losyog cov qhua yuav tau ua niam tais thiab yawm txiv tsaug.

3. Nraug vauv tus cawv **poob plag** losyog **cawv luam xim.**
   Tus cawv no tog niam tais thiab yawm txiv yuav tau ua nraug vauv losyog cov qhua tsaug.

   a. Haus ib tus **cawv ceem**. Ib leeg haus ib khob xwb. Tus cawv no yog haus ceem losyog yuam kom sawvdaws nyob koom rooj tshoob thiab tsis txhob mus tsev.

4. Nraug vauv tus **cawv piam thaj.**
   Tus cawv no yog tus cawv uas nraug vauv los pe niam tais thiab yawm txiv.

5. Niam tais thiab yawm txiv tus **cawv piam sam** losyog **cawv nkaw lus.**
   Tus cawv no yog haus los qhia nraug vauv tias, niam tais thiab yawm txiv muab khoom phij cuam npaum li cas rau tus ntxhais.

6. **Cawv cheem qhua.**
   Tus cawv no yog haus los cheem nraug vauv kom nrog niam tais thiab yawm txiv nyob, xws li pw ib hmos.

7. Tus **cawv tsa mej zeeg** losyog **tsa qhua kev.**

Thaum hliv cawv thiab haus, nco ntsoov saib tus mej koob seb lawv haus thiab hliv mus seem twg. Tsis tag li ntawv, thaum mus zaum hauv rooj tshoob lawm, lawv tsis pub zaum quav tes thiab quav taw. Tsis tag li xwb, lawv txwv tsis pub siv lo lus tias “tas lossis tag” no. Lawv nyiam siv lo lus “meej” xwb.

Thaum Muaj Ib Tus Neeg Puv Ib Puas Nees Nkaum Xyoo

Hmoob lo lus tias, "Puv ib puas nees nkaum xyoo" yog txhais tias tuag. Thaum muaj ib tus neeg twg tuag lawm, yuav tsum muaj cov neeg los pab xws li nram no:

1. Tus Taw Kev.
   Tus taw kev yog tus xub los hais cov zaj taw kev rau tus neeg uas tuag.

2. Txiv Qeej.
   Tus txiv qeej los mus tshuab qeej tu siav.

3. Cuab Tsav.
   Ib tus txiv neej los laig dab qhuas. Tus neeg no yuav tsum yog ib tus kwv tij uas paub txog yus cov dab qhuas zoo xwb.

4. Kav Xwm.
   Ib tus txiv neej uas tuaj tswj losyog lis lub ntees tuag.

5. Txiv Txiag.
   Ib tus txiv neej uas los mus ua losyog txua lub hleb.

6. Tshwj Kab.
   Cov txiv neej uas tuaj txhoov nqaij thiab txhoov zaub.

7. Niam ua Mov.
   Ib tus poj niam uas tuaj ua mov. Feem ntau yog mus thov tus poj niam uas tsis muaj txiv xws li yog poj ntsuam losyog poj nrauj xwb.

8. Cov neeg txiav taws thiab kwv dej yog nyob rau tebchaws tsis muaj dej taws nyob rau hauv tsev.

Cov kev coj no yog siv rau cov neeg Hmoob uas tseem ntseeg Neeb losyog tseem coj Dab xwb. Cov neeg uas ntseeg Ntuj losyog lwm yam kev ntseeg, lawv kuj coj txawv li tau piav dhau los. Tsis tag li, ib lub tebchaws kuj coj txawv lawm ib yam thiab.

KEV UA TSAUG NYOB RAU HAUV TSHOOB KOS

(Los Ntawm Yawm Yij Vaj Txoo Yaj)

Kev ua tsaug mas muaj ob yam uas xws li thaum muaj tshoob kos thiab thaum muaj tus neeg uas puv ib puas nees nkaum xyoo–tuag losyog tas sim neej.

Kev ua Tsaug Nyob Rau Hauv Tshoob Kos.

1. Ua tsaug uas xws li thaum hais rau pluas mov dej txiag. Tog tub ua rau tus ntxhais niam thiab txiv.

Zaj Lus Hais

Ua tsaug txiv tuam mej koob. Niam txiv tom no noj tshoob taug tshoob kab, haus kos taug kos lw. Muab niag luaj rau niag ncoo, muab niag kab rau niag kev, raws nraim txoj mi kab tshoob kev kos. Niam txiv tom no, txo dej txo cawv, txo nqaij txo hno, noj quaj npws haus quaj npws. Niam txiv tom ub tsuas tuaj khaws noj khaws haus xwb es nyob tsam tu niam txiv siab mog.

Zaj Lus Teb

Ua tsaug txiv tuam mej koob. Niam txiv tom ub noj tshoob taug tshoob kab, haus kos taug kos lw. Muab niag luaj rau niag ncoo, muab niag kab rau niag kev, raws nraim liaj lwg rhwv mi txoj kab tshoob kev kos, ris dej ris cawv, ris dej ris hno tuaj rau niam txiv tom no noj quaj npws haus quaj npws, noj tsis feb haus tsis rov ntshe niam txiv tom ub tu siab mog.

Ua tsaug rau cov khoom thiab nyiaj uas xws li niam tais thiab yawm txiv muab rau tus tub thiab tus nyab.

Ua tsaug txiv tuam mej koob. Niam txiv tsis cia li, niam txiv tseem muab nees phij tsab, nyuj phij cuam rau niam txiv tub, niam txiv ntxhais coj mus ua neej. Yog txawj pug ces yuav coj plaub qaib mus ciaj plaub npua, plaub npua mus ciaj plaub nyuj, hauv toj ciaj hauv pes. Yog niam txiv tus tub tus ntxhais tsis txawj pug, ces coj mus xuam puam tag ntshai tseem yuav tuaj lauj niam lauj txiv. Hais tag no ces tus vauv yuav tsum pe.

2. KEV UA TSAUG THAUM MUAJ IB TUS NEEG TUAG

a. Tus Hais ua Tsaug.

Ua tsaug hvos mog, [nws lub npe]. Yeeb vim yog peb tsev xyom cuab muaj kev ploj kev tuag, kev puas kev ntsoog. Koj tsis cia li, koj xav neej xav tsav, xav deb xav dav, koj tseem khiav khuav tuaj pab hlub, pab nyiaj pab txiaj, thiab pab peb tsev xyom cuab ntas dab ntas qhua.

Yog hnub qab nram lub ntsis peb txawj ua neej ces, peb yuav nco koj tus txiaj tus ntsig; yog peb tsis txawj ua neej los peb yuav nco ntsoov koj tus txiaj tus ntsig mus ib txhiab ib txhis hvos mog.

Hais no tag ces pe ib pes. Yog muaj dej haus los yuav tau hliv ib nyuag khob pub rau nws haus. Ib txhia neeg coj kev cai Ntuj lawv tsis pe lawm, tabsis lawv tsuas ua tsaug thiab thov kom Vajtswv foom koob hmoov pub rau tus neeg tau tuaj pab nyiaj txiag.

b. Tus Hais Lus Teb

Tsis txhob ua tsaug mog vim yog nej xyom cuab muaj kev mob kev tuag, tsev puas tsev ntsoog. Nej tu ib saw puav tam dej nam dej sis lis law, nej nchuav ib nkog puav tam dej nam dej sis log. Kuv tsis txawj ua neej, muab yam tsis tsheej yam, muab tsi tsis tsheej tsi, tsuas yog coj lub ntsej lub muag tuaj nrog nej saib nej xyuas xwb. Tsis txhob ua tsaug tsam nkim lo lus tsaug xwb.

Thaum yus hais tag no ces yog tsis nrog tus ua yus tsaug pe ces tsuas rub nws tes lossis cheem nws thaum nws yuav pe yus kom nws txhob pe xwb.

KEV MUS HU TUS TXIV NEEB

Nov yog qauv mus thov tus txiv Neeb tuaj ua Neeb saib lossis ua Neeb kho. Mus thov tus txiv Neeb mas yuav tsum nqa cuaj tus xyab. Thaum mus txog hauv tus txiv neeb tsev lawd, muab cov xyab tso rau pem nws lub thaj neeb. Ces los nrog nws tham me ntsis txog kev noj qab thiab nyob zoo. Yog tus txiv neeb ho tsis nug txog tias vim li cas yus ho tuaj, los yus yuav tau piav qhia nws tias yog vim li cas yus thiaj tuaj ntawm nws tsev. Xws li tuaj thov kom nws mus pab ua ib thaj neeb. Yus yuav tau piav qhia nws tias yus xav kom nws mus ua neeb dabtsi, xws li neeb saib, neeb kho ltn...

"Cuag li tau xaiv tsis paub lus, tau uav tsis paub kuab, yuav vam koj mus pab ua ib thaj neeb (neeb saib, neeb kho rau tus neeg hu li no nyob hauv yus lub tsev)." Hais cov lus no tag ces pe thiab hais tias, "Thov koj ho mus pab thiab lauj" ces ho pe ib pes ntxiv. Yog nws lees mus ua uas xws li nws hais tias, "Sau twj tso es kuv mam tuaj pab koj." Yog nws lees thiab kam pab lawd, yus yuav tau rov pe dua thiab.

Thaum pe yog pe thiab hais tias, "Ua tsaug, hais tus txiv neeb lub npe, thov koj pab thiab." Tag li no ces ho hais tias, "Thov qhua nom qhua tswv, neeb txwg neeb laug.", ces pe zaum ob ntxiv.

Zaj lus "Kev mus thov tus txiv Neeb" no yog los ntawm tus yawm yij Vaj Txoo Yaj. Tej zaum txawv teb thiab txawv ntuj ces kuj yuav txawv txuj thiab. Yog tias yus tsis paub, yus yuav tsum mus nug cov neeg uas paub kom lawv ho qhia yus seb nyob rau lub tebchaws ntawv lawv ho coj thiab siv li cas.

KEV THOV TXOG HUAB TAIS NTUJ

Kev thov txog Ntuj losyog Huab Tais Ntuj nws muaj ntau yam xws li kev thov rau cov neeg muaj mob, kev khi tes, kev sib yuav, kev nyuaj siab, kev zoo siab, thiab kev noj mov li tej ntawv.

Kev thov Ntuj, ib tus neeg kuj thov txawv lawm ib yam. Qhov tseem ceeb ces tsuas muaj xws li nram no:

1. Hu txog nws lub npe; xws li: *Vaj Tswv Ntuj losyog Huab Tais Tswv Ntuj.*
2. Ua nws tsaug rau txhua yam uas nws tau pub thiab pab los.
3. Thov kom nws pab losyog foom koob hmoov rau yam yus xav tau.
4. Ua nws tsaug thiab thov txog nws los ntawm Yesxus Khestos lub npe.
5. Xaus lus tias "Ua li lossis Asmees."

Nram no yog ib zaj qauv uas thov txog thaum yuav noj ib pluas mov.

> *Hu txog Huab Tais Leej Txiv, Leej Tub Thiab Leej Ntuj Plig. Huab Tais Tswv Ntuj, uas yog peb leej txiv, ua koj tsaug uas koj tau pub kev noj qab thiab nyob zoo rau peb txhua leej txhua tus. Peb tau txais noj txais haus twb yog los ntawm koj kev foom koob hmoov.*
>
> *Tswv Ntuj, thov koj tso koj lub hwj huam rau peb pluas mov no; kom peb noj tag, peb yuav muaj sia, muaj zog, thiab muaj kev sib hlub lawv li koj tej lus tau sau tseg. Kawg no, thov koj rhuav tshem txhua yam uas yog peb noj yuav muaj mob hauv pluas mov no. Peb qhuas thiab thov txog koj los ntawm koj leej tub, peb tug Huab Tais Yesxus Khestos, lub npe zoo. Ua Li.*

Qhov tseem ceeb tshaj plaws, yog los ntawm yus txoj kev ntseeg. Yog yus ntseeg tag nrho yus lub siab thiab yeej vam txog nws tiag~, nws yeej yuav pab xwb. Tabsis, nco ntsoov tias, txawm nws tsis teb yus los nws yeej hnov lawm. Tsuas yog nws tsis pom zoo ua raws li yus cov lus thov xwb. Yog li no, thaum yus thov kom Tswv Ntuj pab, yus yuav tsum nco ntsoov hais tias, "Yog koj pom zoo, thov koj pab. Hos yog koj tsis pom zoo los kuv yeej yuav ua koj tsaug Tswv Ntuj."

Muaj ntau zaus thiab ntau yam uas peb xav tias yuav zoo rau peb, tabsis thaum peb tau losyog peb muaj lawm, peb ho rov tsis nyiam. Yog li, peb thiaj thov kom Huab Tais Tswv Ntuj pab yog nws pom thiab paub tias yuav zoo rau peb.

Qauv Txhais Lus Hmoob Ua Lus Askiv (English)

Hmoob cov lus feem ntau yog muab tus piav txog(p) losyog zaj lus piav ntawv tso tom qab ntawm yam (y) khoom. Hos lus Askiv mas ho yog tso ua ntej ntawm yam khoom (noun).

Hmoob	**Askiv (English)**
Tsev loj	Big house
Lub tsev tshiab	A new house
Tus dej tob thiab ntev	A deep and long river
Tus neeg loj thiab siab	A big and tall person
Koj yog tus neeg zoo	You are a good person

Hais txog cov lus ua (u) losyog Askiv (verb)

Hmoob	**Askiv**
Mus	go
Mus lawm	went, gone
Twb mus lawm	already went
Tab tom mus	is going
Yuav mus	will go
Tsis, txhob	don't or not
Tsis loj	not big

Hais txog cov lus piav ua (pu) losyog Askiv (adverb)

Mus **ceev** ceev	go **very** fast
Mus ceev **heev**	go **very** fast
Noj ntau **heev**	eat **very** much
Loj dua	bigger than
Maj mam mus kev	**slowly** walk
Txhob txwm mus	**purposely** go

Hais txog yav dhau los losyog Askiv (past tense)

Peb Hmoob siv lub sij hawm los qhia thiab tham tias thaum twg peb ua, twb ua dhau los losyog yuav ua nyob rau tom hauv ntej. Hos lus Askiv mas lawv siv cov lus txawv los qhia tias dhau, tamsim no, thiab yuav muaj tuaj ltn...

Hmoob	**Askiv**
Nag hmo kuv mus.	Yesterday I went (tsis yog go)
Nws twb noj lawm	He already ate (tsis yog eat)
Nag hmo nws txiav nws tus ntiv tes	Last night he cut his finger
Tsaib no peb mus nuv ntse	Last year we went fishing

Hais txog nim no losyog Askiv (present tense)

Hmoob	**Askiv**
Noj	eat
Mus	go
Nyob	stay
Nyiam	like

Hais txog yav pem suab losyog Askiv (future tense)

Hmoob	**Askiv**
Yuav	will
Yuav mus	will go
Yuav ua	will do
Mam	will
Mam mus	will go
Mam ua	will do

Ib cov qauv uas muab lus Hmoob txhais ua lus Askiv (English). Lus Askiv tsis muaj lo "nws." Lawv tsuas muaj lo tias "he, she, it" xwb. Lo uas ze lo "nws" ces yog lo "it", tabsis yog yam siv rau yam losyog khoom xwb. Yog li, Hmoob lo lus "nws" txhais tau ua lus Askiv tias "he" yog tus txiv neej; hos "she" yog tus tus poj niam.

Hmoob	**Askiv**
Tsev	house
Tsev zoo	good house or good home
Tsev kim	expensive house or expensive home
Kuv hlub koj.	I love you.
Kuv nco koj.	I miss you.
Kuv xav txog koj.	I think of you.
Kuv ntxub koj.	I hate you.
Kuv nyiam koj.	I like you.
Koj hu li cas?	what is your name?
Muab kuv.	give me.
Muab rau kuv.	give to me.
Nws mus ua num lawm.	he went to work.
Nws tab tom ua num.	he is working.
Nej tuaj thiab los hvov.	you come here, too.
Koj yog ib tus neeg siab ncaj.	you are an honest person.
Koj hais lus nrov dhau.	you speak too loud.
Koj tuaj txog thaum twg?	when did you get here?
Nws los txog ib tsam lawm.	he arrived a while already.
Nws los tsev.	he comes home.
Nws rov los tsev.	he comes back home.
Nws mus.	he goes.
Nws rov mus.	he goes back.
Nws lub tob hau mob	his head hurts.
Nws daj~ ntseg.	he is very pale.
Nws mob thiab nkees heev.	he is sick and very ill.
Tus neeg nplua nuj.	a wealthy person. A rich person.

Ib yam thiab ntau yam losyog Askiv (singular and plural)

Hmoob	**Askiv**
Ib phau ntawv	One book
Ob phau ntawv	Two books
Ntau phau ntawv	Many books
Ib tus kauv	One deer
Ob tus kauv	Two deer (tsis tso tus ‘s’ rau tom kawg)
Ntau tus ntses	Many fish (tsis yog fishes)

Yog yuav muab hais mas, Hmoob cov lus kuj yooj yim thiab tsis cov li lus Askiv. Yog twb hais tias "ob phau" ces tus neeg uas mloog twb paub tias ntau tshaj ib lawm. Hos yog nag hmo noj ces twb qhia rau tus neeg mloog paub tias dhau los lawm. Tabsis Askiv mas tseem muab sau tias, "Two books and yesterday I ate" no thiab. Vim li no, kawm ntawv Askiv nws nyuaj rau peb Hmoob losyog lwm haiv neeg kawg. Vim lus Askiv tsis muaj cov cai losyog tus qauv zoo. Hos peb cov lus ces tsis muaj hloov li; tsuas yog peb siv lub sij hawm thiab cov suav los qhia tus mloog tias thaum twg thiab npaum li cas xwb.

Txhais kom tau lub ntsiab xwb

Kev txhais lus tsis yog yooj yim vim nyias muaj nyias ib hom lus. Ntau lo kuj tsis muaj sib xws li. Yog li no, tsis txhob muab ib los txhais zuj zus mus. Tus neeg txawj thiab paub ob hom lus zoo, nws yuav mloog zaj lus kom zoo ces nws muab txhais lossis tig hais kom tau lub ntsiab xwb. Piv txwv li nram no:

Askiv	**Hmoob**
Long time have not seen you at all. How have you been? Hopefully, things are okay as usual. Good to see you again. Bye.	Ntev los lawm tsis tau pom koj li. Koj nyob li cas lawm? Vam ntsoov tias txhua yam zoo li qub. Zoo siab ntsib koj dua. Mus zoo.
The main point of the story. He used the table to hit me.	Lub ntsiab ntawm zaj dab neeg. Nws siv lub rooj ntaus kuv.

Cov lus uas txhais los no yog cov yooj yim xwb. Thaum ntau thiab muaj cov lus nyuaj lawm, yuav tsis txhais yooj yim li cov qauv no. Txawm li ntawv los, tsuav yog koj paub thiab to taub raws li nram no:

1) Nws qhov teeb meem, nws lub tswv yim thiab vim li cas nws thiaj hais cov lus ntawv.
2) Paub lub ntsiab losyog cov lus tseem ceeb ntawm nws zaj lus.
3) Xav kom meej thiab txhais kom tau cov ntsiab lus yuav zoo dua txhais nrawm tabsis tsis yog thiab tsis zoo.
4) Yog nco tsis tau zoo, sau cov ntsiab lus xws li xyoo, caij nyoog, npe, thiab muaj ntau npaum li cas tseg.

COV NTAWV LOSSIS LUS TSIM TSHIAB

pr = prwg

hv = Txhob ua li hvos.

suav = 1, 2, 3, 4 (Askiv yog number). Ib txhia neeg kuj siv lo tias “zauv” thiab.

zog = tus ntawv ‘^’. 2^4 txhais tau tias 2 txog rau zog 4 (Askiv yog power of)

suav feem = ½, 3/4, 5/8 7/6 (Askiv yog fraction)

suav seem = .450, .2342, .78553 (Askiv yog decimal number)

suav kheej = 1, 500, 10 (Askiv yog whole number)

teev = . (Askiv yog dot or a decimal point)

suav txooj = 2, 4, 6, 100 (Askiv yog even number)

suav tab = 1, 3, 5, 7, 11 (Askiv yog odd number)

feem pua = % (tus no yeej muaj lawm. Askiv yog percent)

lus txheeb = cov lus uas txhais muaj ntsis zoo tib yam. (Askiv yog synonym)

lus rov = cov lus uas txawv los yog hais rov qab. Lus rov ntawm lo zoo ces yog phem, hos loj ces yog me. (Askiv yog antonym)

S.N. = Sawv Ntxov (Askiv yog A.M.)

T.N. = Tsaus Ntuj (Askiv yog P.M.)

li tej ntawv = ltn... Lus Askiv yog “et cetera” losyog etc...

? = ntawv nug; xws li: *Nej mus qhov twg?*

! = ntawv qw losyog nthe; xws li: *Nab, koj lub tsho!*

: = ntawv xws li; xws li: *Nws muaj ob tus me nyuam: Tooj thiab Neeb.*

< = me dua; xws li: *5 < 10. Txhais tau tias 5 me dua 10.*

> = loj dua; xws li: *10 > 5. Txhais tau tias 10 loj dua 5.*

>= = loj dua losyog sib luag

<= = me dua losyog sib luag

= = npaum li; xws li: *3 + 2 = 5.*

+ = ntxiv; xws li: *3 + 2 losyog peb ntxiv ob.*

- = rho; xws li: *5 - 2 = 3.*

* = huam; xws li: *5 * 5 = 25.*

/ = faib; xws li: *10 / 2 = 5.*

% = feem pua

$ = duas. Nov yog suab Askiv.

~ = heev; xws li: *Nws mus ceev~. Nws phem~ kawg li.*

; = quas zaj; xws li: *Nws tuaj txog thaum twg; nws mam hu rau nej.*

, = quas lus; xws li: *Nws muaj nyuj, nees, npua, thiab dev.*

. = xaus lus losyog teev; xws li: *Kuv nco txog koj heev.*

‘ = kaw tus; xws li: *Kuv muab tus ‘3' sau yuav kev ua tus ‘8'.*

“ = kaw lo; xws li: *Kuv qhia koj tias kuv “hlub” koj ib leeg.*

(= liag laug
) = liag xis
{ = hneev laug
} = hneev xis
[= choj laug
] = choj xis
@ = ntawm
# = ntxais
^ = sauv
& = thiab
  = tus ntawv dawb (Askiv yog space or blank)
null = tus ntawv qhuav

Ntawv qaij ces yog cov ntawv xws li: *Nov yog ntawv qaij.*
Ntawv tuab ces yog cov ntawv xws li: **Nov yog ntawv tuab.**
Ntawv loj ces yog cov ntawv xws li: NOV YOG SAU NTAWV LOJ XWB.
Ntawv me ces yog cov ntawv xws li: nov yog sau ntawv me xwb.
Ntawv pua lua yog cov ntawv xws li: Nov yog sau ntawv pua lua.
Ntawv tsham yog cov ntawv sau xws li: ~~NOV YOG NTAWV TSHAM.~~

CAIJ NYOOG/SIJ HAWM

Ib xyoos muaj 12 lub hlis. Tsis tag li ntawv, ib xyoos nws muaj 52 lub lis piam. Ib hlis nws muaj 28 - 31 hnub. Lub Ib Hlis muaj 31 hnub, Ob Hlis muaj 28 losyog 29 hnub, Peb Hlis muaj 31, Plaub Hlis muaj 30 ltn...

Ib lis piam muaj 7 hnub. Ib hnub muaj 24 teev. Ib teev muaj 60 fiab. Ib fiab muaj 60 feeb. Tsawg tshaj feeb ces yog me feeb losyog Askiv hais tias "microsecond."

Hmoob	**Askiv**
Hnub no	Today
Nag hmo	Yesterday
Tag kis	Tomorrow
Lwm hnub	Someday
Tsaib no	Last year
Xyoo no	This year
Lwm Xyoo	Next year
Lwm zaus	Next time

TSUAS Losyog XIM (Askiv yog COLORS)

HMOOB	**Askiv**
Dawb	White
Dub	Black
Liab	Red
Ntsuab	Green
Daj	Yellow
Xiav	Blue

KEV NTSUAS (Askiv Measurement)

Dav	Width/wide
Siab	Height/high
Tuab	Thick/thickness
Tob	Depth/deep
Ntiav	Shallow/depth/deep
Ntev	Length/long
Luv	Short

HLI

Ib xyoos muaj kaum ob lub hlis.

Hmoob	**Askiv**
Ib Hlis	January
Ob Hlis	February
Peb Hlis	March
Plaub Hlis	April
Tsib Hlis	May
Rau Hli	June
Xya Hli	July
Yim Hli	August
Cuaj Hlis	September
Kaum Hli	October
Kaum Ib Hlis	November
Kaum Ob Hlis	December

LIS PIAM

Ib lub lis piam muaj xya hnub. Ib txhia neeg kuj siv lo lim tiam.

Hmoob	**Askiv**
Hnub Ib	Monday
Hnub Ob	Tuesday
Hnub Peb	Wednesday
Hnub Plaub	Thursday
Hnub Tsib	Friday
Hnub Rau	Saturday
Hnub Xya	Sunday
Lis piam (lim tiam)	Week
Lis xaus	Weekend
Hli	Month
Xyoo	Year
Xyoo txhiab (1000 xyoo)	millennium
Xyoo pua (100 xyoo)	century
Xyoo caum (10 xyoo)	decade
npij (suab Askiv)	bit
npaij (suab Askiv)	byte
lo	word
tshuab ntsuam	computer
zos tebchaws	capital of country
zos xeev	capital of state
is-ntawv	e-mail
foos (suab Askiv)	phone
teslesfoos (suab Askiv)	telephone
Misdabnaum (suab Askiv)	McDonald
pevxij (suab Askiv)	Pepsi

leej qhia = tus xib fwb; tus nai khu (Askiv yog teacher)

leej kawm = tus neeg uas kawm ntawv (Askiv yog student)

leej tswj qhia = tus thawj uas tswj hwm cov leej qhia (Askiv yog principal)

leej tswj = tus neeg uas tswj hwm thiab saib xyuas lwm cov neeg. (Askiv yog supervisor)

khoev (suab Askiv)	coke
npias (suab Askiv)	Beer
fev (suab Askiv)	fax
xisdis (suab Askiv)	CD
ntawv tshaj xo	memorandum
ntawv xov xwm	newspapers
ntawv cog lus	contract
ntawv sib yuav	marriage license
ntawv sib nrauj	divorce papers
tus	character
lo	word
kab	sentence
zag	Paragraph
phab	Page
tshooj	Chapter
phau	Book
nplooj	Piece of paper or page

Qauv Hais Kwv Txhiaj

Kwv txhiaj muaj ntau hom, xws li kwv txhiaj plees, kwv txhiaj ntsuag, thiab kwv txhiaj tsiv teb tsaws chaw ltn... Tsis tag li, cov suab hais los kuj tseem muaj ntau hom thiab. Ib zaj kwv txhiaj nws muaj li peb mus txog rau plaub txwg tej. Ib txwg muaj ob fab. Piv txwv:

Fab ib

Niab yai...cas mi noog w ya ntxuaj tw, es txawj ya tsis txawj tsaws. Yuav tsaws ntua tuaj rau nram **tiaj.** Es nkauj Hmoob, yog ncauj dag lom siab tsis deev, tsis txhob dag tas luag leej tub yuav nco nkauj Hmoob lom mus thawm **niaj.** [**Tiaj** thiab **Niaj** yuav tsum yog tib hom suab– **ia**]

Fab ob

Niab yai...cas mi noog w ya ntxuaj tw, es txawj ya tsis txawj tsaws. Yuav tsaws ntua tuaj rau nram **npoo.** Es nkauj Hmoob, yog ncauj dag lom siab tsis deev, tsis txhob dag tas luag leej tub yuav nco nkauj Hmoob lom mus thawm **xyoo.** [**Npoo** thiab **Xyoo** yuav tsum yog tib hom suab– **oo**]

Txwm nram no yog sau raws lub suab uas hais kwv txhiaj kiag.

Fab ib

Niab yai..... mi ntxhais nkaum Hmoob, nem rab mi teb room ntug no es nim txawm tau seb los twb txawm tsis tau **thuv**.

Ntxhais nkaum Hmoob, leem tub xav tsa ncaum nrog lawm kom hai los ntshai nkaum Hmoob lom tsis nyiam **kuv** mog.

Fab ob

Niab tab nob mi ntxhais nkaum Hmoob, nem rab mi teb room ntug no es nim txawm tau thuv los twb txawm tsis tau **seb**.

Ntxhais nkaum Hmoob, leem tub xav tsa ncaum nrog lawm kom hai los ntshai nkaum Hmoob lom tsis nyiam **peb** mog.

Hmoob Dawb thiab Hmoob Lees

Hmoob muaj ob hom lus xws li lus Hmoob Dawb thiab lus Hmoob Lees. Hmoob Dawb thiab Hmoob Lees hais lus muaj ntau lo tsis yog txawv lub suab xwb, tabsis tseem txawv tus ntawv thiab tus cim. Ntau lo kuj hais muaj lub suab zoo tib yam, tabsis txhais txawv. Xws li Hmoob Dawb lo "txav" yog txhais tias muab swb losyog tshem mus rau lwm qhov chaw. Hos Hmoob Lees lo "txav" yog txhais tias muab txiav losyog hlais kom tu.

Raws li kuv xam pom mas muaj plaub yam uas txawv nyob rau hauv Hmoob Dawb thiab Hmoob Lees cov lus raws li nram no:

1. Tus ntawv
   a. Hmoob Dawb tus 'D', Hmoob Lees tus "DL"
   b. Hmoob Dawb tus 'DH', Hmoob Lees tus "DLH"

2. Lub suab
   a. Hmoob Dawb 'a', "ia", Hmoob Lees "aa", 'a'
   b. Hmoob Dawb 'u', "o", Hmoob Lees "oo", 'u'

3. Tus cim
   a. Hmoob Dawb 's' xws li "lees, nws", Hmoob Lees 'g' xws li "leeg, nwg"
   b. Hmoob Dawb 'm' xws li "saum, ub", Hmoob Lees "sau, u"

4. Lo lus
   a. Hmoob Dawb hais tias "yawg laus thiab phauj" hos Hmoob Lees hais tias "txiv kwj hab puj nyaaj"
   b. Hmoob Dawb hais tias "me, niam" hos Hmoob Lees hais tias "miv, nam"

Muaj ntau lo uas Hmoob Dawb thiab Hmoob Lees kuj hais tib yam thiab txhais tib yam thiab. Xws li lub ntuj, pw, thov, tsev, nom tswv, mov, koj ltn...

Nram no yog ob peb lo lus uas txawv hais txog lub suab thiab tus cim uas ntawm Hmoob Dawb thiab Hmoob Lees.

Dawb	**Lees**	**Dawb**	**Lees**
hais	has	hmoob	moob
hnub	nub	lawv	puab
li	le	los nov	lug nuav
los tib neeg	log tuab neeg	lus	lug
me	miv	mi nyuam	miv nyuas
mloog	noog	mus	moog
nag	naag	nej	mej
nees (tus tsiaj)	neeg	neeg (tib neeg)	tuab neeg
niag ntawv	nam hov	niam	nam
nom tuam	num tuam	nqes	nqeg
nrog	nrug	ntiaj teb	nplaj teb
ntws	ntlwg	nws	nwg
nyiaj	nyaj	nyuag	nyuas
piav	pav	pav	paav
pom	pum	rau	rua
saum	sau	sawv daws	suav dlawg
sov	suv	tes	teg
tus hlob	tug hlub	tus hlub	tug hlub
thaum	thaus	thiab	hab
tib si	tuab si	tos	tog

Cov suab uas txawv ntawm Hmoob Dawb thiab Hmoob Lees

Hmoob Dawb	**Hmoob Lees**
o	o, u
a	aa
ia	a
ai	ai, a
u	u, oo

Cov ntawv uas txawv

Hmoob Dawb	**Hmoob Lees**
d	dl
hm	m
hn	n

Raws li hais dhau los, ntau lo lus uas Hmoob Dawb thiab Hmoob Lees kuj hais thiab siv mus tib yam. Yog li no, tsis txhob muab cov qauv thiab cov suab saum no mus hloov rau txhua~ lo lus. Hmoob Dawb thiab Hmoob Lees cov lus "mov, noj, nyuj, ntuj, mov, zaub, nom tswv, thiab zoo" kuj tsis sib txawv li.

Cov lus uas hais txawv thiab sau txawv tiag ces kuv ntseeg tias, tejzaum, muaj li 30% xwb. Dua li, Hmoob Dawb Thiab Hmoob Lees yeej sau thiab hais tibyam xwb. Hauv qab no, yog ib cov lus uas hais thiab sau sib txawv:

Hmoob Dawb	**xwsli**	**Hmoob Lees**	**xwsli**
o	tus os	u	tug us
a	txav	aa	txaav
ia	hnia, dhia	a	hna, dla
ai	qaib	a	tug lauv qab
u	mus	oo	moog

Hmoob Dawb	xwsli	Hmoob Lees	xwsli
d	dev, dab	dl	dlev, dlaab
dh	dhau, dhia	dlh	dhlau, dlha
hm	hmoov, Hmoob	m	moov, Moob
hn	hnav, hnub	n	naav, nub
nt	ntws, ntais	ndl	ndlwg, ndlais
nt	ntaiv, ntaub	nt	ntaiv, ntaub -- tsis txawv li.

Tsis yog txhua lo lus lossis txhua lub suab es muab hloov li tau hais los.
Tsuas yog qee lo lus thiaj hais txawv lossis sau txawv xwb.

Cov lus nram no yog ib co lus uas neeg paub thiab siv heev:

Hmoob Dawb	Hmoob Lees
a	aa
av	aav
ca	caa
cab	hai
cem	tshev
cia	ca
d	dl
da	dlaa
dag	dlaag
dhawv	dlhawv
diab	dlab
dias	dlag
diav	dlav
do	dlu, xwsli dlu zaub tej.
dob	dlob
faj	faaj
fiav	fav
fuaj cheej	fuam cheej
haum	hum
hauv	huv
hlob	hlub, xwsli nwg hlub kuv ob xyoos.
hlub	hlub, xwsli nwg hlub nwg tug quas puj heev.

Hmoob Dawb	**Hmoob Lees**
hmoo	moo
hmoob	moob
hmoov	moov
hnov	nov
hnub	nub
iab	ab
iav	av
kaj	kaaj
kam	kaam
kav	kaav
kho	khu
kiab	kab
ko tw	kua twv
kom	kuas
kos	xaabcum (lub kos).
lau	lauv, xwsli tug lauv qab.
lawv	puab, xwsli puab nyam mej hab.
li	le
liab	lab
los	log, xwsli puab log tug tuab neeg tuag.
los	lug, xwsli nws lug nuav hab.
luag	luas, xwsli luas tsig ua le.
me	miv, xwsli tsis loj.
me	miv, xwsli tus tsiaj miv.
menyuam	mivnyuas
minyuam	mivnyuas
mloog	noog, xwsli nwg noog peb has.
mos	mog
mus	moog
ncaj ncees	ncaaj nceeg
ncaj	ncaaj
nco	ncu
nej	mej
niaj	naj
niam hlob	puj laug, xwsli yus hlob tus poj niam.
niam hlob	nam hlub

Hmoob Dawb	Hmoob Lees
nim no	nwg nuav
nov	nuav
npaj	npaaj
npog	npug
ntais	ndlais
ntas	ndlaas, xwsli dlej ndlaas.
ntiajteb	nplajteb
ntiav	ndlav
ntiv	ndliv
ntsa	ntsaa
ntsia	ntsa
ntuag	ndluag
ntxias	ntxag
ntws	ndlwg
nws	nwg
nyiaj	nyaj
nyias	nyag
pab	paab
pav	paav
phauj	puj nyaaj
piav	pav
ploj	pluj
pog	puj
pom	pum
qha	qhaa
qhia	qha
qias	qas
rau	rua
sab	saab
saum	sau
sawvdaws	suavdlawg
siav	sav
sijhawm	sibhawm
suavdaws	suavdlawg
tab	taab
tag	taag

Hmoob Dawb	**Hmoob Lees**
tagkis	pigkig
tas nrho	taag nrho
tas	taag
thaum	thaus
thiab	hab
tiab	tab
tib	tuab, xwsli tuab leeg tub; tuab nub le.
tsa	tsaa
tshem	cem, xwsli muab lub hau lauj kaub tshem tawm mus.
tsis	tsi
twj ywm	tuab ywv
txav	txaav
txiav	txav
txib	khaiv
txiv	txiv, txwv
txoj	txuj
vajtswv	vaajtswv
xav	xaav
xub ntiag	xub ndlag
yawg laus	txiv kwj
yawg	yawm
zam	zaam
ziab	zab
zog	zug
zos	zog
zov	zuv

Yog yus tsis paub hais lus Hmoob Lees lossis lus Hmoob Dawb zoo, qhov zoo tshaj, yus hais yus cov lus xwb. Yog yus muab hloov thiab hais lwm tus neeg cov lus tsis meej thiab tsis yog ces haj yam ua rau luag mloog nyuaj thiab tsis paub.

Qauv Txhais Lus Hmoob Dawb Ua Lus Hmoob Lees

Hmoob Dawb:

Vajtswv yog tus uas hlub peb txhua leej tib neeg nyob hauv lub ntiaj teb no. Yog li, nws thiaj tso nws tus tub, Yexus Khetos, los tuag theej peb lub txhoj, thiab txhua yam kev txhaum. Yog leej twg ntseeg nws thiab hu txog nws lub npe, nws yeej yuav hlub thiab pab raws li nws cov lus sau tseg.

Tsis tag li ntawv xwb, nws tseem yuav foom koob hmoov rau cov tib neeg uas coj ncaj thiab ua zoo, kom lawv yuav ntsib kev noj qab thiab nyob zoo mus ib txhis. Tej no yog Vajtswv tej lus qhuab qhia kom peb paub tias Vajtswv yog tus muaj fwj chim thiab tsim tag txhua yam.

Moob Leeg:

Vaajtswv yog tug kws hlub peb txhua leej *tuab* neeg nyob *huv* lub *nplaj* teb *nuav*. Yog *le*, *nwg haj* tso *nwg* tug tub, Yexus Khetos, *lug* tuag theej peb lub txhoj *hab* txhua *yaam* kev txhum. Yog leej twg ntseeg *nwg hab* hu *txug nwg* lub npe, *nwg* yeej yuav hlub *hab paab lawv le nwg* cov lug sau tseg.

Tsis *taag le hov* xwb, *nwg* tseem yuav foom koob *moov rua* cov *tuab* neeg *kws* coj *ncaaj hab* ua zoo, *kuas puab* yuav ntsib kev noj *qaab hab* nyob zoo *moog* ib txhis. Tej *nuav* yog *Vaajtswv* tej *lug* qhuab *qha kuas* peb paub *tas Vaajtswv* yog tus muaj fwj chim *hab* tsim *taag* txhua *yaam*.

Hmoob Dlawb, Moob Leeg, Hmoob Dub, hab Moob Txaij los puav leej yog tib haiv neeg Hmoob xwb. Raws li kuv xav mas peb cov lus txawv, xws li lo “mus” thiab lo “moog”, ces yog lus txheeb (synonym) xwb. Peb siv lo twg los yeej yog lus Hmoob thiab txhais tib yam xwb. Qhov zoo, peb tsis txhob sib thuam lossis luag yog tias muaj lwm tus neeg nyiam muab ob hom lus no los sib txuam.

Piv txwv li nram no:

Kuv nam mus tsev lawm thiab kuv niam moog tsev lawm.
Mej yog Hmoob dab tsi thiab nej yog Moob dlaab tsi.

Yog ob hom lus xwb es peb twb kawm tsis tau, es peb yuav ua li cas peb thiaj muaj kev vam meej li luag lwm haiv neeg uas kawm thiab paub kaum tawm hom lus?

Muaj Ntau Hom Ntawv Sau

Ntawv muaj ob yam uas xws li yam loj (A-Z), thiab yam me (a-z). Tsis tas li no, tseem muaj sau txawv uas xws li nram no:

A B C D E F G H I J K L M N O P Q R S T U V W X Y Z
a b c d e f g h i j k l m n o p q r s t u v w x y z

A B C D E F G H I J K L M N O P Q R S T U V W X Y Z
a b c d e f g h i j k l m n o p q r s t u v w x y z

A B C D E F G H I J K L M N O P Q R S T U V W X Y Z
a b c d e f g h i j k l m n o p q r s t u v w x y z

A B C D E F G H I J K L M N O P Q R S T U V W X Y Z
a b c d e f g h i j k l m n o p q r s t u v w x y z

A B C D E F G H I J K L M N O P Q R S T U V W X Y Z
a b c d e f g h i j k l m n o p q r s t u v w x y z

A B C D E F G H I J K L M N O P Q R S T U V W X Y Z
a b c d e f g h i j k l m n o p q r s t u v w x y z

Cov Ntawv Suav Kuj Muaj Ib Hom Askiv Hu Ua Laus mas Nub maws laus. Losyog Lus Askiv yog "Roman Numerals" no. Cov Lausmas Suav No Muaj Raws Li Nram No:

NTAWV SUAV LAUSMAS

Lausmas	Suav	Lausmas	Suav	Lausmas	Suav	Lausmas	Suav
I	1	XI	11	X	10	I	1
II	2	XII	12	XX	20	X	10
III	3	XIII	13	XXX	30	L	50
IV	4	XIV	14	XL	40	C	100
V	5	XV	15	L	50	D	500
VI	6	XVI	16	LX	60	M	1000
VII	7	XVII	17	LXX	70		
VIII	8	XVIII	18	LXXX	80		
IX	9	XIX	19	XC	90		
X	10	XX	20	C	100		

Tus 4 yog sau tus ib I rho tawm ntawm tus V, xws li: IV
Tus 40 yog sau tus kaum X rho tawm ntawm tus tsib caug L, xws li: XL
90 = XC (Tus 10 rho tawm ntawm tus 100)
110 = CX (100 ntxiv tus 10)
400 = CD (100 rho tawm ntawm 500)
1000 = M
900 = CM (100 rho tawm ntawm tus 1000)

Ntawv suav	Hmoob	Askiv
0	voj	zero
1	ib	one
10	kaum	ten
20	nees nkaum	twenty
30	peb caug	thirty
40	plaub caug	forty
50	tsib caug	fifty
60	rau caum	sixty
70	xya caum	seventy
80	yim caum	eighty
90	cuaj caum	ninety
100	pua losyog puas	hundred
1000	txhiab	thousand
100,000	puas txhiab	hundred thousand
1,000,000	plhom	million (10^6)
1,000,000,000	nphom*	billion (10^9)
1,000,000,000,000	rhom*	trillion (10^{12})
	zom*	zillion

zom yog ib tus ntawv suav uas loj thiab tsis muaj kawg.
* = yog tsim tshiab

Hmoob	Askiv	Nqis
Phais	PI	3.1415926535897932384626433832795
npij	bit	1
npaij	byte	8-bit 255
Lo	word	16-bit 65535
Ob los	Dword	32-bit 4,294,967,295
mibdaws	meter	muaj 39.37 inches or 100 centimeters
xeestis	centimeter	100 centimeters muaj ib mibdaws
mislis	millimeter	1000 millimeters muaj ib mibdaws
taubtes	inch	2.54 centimeter
taw	foot	12 inches
yaj	yard	3 feet
mais	mile	5,280 feet or 1,609 meters

teev	hour	60 minutes
fiab	minute	60 seconds
feeb	second	1000 milliseconds

Hmoob	**Askiv**	**nqi**
yovtas	yotta	10^{24}
zevtas	zetta	10^{21}
evxas	exa	10^{18}
phestas	peta	10^{15}
theslas	tera	10^{12}
nkisnkas	giga	10^{9}
menkas	mega	10^{6} Xws li: 1000000
kislaus	kilo	10^{3} Xws li: 1000
kislaus npaij	kilobyte	1024

Lo lus kilobyte neeg muab sau nyob tias "KB" xwsli cov qauv nram no:

500 KB yog txhais tau tias muaj 500 * 1024 = 512000 bytes.

3KB yog 3 * 1024 = 3072 bytes.

Typical Computer Terms and Sizes

1 Bit = 1 or 0
1 Byte = 8 bits
1 Word = 2 bytes (16 bits)
1 Kilobyte (KB) = 1024 bytes
1 Megabyte (MB) = 1,048,576 bytes
1 Gigabyte (GB) = 1,073,741,824 bytes
1 Terabyte = 1,099,511,627,776 bytes
1 Petabyte = 1,125,899,906,842,624 bytes

Base Conversion

Decimal	Binary	Octal	Hex
1	1	1	1
2	10	2	2
3	11	3	3
4	100	4	4
5	101	5	5
6	110	6	6
7	111	7	7
8	1000	10	8
9	1001	11	9
10	1010	12	A
11	1011	13	B
12	1100	14	C
13	1101	15	D
14	1110	16	E
15	1111	17	F
100	1100100	144	64
255	11111111	377	FF
512	1000000000	1000	200
1024	10000000000	2000	400

Speed

1 Mile/Hour = 1.609 kilometer/hour
60 mile/hr = 96.56 kilometer/hr
100 mile/hr = 160.93 kilometer/hr

1 kilometer = 1,000 meters (0.6214 mile)
1 meter = 1,000 milimeters (100 centimeters)

Degree

1 Celsius = 33.8 degree farenheit

Area

1 acre = 0.4046 hectare

YUAV SAU NTAWV HMOOB SIB TXUAS LOS TSIS TXUAS?

Ntau leej kuj tau hais kom kuv muab peb cov lus Hmoob sau sib txuas yog tias ob peb lo lus ntawv txhais ib lub ntsiab lossis ib lo lus xwb. Ib txhia ho hais kom tsis txhob muab sib txuas vim peb cov lus txawv lwm cov lus uas muaj sib txuas.

Yog li no, sau phau ntawv no kuj ua rau kuv nyuaj siab thiab siv sijhawm hloov mus thiab hloov los ntau lwm kawg li. Txawm li cas los, cia kuv ho hais ob peb los rau nej sawvdaws xav.

Nej leej twg nyiam muab sau sib txuas los tau yog:

1. Tus ntawv tsiaj tsis ntau tshaj ib (d, m, n ltn...), xws li:
    a. Kwv tij ces muab sau ua kwvtij.
    b. Sawv daws ces muab sau ua sawvdaws.
    c. Leeg twg ces muab sau ua leejtwg.

Tsis txhob muab sau sib txuas yog:

1. Muaj tus ntawv tsiaj ntau tshaj ib (nc, txh, ntxh ltn...), xws li:
    a. Phoojywg. Phooj muaj "ph" ces ua rau nyeem nyuaj lawm.
    b. Txheejtxheem. Txheej muaj "txh" thiab txheem los muaj "txh".
    c. Tswvyim. Tswv muaj ob tus ntawv "ts" lawm.

Sau sib txuas ces yooj yim rau cov neeg tshawb cov lus, tabsis ho nyuaj rau cov neeg nyeem lawm. Tsis sau sib txuas ces yooj yim rau cov neeg nyeem, tabsis ho nyuaj rau cov neeg mus tshawb cov lus.

Hos hais txog lwm haiv neeg cov lus, xws li lo lus "America" ces muab sau ua "Amelikas", raws li Dr. Yaj Daus tau tawm tswv yim. Tsis tag li, Dr. Yaj Daus xav kom tsis txhob muab cov ntawv Hmoob no sau sib txuas vim lus Hmoob yog ib hom lus hais ua ib lub suab lossis ib lo lus ntau xwb.

Txiv Plig Nyiaj Pov

Thov ua tsaug ntau~ rau tus Txiv Plig Yves Pertrais npe Fabkis losyog (French); hos nws lub npe Hmoob yog Nyiaj Pov Yaj. Txiv Plig Nyiaj Pov yog ib tus neeg uas pab tsim peb cov ntawv Hmoob. Tus Txiv Plig no yog ib tus neeg uas muaj lub siab dav thiab pab peb haiv neeg Hmoob tsis yog hais txoj kev Ntseeg Huab Tais Ntuj xwb, nws tseem pab qhia txog kev ua noj, kev ua haus thiab pab tau peb Hmoob muaj kev kawm txawj ntse ntau~ leej. Yog tsis muaj nws, cov Phauj, thiab ntau leej Txiv Plig Fabkis uas tau tuaj pab Hmoob nyob rau tebchaws Lostsuas, ntshe peb Hmoob tseem ua neej poob qab deb heev tshaj niaj hnub no. Yog li no, nws lub npe, kev pab, thiab tej txiaj ntsig peb Hmoob tsim nyog yuav nco ntsoov mus ib txhis.

Txiv Plig Nyiaj Pov yog yug rau lub Xya Hli 30, 1930.

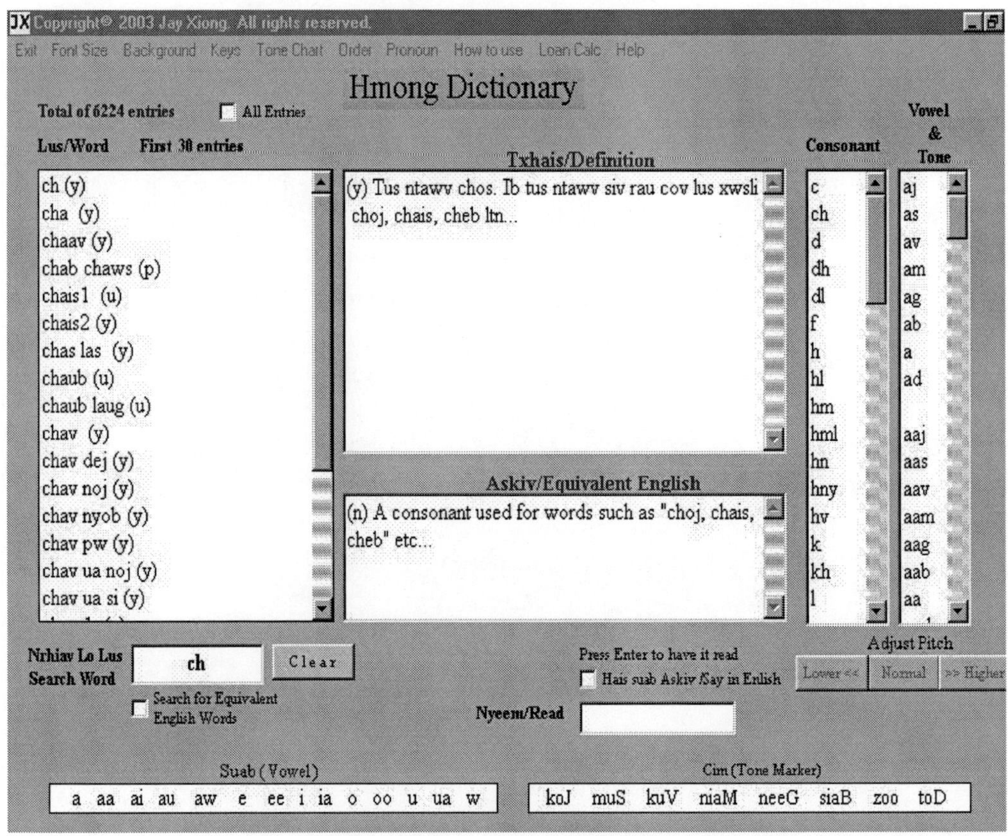

Phau ntawv Lus Hmoob Txais no kuv kuj tau muab sau ua ib qho computer program* uas yog muaj suab rau cov lus hais raws li nram qab no thiab. This Dictionary is also available as a computer program* which has sounds for the followings:

* **Tones** (cim), such as koJ, muS, kuV, niaM, neeG, Siab, Zoo, Tod.
* **Consonants** (ntawv tsiaj), such as c,ch, d, n, z ltn...
* **Vowels** (suab), such as a, e, aw, o ltn...
* **Pronouns** (ntawv tswv), such as kuv, koj, nej ltn...
* **Numbers** (ntawv suav), such as 0-Million (both in Hmong and English).

For more information, please visit us at: www.HmongDictionary.com

*Operating System Requirements:
Windows 98, Windows XP, Windows 2000, Windows NT

7756